空中飞船

儒勒·凡尔纳的《奇妙的漫游》

驶向未来

作为能源偶像的原子

《当风吹起之时》插图

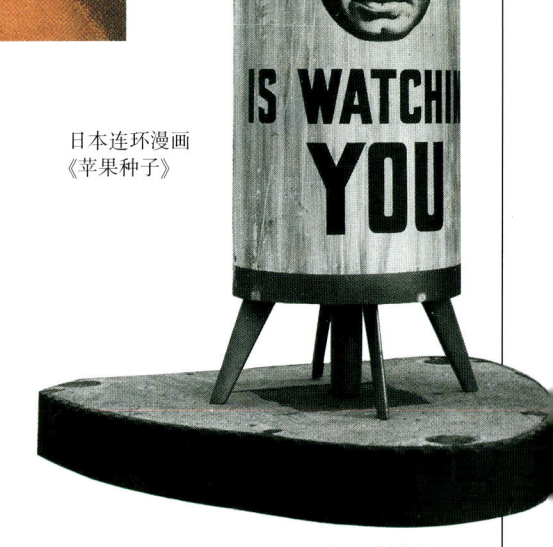

日本连环漫画《苹果种子》

《1984》插图

19世纪的"建筑机械"

彩图科幻百科

(英)约翰·克卢特 著

陈德民 魏华 罗汉 王怡 王晋 译

陈德民 审校

上海科技教育出版社

A DORLING KINDERSLEY BOOK

Science Fiction: The Illustrated Encyclopedia
策划编辑：Candida Frith-Macdonald, Tracie Lee
高级美术编辑：Lee Griffiths
设　计：Wendy Bartlet
总编辑：Krystyna Mayer
美术总编辑：Derek Coombes
图像设计：John Urling-Clark
数据处理设计：Cressida Joyce
制作经理：Ruth Charlton

First published in Great Britain in 1995 by Dorling Kindersley Limited,
9 Henrietta Street, London WC2 8PS
website address: www.dk.com
© 1995 Dorling Kindersley Limited, London
Text © 1995 John Clute
All rights reserved.
上海科技教育出版社获得本书中文简体字版版权

图书在版编目(CIP)数据

彩图科幻百科/(英)克卢特(Clute, J.)著;陈德民等译.
上海：上海科技教育出版社, 2003.7
书名原文：Science Fiction: The Illustrated Encyclopedia
ISBN 7-5428-2403-1

Ⅰ．彩…　Ⅱ．①克…②陈…　Ⅲ．科学幻想－作品－文学史－世界　Ⅳ．I109

中国版本图书馆CIP数据核字(2000)第48007号

彩图科幻百科

(英)约翰·克卢特　著
陈德民　魏华　罗汉　王怡　王晋　译
陈德民　审　校

责任编辑／焦　健　刘正兴
美术编辑／汤世梁

出　版／上海科技教育出版社
　　　　　(上海市冠生园路393号　邮政编码200235)
发　行／上海科技教育出版社
经　销／各地新华书店
印　刷／东莞新扬印刷有限公司
开　本／609×1066
印　张／20
字　数／600 000
版　次／2003年7月第1版
印　次／2003年7月第1次印刷
印　数／1—4 000
书　号／ISBN 7-5428-2403-1/N·388
图　字／09-2000-058号
定　价／185.00元

目　录

序言／6

第一章
展望未来
由今天和过去推测未来的
图示梗概

19世纪：威力巨大的机器／10
20世纪最初10年：未来的城市／12
20世纪10年代：空中帝国／14　■　20世纪20年代：大众交通／16
20世纪30年代：灿烂的梦想／18　■　20世纪40年代：原子时代／20
20世纪50年代：飞碟／22　■　20世纪60年代：梦想和理想／24
20世纪70年代：太空中的生命／26
20世纪80年代：玻璃罩下的生活／28
20世纪90年代：持续的能源／30

早期科幻作品中
的宇宙飞船

第二章
历史背景
以年表形式反映科幻文学的历史发展，
继之以对每一年代一个或数个相关主题的分析

科幻文学雏形／34　■　1800~1899：工业时代／36
失落的世界／38　■　科幻小说的演变／40
1900~1909：光辉灿烂的未来／42　■　未来战争故事／44
1910~1919：世界大战／46　■　阴云密布的世界／48
1920~1929：战争的后果／50　■　科学和发明／52
机器人、人形自动机器人和半机械人／54
1930~1939：萧条的10年／56　■　讽刺的利刃／58
时间旅行／60　■　可能世界／62
1940~1949：全球冲突／64　■　未来历史故事／66
1950~1959：白银时代／68　■　世界末日以后／70
1960~1969：虚构即事实／72　■　会思考的机器／74
宇宙飞行／76　■　1970~1979：探视内心／78
城市生活／80　■　别的星球／82
性别角色／84　■　1980~1989：新的开端／86

网络朋客 / 88 ■ 它们来自外层空间 / 90
1990~1994：面临新世纪 / 92 ■ 红色行星 / 94

第三章
影响较大的科幻杂志
科幻小说不同发展时期
影响较大的代表性杂志展示
早期的通俗科幻杂志 / 98
通俗科幻杂志的黄金时代 / 100
战后的繁荣 / 102 ■ 当代杂志 / 104

第四章
主要作家
以年表形式逐年列出发表的科幻小说、
小说主题、作家的处女作，继之以
各年代代表作家的概要介绍
1800~1899：科幻小说的诞生 / 108
1900~1924：20世纪的科幻文学体裁 / 116
1925~1949：科幻小说名称的诞生 / 120
1950~1954：光辉灿烂的新时代 / 130
1955~1959：科幻小说地位的确定 / 132
1960~1964：鼎盛时期 / 152
1965~1969：未来就在此时 / 154
1970~1974：下一代 / 174
1975~1979：科幻小说的同化 / 176
1980~1984：科幻小说的新时代 / 192
1985~1989：汇成巨流 / 194
1990~1994：迎接新千年 / 206

第五章
经典作品
精选各个时期的经典作品，
配以初版或早期版本的封面
早期的科幻小说 / 212 ■ 黄金时代的经典作品 / 214
20世纪50年代的经典作品 / 218
20世纪60年代的经典作品 / 222
20世纪70年代的经典作品 / 226
20世纪80年代的经典作品 / 230
20世纪90年代的经典作品 / 234

第六章
插图作品
展示科幻作品中插图风格的主流、连环漫画和图文小说
主要的插图画家 / 240 ■ 美国的连环漫画 / 242
欧洲的连环漫画 / 244 ■ 日本的连环漫画 / 246

《机器人罗比》

第七章
电 影
对每个时代的电影代表作
作概要介绍，并伴之以对影片主题的分析
早期的电影 / 250
视觉魔术 / 252
20世纪30年代的电影 / 254
发明家和冒险家 / 256
20世纪40年代的电影 / 258
停滞的年代 / 260
20世纪50年代的电影 / 262
外层空间与内心恐惧 / 264
20世纪60年代的电影 / 266
飞向星空 / 272
20世纪70年代的电影 / 274
把电影做大 / 280
20世纪80年代的电影 / 282
新的前提 / 288
20世纪90年代的电影 / 290
弗兰肯斯坦复活 / 292

第八章
科幻电视
电视小屏幕上的科幻片发展历史，
附简解和趋势分析
美国的科幻电视 / 296 ■ 捍卫今天 / 298
英国的科幻电视 / 300
傲视与反抗 / 302
欧洲和日本的科幻电视 / 304

术语 / 306
索引 / 307
致谢 / 318

《星际旅行：下一代》

序　言

无论从哪种意义上来说，这都是一个了不起的世纪，一个如万马奔腾般风驰电掣的世纪，现在我们已来到这一世纪之末。但是如何认识我们现在所处的位置，以及我们这一代人在历史上的作用，我们现在所做的一切其目的是什么，前进的目标又在何方，这些正是我们试图作出回答的问题。

在这漫长的20世纪的一个又一个10年里，数以千计的学者和作家们写下了千百万字的作品，试图回答上述这些问题，可是有时答案似乎比问题更令人困惑。人类显得忙忙碌碌，而且精神负担很重。人类自己比以往任何时候更为活跃。人口不断增长。人类变得更强大，更具危险性，更为快乐，更为孤寂，更具活力，也更死气沉沉。多种多样的对未来的憧憬和诱惑折磨着我们，成千上万种选择和方案摆在我们的面前。我们——作为人类——必须从中作出抉择，以确定我们究竟是谁，我们打算达到什么目的，以及我们需要多少个星球以容纳飞速膨胀的人口，使我们的儿女免于饥饿。

《当星球碰撞时》

权力的文学

我们现在所做的一切对未来的岁月都将产生直接而巨大的影响。怪不得科学幻想小说——据有些人的看法——可称为"世纪文学"。毕竟它是直接探求我们生活的这个时代的实质，描述我们现在行驶的权力的惟一一种小说体裁。同以往任何时代相比，今天我们作出的任何举动都会带来更大的后果。因为我们现在变得如此强大，人口又是如此众多；又因为我们拥有了彻底改变这个世界和我们自己的知识（其好坏不论），今天我们作出的每一个选择都会对明天带来前所未有的、具有冲击性的影响。我们整个人类确实具有了这样的力量。科学幻想小说给千千万万的读者带来了欢乐。本书讲述的就是关于这些故事的故事；但它也是这样一种文学体裁，它关注的焦点是我们共同拥有的既可怕又令人兴奋的，既有诱惑力又具巨大危险的力量。

《蝙蝠侠》

"SF"这一缩略语至少是3个用来描述通常发生在未来的故事之术语的首字母缩略语。它代表的有 Science Fiction（科学幻想小说），这几乎是我在本书中使用SF时一直所指的普遍意义。但对有些人来说，它也意指 Science Fantasy（科学荒诞小说），对此我未予以特别的注意。SF还可以用来指 Speculative Fiction（推理小说）。有的批评家认为这个术语比 Science Fiction 要好些，理由是它较准确，也希望他们的研究因此而更具严肃性。如果有哪位读者想用 Speculative Fiction 来代替本书中的 Science Fiction，那就敬请自便，这样做不会给本书的阅读带来什么误解。

有关用语的定义

无论我用SF这一缩略语指代的是"科学幻想小说"还是"推理小说"，我使用SF的意义是很简单的。任何一个描述还未成为现实的、改变了世界的故事就是SF故事。但这当中的两个词需稍作一下解释。

"world"（世界）这个词是指：SF是关于各个世界的，而不仅仅指各种场面。对狄更斯小说中的奥利弗·退斯特来说，找到他自己的真正的家可能是一个根本的变化，可是这个变化并没有改变制约着这一世界的法则的本质。但是，如果奥利弗是外星人的话——比如史蒂文·斯皮尔伯格的《外星人》中那个迷路的孩子——在他找到回家的飞船后，整个世界就可能改变了，因为我们知道我们的世界并不是惟一的，而这一知识也会改变我们所有人的未来。

《谁到那里去？》

另一个词是"argue"(主张、认为)。SF 是关于可能世界之变化的文学,无论其出现的可能性多么低;它是指跨越千年的沙礁进入勇敢新世纪历史的可能的延续。如果故事的结果是拉里·尼文的"圆环世界"中围绕太阳的巨大圆环是由邪恶的北欧神祇洛基原先设置的,那么他的书就是荒诞故事而决非科学幻想小说了,无论他对圆环旋转的描写是多么逼真。科幻小说作家呈现在我们面前的改变了的世界与当代科学的语言、假设和认识是一致的,或者说与我们的这一深刻意识是一致的,即人类历史是一个不断延续的现实,这一历史在我们了解的现实基础上不断变化着。优秀的科幻小说叙述的是:如果甲成立的话,那么乙就有可能发生。如果物理学告诉我们黑洞是存在的,那么"虫洞"就有可能出现。如果人类历史确实产生过独裁者,那么《1984》的故事就有可能发生。

优秀的科幻小说——即本书要向读者介绍的内容——可以是极为有趣的,亦或有严肃的劝诫作用;它可以向我们提供引人入胜的思想历程以打发时光,或者从眼前的政治推断出未来的反面乌托邦社会;它可以提供对明天世界的新视野,或者引发对今后千万年形形色色的世界的憧憬;它可以有警示作用,也可以有抚慰作用。因为它面对着未来向我们吹来的风,因此它可以使我们熟悉在这特别的世纪之末构成我们生活的重要的伟大事实。这一伟大的事实,如我前面已经说过的,就是变化。

科幻小说体裁的发展过程

《彩图科幻百科》是一本关于千千万万个未来故事的介绍性读物。它从几个世纪前的"科幻小说雏形"开始,然后进入 19 世纪。这时科幻小说体裁开始成形,这见于玛丽·雪莱、儒勒·凡尔纳和 H·G·威尔斯创作的作品;但本书的重点是 20 世纪。我们可以看到,这一体裁是怎样在美国最后确定下来的,美国的科幻小说又是怎样推向全世界的;我们也可以看到科幻小说在其他国家的发展,以及不同类型的科幻小说之间的差别,等等。我们会看到,早期的科幻小说作家是怎样对未来作出猜测的。但是我们要记住,重要的并不是猜测正确与否,因为科幻小说作家不是未来学家,他们从未假充过未来学家——重要的是猜测过程给人们带来的激动、兴奋和惊喜。

本书详细检阅了这一成熟的当代小说体裁,包括数百位活跃的作家、电影制片人、编辑和出版者,是他们推动了科幻小说欣欣向荣的发展。他们的作品也完全经得起考验。有许多故事是非常精彩的,当然也有一些平庸之作;关于未来的推测有的颇具先见之明,但也有一些显然猜测有误。但是,我们一而再、再而三地向读者显示了这一事实:科幻小说指引着我们去展望未来;可它没有告诉我们一定要去展望什么。科幻小说是窗口,不是景点。

关于本书的编撰

和其他既有文字又有插图的图书一样,《彩图科幻百科》也是许多人协力合作的成果。在书后可以看到长长的表示我的诚挚谢意的致谢名单。但是我趁此机会还想补充说明一点,与我合作的编辑和设计小组显然是《彩图科幻百科》的合作创作者。尽管本书的文字是我写的,而且有关本书的内容以及任何失误或疏漏均应该由我负责,但我在此书成书的过程中一直带着深切的谢意,并认识到这些文字只不过是一个复杂的、且在不断继续的任务的一部分而已。

约翰·克卢特

《美妙的新世界》

《奇想和科幻小说》杂志空间站

《闪电戈登》

第一章

展望未来

对科幻小说的看法毁之者有，誉之者亦有，但都认为它是对未来的预测，不过这一看法未必公道。科幻小说从未真正把目标定位于告诉人们：何时我们或许能够抵达其他星球，或开发新技术，或遇见外星人。科幻小说只是对我们为什么可能想去做这一切，以及它们对我们的生活和我们居住的星球可能带来的后果作出推测。

本章以每10年为一个时段，通过对科幻小说、政治家以及该时期的新闻和所发生的事件的介绍来反映这一世纪中人类的希望和恐惧。其中有的是无端的幻想猜测，在今天看来不值一哂；有的和后来的现实相比则是如此接近。

上图：20世纪20年代的香烟牌
左图：电影《想象的翅膀》剧照

19世纪：威力巨大的机器

当19世纪来临之时，我们的地球看上去和以前的许多世纪差不多。人口在增长，但还未达到爆炸的程度。蒸汽机已发明，但火车和跨山越水的铁路还没有出现。特拉法尔加战役时，双方用的还是帆船。但是在表面的一致后面，变革的巨大引擎开始震天动地地鸣响起来。

随着这一世纪的向前发展，看起来似乎是——或早或晚——总有人会发明什么来对付每一个挑战，而且他们不久就会挺身而出的。这一世纪的后半叶确实出现了一股革新的浪潮。这毕竟是诸如托马斯·阿尔瓦·爱迪生一类天才大展宏图之时。但隐藏在每一个发明背后的，是成百个带着推测的梦想。以前从未有过——或许今后也不会有——对拥有如此强大的功能、而且能把我们送往四面八方的机械表现出如此巨大的狂喜和热忱。

未来的出租车
要乘出租车吗？没有比这更简单的了。你只需走到窗口，向空中海贝招手即可。

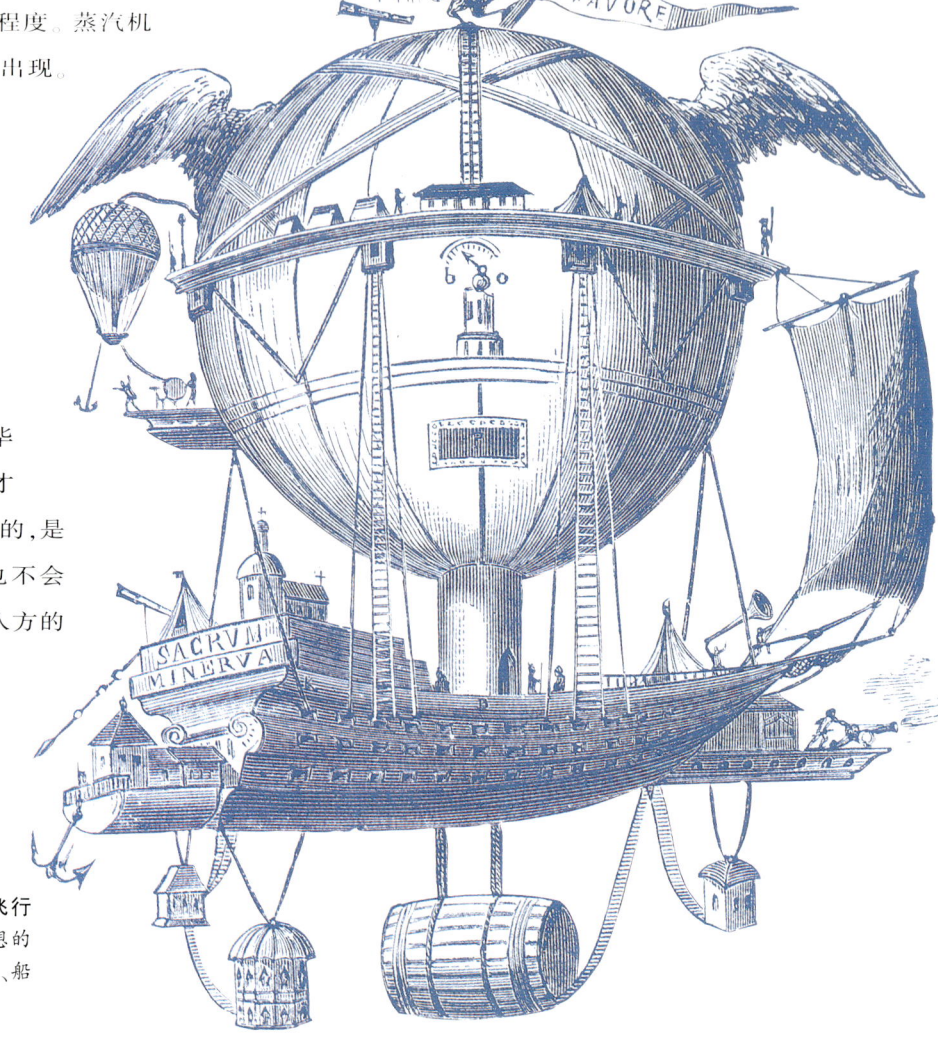

幻想的飞行
这里，在选自于《永不飞翔的思想动物寓言集》的空想的货轮中，新旧世界交会了。请注意用拉丁语写的标记、船锚、挂在船底下面的小屋及船翼。

教人背书的机械
19世纪将结束时，围绕着思想家们的一个主要问题是规则的一致性。当时日益明显的是，机械运转得很好，因为它们机械地重复着同样的动作——旋转，嘎嚓嘎嚓滚动，翻转，编织——反复不停。同样的原则亦适用于对儿童的教育。左图选自法国的收藏卡，是一个笑话。尽管如此，它并未掩盖这里面所揭示的一个严重问题：死记硬背的教育方法使人的大脑变得像机器一样机械。

造房子用的机械

这一幻想同"教人背书的机械"的思路一样,选自同一套收藏卡,但这里的场面更为开阔。图中显示的内容似乎既简单又极为详尽,这一类的想象不久就受到了诸如W·希思·鲁滨逊和鲁布·戈德堡等插图画家的嘲讽,但是其基本原理是绝对严肃的。一个建筑师只需按动键钮,就可以建造起一座和设计要求一模一样的楼房。

眼见为实

该图所示是我们对自身未来的展望,如今已到处在对可视电话进行试验性促销了。该装置可能很复杂,其图像可能过大了些,但卡通画家抓住了一个具有实际意义的问题:在私人家里,突然面对一个闯入的显示屏,怎样的行为才是合情合理的?

机械耕作

旧的习惯要过很长时间才会消失。如图,我们看到一个由蒸汽驱动的机器人正拖着犁耙在耕作,当时拖拉机还没有出现。这个耕地机器人和"草原蒸汽人"颇为相似,后者在19世纪后期一角钱一本的小说中随处可见。

20世纪最初10年：未来的城市

随着20世纪的来临，科幻小说作家们和插图画家们开始对即将出现的巨大变革作出反应。看来越来越明显的是，西方世界的大城市将会成为——好歹不论——世界上最伟大的变革发生的场所。如果千百万人能够居住在一起，那么他们也有可能一起走向死亡。如果用钢筋水泥建造起来的高楼大厦能够高耸入云，那么它们也有可能在顷刻间轰然倒塌。如果说那些超大城市，如伦敦、巴黎或纽约，代表的是人类对新世纪的希望，那么它们也代表了对现存的一切可能会毁于一旦的恐惧。在后来的10年里，这种希望和恐惧并存的现象几乎成为现实。

猛然觉醒

经过几个世纪的漫长睡眠后，H·G·威尔斯的《当沉睡者醒来之时》中的主角终于醒过来了。他第一眼就看到了那个"世界城市"：巨大无比，层层相叠，上面覆盖着屋顶，拥挤不堪，整个是一个由钢铁铸成的洞穴。

失去的自由

约翰·埃姆斯·米切尔在1889年创作他的《最后一个美国人》时，自由女神像竖立在纽约市的港口已经整整3年了。公元2951年，一支阿拉伯探险队访问具有历史意义的美国遗址，发现了传说中的Nu-Yok(努约)，他们爬上了已破损的女神像的内部。在该书1902年版的精装本中，插图画家F·W·里德描绘的自由女神像呈现的是一幅悲伤的画面。她带着迷惘呆痴的眼神，望着包围着这座死亡城市的、如沙漠般的海洋。

天空中的城市

在温莎·麦凯异想天开的想象中——他是《梦乡中的小尼莫》的作者,故事中尼莫在梦中到过许多富有生气的、具有超现实主义色彩的地方——未来的城市不停地膨胀扩大,到后来,"人们只能住到山顶上去了"。图中他描绘的显然是曼哈顿南端的一角,那儿看上去只是一座高山露出的一个顶端而已。

城市丛林

老鼠、蜥蜴和人类——幸存者的部落,赤裸着身体在搜寻食物——这就是温莎·麦凯对"当城市走向毁灭后"的城市生活的想象。那倒塌的办公楼,满地的沙石瓦砾,与前苏联后几代人的公寓住房颇为相似。

新的探索者

在米切尔的作品中,一位探险者对已成为废墟的纽约这样写道:"城市的范围之大令人震惊……在我们的周围,朝任何一个方向望去,目力所及之处除了废墟外还是废墟。没有比这更为凄凉的场面了……我无法再写下去了。"

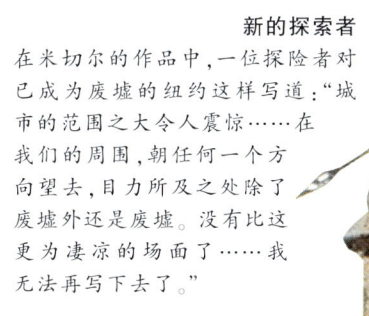

20世纪10年代：空中帝国

在西方文明史上，人类上天飞翔的梦想是从伊卡洛斯开始的；后由诸如罗杰·培根和列奥纳多·达·芬奇等幻想家进一步加以发展。这一梦想变为现实则开始于1783年的法国，那时蒙戈尔菲耶兄弟开始把气球送往空中，气球先是载运动物；后来在1783年10月，气球载着他们两人飞越了巴黎上空。

在莱特兄弟驾驶着第一架能够飞翔的机械腾空而起时，人们已经发明出了千百种形状怪异的飞行装置，而且有好几种已经颇为完善。在以后的几十年里，这样的梦想仍然接连不断。

但奇怪的是，好像莱特兄弟从未到过这世界一般，这些梦想家们对航空的现实极少予以关注。他们幻想的空中飞船体积庞大，难以操纵，且制造费用昂贵。比早期的汽车——当时的汽车上仍然有固定装置供放置皮鞭之用——有过之而无不及的是，20世纪初人们想象的飞行是以直觉经验为基础的。今天我们知道，那时的人们制造出来的东西就是空中旅馆、无畏战舰和家园，那是一个大大缩小了的世界。

海上停泊站
许多人都梦想过有一个海上停泊站，但没人想到过协和式飞机。

空中飞船
这是法国收藏卡中颇为有趣的一张。忘掉莱特兄弟吧！忘掉他们的越空飞行的飞机吧！试想一架类似空中轮船的飞机，给它装上一个舵轮，配上一个舵手，再装上一个罗经柜。试想它像一只飞鸟，给它装上可以扑动的翅膀，在前部和顶部再装上推进器，在中间再安置一个很大的特等客舱，现在起飞吧！

梦想成真
如左图，浪漫战胜了现实。尽管艺术家所描绘的飞机与莱特兄弟在1903年12月17日升上天空的机械颇为相似，但地面的景象与兄弟俩在基蒂霍克那荒凉的、但还较为平坦安全的飞行场地并不相同。但有两个主要方面是一致的：这飞机不是气球或滑翔机；而且它是由动力操纵的。还有一点空想家要花点时间才会注意到：该飞机的设计堪称一流，是一架会飞翔的机械。

对氢的希望

要不是氢是可燃气体,而氦又价格昂贵,使得飞艇——如齐柏林飞艇那样的能够自动推进、腾空飞行的航空器——具有先天的不安全性或不经济性的话,我们今天或许会乘着这样的飞艇在空中航行,安逸舒适,安安稳稳地抵达目的地。(当然,我们应忽略空中飞船这一超大型结构,实际上会压垮整个飞船这一点。)

空中城市

有五个翼状的组合,每个组合都拥有7层楼房;推进器比许多建筑物要高得多;甲板上有可以容纳约10万人的场所;供散步的走道有几百米长,这或许是印在纸上的最为异想天开的飞行热昏梦了。它来自于《梦乡中的小尼莫》的作者温莎·麦凯极为丰富的想像力。它在哪里着陆?它怎么转弯?那就顾不上了!

20世纪20年代：大众交通

交通发展方面的变化实在令人眼花缭乱,不再需要作家们去编撰那么多的故事。因此,在那个年代,那些载着人们环游地球或飞出地球、实在难以使人接受的飞行装置是作家们信手拈来、草草描绘而成的,这一事实并不令人奇怪。另一方面,插图画家们则扬扬得意于自己的猜测想象,这一切从1926年起出现在新出版的通俗科幻小说杂志上。这类杂志都大量刊载插图,给那些关于未来旅行的想像力丰富的图画留下了版面。

如果略去太空旅行不论,到了20世纪20年代,对插图画家们来说,显然交通就是把人们——大批大批的人们——从一个旅游胜地送到另一个旅游胜地。20年代关于未来旅行的大多数画面的一个突出点是以城市作为背景。换言之,交通不再是一种孤独的探索旅游。既然这一世界已经布满人类足迹,打洞入地,上天飞翔,耕地播种,那么把人们送往地球四面八方的新的运输方式实际上可以被视为是一种新的来往方式。

瞄准星星
在有些人看来,地球的范围太狭窄了,火箭技术在经历着一场复兴。

旋转船
在这一海轮中包含着好几个设想。它使人们对密西西比的明轮产生怀旧的联想。它包含着陀螺的稳定性的概念。它还包括了这样一种意识,即需要一种能在空中漂浮的气球,以使得这个巨轮高高悬垂于水面之上。除了这一切以外,它还有一个未表达出来的意思,即这样一个靠不住的装置还需要精心建造的码头设施。

钢轨公路
到1920年,这一幻想在好几个美国城市已经成为现实。高架铁路像钢筋蜘蛛网般穿越城市中心,不过没有一条铁路是单轨的。

一个新的阿特兰蒂斯

这是对未来颇为复杂的事物的展望。1927年林德伯格单人驾机飞越大西洋的壮举顿时引起人们强烈的怀旧情绪。但这一梦想是壮丽的:一座巨大的宾馆大楼,稳稳地建造了一座坚固的浮动码头上,取的是沉没海中的大陆"阿特兰蒂斯"的名字。双翼机在楼顶上降落,客人们在这一巨型建筑的5个层面(或者说甲板)上悠闲地散着步。

驶向未来

这一想象中的未来有些令人奇怪之处:驾驶座位在汽车的右边(如英国那样),汽车在必须靠右行驶的地方(如在世界其他各地那样)冲下公路。而且插图画家对英吉利海底隧道的建成满怀信心。不过,除去很显眼的铆钉以外,这汽车看上去颇像一辆巨型别克轿车。

想象中的飞行

显然,插图画家把飞机视为会飞行的轮船。真的,20世纪30年代的快速飞机还真有点儿和这一猜测相似。不过还没有人成功地做到如何在机翼的前沿装上窗户,而且机翼又是那么厚实。

20世纪30年代：灿烂的梦想

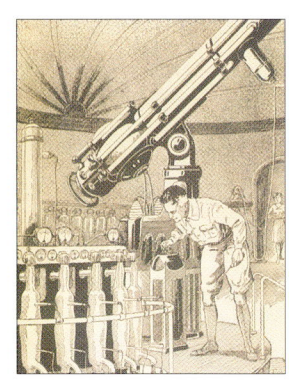

来自空中的动力
《奇异故事》杂志这样描绘风力涡轮机；该系统极为复杂，其中包括一种全新的成分，能向人类提供洁净的、免费使用的动力。

对未来的展望总是包括预测和梦想两个方面，尽管有时候在对我们自己的展望进行审视时很难分清哪个是预测，哪个是梦想。但是或许由于现在我们和30年代已经相隔半个多世纪，我们不妨可以尝试着分析一下，科幻小说作家和插图画家在那10年中作出的预测今天有多少已经成为现实。如今技术方面已经有了长足的进步。我们发现了新的元素，发明了新的机械和交通运输方式；这一切多少和猜测很接近。但是在我们观察他们提出的梦想时，情形就大不相同了。

在20世纪30年代——这是经济大萧条、世界大战迫在眉睫的10年——伟大的梦想是我们有一个清洁的未来。世界将成为一个大花园，由一条条光闪闪的干线连接起来，道路上不会留下任何油腻和污垢。这一梦想的最佳体现是1939年的纽约世界博览会，会场上展示了巨型的雕塑和由通用汽车公司制造的、一尘不染的由汽车驱动的"未来奇观"。

令人困惑的未来
半个世纪以后，这一原载于《奇异故事》杂志上的有关未来城市画面上的矛盾之处颇为明显。画面前景的人物穿着宽外袍，可建筑却使人想起1910年前后的式样，而交通工具又是由反引力驱动的。

20世纪30年代：灿烂的梦想·19

新秩序

这是好莱坞电影中未来一座大城市星光闪烁的夜景。一个穿着无可挑剔的女飞行员正在和一位穿着同样无可挑剔的男子亲密地交谈着。她的私人飞机——显然不需要她亲自驾驶——在自动导航飞行，以低于最高建筑物的高度穿越大都会的中心。左边，一座巨大的、靠支柱支撑的天桥架在建筑物之间；地面的一条多通道的超级公路上，数千辆汽车在单向行驶着。我们看这座城市的视线所处的方位太高，因此无法看到下面的行人。20世纪30年代美国的失业率很高，社会极不稳定，这和世界上其他地方一样：未来的任务是控制可能即将爆发的大混乱。

通向未来的公路

这10年里在对拥有强大能量的未来的展望中颇为典型的是，对城市的视角常常从交通出发。在这选自一组香烟牌的小小插图中，我们可以看到远远的大海中有一艘轮船；一架飞机即将在位于城市商业区的机场降落；一条高速公路的隧道在一条大河下穿过；一列市区的火车正停靠在终点站；直快列车正穿越与公路平行的隧道前行。我们看不到浓烟，看不到拥挤的交通，也没见到拥挤的人流。这是梦想：人们梦想在有交通运输的地方，生活是如此安全、健康、有条不紊。科幻小说作家把这一梦想带入了太空。这一展望中所隐含的焦躁不安的情绪似乎在影响着今天。

快了更快

如图所示，以净化的交通运输占主导的未来主题对人们的想象来说是极为清晰和很有诱惑力的。今天我们或许会对由连绵的树林和草地隔开的银色高塔嗤之以鼻，因为我们居住的世界在这样的景象面前显得太拥挤了。但是占据着这一前景的视野确实具有科学幻想的性质。这是一辆速度快、无噪声、运载量大的列车。铁路建造在公用道路上，由一种效率很高的驱动力——强磁所驱动。

20世纪40年代：原子时代

科学幻想小说对于原子及原子能开发的态度是复杂多样的，包括从狂喜到绝望。人们狂喜是因为人类即将征服驱动宇宙运转的能源；而人们绝望则是因为像我们这样脆弱的人类，可以肯定地说，不会负责任地使用这一新发现的动力能源。每一种反应都是有道理的，但也都具有其片面性。在如此复杂的巨大挑战面前，这是很自然的。

科幻小说作家确实知道某些关键的事实，而且不断地予以戏剧化。他们知道，我们无法拒绝我们已经获得的知识；他们知道，星球只向那些敢于去捕捉几近无限的奥秘的人们开放。他们也知道，核弹会迅速地把我们毁灭，而工业污染也会一步一步地毁灭我们。科学幻想小说给人的最重要的教训是，原子能不仅仅是属于我们这一行星的。原子的家园是整个宇宙。

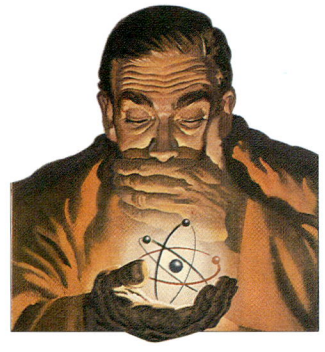

时代的象征
这一选自《奇异故事》杂志的插图，显示了原子是如何成为代表能源的偶像的。

利用原子能
它是丑陋的。它是危险的。它是无能的。它污染着我们的行星。它的废弃物污染着地球的地表和海洋。如果原子位于高高的运行轨道之上，把能量像激光那样送到地球上供人类使用，同时把其废弃物扔到炽热的太阳上去，那我们的行星就会变成一个天堂。图中是一座核电厂。

原子核家庭
这几个人为什么在笑？他们是在往下走，还是往上走？如果他们在往上走，那他们就死了；如果他们在往下走，他们也会死的。在20世纪40年代和50年代，在整个发达世界，到处建造了像这类看上去很笨重、如洞穴般的防核扩散的遮蔽所。在美国的部分中产阶级聚居区，大多数家庭都有这样的设施。这类设施建造在地窖或后院里，里面储备着罐头食品、水、睡具、电池、盖革计数器和收音机。我们都极为幸运，这一切从来都没用过。事实上，这些防空洞几乎是毫无作用的。

核蘑菇云

第二次世界大战中,愤怒的美国人将两颗原子弹扔向日本的广岛和长崎。但今天更多的蘑菇云飘荡在我们的天空,因为有些国家继续在大气层进行原子弹试验。可是在20世纪末的时候,只有疯子或原教旨主义者仍在梦想着启动原子武器。

20世纪50年代：飞碟

尽管不明飞行物(UFOs)在19世纪就被人们观察到了，那时它的形状颇像空中飞船，可是第一个真正的热潮开始于20世纪50年代。这时又加上了外星人飞行员，而且它们还在地球上住了下来。许许多多人相信，驾驶着某种飞碟的外星人访问过地球，而且还有许许多多人认为他们看到过不明飞行物的飞行或着陆。

或许由于科幻小说作家从事的是关于有可能发生的同样题材虚构作品的创作，因此在牵涉到不明飞行物时他们极为谨慎。科幻小说作家及其读者似乎都清楚地意识到，"可能的"和"真实的"完全不是一回事。即便如此，某些科幻小说作家创作的外星人实际上比传说的居住在大多数飞碟上的外星人更为可信。

有一个很古老的说法，可以说没有哪一位科幻作家会对这一点持有疑义：事实比虚构更为奇妙和陌生。关于人们所相信的他们看到过不明飞行物中最为令人失望的一点是，它们远远不如虚构的那样奇妙。

淘气的外星人
刊登于《惊险故事》杂志封面的凯利·弗里亚斯的小绿人在弗雷德里克·布朗的喜剧故事《火星人回家》中，给人类带来了多少麻烦！

慈悲使命
1951年摄制的电影《来自X行星的人》中的外星人显得颇为可怜，这在20世纪70年代以前拍摄的电影中是很少见的。他为拯救那个凝固了的星球所发出的呼吁注定无人理睬。最后，军队把这个孤独的天外来客和它的飞船都毁灭了。

熟悉的陌生者

H·G·威尔斯1898年出版的《星际战争》是第一部把外星人描写得颇为可信的科幻小说,而且为它们离开自己的行星提供了一个合理的动机:它们需要地球上的绿地,而且为了获得这些绿地将把我们消灭掉。不明飞行物和威尔斯的火星人之间的差别是:不明飞行物的内情是不为人所知的(但是可能也了无趣味),而火星人对我们来说则是太熟悉了。我们了解火星,我们知道火星人掠夺土地的欲望,我们也知道其使用的手段。就像威尔斯所了解的英国人一样,他的火星人生来就是帝国主义者。威尔斯的火星人在英国着陆是很自然的。可是在1953年摄制的电影中,它们着陆的地点却是美国。

照相机在骗人

因为我们对不明飞行物基本上是一无所知的,还因为相信这一现象的人们可以被描述为是追求信仰的信仰者,因此骗局是相当常见的。有两个迹象可以说明飞碟学的狂热爱好者的特征:他们很容易受骗,因为他们如此地坚信不疑;而且事实上,他们也确实经常受骗——对他们来说受骗次数多少并不重要,因为后一幅照片几乎就很可能是真的了。这一张引起过巨大轰动的照片1952年摄于秘鲁。毫无疑问,它经不起任何分析:这个飞船是这么大,拖在后面的尾流是如此粗,整个郡的人都应该能够看到。但是有人依然对此表示相信。

陌生的飞船

为了看上去像是来自外星球,科幻小说插图同不明飞行物一样,也需要去寻找人类所无法实现的东西。这一《新世纪》杂志封面上经过修改的齐柏林飞艇或许是用反引力驱动的,这几乎是不可能存在的。

20世纪60年代：梦想和理想

近年来，对20世纪60年代的怀旧成为一些人的目标，新的影片以及老的摇滚乐影片满怀伤感回忆一代嬉皮士。这或许是对那个时代的梦想和幻想作一番认真审视的好时候；这或许是本世纪里还保留着一些对未来的崇高希望的最后一个10年了。

那时有一种普遍的乐观情绪，一种认为事情只会变得更好的信仰。这种乐观主义的意义我们暂且不论，但它在20世纪的大部分时间里深深地影响了西方文化，尤其是科学幻想小说。从留着胡须的叛逆者到思想界的巨匠，60年代的活动家们都相信这世界真的有可能——而且真的会——通过每个人的道德行为而变得更好。这是一个美好的梦想。

月球上的足印
梦想变成了现实：人类的足印留在了月球上。下一步，人类将走向太空。

欢庆的感觉
任何年纪稍长一些、能够出席于1969年在纽约州伍德斯托克举行的大型摇滚乐音乐会的人不会不希望自己确确实实地经历了这一切。那次活动有成千上万的人出席，倾听着具有革命性的音乐，狂饮滥喝，吸食毒品，做爱。他们赤裸着身体，浑身湿淋淋，兴奋至极。以往死气沉沉的精神桎梏已被打碎，永远地打碎了。确确实实是这样。

未来的胜利
我们现在已经忘记的、或许可能错误地认定的东西，那时被有意地作为滑稽可笑的玩意儿，就是那基本信仰——《星际战争》的原创者的信仰——他们在制作关于理智的和美国生活方式的胜利的系列剧。星际飞船"企业号"及其船员的任务是把民主的、烦琐的哲学带到其他的星球上去，而且在那里竭力捍卫之。

通讯徽章要尽可能做到看上去没有什么特别的标志，要尽力避免可能与某一国家联系起来的符号标记

国际援救

今天，我们对从太空拍摄的我们自己居住的地球的镜头已是如此熟悉，以至于都快忘记了这样一个事实：就在几年以前，从高空拍摄这个圆圆的、被海洋围绕着的行星的念头还被讥讽为另一个傻乎乎的幻想。在1969年摄制的《放逐》中，这样的镜头仍然有强大的影响(尽管这部电影本身很死板)。这样的镜头打开了我们的眼界，使我们看到了这一给予我们生命的行星的壮丽和脆弱，而俄罗斯宇航员对美国宇航员的援救则促成了1975年联盟号-阿波罗号的对接。这一画面激起的兴奋与激动永远地留在了我们的脑海里。

协和式飞机的造型，它那尖尖的机鼻和三角形机翼，以及它的速度一起激发了人们的想象。

打破音障

要是在20世纪90年代，协和式飞机的设计甚至不可能有机会在图纸阶段获得通过。关于这一飞机的概念、设计和实际制造体现了对未来技术发展的信心。归根结底，这种超音速飞机从技术角度来看很可能是一条死胡同——未来的亚轨道客机速度更快，噪音更小——但它是一个雄心勃勃的梦想。它预见到了未来的现实，看到了希望。

20世纪70年代：太空中的生命

到了20世纪70年代，在科幻文学中单是"贪大"已经不够了，还要"求全"、"求细"。本来叫做"大笨物"的东西，比如传统的宇宙剧中1.6千米长的宇宙飞船和如行星般大小的堡垒，已不再能激起科幻小说作家的想像力了。1969年人类登上了月球；到了1970年，人类似乎实际上已完成了科幻小说所描绘的伟大梦想，真正开始把太阳系作为探索和征服的另一个新疆域。

要做到这一点，我们必须拥有能够实际运行的宇宙飞船；而且如果我们要统治太空航行之路的话，我们必须作好在太空的栖居地一次能住上几个月甚至几年的准备。并且我们要尽快行动起来。地球花园的梦想开始显得越来越缥缈了。在20世纪70年代，梦想家们依然相信技术，但不再是从早先站在地球的角度去看了。现在他们开始相信，技术只有在太空中才能取得胜利。

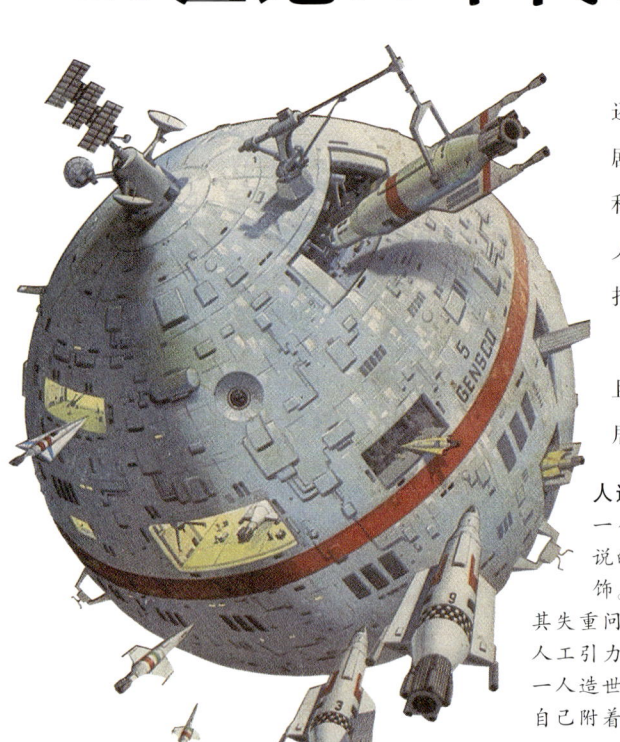

人造行星
一个非常古老的科幻小说的设想，现在经过了修饰。球形空间站的难题是其失重问题。除非我们假设有人工引力装置的存在，住在这一人造世界上的人们将需要把自己附着在空间站的表面。

转 轮
如图，对未来的展望开始变得具体了。从太空望去，这一空间栖息地有点儿像一个旋转的轮子。在里面，一切活动沿着巨轮的轮圈内边进行，轮子旋转所产生的离心力把一边压向地面，从而产生引力作用。它不完全像引力，但会有引力的作用。这一科幻小说所反映的梦想是，这样的栖息地会成为永久的太空社会，由太阳能来驱动，是人类不断向外发展的标志。约翰·瓦利于1977年出版的小说《蛇夫座热线》(参见191页)中的故事即发生在这样的栖息地。

最终的太空栖息地是宇宙中一个包容一切的弧拱形建筑

类似引力的力由轮子的旋转而产生

20世纪70年代：太空中的生命 · 27

空中实验室使用化学引擎操纵其轨道位置,和如今的航天飞机很相似

尽管空中实验室的实验和仪器提供了很有价值的信息,但空间站及其昂贵的全套设施被留在空中围绕地球空转

空中实验室用于实验的空间,在航天飞机中正好被用作把通信卫星送上轨道的货舱

现 实

空中实验室的问题是其收益作用——尽管这对任何科学家和任何富有想像力的外行来说都很明显——是长期的。将在靠近太空进行的实验并不会带来太多的辉煌,也没有直接的收益。科幻小说的想像力并没有因轨道飞机概念在技术上的落后被大大激发。科幻小说作家更倾向于选择空间站这一具有无限发展前途的概念。在这方面他们可以任凭自己的想像力驰骋,而且有更大的空间。

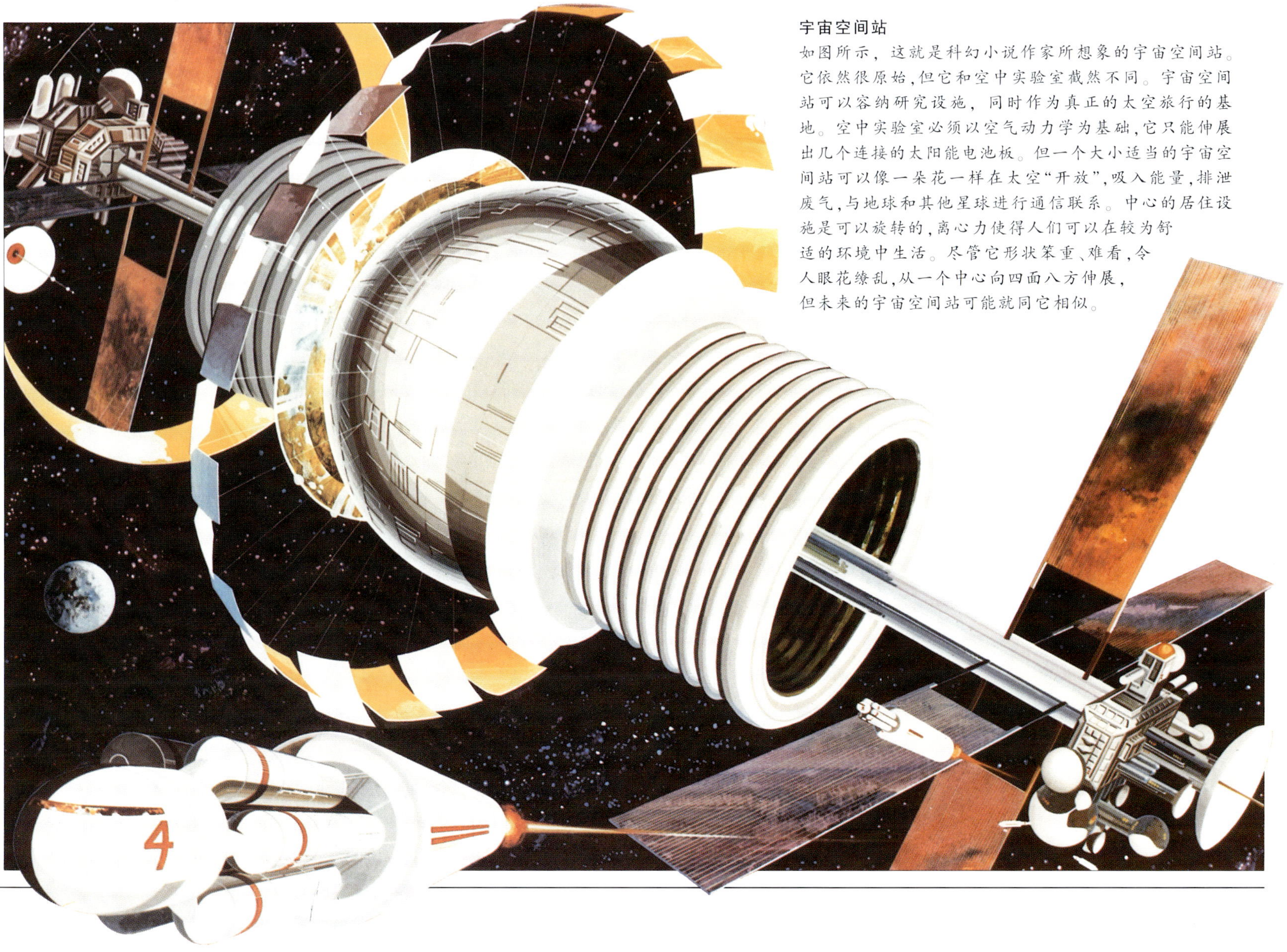

和几十年前人们想象的宽敞的航天器不同,空中实验室留做卧室和驾驶舱的空间是极小的

宇宙空间站

如图所示,这就是科幻小说作家所想象的宇宙空间站。它依然很原始,但它和空中实验室截然不同。宇宙空间站可以容纳研究设施,同时作为真正的太空旅行的基地。空中实验室必须以空气动力学为基础,它只能伸展出几个连接的太阳能电池板。但一个大小适当的宇宙空间站可以像一朵花一样在太空"开放",吸入能量,排泄废气,与地球和其他星球进行通信联系。中心的居住设施是可以旋转的,离心力使得人们可以在较为舒适的环境中生活。尽管它形状笨重、难看,令人眼花缭乱,从一个中心向四面八方伸展,但未来的宇宙空间站可能就同它相似。

20世纪80年代：玻璃罩下的生活

弧拱形建筑和城市建筑的区别是，城市建筑并不是以同样的方式发展的。一座弧拱形建筑——即使是我们在本世纪建造的那种较为原始的式样——不仅仅是一个具有创新特点的家园，也不单是一个防水的运动场。这是一个使得全部生活都可以包容其中的设计理想的结构：家和办公室适当地结合起来，在一个完整的弧拱形建筑中所有的建筑物都被建成舱室。

在科幻小说中，弧拱形建筑一般分为两类。一种是公寓楼建筑的延伸，如罗伯特·西尔弗伯格在1971年出版的《内在的世界》所描述的，或者拉里·尼文和杰里·庞耐尔于1981年出版的《效忠誓言》所描写的：前者是反面乌托邦的，后者则是颇有争议的乌托邦的。第二种弧拱形建筑是太空栖息地，可在迈克尔·斯旺尼克于1987年出版的《真空鲜花》中见到。在这里——部分原因是未把引力作为目标——简单的供生存用的机械发展为繁复的迷宫，现实和虚拟现实交织在一起，难以分辨。科幻小说作家认为，人类在这样的环境中可以过上真正自由的生活。

独创的设计

巴克敏斯特·富勒的网格状球顶结构可用来建造各种规模的建筑：住房、展览厅或一座城市。几十年来它作为一种式样，用于建造封闭型的环境。

现代金字塔

三角形具有强有力的作用。这可能是因为对绝大多数人来说，埃及的大金字塔或多或少是人类长期以来为了试图证明自己是不朽的所作的努力的第一个象征。尽管很有可能在未来我们会见到更多圆形的、效果更强的天棚式建筑而不是这样的金字塔，但是古典的形状在我们为追求不朽的下一步努力中仍然具有象征意义。

沙漠绿洲

位于亚利桑那州的生物圈2号是按照能自给自足的人类栖息地的要求设计的，其建造的原理源自巴克敏斯特·富勒的网格球顶。这一设想早在1946年即已提出，当时他已完成了自己的第一个"戴马克辛之屋"的设计，有好几个人在里面居住达两年之久。这里显然有着欺瞒的成分，但是该试验基本上是成功的。它显示了，人类设计师在未来可以装配出使我们永远自给自足生存下去的结构，满足我们可能对能源、食物、水、空气、光和运动自由的需要。由于人口剧增，地球开始变得越来越拥挤了。因此，知道我们终于可以在太空建造弧拱形建筑、且可以在那里一直生存下去的消息，对日益膨胀的人类来说也是一个好消息。

再生植物

自给自足的弧拱形建筑和生物圈2号一样，其设计思想的出发点是没有任何东西会被浪费掉，一切使用过的东西都可以通过该体系一而再、再而三地经再生处理后再次使用。图中我们看到各种形式的植物通过光合作用把光变为能源，把废物再变为食物和水。这样的平衡是很难达到的，我们生活的地球表面毕竟是极其复杂的，其运行机制我们还知道得很少，但是生物圈2号标志着一个开端。正如左图所展示的，人类开始学习我们要使人类种族延续下去而必需的各种技能。

20世纪90年代：持续的能源

关于净化技术的一个奇怪的事实是，我们在科幻电影中对它已经了解几十年了，但是在现实中却一直没有想去实现它。对于我们来说，没有什么比穿着长衣袍、在看上去像洗衣机内胆那样洁净的纸板城市中步履蹒跚地行走这类角色更加令人厌倦的了。

最近科幻电影的真正胜利是对灰尘的引入。有了灰尘，就给了人们真实的印象。例如，在有关外星人的电影中宇宙飞船和空间站完全是脏兮兮的，而我们却喜欢它们。不过科幻电影和现实世界从来没有什么密切的关系。地球这个行星不是一个布景。现实生活中，灰尘一直在给我们带来致命危害。

捕获光线

太阳所释放的能量中只有极小一部分被地球接受。一个曲线形的表面能够把这一小部分能源中的一部分集中起来，储存于接收塔里。但为什么不让这一过程在大气层上面进行，从而以更少的代价获得更多的能量呢？

如风一般自由

当然，风力涡轮机的一大优点是对再生资源的利用，因为我们在迅速地耗竭这一行星上的石油和其他的能源资源。而涡轮机的不利一面是，为了获得足够的能源，我们需要几乎是无限之多的涡轮机。

地热工厂

作为我们家园的地球的内部比表面要热得多:地球的地壳只是包裹在一个大火炉外面的薄薄的一层,这点我们在火山爆发并给我们带来灾难时就可以发现。地热工厂的设计旨在利用就在我们脚下的这个巨大的火炉,发掘地下的丰富能源。1960年在旧金山附近,一个试验性的工厂创办了起来:它的设计目的是利用几个空歇喷泉——我们或许可以称之为液态小火山——并把其易发散的热量转变为能源。从那以后,在许多国家涌现出了同样的工程项目。这看上去多少有点像20世纪初科幻小说中所反映的寻求自由能源的梦想,不过人类需要的能源比这要多得多。

未来的家园?

能源自给自足的房子是一个伟大的生态梦想,现在在技术上已经变得可能了。可是其代价是很高的,这主要是指两个方面:首先建造这种符合标准的房屋的代价仍然非常昂贵,而造出来的建筑从城市的角度来看常常并不美观且缺乏实用性。尽管这类高科技的房屋无疑有着其实用上的优点,但在短期内要想把这样的对绝大多数人来说如同外星人似的建筑推广开来是不可能的。

通向21世纪的公路

当然,效率最高、最清洁的交通运输工具是公共交通。问题在于大多数国家在这方面的举措极其缺乏魄力,因为这样做就意味着对推动旅游,甚至是对个人自由的某种限制。相反地,我们继续在建造越来越多的道路,使用大量产生废气的道路交通。如图所示的单轨交通,价廉,清洁,而且迅速,可它也并不受人欢迎。

第 二 章

历 史 背 景

科学幻想小说把我们带往未来和过去,带往我们熟悉的环境和距离遥远的星系,带往可能出现的世界和可能已经有过的世界。同其他文学体裁相比,科幻小说更受作品所处时代的影响:在战争时期,它对战争的结果作出推测;在进步的时代,它对我们未来的目标作出展望。

本章列出的年表把科幻小说作品置于历史的背景中,将它们与作品产生的背景进行比较。另有专页对自科幻小说诞生以来一直为人类所关注的主题,以及对那些曾有过全盛期、而今大多为人们所淡忘的主题加以介绍。

上图:纳粹在巴黎

左图:儒勒·凡尔纳的《从地球到月球》

科幻文学雏形

事物已经出现并有了开端以后,再去进行识别总是要容易得多。在过去的几个世纪里,出现过许多作为科幻小说雏形的作品,但是几乎无人知道它们的创作。我们必须记住,"科幻小说(Science Fiction)"这一名词直到1930年才真正被人提出来。在那之前,人们创作的这类故事有各种名称:"奇异航行"、"乌托邦"、"未来的战争"、"哥特式浪漫故事"、"科学浪漫故事",以及"失落世界的故事",等等。大约从1930年起,这些名称开始成为我们现在认识的科幻小说的前身。

小说的诞生

在18世纪之前,那时现实主义小说开始出现,如菲尔丁的《汤姆·琼斯》的故事等,这些故事都很简单。那时已经有了戏剧、诗歌和白话文。白话文指的是各种故事、传说、散文故事、浪漫故事、历史故事、专题文章、讽刺故事,到后来就被统称为小说。科幻小说这一概念还未产生,我们现在称之为"科幻小说雏形"的各类故事和我们决不会称其为"科幻小说雏形"的故事之间并没有明确的分界线。1800年以前的文学世界是一个巨大的摸彩袋,我们称做"科幻小说雏形"的故事得从这个摸彩袋里去好好寻找。

猴人
雷斯蒂夫·德拉·布雷东的《南半球的发现》(1781)刊有许多关于奇怪的半人半兽动物的绘画。

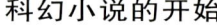

17世纪的奇怪故事
莎士比亚笔下奥赛罗讲述的奇异生物的生动故事,给苔丝狄蒙娜留下了深刻印象;去过新大陆的探险者也讲述类似的故事以吸引听众。

探险者经常报道曾见过独眼人

奥赛罗描述有这样的男人,"他们的头长在肩部以下"

阴地足人用它惟一的一条腿遮光

科幻小说的开始

我们进行这样的寻找是为了确定科幻小说究竟从何时开始和什么是科幻小说,然后去挑出能证明这些看法的材料来。这说起来很简单,但实际进行起来是相当复杂的,因为在几个不同的开始时间和几个不同的定义之间作出选择,会产生不同的结果。如果我们确定科幻小说产生于这个名称开始出现之时,那么到第一次世界大战结束以前所写的东西就都不能称之为科幻小说的雏形了。显然这是荒唐的,而且很显然1930年前的许多科幻小说作家就知道他们创作的东西和现实主义小说不同。如果我们确定科幻小说始于H·G·威尔斯于1895年出版的《时间机器》,那么在这之前创作的所有科幻一类的作品,则须被称作科幻小说的雏形。出于同样的原因,这样处理也不怎么行得通。但是如果确定科幻小说始于玛丽·雪莱于1818年出版的《弗兰肯斯坦》,那么我们碰到的问题就要少一些。几乎所有从《弗兰肯斯坦》的角度来看颇似科幻小说的浪漫文学(或历史故事、讽刺作品、关于前往不为所知的地方旅行的游记),产生于历史上在散文被分成几种体裁之前的某个时候。这看来是寻找科幻小说雏形的合适方位。初看起来,似乎1800年之前的许多作品可以入选。但实际上并不那么简单,因为我们寻找的是科幻小说的雏形,而不仅仅是对奇异的生物、难以想象的航行、理想的城市、政治动乱或超人的叙述。

科幻小说雏形的定义

我们需搞清楚的是这样一个因素,它告诉我们通向月球的某次奇异的航行的叙述不是科幻小说的雏形,而另一篇或许是稍过几年后写的作品却是的。我们需要一个界定某篇作品是否是科幻小说雏形的试金石。这个试金石不是关于未来的真实性或准确性,也不是写作的质量水平。就本书而言,我们的试金石就是在一篇作品中幻想的和现实的内容被描述为两者似乎是同一现实的一部分时,这部分作品就是科幻小说的雏形。

换言之,如果作者知道马不可能把战车拉向月球,但仍然写了这样一篇故

北海巨妖:海底危险
作为未被发现的大海危险之一的北海巨妖在约翰·温德姆的《北海巨妖醒来》中进入了科幻小说领域。

航行和探索

"奇异航行"类小说可能是对科幻小说影响最明显的早期故事了。在科幻小说雏形期的两个世纪里，月球成了最常见的目的地。托名为默塔格·麦克德莫特、出版于1728年的《月球旅行》即是一例；几十本同类题材的作品在马乔里·霍普·尼科尔森于1948年出版的《通向月球的航行》中均有介绍。同样常见的是，通向地球内部、进入许多思想家持有争议的巨大洞穴旅行(当时看上去有某种可能性)的作品肯定存在。这类作品中最著名的是丹麦男爵路特维希·霍尔堡于1741年出版的《尼尔斯·克利姆地下世界游记》。到了19世纪，当一位美国陆军上尉提出对地球内部进行探险时，这一想法被认为是离奇的幻想。那以后，《弗兰肯斯坦》和新的未来来临了。

离开地球
在气球第一次完成飞行一个世纪后，作家们把他们的英雄用热气球送往其他星球。

早期的热气球不稳定，且有危险性，可激起了人们的想像力

这只气球载着布朗夏尔和杰弗里斯，飘过英吉利海峡

翅膀用于导向，而不是用来拍动以产生动力

事，那我们就可以说这不是科幻小说的雏形，而是一个寓言，一个政治笑话，或一个梦想。

我们知道对这个作者来说，真实的世界和乘马车到月球旅行两者是完全不同的现实。但是如果作品被写成似乎作者相信乘马车到月球旅行可能是真实世界的一部分，那么它就是科幻小说的雏形。换言之，科幻小说的雏形需包含这样一种意识，即它所描绘的奇异事物是允许人们争论的；如果需要的话，可以从现实的世界中举出例子来进行类比。

理智的时代

由于这类争论很自然地直到17世纪来临时才开始出现，我们不太可能在这之前找到作为科幻小说雏形的作品。弗朗西斯·培根爵士于1629年出版的《新大西洲》就很好地反映了这一众说纷纭的世界。相反地，莎士比亚于1611年出版的《暴风雨》则是一个我们今天认为反映奇异的、非现实世界作品的代表，它决不是科幻小说的雏形。

有了这一试金石后，我们就必须把西拉诺·德·贝尔热拉克的《理想世界》(1657~1672)和约翰·班扬的《天路历程》(1678~1684)等作品排除在科幻小说雏形的神殿之外，尽管有许多科幻小说评论家意见相反。但是由乔纳森·斯威夫特创作于1626年的《格利佛游记》就是科幻小说的雏形作品了，尽管或许较为勉强，因为作品中有不少地方使人感到似乎作者的讽刺意图占了上风，超过了科学幻想的成分。

乌托邦原始图，无处能够寻找到

莫尔在1516年提出了"乌托邦"这一概念。他那田园诗般的社会是一个讽刺；这个名称本身的意思是"乌有"，暗指完美的国家是不可能存在的。

1800～1899：工业时代

这一世纪发展的齿轮真的啮合上了。几百年来，西方的科学和技术在慢慢地积聚力量，现在时机来到了。世界像一架巨大的机器开始转动，而且我们开始认识到它真的是圆的、有终极的，而且是可以认识的。工业革命到1800年时已经处于全盛期，到1900年时西方世界和简·奥斯汀描写的大陆已经很少有相同之处了。随着机器的变革，个人生活的各个方面也开始改变，两种主要的

	19世纪最初10年	19世纪10年代	19世纪20年代	19世纪30年代	19世纪40年代
科幻小说界大事记	在真正的科幻小说面世之际，让-巴蒂斯特·沙勿略·古尚·戴格莱恩维尔在法国出版了一首长诗《Le dernier homme》，后被编译成英语小说《最后的人》。一切都处于胚胎期：时间的终结、地球的枯竭、摧毁的城市，以及最后的男人和女人。他们渴望生育，但是受到亚当的劝阻。他们被一个神从永恒送回。这个神绝望了，希望一切都完结。他的愿望实现了。	1816年，玛丽·雪莱，珀西·雪莱，拜伦爵士和约翰·波利多里医生在雪莱夫妇于意大利**斯培西亚**的海边别墅里交流鬼怪故事。这些再加上关于自己死去的幼儿复生的恶梦足以使玛丽开始《弗兰肯斯坦》的创作，该作品于1818年出版。科幻小说诞生了。	科幻小说创作仍在梦游般地慢慢走向未来。玛丽·雪莱1826年出版的《最后一个人》以千万年后发现的手稿的形式，用18世纪古老的语言描述了19世纪和20世纪将要发生的事件。小说中对世界末日般的瘟疫描写没有科幻的成分，它只是又一场瘟疫。儒勒·凡尔纳于1828年出生。	这个世界在极快的速度下被围困起来，但埃德加·爱伦·坡在1838年出版的《阿瑟·戈登·皮姆的叙述》所描述的"空心地球"中，还是发现了类似科幻小说的内容。尽管如此，它还很难说是一个精神扩张的故事。科幻小说仍然几乎完全是一种表达对未来的恐惧的体裁，其倡导者仍然不敢直面明日的光芒。	西方的想像力仍被这样一种意识所控制，即未来预示着恶运，怀疑科学和技术会残酷地毁灭它们赖以产生的文明。尤金·苏于1844年出版的《巴黎的神秘》尽管不是科幻小说，但仍假设出这样一个城市世界，其迷宫般的复杂结构影响了20世纪科幻小说关于邪恶的世界城市的观点，如弗里茨·兰于1926年出版的《大都会》所描述的。狄更斯笼罩着40年代；布尔沃·利顿做着神秘的恶梦。关于未来的科幻小说开始到处出现。
电影、广播和电视			各种各样的拍"电影"器械从20年代起开始出现，包括**普拉克辛视镜**、旋转镜、幻影转盘和频闪观察器。这些装置的操作原理都是迅速移动一组静止的画面以蒙骗人的视觉。		路易·雅克·达盖尔以新的方式宣布新世界的来临：他的达盖尔式照相不允许人们去看未来，而是把历史以固定的形象定格。人们都说照片使事物显得栩栩如生，但它们也使这一切永远成为过去。现在世界以极快的速度改变自己。过去已被固定，未来则开始松动。
杂志					G·W·M·雷诺兹和狄更斯一样擅长连载小说的创作，但他的作品使得狄更斯显得颇为斯文有礼。在诸如他自己创办的《杂录》等杂志中，雷诺兹发表了《伦敦的神秘》(1845)和《瓦格纳守狼》(1847)等系列恶梦故事。
世界大事记	**拿破仑**主宰着这个10年。1800年他是法国的第一执政官，1804年称帝，几年之后就成了欧洲大陆的实际统治者。罗伯特·富尔顿建造明轮船。	1813年，威尔第和瓦格纳诞生。1815年，拿破仑在**滑铁卢**大败，俾斯麦出生。1817年，简·奥斯汀去世。1819年，美国从西班牙人手中买下佛罗里达州。	1822年，**巴比奇**构想出了"差分引擎"，这是人类的第一台计算机。但他未能把组件按设计要求的微公差进行装配，因此该装置未能运转。		欧洲的保守政权试图阻止时代的前行。但在1848年的**大革命**中，我们看到了下一个世纪的曙光。

小说创作体裁出现了：一种是历史小说，由沃尔特·司各特爵士首创，他试图借此让读者在发展把一切都搞得天翻地覆之前对逝去的世界还能通过想象来体验一下；还有一种是科幻小说，如玛丽·雪莱所想象的，她试图对来自未来的、目前已开始降临人间的普罗米修斯的礼物——也可能包括诅咒——能够有所发现。

19世纪50年代	19世纪60年代	19世纪70年代	19世纪80年代	19世纪90年代
1851年，儒勒·凡尔纳出版了他的第一部科幻小说《气球旅行记》。尽管这部作品不能被认为与玛丽·雪莱的《弗兰肯斯坦》同样重要，但是值得注意的是，科幻小说从那时起开始转向历险和发现这一类故事。	儒勒·凡尔纳的创作事业开始腾飞，出版了一大批经典作品，包括《从地球到月球》。科幻小说不再是一个展示恶梦的文学体裁，而成了描绘将来可能出现的事件的工具。H·G·威尔斯于1866年出生，他那小而圆的眼睛不久将转向大千世界。在美国，爱德华·埃弗里特·黑尔出版了《砖头月亮》，该作品以极大的热忱描绘了第一颗轨道卫星。	乔治·切斯尼爵士上校于1871年创作了《杜金之战》，随后出现了一大批"恐怖警世"小说。这些小说描写的都是发生于未来的恐怖战争。作为这批小说第一本的《杜金之战》所叙述的恶梦并未涉及科学的可怕危险，而是描述在运用科学知识来制造最先进武器上的失败。布尔沃·利顿的《未来的人类》(1871) 向世界描述了超人弗列尔人一族，并且介绍了一种叫做"玻弗列尔"的饮料。1872年，塞缪尔·巴特勒创作了小说《乌有乡》，该作品是对科学应用于人类的嘲讽。	到这时，科幻小说已为许多读者所熟悉。凡尔纳出版了他的最著名的作品，而写作的内容开始趋向阴暗。1888年，爱德华·贝拉米的《回望2000~1887》用一种中产阶级的视野对抗这一悲观思想。1886年，罗伯特·路易斯·斯蒂文森创作了《化身博士》，后成为被多次改编摄制成电影的经典作品。	中心事件是H·G·威尔斯的《时间机器》(1895)在世界舞台上引起的爆炸性影响，以及随后不久涌现的、具有巨大影响的科学幻想小说。
	1868年，爱德华·S·埃利斯创作了第一本"1角科幻小说"《草原蒸汽人》。在以后的10年里，以这一类似杂志形式的刊物出版了数百篇故事，大部分已经失散。		早期的电影业竞争激烈。1888年，E·J·马雷差一点成为影院创立者，弗赖斯-格林使用边上有小孔的胶卷，后来爱迪生重新对此作了改进。	吕米埃兄弟——路易和奥古斯特，在1895年首创电影的放映。他们在黑暗中放映，以此赚钱。他们以为这是一种教育形式，其实并非如此。
1851年，路易·拿破仑统治法国，扑灭了革命。也是在这10年里，不列颠把其帝国的魔爪伸向了克里米亚和远东。欧洲在工业上处于领先地位，现在他们开始要统治整个世界了。	1861~1865年美国南北战争期间新技术开始使用，并进而推向普通大众。达尔文及其进化理论使得保守派们惊恐不安。	《黑檀》杂志自命不凡的出版商们可能会对《杜金之战》的成功感到震惊。但他们只能吞下苦水，并立即以书籍的形式出版了该故事。	1882年，小弗兰克·里德从他父亲那里接手，创办了《弗兰克·里德图书馆》：其形式介于杂志和书籍之间。弗兰克自己动手写关于行星的故事。	科学家康斯坦丁·齐奥尔科夫斯基想到了宇宙飞船。它们不是枪炮，也不可能滑翔；推进器不可能起作用。啊哈！那一定是火箭！

失落的世界

直到19世纪时,存在"失落的世界"的想法还是第一次听说。现在,在临近20世纪末的时候,实际上已经没有什么地方未留下人类的踪迹了。在1800年以前,这世界还未经探险者们好好探索过。希望把自己作品中的主角置于陌生文化中的作家只是把他们"打发"到这一行星上无人知晓的地区,多半是那些还未经全面探索的地方,以及地图上还未标注的岛屿。在1950年前后,几乎已很难找到可以安顿"失落的世界"的地方。作家们不得不、而且几乎是千篇一律地把他们的主角送上了其他行星。

是地方重要还是人重要?

在科幻小说评论家中,对这一体裁的名称从未有过真正一致的意见。"失落的世界"长期以来一直是使用最广泛的名称,用来指那些主角历险来到先前无人知晓的土地,而且几乎总是在那里发现了具有悠久历史的文明故事。但也有评论家把这类故事叫做"失落的种族"故事,其理由是,在这些禁地所发现的人迹比这些地方本身或前往那里的旅行重要得多。

在一定意义上,后一类批评家是有道理的,因为(有人或许会认为)如果目的地那儿没有什么值得我们去看一下的话,这样的旅行就没有多大意义。但是在另一种意义上,他们则大大错了,因为(如我们心中

岛上隐匿处
迟至1875年,儒勒·凡尔纳仍可将一个"失落的世界"的故事置于一个被迷雾笼罩的神秘岛上;不久以后就不会再有这样的岛屿了。

回到过去
埃德加·赖斯·伯勒斯是一个浪漫者,《被时间遗忘的土地》记述的是凶猛的恐龙和某一时期留下的各种化石。

都知道的)有时旅行本身比抵达某一地方更有意义。显然在大多数"失落的世界"小说中,最有趣味的段落大多是关于通往某一岛屿、高山、峡谷、大陆或海底和地下世界的腹地的长途旅程中所遇到的危险或神秘事件,因为有许多"失落的世界"是位于海洋深处或行星内部凹陷的地方。

探索未知世界

许多故事是由雇佣作家或业余作家写的,后者竭力想证明大西洲依然在大西洋中繁荣发展;失落的以色列部落在沙漠中找到了家园;古希腊人(或埃及人、苏美尔人和波斯人,随你选择)的精锐军队在一个隐秘之地隐藏着他们的秘术,在那里他们时时防备着异教徒。但即使是最粗制滥造的故事,依然能刺激一个世纪以后的现代读者。它们之所以能使我们兴奋的原因或许很简单,尽管要对这一点作出描述有些困难。这是因为"失落的世界"故事的叙述结构几乎纯粹是旨在激起并维持一种悬念。这类故事多半始于文明世界的某处,通常这类地方是伦敦的某个男子俱乐部。某人会向故事主角讲述一个奇怪的故事,或给他一件神秘的东西或羊皮纸卷轴。有人会企图将这东西或卷轴偷走。然后故事会搬到非洲、亚洲或靠近鲁里坦尼亚王国的山地要塞,或者别的什么地方。当地土著人的外貌和行为令人恐怖,但故事主角依然会按自己得到的线索继续探索,最后来到某个峡谷,或经过岩石耸立的小道抵达悬崖,或穿过一个经仔细察看后似乎是一个人工建造的、尽管是非常古老的巨型迷宫。

这样的发现过程叙述起来可能会需要几百页的篇幅。然后,当这个失落的世界被发现以后,我们更面临着危险的时刻。这时作者一定会证明紧扣我们心弦的确实是个悬念,但这一切也可能转为令人扫兴的结尾,如果我们发现了——在如此长远的岁月

过时的描述
A·海厄特·维里尔在20世纪20年代创作了《猴人之地的探险男孩》。那时人们还普遍相信黑人和猴子在血缘上有密切关系。

世界中的世界
Etidorhpa（埃特多佛帕）——Aphrodite（阿佛洛狄特神）一词的倒拼——是地下世界的导游，描绘极为形象丰富。导游没长眼睛，读者却大饱眼福。

里一直未被人发现的——另一个白种女人，那些迷信的土著人把她尊奉为神，因为她的长相和她们的原始女神颇为相似；或者一群固执的族长们在这么多年里一直保存着这样一个表明他们注定是地球上的统治者的古老卷轴。

历史的幸存者

写作精彩的"失落的世界"故事的作者中最有名的包括H·赖德·哈格德，他在19世纪80年代创作了《所罗门王的矿藏》和《她》，即著名的"必须服从的她"——《艾伦·夸特曼》。在以后的几十年里他又创作了10多部作品。这些故事中最为成功之处是利用了该体裁的基本悬念和启示式结构，通过对非洲地理颇有渲染力的浪漫描述和对今天看来已过时的文明和种族的猜测性描写两者的结合，清楚地显示了欧洲的白种人在临近世纪末时开始感觉到他们的帝国越来越不稳固那种焦躁不安的情绪。"失落的世界"的故事使得哈格德和其他作家得以对进化论本质的保全面子的假设作出戏剧化描写，他们的隐蔽领域里包含着有进化论意义的化石，如恐龙化石等。这一切折磨着埃德加·赖斯·伯勒斯及其同类，或尼安德特人，或肤色不那么白的种族。

世界中的世界

更接近科幻小说的"失落的世界"故事，如儒勒·凡尔纳于1863年出版的《地心游记》，或布尔沃·利顿于1871年出版的《未来的种族》，避开了地球表面日趋缩小的地面，转向深藏在地球下面的具有重要特色的世界和社会。其他类似科幻作品的"失落的世界"故事的作者，假设他们描写的"失落的种族"掌握着超级权力和从古代传下来的先进科学知识。再后来，如约瑟夫·奥尼尔于1935年出版的《英格兰下面的陆地》一类"失落的世界"故事，深化了这一概念中包含的威胁和阴谋意识。例如，在奥尼尔描述的野蛮的地下反面乌托邦里，一个类似希特勒的人正准备控制全世界。另一个例子是道格拉斯·V·达夫于1939年出版的《杰克·哈丁的探索》。该故事描述英国探索者找到了一个失落的以色列部落居住的与世隔绝的峡谷，这里的居民千百年来谨慎地保存着曾把耶利哥城墙吹倒的号角，声学专家对这个号角进行了分析。在后来与纳粹的冲突中表明这样做是必要的。在他们发现了号角散发的和声以后，专家们毁掉了号角，这样就没有人可以再去使用它。

但是这些后期小说的创作与科幻小说的历史和发展趋势相比，是逆流而动的。詹姆斯·希尔顿于1933年出版的《失落的地平线》，把早期小说中典型的通往胜利的描写倒转了过来。在该作品中，乘坐在飞机上的西方人是无知的野蛮人，而失落的香格里拉半神半人的居住者则是真正的智慧拥有者。在二次大战以后，科幻小说作家把他们的视野紧紧地盯住了星空。

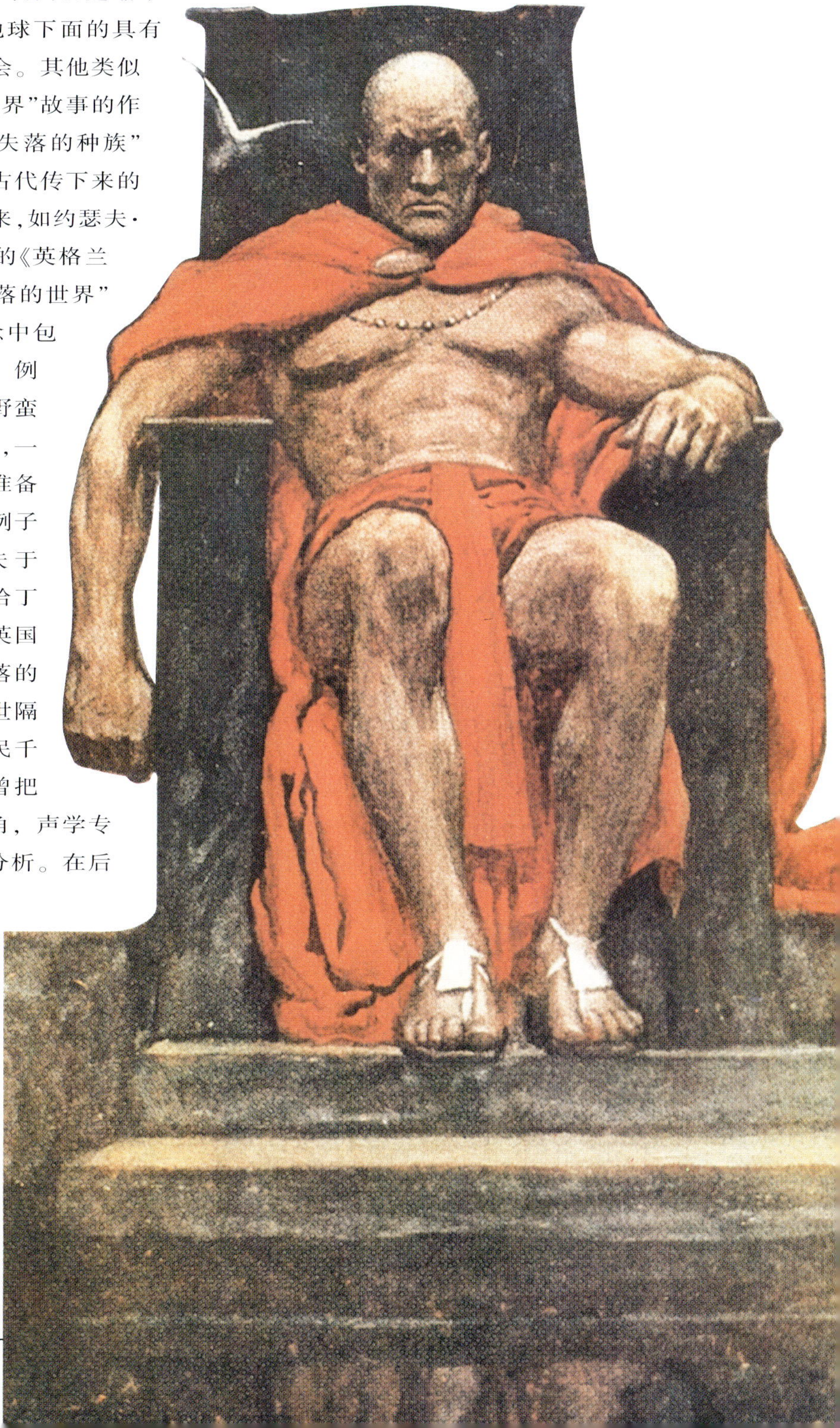

毁灭的前景
这一出版于1911年的小说形象而逼真地反映了H·赖德·哈格德对其小说中用金银宝石装饰的背景、对由其世界的等级制度进行催眠式控制的以男人或女人为主的场面的强烈依恋。在大白天，哈格德与之不相关联；但到了晚上，它却到处作祟。

科幻小说的演变

在19世纪之前,欧洲人把自己视为亚当醒来前的几天里为人生伟大戏剧而搭建的舞台上的主要演员。一切都是为男人而设计的。男人从本质上是有别于其他一切的。其他的物种都是一种食物,其他的种族都是仆人,而女人则是由主人的肋骨变成的。显然这种观念不可能永远持续下去。

19世纪出现了黎明的曙光,出现了一个巨大的时间深渊。地质学家开始推测,地球的存在至少有100万年以上,化石的记录才有意义。这意味着,远在演出开始以前很久很久,舞台就已经搭建好了。然后达尔文极不情愿地(因为他知道自己的理论所蕴含的意义)在1859年出版了《物种起源》,于是整副骨牌开始倒下。和鸟、动物和女人一样,男人也不过是动物而已。

原火
19世纪关于进化的小说很少会不涉及火的发现。

进化

科幻小说作家不怎么喜欢查尔斯·达尔文,这不是因为他们认为他错了(他们如果低估了他大胆而细致的观察的话,那就太愚蠢了),而是因为达尔文的理论少有惊人之处。适者生存和论争性斗争没有什么关系,一切都与繁殖的成功相关:后代越多,你的基因生存下来的机会就越大。这里没有多少故事可以叙述。但是在19世纪,另一个进化理论却颇为流行:谢瓦利埃·德·拉马克提出儿童可以直接继承父母的成就。科幻小说作家很喜欢这一看法,因此涌现了许多史前浪漫故事,其中乌克发现了火,他的儿女长大以后吸起了烟斗。H·G·威尔斯对这种观点不屑一顾:这是他更受尊敬而不是被人模仿的一个原因。

协力合作
据推测,人类能够占据主宰地位的原因之一是:在面临强敌时,人类有合作行动的能力。

进化的对立面

一个有责任的科幻小说作家,如威尔斯,当他在《时间机器》等小说中思考现代

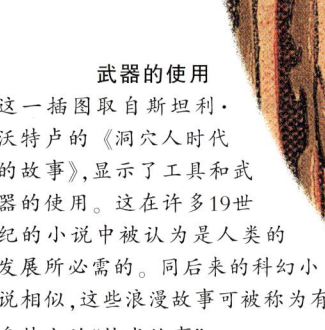

武器的使用
这一插图取自斯坦利·沃特卢的《洞穴人时代的故事》,显示了工具和武器的使用。这在许多19世纪的小说中被认为是人类的发展所必需的。同后来的科幻小说相似,这些浪漫故事可被称为有自身特点的"技术故事"。

达尔文在考察中

这幅图看上去并无什么特别之处:年轻的自然学家查尔斯·达尔文随皇家海军舰艇"猎犬号"出航,在加拉帕戈斯群岛的一座岛上散步。可是在他的脑海里,一场革命正在酝酿。他在沉思:这些群岛上的每座岛屿为什么都有其独特的动植物群?而且有这么多亚种群?它们难道从远古时代起一直生存至今天?回答是一个字:不!在《物种起源》出版前20年,达尔文就已经知道这些亚种群是从某一共同的祖先演化而来的。而如果它们共有一个来源,那么这些物种也就是从更早的物种进化而来的。智人是一个物种;智人从泥土进化而来。

独特的动物群
加拉帕戈斯群岛上独特的海龟是一个线索,它告诉达尔文,那里的生命形式经过进化发展以适应当时的环境。

智人的命运时,他会努力让自己的读者理解,进化的道路上是不可能倒退的。它根本就没有倒转的装置。但是这样说并不意味着"进化"就是"进步"的代名词了。进化是一种适应性变化的过程。如果世界变成了一个不适宜生活的地方,一个物种就可能通过减少其多余的体重、缩小体积来适应新的环境;如果世界用死亡来惩罚好奇心的话,甚至可能不惜减弱其智力。

通俗科幻小说的作家和制片人所喜欢的"退化"有两种形式。第一种是大倒退到早期的人类形式:它对我们的虚荣心,即这类大倒退者几乎必然是有性欲狂的人面兽心者这一点几乎未加评论。第二种是突变,这在原子弹诞生以后是很常见的。变种的人类会长出大大膨胀的头脑,或触角和鳞状物,或一个善于虚构的艺术家所能想象出来的任何东西,它们多半被描述为看上去像是由正常人种退化而成的。在好莱坞电影中,秃顶圆脑袋者都是退化的变种人。

人类遭遇火星人
这一选自《荒诞历险》杂志插图的有趣之点在于,它怎样对两种进化的策略作比较。人类取得进步和主宰地位的秘密不在于专门化;恰恰相反,在所有高级哺乳动物中,人类的专门化程度是最低的。火星人巨大的、长有吸盘的脚在火星上是有用的,但在地球上却毫无用处。我们通过改变使用的工具、而不是脚的大小来适应新的环境(即便是外星球的环境)。

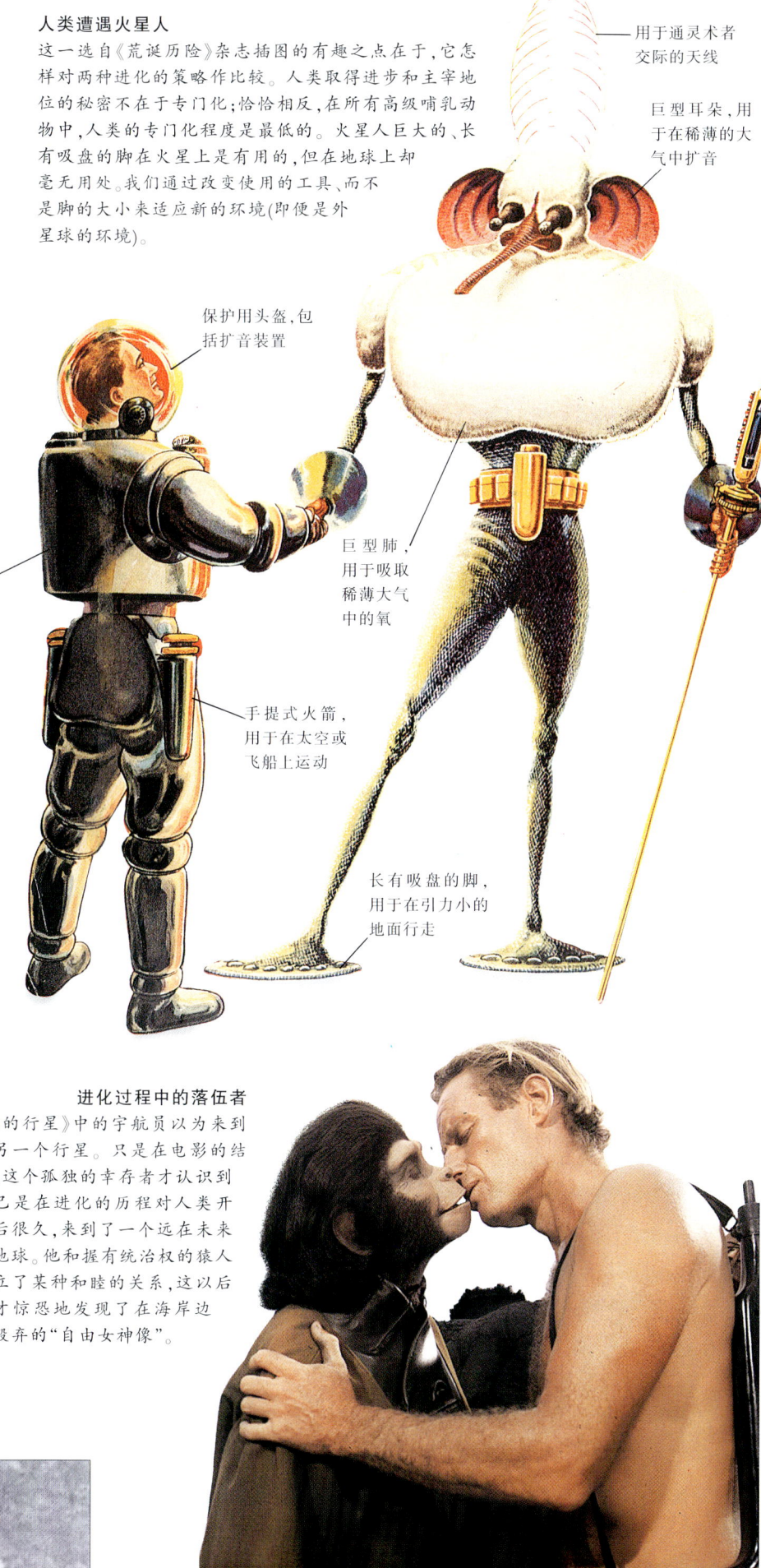

好莱坞的观点
《公元前100万年》的制作者不可能想到这一信息,但它就是给碰上了。早在尼安德特人对智人的汹涌浪潮认输前很久,早在最早的灵长类动物在非洲大草原上腾越前很久,一个隐秘而原始的前石器时代的人类种族就已经有了理发技术、美容师和胸罩。此后一路衰退。胸罩在不久前才刚被重新发明出来。

进化过程中的落伍者
《猿的行星》中的宇航员以为来到了另一个行星。只是在电影的结尾,这个孤独的幸存者才认识到自己是在进化的历程对人类开放后很久,来到了一个远在未来的地球。他和握有统治权的猿人建立了某种和睦的关系,这以后他才惊恐地发现了在海岸边被毁弃的"自由女神像"。

1900～1909：光辉灿烂的未来

如果说19世纪是"进步"这个巨大的引擎刚刚开始启动的时期，那么20世纪就将必然是这个巨大引擎不可阻挡地加速运转的过程。这也正是人们所预期的。所有的一切——人类的期望也如潮水般涌来——都在向着最好的方向努力，因为这个世界无疑正行进在不断改进的行程之中。它将会成为一个更为健康的生活场所，一个养育儿童的更快乐的地方，一个充满奇迹

	1900	1901	1902	1903	1904
科幻小说界大事记	L·弗兰克·鲍姆的经典故事《绿野仙踪》虽不能被称为真正的科幻小说，但它就像辉煌的、新世纪降临的光辉的新日般闪耀着光芒，并告诉我们它将像欢乐的歌声一般亮丽。	H·G·威尔斯在他的最后一部科幻小说巨著《月球上的第一批人》中，对进化在整个宇宙中可能对物种的广泛变异的要求，作出了比过去任何人都更为大胆的推测。	约瑟夫·康拉德的不朽经典小说《黑暗的中心》出版，它对科幻小说故事的影响堪称超过其他任何小说。小说对未知世界奥德赛式的探索，对异邦人生活的另类视野的展现，激发起了后来的科幻小说作家的想像力。	路易斯·波普·格拉特卡普的第一部小说《火星上未来生活的真相》出版。它描述了火星和地球之间的无线电通信，一个现为火星居民的年老精灵用神秘主义和电来激励自己生活在地球上的儿子。	雨果·根斯巴克离开欧洲来到美国，并在这里逐步实现了他的梦想。H·G·威尔斯出版了《神食》一书，其中定位在未来的盛气凌人的蛮勇在《盲者之乡》中被证明是虚假的，后一本书也于同年出版。哈罗德·斯蒂尔·麦凯的《万能偶像》——故事中一架时间机器在19世纪失落，表明了威尔斯的模式不久即被用于缓慢的、但却坚定地走向科幻小说体裁的故事。
电影、广播和电视	从理想的角度说，在世纪之交应该有新闻短片了，我们应该能够听到时代的著名人物谈论他们的希望和恐惧的声音。但是影院业发展仍滞后，虽不过几年而已，乔治·梅里爱的电影《月球旅行》看上去比一连串笑话也强不了多少。《X射线镜子》(现已失传)只不过是长度为两分钟的庸俗短片。				梅里爱依然是电影界的主角。他的《旋转世界》与凡尔纳的滑稽故事结合，在长达30分钟的神秘荒诞的史诗中，描述了速度极快的汽车、后来成为宇宙飞船的索状铁路，以及许多带戏剧性的未来交通工具。这些笑话的价值并未因对未来的展望而有所减损；相反，它们告诉我们梅里爱及其同时代人对未来的前景感到乐观。

梅里爱的魔术

乔治·梅里爱

《海底两万里》

梅里爱在那几年里通过自己的摸索，于1903年拍摄了第一部真正的科幻电影《月球旅行》；1907年拍摄了《海底两万里》。尽管这不是第一个改编本，但却是最著名的。

杂志			诸如《湖滨》和《皮尔逊》一类的英国杂志经常刊载科幻小说，与P·G·沃德豪斯最早的娱乐故事和柯南道尔的福尔摩斯侦探小说"共处一室"。H·G·威尔斯早期小说最早即发表于此类杂志上，而且常常伴有多幅插图。		
世界大事记	波尔战争使大英帝国蒙羞。但是在巴黎，"第十六届世界博览会"吸引了10万参展者，响亮地宣布了新世纪的来临。法国的"新浪潮艺术"与德国的"新艺术"竞相登台。				莱特兄弟在基蒂霍克启动了航空新时代。伊夫林·沃出生时一副苦相。在俄国，孟什维克与列宁领导的布尔什维克决裂。

的行星。男人和女人比他们的祖先毕竟长得更高,更讲卫生,身体更健康,更长寿;不仅如此,他们也更有理性了。人们对未来充满着乐观主义的情绪。在这10年左右的时间里,大家似乎觉得美好的时代已经来临。尽管有少数睿智的男子和妇女因为对新发展的把握不定而存有恐惧心理,但看上去似乎世界的和平就在眼前。

1905	1906	1907	1908	1909
儒勒·凡尔纳去世。他后期作品中对未来世界无人格性的巨大无限和对其统治者不受约束的权力狂的预期里包含着悲观的色彩。加布里埃尔·塔德的小说《地下人》预见到未来在太阳系的资源被耗尽以后,幸存下来的人类沉入地下一个乌托邦国家里,那儿可能——也可能相反——由于过于贫瘠而使人类无法生存下去。	关于未来战争的小说仍源源不断地涌现。威廉·勒凯克斯的《1910年的入侵》附有地图和对军事战略的不同意见争执,如今读起来可能挺困难,但在1906年却使许多读者爱不释手。	该年出版的最生动、最重要的小说是杰克·伦敦的《铁蹄》,这是20世纪初众多关于劳资冲突的科幻小说中至今仍有影响的一部。1912年(如故事所述)社会主义者在美国选举中获胜,但却未被允许执政。革命、混乱和战争由此而起。同年,罗加特·A·海因莱恩出生。	H·G·威尔斯在《空中大战》中,用反映"生活之乐"的纯粹说故事的方式,向世界显示了怎样创作出令人信服的关于"未来战争"的小说。这里有着对战争的深刻洞察。	加勒特·P·瑟维斯的第三部小说《太空哥伦布》在《故事会》上发表,歌颂了又一个探险英雄。他的第一部小说《爱迪生征服火星》发表于1898年的报纸上,主人公是第一个为成人设计的"爱迪生式人物",把托马斯·阿尔瓦·爱迪生塑造成拯救地球的天才发明家和外星人的征服者。美国式科幻小说的英雄形象开始形成。
	喜剧化的、令人讨厌的特技效果仍在继续发展。汽车被视为通向未来之路:在《什么?驾车旅行者》中,它们驶向太空。		帕泰兄弟是当时电影制作业的骨干力量之一,其电影制片厂有导演塞甘多·德·乔蒙和费迪南·齐卡。	

这张照片显示了1909年电影业的倡导者和制片人。其中头上画圆圈者从左至右分别为D·W·格里菲思、乔治·梅里爱和帕泰兄弟。

《宝库》和《故事会》均由规模巨大、且具有进取性的"芒西"出版帝国出版,它们是当时最重要的科幻小说出版物。科幻历险故事成为主流。

爱因斯坦提出光量子假设,证明了原子的存在。他撰写了两篇关于狭义相对论的论文。他的发现将改变整个世界。

保罗·科尔尼的直升飞机飞了20秒钟。利奥·贝克兰发明酚醛树脂。"卢西塔尼亚号"下水。詹姆斯的《实用主义》出版。

埃兹拉·庞德发表《狂喜》。理查德·斯德劳斯首演《厄勒克特拉》。在男童子军成立两年之后,女童子军成立。塞尔弗里奇的百货商店在伦敦开张。在美国,亨利·福特开发出T型汽车。

未来战争故事

在科幻小说史上，人们创作过数百篇关于未来战争的故事，可是其中几乎没有一篇是说对的。关于这一点应该没有什么可惊奇的，因为科幻小说作家从来不擅长预测未来，也没有真正下功夫去努力钻研过。在1871年至1914年间，大多数科幻小说作家和关于未来战争故事的作者之间的差别在于，后者试图描述如果政府继续忽视他们的警告的话，将会发生些什么情况。绝大多数关于未来战争的故事所传递的都是一些关于错位的未来的可怕消息。这就是未来战争故事和大多数科幻小说的主要区别。科幻小说故事一般描述的是理想的未来；而未来战争故事则试图阻止未来的发生。

进步和未来的战争

描述背景定在未来战争的第一个故事或许是由一位无名作者于1763年出版的《乔治六世时期(1900~1925)》，该作者把他自己的乌托邦君主制度推想至肯定无人知晓的、遥远的20世纪。故事中作者描写的国王通过赢得一系列与欧洲敌人交战的胜利而稳居宝座。对今天的读者来说，这一切似乎显得极为奇怪，这些战斗完全是以18世纪常规战争的方式进行的。今天，我们无法理解这一幅关于未来的画面却对变化没有留下一点儿余地——而这些变化只是显示了事物的发展是多么的快。

两个世纪以前，欧洲工业革命的引擎已经启动，历史的新篇章开始谱就。但是作家们仍以为变革只是发生在政治领域，而在其他方面一切依然如故。因此未来战争小说创作的前100年大多集中在朝代更替和伟人们的行动上。然而变革则不可阻挡地降临了，而进步（及其反面——天谴）的思想开始改变西方文明关于其自身的意识，未来开始与过去分道扬镳。

坦克

坦克在第一次世界大战后期对协约国的胜利起到了决定性的作用，这一点在此之前很久就已经为人们所预见到，如H·G·威尔斯在1903年出版的《铁甲土地》中，把坦克想象为跃出水面行驶的军舰，严格按照海军的行动程序在战场上行进。但是仅仅过了几年，真正的坦克——用履带替代轮子的装甲车——就在欧洲投入了军事行动。这张照片显示的是第一次世界大战中使用的坦克。

第一次世界大战时的坦克

化学战

法国插图画家罗比达对未来进行了众多的推测和想象，对未来的战争和武器也并没置之不理。他的化学武器的生产线在今天看来颇为离奇，但在那以后不久，化学战就在战场上出现了。

经典战争

1871年，乔治·汤普金斯·切斯尼爵士上校出版了《杜金战役：一个志愿兵的回忆》。这是第一个作为对技术革命反应的未来战争故事，这个革命慢慢地、但却是坚决地吞食了军人死板盲目的自信。在19世纪60年代的美国南北战争中第一次出现了大规模的步兵作战，第一次动用了潜水艇投入战斗。1871年初，普鲁士国在极为激烈的血腥冲突中迅速地打败了因循守旧的法国。这是一个恐怖笼罩的时期：切斯尼来帮忙了。面对一小队装备极差、互相之间或和前线之间缺乏现代通信手段的英国兵，他描述了普鲁士军队的闪电式大规模进攻。他们武器精良，军需供应充足，通过电报的有效使用而保持高度的戒备状态。

闸门打开了。谁都说不清楚在切斯尼之后有多少同类题材的故事出版，又假设出了多少种各式各样的结果。自从拿破仑下台以后，

1912年的预测
较为具体的预测往往偏差极大，《飞行潜水艇》设想的空中技术完全是以航海技术为基础的。

欧洲各国之间保持着一种谨慎的和平，各自都精心算计着盟国的力量和对付的战略，以取得既不过弱也不显得过强的地位。这是一种不稳定的权力平衡，而切斯尼则开始拨动他那高度敏感的神经。但是妖怪已经从魔瓶里放了出来，现在已经不可能再去假设什么可怕的新的战争是不可能发生的这一类命题了。

随着20世纪的来临，关于未来战争的故事更如潮水般涌现。其中大多数鲜有文学价值——其中最优秀的当推H·G·威尔斯的《空中大战》——且其中大多对军事家们并无多大影响。威尔斯预见到了坦克的出现，以及在未来冲突中具备空中力量的必要性。但无论是英国、法国还是俄国的军队，都对此未加以任何关注；德国的高层指挥部门却对此全力以赴。随着1914年的降临，大决战也来到了：未来的战争变成了事实。

奇异的组合
上图是德国人在19世纪和20世纪之交对未来战争在云层中进行的展望，排成密集队形的士兵手中握着的步枪是19世纪的，而这时那奇异的翅翼人类还未创造出来。

光射炮和光射枪
可能是因为威廉·伦琴在1895年发现了X射线，也可能是因为玛丽·居里在1898年发现了放射现象启动了这一切，20世纪初的科幻小说中充斥着神秘的射线和光射炮。左图中，我们看到了早期的形状怪异的双翼飞机，它那脆弱的着陆装置清晰可见，其作用是作为看上去相当笨重的光射枪或光射炮的炮手站台。另一方面，在稍稍显得摩登些的单翼飞机上，那位颇有绅士风度的驾驶员和乘客则在用手枪进行还击。其中最奇怪的或许是，对这一形象的创造者来说，光射枪和飞机同样显得很牵强。

1910~1919：世界大战

对这一类最终被称为"科幻小说"的作家来说，这是最坏的时代，也是最好的时代。第一次世界大战实在是太可怕、太残酷了，比那些世界末日的预言更加令人恐怖，因而一时难以被编成故事。在大战期间写出的伟大诗篇比小说要多得多，而作为对这一大战的反响的散文类文字则要过几年以后才会开始出现。在无法逃避的大战期间所创作的科幻小说很少。大战

	1910	1911	1912	1913	1914
科幻小说界大事记	未来战争小说的洪流终于开始减退了——或许是因为真实的事物开始显得完全可能了。P·G·沃德豪斯于前一年出版的《猝然进攻》，通过揭示某些令人厌烦场面的荒唐无稽而产生了一种效果。但是如佚名作者写的《德国入侵英国》仍在出版；即便C·J·卡特克利夫的《世界帝国》也是令人乏味的。H·G·威尔斯的《当沉睡者醒来之时》(于1899年出版时改名《沉睡者醒来》)稍稍使人振奋，但它更多体现的是令人恐怖的寂静。	F·W·梅达的《遥远的星球》载着年轻的宇航员以比光速更快的速度飞向半人马座α；科幻小说的天地在扩展。J·D·贝雷斯福德的《汉普登郡的奇迹》是一部早期有关超人的故事，结尾催人泪下。	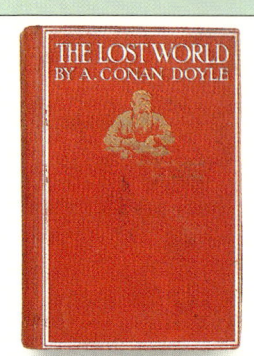在阿瑟·柯南道尔的《失落的世界》为这一体裁确定名称之前，"失落的世界"小说几乎快走到尽头了。但是已经没有什么世界留待人们去发现了。	这几乎是"失落的世界"的反面，尽管它同许多"失落的世界"一样，是以地下为背景的：巴恩哈特·凯勒曼的小说《隧道》是一曲对穿越大西洋底把世界连在一起的隧道的赞歌。第一次世界大战即将爆发。	《文明土地上的邪恶》是一本模仿路易斯·卡罗尔《阿丽丝》的反德佚名作品，它预示了战争宣传的基调；同时H·G·威尔斯的《获得自由的世界》(与《结束战争的战争》同时出版，后者使得一个用语流行起来，但作为预测却是失败的)提出，是战争促成了乌托邦的诞生。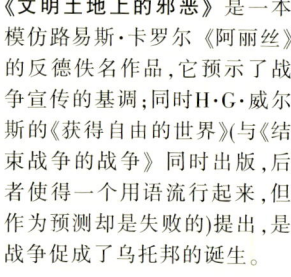
电影、广播和电视	托马斯·阿尔瓦·爱迪生的影片公司把《弗兰肯斯坦》第一次搬上了银幕。这是它第一次，但决不是最后一次被改编成电影。该片长仅16分钟，充满了暴力和神秘内容，与其说它是科幻电影，不如说它是恐怖电影的鼻祖。			被放逐到地球、但不被承认是外星人的火星人形象，或许在乔治·杜·莫里埃的《火星人》(1897)中首次出现。罗伯特·甘东尼于1899年出版的舞台剧本《来自火星的消息》描述了一个同样受到抑制的来客的形象。该来客面如天使，改造着一个贫困的地球人。1913年拍摄的影片(该故事至少被改编过两次)及时而成功地重复了这一程式。	
杂志		根斯巴克作为杂志创办者的能力及说教式的第一个成果见于《现代电学》，以《拉尔夫124C 41+》的杂志形式出版。	埃德加·赖斯·伯勒斯，笔名为诺曼·比恩，在《故事会》上发表了《在火星的卫星上》。后来它以单行本的形式出版，改名为《火星公主》。	雨果·根斯巴克停止出版《现代电学》，创办《电学实验者》。	阿瑟·麦肯在《伦敦晚邮报》上发表了故事《弓箭手》，文中说到一队来自阿让库尔战役的、如鬼影般的弓箭手赶来支援英国的军队。
世界大事记	玛丽·居里发表论文《论放射线》。埃文斯对克诺索斯进行发掘。马克·吐温和弗洛伦斯·南丁格尔去世。奥尔本·贝尔格的"弦乐四重奏"和伊戈尔·斯特拉文斯基的"火鸟"首演。后印象主义展览在伦敦开幕。"未来主义宣言"发表。		约翰·雅各布·阿斯特、雅克·菲特莱勒和W·T·斯特德这三位科幻小说作家，随"泰坦尼克号"而葬身海底。他们中无人预见到这一悲剧的发生。		随着斐迪南大公的遇刺身亡及随后爆发的第一次世界大战，欧洲文明兴旺的晚期于该年6月告终。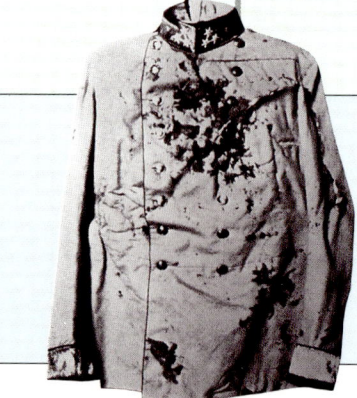

以后,这类冲突慢慢地发生了变化。大战对整个欧洲来说无疑是巨大的创伤;但同时战争所带来的巨大灾难则十分明确地告诉我们,不应该再有战争了。后来,世界慢慢地逐步摆脱了历史的沉重负担。最终,关于未来的科幻小说的创作开始形成一种浩荡之势。

1915

盖伊·索恩谈不上是个预言家,可有一次他却说对了。在《轮子上的巡逻船》中坦克出现在战场上,比实际早了两年。

阿瑟·麦肯把前一年创作的故事中的**弓箭手**改成了天使,成了战争神话故事的一个经典作品:士兵们声称自己见过天使,报纸上都竞相作了报道。人们创作了歌曲甚至华尔兹舞,来纪念这一"事件"。

"卢西塔尼亚号"沉没,使得美国卷入一场大战成为必然。爱因斯坦的"广义相对论"发表。德国人使用毒气作为战争武器。**齐柏林飞艇飞上天空**。

1916

在奥地利,古斯塔夫·迈林克出版了《绿脸》,令人惊奇的是它没有遭到审查官的干涉。它描写了一个战后的启示,一阵巨风扫除了欧洲那些污秽的纷争年月。

《有生命的泥人》出版之后,《侏儒》在古斯塔夫·梅林克小说的基础上提出了"人造人"的主题,故事描写了一个完美的、但无灵魂的人形机器人。

在瑞典,奥托·维特创办了被许多评论家认为是第一本真正科幻小说杂志的《Hugin》。该名称在古斯堪的纳维亚语中意为"思想",是奥丁的一个渡鸦的名字。该杂志共出版了85期,于1920年停刊。

1917

在维克多·卢梭的《干泥圆筒板上的弥赛亚》中,一个沉睡者在未来社会主义的反面乌托邦中醒来,对这里的状况表示了极大的轻蔑。在小说结尾,他把这个新世界从地图上抹去了。该书被认为是对H·G·威尔斯更为优秀的、且说教味淡得多的《当沉睡者醒来之时》一书的尖锐反驳。

在一次大战期间,《空中飞船》在丹麦出版。与太空戏剧相似的是,故事描写了火星人牧师的女儿给这个交战的行星带来了和平。

坦克投入战场使用。美国宣布参战,对结束大战起了推动作用。列宁在俄国领导革命。在英国,T·S·艾略特发表了诗集《普鲁弗洛克及其他》。

1918

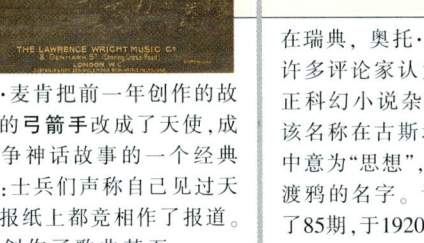

仔细看看这几页,你会发现用铅笔作的记号,它们正是罗斯·麦考利讽刺英国报业巨头的《什么不?》中带诽谤的部分。该书在第二年重新出版时,这一节被删除了。

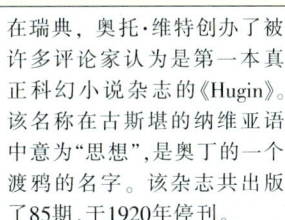

汉斯·海因茨·尤厄的《阿尔劳恩》几次被搬上银幕。同年有两个版本问世。其中之一的导演是迈克尔·柯蒂兹,他后来摄制了《卡萨布兰卡》。

《结束战争的战争》在1939年之前进入歇息期。英国妇女获得选举权。利顿·斯特雷奇出版《维多利亚时代的名人》。在纽约和华盛顿之间开展了航空信件服务。全美国开始实行夏时制。

1919

米洛·黑斯廷斯的《不夜城》首次经改编刊登在伯纳尔·麦克法登的杂志《真正的故事》上,题为"'文明'的儿女"。几个世纪之后,一个埋在地球深处地堡中的原始纳粹反面乌托邦社会开始实行优生学和思想控制,并准备控制世界。如果没有这一供弗里茨·兰借鉴的模式的话,他可能不会构想出《大都会》的故事来。

由阿瑟·B·里夫塑造的科学侦探角色克雷格·肯尼迪,在20世纪10年代后期的好几部电影中出现。有几本已出版的小说实际上是根据电影改编的。影片中肯尼迪发明和发现了他的结局方式。例如,"卡特案件"中的角色包括涉猎科学的犯罪大师——一个受到威胁的工业巨头的女儿,以及一群普通的嫌疑分子。

卢瑟福分裂原子。一个不为人所知的青年阿道夫·希特勒作为当局的侦探加入德意志工人党。

阴云密布的世界

任何坚持阅读美国"黄金时代"经典科幻小说的读者会发现，在成千上万篇故事和小说中很难找到悲观主义或各种反面乌托邦。悲观主义的情感是失意者所感受的：他们觉得自己和新时代太空旅行的英雄们格格不入。但处于世纪之交的作家和插图画家对这一世界正在经历的一切变化是否都是积极的并不那么确信；这些变化中有许多是付出了很大的代价才获得的。在这一点上，世纪初的作家和今天世纪末积极活跃在科幻小说界的作家相比，有许多担忧是相似的。

双刃剑

作为科幻小说肇始的是玛丽·雪莱的《弗兰肯斯坦》(参见212页)。该书从一个方面来说是一个充满希望的故事。小说的副标题"现代普罗米修斯"告诉我们，这个"魔怪"是新事物的象征：他是一个从神或自然手中偷取火——或者知识——的秘密的普罗米修斯式的角色，而且把这一知识传给了人类。对他来说送出这一礼物的代价是高昂的，人类是忘恩负义的。但是这一行动已经采取。该故事的黑暗一面是，弗兰肯斯坦所创造的普罗米修斯同时也是一个来自于我们最可怕的恶梦的畸形角色。玛丽·雪莱告诉我们，有些事情我们是不该知道的。有些形式的知识会把我们变成魔怪。

冰冻

一旦自然变革的引擎启动以后，一切都有可能发生。例如，不久前发现冰川期可能再次来临，或者太阳可能变冷，我们的地球可能死亡。

谁将继承地球？
该图是根据达尔文的理论，世界行将毁灭的方式。如果进化起作用的话，很自然海洋将会产生出全新的魔怪来。

变化着的世界

随着19世纪的逝去和20世纪的来临，物质上的进步似乎时时占据着每个人的心灵；但实际上这一分裂从未真正愈合过。进步的形象是一个杰纳斯神的脸形，既朝前看又往后望：普罗米修斯面对着充满奇迹的未来交给我们前进的工具，魔怪则脸朝后望着深渊，看着时间的深处，看着把我们担忧的一切吞没的无边无际的黑暗。工业化、城市化、铁路的爆炸性发展，以及通过电报和电话的发明把整个地球联成一个通信单位的迅速变化，所有这一切开始教育我们，人类的思想和担忧是多么脆弱和微不足道，特别是在用发现我们的行星及我们自身的科学语言去加以理解时。

在19世纪初，人们一般都认为宇宙是由上帝在不到1万年以前——这一段时间可以测定，容易了解——创造的，而且是为我们所创造的。但是，到了20世纪初，诸如查尔斯·莱尔爵士等地质学家把地球的形成时间向前推了亿万年：这是一个无法测定的时间，一个使人类历史显得微不足道的漫长时期。而查尔斯·达尔文同样显示了，我们决不是整个世界这个大故事的命定主角，只不过是进化过程中一个重要的方面而已。

科幻小说的反应

由于19世纪的动荡不安，下面的观点并

人亦或猿？
作为一幅政治卡通画，这幅威尔·戴森的作品颇有说服力，但它也传达了更具普遍意义的东西：在我们人的体内还潜伏着兽性。

不令人奇怪：在大多数早期科幻小说作家的眼中，未来充满了危险和失落；新近的把自然法则应用于人类历史方面的结果使他们感到，人类是极为脆弱的。即使是像儒勒·凡尔纳这样一个物质进步的公开提倡者，现在我们知道，他也写过一部带有悲观色彩的小说《20世纪的巴黎》（参见112页），故事的背景是一个虚构的窒息、拥挤且遭到破坏的世界。该书被出版商认为过于极端而予以拒绝。H·G·威尔斯的"世纪末"意识广为人知，他认为世界将面临一场大灾难。威尔斯不仅是一个进化论的信奉者，而且是一个目光敏锐的观察家。他和同时代的许多人一样，感到人类的发展如履薄冰。当时的大多数作品都包含着这一类可怕的警告，即一个文化和自然的世界会分裂、垮掉，失去稳定性、价值观和宁静。当然，从某个方面来说，他们的这些观点都是非常有道理的。

个人化的政治

喀耳刻是一个诱捕男人的神，她把他们引诱至永远的野兽状态。戴森的兽群是德国人，但这一信息是有着普遍意义的。

第一次世界大战

美国南北战争是世界上第一次带有科幻色彩的冲突，战争动用了带有未来色彩的潜水艇和武器。但与第一次世界大战相比，这只是一场地方性战役。在被认为是结束战争的战争的结果中，一切都和原来不一样了。即便是早期的科幻小说杂志带有勉强的乐观色彩，似乎仍对这场战争作出了反应——好似"太空剧"会使我们永远远离战壕一样。

未被掩埋的死者

在战壕之间，在渺无人烟的土地上，传说食尸鬼生活在地下。那些幸存者带回的回忆实在令人害怕，不应该被忘却。

未来降临

于是，在进入新世纪10多年以后，坚冰在我们的脚下裂开了。塞尔维亚争取独立的斗争形成了一个巨大的政治危机，从而开始了一场波及整个欧洲的战争。当时称之为"大战"的战争是西方世界曾经历过的最大的灾难：它毁灭了整整一个世纪的难能可贵的和平，消灭了整整半代人。而战争所真正毁灭的远非这些：它对权力平衡提出了疑问，对那些被证明为未能足以包容人类激情的微妙而复杂的政治方案提出了疑问。它显示了那些掌握大权的人们在面临对世界既定秩序提出挑战时，所处的可怜的无准备状态。此种状况迫使推行变革：德国放弃了君主制；英国和美国的妇女获得了选举权；沙皇被废黜；世界各地的政治秩序都改变了。因为科幻小说是对世界的反映，在短短几年时间内，作为第一次世界大战的直接结果，世界最伟大的反面乌托邦小说出现了，诸如卡夫卡、恰佩克、扎米亚京和赫胥黎的作品都是这一战争的产物。而且，尽管人们都认为H·G·威尔斯是一个说话粗声粗气的乐观主义者，但他在大战以后写的小说没有一部表达的不是对我们的生存有所保留的希望。在部分作品中，他对人类的厌恶态度是斯威夫特式的。

战争的代价

选自威尔·戴森的"文化卡通"的关于第一次世界大战的形象，绘于1915年。在一个层次上，这是对政治家残忍、尖锐的攻击。下面是高高的尸骨堆。

1920~1929：战争的后果

出现了几十部关于"未来战争"的小说，但是没有人作过猜测。即便是H·G·威尔斯在战争爆发那一年创作《结束战争的战争》的时候，他也似乎是这样认为的：一场规模足够大的战争会给予人们一些有益的教训。到了1920年，在一场毁灭了整整一代人，动摇了对以等级、尊严为基础的世界秩序旧体系的信仰的冲突结束以后，每个人——包括科幻小说作家在内，心中

	1920	1921	1922	1923	1924
科幻小说界大事记	卡莱尔·恰佩克从捷克语中给了我们robot(机器人)这个词，他创作的描绘机器人反叛的、令人兴奋的戏剧《罗素姆万能机器人》，吸引了世界各地的众多观众。	这一年出版的引人注目的科幻小说不多。霍默·伊恩·弗林特和奥斯汀·霍尔的《盲点》在《宝库·故事会周刊》杂志上发表。J·D·贝雷斯福德在《进化》中表达了关于未来的鲜明思想，并创作了多篇鬼怪故事。不过，做父母的变得更忙了；1921年出世了几十位未来的作家，包括詹姆斯·布利希、肯·布尔默、F·M·巴斯比、艾尔弗雷德·科佩尔、卡罗尔·埃姆什维勒、斯坦尼斯劳·莱姆、查尔斯·埃里克·梅因、布赖恩·穆尔和莫迪凯·罗什瓦尔德。我们不要忘了还有理查德·M·鲍尔斯这位50年代最具创新意识的封面设计艺术家。	生活在苏联依然还不错，阿列克赛·托尔斯泰的《艾里达》是一个范围广阔的太空剧。他假设社会主义原则在火星上获得了胜利。	这是一个进入和接受迅速变幻的新世界，尝试的努力开始得到重视的年份。诸如P·安德森·格雷厄姆的《智人的崩溃》，罗纳德·诺克斯的《未来回忆录》，E·V·奥德尔的《自动人》和H·G·威尔斯的《像神一样的人们》等小说都开始探索未来——在过去对英国科幻小说作家来说，这不是一个主要领域——为的是获取现代意识。埃尔默·赖斯的剧本《加法机器》是一部恰佩克式的讽刺剧。	在中欧，人们似乎对未来仍抱着希望，尽管对德国——受到凡尔赛条约的屈辱——可能东山再起存有戒心。确实，如卡莱尔·恰佩克扣人心弦的《炸药》这样的小说，以生动的隐喻描述了这个世界：通过释放原子，科学家也释放了人自身的"伊特(本我)"。
电影、广播和电视	早期电影的佳作之一《有生命的泥人》，重述了中欧的传说：在16世纪，洛伊教士赋予一个泥人生命，以拯救布拉格的犹太人。到了1920年，泥人再次具有了生命。		《赌徒马比斯博士》是弗里茨·兰对"进步"错综复杂的、使人昏眠的阴暗面的展示。催眠师和罪犯马比斯使德国走向崩溃的边缘。	勒内·克莱尔贡献出其制作成本很低的实验性巨作《疯狂的雷伊》。帕里斯被安排入睡。在她苏醒的那几段时间里，她被留在时间似乎已经停顿的世界里。	根据托尔斯泰1922年出版的同名小说改编的《艾里达》成为轰动一时的影片。故事充满了关于苏联的生活喜剧旁白和精彩的装饰派艺术布景。几年以后，这样的娱乐即遭禁止。
杂志	《宝库》和《故事会》(周刊)合并成《宝库·故事会周刊》。科幻小说包括默里·莱因斯特、雷·卡明斯、亚伯拉罕·梅里特、奥蒂斯·阿德尔伯特以及克劳和罗伯特·E·霍华德的作品。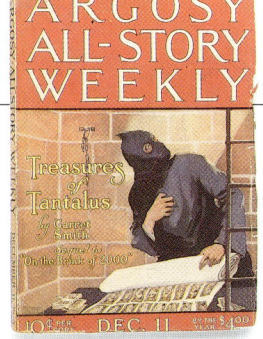	伯纳·麦克法登在他的创作生涯中在许多杂志上发表了大量的科幻作品，包括《脑力》。此作品该年出版，编辑是F·奥林·特里梅因，后来他编辑了《惊叹》杂志。(据说)后来是麦克法登使得雨果·根斯巴克破产。		雨果·根斯巴克多年以来出版歌颂科学和技术的杂志。在这一年，他把《科学和发明》的整整一期用来刊载科幻小说。回顾起来，其结果——《奇异故事》的创刊看来是必然的了。	
世界大事记			甘地被判监禁6年。在罗马，墨索里尼执掌大权达22年。T·S·艾略特出版《荒原》；辛克莱·路易斯则发表《巴比特》。	美国不加入国际法院，使自己进一步处于孤立地位。德国通货膨胀加剧，纸币成为草纸。穆斯塔法·凯马尔当选为土耳其总统。	

都明白得多了。我们面临的是一个崭新的宇宙,可是掌舵的依然是原来的智人。原来被普遍接受的真理受到了挑战:尽管有国联,"世界国家"却成了一个屠宰场,而"太空和平"则成为笑剧。但是,上一个世纪的科学成就,如电、电话、内燃机、飞行理论等等,现在都在以前所未有的速度得到发展。那么下一个目标呢?是太空!

1925

雨果·根斯巴克出版《拉尔夫124C 41+》。卡夫卡遗嘱的执行者违背他的意愿,发表了《审判》。该书第一部分写于1912年,第二部分写于1915年,但直到现在才以书的形式出版。很难想象两个差别如此之大的世界:一个是充满了从技术角度对生活的窘境作出回答的未来;另一个是由这些窘境所界定的世界,最终的答案只有一个:死亡。

出现了用电录音的唱片,A·O·兰金预测将出现会说话的电影。柯达公司生产出16毫米的胶卷。苏格兰发明家约翰·洛吉·贝尔德开发出通过电视传送图像的技术。

希特勒发表《我的奋斗》。英国开始实行失业保险。瑟吉·艾森斯坦的《战舰波将金号》拍摄完成并上映。《纽约客》杂志创刊。爱尔兰内战结束。彼得·塞勒斯出生。

1926

突然间天地变宽了。从罗伯特·M·科茨超现实的《黑暗的吞噬者》到盖伊·登特的《假设的皇帝》,自从大战结束以来,大门又一次打开了。西娅·冯·哈伯把她丈夫那部史诗般的电影《大都会》的剧本改编成小说。埃德加·赖斯·伯勒斯通过《月亮侍女》继续在太空耕耘。夏洛特·霍尔丹的《男人的世界》是早期男女平等主义者的反面乌托邦。雷金纳德·格洛索普的《太空的孤儿》把原子能和点金术连在了一起。

弗里茨·兰的《大都会》中有疯狂的科学家,伪装成少女的机器人,奴隶,地狱的装配线,巨型转盘和反叛。电影中最突出的形象是地下城本身,民众从城中蜂拥而出。

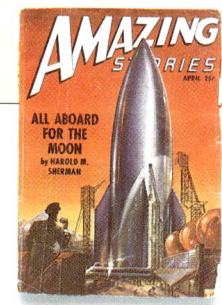

这年,雨果·根斯巴克创办《奇异故事》,我们今天所认可的科幻小说文学正式诞生。

罗伯特·A·戈达德在美国成功发射采用液态燃料的火箭。英国举行大罢工,后失败。托洛茨基被逐出政治局。鲁道夫·瓦伦蒂诺去世。A·A·米尔恩发表《小熊温尼普》。

1927

约翰·泰恩出版了《奎尔的发明》和《金牙》这两本小说,堪称这个平静年份的最佳作品。

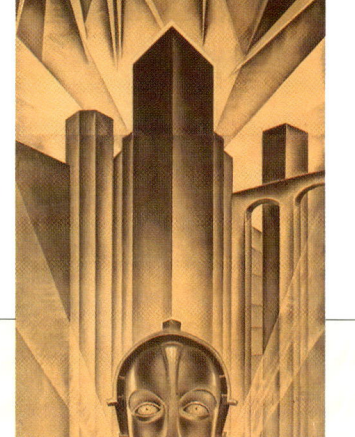

1928

在英国,出版商**维克托·戈兰兹**成立了以他的名字命名的公司(沿用至今),并立即——从G·H·维西阿克的《水母》开始——出版作家用各种锋芒毕露的体裁写作的作品,包括科幻小说。这些作家有弗兰茨·卡夫卡,M·P·希尔,默里·康斯坦丁和查尔斯·威廉姆斯。

《阿尔劳恩》第三次重拍,由布里吉特·赫尔姆担任主演。她在《大都会》中扮演玛丽亚,那是一个由科学家创造的没有灵魂、但极具挑逗性的女子。

约瑟夫·斯大林在苏联上台执政,迅速禁止各种艺术活动。在美国,沃尔特·迪斯尼制作了第一部米老鼠卡通片。

1929

《25世纪的巴克·罗杰斯》以连环漫画的形式开始登台。雨果·根斯巴克第一次使用"science fiction"(科幻小说)这个术语,尽管它是由别人先提出来的。凯·伯迪金(后用笔名默里·康斯坦丁)发表《反叛激情》。杰克·威廉姆森发表《来自火星的姑娘》。S·福勒·赖特发表《下面的世界》。

弗里茨·兰的《月球上的女人》由于威利·利的演出面显得极为可信。他发明了倒计数法。

华尔街大崩盘打消了人们认为进步是必然的信念。福克纳发表《喧哗与骚动》。齐柏林伯爵驾驶飞艇周游世界。

科学和发明

我们是地球这一行星上的工具制造者。我们是这样的生物：长着对向的拇指，充满了好奇心，有着填不满的胃口，领地的占有欲促使我们去与自己的同类争斗，很强的记忆力使得我们能够把昨天所做过的一切都铭记在心。这就是我们人类。总之，我们是摆弄世界的一种动物。对我们来说，相信某一项新发明对我们所有人都有好处，或者这世界因为（举例来说）一种疫苗的开发而明显变成了一个更美好的生活场所，这是皆大欢喜的事。但美好的故事并不一定产生出最好的结果，至少它们一开始时并不是这样的。即使是圆满的结果，也需要艰难的开端。

技术的基础

在16世纪，弗朗西斯·培根爵士几乎是单枪匹马地通过他提出的归纳推理概念，通过他对一些事物引起其他事物发生的执着观点，以及通过他认为的人类可以制造出使其他事物发生的事物这一信念而开创了现代世界。在这以后的好多年里，西方世界似乎是一片光明。进步和技术——这两者毕竟都可以被定义为使别的事物发生的事物——似乎是不可分离的。一直到18世纪末才开始出现了相反的声音。直到玛丽·雪莱的《弗兰肯斯坦》（参见212页）出版以后，终于出现了对技术的双刃剑作用的富于想像力的展现。《弗兰肯斯坦》往往被认为是第一部科幻小说，这是很有道理的，因为它包容了直至今天都一直驱动着科幻小说创作的希望和恐惧这两种原动力。科幻小说始终是和技术密切相联的，它赞颂一项项新的发明创造，把人们带往新的天地，同时设想出一个又一个人类通过制造出使其他事物发生的事物的世界来。但与此同时，众多科幻小说作家也和玛丽·雪莱一样，始终一直对这一切技术抱着深深的怀疑态度。在19世纪丁当声不断的新世界中有许多东西值得我们赞叹，但同时也有许多东西令我们恐惧。科幻小说对技术这一带有双刃剑性质的认识从那时以来一直未有改变。

电防御

在美国的早期科幻小说杂志上，技术被视为是用来帮助和保卫我们人类的，尽管事物有时确有一种走上歧途的倾向。设计用于抵御来自外层空间奇异攻击的军事机械，在早期过度渲染的科幻杂志封面及其刊载的文章上屡见不鲜。

对知识的追求

技术不仅仅是一种事物，而且是一种关于事物的知识。好几个世纪以来，西方文明认为，对知识的追求是极为必要的，几乎是神圣的。有人说，为知识的知识（纯科学）和

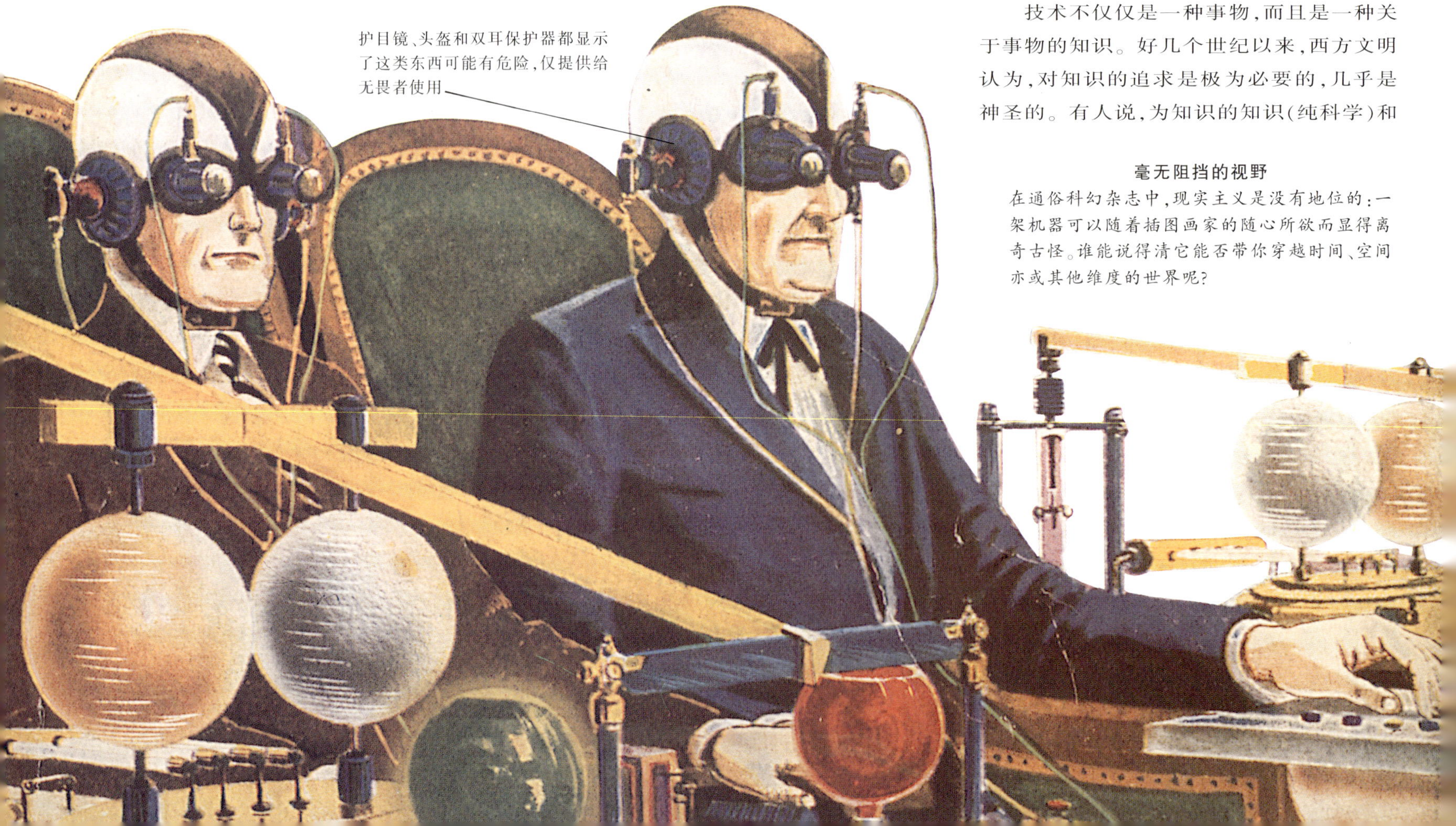

毫无阻挡的视野

在通俗科幻杂志中，现实主义是没有地位的：一架机器可以随着插图画家的随心所欲而显得离奇古怪。谁能说得清它能否带你穿越时间、空间亦或其他维度的世界呢？

护目镜、头盔和双耳保护器都显示了这类东西可能有危险，仅提供给无畏者使用。

人类的视角
《大都会》充分利用了技术,但这儿的技术是用来奴役而不是解放工人的。最后,必须由一个圣人般的女人和一个拥有理想主义的男人来拯救他们。

使得事物发生的知识(技术)是两类不同的事物。他们错了!这两者是同一条道路上的不同阶段,而科幻小说的出现就是对前方道路的展望。这条道路将通向何方,只有我们才能评说。雨果·根斯巴克的充满好奇的关于未来技术的故事《拉尔夫124C 41+》(参见214页)于1925年以单行本的形式出版。一年以后他推出了《奇异故事》,由此而打开了美国的科幻小说杂志市场。该刊宣称自己是"科学虚构小说杂志",刊登的都是关于神奇的发明创造和对新事物与未来充满激情的故事。对雨果·根斯巴克以及后来的小约翰·W·坎贝尔和美国科幻小说界的大部分作家来说,通向未来的道路毫无疑问是在步步向前的。但是,正如有人会提出的,技术关注的是滚滚向前的车轮,而故事关注的则是人们。因此尽管有许多科幻小说作家总是把技术等同于进步,但是并不令人奇怪的是,就是为了故事本身,即使是最富乐观色彩的科幻小说故事也往往这样描述:在一项新的伟大发明驱散乌云之前,世界陷入了颇为严峻的麻烦之中。

阴暗的一面
技术带有两个主要风险,而且因为它们是包容在故事中间的,即使是最乐观的科幻小说作家也都迅速发现了这两个风险。

高明的解决方案
发明家罗特万认为他为《大都会》创造出了未来的工人。但是今天的工人该怎么办呢?他的"机器人"首先被用于不正当的目的,即把他们消灭。

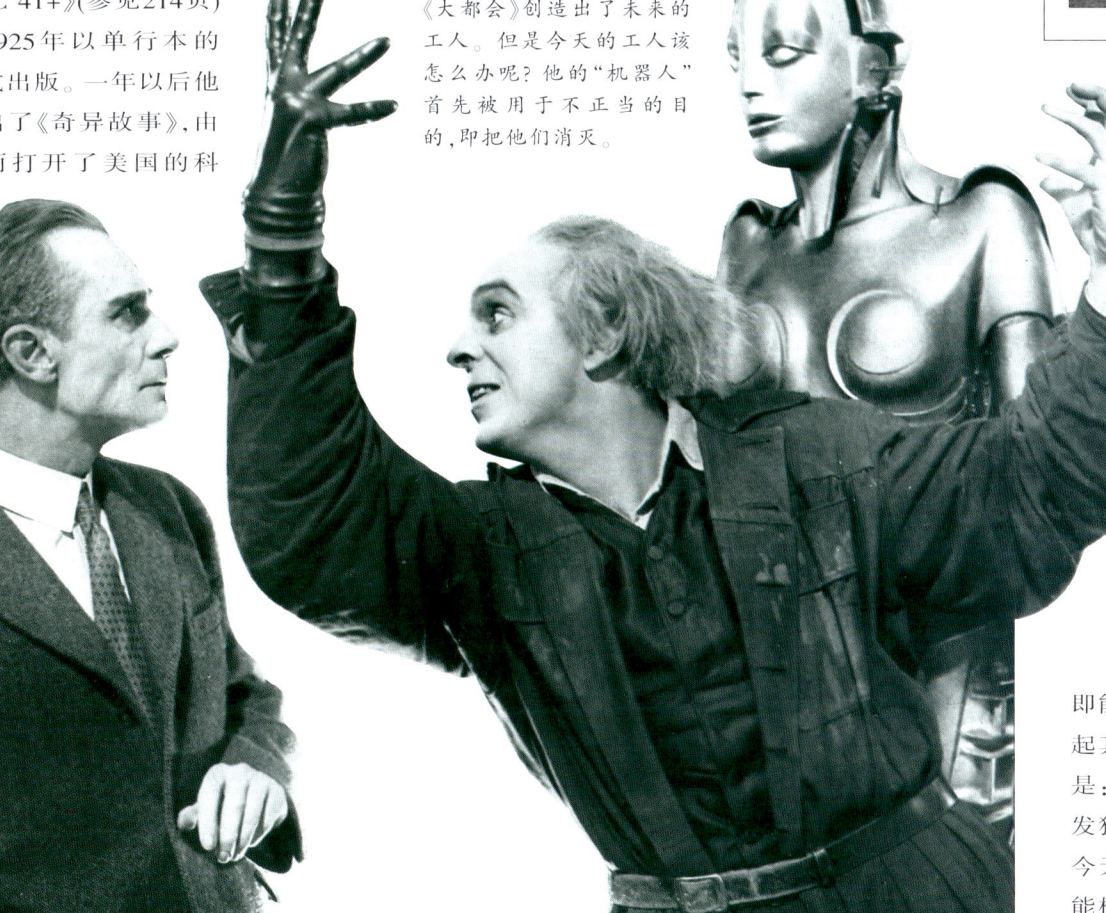

科幻英雄
托马斯·爱迪生是个实践天才,也是个颇有花招手段的人。在他事业开创初期,他获得专利的大部分发明都出自他自己之手:电报、电话、电灯、电影和蓄电池等等,总共有1300项专利。在他的事业后期,他成了一个自我吹嘘的"圣贤",对总裁们如何发动高科技战争妄加指点,而且在长距离输电上与尼古拉·特斯拉进行了一场漫长的——最后是失败的——战争。尽管他遭受了失败,但在科幻领域他激发了爱迪生式英雄形象的产生。这类故事描述的是,有胆有识的发明者用一个发明拯救了美国,而且征服了宇宙中的新殖民地。

托马斯·阿尔瓦·爱迪生

风险之一是工具可用来制造出别的工具,武器可用来制造出别的武器:每一个行动都会引起反作用,每一个防御都会引起新的进攻。科幻小说之所以浓墨重彩地描述各种用于战争的武器的发明,或许是因为在战争舞台上这一风险体现得最明显。如果我们发明出了电磁旋转防御器以抵制入侵,那么下一步我们将看到的是在我们这一无助的行星上空的超旋转器——直到全新的超旋转防御器投入生产。

另一引起恐惧的风险是"局部自治",即能自动产生运转的机械。一旦事物能引起其他事物的产生,那么技术的逻辑就是:这一过程必将继续下去。黄金时代的发狂的机器人是被阿西莫夫征服的,可是今天它们却成了自以为是的神的人工智能机器人。

机器人、人形自动机器人和半机械人

19世纪和20世纪初,在科幻小说中只要制造出一个众生来就足够了。那时没有必要去区分出不同种类的众生来,如幻想或恐怖小说那样。在科幻小说领域,短时间内一切都还很简单。那时还没有必要区分机器人(robot)和人形机器人(android),前者是由非有机材料制造的会思考、能移动的一种机器,后者则是由有机物质制造出来的会思考、能移动的创造物。机器人的"祖先"在1924年之前,甚至在这以后,被叫做机械自动人(automata)。这一年捷克剧作家卡莱尔·恰佩克创作了《罗素姆万能机器人》,从而推出了今天我们仍在使用的这一名称。卡莱尔的兄弟约瑟夫建议使用"robot"这个词,此词在捷克语中意思为"契约劳工"。他认为这词对通过卡莱尔的剧本中后来变得名闻遐迩的人工创造物来说,是一个不错的名称。但是《罗素姆万能机器人》中的机器人并不是机器人,它们是人形自动机器人。它们是用有机物质以现代智人的形象制造的,外形与我们人类相似。另一方面,真正的机器人在科幻小说作家懒得想象时看上去才和我们相像。

早期的反叛
如图,在坏习惯养成之前,非人形的机器起而反抗作为其主人的人。

为生存而战
一个颇具现实主义色彩的"黄金时代"机器人正在踩踏人们。注意它那相当灵活的手臂和腿,以及很小的头部,这表明这个脑壳在躯干中可以说是安全的。这个机器人对该国家声称它是无生命的说法表示抗议。

磁吸引
在加拿大幽默作家斯蒂芬·利科克于1929年出版的小说《铁男人和铁皮女人》(注意在坚硬的铁和中空的铁皮罐之间的带有性别歧视的差异)用机器人形象来讽喻人的行为。他很谨慎,没有使用人形自动机器人,后者的故作多情可能会使人感到不舒服。

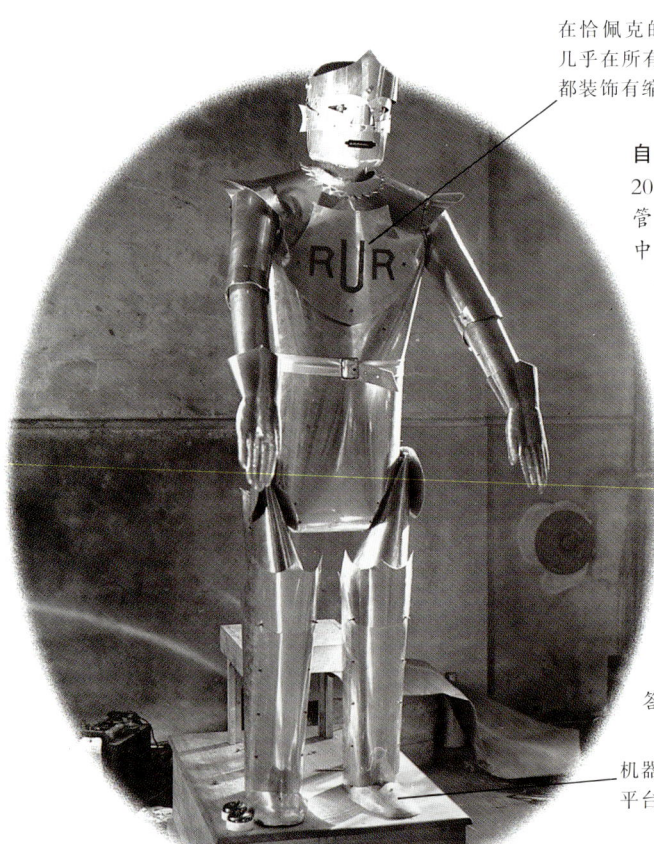

在恰佩克的戏剧上演后,几乎在所有的机器人身上都装饰有缩略词"R.U.R."

自制机器人
20世纪20年代初——尽管《罗素姆万能机器人》中的机器人是有机的人形自动机器人——已成为普遍认定的假设是:任何金属的或有机材料的机械创造物都具有人的形状,两边对称,拥有细长的肢体。这个自制的金属机器人实际上是一个真正的机器人,或者说在一定程度上是这样的。它会站立、坐下,还会回答某些问题。

机器人的脚被紧紧固定在平台上,因而不可能逃脱

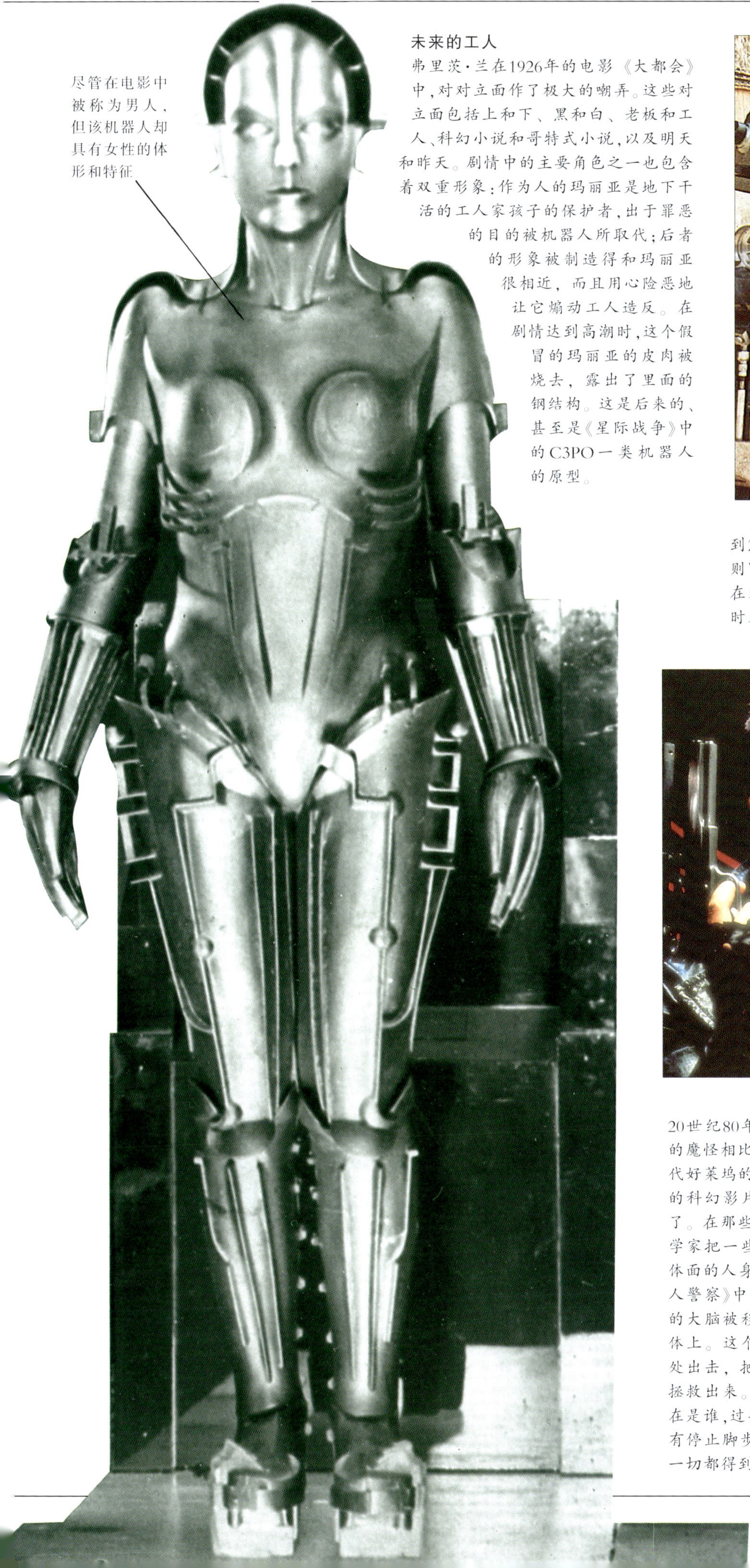

机器人、人形自动机器人和半机械人·55

尽管在电影中被称为男人，但该机器人却具有女性的体形和特征

未来的工人

弗里茨·兰在1926年的电影《大都会》中，对对立面作了极大的嘲弄。这些对立面包括上和下、黑和白、老板和工人、科幻小说和哥特式小说，以及明天和昨天。剧情中的主要角色之一也包含着双重形象：作为人的玛丽亚是地下干活的工人家孩子的保护者，出于罪恶的目的被机器人所取代；后者的形象被制造得和玛丽亚很相近，而且用心险恶地让它煽动工人造反。在剧情达到高潮时，这个假冒的玛丽亚的皮肉被烧去，露出了里面的钢结构。这是后来的、甚至是《星际战争》中的C3PO一类机器人的原型。

轮子上的子弹箱

到20世纪70年代末和"星球大战"防御系统建立时，阿西莫夫的"三大法则"(参见306页)已广为人知，机器人伙伴成了常见的东西。它们不再需要在外形上造得像我们一样才显得可爱：R2-D2看上去像一台机器，"说话"时发出的是口哨声和嘟嘟声，但比许许多多的人形机器人更具人性。

杂种生物

从技术角度来看，"终结者"，如阿诺德·施瓦辛格在这部成本很低、但却制作精良的电影中所扮演的，既不是机器人，也不是人形自动机器人。用科幻术语来说，他(或它)是一个半机械人：难以摧毁的金属骨架外面包裹着一层颇似真的皮肉。到20世纪80年代时，电影观众已有足够的见识，不再害怕长着腿的旧机器人了。这种半机械人使人害怕的地方在于它是人，但又比人更像人。

法律的坚强手臂

20世纪80年代，与《弗兰肯斯坦》中的魔怪相比，甚至与30年代和40年代好莱坞的恐怖片相比，如今的科幻影片当然是向前发展了。在那些故事中，疯狂的科学家把一些人的大脑转移到体面的人身上。例如在《机器人警察》中，一个死去的警察的大脑被移植到一个人造躯体上。这个半机械人警察到处出击，把人从罪恶和腐败中拯救出来。甚至在知道自己现在是谁，过去又是谁时，它依然没有停止脚步。最后，机器人回家了！一切都得到了宽恕。

1930～1939：萧条的10年

精彩纷呈、星系旋转不停的历险故事，或称"太空剧"，在那些年里是一大特色。但是太空剧并不完全是从那些通俗作家的头脑中蹦出来，为自己故事中征服世界的英雄寻找新领土，并且和世俗世界毫无关联的。事实上，太空剧对它的许多爱好者来说，代表的是从被大萧条包围的世界中逃逸出来，而且令人难以相信地再一次跌入另一场世界大

	1930	1931	1932	1933	1934
科幻小说界大事记	在英国，奥拉夫·斯特普尔顿的《最后的和最早的人》出版，引起了广泛的争议。斯特普尔顿和评论家认为它不是一篇科幻小说，而是一篇哲学著作。伯肯黑德伯爵的《2030年的世界》在较小的范围内发行，书中充满了对下一个世纪的诸多猜测和关于未来世界外观的插图。		奥尔德斯·赫胥黎的《美妙的新世界》出版，向我们提供了控制社会的"苏摩"药、虚拟现实的"感觉"，以及事先确定其在社会中角色的"瓶装"婴儿。小说中无生殖力——如果说是恒定的——社会中的野蛮人主角所遭遇的艰难是赫胥黎对他眼中20世纪发展大方向错了的尖锐控诉。这是一部有深远意义的作品，反映的是一场战争结束和另一场战争即将爆发之间发生的故事。	约翰·科利尔的《汤姆的A型感冒》(在美国出版时改名为《圆环》)对60多年后大屠杀以后的未来世界作了深沉的、几乎是"一厢情愿"的展望。	到这时，"太空剧"在美国的杂志市场上已经站稳脚跟，尽管该种文学形式的早期名家，如雷·卡明斯和尼尔·R·琼斯已经在走下坡路。E·E·史密斯的《云雀》系列小说在《瓦莱伦的云雀》中达到顶峰，而他的《透镜人》系列的第一部《三重行星》开始在《奇异故事》连载。杰克·威廉姆森的《太空军团》从这时开始了他的最佳系列故事。闪电戈登在报上开始露面。
电影、广播和电视	在美国，《真想不到》上映，几乎终结了科幻小说电影的发展。这是一部以未来为背景的奇怪的音乐剧。里面人名变成了数字，人们以药丸状食品为生："噗"的一下，一顿饭便吃完了。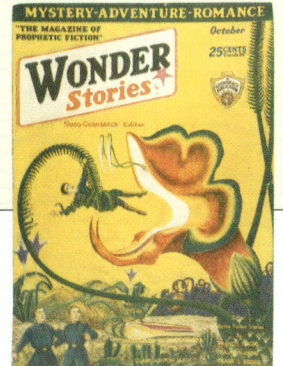	詹姆斯·惠尔拍摄的经典作品《弗兰肯斯坦》上映。从原先由贝拉·卢戈希任影片主演改为由鲍里斯·卡洛夫担纲的决定，使得电影走上了恐怖影片的道路。这为好莱坞以后几十年的科幻电影确定了基调。	19世纪的小说被陆续搬上舞台。《化身博士》是其中最具有性感色彩的一部影片。	詹姆斯·惠尔在《弗兰肯斯坦》成功的基础上又推出了他的经典之作：H·G·威尔斯的《隐身人》。该影片由克劳德·雷恩斯担任主演，他的具有独特风格的音色为影片增色不少。但由他人制作的粗糙的影片续集让人不敢恭维。	
杂志	《科学奇想故事》和《空中奇想故事》合并成《奇想故事》杂志。通俗冒险杂志《超科学惊险故事》出版。	根斯巴克的《电气实验者》的最后体现——《科学和发明》杂志停刊。《超科学惊险故事》改名为《惊险故事》。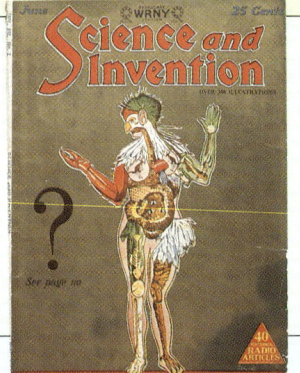		《惊险故事》由斯特里特和史密斯收购。他们改变了其出版方针，使其在该领域占据了突出的新地位。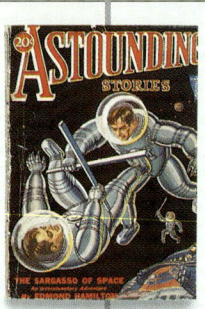	
世界大事记	希特勒的"民族社会主义工人党"在德国大选中获得大胜。《我的奋斗》英文版出版。甘地在印度各地演说，抵制盐税。		希特勒在总统大选中遭到失败，但在国会中赢得大多数席位。英国发生失业工人暴乱。罗斯福在美国的总统大选中取得压倒多数的胜利。	希特勒使用阴谋手段当选为德国总理。"希特勒青年军"成立。德国和日本脱离国联。	

战的毁灭性灾难中。在欧洲，如奥尔都斯·赫胥黎和奥拉夫·斯特普尔顿等一类作家对该时代的精神作出了更加直接的反应。但是在这个10年结束之际，美国的约翰·W·坎贝尔等新一代科幻小说作家也开始积极发掘这一体裁，用它来描写饥荒、战争和瘟疫。在科幻小说领域，从遍布四处的毁灭之中，伟大的年代来临了。

1935	1936	1937	1938	1939

1935

对欧洲人来说，战争的威胁已经逼近，有关政治讽刺和反面乌托邦的内容充斥着科幻领域。爱尔兰作家约瑟夫·奥尼尔在他那颇为有力的讽刺作品《英格兰下面的陆地》中，以"失落的世界"为背景，在希特勒的鼻子底下对法西斯主义进行了攻击。故事发生在由心灵感应术控制的独裁国家，这种感应术消灭了人们的自由意志。

莫里斯·勒纳尔的小说《奥拉克之手》第二次被改编为电影，名为《疯狂的爱》。这一片子主要描绘施行上肢移植手术的医生及其对病人妻子的迷恋。彼德·洛莱的表演与一般狂热的科学家相距较远。

在德国，犹太人被剥夺公民权。席卷美国的沙暴毁灭了大批农作物，迫使大批农民离开家园。格什温的歌剧《波吉和贝丝》首演。

1936

在欧洲大陆，讲述某种即将降临的毁灭的小说比起英国的小说来并不那么谨慎周密。1935年，德国主流作家保罗·格克创作了《塔扎巴37》，小说叙述了一个受到践踏的世界反抗人类。同年，捷克作家卡莱尔·恰佩克出版其经典之作《鲵鱼之乱》。小说叙述的是受剥削和压迫的鲵鱼，通过用一场无边无际的洪水淹没世界来向人类复仇。

《闪电戈登》以每周一集的形式在银幕上上映。每一集都以连环漫画的形式概要地描述故事的情节，而且每一集都以我们的主角将要面临恶运来结束。

随着根斯巴克的帝国渐趋衰败，《奇想故事》出售并被改名为《惊险奇想故事》出版。该杂志比根斯巴克主持时要花哨艳丽，里面刊载了大量的魔怪和历险故事，取得了相当的成功。

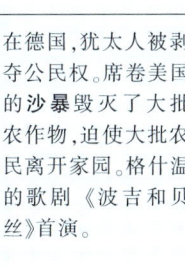

1937

第一本以单行本形式出版的闪电戈登故事《芒戈山洞中的闪电戈登》出版。它表明了随着战争的临近，硬科幻小说从杂志市场转向图书市场。

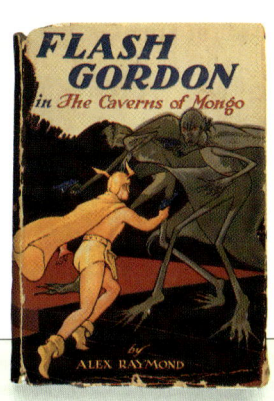

小约翰·W·坎贝尔成为《惊险故事》杂志的编辑。他把刊物改名为《惊险科幻小说》，这一名称一直沿用至1960年。

奥威尔发表《通向威根码头之路》，该书描写了处于萧条时期的英国。欧洲人纷纷涌入西班牙参加西班牙内战。随着德国与墨索里尼的意大利结盟并占领莱茵兰地区，战争迫在眉睫。

1938

本年度新闻媒介方面最大的事件，是由奥森·韦尔斯播出的广播剧——H·G·威尔斯的《星际战争》。该广播剧被误认为是真实的新闻报道，引起普遍的恐慌。这在今天看来显然是不可能的，但当时收音机广播创办还不到20年，且那个时代也确实是容易引起人们恐慌的年代。

德国吞并奥地利，并占领苏台德地区。

1939

在二次大战即将爆发前夕，路易斯·卡罗尔的《艾丽丝》再次被人模仿。《谬误之地的阿道夫》把希特勒置于一个充满无知和疯狂的超现实政治的土地上。

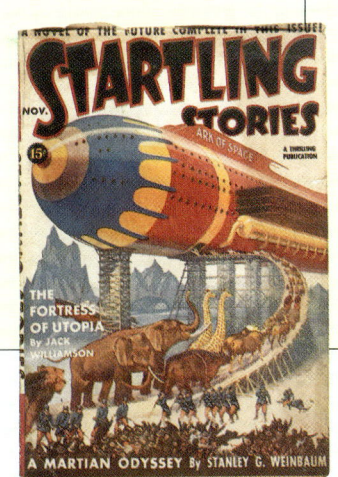

《惊异故事》杂志作为《惊险奇想故事》的姐妹刊物出版。坎贝尔的《惊险故事》发表海因莱恩、斯特金和冯·福格特的处女作和阿西莫夫的一篇故事。

在吞并捷克斯洛伐克其余部分领土后，**希特勒入侵波兰**。英国和法国投入战争。

讽刺的利刃

讽刺的要点是要有一个明确的目标。这听起来似乎极为简单,但它有助于说明为什么真正的讽刺在当代科幻小说中是如此罕见。大部分的当代科幻小说故事所描述的世界和我们目前的环境很少有什么关系,而从一个人自己的想象中创造出一个完全独立的新世界,然后对这个即使是有人类居住的世界滥加攻击是没有多大意义的。

显然,无论在何种条件下,人总是可以被其他人讽刺的,但真正有效的讽刺几乎总是带有社会性质的。它的真正目标是人们共同居住的世界的文化和政治。此外,尽管科幻小说有时确实对不久的将来进行讽刺,但是只有在其环境是以容易被戳穿的伪装所掩盖的我们自己世界的科幻小说雏形(参见34页)中,讽刺才得到了真正的繁荣与发展。

清扫公路
即使是在小行星轨道中,无视交通规则和官僚作风也随处可见。道格拉斯·亚当斯会把这幅杂志的卡通画视为儿童之作吗?

人类暴徒
G·K·切斯特顿是个典型的讽刺作家。他的笔锋犀利尖刻,他的头脑机智恢谐,他讨厌当代世界。上图是他为兰斯·西夫全于1924年出版的小说《崩溃》所绘制的一场现代暴徒无知的哄闹。

保守的讽刺

讽刺可能是抗议的一种形式,但它几乎总是用一种生活方式,或者说一种文明,来表明讽刺者认为需要保卫的事物。在接受这一思想方式的西方文明社会的2000多年中,讽刺很少被用来指明前进的道路。典型的讽刺调子是用来对失去的东西表示遗憾。

由于大多数科幻小说雏形都采用讽刺形式或含有讽刺的成分,因此认为大多数科幻小说雏形实际上都是相当保守的,也就并不令人奇怪了。尽管到陌生的岛屿或各种各样的行星上去旅行这样的想法稀奇古怪,也不管会不会在那里发现什么乌托邦社会,大多数科幻小说雏形所传递的真实、基本的信息是,黄金时代已经失去,而那个世界——其中包括由作为雏形的科幻小说作家所想象的各种世界——居住着各种可笑的生物和人类,他们比那些已经故去的前辈们实在好不了多少。

斯威夫特式的讽刺

作为读者的我们一般都倾向于站在作

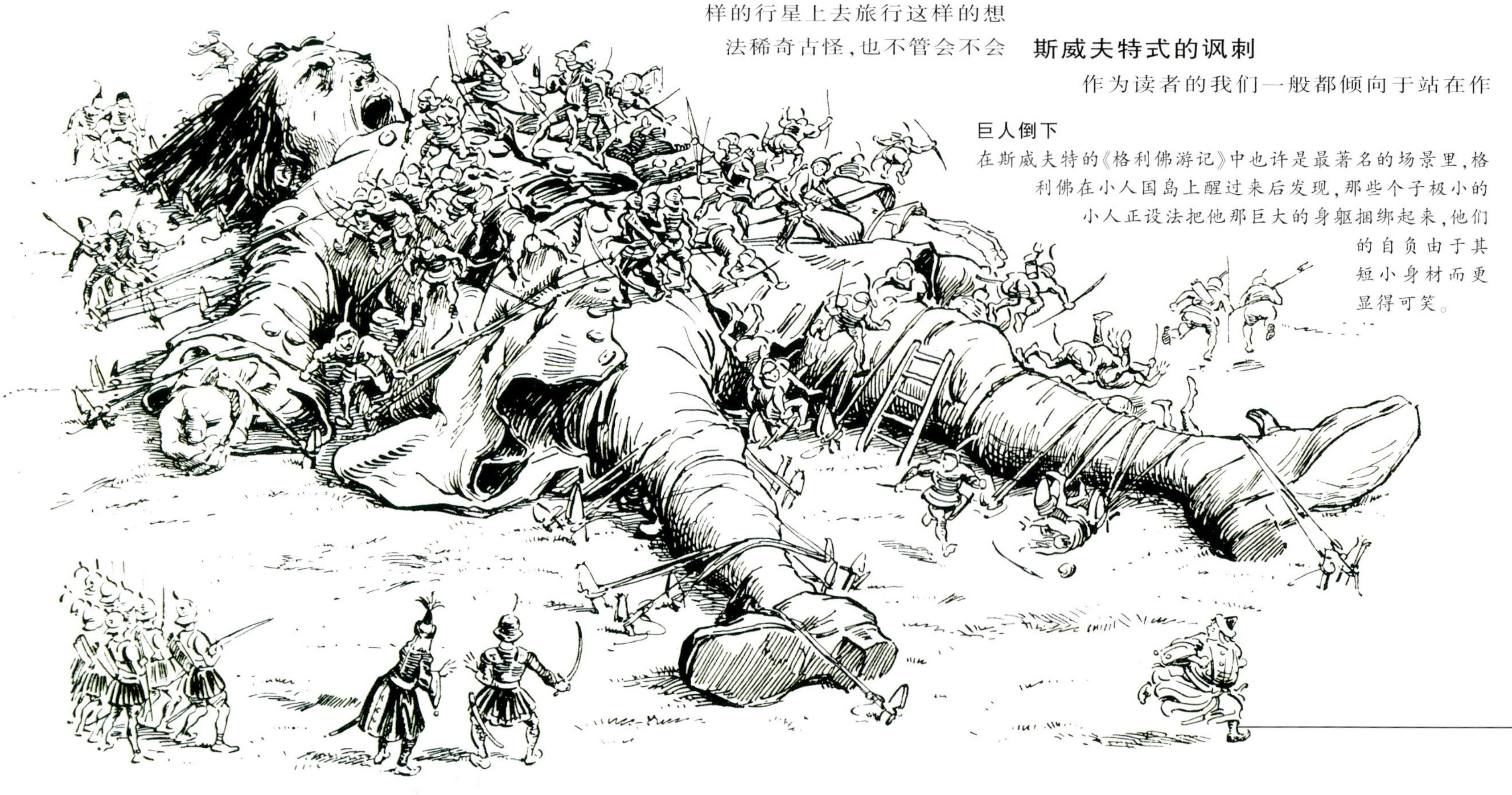

巨人倒下
在斯威夫特的《格利佛游记》中也许是最著名的场景里,格利佛在小人国岛上醒过来后发现,那些个子极小的小人正设法把他那巨大的身躯捆绑起来,他们的自负由于其短小身材而更显得可笑。

机器上的人

讽刺在电影业中很少使用,这或许是因为它的生存有赖于广大观众,而观众往往是讽刺家的当然目标。可是在1936年,查理·卓别林在其事业的顶峰拍摄了《摩登时代》,片中反映了因循守旧、生产流水线状况、大众、老板,以及对未来冷酷现实的展望。影片初映时并未受到欢迎,但它后来逐渐被人们看作卓别林最好的、也是最为大胆的影片。

者的立场上去看待我们阅读的东西,因此对阅读讽刺作品的读者来说,可以说很普遍的一个习惯是,他们假设自己不会是讽刺的对象。正如18世纪最伟大的讽刺作家和科幻小说作家乔纳森·斯威夫特所指出的,"讽刺是这样一面镜子,照镜子者一般见到的是人家的脸而看不见自己的脸……"这一说法本身就具有讽刺意味,不过它并不适用于斯威夫特的名作《格利佛游记》。尽管我们面对小人国人的不自量力会觉得要比他们高一等,但如果我们假设慧骃国把一切人都视为残酷好斗、没有原则、浑身发着酸臭味的"耶胡"的观点完全不适用于我们,这未必是明智的。

未来的生存者
《当风吹起之时》中的这对夫妻是愚蠢的,但是讽刺的矛头却指向蒙蔽他们的统治者。

从科幻小说的角度来看,更有趣的是,慧骃国所处的岛屿是颇具异域风味的。由于它存在于想象中的独特环境中,因此对该书的读者来说是极为摩登的。令人遗憾的是,斯威夫特的大多数后继者并没有这样的开阔思路来效法他。但是,在科幻小说体裁在20世纪真正确定其地位之前,像阿纳托尔·弗朗斯等一类作家确实努力地去模仿斯威夫特的尖锐犀利的讽刺手法。例如,H·G·威尔斯在《时间机器》(参见213页)和《莫罗博士岛》中,就用相当尖锐的笔调对19世纪后期的社会作了解剖。

现代讽刺

欧洲的科幻小说中出现了赫胥黎的《美妙的新世界》(参见215页)和奥威尔的《1984》(参见217页)等讽刺作品,可美国的科幻小说界除了迪希、波尔、斯莱德克和冯内古特以外,对人类环境作出讽刺性的展望并没多大兴趣。大多数作家更感兴趣的是变化而不是世界的不合理现象,他们一般不会扭头向后去寻找更加美好的生活模式。前面提到的作家为数很少,且颇不寻常,因为他们当中无人持保守的观点。他们眼中的这个世界及其居民是可笑的,但他们对人类生存条件的失望引导他们向前看,而不是向后望。他们的作品代表了一种作为想象形式的科幻小说的胜利。

新疆域

讽刺的矛头既指向世界,也指向讽刺者。在这一《荒诞和科幻小说》杂志的封面上,这些人物的动作姿势模仿的是二次大战中士兵在战场上插上胜利旗帜的著名照片。显然这里有一个讽刺点:一个通信圆盘像旗帜一样,表明谁占据着统治地位。但是人人都知道这一镜头是有意摆出来的。美和勇气常留人间。

时间旅行

漫长的睡眠
在19世纪的《多次出生的瓦尔德》里，故事的主角在不同的时代醒来。

我们都是时间旅行者。在死亡之前我们一直都在时间中跨步前行，而且即使在死亡之后我们的躯体依然在前行。到了19世纪末，关于时间旅行的科幻小说故事描述的不过是让前行的速度稍稍快一些。从文学的角度来看，一个沉睡者在昏睡几个世纪以后醒来和一个年轻人跳过一个门槛而进入未来之间的差别是很小的，因此向前的时间旅行实际上并没什么特别之处。

1895年，H·G·威尔斯创作了《时间机器》(参见213页)。在《时间机器》里，威尔斯把他的时间旅行者推向遥远的未来，于是一切都改变了。

但是在1889年，马克·吐温在《亚瑟王朝廷上的美国佬》(参见213页)中，提出了走向过去的旅行，因而打开了一个潘多拉魔盒。从那以后，在现代科幻小说中，几乎所有的时间旅行都是朝着过去的方向进行的。

通向时间终点
威尔斯的《时间机器》的叙述者讲述的是，穿越千百个世纪来到未来的时间旅行者九死一生、幸免于难的故事和宇宙的恐怖故事。据此拍摄的电影有关逃难的场面颇有特色，但关于宇宙恐怖的处理却并不成功。

生活在亭子中
这可能是由于预算的要求而这样做的，一个看上去像警察岗亭的时间机器毕竟不至于会使BBC破产，但它被证明是天才的灵感。好像幻想故事中的门槛，《胡博士》中的"塔迪斯"是这样的一扇门，门里面的世界比外面大。不仅如此，它还可以根据博士的需要，带他去任何时空。

"塔迪斯"的儿子
在1989年摄制的反映无政府状态的《比尔和特德的历险记》这部具有哄骗色彩的科幻影片中，可以发现一个具有哄骗性的"塔迪斯"，这并不令人奇怪。同实际情况不同的是，比尔和特德的电话亭里面比外边小，不久里面就挤满了来自历史上各个时期的人们和遗物以供学校写历史报道用。

通向哪个方向

有两种时间旅行，一种相当简单，另一种极其复杂。简单的方式是通向未来的旅行。它之所以简单，是出于简单的理由：一个到未来去旅行的人不可能给眼前带来影响。他的主要职责几乎毫无疑问地是以一个观察的视角，来描述所看到的新世界。正是出于这一原因，19世纪的许多经典乌托邦和反面乌托邦作品——如果其背景是设在未来的话，且有不少的确如此——所描述的主角或穿过时间滑行而来，或经过一个多世纪的昏睡后醒来（这与穿越时间旅行达一个多世纪一样）。

对当代读者来说，大多数19世纪的时间旅行小说老实说是枯燥乏味的。只有威尔斯的小说是个例外。他的作品极为精彩，通过把主角置于千万年以后的背景中，展示了一个令人恐怖的、类似异域的地球。但与此同时，它又是生物进化和社会进步力量作用的结果。可是威尔斯的作品犹如鹤立鸡群，几乎从来没有被人成功地模仿过。

其原因之一是很明显的：大多数当代的科幻故事已经把背景置于未来，因此对这些科幻小说作家来说，几乎没有多少理由要把未来的主角置于更遥远的未来世界。对20世纪的科幻小说作家来说，比较感兴趣的是马克·吐温的例子。当吐温的康涅狄格的美国佬倒回到亚瑟王时代的英国时，情节立即变得厚实而模糊了，而且故事的含义既引人入胜又带有风险。从根本上说，回到过去的时间旅行是一种具有高度破坏性的文学手段。当吐温作品中的主角头领抓住圆桌骑士们的胡须，神情激昂地谈论起工业革命时，他威胁说要毁灭吐温的读者认为这一切都是真实的整个历史。尽管吐温只是在写小说，但是他的故事仍然能够令读者坐立不安。

逃往过去

除了上述两种时间旅行之外，还有第三种时间旅行。它过去在科幻小说中也曾颇为流行，但是今天已较为少见了。在这一类故事中，一个时间旅行者从未来的某个时代来到今天的世界。有时来访者带来科学的奇迹，或者正在逃避未来的恐怖，如西马克的有些故事所叙述的那样，对这一写作手法他比其他作家使用得要多。有时主角只是偶然来到现在，如E·V·奥德尔于1923年出版的小说《自动人》。但这一手法并不很受欢迎，或许要把我们与比我们高级的角色等同起来颇为困难。

随着科幻小说杂志在美国的兴起，通向过去的时间旅行也逐渐形成了高潮。几百篇这样的故事接踵而来，其中年轻人旅行逆回到过去，杀死自己的(外)祖父，与自己的(外)祖母结婚，如此等等。有几十本小说写的是一个男人(在早期作品中很少出现女人——科幻小说仍明确地坚持在男历险者和女历险者之间划出性别界限)在一架时间机器中旅行，他来到恐龙时代或拿破仑、亚伯拉罕·林肯时代时睁开了双眼，并把历史连接到几乎是无法再复杂的焦点中。

但是新年表的形成和可能世界（参见62页）的形成是很相似的。当时间旅行者将要永远地改变事物——有意地或偶然地——很有可能在此过程中把未来改变至他永远不可能出生的时候，这两个主题常常相交。在这一时刻常见的情形是，时间警察出现了，把一切事情都退回至原先的状态，这样历史可以按照适当的、预先就设定的或人们所愿意的进程发展。于是，一切都回到了其"正常的"状态。嗯，有时候事物就是这样的。

以88英里的时速……
电影《回到未来》有使人激奋的故事，有自相矛盾的内容和众多的难题。这一切都在戴罗里恩的身上体现了出来。

时间旋涡
《奇想故事》杂志中陷入时间机器螺旋的那个人或许发明了它(因为他看上去很老)，而它则可能会把他给杀了。

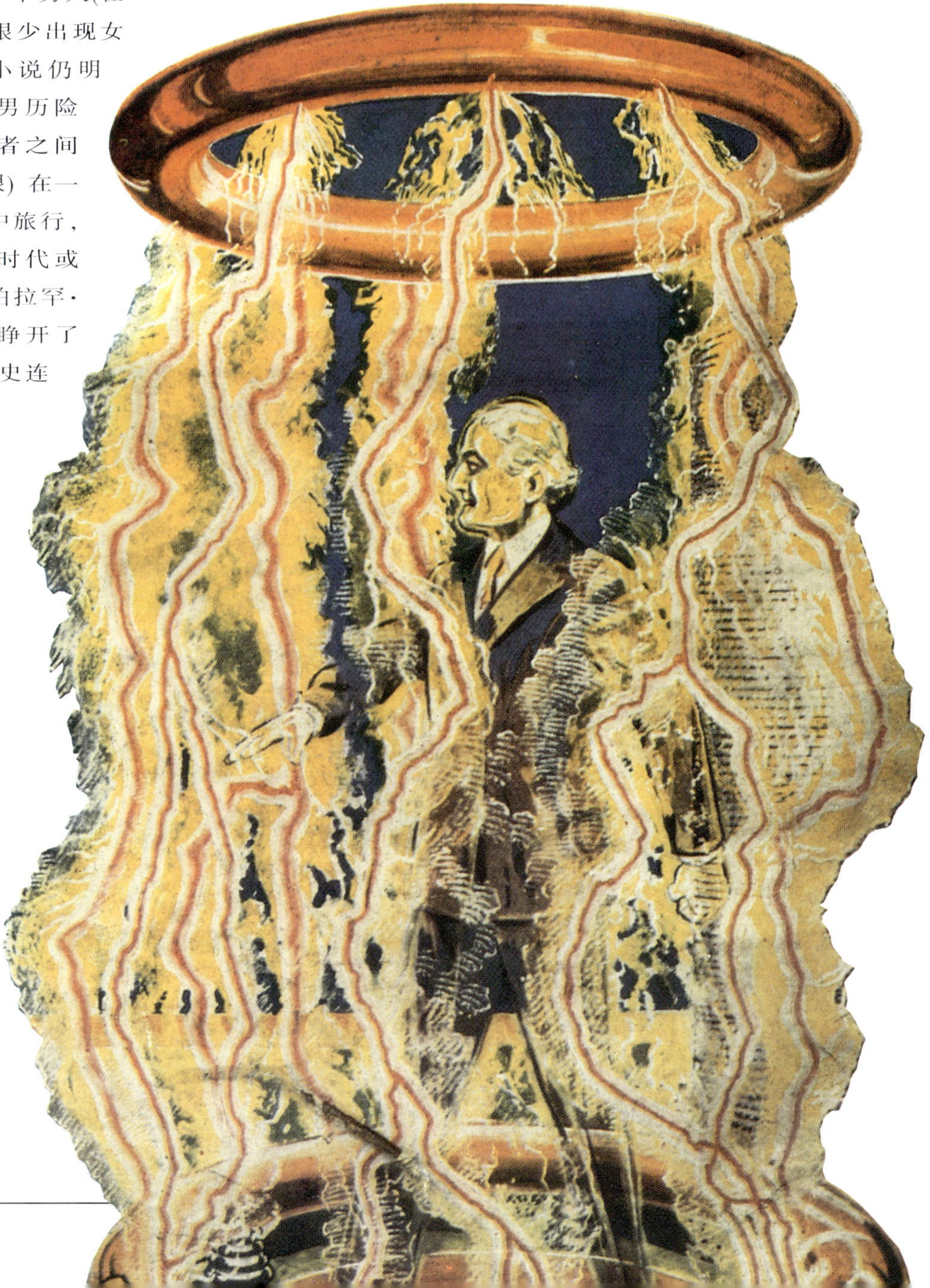

这里没有骑车者
时间旅行故事的一个引人之处是不同时代的技术的冲突。如图所示，在《土著人科幻杂志》上的一则故事里，为美国革命而战的红衣兵不得不对付一个叫做莱·戴维森的家伙。

可能世界

侏罗纪世界
由具有智慧的恐龙统治的世界是这样一个世界，那里弱小的哺乳动物仍躲藏在洞穴里，躲避其统治者。

这听上去很简单。以世界历史上的某一事件为例吧，那可能是终结恐龙时代的千百万年前发生的小行星的一次撞击，或者是拿破仑在滑铁卢的惨败。想象一下，如果那个事件从未发生过的话，结果又将会怎样？如果恐龙生存了下来，而且变得很聪明呢？如果拿破仑取得了胜利，而英国又未能建立一个大帝国呢？它听上去很简单，但相对一个可能的世界而言，只有开端是惟一简单的方法。

例如，在这样一个世界里，沃尔夫冈·阿马迪厄斯·莫扎特没有在36岁时死于今天可以治愈的疾病——这是一个简单的变化——并在之后的30年中又继续谱写曲子。他的下一个歌剧可能是莎士比亚的《暴风雨》，而且还可能使浪漫主义提前20年开始。这一切会使得贝多芬处于窘境。要是莫扎特"抢先"的话，瓦格纳还会谱写出四联剧《指环》么？要是没有《指环》的话，那么希特勒哼唱的又将会是什么歌曲呢？

要是没有滑铁卢

拿破仑在其同时代人眼中是一位世界英雄。他们认为他既是一个军事天才，又是一个对过时的法律制度实行大胆改革的人。要是他从未出生呢？要是他赢了滑铁卢之战呢？

十字架的象征
如果耶稣没有被处以死刑钉在十字架上，并为基督徒们完全改变了世界的话，那么他的追随者就不可能以他的名义征服罗马帝国，信奉密特拉教的罗马就将继续统治欧洲达数世纪之久。

开端

首先，在第一个可能世界中，夏娃唾弃了智慧之果，因而从未有过历史：没有原罪也就没有开端。因此在伊甸园向原罪的堕落并非可作为一个好的情节的可能世界的起点——因为只有在出了什么差错，只有在有什么东西需要改变时，故事才有意义。大多数故事和可能世界故事之间的差别是，后者几乎完全着眼于某一变化发生的时刻及其直接的后果，而不是由此产生的长远发展。此外，可能世界故事依据的是这样一个基本假设，即在某一时间点的一个小小的不同结果会改变整个世界。科幻小说作家有时把此称为"琼巴点"(或铰接点)，这是根据20世纪30年代杰克·威廉森塑造的一个角色命名的。这个角色拣起一块小石子就创造了一个世界。而如果他拣

美国南北战争
这期间有10多个"琼巴点",每个点都受到一群群梦想家的热情检验,在每个点上南方都有可能获胜。梦想家们就是这样说的。

起一块磁铁、成为一个伟大的科学家,就会创造出另一个世界。因此可能世界故事所传递的大多是这样一种观点,即人的个人行为有着举足轻重的作用。并不是世界历史的巨大推动力造就着我们的生命,而是某种个人的行为——要是亚伯拉罕·林肯忘记了去剧场看戏——造就了我们今天的世界。这意味着我们生活的世界因此并不是一个没有退路的陷阱。我们是可以跳出去的,我们可以找到另一个可能世界。

可能世界故事里有专门一类提出了这样的假设,即"琼巴点"已经来到,在此点上能够作出的每一个选择都已经作出,而且其中的每个选择都产生一个不同的平行世界。有的选择——如莱因斯特创作于1950年的《时间中的侧道》,或西马克于1953年写就的故事《围绕太阳的圆环》,或海因莱恩创作于1984年的《活计》——假设有可能存在数量庞大的这类平行的宇宙,它们之间正好保持足够的距离,因而未发生碰撞。正是经常通过对这类世界的比较显示了有讽刺意义的教训。

衰退与沦落
如果大英帝国一直存在下去的话,它今天会成为超级大国吗?

如果……会怎样?

更为传统的可能世界故事往往集中于:通过对一个变化可能产生的所有各种结果作出解释而得到智力上的快乐。历史上充满了无数的"如果……"的假定推测:如果恐龙生存至今……;如果罗马在迦太基获得了胜利……;如果耶稣没有被钉死在十字架上……;如果哥伦布没有发现美洲……;如果西班牙无敌舰队战胜了伊丽莎白女王的英国……;如果牛顿的脑袋被掉下来的苹果砸出了脑浆……;如果拿破仑在滑铁卢取得了大胜……;如果巴贝奇在1820年就发明了可以操作的计算机……;如果南方取得了美国南北战争的胜利……;如果富兰克林·德拉诺·罗斯福在选举获胜以后不久即去世……;如果希特勒获得了胜利……;如果原子弹没有投在广岛和长崎……;如果戴高乐仍然占据总统职位并为后帝国的法兰西而战……;如果麦克阿瑟将军成为美国总统……;如果肯尼迪躲过了达拉斯的刺杀……;等等。

一个选择的世界

换言之,可能性是无穷无尽的。惟一的要求是这一信念,即行动是重要的。体现出这一信念的科幻小说故事一般可分成两类。一类是这些故事,诸如菲利普·K·迪克的《城堡中人》(参见223页),那是一个讲述希特勒获胜的故事;或基思·罗伯茨创作于1968年的《帕凡舞》,故事中西班牙无敌舰队征服了英国。这些故事探讨的是无论是对一个或多个可能世界作出假设的情况下,一个变化了的事件所具有的含义。另外还有一类故事,如艾萨克·阿西莫夫于1955年发表的故事《永恒的终端》,或基思·劳马写于1962年的情节曲折的《帝国世界》,或巴林顿·J·贝利创作于1974年的小说《时空都市的陷落》,都集中于琼巴点,一般都描写到时间旅行,其情节中不同的可能世界相互对立,每一个都保卫着自己的现实地位,反对对方为使历史沿着有利于其的方向发展而改动琼巴点的企图。

不过归根结底,可能世界故事的中心主题是这样一种信念:世界是由我们决定的。

世界新秩序
希特勒提供了几十个琼巴点。其中主要的一个是:如果他没有入侵俄国,而且赢得了战争,那结果会怎样呢?恐怖,在任何情况下几乎都是如此。

1940～1949：全球冲突

战争从欧洲蔓延至整个世界。当大战还在进行之中，推测战争的结束及后果的小说就已经出版了。但等到大战一结束，英国和美国的科幻小说界却似乎对此失去了兴趣，尽管在希特勒失败仅几个月后，在匈牙利就出版了内容为希特勒赢得了战争的第一部可能世界小说。对科幻小说界来说，战争使得20世纪40年代成为一个迷惑不定的时代。许多作家或暂时或永久地离开了这一领

	1940	1941	1942	1943	1944
科幻小说界大事记	科幻小说作家喜欢武器和戏剧性强的事件，但他们中大多数人的精神是健全的，坚决反对纳粹，而且从内心赞成民主。这使得对二次世界大战的描述显得很困难，因为纳粹对现代战争的美学显示了高超的技巧。一部讲述如果希特勒占上风后将会发生什么的"可怕警示"科幻小说，就是弗雷德·奥尔霍夫写的《黑夜闪电》。它刊登在《自由》杂志上，直到1979年才以单行本的形式出版。	由于青壮年大多上了前线，加上纸张短缺，科幻小说几乎从英国消失了。菲尔·斯通编辑了第一本大型科幻小说文集《别的世界》。	海因莱恩在杂志上发表了一系列后来成为《超越地平线》一书内容的精彩小说和故事。同其他许多著名科幻小说作家一样，战争影响了其创作直至大战结束。由L·斯普拉格·德康和弗莱彻·普拉创作的《无理之地》一类的幻想作品重写历史，以期理智能够获胜。最重要的作品出自其他作家之手。维塔·萨克维尔－韦斯特的《大峡谷》预言纳粹将获胜，而奥斯汀·塔潘·赖特的《岛国》描绘了一个辽阔的太平洋乌托邦。彼得·范西塔特的《我即世界》讽刺了独裁主义。	沃尔特·迪斯尼计划推出淘气而有趣的《小妖精》故事，作为战争时期的兴奋剂。其结果是罗尔德·达尔的第一部作品出版，但未摄制成电影。赫尔曼·黑塞创作《地方行政官卢迪》。	克利福德·西马克是当代科幻小说作家中少数几个年事已高、不再积极抛头露面的人之一。他开始在《惊险》杂志上出版后来被结集为《城市》的故事，并因此而名闻遐迩。奥尔德斯·赫胥黎出版《时间必须有个终点》。奥拉夫·斯特普尔顿出版他的最后一部科幻小说《天狼星》。菲力普·怀利出版《夜得不息》。但总的来说，这是一个颇为平静的年份。
电影、广播和电视	黄祸和未来相遇。早在珍珠港遭到轰炸之前，"独眼巨人博士"和后来在宣传影片中出现的那种"日本佬"就颇为相似。		战争未能阻挡一切，《阴影》继续在地球上徘徊以搜索罪犯，包括成吉思汗的超强后代。	《蝙蝠侠》是作为笑剧重演的"大都会"的悲剧。作为逃避现实的城市幻想剧，故事中带着假面具的、有着矛盾心理的反派英雄结果被证明是一个好人，成为战争年代一部受人欢迎的影片。	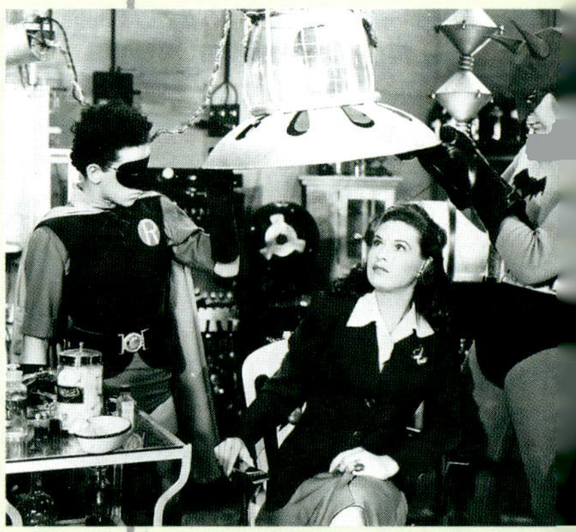
杂志		自1939年起，小约翰·W·坎贝尔的《未知世界》专门刊登几乎和科幻小说故事难以区别的、颇具理性的魔幻和幻想故事。后来坎贝尔停止了《未知世界》的出版，以节约宝贵的纸张维持《惊险故事》的出版。			几年之前，有几十种科幻小说杂志先后出版和停刊。到1944年时，只有几种战前就出版的颇具声誉的杂志还能在刊物架上见到。
世界大事记	巴黎沦陷：假战结束。托洛茨基遭暗杀。沃尔特·迪斯尼推出"梦幻乐园"。	日本轰炸珍珠港，德国入侵俄国，从而迫使两个世界强国投入战争。同盟国的胜利现在已经是毋庸置疑的了。		全副武装的占领军袭击华沙犹太人聚居区。有的犹太人奋起保卫自己。最后他们遭到了杀害，但也杀死了一些纳粹分子。	V-2型飞弹是希特勒在9月份开始为其报复目的而使用的新式武器。

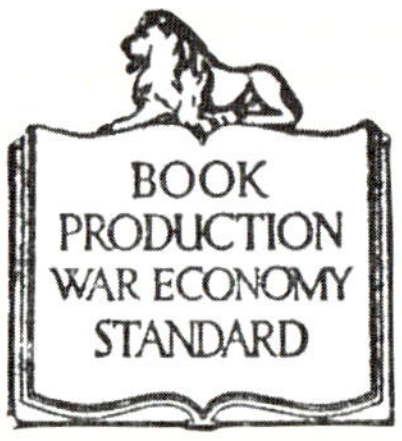

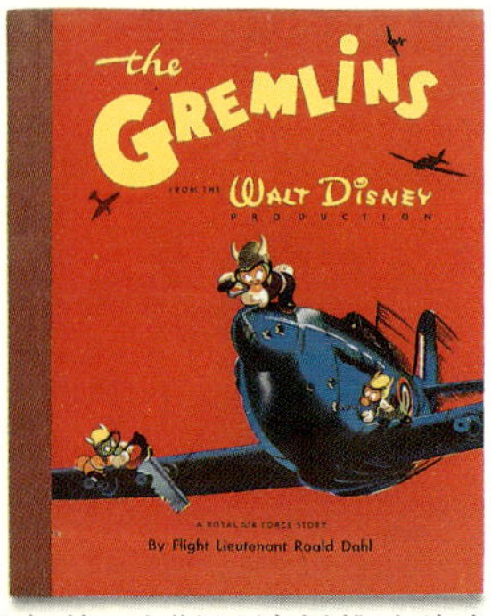

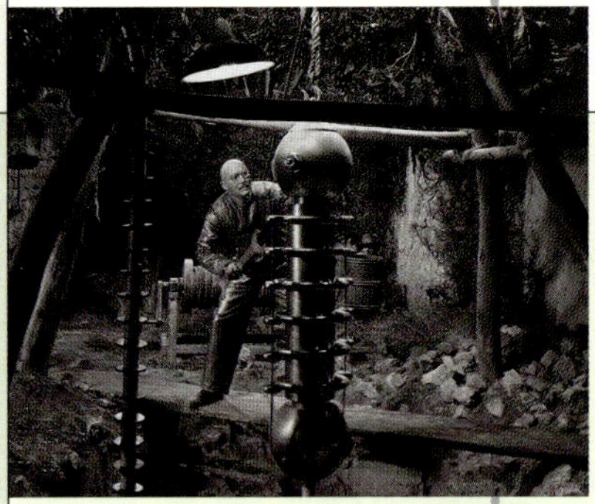

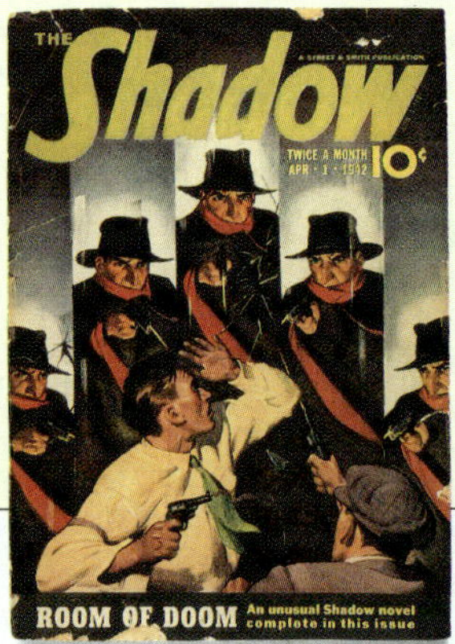

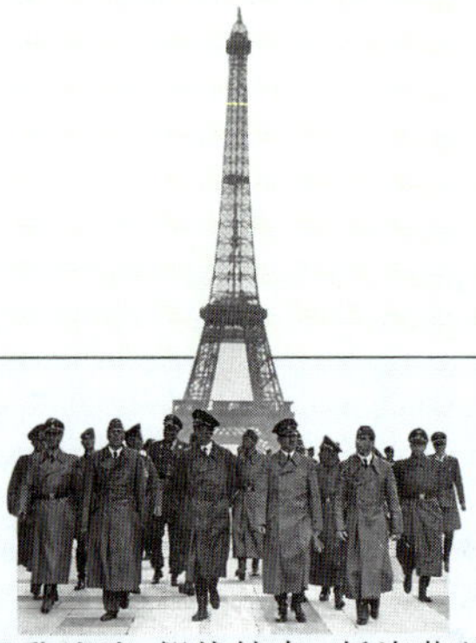

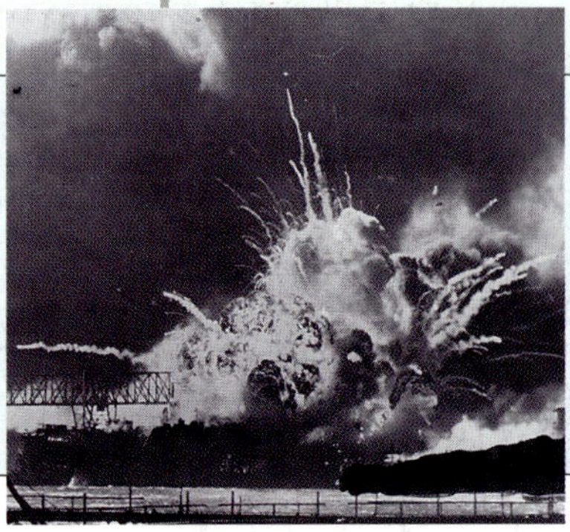

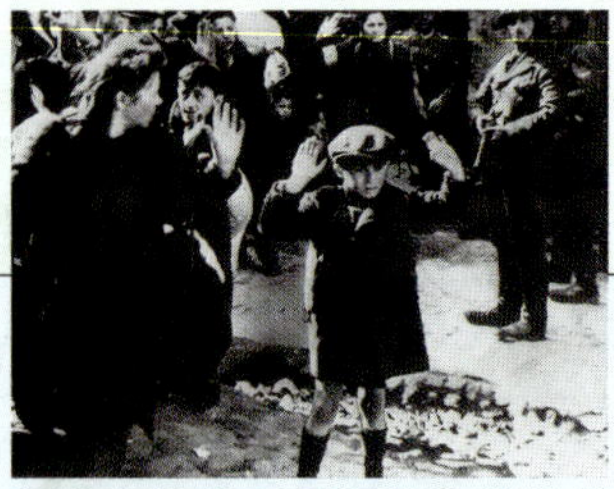

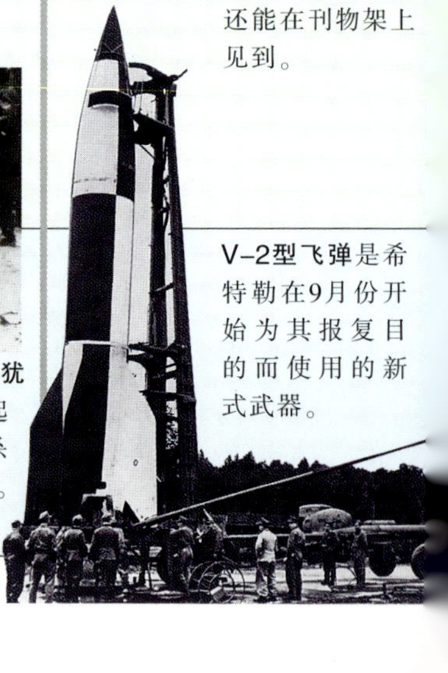

域。战争使科幻电影陷入一片恐惧和逃避现实的境况之中,直到20世纪50年代才开始得以恢复。而战争时期的纸张短缺令大西洋两岸任何稍稍显得有些不健康的杂志都纷纷停刊、关门。战争结束以后,似乎是作为对新时代需要的承认,或者作为对科幻小说作家日趋成熟的反应,科幻小说书刊的出版开始趋于繁荣,直到40年代末出现了专门的科幻小说出版社。

1945	1946	1947	1948	1949
在《惊险》杂志上,A·E·范·沃格特在5年的创作高峰中推出了《A的世界》,后来西蒙和舒斯特出版公司于1948年出版了单行本。在英国,C·S·路易斯发表了《可怕的力量》,乔治·奥威尔发表了《动物庄园》。	  闸门试探性地开始打开了。范·沃格特的《超人斯兰》以单行本的形式出版,同年出版的还有E·E·史密斯的《太空云雀》、麦科马斯和希利的文集《时空历险》和帕特·弗兰克的《亚当先生》。	格言出版社在专门出版科幻小说的出版社中不是第一家,但是一家最为成功的小型出版社。埃德·卡蒂埃为出版社设计的标志说明了一切。 J·O·贝利的《穿越时空的朝圣者》是对科幻小说进行学术研究的首次尝试,如今它仍有价值。	到这一年,主要的科幻小说作家都开始在专门的科幻出版社出版早期作品。现在其规模因"沙斯塔"出版社的加盟而扩大,后者由不久后即成为朱莉安·梅丈夫的T·E·迪克蒂创办。"沙斯塔"出版社的眼光总是那么准:德坎普、海因莱恩和贝斯特都是他们的作者。他们未接受L·罗恩·哈伯德关于"排除有害印象精神治疗法"的著作。	这是对本世纪所经历的史无前例的变化作出评价的年头。乔治·奥威尔发表《1984》。乔治·R·斯图尔特发表《地球继续存在》。但是年轻的作家们从军队退役,开始跃跃欲试。为他们提供发表天地的第一本杂志《荒诞和科幻小说杂志》创刊。科幻小说领域出现了春天的气息。
《紫色魔鬼袭来》是一部低制作成本的系列剧,在美国影坛上推出了两个主题:外星人的入侵以及会改变形体的外星人对人类的占有。		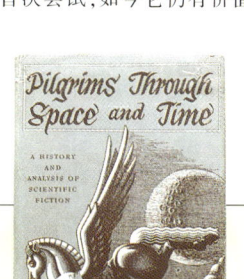	没人真正理解为什么是超人,而不是其他任何超级英雄后来闻名世界。然而这一廉价品却变成了赚钱机器,这就更加使人感到神秘莫测了。	
	 战前以《爱好者杂志》形式试刊一段时间后,《新世界》正式出版。30多年来它一直是英国的核心科幻小说期刊,今天仍以文集的形式出版。	《幻想丛书》创办,但出版、发行并不定期,4年中共出版了8期。它出版过阿西莫夫、范·沃格特、莱因斯特的作品,以及科德温纳·史密斯令人大吃一惊的第一篇故事——《虚度一生的审视者》。该故事曾被其他各种科幻小说杂志拒绝。	原来由海因莱恩在《惊险》杂志上推出的"能人"形象,在约翰·W·坎贝尔的头脑里逐渐转变为自由的"非正统的"代名词。到40年代末,在海因莱恩不再向《惊险》杂志投稿以后很久,该杂志准备接受"排除有害印象精神治疗法"的观点。	 《荒诞和科幻小说杂志》出版,并在此后坚持出版了40余年。《A·梅里特幻想故事杂志》出版5期后即停刊,颇为凄惨。
8月份,第一颗原子弹爆炸结束了第二次世界大战,掀开了世界历史新的一页。	每当这一机器运转时,附近镇上的灯光就会变暗。它就是电子数字积分计算机,这是第一台真正的计算机。 			毛泽东成立了中华人民共和国。北约组织成立。南非开始实行种族隔离。爱因斯坦发表《广义引力场理论》。卡罗尔·里德执导影片《第三个人》。 $g_{ikse}=0;\ \Gamma_L=0;\ R_{Lk}=0;\ g^{k\zeta}_{\iota,s}=0$

未来历史故事

任何描述发生在将来的事件的故事，在某种意义上都是"未来的历史故事"。但是在现代科幻小说中，这一词语专门指在某一重大历史时刻明确界定的、连贯的时间框架，在此框架中单篇的或系列的故事得以产生。时间框架一般可以用图表的形式来显示，依年代的顺序来加以设计。

罗伯特·A·海因莱恩的未来历史故事是科幻小说体裁中最早出现的作品，于1941年发表在《惊险》杂志上，至今或许仍可以算是这方面的最佳作品。此后还出版过其他几种未来历史故事，其中有一部分在此略作介绍。其他的如C·J·彻里尔作品中甚为庞大的时间结构，还未能以流程图的形式来加以表示。

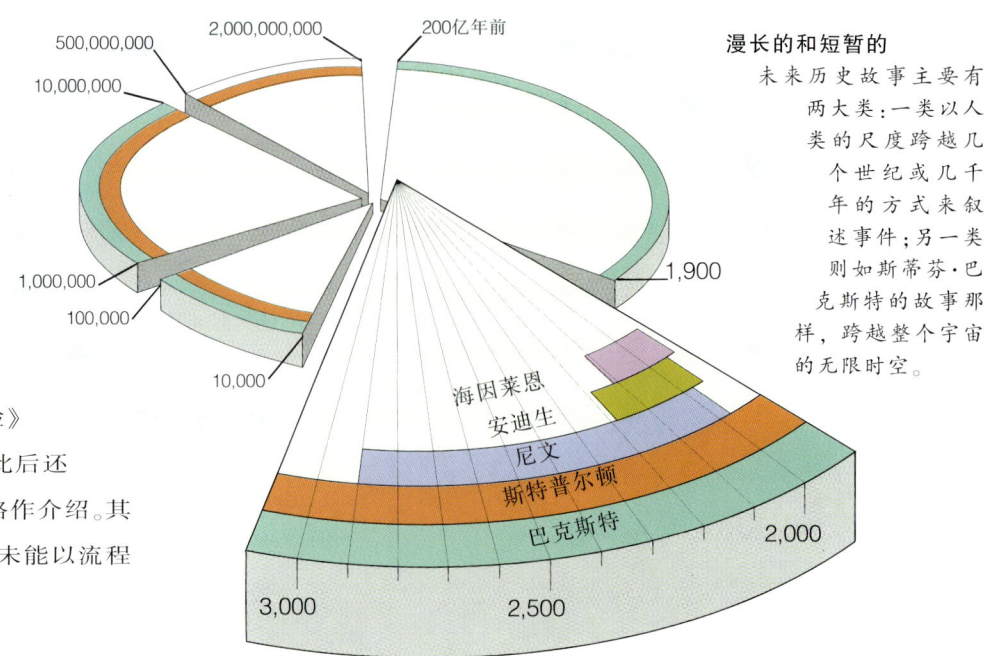

漫长的和短暂的

未来历史故事主要有两大类：一类以人类的尺度跨越几个世纪或几千年的方式来叙述事件；另一类则如斯蒂芬·巴克斯特的故事那样，跨越整个宇宙的无限时空。

斯蒂芬·巴克斯特

巴克斯特的未来历史故事通过几本小说构建出一个完整的结构，反映了从宇宙的诞生直至其终结这整个阶段中强大的外星人齐里人和光鸟两者之间的冲突。

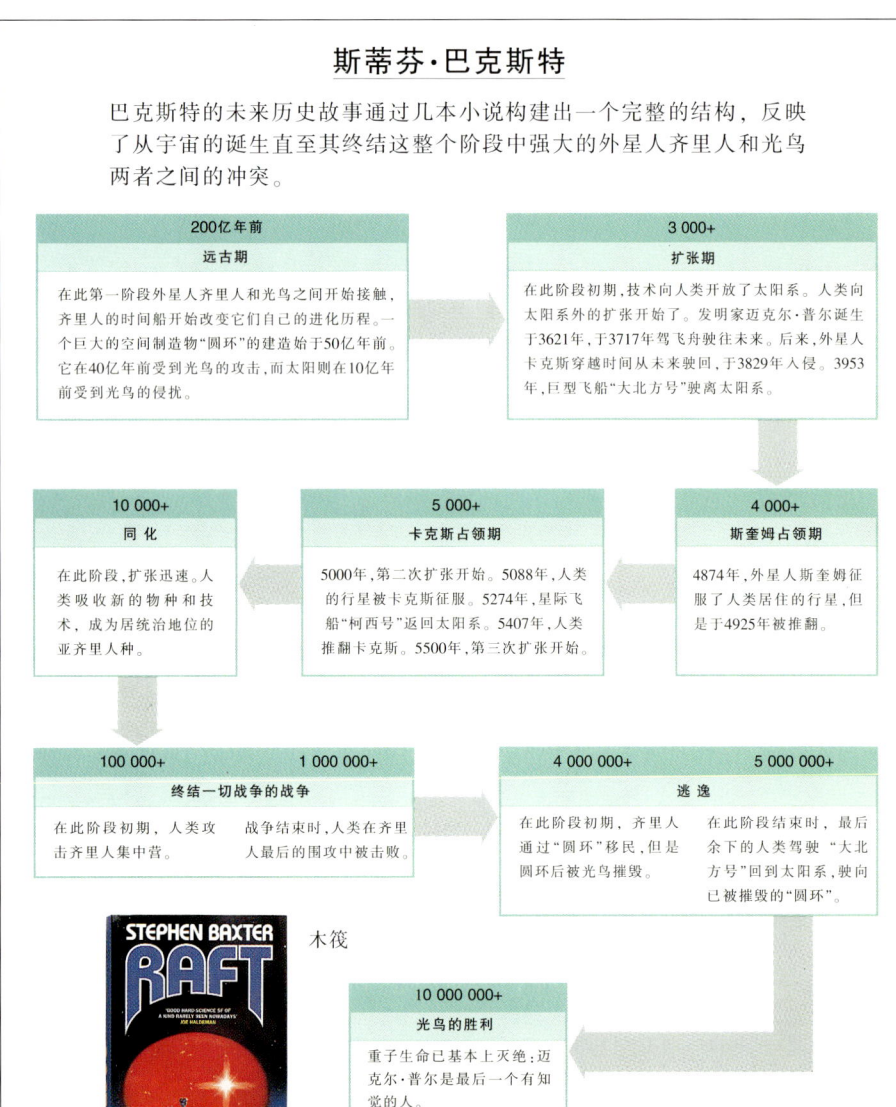

200亿年前 — 远古期
在此第一阶段外星人齐里人和光鸟之间开始接触，齐里人的时间船开始改变它们自己的进化历程。一个巨大的空间制造物"圆环"的建造始于50亿年前。它在40亿年前受到光鸟的攻击，而太阳则在10亿年前受到光鸟的侵扰。

3 000+ — 扩张期
在此阶段初期，技术向人类开放了太阳系。人类向太阳系外的扩张开始了。发明家迈克尔·普尔诞生于3621年，于3717年驾飞舟驶往未来。后来，外星人卡克斯穿越时间从未来驶回，于3829年入侵。3953年，巨型飞船"大北方号"驶离太阳系。

10 000+ — 同化
在此阶段，扩张迅速。人类吸收新的物种和技术，成为居统治地位的亚齐里人种。

5 000+ — 卡克斯占领期
5000年，第二次扩张开始。5088年，人类的行星被卡克斯征服。5274年，星际飞船"柯西号"返回太阳系。5407年，人类推翻卡克斯。5500年，第三次扩张开始。

4 000+ — 斯奎姆占领期
4874年，外星人斯奎姆征服了人类居住的行星，但是于4925年被推翻。

100 000+ — 终结一切战争的战争
在此阶段初期，人类攻击齐里人集中营。

1 000 000+
战争结束时，人类在齐里人最后的围攻中被击败。

4 000 000+ — 逃逸
在此阶段初期，齐里人通过"圆环"移民，但是圆环后被光鸟摧毁。

5 000 000+
在此阶段结束时，最后余下的人类驾驶"大北方号"回到太阳系，驶向已被摧毁的"圆环"。

木筏

10 000 000+ — 光鸟的胜利
重子生命已基本上灭绝；迈克尔·普尔是最后一个有知觉的人。

奥拉夫·斯特普尔顿

斯特普尔顿那可怕而又居高临下的视野范围超越了任何人的历史观，把人类的进化置于宇宙的生命之外。

1 900+
1914~1918年的大战后是英-法、俄-德、欧-美和中-美大战。

2 500+
第一个世界国建立，另设一个世界工业委员会。这是和平的岁月，但精神发展停滞。

100 000+
新的文明产生，随后用核武器毁灭了自己，人口减至35人。

8 000+
第一个世界国崩溃，煤炭供应耗竭。新的黑暗世纪来临。

10 000 000+
第二代人类形成。他们在击溃火星人殖民化的过程中消灭了自己。

20 000 000+
第三代人类创造了第四代人类，后者毁灭了前者并形成了第五代人类。

1 000 000 000+
第九代人类形成并被送至海王星，成为第十代人类。他们被消灭，只剩下原始的人类。

500 000 000+
第五代人类移民至金星，后为第六代和第七代人类所继承。经过突变的第七代人类创造了第八代人类。

1 500 000 000+
经过剧烈的波动以后，形成了第十七代人类。他们创造了第十八代，或称最后一代人类。

2 000 000 000+
随着太阳的死亡，最后一代人类把人类尘埃撒播出去，在其他行星上形成生命。

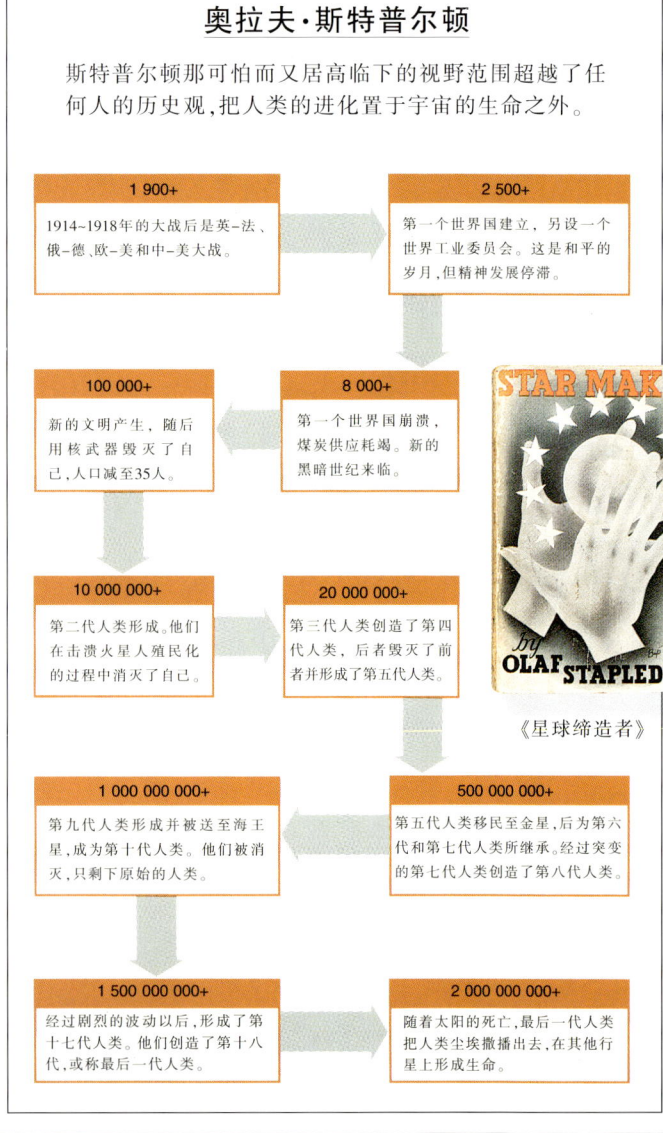

《星球缔造者》

拉里·尼文

《已知宇宙的故事》从1964年尼文的第一篇故事"最冷的地方"开始,发展为20世纪90年代"共有的世界"故事集。已知的世界中充满了生命——人类由帕克创造,与克金开战,与外星人傀儡操纵者一起探索"圆环世界"——并发起挑战,诸如遗传工程、心灵运输、超光速的飞行,以及为那些向外星探险者提供的中止生命的技术。

1975	2000	2100	2300	2400
器官捐献库设立,伴之以必需技术的开发和有关法律的通过。对太阳系的载人飞行探索开始。	向小行星带殖民。小行星带成为独立的政治实体。星际飞船成功发射。	地球必须随着一些行星上阴暗区的发现和复活,以及帕克人来到太阳系而适应外星人。器官移植技术引起社会问题,如"器官买卖"成为常见现象,为移植而处决罪犯使监狱不复存在。太空殖民地扩张。	与帕克人发生战争,继之以与很容易被冒犯的克金人的首次接触。这导致人类与克金人的第一次战争。抗衰老药物获得开发,使得人口控制的法律成为必须。	人类与克金人的第一次战争结束。屎形高速驱动技术得到开发。人类殖民者从外星商人手中购买超光速推进转轨技术。

2900	2800	2700	2600	2500
傀儡操纵者的好运基因传遍人类。因"已知太空"过于平静而未能产生更多的故事。	侦察飞行器访问"圆环世界",使不具攻击性的装置具备攻击性作用,如聚变驱动装置。	一段和平与扩张期。推进器驱动几乎完全代替聚变驱动。	傀儡操纵者开发了一种高级超光速推进技术,把一个人送往银河系的核心。当他送出核心已爆炸的报告后,他们收拾好太阳系以后离去。股票市场大跌。	超光速推进技术使得屎形高速飞船过时了。后来的人类与克金人的战争导致与其他外星人的接触,首次遭遇极为谨慎的傀儡操纵者。

《普塔夫斯的世界》

波尔·安迪生

《心理技术联盟》是安迪生与他的《技术历史》系列并列的一组系列小说。小说带着人类穿过太阳系来到更广阔的太空,那儿的"联合国"与我们现在所知道的颇不相同。

1950	1980	2010
这是一个政治上不稳定的阶段,先后发生了朝鲜战争和第三次世界大战——在这次大战中,苏联失败——以及欧洲的内战和大圣战。战后的混乱逐渐平息,美国接受了社会主义,形成宗教狂热。大大加强的联合国难以控制其成员国。技术进步包括月球基地、火星和金星的殖民地、石油合成和早期的心理技术。	联合国逐步走向世界政府。它使用或明或暗的手段镇压了一场巴西-阿根廷之战、一个反联合国的政府,以及一个实行独裁统治的企图。技术进步包括改进了的宇宙飞船、海洋殖民地、室外空调、弧拱形宇宙飞船、自动工厂、休克和麻痹光速、寿命延长以及广义场论的形成,它把相对论和量子力学结合了起来。	采取进一步措施实现世界政府,以取消各国的军队。月球大学创立。金星与联合国脱离。第二次工业革命开始,发展表现在新能源和食品合成技术的开发,以及合成病毒的形成上。

		2040
		联合国太空海军和行星工程军团成立。货币改革。开发一种基本语言。金星上的民族主义遭到镇压,向木卫三殖民,技术进步包括具有意识的机器和行星际广播。

2130	2100	2070
地球上有一个阶段情况恶化,导致行星际间大范围的移民和开发。火星已可供人类居住。政府中被揭露出腐败现象,一项为期120年的航行启动,以消除不满。	随着太空中进一步的扩展与巩固,金星已经可以供人人居住。宇宙航班设立。太阳系联盟建立。"人类宣言"公布。一种泛宇宙宗教开始。金星上开始出现一种氏族制度,宇宙方舟被送往半人马座。	地球上的不满情绪在增长,起因是第二次工业革命产生的问题未能得到解决。出现反机器人的暴乱。开发出军队机器人和类人机器人,以及完全自动的宇宙飞船。行星工程师公社和百科基金会成立。

2160	2190
出现了一场流产的人文主义者革命。科学进步逐步走向衰退。	木星上的独裁统治被推翻。

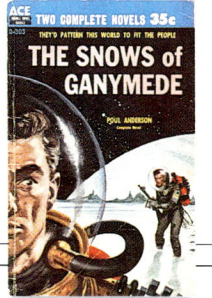

《木卫三上的大雪》

罗伯特·A·海因莱恩

海因莱恩为"未来历史故事"确定了基调:他告诉我们这是通向未来之路。这一类故事大多创作于20世纪40年代,但他在晚年时又回到了这类题材的创作。

1975年前
疯狂的年代
技术进步和社会衰退导致大众精神失常和空位期。

1975	2000
帝国开拓的阶段	
空位期后开始重建。百万富翁迪洛斯·哈里曼通过出售部分商业权来筹集首次月球航行。月球城建立。行星际探索和开发开始。	分别发生于南极、美国和金星的三大革命结束了行星际帝国主义阶段。太空旅行停止,直至2072年才恢复。宗教独裁统治出现于美国。研究或技术进步几乎停止。

2050	2025
这是一个极端的清教主义阶段。在这个阶段,心理动力学、心理测量学、大众心理学和社会控制研究由牧师阶级推出。	公民自由重新建立,重新开展科学研究,这重又导致巨大的变革。太空旅行得以恢复。月球城重新建立。

《穿过明天的过去》

2075	2100	2125
	第一个人类文明	
在严格应用认知论的基础上,建立了社会关系的科学。不适合社会者被送至由叫做"栅栏"的力障碍区所包围的地方。	太阳系得到巩固,开始了星际间的探索。科学进步在几个层次上继续。	有一个阶段出现了公民骚乱,继之以人类青春期的结束和第一个真正成熟文化的开始。

1950~1959：白银时代

有一个笑话说，科幻小说的黄金时代是在大约12岁时。这话有一定的道理，因为在这一年龄发生的一切成为人们记忆中的黄金岁月。这种说法不仅适用于科幻小说。任何流派，或是趣味，或是聚焦于有组织的热情都有其黄金时代，就像科幻小说一样。但是，也确实有真正的、完完全全的黄金时代。公正的说法是，比起有的时代来，另一些时代更为良好的精神与新鲜的意识所关注、重视和欢迎。在科幻小说领域——有人这样假设——战前的这一阶段是真正的、实实在在的黄金时代，尽管对全世界

	1950	1951	1952	1953	1954
科幻小说界大事记	有那么几年，小型出版社占据着这一领域。现在道布尔迪的时机来了，它重点推出艾萨克·阿西莫夫和雷·布拉德利等作家。道布尔迪把科幻小说真正当作科幻小说出版，它为此而自豪。	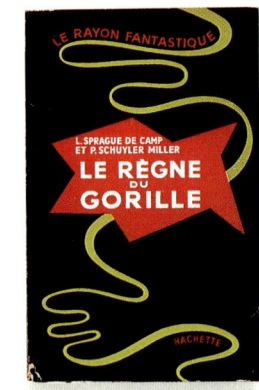 起来领导法国科幻小说出版业的刊物之一《奇异的光线》创刊，最初的刊名为《猩猩世界》。	 尽管"巴兰坦丛书"直到第16本书——弗雷德里克·波尔出版于1953年的《星球科幻小说故事》选集——出版之前还未出版过任何科幻作品，但该选集的出版对作家和读者均有着重要意义：巴兰坦出版社向读者提供了他们买得起的该领域一流作家创作的平装本作品。	1953年举行的"世界科幻小说大会"颁发了第一个雨果奖。该奖是以雨果·根斯巴克的名字命名的。在德国，乌托邦出版社普及了"SF"这个用语。	 在唐纳德·塔克的《科幻小说和荒诞小说手册》中，科幻小说开始对自己进行反思。在法国开始出版《面向未来》。
电影、广播和电视	 《目的地月球》随着新的10年降临，预示着新的成熟的到来。严肃、认真、鲜艳和明亮，几乎可以说是在美国摄制的第一部科幻影片的特点。迄今为止，科幻电影屏幕上是一片恐怖。	 令人感兴趣的科幻系列故事之一《神秘的岛屿》的情节与凡尔纳的故事相近，但加上了来自水星的外星人的色彩。	《目的地月球》是一部在荒野中呼唤的影片。到1952年，随着《来自20000英寻深处的野兽》(英寻，英美制长度计量单位，1英寻等于2码，约等于1.8米——编注)的推出，好莱坞又恢复了恐怖故事的形式。	 柔和、讨人喜欢，但又令人恐怖，《月球基地计划》达到了20世纪50年代科幻片的高水准。这是海因莱恩执导的最后一部好莱坞电影。	《巨蚁！》是恐怖魔鬼电影和科幻电影结合取得成功的少数影片之一。这样，詹姆斯·阿内斯在《枪烟》一片推出之前就有了一个与巨蚁搏斗的机会。影片中有精彩的沙漠镜头，其高潮是在洛杉矶的下水道中。
杂志	这一年新创刊15种科幻杂志，其中最重要的是《银河系》。但是《外面的宇宙》和《科学荒诞故事》也颇受读者欢迎。《惊险》杂志发表了第一篇"排除有害印象精神治疗法"的文章。			在法国，《小说》和《银河系》的第一个版本开始出版。《银河系》仅发表美国版故事和创办者经过缩略的译作。	
世界大事记	 乔治·萧伯纳于94岁高龄谢世。朝鲜战争开始。"康-提基号"起航。	有的建筑看上去更像蜂窝状的发式而不是对未来的展现。但是，"英国的节日"仍然把战争的苦涩扔在了一边。	 美国在南太平洋的埃尼威托克环礁上爆炸了第一颗氢弹。这个距离对美国本土来说较为安全，但对观察的船只来说并非如此。		奠边府被攻克。比基尼岛被氢弹摧毁。**罗伯特·奥本海默**被宣布为"安全危险"。参议员麦卡锡在电视上对"共党分子"大肆进行政治攻击。

而言很难说这是一个太平时代。而20世纪50年代是个繁荣和充满希望的年代;可对科幻小说界来说,还是称做白银时代为好。比起这以前的岁月,这是一个更令人放心、更成熟、更平和且更有利可图的年代;同时也是一个令人反思的时代。科幻小说已经长大了,或许它也已经开始衰老了。

1955	1956	1957	1958	1959
科幻小说的白银时代欣欣向荣,有更多的作家从他们的劳动中得到了合理的报酬。阿西莫夫·奈特和其他作家的佳作不断涌现。部分科幻杂志办得很有起色,但是通俗类杂志的辉煌岁月已一去不复返。格雷戈里·本福德和他的孪生兄弟合创一份爱好者杂志。	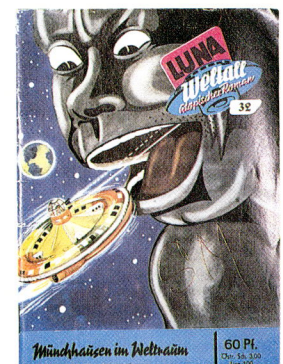 《月球》通俗系列丛书开始在德国出版,其目录中主要是一些在图书馆中看得到的重印作品。	 在德国,"地球"丛书开始加入科幻小说的出版队伍。将主导德国出版界的三家出版社现在都推出了科幻作品出版物。	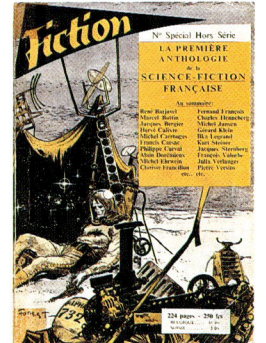 C·M·科恩布卢斯去世。在德国,《地球-特别地带》由沃尔特·厄恩斯汀编辑,他在1953年开始推出乌托邦类作品。	随着《星际飞船警察》的推出,海因莱恩发动了一场革命:科幻作品不再对正经杂志不屑一顾的专题采取躲避态度。在法国,《小说》出版了第一本法文版的科幻作品集。
另一部难得的、真正的科幻电影上演。《地球孤岛》的高潮是——按照老套路——外星人的死亡,但其情节颇吸引人。	《紫禁行星》中的机器人受到阿西莫夫"机器人学三大法则"的约束,现已成为陈腐的题材。但在1956年,如此复杂的机器人在电影中具有革命性意义,而罗比至今依然吸引着人们。		《苍蝇》继续着这个年代的天真与无聊。一个科学家进行物质传导物的实验,不知怎么的与一个苍蝇缠在了一起。苍蝇换上了科学家的头和手臂,而科学家则换上了苍蝇的头和翅膀。但奇怪的是,两者没有足够的大脑容量。科学家试图把程序颠倒过来,但未获成功,最后只能寻求死亡这条路。尽管其构思可笑,但电影取得了很大的成功。	一方面,《巨兽》的魔怪显出可笑和无聊;另一方面,《海滩上》是原子弹战争后惨遭毁灭的阴暗世界;但是两者却都被称为科幻小说。
德国第一本真正的科幻杂志《乌托邦杂志》闪亮登台,但在出版26期后即停刊。 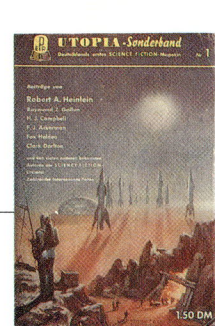	 《惊险》杂志连载阿西莫夫的《赤裸的太阳》。《银河系》发表贝斯特的《星球,我们的目标》。《荒诞和科幻小说》杂志连载海因莱恩的"通往夏天之门"。	 德国版的《银河系》杂志创刊。杂志制作得很不错,但由于其作者队伍不为人们熟知,仅出版15期后即停刊。	由《小说》推出的价格低廉的《卫星》杂志在头几年里的确推出过不少好作品,大部分为译作,后质量日趋下降,于1962年停刊。	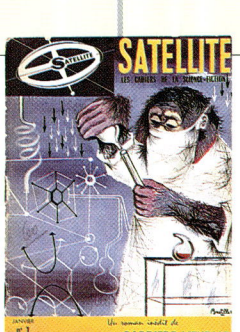
		苏伊士运河的危机结束了安东尼·伊登的使命。"人造卫星1号"升空震惊四方。一只名叫"莱卡"的狗随"人造卫星2号"遨游太空。	以前为德国设计V-2型火箭的科学家维尔纳·冯·布劳恩帮助美国用"探索者号"回击了苏联的人造卫星。	俄国的"月球1号"探测器飞抵月球,而"月球3号"拍摄了月球的照片。太阳系不再是太空剧仅有的游戏场了,它已成为历史。 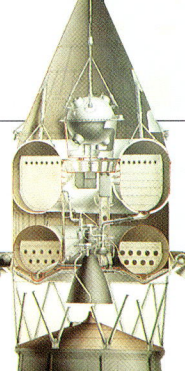

世界末日以后

20世纪50年代科幻小说中的大灾难，实际上始于1945年。在这之前，美国、欧洲和其他地区已经出版过许多描述文明没落的小说。

但是，这些作品很少具体而明确地指出过，引起这类崩溃的原因到底是什么。而即使这些作品在这方面作出过解释，那这些解释也往往是肤浅、可笑的：有的说是什么"主义"阻挡了世界历史发展的进程，把人类赶回到一种原始野蛮的状态；有的说是缘自妇女获得了选举权；有的则说是出于宇宙大灾难，如月亮运行轨道的变化——从科学角度来看，这种说法是极为笨拙可笑的——从而使得月亮掉入海洋，引起冲天波涛。

只是在1945年，在两颗原子弹扔在日本从而结束了第二次世界大战以后，科幻小说作家们才面临这样一个完全真实的事件，其重要意义又足以证明人类命运的急剧转变可能对这一行星所带来的影响。

到1950年前后，文明的结束就变得像滚下一根原木那样现实和简单了。

终结的开始

随着20世纪50年代的逝去，科幻小说作家及其读者已进入事物的终端。美国科幻小说的基本主流信息依然是积极的：描述能人（及日益突出的女能人）通过学习操纵而使受到毁损的未来归化依然是可能的，而且是重要的。可是日趋明显的是，科幻杂志开始走上图书出版商的路子——他们在过去的年月里，往往以忧虑较少的方式来对付大灾难后的故事——而且开始对高技术、进步和增长终结以后的生命提出颇为具体的展望。

第一本关于大灾难以后的小说，是由一位与科幻小说体裁创作并没有直接联系的作家创作的。但是乔治·R·斯图尔特的《地球继续存在》(参见217页)的描写有其独到之处。该作品同时描绘了一种大崩溃后的生活模式，这不久就为科幻小说作家所认可和接受了。斯图尔特很干脆地把欧洲作家曾试图想象的那种大灾难"现代化"了。这类大灾难究竟是怎么发生的我们并不很清楚，但它最终还是消灭了绝大多数人类，且又使得整个大地景致基本不受损

继承地球
一个没了人类、仅充斥着人类留下的造物（即机器人）的世界的形象通常是这样的。

自由女神像
这一选自《荒诞和科学幻想小说》杂志的插图，并非第一个使用自由女神像作为美国崩溃的象征。早在本世纪初就有显示一个被损毁的自由女神像的插图。作为一个偶像，它既是无法抵御的，又是极其脆弱的。

荒芜的西方
西方的电影一直喜欢采用这样的形象——拓荒者遇到先人留下的遗骨,遭遇挫折的旅行标志着对希望的放弃。科幻插图画家也使用同样的形象,只是在技术上另外作了一些处理。

坏。斯图尔特的《瘟疫》有一种同样的"清洁"效果,但他对其攻击的描绘从感觉上来说显然是在核战争以后。换言之,它很可能是一枚炸弹而不是一种病毒。

时间的车轮

斯图尔特以后的科幻小说作家也大胆地运用他的假设——通过有时颇为感人的故事的叙述——无论幸存下来的个人作出怎样的努力,一个完全的空位期必定会把一个文明的沉没和一个有文化、有技术的人类社会的复兴分隔开来。认为某种空位期是不可避免的假设——这一假设以及所用的词语可能来自阿诺德·J·托因比的《历史研究》,该巨著在这10年里分卷出版——和科幻小说界流行的假设是截然相反的,后者认为知识和技术的基础结构可以使我们跨越任何深渊。

在20世纪50年代以前,大多数美国科幻小说——或许除了艾萨克·阿西莫夫的《基地》系列(参见213页)以外——的写作都以这一假设为基础,即历史是(或可能是)线性的,故事不会重复。大灾难以后的故事一般都假设历史是循环的,尽管它们并不一定明确提出这样的假设。它是一个轮子,紧跟着进步

之后降临的是大灾难。大灾难以后是空位期,这以后是新的文明的诞生。关于这方面最著名的、表达最明白的例子是沃尔特·M·米勒的《献给莱博维茨的颂歌》(参见222页)。该作品20世纪50年代中期分三部分出版,它使得所有的科幻小说作家几乎都无法逃脱循环的巨轮。

大灾难后的田园故事

想到我们最伟大的成就有可能在一瞬间化为乌有,而某种新的文明或许在亿万年以后的某个时候,会重复我们的胜利,继而又重现我们经历过的灾难般的崩溃,这令人颇为不安。专门描写大崩溃后最初几天里发生的事件的科幻小说作家,就叙说了可怕而令人不安的故事,如威尔逊·塔克创作于1952年的《漫长而响亮的寂静》,或莫迪凯·罗什瓦尔德创作于1959年的《第七层》。因此,20世纪50年代的许多科幻小说作家往往集中于紧随空位期后的阶段。他们通常把它描述为在受到世界历史的严峻考验以后,逃向田园诗般的生活。通过把"炸弹爆炸以后的世界"转变为一个由小小公国组成的鲁里坦尼亚王国式的网络,并且每一个公国都各有其生活方式,科幻小说作家把人类荒芜凄凉的可怕恶梦浪漫化了。

关于大灾难后的故事流行的部分原因,是对崩溃之后生活的这种浪漫化。这就好比20世纪从未来临过一般。它代表了许多科幻小说作家身上逐渐滋长的一种感觉,即应该允许去设想:或许20世纪不应来临过;或许西方文明在什么地方失去了平衡;或许会作为失去平衡的直接后果而终结;或许幸存者的任务,就像《献给莱博维茨的颂歌》中的僧侣那样,是去保存旧世界中值得保留下来的东西,同时塑造出一个全新的世界,而这个新世界不会去重复演出那古老的悲剧。

生态灾难
文明不需要通过一声大爆炸而终结:环境的改变会引起衰败,直至变为沙漠。

新幽灵
早期的科幻小说插图一般多是表象性的,但是大战以后出现了更多的符号形象。现在死亡或许直接以无法躲避的、毁灭的图像出现,或者是蘑菇云的形状,或者是显示原子弹力量的插图。科幻小说不再是明快、率真的历险故事了。

始终在死神的把握之中,人类在劫数已定的循环中活动

1960～1969：虚构即事实

当20世纪60年代刚刚开始时，还没有一个人脱离过地球的束缚；在60年代结束之际，人类则站到了月球上面。这一变化的影响是极为巨大的，但是我们对这一成就的反应却是喜忧参半。在最初的狂喜过去之后，我们开始明白自己所取得的成功的局限性，并且开始思考我们还有多长的路要走。伟大的探险并不是像科幻小说作家所希望的那样充满着喜剧性，也不是如科学家

	1960	**1961**	**1962**	**1963**	**1964**
科幻小说界大事记	金斯利·艾米斯于1959年在普林斯顿大学发表的关于科幻小说的系列演讲正式出版，题目为《地狱的新地图》。	罗伯特·A·海因莱恩连续获得雨果奖。1960年他因《星球舰队》而获奖，此后又以《陌生土地上的陌生人》获奖。这或许可称为"解放了的海因莱恩阶段"的开始：激进英雄，父亲形象，以及弥赛亚，喷吐出一场不容争辩的说教。这一阶段的最佳作品是《陌生土地上的陌生人》。	20世纪50年代后期，菲力普·K·迪克苦苦努力，但未能打入主流科幻小说市场。可这一年他发表了荣获雨果奖的《城堡中人》，这或许可称是关于可能世界的最佳作品。小说中希特勒赢得了二次大战的胜利，而且当之无愧是迪克最负盛名的小说——如果我们不考虑《银翼杀手》给《人形机器人梦想电气羊吗？》所带来的声誉的话。	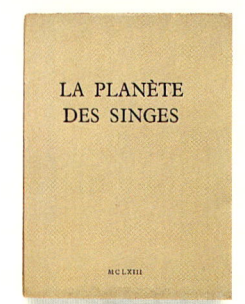皮埃尔·布尔的《猿的行星》出版。	詹姆斯·布利希以笔名威廉·阿瑟林发表的科幻小说评论集出版，其书名为《手头的问题》。
电影、广播和电视	电影对科幻小说作者的全面搜索仍在继续。乔治·帕尔推出了《时间机器》的改编本。	对电影业而言，这不是一个好的年头。无论是《地球着火的那一天》的新剧本，还是《世界主宰者》和《神秘岛屿》的改编本，作者考虑得更多的是布景而不是剧本。	前一年，我们有了《海底旅行记》，描述的是未来的原子能核潜艇。它以对待儿童的方式给人们带来娱乐。《来自满洲里的候补者》出版。这部作品炫丽多彩，笔法娴熟，具有讽刺和政治意味。故事描写了一个战争"英雄"从朝鲜回来后，经程序设计安排，将去刺杀一位自由党政治家。科幻小说在幻想和恐怖故事之外找到了一个新的园地，这一趋势将会日渐走强。	《胡博士》开始了长达26个演出季节的马拉松式播映。塔迪斯从一开始就参加演出，戴立克从第二集开始加入。	
杂志	《惊险科学幻想小说》终于易名为《模拟科学事实➡科学幻想小说》。坎贝尔一直想改变杂志名称，他对"惊险"一词不满意，但是为此他已经等待了20多年。	弗雷德里克·波尔干起了另外一个行当，他担任了《银河系》和《如果》杂志的编辑，努力开拓所编作品的内容和作者队伍。布赖恩·W·奥尔迪斯在《荒诞和科幻小说》杂志上发表《温室》。	《荒诞和科幻小说》杂志开始出版专刊，纪念西奥多·斯特金。	《模拟》杂志转向用有光纸印刷，向大众市场的杂志靠拢。《水星季刊》文学杂志在奥地利创刊。	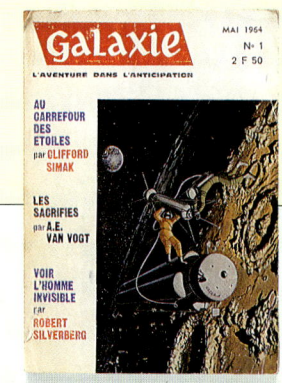《银河系》的第二个国外版本由OPTA出版公司在法国出版。在英国，迈克尔·莫尔科克任《新世界》编辑。
世界大事记	第一颗人造气象卫星发射。协和式飞机设计完成。阿尔贝·加谬和鲍里斯·帕斯捷尔纳克去世。	尤里·加加林在4月成为进入太空第一人。鲁道尔夫·努里耶夫叛逃。柏林墙建立。	**通信卫星**首次进行跨越大西洋的实况图像传送，包括从英国发出的试验卡和来自法国的伊夫斯·蒙唐的歌声。	在美国，肯尼迪总统遇刺身亡。在英国，约翰·普罗富莫由于性丑闻从内阁辞职。俄国把第一位妇女送上太空。	在南非，纳尔逊·曼德拉遭监禁。苏联的"探测器2号"和美国的"水手4号"飞往火星。

所预期的那样光辉灿烂,更没有像政治家可能希望的那样具有革命性。太空竞争在技术上的进步,不久便成为我们的世界及其工业的日常组成部分,而且很快为人们所接受。与政治上的麻烦相对照,这些进步清楚地表明,技术不会自动地带来和平与繁荣,而且这个地球的任何地方都不再可能孤立地存在了。作为一种反应,科幻小说开始寻找新的目标和新的未来。

1965

《沙丘》于1963年首次发表在《模拟》杂志上,1965年以单行本的形式出版。它获得了雨果奖和首届星云最佳小说奖,确立了赫伯特的主要杰出作家的地位。《沙丘》不仅是赫伯特创作生涯中最优秀的作品,还具有在该领域开天辟地的意义。在此之前,人们从未对一颗行星的各种环境、生态和文化进行过如此仔细的思考和表达。阿拉基斯成为科幻小说世界中最为真实的形象。

塞利·戈德史密斯编辑《奇异故事》和《荒诞故事》杂志的工作结束。在波尔领导下,《银河系》和《如果》杂志成绩卓著,出版的故事内容和E·E·史密斯的《云雀迪凯纳》一样广泛多样,其中包括海因莱恩的《月亮是个苛刻的主妇》和哈伦·埃利森的《忏悔,丑角!"滴答人说》。

美国向越南派出军队。马丁·路德·金获诺贝尔和平奖。

1966

"星云奖"首次颁奖。同雨果奖不同,星云奖的评选提名是以候选作品的出版年份为基础的,因此1966年颁布的奖项被称为"1965年奖"。

《星际旅行》的成员首次飞向太空。尽管这一系列剧注定会获得被迷信、崇拜的地位,但刚上映时在收视排行榜上并未取得领先地位。

戴蒙·奈特的《轨道》的第一卷出版。尽管这不是他的第一部选集,但是它的推出正当其时:它基本上是以书本形式出版的杂志,其中略去了读者来信等栏目。《轨道》的发行面比许多杂志要广得多,后者正受到来自书籍和电视日益增强的竞争的威胁。

中国开始文化大革命。苏联和美国的探测器在月球着陆。

1967

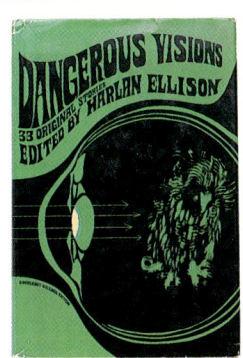

哈伦·埃利森的选集《危险的展望》出版,该书收集了"新浪潮"最优秀作家的作品,埃利森自己加上了许多评论。

在英国,《囚徒》开始播映。和其他后来收视率大大上升的系列剧一样,该剧在电视上首次播出时并未取得特别的成功。

法国较为成功的小型科幻杂志《奇异的地平线》于该年创刊。

以色列和近邻阿拉伯国家进行"六日战争"。第一架超音速协和式飞机除去面纱。

1968

阿卡迪和鲍里斯·斯特鲁格茨基是俄罗斯战后最著名的科幻小说作家。他们在60年代创作了许多脍炙人口的作品。1968年,苏联科幻小说作品集《分子咖啡馆》在西方出版,该书由他们兄弟俩编辑,但是未署名。

《2001:太空漫游记》显示了科幻电影在大屏幕上可以取得怎样辉煌的视觉效果,为新一代的科幻电影开辟了道路。

影响最大的西班牙科幻杂志《新视野》在西班牙创刊。在美国,行业杂志《轨迹》创刊。

马丁·路德·金遭暗杀。俄国的坦克粉碎了捷克斯洛伐克的布拉格之春。巴黎学生闹事。

1969

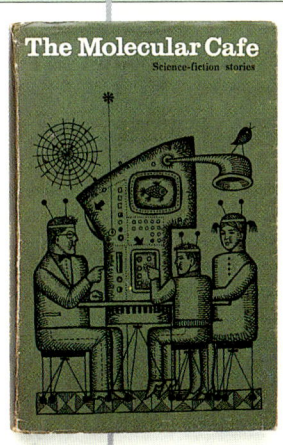

《明天的展望》是第一本发表斯坦尼斯劳·莱姆故事的英语杂志,但它仅仅生存了一年。

"阿波罗2号"终于把两个宇航员送上了月球。嬉皮士都拥到伍德斯托克,但曼森谋杀案敲响了死亡的丧钟。

会思考的机器

来自未来或来自更高级的智慧生物的知识有可能帮助我们,在微芯片使用之前,在台式或便携式电脑进入家庭开始显示其身手之前,回到黑暗时代——向我们显示它在某些方面有多强,而在其他方面又是多么愚蠢。

来自外界的某种暗示有可能告诉我们人脑和电脑间有着多么巨大的差异。人的大脑思考能够达到怎样的水平电脑是无法计算出来的,而电脑却通过其每秒亿万次的重复运算令我们眼花缭乱。人的大脑想到这一切就会退避三舍。但是,在20世纪60年代,控制论所研究的倾向是显示两者平行的状况,而不是两者之间的令人惊奇的差异。

人或鼠
60年代的心理学仍为行为主义者所左右。他们持有一种危险的想法,认为人的意识是可以测定的,不可测定的事物是不存在的,可测定的事物则是可以控制的。人类在他们眼中就像迷宫中的老鼠。

程序设计的先锋

程序设计的第一个软件说明是由阿达·洛夫莱斯于1842年写出来的。她是拜伦勋爵的女儿。拜伦的诗歌把古典传统和浪漫风格结合了起来,而阿达正处于该条通道上的中间位置。她有着一个极为敏锐的数学头脑,对查尔斯·巴比奇的差分引擎和分析引擎极感兴趣(把这两种装置称为最早的计算机是决不为过的)。但是,巴比奇的——还有阿达的——问题不在于头脑的能力,而在于旋钮和齿轮等工具的效率低下。总的说来,这反映了第一工业时代技术水平极低。

一个世纪以后,情形几乎没有什么改变。尽管在40年代末已经生产出计算机的雏形,但是它们体积庞大、笨重,其功能比今天的手表大不了多少。可以利用的基本技术仍有作用,但是这些技术是极其原始的,是通过如真空管、手工打洞的程序设计等庞大而

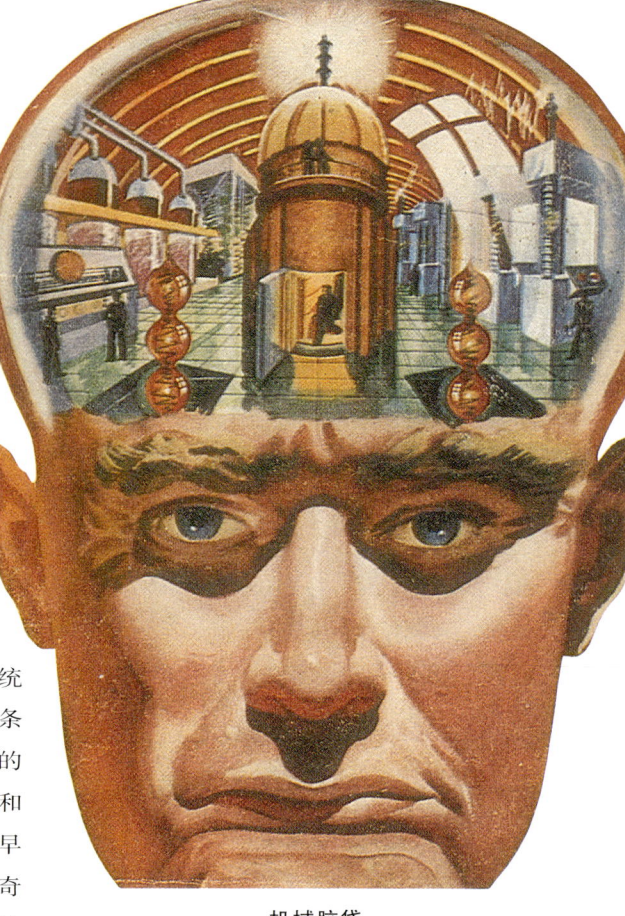

机械脑袋
如果人的头脑只是一台低效率的计算机,那么大脑里面看起来可能像此图所显示的那样分成一个一个小室,就像实验室一样。

又不可靠的装置来进行的。这在现实世界中是一场恶梦,可它在科幻世界中却并不是恶梦。总的说来,科幻小说界对计算机的出现几乎未加任何注意。

科幻小说对电脑视而不见

初看起来,这有点奇怪。科幻小说——大多是由对科学的发展和预期极为敏感的男女作家们所创作的——怎么可能忽略了20世纪后半叶发生的重大技术革命呢?对此问题有三个答案。

第一个回答是最难令人相信的:千百位科幻小说作家只是忽略了驶过的船只,未能记住巴比奇和阿达,甚至根本没有注意到1942年第一台真正的电脑的发明。

第二个回答更为有趣。从很早

电源故障
电脑有可能变成政府或上帝,但是人们可以依赖电脑吗?或者当电脑出现故障之后,我们会处于无望的困境吗?

开始,科幻小说作家对在读者的头脑中可以具体显现的科学奇迹的描述抱有明显的兴趣,因此有了巨大的发电机、闪烁的射线枪,以及数千个反数电路组成的"会思考的机器"。因此(或许)阿西莫夫错误地转向了机器人,本来那时他应该把他那敏锐的头脑集中到电路系统上,而不是那些移步时丁当作响的、形似铁箱的机器人的道德行为上。因此科幻小说界出现了几乎是根本性的错误,即未能预测出随着微芯片的出现而开始的微型化的革命,正是它产生了当代的计算机。或许因为它们无法用肉眼看到,因此它们可以留在小说作家的心目中。

第三个回答或许可以解释前面两个计算机对智人提出的挑战。在60年代以前对计算机作出的为数不多的推测未能把它们视为几乎具有无限适用性的工具,相反只是集中在用计算机取代人上,或继承人类,或成为上帝等问题的展望上。没有对计算机作出幻想只是因为这样做意味着我们把宿敌迎入自己的胸怀中。当然,一旦其巨大的局限性被正确理解后,电脑就失去了这一对人的威胁倾向。

在战后的年代里出现过许多"电脑是上帝"的故事,但在90年代这样的作品就很少了。

人类计算机

在把计算机视作与人的大脑相似的时代里,并不令人称奇的是,描写计算机的故事往往拥有同一风格的"小生境",表达出同样的恐惧和期望,就像心理学这一"软"科学一样。在60年代,这类科学大多被视为是为广告等一类机构服务的,为了赚取利润而将人们禁锢于行为陷阱之中。认为研究人的头脑就是为了俘获它的想法或许是天真的,而这一看法的流行——即使没有得到清晰、明确的表达——并没有使我们感到,这一整个推测的领域并没有经过科幻小说界的仔细审视和检验。但是,我们的确知道为什么不这样做的原因,因为人的头脑是一个不可思议的东西。

当然也有例外:马克·克利夫顿在《拉尔夫·肯尼迪》的系列故事中,用控制论专家来积极对付Ψ现象,这可以被视为对关于计算机科学和人脑科学之间密切联系的恐惧心理的抵销和平衡。在英国,J·G·巴拉德——他的科学计算能力已经习惯于这些意义深远的教训,这与大多数美国科幻小说的潮流是不相符合的——对计算机的诞生而暗示的科学与人脑的结合表示欢迎。巴拉德改变了早先罗伯特·布洛克和J·B·普里斯特利用过的一个词语,他声称科幻小说的主题是"内层空间":人的头脑的超现实的、复杂难解的、充满激情的和恐惧死亡的内心世界。他的一些较为阴暗的小说读起来就像在做恶梦,梦中一架大型计算机未能理解像蜉蝣那样围着它那"不朽的"传感器舞蹈的哺乳动物。

计算机如监狱
这张图片再现了头脑和计算机是相似的这一想法。

经过程序设计的人
60年代的可怕恶梦之一是对人的行为的控制,好像人就是一架大型计算机上的穿孔卡片一样。到了90年代,我们猜测情形并不会这样,否则就会造出愚蠢的傀儡式人物。

宇宙飞行

在1600年以前，马拉的四轮车、人工驯养的巨鸟和旋风把旅行者送往四方。在这方面我们发现有一个巨大的真空。真正的宇宙飞行第一次是由约翰内斯·开普勒在《梦境》中暗示提出来的。但是开普勒担心宗教的审查，用魔鬼来推动他的飞行器。

随着儒勒·凡尔纳的《从地球到月球》(参见212页)的出版，宇宙飞船的形状开始向火箭靠近。自1945年以后，德国的V-2型火箭成为飞船的主要形象。光亮的火箭在科幻杂志的封面上冲天而起，我们乘着这种根据二次世界大战武器改进的火箭飞向月球。在一段时间里，看上去一种杀人工具似乎变成了通向未来的一种赛车。这一梦想在现实中受到挫折，但是火箭和星际飞船仍在科幻小说中的银河系里翱翔，尽管其他更为切实的展望也加入了进来。

科幻作品从太空收集能源，那里太阳在自由地燃烧发光，然后把能源送回地球。它把工业放在引力最小的地方发展，同时杜绝污染。它让我们有食物吃，有空气呼吸，从而得以发育成长。

球状飞船
马克·吐温喜欢各种新发明，但他从未真正了解火箭，如1909年他所创作的《斯托姆菲尔德上尉上天游记》一文中所显示的那样。

电影中的火箭发射
梅里爱的《月球游记》在21分钟的时间里把凡尔纳和威尔斯的构思都包括了进去。影片中一枚巨大的火箭制作完成，载着乘客飞往太空，到了月球以后再返回。

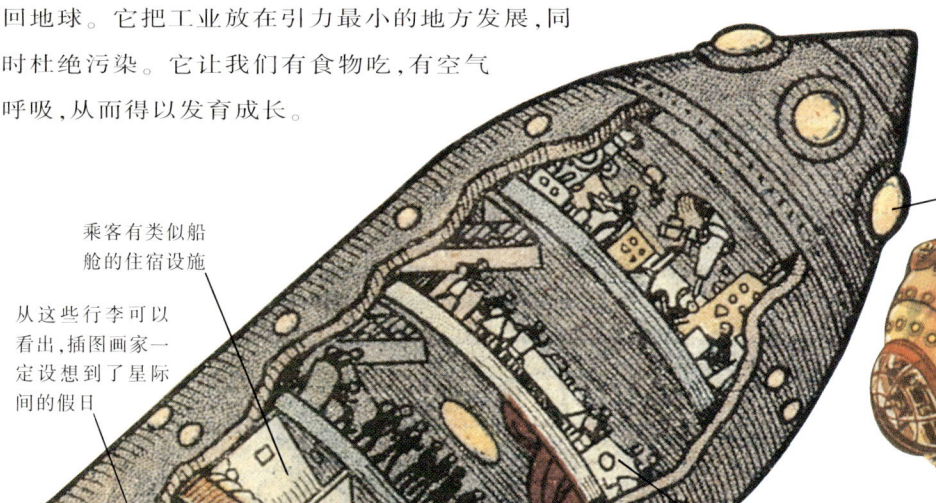

- 乘客有类似船舱的住宿设施
- 从这些行李可以看出，插图画家一定设想到了星际间的假日
- 当时的宇宙飞船往往像豪华客轮，配备着四星级的餐厅
- 零引力的难题不知以何种方式得到了解决，这里面建造了一个舞厅

奇异的使命
这个火箭飞船是选自于30年代后期法国儿童教育杂志的插图，它巧妙地把旧思想和新科学结合了起来。一方面，飞船看上去像颗子弹；另一方面，舱舱口以极不符合空气动力学的方式实现了出来。一方面，它是一枚火箭，因为它排出的尾烟清晰可见；另一方面，上面没有留给引擎的位置。在应该安置助推器的地方却堆放着杂乱不堪的行李，这一切在起飞后几秒钟内就会被挤压成一团。

- 根据潜水艇设计建造的球茎状射击孔和铆接金属板，在V-2火箭发明之前是很常见的
- 在实际的火箭中，除了这个头锥之外是引擎和大型燃料库

奇异的设计
部分早期的科幻小说中的宇宙飞船看上去像火箭；其他的，如图所示的这一取自20年代《奇异》杂志的模型，很像多筒反潜鱼雷。我们想象得出它的使命是巡航星际通道并开始征服太空。

形状太接近，使人不安
火箭科学家莱伊和奥伯特对弗里茨·兰的《月球上的女人》提出意见：飞船与V-2火箭形状是如此接近，以至纳粹禁止该影片放映。

环滑车起飞

《当星球碰撞时》创作于1931年，远在核战争成为毁灭世界的一般方式之前。当乔治·帕尔于1951年把它摄制成电影时，星球碰撞的主题似乎显得有些陈旧了。无法否认的是，在宇宙飞船沿着那起飞斜轨急速滑行时，其摇晃清晰可见。但它的铮亮光彩给人印象深刻。艺术家博恩斯蒂尔所构思的从太空遥望地球的镜头，令人惊叹不已。

科幻作品中的太空人类

早在60年代初，太空人类已出现。这一杂志封面看上去像在月球上，图中的人物显然是俄罗斯人。但那宇宙飞船似乎像另一种V-2火箭，可实际需要的却是一架真正的月球着陆器。

诗的破格

没有空气来吹动俄罗斯的国旗，因此它像是被上过浆的。

国家航空和航天局

二次大战以后，美国的科幻小说通常描绘的是有创造力的美国佬在他们的后院所制作的宇宙火箭。在这个梦想中，包括的是这样一些人：一个用双手创造奇迹的天才，一个试飞员，一个聪明绝顶的科学家和一个既有钱又有胆量的富翁。这不是一个应受到蔑视的梦想，处于初创期的国家航空和航天局的科学家们也有过同样的梦想。但到最后，太空对爱好科学幻想的后院梦想家们来说代价实在是太大了。

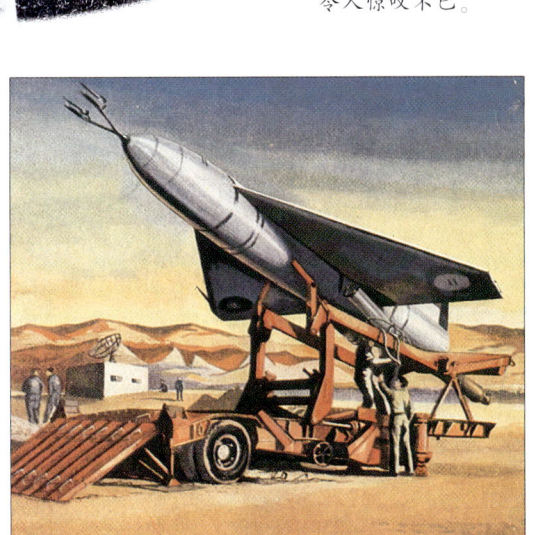

真正的太空竞赛

苏联人在太空竞赛中拥有多项第一：第一个把人造卫星送入太空；所制造的探测器第一个经过月球；在太空飞行的第一个男子和女子；第一个把人造的物体送往其他行星。但是美国人在1969年第一次把人送上了月球，这一事件具有永恒的意义。

下一代

到70年代后期，太空现实似乎变得单调了。《星球大战》中极为具体而又极其庞大的无畏级战舰是对浪漫故事的古老需要的新回答，而如今小说中的宇宙飞船上布满了神秘的球形物和转塔。尽管它们在无声的真空中巡游，但这些宇宙飞船一定发出了嗡嗡声。

这种不符合空气动力学原理的飞船将在太空中制造，且永远不会进入行星的大气层

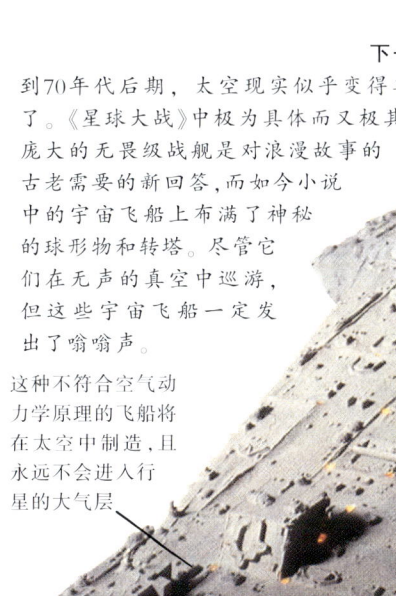

阿波罗航天飞船

现实把科幻小说中的火箭压缩成了小小的着陆舱。但人就生活在里面，并从那儿跨出去走上月球。

1970~1979：探视内心

在70年代，关于地球世界的故事和科幻小说故事是密切相连的。事实上，我们来到了月球上；回头望去，我们看到的是一个全新的地球。我们万里迢迢而来，而现在我们认识得最清楚的是：我们还有很长很长的路要走。站在地球上时，我们无法看到这一点；而站在月球上时，我们可以一眼望遍地球，而且只需一只手即可以把它遮没。我们需要学习用新的视角来认识地球和我们自己。在科幻小说领域，我们经历的是一个相似的历程。在创造出魔鬼并给予它们生命之后，我们就走向星球，经过了一个

	1970	1971	1972	1973	1974
科幻小说界大事记	玛吉·皮尔西的第一本科幻小说《让雄鹰跳到入眠》出版后，有更多的女作家加入到科幻小说创作的行列。持男女平等思想的作家开始探索把科幻小说作为说教的体裁。	唐纳德·A·沃尔海姆离开艾斯出版公司，成立道尔图书出版公司。他不再受公司严格规定的约束，而给予平装本作者充分的自由去撰写受禁题材（如性），他们的精装本"上品"早就享受这类自由了。好几位专门写科学幻想和星际浪漫故事的作家都转向了新出版社。沃尔海姆继续把新的作家，如C·J·彻里尔，引导至这一领域。	哈里·哈里森和布赖恩·奥尔迪斯设立"约翰·W·坎贝尔纪念奖"，以奖励在前一年出版的用英语写作的最佳科幻小说。该奖项由一个小组投票评出，具有较高的声誉，与"雨果奖"或"星云奖"有明显的差别。布赖恩·奥尔迪斯的《亿万年狂欢》出版。这可能是最负盛名的，也可能是最佳的科幻小说评论著作。它不仅仅介绍历史，还对科幻小说的起源和传统均进行了探讨。	厄休拉·勒吉恩的《被剥夺者》出版，并且获得"雨果奖"和"星云奖"，这是科幻小说所走过的艰巨道路的标志。该书副标题为"一个含糊不清的乌托邦"。这是一本早先根斯巴克和坎贝尔梦想过、但苦于找不到作者来写的书；是一本充满沉思、怀疑和问题的书，缺少的是传统的历险情节。	
电影、广播和电视	一个名叫乔治·卢卡斯的无名青年导演制作了一部名为《THX1138》的超现实科幻电影。它基本上是老故事新说，讲的是一个地下的、由计算机统治的反面乌托邦最后逃到地面上来的故事。影片在商业上不是很成功，但在70年代重映时反映颇佳。	由库布里克改编的、伯吉斯的《装有发条的橙子》被搬上影幕，该片获得"雨果最佳表演奖"。但是库布里克对英国认为这一影片有鼓吹狂热崇拜倾向的反应深感吃惊，撤回了该影片。此后该影片的放映是在半秘密的方式下进行的。	斯坦尼斯劳·莱姆的颇具智慧的小说《太阳城》，被摄制成一部同样充满智慧的电影。	《月球基地3号》的背景是设于世纪之交的、在月亮上的一个研究机构。新导演（唐纳德·休斯顿）面临着压力和演职员的敌意。不过可悲的是，没有外星人。	
杂志			自小约翰·W·坎贝尔于1971年7月去世后，本·博瓦一直负责编辑《模拟》杂志。这一年他被正式任命为编辑。该杂志原来止步不前、渐趋衰退的状况通过他的努力而大有起色。		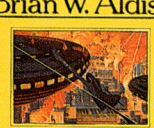 1960年日本《科幻小说杂志》开始出版，最初以翻译《荒诞和科幻小说》故事为主，现成为发表日本作家科幻作品的园地。
世界大事记	创办"企鹅丛书"并开创了大众市场平装本出版业的艾伦·莱恩爵士去世。法国的夏尔·戴高乐总统去世。日本作家三岛由纪夫试图发动军队叛乱，遭挫后自杀。	英国采用十进位制。"联盟号"和"礼炮号"空间站对接，但是宇航员未能将其成功收回。		越南战争终于结束。"太空实验室"首次搭载宇航员上天。石油价格由于中东地区的紧张局势而上涨70%。 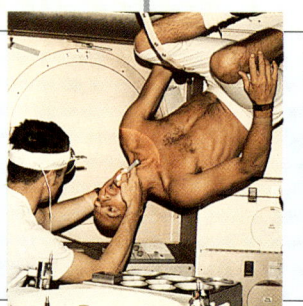	美国总统尼克松因水门事件丑闻而被迫辞职。

历险的黄金时代。在第二次世界大战以后,一个不同的时代要求新的成熟和新的视角,科幻小说经历着又一次嬗变。现在到了一个进行重新评价的时候。在60年代飞速的技术发展达到征服宇宙程度之后,在这个10年中可以看到某种苦思冥想的状况——这或许是不可避免的。

1975

在法国由热拉尔·克莱恩编辑的《科幻小说选集》开始出版。奇怪的是,该选集的36个主要选题中没有法国作家的作品。

哈兰·埃利森凄凉的《男孩和他的狗》上映并大受欢迎,可爱狗者痛恨该影片。

在法国,面向大众市场的吉鲁出版社开始出版科幻小说选集丛书《宇宙》。

"联盟号"和"阿波罗号"飞船的宇航员在东西方关系缓和的气氛中相会。玛格丽特·撒切尔当选英国保守党领袖。

1976

有关"精彩的新科幻电影在拍摄之中"的流言在传播。出版商看到了一部名为"星球大战"的书稿,这是根据还未面世的电影改写的小说,旨在推出明星亚历克·吉尼斯。"聪明"的编辑们对此可能性表示轻视,且此书的销售并不很顺畅。史蒂文·斯皮尔伯格是何许人?是不是某种第三类的接触对话?

对科幻小说总体来说这是一段好时光,在商业上是如此。但是《奥德赛科幻小说》出版了两期后即停刊。《科幻小说文摘》只出版了一期。《科幻小说月刊》停刊。闪耀智慧光彩的《伽利略》开始出版,在摇摇晃晃中出版15期后于1980年销声匿迹。

毛泽东主席逝世。

1977

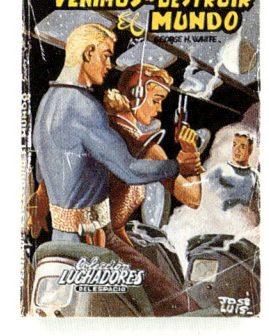

凯塞林出版《集体》文选,把科幻小说政治化了。有人说它给法语的科幻小说体裁的棺材钉上了最后一枚钉子。

《星际战争》是一部关于帝国、抵抗、公主、骑士和聪明的机器人的太空剧,它使得科幻电影再次得以振兴。

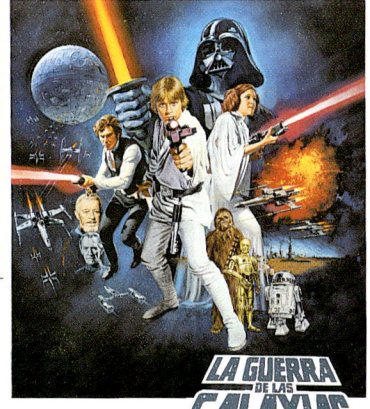

艾萨克·阿西莫夫的《科幻小说杂志》创刊。

难民逃离越南,掀起第一波"船民"潮,这仅仅只是一个开端。

1978

50年代由乔治·H·怀特编辑、在西班牙出版的《阿兹纳传奇》系列故事荣获"欧洲科幻小说奖"。

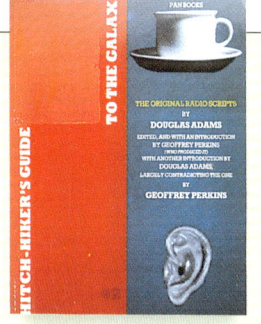

BBC电台广播道格拉斯·亚当斯的《搭车旅行者银河系指南》,此书出版后大获成功。

鲍勃·古奇奥尼创办插图精致的科学杂志《汇刊》。该刊支付给作者相当高的稿酬。由于其发表的科幻小说质量上乘,很快便确立了良好的声誉。

1979

达科·苏文于1977年创作的、1979年被译成英文出版的《科幻小说的变形》,被授予"漫游者奖"。

里德利·斯科特(在G·R·吉戈的设计帮助下)推出《外星人》,打破了好莱坞关于未来是一片无生命的洁地的陈旧看法。一艘宇宙飞船受到外星人入侵,后者将飞船上的居住者一一擒获。该影片从各方面来说都是一个突破。故事令人恐怖,充满悬念;特技效果和布景设计反映了科幻电影制作的巨大进步。

三里岛发生放射性气体泄漏。玛格丽特·撒切尔当选英国首相。

城市生活

塞缪尔·约翰逊曾经说过:"当一个人厌倦了伦敦,他也就厌倦了生活。"这句话是有一定道理的。但是托马斯·莫尔爵士的《乌托邦》中花园般的郊区清楚地表明,他对16世纪的伦敦的确是感到了厌倦和腻烦。

总体说来,科幻小说作家在对付城市的挑战方面做得并不怎么出色,尽管他们对体现现代主义的高塔型建筑颇为爱好。当太空英雄们来到城里时,他们往往是喝醉了酒,去拔暴君脸上的胡子,参加盛大的欢迎仪式,或向家乡报告消息……他们并没有投入到大城市的生活中去,因为这样做的话他们就会变得默默无闻,而科幻小说的主角决不应该是默默无闻的。近年来,科幻小说开始进入城市,却发现城市具有幽闭恐怖症。科幻小说作家们是否对生活感到了厌倦?

理想的复兴城

根据反对者的看法,乌托邦的思想是基于算术的。著名学者康帕内拉1623年提出的"太阳城"的展望中,有一个中央寺庙。它像"老大哥"一样,居高临下监视着那些可怜的居民。今天"太阳城"的吸引力已相当有限。康帕内拉从未想过住到他设想的城里去,但他提出的绝对控制的形象此后一直紧随着那些独裁者们。

在复兴城中,以人类为中心的、环绕的圆圈成为主导性的标记

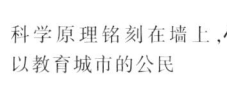
科学原理铭刻在墙上,以教育城市的公民

城市以同心圆的方式设计,以模仿天文学中天体的形状

起源

科幻小说作家们知道,世界的城市大中心会把人类最优秀的创造集中起来,但城市也把最丑恶的东西吸引过来。这一双刃剑的特征在斯威夫特的"勒普泰飞行浮岛"上可以找到。这个岛屿是格利佛在17世纪的旅行中遇到的:岛上居住着科学家,他们都从事着特殊的研究,大多数人处于半疯狂的状态。这可能是科幻作品中的第一个飞行城,当然以后的飞行城和疯狂的科学家有了许多不同的形象。城市也成为更具讽刺或反面乌托邦色彩的科幻作品描述的场合。

大都会

弗里茨·兰1926年的展望是电影中给人印象最深的城市之一。摩天大楼、高架火车、挤满了汽车和人流的马路,这一切到处都可以见到:在书上,在电影中,在实际生活里。但它们很少被人涂上这样一种强烈的、给人以威胁的色彩。

离开地球

或许因为纽约已是个岛屿,因此存在着一种让该岛脱离其周围环境的诱惑力。30年代的通俗插图画家无法抵制这一诱惑,而许多作家能够想到的对付一个乌七八糟城市的最好方法是把它提升到空中,让它慢慢运行,清除其污垢,然后走上回归的道路。但飞行城市故事中最了不起的故事,即詹姆斯·布利希的《飞行城市》系列故事,是由一位生在纽约、死于伦敦的作者写的。故事的主角即城里的男男女女必须对付太空走廊中的牛仔。他们指责由曼哈顿变成的巨型太空飞船只不过像一个流浪汉,即一个流动农业工人而已。

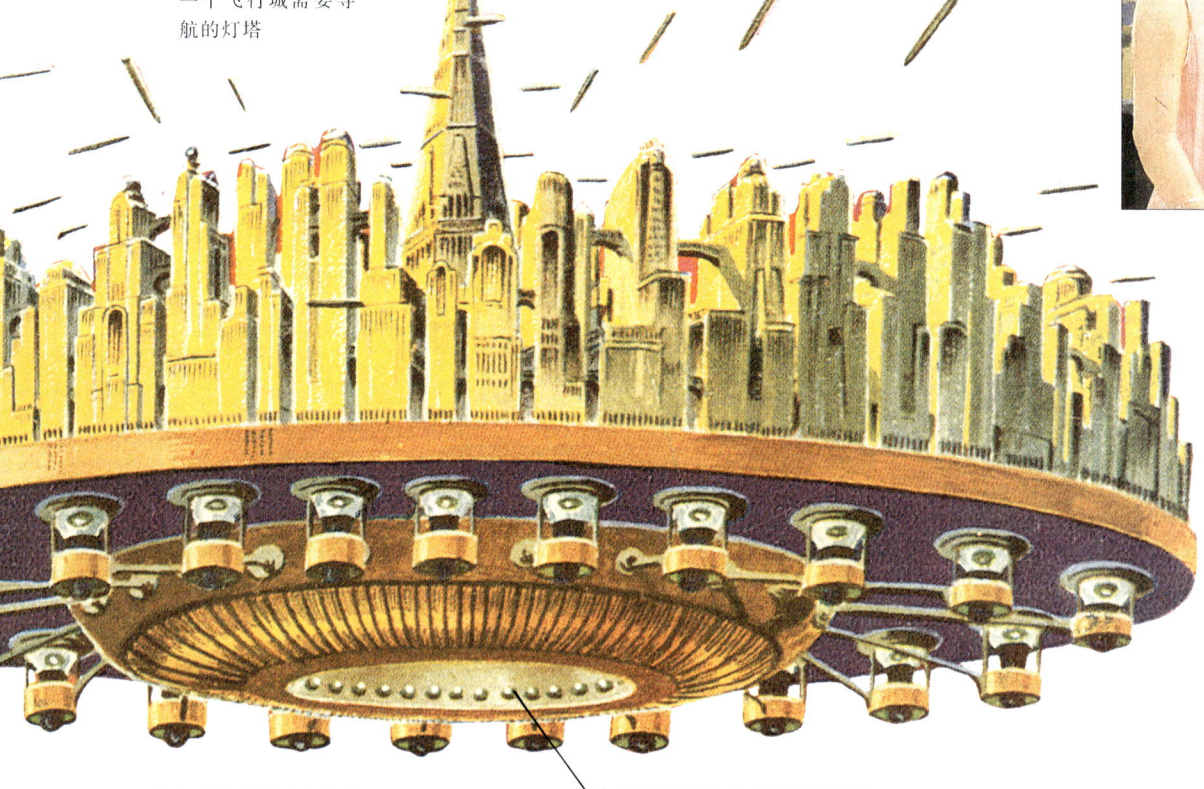

由飞机提供服务,一个飞行城需要导航的灯塔

空中旅行必定成为飞行城市标准的旅行方式

各种奇异的反引力装置都被想象出来,以使城市漂浮在空中

供人居住的机器

乌托邦思想家们一直为城市给他们带来的挑战所困惑和苦恼:如何组织城市以使其所有的居民都得益,同时又不牺牲它给部分居民带来的如甘露般的特别恩惠。战后的设计者们以为自己找到了答案:如果建筑可以被认为是运转有效的机器,那么城市也同样如此。代之以有机物的蔓延生长,我们可以对城市发展作出设计和规划;而科幻小说作家们同别人一样,也竭力鼓吹这一闪闪发光的关于未来的梦想。但是与之相反,这些城市的道路、公园以及整洁而开阔的空间没过几十年就成了挤满摇摇欲坠的高楼贫民窟的可怕梦魇,也成了描述人口极度拥挤的故事所发生的场所。

拥挤肮脏的道路

它不可能是关于洛杉矶未来的极为真实的想象,但是《银翼杀手》的摄制者们很清楚自己在干什么。他们意在激起一种城市幻想意识,在80年代的观众身上再创一种曾激励过如查尔斯·狄更斯等作家的城市黑暗迷宫的意识。烟雾、雨水、蒸汽、各种丑陋现象、人的漫无方向、过分涂饰的警车,这一切在狄更斯的笔下都描写得栩栩如生。在这以后,网络朋客名称的出现只有一年之遥了。

温室城市

玻璃屋顶下的文明,在大屠杀以后的场景描写中很常见。到70年代《洛根的奔跑》发表之时,得到严密控制而又清洁卫生的城市已成为一个藏污纳垢之地,其未来的道路只能是无法预测,最终被人遗弃。

别的星球

有两个太阳系。一个太阳系很简单：它有着真正的行星，真正的月亮，真正的小行星，真正的彗星，以及真正的太阳。还有一个复杂的太阳系：它是通过炼丹术士、占星术家、哲学家、乌托邦主义者、梦想家和诗人的想象而形成的。科幻小说作家们多年来在慢慢地、有时是不那么有把握地把两个太阳系合二为一。回顾起来，这似乎是不可避免的。

在17世纪以后，受过教育的人懂得了其他星球在围绕着太阳旋转；如今我们都知道这些星球大多是什么样子的。但是存在着一些奇怪的现象：天文学家斯基帕雷利于1877年看到火星上有深沟。许多人认为他指的是运河。而埃德加·赖斯·伯勒斯提出了古老的火星人文化。金·斯坦利·鲁滨逊的《火星》三部曲是经过长时间努力的结果，表明了梦想和现实的真正结合。

另一个地球
昔拉诺·德·贝尔热拉克向我们显示，受过教育的人在1657年是怎样想象其他行星的。

新视角
早在我们登上月球前，作家们已在那里回望地球了。当约翰·埃姆斯·米切尔的《沉寂》于1917年面世时，关于我们行星的观点依然不过是出于虚构；40年后，我们看到了真实的地球，认识到我们的家园只不过是宇宙中一个脆弱的岛屿，这永远地改变了我们的视野。

在火星的卫星下
到1930年左右，科幻作家认识到火星上没有维持生命所必需的大气，但那些具有充分想像力的人仍作出这样的推测，即那些"运河"是亿万年前就死亡的古代火星人文明的遗迹。从地球上去那里的探索者甚至有可能发现规模巨大的、极为复杂的大都市和了不起的技术。火星人可能早就死亡了，抑或它们还活着。

美妙的新世界
如果没有月球人、金星人或火星人，那么这些星球就成了争夺的目标。50年代人们想象的这种领土争端是发生在适宜于生存在太空的两群人类，他们是来自地球的两个对立的超级大国。宇宙飞船本身是相当现代的月球舱。当然，具有讽刺意味的是，它们的设计是一样的。

未为人知的星球
除了太阳系的行星之外，宇宙横在我们的面前。而50年代的硬科幻小说作家基于他们对我们已知的太阳系的知识的推测，设想出某些特别的环境。该图所示是哈尔·克莱门特对引力极强的梅斯克林行星的推测：梅斯克林的旋转是如此强烈，以至行星因此而变得扁平了；引力从赤道到南北极也因此而形成差异。

别的星球 · 83

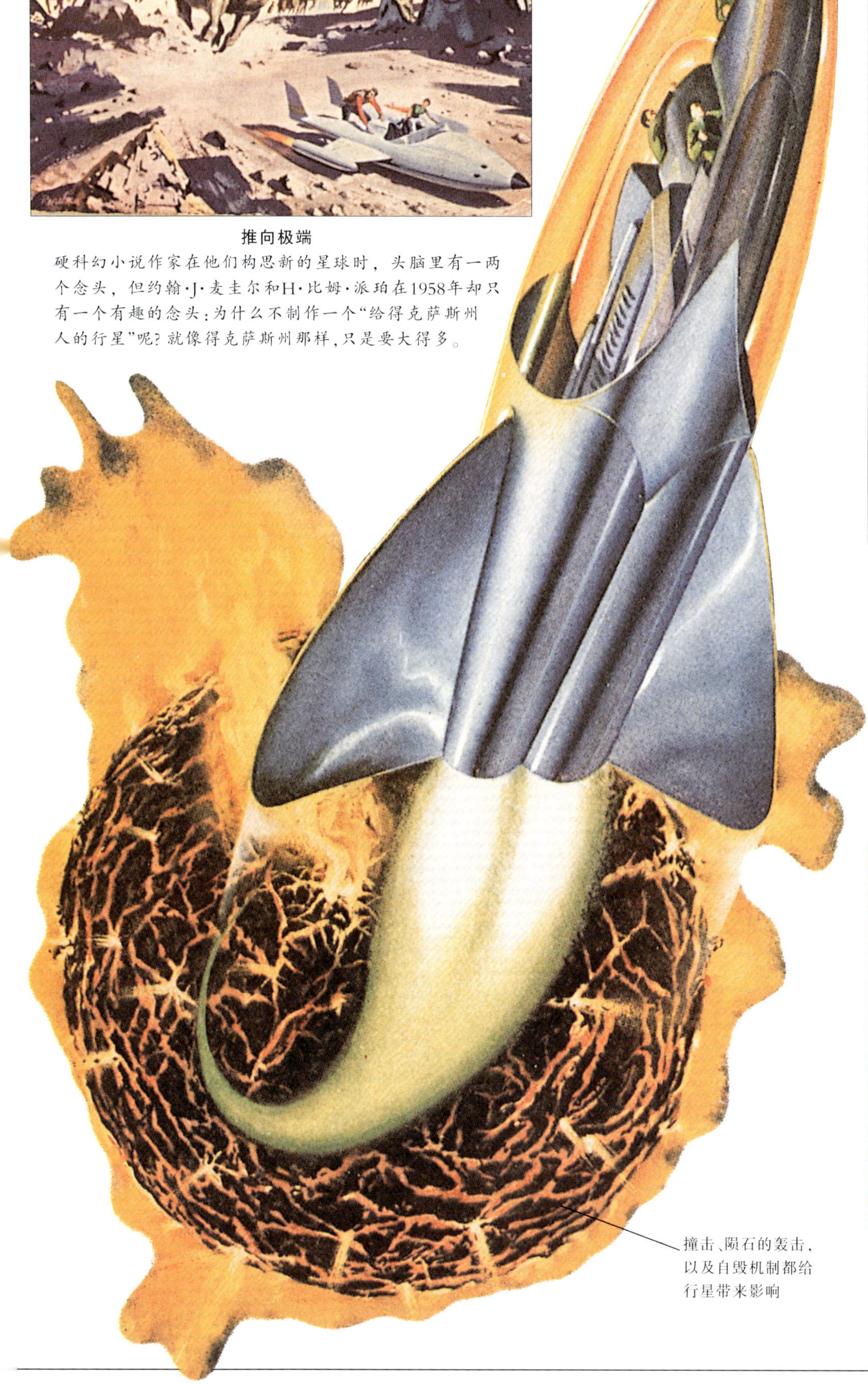

构建星球

随着我们对太阳系行星了解的加深,用产生形成行星的不同环境的科学原理进行智力游戏就变得更加有趣味了,无论这环境是冷或热,引力是大或小,处于固态或液态。既然我们有了更多的了解,就可以提出进一步的假设。今天有的科幻小说作家专门从事提出关于在科学上站得住脚的各种类型星球的模型。有时候,这些星球模型是如此具有魅力,以至别的作家以此为基础,提出他们自己关于星球的假设来。

一般总有幸存者叙述该行星的故事

推向极端

硬科幻小说作家在他们构思新的星球时,头脑里有一两个念头,但约翰·J·麦圭尔和H·比姆·派珀在1958年却只有一个有趣的念头:为什么不制作一个"给得克萨斯州人的行星"呢?就像得克萨斯州那样,只是要大得多。

实用模型

在布赖恩·奥尔迪斯创作他的《海利科尼亚》三部曲时,故事背景为一个季节长达一世纪的行星。他像写备忘录那样渲染、夸张了一种标准的星球世界。

大爆炸声中崩溃

有的作家对人们设想中的星球可能会不以为然,但别的作家确有故事要叙说。又有什么比一颗爆炸的行星更明白可见,同时又更使人惊心动魄的呢?行星一般不会爆炸这一事实可能会使有的作家感到沮丧,但是50年代超人的"克里普顿星"、"紫禁行星"和《地球孤岛》中的"星际月球"却冒出烟雾,发出隆隆的声响。

撞击、陨石的袭击,以及自毁机制都给行星带来影响

红色行星

金·斯坦利·鲁滨逊在他的《红色火星》(参见235页)、《绿色火星》和《蓝色火星》三部曲中,描绘了这样一幅行星的景象。它使得我们不仅向往到那里去生活,而且还向我们显示了怎样前往那里,如何具体实现这一梦想。

性别角色

第一部科幻小说可以说是由玛丽·雪莱创作的。该作者恰好是一位女性,但她的小说主角弗兰肯斯坦却是一位男科学家,而弗兰肯斯坦制造的魔鬼也是一位男性。自从科幻小说开始登台,这种情况将持续很长一段时间。这并没有什么奇怪的。在19世纪,西方文明自以为是理解妇女的:她们基本上是情感动物,脆弱,被动,受人尊敬,整天围着炉子转。

从定义来说,科幻小说占据的是其他领域:所介绍的都是人类足迹未及之处的历险、探索与勘探、战争、战斗、硬科学以及毁灭于冰或火之中的世界末日。人们这样假设是相当自然的,即在这些故事中担任主要角色的绝大多数都是男性。但这样的假设在20世纪受到了很大的冲击。现在人们懂得了性别既是由环境,又是由自然所控制和决定的。自从二次世界大战以来,科幻小说慢慢地、虽然是不很情愿地接受了这一事实。

早期的历险者
历险、探索、枪炮、威胁、科学和男人主宰着一切。

一切都在变,还是什么都没有变?
在1924年摄制的影片《地球上的最后一个男人》中,所有14岁以上的男人除了一个外全都死去了。在这个镜头中,两个女人为争夺他而进行拳击比赛。尽管周围没有男人,她们依然浓妆艳抹。

一个太空剧中的英雄不配备一支大枪,就不那么对人胃口了

流行的牺牲品
在30年代系列剧的一个典型镜头中,一个英雄式的闪电戈登正在保护畏怯的戴尔·阿登免受"冷酷的明"或其他仇敌的宠臣的追捕。他在每一集中都有这样的表现。请注意,尽管戴尔的短裙看起来是较为实用的,她穿的铮亮靴子后跟却很高,她戴的有羽饰的帽子则是相当时髦的。此外,她没有携带枪支。另一方面,闪电戈登则是全副武装。显然,战争是男人的事。

在金星上……
埃德加·赖斯·伯勒斯描写的是火星和金星上发生的大胆、冒险的紧张故事。镜头中富于性感的女人(大多是赤裸的)横冲直撞,和她们的男人们一起并肩作战。

机械装置保护了女人端庄的关键点位

瓶中的信息
1951年,当罗格·菲利普斯创作的《如果的世界》用这一形象作为封面出版时,美国的科幻小说出版商开始带着颇不情愿的态度承认:他们的读者长大了,而且实际上有相当一批妇女加入了科幻作品的读者队伍。但是旧的习惯很难消失。过度享乐的、麻木而少知觉的、具有危险性且不穿衣服的女士形象,显而易见地表示她们将要挣脱身上的羁绊。

抗争

这样的场面在20世纪20年代不很常见。左边的女人实际上是在保卫自己,抵抗机器人的攻击。机器人全身钉着铆钉,长着一头鬈发,是个好色鬼。但是请注意:画面中有太空飞船和有触手的动物。有人正试图把她拯救出来!

那里没有女人……

从20世纪60年代至千年之交的《星际旅行》的历史,也是一段在通俗的冒险故事中妇女迅速得到解放的历史。如图所示,这是第一步,而这的的确确是非常干脆的一步。因为乌拉中尉既是女性又是黑人,她以一个女演员角色代表了两个受蔑视的群体。她可能当不了船长,但是她架起了桥梁。

超级女英雄

到了20世纪80年代,显然该面临变革了。当时有几部描写超级女英雄的电影,"超级女孩"海伦·斯莱特在其中一部中任主角,尽管她的作用不如她的堂兄大。但是影片真正的明星是费伊·达纳韦,她拥有一个很好的、虽然说"从政治眼光看并不正确"的机会来扮演H·赖德·哈格德在19世纪创作、并于20世纪末上演的不朽的《她》剧中的角色。

新的一代

科幻小说从未给儿童留下多少天地,除非故事叙述的是成年前一直躲藏起来的超级人类。但是到了1990年,丹·西蒙斯在他的《希佩里翁的堕落》中编织出了一个复杂的情节,描绘的是对一个襁褓中的婴儿的关爱以及为他作出牺牲的故事。

一个普通的母亲

啊,闪电戈登!要是你今天还活着该多好!在戴尔·阿登依傍着男人的臂膀寻求保护以后半个世纪,西戈尼·韦弗在《外星人》中挥舞着一把重机枪,救出了孩子;而且人们可以看到,她脚上穿的是连高跟都没有的铮亮靴子。

1980~1989：新的开端

在对70年代进行反省以后，世界又开始向前再次投入到变革之中。在欧洲是撒切尔时代，在美国是里根时代，在苏联则是"开放"和"改革"的年代。这是一个全球迅速变革的10年。

在80年代末，柏林墙和几个东欧政权全部都倒了下来。以计算机、录像机、人造卫星为代表的信息技术带来了一场全新的信息革命。科幻小说界也因此获得了新的力量，抬头展望

	1980	1981	1982	1983	1984
科幻小说界大事记	汤姆·多尔蒂离开埃斯出版社，与礁石出版社合作创办了**石山出版社**。新的出版社很快便树立起了专门出版新老作家优秀科幻小说作品的名声。	法国80年代主要科幻小说作家之一塞尔日·布律索洛发表《**血腥睡眠**》，该书的出版帮他确立了声誉。	或许这一年中最重大的事件不是某一本新书的出版，而是一本旧作摄制成电影。里德利·斯科特根据菲利普·K·迪克的《人形机器人梦想过电气羊吗？》改编的《银翼杀手》使得迪克家喻户晓，并且向人们展示了：科幻小说除了大胆和雄心勃勃以外，也可以是荒凉和时髦。它也为网络朋客成为媒介捣蛋者提供了场所。	**樫鸟出版社**成立，其图书发行通过圣马丁出版社进行。尽管作者队伍颇强，但其印刷质量不佳，仅生存三年即关门。	威廉·吉布森的《**神经浪游者**》出版，后获雨果奖、星云奖和菲利普·K·迪克奖，而且使得网络朋客的出现成为事实。其技术可能令人怀疑，政治上也可能是模糊的，但是主角的强硬气质和阳痿特征成为故事吸引人的中心。
电影、广播和电视	乔治·卢卡斯《星际战争》三部曲的第二部《**帝国反击战**》上映。该影片略受到三部曲中第二部常遇到的一些问题的影响，即既要照顾前面故事的叙述，又要尽量照顾故事的大结局。该影片通过比第一部影片更为严肃、更具哲理性的方式来解决此问题，但是真正帮助它获得成功的是令人惊叹的特技效果和精彩演技。	《疯狂的马克斯2号》继续着这10年的系列影片创作。在英国，《搭车旅行者银河系指南》从广播走向电视，立即赢得了更为广大的观众。	斯皮尔伯格的《外星人》打破了电影业的各项纪录。约翰·卡彭特重拍《**不明之物**》。尽管不很明显，但这一改编本比1951年的电影更接近小约翰·W·坎贝尔的原作。	《星际战争》三部曲以《杰迪的归来》宣告结束。这最后一部影片令人遗憾的遗产是尤沃克，以后者为主又拍出了两部逢迎讨好的派生电影。在电视上，美国的"V"系列剧起步不错，但后来质量渐趋下降，商业利益只考虑情节的简单化。	戴维·林奇把弗兰克·赫伯特的《**沙丘**》搬上了银幕。令人遗憾的是，原作中的故事留下的不多。詹姆斯·卡梅伦的《**终结者**》则更为成功。
杂志	在法国，80年代少数取得成功的杂志之一《**科幻小说日报**》出版。	在英国，《星际地带》杂志的编辑部在筹备将于1982年春天出版的第一期。在经过艰难的开创阶段后，它成为80年代生存下来的杂志之一，并成为英国科幻小说复兴的催化剂。		《模拟》杂志连载格雷格·贝尔的《**血腥音乐**》，表明其仍属科幻小说的主流。弗兰克·米勒《泥人》在连环画市场掀起一阵浪花，其绘画体现出一种商标式风格，不久便因此而出名。	
世界大事记	罗纳德·里根当选美国总统。波兰成立团结工会。约翰·列侬遭枪杀。	"哥伦比亚号"航天飞机成为第一架可多次使用的航天飞船。威尔士王子结婚，全世界有7亿人收看实况转播。	英国在马尔维纳斯群岛与阿根廷开战。以色列在**贝鲁特**街头与黎巴嫩人发生枪战。	美国总统里根竭力鼓吹为了防御苏联而制订的"星球大战"导弹防御计划。	80年代早期出现的免疫系统障碍被命名为"**人体免疫缺陷病毒**"，简称为"HIV"。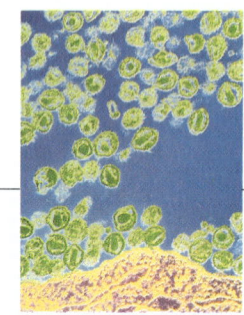

新的天空。在某些方面,科幻小说在这 10 年里变得界线不那么分明了,逐渐趋向于同化。自由的市场经济产生了效果:科幻系列故事、电视和电影关联作品、游戏副产品等充斥着市场。网络朋客变成了媒体最常用的时髦语,而对其首创者来说,却几乎成为祸害。在这一切纷纭之中,作者们纷纷推出质量上乘的新作。

1985

这不是一个处女作登台,而是科幻创作成熟、丰收的年头。在这一领域已非新手的作家们开始达到创作的高峰。奥森·斯科特·卡德及时推出了《终结者》系列的第一部《终结者游戏》,该书荣获雨果奖和星云奖。格雷格·贝尔创作了《血腥音乐》和《漫漫岁月》。伊恩·班克斯在前一年推出《白人工厂》之后,在《行走在玻璃上》中显示出他更为广泛的兴趣。

《回到未来》三部曲开始在影院上映。第一部片子极受欢迎,绝大多数去看此片的人们并不认为它述说的是一个遥远未来的故事。

戈尔巴乔夫在苏联上台。法国的特工部门击沉了一艘绿色和平组织的船只"彩虹勇士号"。

1986

"阿瑟·C·克拉克科幻小说奖"首次颁奖。玛格丽特·阿特伍德的作品《女仆的故事》获奖。

《外星人》是一部极有力度的系列片,导演是詹姆斯·卡梅伦,而不是里德利·斯科特。影片推出了更多的外星人和更多的轻重武器。西戈尼·韦弗回到神秘的行星,帮助太空巡逻队打击另外一支外星人队伍。布景给人的印象可能不深,但是在性格刻划、对话和剧情紧凑上比前一部影片略胜一筹。

在美国,一份新的杂志《土著人科幻小说》创刊,由查尔斯·C·瑞安编辑。这是 80 年代进入该领域的半专业性杂志中最为成功者之一。"蝙蝠侠"随着弗兰克·米勒的描述生动的小说《蝙蝠侠:黑暗骑士归来》进入网络朋客时代。该小说极受欢迎,获雨果奖提名。

"挑战者号"航天飞机在美国升空后爆炸,7 名宇航员全部罹难。在苏联,切尔诺贝利核电站发生爆炸。

1987

随着苏联政治形势的宽松,阿卡迪和鲍里斯·斯特鲁格茨基被获准赴国外,成为在英国举行的世界科幻小说大会的荣誉贵宾。

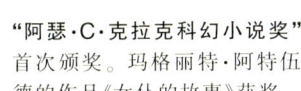

《星际旅行:下一代》在美国上映。其紧张复杂远远胜过前一部影片。

《看守者》肯定了艾伦·莫尔在美国漫画故事市场的成功,并把超级英雄的概念引入全新的领域。

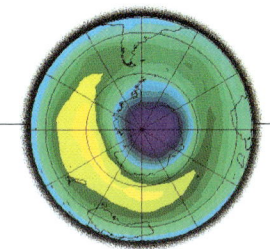

在蒙特利尔举行的一次会议上,70 个与会国最终同意通过减少使用含氯氟烃来拯救臭氧层。

1988

罗伯特·A·海因莱恩去世。尽管他数年来没有创作出引起不同反响的作品,但他的去世仍是科幻小说界的一大损失。

代表人物沃尔夫冈

沃尔夫冈·杰西克是德国科幻小说写作和出版方面最为突出的人物之一。他创作的小说有长长的一串,第一部是《创世的最后一天》。而且在通常对用非英语写作的作家具有敌意的市场中,他的作品大多被译成英语出版。他是一名著名的编辑,曾编辑过 100 多种德语及翻译的科幻小说集。他主持海恩·维拉格出版社的科幻杂志长达 20 年,把大量不同的外国科幻作品介绍给德国读者。1987 年,他的努力得到了国际承认,被授予"哈里森国际科幻小说成就奖"。

沃尔夫冈·杰西克

在英国,《红矮星》开始放映。它用一批反派主角来嘲弄科幻小说界的传统,不久便成为极受欢迎的系列片。

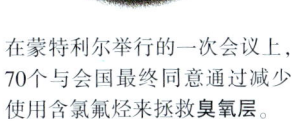

罗纳德·里根访问俄国,签订了减少超级大国核武器数量的条约。

1989

在这个 10 年结束之后,《轨迹》杂志的统计结果是:与 1980 年相比,每年发表的科幻作品增长数超过了 50%。

《胡博士》在几年里换过众多演员、变换过许多情节之后,终于退出了银幕。

在美国,《有线杂志》生存了很短一段时间。它引人注目之处是马克·齐幸的加盟,后者主办的马克·V·齐幸出版公司颇为成功,简称为 MVZ。

柏林墙——这一东西方之间正在消失的边界的最后一道残余物,终于倒下了。柏林墙碎片被当作 80 年代的纪念物出售。

网络朋客

网络朋客(Cyberpunk)一词可以分解为两个方面。Cyber指的是自动控制这一方面,它集中于信息系统以及人类成为这种系统中的一部分的方式,如半机械人,或者威廉·吉布森的《神经浪游者》(参见232页)中的凯斯。而Punk指的既是由多民族共同居住的世界性城市中那破烂、陈旧的街道,也包括那里的居住者(如凯斯)。"网络朋客"一词是由布鲁斯·贝什克在1980年前后首先使用的。但是网络朋客世界的现实,是随着第一次工业革命的"撒旦磨坊"而开始的。

20世纪80年代的朋客文学

网络朋客是一个文学运动,也是一个口号,大约开始于1980年。随着威廉·吉布森于1983年开始创作的《神经浪游者》三部曲而瞄准了这个新时代,到1985年左右时则成了科幻小说创作词汇的一部分。就在这个时候新闻媒体捕捉到了这一词语,随后就迅速地流行开来。有的科幻小说作家充分利用了人们的这一关心:布鲁斯·斯特林在编辑了道道地地的网络朋客小说集《镜影》之后,在1986年就这一运动作了畅谈。其他人,如吉布森,则明显对变成广告宣传和套语的这一切感到不舒服。他们对此感到不安可能是有道理的,或者是他们对此过于敏感了一些。事情一直是这样,新闻媒体总是紧紧地抓住他们以为自己能够理解的说法不放;还有一种情形是某些新的说法,例如虚拟现实,不久就会使他们发狂。但是,比这更重要的是这一事实,即尽管网络朋客这一词语是比较新的,而它所指的现实以及它所使用的描述这些现实的隐喻却有着长远的历史。

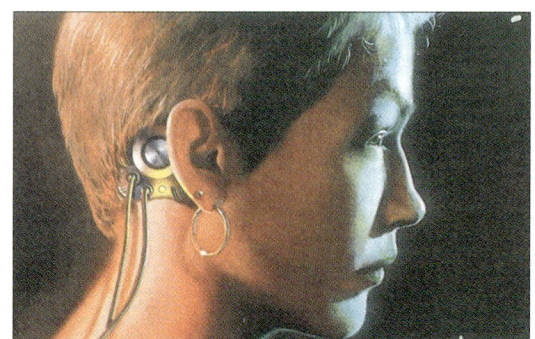

插入插座
像梅利莎·斯科特的《特鲁布尔和她的朋友》中的特鲁布尔那样,位于网络朋客主角耳朵后面的是一个电子插座,它把她的大脑和网络空间连接了起来。她"看见"了信息的舞蹈,而她也就开始舞蹈起来。

城市牛仔
放牧场上的牛仔。如图所示,放牧场成了洛杉矶城下令人窒息的污水管道。在那里,K·W·杰特的《阿德博士》,即那个牛仔弥赛亚,在搜寻着他的人们。

网络朋客的原型

我们似乎老是从玛丽·雪莱开始,而且在这个例子中我们显然有足够的理由认为《弗兰肯斯坦》是个很好的讨论起点。在这个气氛阴森、具有独特氛围和闪电般效果的故事中,有着一种什么东西使人感到弗兰肯斯坦男爵被卷入到一个巨大而污秽的世界机器中。他在可怕的科学技术的发展中攫住了他自己和他创造的魔鬼,而这个新世界的体系迫使他跟在后面亦步亦趋。弗兰肯斯坦男爵有点像吉布森的主角凯斯。弗兰肯斯坦是他自负的牺牲品,正是这自负使他盲目地相信自己是科学新世界的主人,而这科学技术却转过来反对起他来。凯斯是自己的老于世故和大胆鲁莽的牺牲品,从而成了网络空间新神祇的掌中抵押物。

几乎所有的19世纪欧洲大城市,如尤金·苏和查尔斯·狄更斯等作家所描述的,几乎都是"网络朋客"的城市。它们具有网络朋客的狂热与激烈。它们的感觉是生活就是一场戏或表演,是那些犯罪团体秘密蛰居其中的黑暗和错综复杂的迷宫;而它们的意识则是真正的权力隐蔽于某处、而不在那些统治者的掌握之中。伦敦——吉布森和斯特林在他们创作的关于19世纪电脑独裁统治的科幻故事《差分引擎》中所重塑的城市,就具有完全的"网络朋客"特征。

因此当我们进入20世纪时,遇到了广阔天空下的新造物——私人侦探。达希尔·哈米特、雷蒙德·钱德勒或詹姆斯·M·凯恩所描写的洛杉矶有一种人们极为熟悉的东西,他们都对80年代第一代网络朋客作家具有深

谁到那里去?
"网络朋客"的主题之一是自我的瓦解。帕特·卡迪根的《笨蛋》描绘了集中在一个躯体上的多个自我、欺人者和被欺者之间的闲聊。

模糊界线

这是艺术家梦想的一个黑暗的内部世界。把主角和网络空间连接起来的插座被视为是一个脐带,而他所位于的子宫则只是一个老朋友的联欢会。网络朋客作家的一个巨大本能是把插头插入虚拟世界,这一过程既好比吸毒,又类似于自杀。

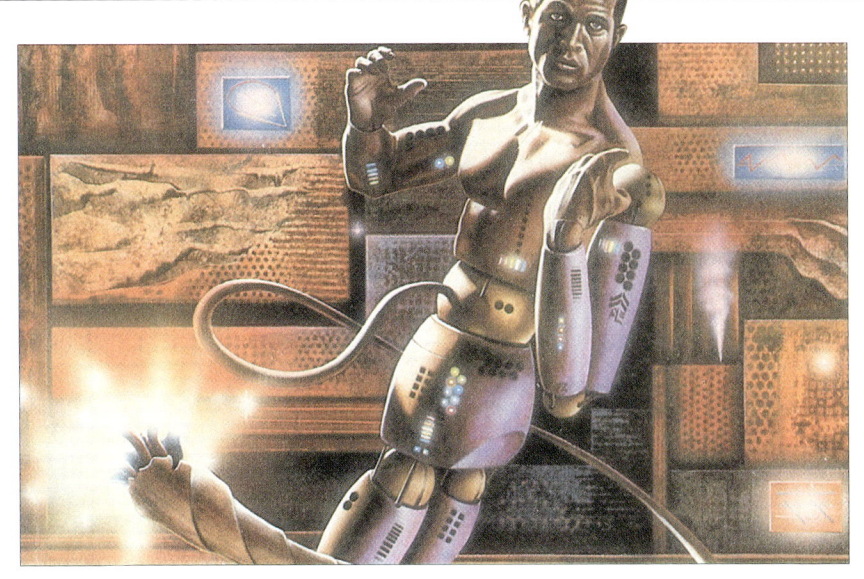

刻的影响。那个总要按两次门铃的邮递员萨姆·斯佩德和菲利普·马洛是网络空间牛仔的直接模型,后者面对的是拥有在城市中生存的能力和极具私密性行为规范准则的世界机器。由于每个人都必须建立自己的骑士意识,他们就成了没有圆桌的骑士。这些角色是真正的存在主义者,尽管这是在骑士这一词语早就被弃用之后。

网络朋客英雄

朝网络朋客方向发展的科幻小说有伯纳德·沃尔夫于1952年创作的小说《地狱边境》。这是一个关于大灾难之后的故事,描述的是修复学和截肢手术等,用的是具有黑色、悲观色彩的机智语。还有贝斯特的《虎!虎!》(参见220页),安东尼·伯吉斯的《装有发条的橙子》(参见223页),以及威廉·S·伯勒斯的各部小说,如《赤裸的午餐》和《新星特快》。巴拉德、布伦纳、德拉尼、迪克、穆尔考克和托马斯·品钦都多多少少涉足了这一领域:他们都从阴暗面角度对这些复杂的世界进行了描述,而且故事中的许多角色根本未能征服这些世界。有的角色像穆尔考克的杰里·科尼利厄斯一样,很熟悉城市的生活方式和世态;可他们同网络朋客英雄一样,不明白自己"聪明"之处在哪里。吉布森的凯斯对电脑除了取笑之外一窍不通。这些英雄就像冲浪者一样,对波浪的运动颇为了解,但是对海洋就一无所知了。

知识就是力量

网络朋客体裁的视觉偶像来自电影,除了它对新世界将由电脑塑造这一事实未能给予注意之外,里德利·斯科特的经典作品《银翼杀手》可以作为对未来的反应新方式的一个最佳例子。它描述了邋遢肮脏的街道和道德空虚的意识,对此主角——可能是一个硬造出来的众生——必须有所反应。在它带着不再能被识别出是人的动机、且把这个世界当做一架复杂的引擎时,是网络朋客出来挡道。这本书里缺少的是一个成熟的网络朋客作家应该具备的知识,即在未来的新世界中,信息是上帝。

在吉布森和斯特林提出"知识就是力量"这一20世纪80年代的宣言后,在美国似乎人人都在这么说了。网络朋客作家——无论他们是否用此名称——包括贝尔、卡迪根、斯旺尼克、梅利莎·斯科特、理查德·卡德里、威廉·T·沃尔曼和约翰·雪莉等。但欧洲的科幻小说作家中很少有几个是可以真正被称为"网络朋客"的。这或许是因为在其内心深处,他们一直就是网络朋客。或许网络朋客的真正实质是在其硬汉子的面目掩盖下的出人意料这一点。符合网络朋客作家这一模式的美国人有这么一种意识,即他们不希望世界会变成那样。他们惊诧不已的是个人会变得如此软弱无力,而且力量是在世界信息网络的那些无形大师的掌握之中。

永远睁开的眼睛

《银翼杀手》中的一个特别镜头提醒我们,网络朋客新世界是为别人所拥有的,而且这些拥有者还控制着警察。

它们来自外层空间

在真正的外星人概念在科幻小说作家的头脑中出现以前,必须先具备两个条件:天文学家必须显示在宇宙中确实有其他行星,而且它们也受制于制约着地球的同样的自然法则;查尔斯·达尔文必须提出进化理论。其他行星之所以必要,只是因为外星人必须有一个居住和生活的地方。而进化则要复杂得多。

在达尔文之前,我们一般假设我们的拥有双足、头部很大的形体是来自于上帝希望我们长得像他一样的愿望。我们没有充足的理由提出其他设想来。因此,我们设想遇到的外星人几乎总是对我们自身的模仿。进化论之所以必需,是因为作家可以由此抓住这一事实,即不同的环境要求产生不同的生物。从此以后,就有了各种各样的、越来越多的外星人。

树 人

这个18世纪的树人远非令人可信的生命形式:它的形象和动作看上去只是一个穿戴成树木形状的人。

变形者

坎贝尔于1938年创作了《谁到那里去?》。但该作品只是在霍华德·霍克斯以此为基础拍摄成《不明之物》之后才出名的。它之所以出名,原因很简单:如图所示,这个外星人是一个变形者,一个真正的、长着暴眼的怪物,它能变得和你我无法区分开来。这样的形象适合于20世纪50年代对心灵入侵的妄想狂意识。

天使般的外星人

旧的习惯很难死亡。1907年,芬顿·阿什的《火星游记》描绘的火星人同人类一样,只是稍有些厌食倾向。它们的翅翼是人工制作的,但将其视为天使的暗示有着一种寓意:火星人国王是一个圣者。

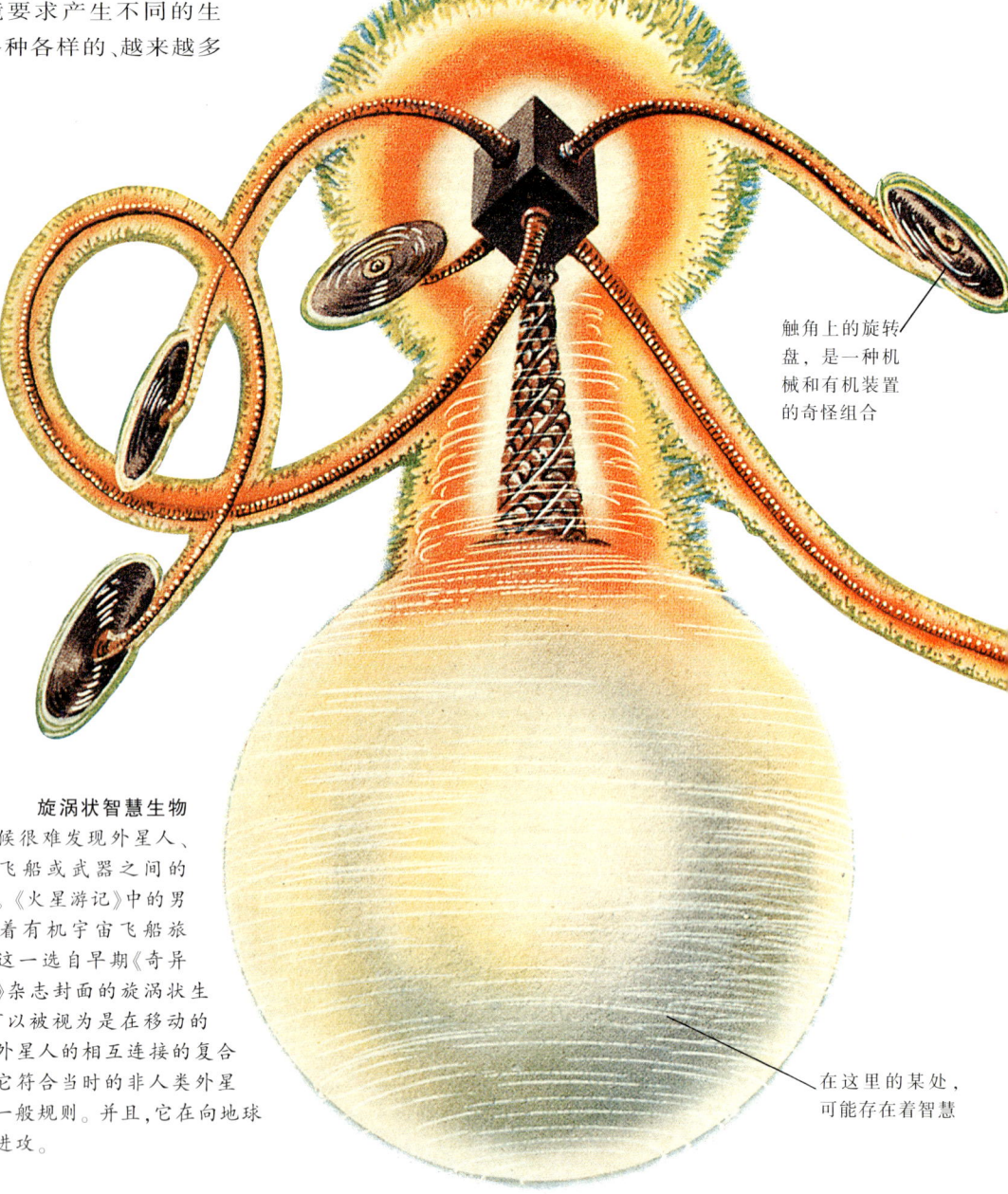

旋涡状智慧生物

有时候很难发现外星人、宇宙飞船或武器之间的差别。《火星游记》中的男孩乘着有机宇宙飞船旅行。这一选自早期《奇异故事》杂志封面的旋涡状生物,可以被视为是在移动的共栖外星人的相互连接的复合物。它符合当时的非人类外星人的一般规则。并且,它在向地球发动进攻。

触角上的旋转盘,是一种机械和有机装置的奇怪组合

在这里的某处,可能存在着智慧

悲伤的大眼睛在外星人或幼小动物身上都很合适

看上去颇像我们的好家伙

在50年代，外星人有各种各样的，但它们大体分为人格化的朋友或是邪恶的变形者。在这一期《惊险》杂志的封面上，传递的是关于某些行为普遍性的使人安慰的信息。

伪装的外星人

《盗灵人魔》是50年代关于妄想狂的最佳影片。攫取人的躯体、改变自己身体的外星人入侵者来到地球上美国农村的一个小镇。它们在卵囊里长成幼虫形；在无人干扰的情况下，它们会长成类人的形状并模仿最靠近的活人的躯体。这些是怎么发生的，文中没有给予图示或解释。这个有着侵略性的、窃取人生命的外星人形象看上去并不像魔鬼而像我们人类，在50年代的电影中是一个颇为吸引人的形象。该形象在它所代表的那个"床底下的红色魔鬼"妄想狂消失以后很久，依然有着很强的感染力。

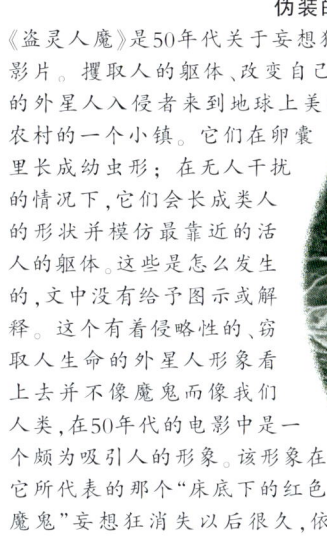

约达很像民间故事中的友好动物

外星人圣哲

如图所示，因为80年代在电影中开始使用的娴熟的木偶制作技术，我们看到了科幻小说和幻想故事偶像的绝妙配合。约达是《帝国反击战》中卢克的导师，它使我们想起仙境中众多的各类圣贤；但它也是科幻宇宙的一部分，一个行为反常的年轻人的教师。它很奇特，性情暴躁，可又极为聪明。它具有智慧爬行动物的凝视目光，而且还会把智慧传投出去。

杀人机器

无论我们观看多少遍1979年推出的经典影片《外星人》，影片中的魔鬼依然使我们恐惧得灵魂出窍。部分原因是电影的情节是如此残忍，充满邪恶：它所做的一切就是为了自身的生存；另一个原因是它的动作迅速、高效：在一般情况下，它的移动速度之快几乎令我们难以觉察。

失落的孩子

从某种意义上说，这是我们所有人在某个时候都曾梦想过的时刻：广袤的宇宙像一件礼物一样展现在我们眼前，给我们带来瞬间的希望和辉煌。斯皮尔伯格在1982年拍摄的《外星人》中捕捉住了这一时刻的神秘感，镜头中一个地球人的孩子和外星人的孩子友好地相遇了。

1990~1994：面临新世纪

20世纪末迅速逼近的同时，也意味着这一千年的结束。人们对2000年的展望几乎是带着类似童心般的期待。新千年带来了对天翻地覆的变革、对新的启蒙时代、对为保证我们在地球上的生存全人类必须采取的措施的理解的期望。与前一个千年的降临时刻相比，我们今天面临的巨大变革比以前期待的神的报应要难以理解得多。现在我们知道毁灭的因素就掌握在我们

	1990	1991	19
科幻小说界大事记	布赖恩·斯特布尔福德开始他的《伦敦的狼人》系列小说的创作，第一卷与此同名。故事背景为19世纪，主要描写一群"天使"，他们有力量影响重大事件，或者换个说法，他们能够创造奇迹。我们的世界对他们来说不可理解，反之亦然。在他们试图对此加以理解时，他们对关于科学和秘术的不同的世界观进行了详细的探讨。三部曲对事件的描述并不特别出色，但它是穿过现实本质的形而上学之旅。	"特纳明天奖"由特纳公司的巨头**特德·特纳**设立。这是向作者支付巨额报酬的一项新举措，它向由特纳出版公司出版的、就世界问题提出实际解决方案的最佳著作提供巨额奖励，奖额高达50万美元。这是科幻小说界最高的一项奖励，但它还没有完全确立奖项本身的高度声誉。	艾萨克·阿西莫夫去世。他的后期著作，包括两卷自传、一本逸闻录（即《阿西莫夫又笑了》）于是年出版。他留下的是50年中写下的科幻小说、科学论文、专栏文章、著作和一本科幻小说杂志。该杂志是在市场不景气时出版的，后成为这一领域办得最成功的杂志之一。
电影、广播和电视	90年代的科幻电影有不少扛鼎之作。这一年上映了阿诺德·施瓦辛格主演的《宇宙龙威》，这是一部根据菲利普·K·迪克的短篇小说"改编"的片子。尽管故事主要出自剧本作者之手，但其中的妄想狂完全是来自迪克的作品。	詹姆斯·卡梅伦在《**终结者2号：审判日**》中再度获得成功。我们有了一个更精瘦、更普通的女主角，一个更具人性、更像人的终结者。它使得第一部影片成功的"动作，动作，更多的动作"的基本前提稍有改动，但这一切仍出自老卡梅伦之手。	现在日益明显的是，科幻电影市场十分有利可图。这大大地激励了本来可能对这一体裁缺少兴趣的主流作家们。这一年，切维·蔡斯和达里尔·汉纳
杂志	在澳大利亚，《幻象》杂志创刊。这是一本只供订阅、不零售的杂志，它通过发表小说、论文和评论等得以顺利地生存下来。该杂志于1991年荣获"迪特马奖"。	在这些日子里杂志出版方面的情况较为平静，但连环画方面却热气腾腾。在连环画《对愚人的审判》中，我们看到了两个颇不相同的主角间的联系，即极度痛苦的蝙蝠侠和雄心勃勃的法官德雷德。这不是心灵的交会，可却是闹哄哄的。	
世界大事记	在南非，**纳尔逊·曼德拉**在囚禁了27年后被释放。叶利钦当选俄罗斯共和国总统。伊拉克侵略科威特。东西德统一。英法两国的海峡隧道建设者们胜利会师。	"沙漠风暴"行动掀开了**海湾战争**的序幕。这是一场高科技战争，其目的是摧毁伊拉克的通信线及其军队。整个战争在短短几个月内即告结束。	

自己手中。人类是其自身,也是这颗行星最凶恶的敌人。我们肩负的责任之重是既令人欣喜而又令人惴惴不安的;下一步将怎么做在很大程度上有赖于我们的选择。在展望未来时我们既带着希望,又满怀忧虑。科幻小说作为我们的理想和恶梦表达的方式,像天门神杰纳斯一样,既向前看又往后望。这在跨入新时代的门槛之时可以说是很自然的。

1993

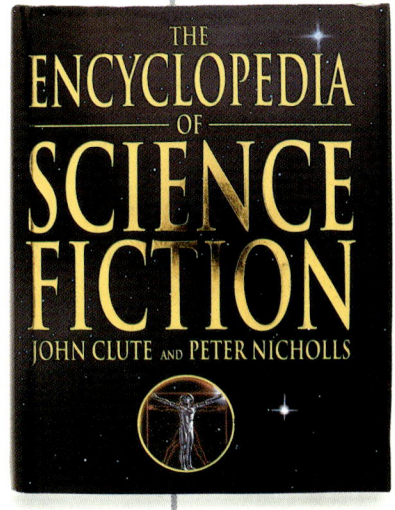

轨道出版社出版了150万字的《**科幻小说百科全书**》,由约翰·克卢特和彼得·尼科尔斯任编辑。该书的内容洋洋大观,比1979年版有了相当大的扩充,先后获得雨果奖、轨迹奖和伊顿大师奖,以及英国科幻小说协会的特别奖。该书在销售上也获得了出人意料的成功。

被吸引到这一圈子里,在《**隐身人的回忆录**》中担任主角。该影片虽然可看性较强,可是未能真正激起影院观众的热情。

西尔维斯特·史泰隆跟随他的朋友和经营伙伴施瓦辛格进入科幻电影圈,参加《**爆破员**》的拍摄。一个被冷冻的警察在未来化冻后去追踪一名逃犯,这个政治上正确的新世界对该罪犯却束手无策。该影片是一出轻松闹剧,不是一部严肃的科幻影片,扮演罪犯的韦斯勒·斯奈普斯是一位脱颖而出的影坛新星,令其他演员相形失色。

南斯拉夫不再存在,分解为几个国家,并陷入战争。南非的改革向前推进。美国洛杉矶发生种族骚乱,警察用警棍抽打黑人,此镜头被人用家用录像机摄下并在电视台播出,后来该嫌疑人被宣判无罪释放。该案子后由上诉法院审理。

英国首相**约翰·梅杰**和爱尔兰总理**艾伯特·雷诺兹**会晤,签署"唐宁街宣言",以结束北爱尔兰的恐怖活动。在美国,在韦科围攻一个邪教组织总部后发现的一个巨大武器库爆炸。95名邪教组织成员被火烧死,或因枪伤致死。

1994

"丹·戴尔"于1950年首次出现于《**雄鹰**》杂志后未再露面。该杂志曾在1969年停刊,但于1982年复刊,刊出的丹·戴尔形象直接源自最初的主角形象。但令人遗憾的是,现在的市场已不再热衷于未来的驾驶员了。

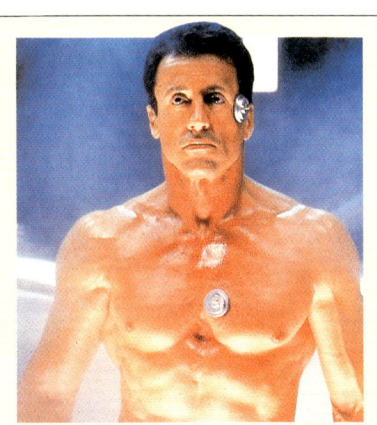

这一年由肯尼思·布兰纳推出了多年后重拍的《**弗兰肯斯坦**》。影片耗资巨大,极具哥特式风格。在科幻影片另一端的对未来的展望中,出现了诸如《**星球之门**》之类的影片,或许是希翼通过金字塔的神秘逃逸来找到一个点燃"千年热"的火花。动作演员范·达姆加盟《**时间警察**》,投入这一有爆炸性需求的市场。

随着保罗·布雷热的《核心》杂志并入《星际地带》,英国的似乎无穷无尽的科幻杂志危机在继续。《星际地带》在戴维·普林格尔率领下已进入第12个年头。但目前连《星际地带》也面临着停刊的威胁。

南非举行各种肤色人种参加的**自由选举**,纳尔逊·曼德拉当选总统。在英国,当恐怖分子宣布北爱尔兰停火后,人们对和平产生了新的希望。其他地区的情形就不那么和谐了。在卢旺达,在一场血腥的内战中数千人遭到屠杀。

红色行星

远在我们人类给火星起名字之前,它就在太空向我们闪耀着光芒。它是人类这个动物的环境结构的一部分。人类仰望夜空,为所看到的遥远的星星取名。它是失落文明的家园,也是可以供我们去历险的场所。在太空旅行已经来临的时代,它已经是、而且将依然是月球之后的下一个停靠站。在20世纪行将结束之际,火星与其说是一颗行星——尽管今天我们比过去更清楚地了解了它是怎样的一颗行星——不如说是通向茫茫宇宙的门槛。

火星的神话

在人类不断地制造出神话的头脑里,影响潮汐涨落的月亮一直被视作一个女人,以古罗马的战神命名的火星则一直被认为是一个男人。自从我们对这两颗行星都赋予人格甚至性别以后,于是顺理成章的是,它们都应该向我们展示其面目。

我们对着月亮看,总是看到一张脸,而科学不久前在火星上也发现了一张脸。但我们在月亮上看到的脸是男人的脸,而由"海盗号"轨道飞行器拍摄的火星表面的那张脸是一个由山脉和峡谷的阴影组成的图案。它似乎把自身转变成一张直接向上(或向下)凝视着我们的人脸,看上去像一个女性。火星女人的眼睛上遮有阴影,而且在头的两边都有一绺头发。她的嘴半张开着。她在亿万年前就被雕刻在那里(流传的神话这么说),或邀请我们去访问,或警告我们别靠近,或请求我们帮助。非常清楚,她只是一个自然的、偶然形成的图像。但是火星作为人类在过去多少个世纪里梦想的象征,以及以后的世纪里殖民的目的地的潜在力量,使我们几乎不可阻挡地去推测:通过"她"那来自遥远的时空带给人类的难以解读的信息,"她"可能告诉我们在那里居住意味着什么。

蒙骗人的眼睛

珀西瓦尔·洛厄尔(1855~1916)是一个外交官和业余天文爱好者。他用过的望远镜今天依然完好,但没人知道当年他用它究竟看见了什么。

神话制造者

斯基帕雷利并不认为火星上都是运河。但不可避免的是,其他人或许相信情形就是这样的。

火星上的运河

我们作为科幻小说的读者,毕竟从未对在我们的近邻火星上繁殖来自地球的万千众生感到过羞愧;我们也从未在表达希翼这颗行星给我们人类带来用处的巨大要求上保持过沉默。我们的肉眼能够清晰地望见这颗行星。只要用一架廉价的望远镜,我们就可能设想会在火星表面找到有意义的特征,这是事实。我们想通过这些模糊的特征来反映我们信念的迫切需要,可以从天文学家乔瓦尼·斯基帕雷利(1835~1910)在1871年发现火星上的"*canali*(运河)"的著名传闻中得到反映。

斯基帕雷利所看到的是火星表面某些较暗黑的物质所构成的不规则的狭长线条或条纹。他用意大利语中指称"channels"(沟渠)的这个词描述自己的观察发现时,指的就是这些线条或条纹。根据人类的需要编出一个有意义的关于太阳系的故事,或许不可避免的是,把"*canali*"这个意大利语译成英语的"canals(运河)"。而有人会就此提出,斯基帕雷利描述的特征反映的是建筑工程。这个人就是年轻富裕的美国人珀西瓦尔·洛厄尔,他在中年时把兴趣转向了天文学。他用很大一笔钱购买了一架功率较大的天文望远镜,用它看到了自己想看到的东西。1896年,洛厄尔在他题名为《火星》的书中,坚持认为火星上存在着有规则的运河图形,运河在火星上交叉连结,与好几个"绿洲"相会,而且从总体上看很接近地球上的灌溉系统。他从未放弃过这一信念,即在这个"沙漠"行星上存在着生活在水中的文明社会。

来自火星的首次入侵

正是从这样的火星上,H·G·威尔斯笔下的入侵者在他1898年发表的小说《星际

火星入侵者

"跨过太空的海湾",H·G·威尔斯的《星际战争》这样开始,"那些心灵与我们的心灵的关系同我们和已灭亡的众生的关系一样,为数众多、冷酷而无同情心的智慧生物带着忌妒的眼光对待这一地球……"威尔斯思维敏锐,没有轻信洛厄尔的观点,但火星作为入侵的起降台,是一个理想的场所。

战争》(参见213页)中来到了地球。颇有科学头脑的威尔斯对真正的火星上是否有真正的生命存在颇表怀疑。

埃德加·赖斯·伯勒斯是第二个在写作中广泛涉及火星的作家,他对火星上是否有真正的生命存在从不在乎。对他和其他几十个作家来说,只要火星能够被想象成拥有生命就足够了。他把自己作品的主角约翰·卡特泰然自若地运送到那里以统治火星人。地球人之所以在许多故事中都干得极为成功,部分原因是他们是人,部分原因是火星比地球引力小,其居民要弱小得多。

伯勒斯从不担心他梦想中的火星——那是一个来自《天方夜谭》的天堂,里面挤满了赤裸着身体的(不过是非人的)女人——在过去或现在是否可能存在。后来的"火星人行星际浪漫小说"作家,大多把他们的故事背景放在遥远的过去,那时候火星表面还有水存在。这样一种偏向于把过去作为背景的选择,原因肯定是作家想通过这一方式避开今天的人类对真实的火星所抱有的敌意。其结果是,至少在流行的科学幻想小说的想象中,火星几乎无一例外地被描绘成古老的星球。它在雷·布雷德伯里于1950年发表的《火星人纪事》中是古老的星球,在菲利普·K·迪克于1964年发表的阴暗晦涩的小说《火星的时间误差》(参见223页)中是一个被时间耗竭的行星。但是火星当然不会比地球更古老,而对近几年的科幻小说作家来说,它则是一颗崭新的行星。

事实和虚构相交

近年发射的探测器向我们提供了关于火星的大量信息,提供了火星的地形、地势和地质情况,给那些还没有名称的地方确定了名称,而且证实了那里几乎是没有生命的。它们肯定了严肃的科幻小说作家一直所坚持的观点:火星对人类来说完全不是一个适宜居住的地方;但对我们想殖民其他星球的努力来说,则是一个极好的选择地点。或许因为今天可以切实地想象火星是令人可信的故事发生的场所,科幻小说作家在这个世纪的最后几年里奉献出了一大批关于火星的小说。其中有一些,如杰克·威廉姆森于1992年发表的《滩头堡》,从根本上来说是太空剧,但大多数都显示了其作者都在密切地注意近年来科学技术上的进步。这些由贝尔、比森、博瓦、麦考利、金·斯坦利·鲁滨逊等创作的小说以各种各样的方式承认,在亚轨道太空和月球之后,火星可能是下一个这样的地方,它不再完全属于科幻小说界这一领域了。

这些故事中最富于勃勃雄心的小说——金·斯坦利·鲁滨逊的由《红色火星》、《绿色火星》、尤其是《蓝色火星》组成的三部相互关联的作品——几乎是一个宣言,尽管它们当然是故事。通过对把火星改造成适合人类居住的、如地球一般的行星的可行性和伦理问题的持续争论,它使我们不仅了解了这一任务的艰巨、庞大,而且还知道了我们有可能采取实现此规划的许多实际步骤。在这一故事及其兄弟篇中,火星的大门在向我们打开。

移居火星
到本世纪中期,火星成了郊区,成了普通人的家园,如朱迪思·梅里尔的《明天的人们》等小说中所描述的那样。巨大的玻璃弧穹形建筑,被作为火星风景的一个特色。

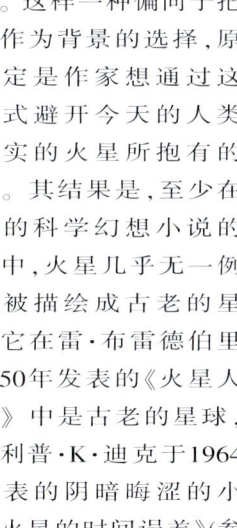

不大可能有的居民
莱顿·阿什的《火星游记》主要是关于失落的世界及其居民,而不是以火星为主的故事。

火星上的火山使得地球上的最高山峰相形见绌

明天的地方
最后,我们开始看到了人类多少个世纪里一直梦想看到的星球(火星图)。而它又使我们开始了梦想,因为如今我们知道这个宇宙是真实的,可以触及的。

第 三 章

影响较大的科幻杂志

　　杂志对科幻小说创作来说一直是一个重要的阵地。早期的通俗科幻杂志培植了这一体裁,科幻小说史上几乎所有的作家都是通过在这类杂志上发表故事而开始其创作生涯的。在科幻小说作家的职业生涯中,他们可能会参与编辑当年曾发表他们处女作的杂志,对科幻小说体裁及其未来的发展作出他们自己的贡献。即使在今天,经典的科幻作品在有所萎缩的市场中力争保住其份额时,众多的半专业性杂志尽管发行量较小,仍在为已经成熟的和初出茅庐的作家们提供一块实验基地。

上图:雨果·根斯巴克的出版社商标
左图:《行星故事》杂志的封面

早期的通俗科幻杂志

在使用"pulp"这个词时,我们可能指的是这样一类杂志,它们的开本比今天大多数用有光纸印刷的杂志要小,大都用廉价的木浆纸印刷,一般以刊载小说为主。我们也可以用它来指在这类"通俗杂志"上发表的小说——用各种体裁创作的流行动作故事。正是这些杂志和故事促成了科幻小说作为一种文字体裁的形成,其过程是先将其溶入其他历险故事之中,然后把它上升为具有专门名称的一种体裁。这一切就是由《奇异故事》杂志所开创的。这一过程如今已成为过去,但是通俗科幻故事仍在不断地创作出来。

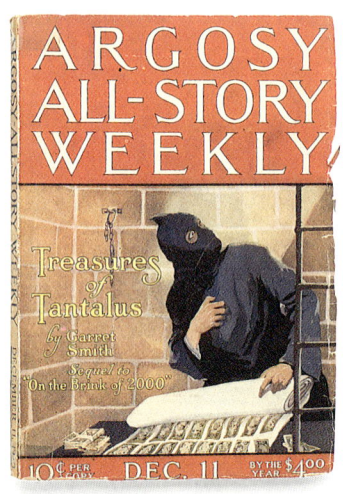

《宝库·故事会周刊》

出版时间:1920~1929　**编辑**:小马修·怀特

《宝库》于1896年成为一份通俗杂志,从那时起其内容改为全部刊载虚构小说。1943年之前,在该刊定期出版的1000多期中发表了大量的科幻小说故事,尽管它从未被认为是一份科幻小说杂志。1920年,该杂志与另一本办得不错的姐妹杂志《故事会周刊》合并。

《怪诞故事》

出版时间:1923~1954　**编辑**:埃德温·贝尔德,奥蒂斯·阿德尔伯特·克兰,法恩斯沃思·赖特,多萝西·麦基赖施

《怪诞故事》不仅是发表超自然小说和幻想故事的重要阵地,而且对科幻小说也很重视,尤其是在1923~1940年的黄金时期。这期间,该杂志发表了H·P·洛夫克拉夫特、罗伯特·E·霍华德、罗伯特·布洛克、杰克·威廉森等人的作品。

《奇异故事》

出版时间:1926~　**编辑**:雨果·根斯巴克,T·奥康纳·斯洛恩,雷蒙德·A·帕尔默,西莉·戈德史密斯,特德·怀特,埃莉诺·梅弗,乔治·西泽斯,帕特里克·卢西恩·普赖斯,金·莫汉

在《奇异故事》创刊前,其他杂志就已在出版科幻小说了:瑞典的《思想》和德国的《兰花园》杂志出版了许多科幻故事。但只是到了1926年,当根斯巴克开始创办《奇异故事》这本"科学幻想小说杂志"时,这样的气候才真正成熟了:时机,文化,以及杂志这块阵地。该杂志创办之初并不成功。根斯巴克感兴趣的是科学和反映他的技术乌托邦主义的故事。这一点再加上对杂志名誉的追求,促使他重印声誉卓著的威尔斯和凡尔纳等作家的作品。但是莱恩斯特和威廉森,以及巴克·罗杰斯和多克·史密斯的《云雀》系列作品,都是从这里起步的。星星之火已经点燃了。

《奇异故事季刊》

出版时间：1928~1934　编辑：雨果·根斯巴克，T·奥康纳·斯洛恩

这本《奇异故事》并不特别严肃的姐妹杂志于1928年创刊，不久后就以其震惊宇宙的太空剧为读者所熟悉。这类故事由埃德蒙·汉密尔顿和小约翰·W·坎贝尔(作为作者)首创，故事中的太阳和行星如桌上弹球般飞驰疾行。

《科学奇想故事》

出版时间：1929~1930　编辑：雨果·根斯巴克

所有条件都有利于科幻小说作为一种文学体裁的发展，在这中间科幻小说迷的支持是最重要的。雨果·根斯巴克在1929年失去对《奇异故事》的控制后，立即又创办了《科学奇想故事》杂志。该杂志辟出了读者来信和竞赛专栏，而且大力宣扬根斯巴克强调科幻小说重要性的思想。

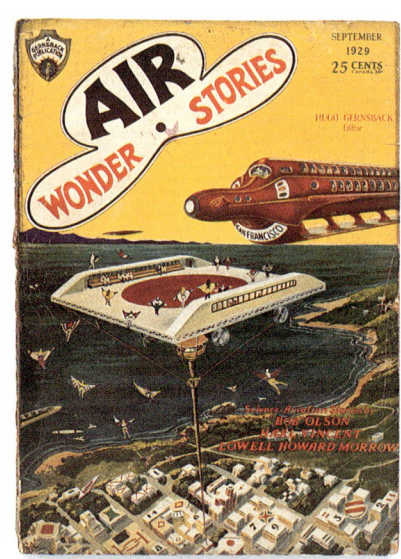

《空中奇想故事》

出版时间：1929~1930　编辑：雨果·根斯巴克

《空中奇想故事》遇到的难题是，关于未来的飞机、空中匪帮、空中罗宾汉、漂浮的城市和漂浮的机场的科学幻想故事也就那么多。因此不到一年，该杂志就与其姐妹刊物《科学奇想故事》合并，成为受到热烈欢迎的《奇想故事》，不久后又改名为《惊险奇想故事》(参见100页)。

《科学侦探月刊》

出版时间：1930　编辑：雨果·根斯巴克

根斯巴克的《科学侦探月刊》在《奇异故事》出版3年后即面世，它是在科幻小说作为一种风格鲜明的体裁最后得以形成中，起到培植作用的通俗杂志的例子。如图所示，侦探采用某些科学知识来追踪罪犯。尽管它还不是一本严格意义上的科幻小说杂志，但所显示的气氛显然已接近科幻小说故事了。

《惊险故事》

出版时间：1930~1938　编辑：哈里·贝茨，F·奥林·特里梅因

正是该杂志的出版引起我们思考"通俗"这一词语的两层意义。从有形的角度说，《惊险故事》是通俗杂志；但它刊载的未来故事往往具有说教性质。随着《惊险故事》的出版，科幻小说才真正和通俗的风格结合了起来。最早几期刊登的故事主要是叙述颇为生动的历险故事，动作描写多，科学成分少。到后来，随着斯坦利·温鲍姆等作家和一些新的编辑以及E·E·史密斯的《透镜人》系列作品的刊载，科幻小说和通俗文学真正地结合为一体。随后，小约翰·W·坎贝尔加盟此刊(参见101页)。

通俗科幻杂志的黄金时代

现实总是比我们用作描述现实的标签要复杂得多。但是在20世纪30年代这一通俗科幻小说杂志的黄金时代,却是写作这类故事、编辑杂志以及阅读用大字书写的梦想的好时光。根斯巴克已经开辟了道路,一大队人马现在跟在他后面朝着光辉灿烂的未来前进。美国在这一杂志新领域里居于领先地位。在珍珠港战役打响之前,打开任何一本美国的通俗文学杂志,你都会呼吸到自由的空气。一切都是新的。一切都在我们的掌握之中。从现在起,一切都显得那么璀璨夺目。

《G-8和他的战斗伙伴》
出版时间:1933~1944
编辑:罗杰斯·特里尔,奥尔登·H·诺顿

今天,G-8可以构成一个一次世界大战的"可能历史"。在20世纪30年代,他们努力使人们相信,德国人已经有了造成一大串科幻故事中的灾难的发明物:从火箭到由遗传工程产生的巨型蝙蝠。G-8是个空中英雄和间谍大师,他拯救我们的次数达到110次。关于这一切的完整故事是由通俗科幻文学的英雄罗伯特·J·霍根所叙述的。

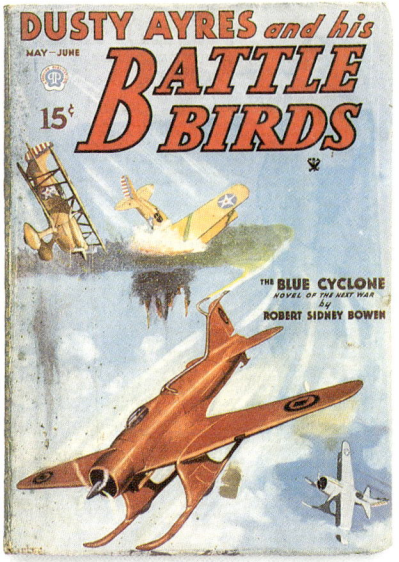

《可怜的艾尔斯和他的巴特尔鸟》
出版时间:1934~1935
编辑:罗杰斯·特里尔

罗伯特·S·鲍恩的习惯是为杂志创作全本故事。在关于飞行的通俗故事《巴特尔鸟》的吸引力开始下跌时,他们请鲍恩构思一个改名为《可怜的艾尔斯和他的巴特尔鸟》故事的情节。该作品的背景是不久的未来,那时除美国外全世界都被亚洲帝国所征服。在此紧要关头,也就在杂志即将关门之际,艾尔斯和美国取得了胜利。

《独家新闻》
出版时间:1934 编辑:黑顿·迪莫克

这是一个怎样的错误啊!以每周一期的方式出版英国的第一份——也几乎是最后一份——科幻小说杂志;否认自己是一份科幻小说杂志;以匿名方式出版不太成熟的故事;没能善待(待认识到时已为时过晚)那些科幻小说作家:过错,实在是大过错!出版后只过了20个星期便寿终正寝了。

《奇迹故事》
出版时间:1937~1942 编辑:沃尔特·吉林斯

《奇迹故事》杂志发表由真正的科幻小说作家创造的真正的科幻小说故事,包括约翰·温德姆的早期作品和阿瑟·C·克拉克的第一部专业作品。但二次大战使该杂志走上了下坡路,失去了杂志的作者,断绝了杂志所需要的纸张来源,最后连编辑沃尔特·吉林斯也被夺去了生命。

《惊险奇想故事》
出版时间:1936~1955 编辑:莫特·魏辛格,奥斯卡·J·弗兰德,小萨姆·默温,塞缪尔·迈因斯,亚历山大·萨姆尔曼

雨果·根斯巴克的《奇想故事》(参见99页)是30年代初的最佳科幻小说杂志。它于1936年被出售,后改为《惊险奇想故事》,随后出版了大量的逃逸历险和"行星浪漫"故事。该杂志极为有趣。

《惊险科幻小说》

出版时间：1938~1960
编辑：小约翰·W·坎贝尔

《惊险故事》出版10年以后(参见99页)改名为《惊险科幻小说》，并取得迅速发展。原因很简单：从刊物改名前一年起，到1960年刊物再易名为《轨迹》(参见103页)，直至1971年逝世，小约翰·W·坎贝尔一直担任该刊的编辑。通俗科幻小说是具有趣味性的，但现在应该可以更精彩一些。坎贝尔坚持认为推测要以现实为基础，写作要清晰，主角应该具备较为可信的品行。在他领导下的这一杂志给这一领域带来了——或者说了后者第一个真正的机会——代表着成熟的科幻文学的大多数作家：阿西莫夫、范·沃格特、海因莱恩、德·坎普、西马克和斯特金。而且他还留住了最了不起的太空剧作家E·E·史密斯。

《荒诞历险故事》

出版时间：1939~1953　编辑：雷蒙德·A·帕尔默，霍华德·V·布朗

不是所有的杂志在任何时候都能成为赢家的。《荒诞历险故事》似乎总是两头落空：既不是科幻小说，又不是荒诞故事；发表的故事质量不一；读者对象也不太明确。但是发表的有些故事相当精彩，虽然不是很多，但有那么一些。

《行星故事》

出版时间：1939~1955　编辑：马尔科姆·赖斯，杰罗姆·比克斯比

和其名称相符，《行星故事》主要刊载的是行星的浪漫故事，以及发生在年轻的金星和黩武的火星上的科幻神话故事。有了雷·布拉德利和利·布拉克特这样的作家，杂志的内容远比其封面要精彩纷繁得多了。

《惊异故事》

出版时间：1939~1955　编辑：莫特·魏辛格，奥斯卡·J·弗兰德，小萨姆·默温，塞缪尔·迈因斯，亚历山大·萨默尔曼

当《惊异故事》并入《惊险奇想故事》时，没有人料到后者会接手过去。但是自1945年起，因为库特纳和穆尔为之创作了成百万字的最佳作品，该杂志成了一个故事宝库。

《未来船长》

出版时间：1940~1944　编辑：利奥·马古利斯，莫特·魏辛格，奥斯卡·J·弗兰德

他真正的名字是柯特·牛顿，但人人都称他是"未来船长"，其太空剧历险故事构成了《未来船长》。多数故事出自埃德蒙·汉密尔顿之手，他同时也撰写连环画故事。战后在通俗文学杂志市场萎缩时，连环画故事中的超级英雄开始模仿未来船长。

战后的繁荣

黄金时代通俗科幻文学的超常发展和对技术胜利的梦想,使得科幻小说创作经历了二次世界大战的狂风暴雨。但是到了40年代末,新一代作家,其中有的是退伍士兵,开始挑战旧传统。西方比过去任何时候都要繁荣。现在看来,西方的公民能够接受比出版商梦想的还要多得多的杂志。到1950年,最好的新刊物已纷纷出炉;在今后10年里面临的将是颇为激烈的拉锯式竞争。

《新世界》

出版时间:1946~1970　**编辑**:约翰·卡内尔,迈克尔·穆尔考克,戴维·S·加尼特

《新世界》在二次世界大战前即出版了爱好者杂志,但是这份最好的英国科幻小说杂志正式出版于1946年。卡内尔编辑的杂志突出传统的口味;而穆尔考克60年代主持出版的更为激进的各期"新浪潮"则震惊了科幻小说界。

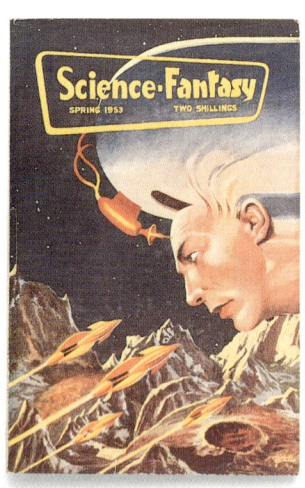

《科学荒诞故事》

出版时间:1950~1967　**编辑**:沃尔特·吉林斯,约翰·卡内尔,哈里·哈里森,基思·罗伯茨

这本《新世界》的姐妹刊物多年来发表了不少英国作家的最佳科幻作品,包括巴拉德,布伦纳,布尔默和穆尔考克的小说。在该刊的最后几年里,其内容主要为托马斯·伯内特·斯旺的作品,他颇合时宜地把自己的文章限制在科学荒诞故事的范围内。

《银河系》

出版时间:1950~1980　**编辑**:H·L·戈尔德,弗雷德里克·波尔,詹姆斯·贝恩,埃尔杰·雅各布森

《银河系》杂志在前两位编辑的领导下——1950年至1961年为霍勒斯·戈尔德,1961年至1969年为弗雷德里克·波尔——作为兴旺发展的美国科幻文学"声音"的补充而与《惊险/轨迹》杂志相抗衡。那时约翰·W·坎贝尔对《惊险/轨迹》杂志已经难以驾驭,而戈尔德"新官上任"的吸引力在1950年出版的第一期《银河系》中就已经颇为明显,发表的故事中包括阿西莫夫等《惊险》杂志主要作者的作品。更重要的是,第一期还刊登了里查德·马西森和斯特金的佳作。这些作家从现在起有了两个发表科幻小说的杂志园地(另一家是《荒诞和科学幻想小说杂志》)。布拉德伯里和海因莱恩不久加盟,贝斯特在此刊发表了《被击败者》。在整整20年里,《银河系》一直是一本优秀刊物。

《荒诞和科幻小说杂志》

出版时间：1949~
编辑：安东尼·鲍彻，J·弗朗西斯·麦科马斯，阿夫拉姆·戴维森，爱德华·L·弗曼，克里斯汀·凯瑟琳·鲁施

这本通常被称为FSF的杂志和《银河系》一直被视为是互为补充的孪生刊物。在《银河系》从《惊险》杂志脱胎而来之时，FSF则在探索一直不被人们所注意的领域：科幻小说和荒诞小说的选择首先在于其文学品位。为显示荒诞小说有着长期的文学传统，FSF杂志的编辑重印了许多作品。新作品主要出自奈特、莱巴、巴西森、斯特金、凯斯和泽拉兹尼之手。如果评论家们不把科幻小说和荒诞小说从"真正"的文学作品范畴中划分出来的话，那么FSF杂志就会被认为在整整半个世纪里是众多美国最佳短篇小说的发源地。

《荒诞宇宙科幻小说》

出版时间：1953~1960　　**编辑**：小萨姆·默温，汉斯·斯蒂芬·桑特松

有的杂志似乎从未明确过自己的定位，也没发表过多少真正有价值的作品，但仍在读者的头脑里留下了美好的记忆。出版过许多著名作家二流作品的《荒诞宇宙科幻小说》杂志就是其中之一。

《星云科幻小说》

出版时间：1952~1959　　**编辑**：彼得·汉密尔顿

在长达几十年的时间里，英国的科幻小说界一直为约翰·卡内尔所左右，但是规模较小的、在苏格兰出版的《星云》不应该被人遗忘。编辑彼得·汉密尔顿独具慧眼，从布赖恩·W·奥尔迪斯、巴林顿·贝利和罗伯特·西尔弗伯格手中购买了他们的早期作品。在准备出版罗伯特·海因莱恩的系列小说时，他的财务状况却出现了崩溃。

《如果》

出版时间：1952~1974　　**编辑**：詹姆斯·L·奎因，戴蒙·奈特，H·L·戈尔德，弗雷德里克·波尔，艾勒·雅各布森

《如果》杂志作为一份"陪嫁"刊物，成为雨果奖获得者，而且赢得了3次最佳杂志奖。但似乎没人会把《如果》作为第一选择。在戴蒙·奈特领导下的一段时间里，杂志声誉颇为看好，但销售仍不佳。《如果》最后与《银河系》杂志合并。

《轨迹》

出版时间：1960~　　**编辑**：小约翰·W·坎贝尔，本·博瓦，斯坦利·施米特

大约在1950年以后，《惊险》杂志开始变得有些落伍了。1960年，作为对新世界的反应，它改版为《轨迹》，并保持至今。在博瓦于1971年接手以后，杂志范围有了扩大，并继续出版颇有价值的(尽管有时是可以预料的)硬科幻小说作品。

当代杂志

1970年前后,部分科幻杂志受到了科幻书籍的挑战,在此之前有许多科幻杂志已经停刊。现在以书籍为形式的科幻作品占据了这一领域。在老杂志方面,《惊险》及《荒诞和科幻小说》杂志继续维持着原先的发行量,而几本新的刊物也颇为成功,但是历史已经开始进入科幻小说畅销书的时代:在作家们可以梦想写出印数达百万册的小说时,他们中有些人把为杂志写稿都丢到了脑后,这是可以理解的。但是,杂志依然是发现和培养新秀的最佳园地。

《艾萨克·阿西莫夫科幻小说杂志》
出版时间:1977~ 编辑:乔治·H·西泽斯,肖纳·麦卡锡,加德纳·多佐伊斯

这本以"艾萨克·阿西莫夫"命名的杂志和《艾尔弗雷德·希区柯克神秘故事杂志》颇为相似,它们的命名并不太准确。不过阿西莫夫的确定期为该刊撰写编辑评论,直至他于1992年去世前不久。杂志最初几年内容的基调相当温和,但在加德纳·多佐伊斯于1986年任编辑后,该杂志成为极负盛名的科幻小说刊物。多佐伊斯本人和他出版的故事得了许多奖项,故事主题的范围逐年扩大。杂志的撰稿者队伍颇为庞大,近年来又吸引了奥克塔维亚·巴特勒、奥森·斯科特·卡德、南希·克雷斯、卢修斯·谢泼德、罗伯特·西尔弗伯格、迈克尔·斯旺尼克、凯特·威廉、康尼·威利斯和罗杰·泽拉兹尼。

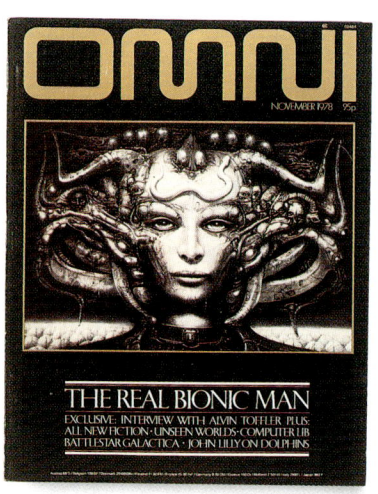

《科幻小说选刊》
出版时间:1978~ 编辑:本·博瓦,罗伯特·谢克莱,埃伦·达特洛

《科幻小说选刊》并没出版大量的小说作品,但是这份用有光纸印刷的刊物发行量很大,常常超过100万。埃伦·达特洛从1981年起任小说编辑,一直保持刊物的高质量,作品内容有时颇为大胆。

《土著人科幻小说》
出版时间:1986~1991(此后改为不定期出版)
编辑:查尔斯·C·瑞安

随着科幻小说杂志在读者心目中地位的失去,边缘性杂志开始填充这一日趋复杂领域中的空白。《土著人科幻小说》杂志是其中办得最为成功的,其销售绝大部分是通过读者订阅。投稿的作家中既有声誉卓著的,也有默默无闻的。

《天蝎座α星》

出版时间：1981～　编辑：让－皮埃尔·穆芒

这本颇有专业水准的法国杂志发表法国作家的原创作品、翻译故事(多数译自英语)、采访文章以及相当篇幅的连环画故事(一种在法国颇受欢迎的文学形式)。

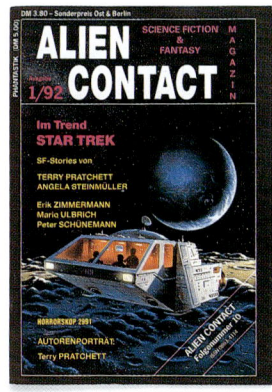

《外星人联络》

出版时间：1990～　编辑：哈代·凯特利兹，格尔德·弗雷，汉斯－彼得·纽曼

该杂志在柏林出版，最初创办于共产党政权统治之下。它采用有光纸印刷，给人以较深印象；出版德语作品和译作，后者主要译自英语作品。

《星际地带》

出版时间：1982～　编辑：约翰·克卢特，科林·格林兰，罗兹·卡文尼，西蒙·昂斯利，戴维·普林格尔

《星际地带》始于1982年，出版宗旨是填补《新世界》在英国科幻文学出版界留下的空白，基本上取得了成功。最初由一个编辑集体编辑出版，后逐渐转为1988年时由戴维·普林格尔主持编辑工作。该杂志扶植了现已确立声誉的许多年轻作家，如斯蒂芬·巴克斯特，里查德·考尔德，格雷格·伊根，伊恩·麦克唐纳，保罗·J·麦考利，金·纽曼和杰夫·赖曼。1994年，《焦点》杂志与《星际地带》合并。

东欧国家科幻小说杂志

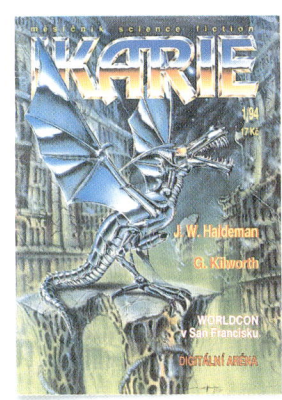
《伊卡罗斯》
出版时间：1990～

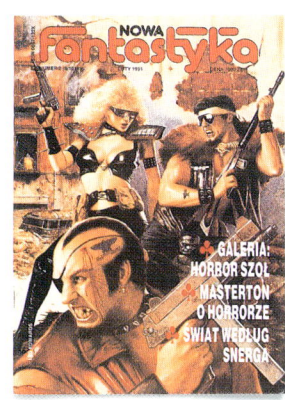
《荒诞故事》
出版时间：1982～

《期望》
出版时间：1982～

《弦音》
出版时间：1988～

在共产党执政时期，东欧的科幻小说杂志常常是暗示希望的灯塔，在杂志中更为自由、丰富、激动人心的未来可以由他们在暗中尽情梦想。罗马尼亚的《期望》杂志已出版了500多期，在经历了80年代的激烈动荡后幸存下来，继续出版本国作家创作的作品及翻译作品。较为年轻的《弦音》杂志也同样如此。上述两个刊物均出版于布加勒斯特。《伊卡罗斯》的读者对象是捷克共和国的读者。《荒诞故事》多年来同样为波兰读者提供了许多原创作品和翻译作品。

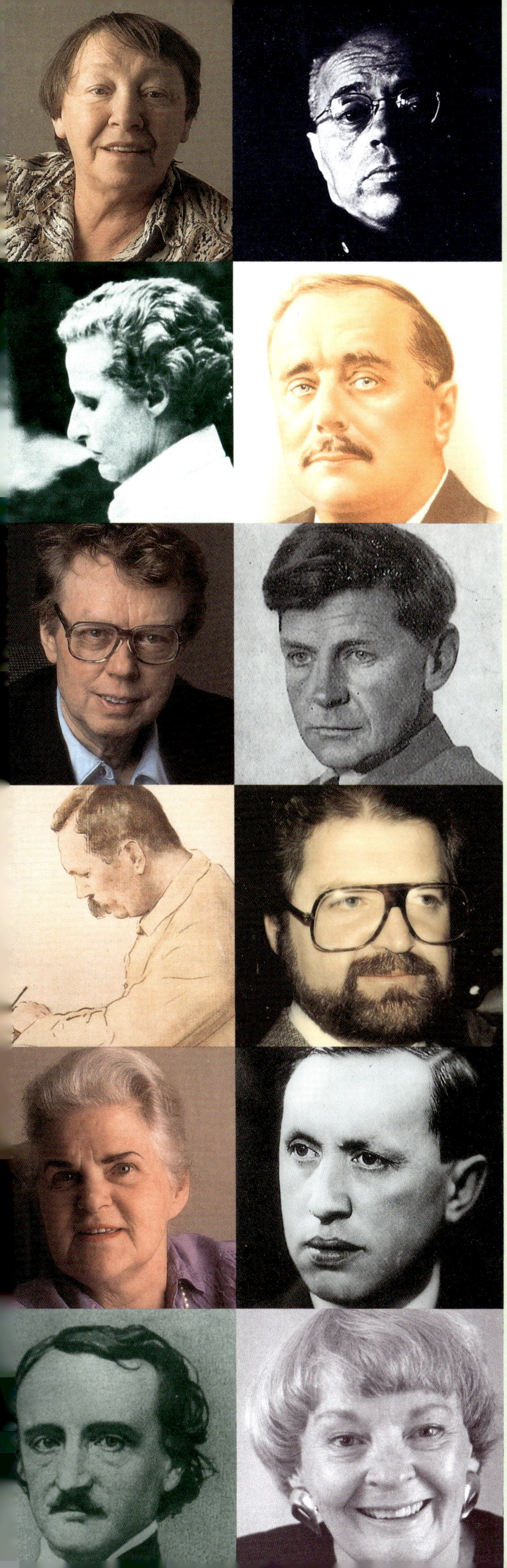

第四章

主要作家

尽管科幻小说在本世纪的大部分时间里是作为一种独特的文学体裁而存在的，但它在过去的几十年中却经历了巨大的变化和发展。

本章的年表列出了每个时代主要的文学作品，对每代人都具有深远影响的主题和代表作家，以及每一年出版处女作的作者。这些年表概括了每一年里所发生的事件，并追溯这些不断变化的有影响力的作家和作品。年表之后是作者的传略及作品目录。作家们按每10年分为一组，以该作家成名、最为多产或最具影响力的那一时段作为分组标准。

上图：儒勒·凡尔纳
左图：部分作家肖像

1800~1899：科幻小说的诞生

在1800年的英国，小说的出版与发行受到高额印制成本的限制，印制书籍所采用的廉价纸张直到30年之后才发明出来。到了19世纪末，这种情况大为改观。众多作家在被称为出版界圣地的格鲁博街以创作大量的文学作品及亚文学作品为生，其中大部分印制用的都是廉价的纸张。因此，早期的科幻小说几乎没有留下任何复本。

	19世纪最初10年	19世纪10年代	19世纪20年代	19世纪30年代	19世纪40年代
代表作品	《自然之庙》 伊拉斯谟·达尔文，1803 《最后一个人》 让-巴普蒂斯特·德·格兰威尔，1805 《武装的不列颠人》 威廉·伯克，1806	《阿马塔：片断》 托马斯·厄斯金，1817 《弗兰肯斯坦：现代普罗米修斯》 玛丽·雪莱，1818 《阿马塔》	《流浪汉迈尔默斯》 查尔斯·马图林，1820 《西佐尼亚》 亚当·西伯恩上尉，1820 《野兽的反叛》 佚名，1825 《最后一个人》 玛丽·雪莱，1826 《月球之旅》 乔治·塔克，笔名约瑟夫·阿特利，1827 《木乃伊!》 简·娄登，1827 《萨拉西尔》 乔治·克劳利，1828	《阿哈斯维拉斯》 埃德加·奎因特，1833 《阿瑟·戈登·皮姆的叙述》 埃德加·爱伦·坡，1837	《我找到了》 埃德加·爱伦·坡，1848 《女人的胜利：一个圣诞节的故事》 查尔斯·罗克劳夫特，1848 《从乌托邦出发的旅程》 约翰·弗朗西斯·布雷，1842 《流浪的犹太人》 尤金·苏，1844~1845
代表作家	随着新世纪的到来，未来突然变得那么现实，明天将与昨天的一切产生深刻的区别。时间的车轮开始转动了。	玛丽·雪莱的《弗兰肯斯坦》一书中的怪物为后世所有的科幻小说所模仿。模仿水平优劣不等，当然大多数模仿作品的质量都较差。它也以小说形式就新的未来提出问题，表达希望、恐惧，以及推测提供了一种新模式。	1826年，约翰·西米斯提出了同心圆理论。该理论认为地球是空心的，其内部可以供人居住，且人可以从南北极进入地球内部。许多故事都以此作为主题。		科幻小说仍然偏爱描写带启示性和恐怖色彩的形象。埃德加·爱伦·坡书中所特有的各种**破坏性灾难**，是该时期作品的主要描述内容。
处女作		因为尚不存在科幻小说创作这一职业，也没有可以加入的职业组织，所以在19世纪初许多作者往往写了一篇作品后即销声匿迹。但是玛丽·雪莱继1818年发表了《弗兰肯斯坦》之后，又于1826年发表了《最后一个人》。		因为**埃德加·爱伦·坡**在其诗歌与散文中运用了惊人的想象，而且也写了不少骗局小说，很难断定哪本书是他的第一本科幻小说。1835年出版的《汉斯·费阿尔》的可能性最大。	很难确定19世纪作家所创作的第一部科幻小说，或类似科幻小说的作品是哪一部。1842年出版的《扎诺尼》是布尔沃-利顿的第一部重要作品，而1843年出版的《胎记》很有可能出自纳撒尼尔·霍桑之手。

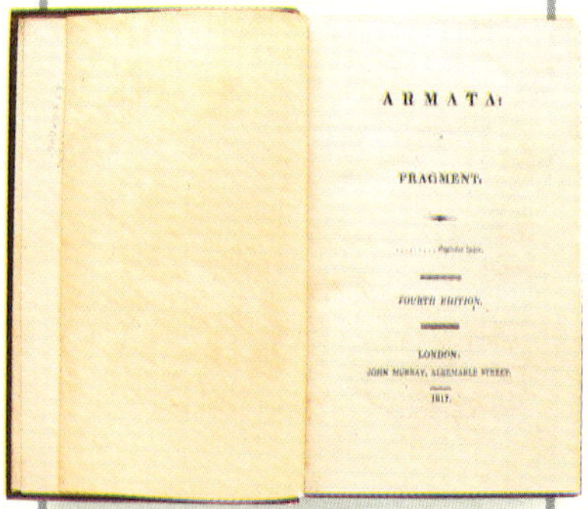

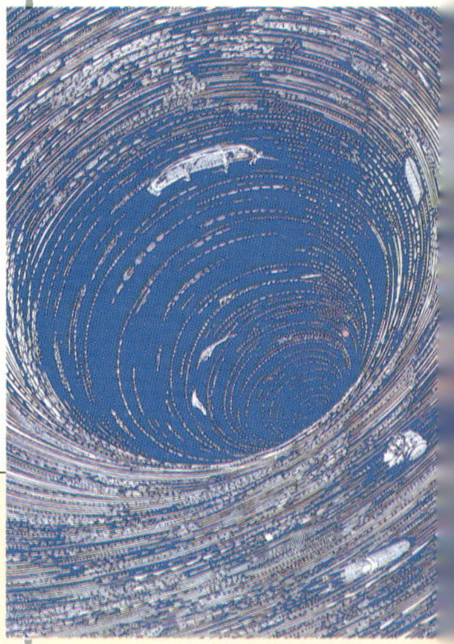

在19世纪初,诸如玛丽·雪莱和于1817年发表《阿马塔》的托马斯·厄斯金等作家只为少数上流社会的读者写作。而到了1899年,乔治·格里菲思与H·G·威尔斯的作品则转向面向大众。在19世纪初,推理小说只是写给社会上那些有钱人看的;而到了19世纪末,科幻小说的读者群则扩大至那些希望改变现实的人们。这种转变是十分巨大的。

19世纪50年代	19世纪60年代	19世纪70年代	19世纪80年代	19世纪90年代
《幻想》 乔治·麦克唐纳,1858 《诗与故事》 菲茨-詹姆斯·奥布赖恩, 1855~1862 《空中战役》 赫尔曼·兰,1859	《地心游记》 儒勒·凡尔纳,1863 《月球之旅》 克莱索斯托姆·杜鲁门,1864 《海特拉斯船长历险记》 儒勒·凡尔纳,1864~1866 《云王》 威廉·海沃德,1865 《从地球到月球》 儒勒·凡尔纳,1865 《草原上的蒸汽人》 爱德华·S·埃利斯,1868	《砖头月亮》 选自弗雷德里克船长的文稿,作者是爱德华·埃弗雷特·黑尔。  《砖头月亮》 《砖头月亮》 爱德华·埃弗雷特·黑尔,1870 《即将到来的竞赛》 爱德华·布尔沃-利顿,1871 《杜金之战》 乔治·切斯尼,1871	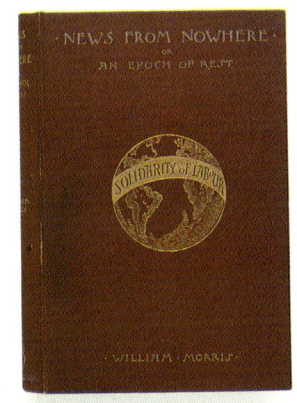 《回顾2000~1887》 《伦敦之后》 理查德·杰弗里斯,1885 《回顾2000~1887》 爱德华·贝拉米,1888 《化身博士》 罗伯特·路易斯·史蒂文森,1888 《亚瑟王朝廷上的美国佬》 马克·吐温,1889	《乌有乡消息》 威廉·莫里斯,1890 《时间机器》 H·G·威尔斯,1895 《两颗行星》 科德·拉斯维茨,1897 《爱迪生征服火星》 加勒特·P·塞维斯,1898  《乌有乡消息》
1850年,世界依然太大,无法通过想象而了解其全貌。在撒马尔罕东边的深谷中仍藏有许多谜,横穿地球仍是科幻小说中探险活动的内容。	在几百次虚构的月球之旅之后,在儒勒·凡尔纳的笔下,**月球终于在1865年变成了一个真实的目的地。** 	 在这10年中,随着《英格兰的入侵》和《杜金之战》的出版,未来战争在科幻小说中开始隐约出现。	1877年,斯基亚帕雷利宣称发现了火星上的**有线状结构**。1896年,洛厄尔发表了《火星》,文中他把线状结构误译作"运河"。在这20年间,处于萌芽状态的科幻小说体裁突然把注意力集中到火星这个真实的所在,认为火星是一个充满真实的外星生物的地方。此时我们迎来了威尔斯。	
	 尽管**儒勒·凡尔纳**在19世纪50年代发表了一些类似科幻小说的故事,但是直到60年代他才声名鹊起,并创立了科幻小说这种文学体裁。	**代表作家** 卡米尔·弗拉马里翁(1842~1925)是那些使科幻小说成型的知识分子的代表人物。作为天文学家、神秘主义者与小说家,他对于死后复生与生活在别的世界着迷不已,并且似乎认为这两者之间并没有本质上的区别。他于1872年发表的《流明》就叙述了一个鬼魂在描述得十分逼真的空间里旅行的故事。 卡米尔·弗拉马里翁		1893年,H·G·威尔斯发表了《飞人的出现》,之后又发表了数量众多的小说。同年,乔治·格里菲思发表了《革命的天使》,康斯坦丁·齐奥尔科夫斯基发表了《在月球上》。这10年里新加入科幻小说创作队伍的作家包括威廉·迪安·豪厄尔斯,约翰·雅各布·阿斯特和M·P·希尔。

玛丽·雪莱

生卒年份：1797~1851
国籍：英国
主要作品：《弗兰肯斯坦，现代普罗米修斯》，《最后一个人》

要追溯玛丽·沃尔斯通克拉夫特·雪莱一生的前25年几乎是不可能的，除非你手头有一份她的年谱，或是拥有过目不忘的记忆。她的父亲是威廉·戈德温，即《克拉伯·威廉姆斯》的作者；母亲是玛丽·沃尔斯通克拉夫特，即《维护女权》一书的作者。她母亲早年曾经和一男子有过一个私生子，并且在玛丽出生后不久就死于产褥热。戈德温后来和一个带着两个孩子的寡妇结了婚，并生了一个儿子。玛丽就是在这样一个不安定的喧闹家庭中长大的。

后来在16岁那一年，她遇到了珀西·雪莱，爱上了他，并和他私奔。不料，她跳出油锅又入火坑。他们在拉·斯拜西亚住下来，那是意大利海滨的一个小城，在那儿一切都变得更复杂、混乱：雪莱怀孕的妻子一直跟随着他们，并和他们住在一起；拜伦来了，并且和玛丽的一个妹妹发生了关系；几个月之后，玛丽的另一个妹妹自杀；雪莱的妻子也选择了自杀；最后，玛丽终于和雪莱结了婚。在此期间，尽管她还不到20岁，却写出了世界上第一部成熟的科幻小说。

写完两年之后才得以发表的《弗兰肯斯坦》(参见212页)，似乎是作者早年极度混乱的情感生活的写照。在形式上，它与先前几十年中广受欢迎的哥特式小说 (估计此类作品数量高达5000部)有着十分明显的相似之处。涵盖主要故事的小说框架是典型的哥特式风格，而且这个故事是由主人公向一个茫然的聆听者讲述的。典型的哥特式主题——压抑，受到威胁的身份，追求，秘密进行的不用于人类消费的物质的试验，拙劣的模仿，充满邪恶的气氛——贯穿全文，而弗兰肯斯坦和他所创造的"怪物"也堪称哥特式的典型。

该书标题的全称是《弗兰肯斯坦，现代普罗米修斯》。维克多是一个好高骛远的科学家，他试图再造上帝的作品，结果却引起了一场混乱。完全是一次错误百出的对创世的拙劣模仿，迥异于原先用泥巴造出人类的普罗米修斯；而他那极端孤独，因其不自然的天性而不能与人类和谐相处的怪物，反过来也是一个普罗米修斯，其天才的火花只能在黑夜中闪光。

《弗兰肯斯坦》是一部伟大的哥特式小说，它采用高度戏剧化的语言，表达了玛丽·雪莱自己对隔绝于正常人类社会之外的感觉。但是，《弗兰肯斯坦》的意义还远远不止于此。那怪物不仅仅是纯粹的人工塑造，也是空白、纯净心灵的完美模型：未失本性的、自然的人，只需打开一本书就可以成为具有完全人性的"高尚的野蛮人"。

> "玛丽·雪莱的小说是标志她早年极度混乱的情感生活的写照。"

由于电的使用而被创造出来，并被激发出生命的雪莱的怪物是能够——或者说如果给以机会的话，或许能够——完全被19世纪的新世界所接受的，因为在19世纪任何试验都有可能取得成果，任何梦想都有可能变成现实。这是一个革命的时代，一个急于为更好的世界而奋斗的时代。而怪物对更美好世界的狂热渴望，可以被看作一个意义深刻而又令人心烦意乱的信号：现存的秩序可能会被推翻，但《弗兰肯斯坦》并不是彻底的大变动。或许因为怪物本身代表着对于自然的仇恨，当然更是因为怪物受到他身边愚蠢的人们的阻挠，他最终注定生活在残酷的挫折与困苦之中。在故事的结尾，他孤独地消失在北冰洋的冰川之中。

1822年，珀西·雪莱在拉·斯拜西亚的海湾航行时因舟覆溺水而亡，此后玛丽的生活最终安定下来。她非常努力地工作，撰写故事和其他小说，其中包括另外一部堪称科幻小说作品的《最后一个人》，一个发生在公元

独具匠心的怪物

与后来许多影片中的诠释不同，玛丽·雪莱的创造不仅仅依赖于怪物的外表来达到效果。

2090年大屠杀之后的故事。故事大部分在描述伤感的爱情，但是最终一场始于康斯坦丁堡的瘟疫消灭了所有的人类。只有一个人活了下来，最后人们看到他的时候，他正划着小舟南行，就像弗兰斯坦创造的怪物一样孤独。在度过了近30年的寡居生活后，玛丽·雪莱与世长辞，享年53岁。

作品目录

长篇小说
1818	《弗兰肯斯坦，现代普罗米修斯》，拉金顿，休斯，哈丁，马佛与琼斯出版社
1826	《最后一个人》，亨利·科尔本出版社

短篇小说集
1891	《玛丽·沃尔斯通克拉夫特·雪莱的故事和小说》，威廉·帕特森出版社
1976	《故事和小说集》，约翰·霍普金斯大学出版社

利顿勋爵

生卒年份：1803~1873
国籍：英国
曾用名：布尔沃·利顿，爱德华·布尔沃-利顿爵士
主要作品：《即将到来的比赛》

似乎没人知道该如何称呼他。出生时，他的名字是爱德华·乔治·厄尔·利顿·布尔沃；1843年继承母亲的财产后，他成为爱德华·乔治·厄尔·利顿·布尔沃-利顿；1866年被封为贵族后，他一跃成为爱德华·乔治·厄尔·利顿·布尔沃-利顿，利顿勋爵。只有他的朋友称他为布尔。我们还是称他利顿吧。

与其说利顿是因为其写作风格而显得重要，不如说是因为他充沛的精力和神奇的预知未来趋势的能力而出名。《佩尔汉姆》是第一部以花花公子为主人公的小说，而《庞贝的末日》则推动了历史小说的革命。他的那些超自然的小说（如《扎诺尼》）令人着迷，词藻极其华丽。《即将到来的比赛》是一本有新意的科幻小说。故事本身并不出众：在探索矿井中的坑道时，一个青年男子无意中发现了弗里尔亚这一地下文明，这是一个冷酷无情、科学发达的女权统治社会。他在那里生活了一段时间，最后得到一个深爱他的弗里尔族女子的帮助而逃脱出来。但是作为对达尔文主义和优生学乌托邦思想的讽刺，作为一次充满刺激的高科技世界的旅行，这个故事显示出其敏锐的触角。

作品目录
中长篇小说
1833 《逍遥法外的奥斯莫德斯》，卡雷、李与布兰恰德出版社
1834 《莱茵河的朝圣者》，桑德斯与奥特利出版社
1835 《学生》，桑德斯与奥特利出版社
1842 《扎诺尼》，桑德斯与奥特利出版社
1861 《奇怪的故事》，特奥奇尼茨出版社
1871 《即将到来的比赛》，布莱克伍德出版社
1905 《鬼屋与鬼魂》，高文斯出版社

神秘故事
怪异故事中常常提到对长生不老的探索，而这一主题在《即将到来的比赛》中反复出现。

埃德加·爱伦·坡

生卒年份：1809~1849
国籍：美国
主要作品：《南特克特的阿瑟·戈登·皮姆的叙述》，《埃德加·爱伦·坡的科幻小说》

作品目录
中长篇小说
1838 《南特克特的阿瑟·戈登·皮姆的叙述》，哈伯出版社
1846 《催眠术"死亡之际"》，肖特出版社
短篇小说集
1840 《阿拉伯式奇异故事》，李与布兰恰德出版社
1845 《埃德加·爱伦·坡的故事》，威利与普特南出版社
1850 《埃德加·爱伦·坡的晚年作品》，约翰·莱德菲尔德出版社
1976 《埃德加·爱伦·坡的科幻小说》，企鹅图书出版公司

坡永远吸引着人们的兴趣。他是一个糟糕的男人，酗酒，又有恋童癖，生活在自我压抑的困苦之中。很多人都认为他是一个道德败坏的作家。即使是他最好的作品也有忸怩作态、无病呻吟、虚假夸张之嫌，好比人们在听一个骗子大声演讲，而他卖弄的花招却早已过时。但同时，他又是如此地富有创造力：事实上，是他使短篇小说真正成为一种艺术形式，是他创造了侦探小说，又是他如此高明地将超自然与科学的要素结合在那些令历代的人们着迷不已的故事之中。

坡的短篇小说不像科幻小说那样通俗易懂，常采取抽象对话或讨论的形式，或讲述得像个骗局。但在《南特克特的阿瑟·戈登·皮姆的叙述》中，那个偷渡的主人公在经历了南海探险后，来到了南极中心一个热带环境下失落的世界。小说以皮姆遇到一头可怕的白色怪兽结尾，给读者留下了永远的谜团，但小说中梦幻般的描述令科幻作家们魂牵梦萦。儒勒·凡尔纳只是最早给这篇小说写续集的作家，而这些续集中最著名的要算拉弗克拉夫特的《在疯狂的山脉》了。

死亡面具
坡的很多作品都以推理的语调来演绎哥特式的恐怖。在《血色死亡的面具》中，一场瘟疫席卷大地。贵族统治也由此开始衰败。

儒勒·凡尔纳

生卒年份：1828~1905

国籍：法国

主要作品：《地心游记》、《从地球到月球》、《环游月球》、《海底两万里》、《神秘岛》、《20世纪的巴黎》

迟至1828年，即弗朗西斯科·戈亚去世和儒勒·凡尔纳诞生的那一年，一个幽灵的阴影仍然萦绕在欧洲君主们的心头。7年前拿破仑已死于流放，但是他所支持的革命原则（尽管他后来背叛了这些原则）仍然向那些以为等级制度、旧的宗教、可靠的科学、旧的社会制度在欧洲人民心目中牢不可破的观点提出了挑战。因此当等级制度遭到作家与画家的讥讽，宗教受挫于地理新发现和达尔文的理论，科学创造出比政治声明更具革命意义的技术时，各国国王和女王对即将到来的革命风暴不寒而栗。于是，一切变革的机会被坚决地遏制与封锁。我们要从这样的背景去理解儒勒·凡尔纳。他出生在法国外省一个中产阶级的天主教律师家庭。就是他彻底改变了通俗小说。

从18世纪50年代发表的早期作品开始，凡尔纳一直把重点放在对事物的描写上。他歌颂一切有关进步的事件，但是从没有停下来去对19世纪进步的动力进行思索，尽管这一切正在改变他周围的世界。他极力捍卫政治现状，一直不愿面对这一事实，即进步的压力迟早会变得如此巨大，以至于世界终将爆发战争。

国内地位

凡尔纳的成功使他成为法国公众心目中的英雄。在吉尔的这幅卡通画中，世界处于凡尔纳的笔尖上；在另一幅画中，地球被搬到了一个由凡尔纳经营的木偶剧院的舞台上。儒勒·凡尔纳奖每年都颁发给法国国内具有凡尔纳作品风格的最佳小说。令人遗憾的是，该奖项1980年以后停止了颁发。

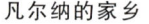

凡尔纳的家乡

儒勒·凡尔纳出身于一个富裕的中产阶级家庭，在南特出生长大。港口忙碌的氛围和海洋生活的浪漫肯定对年轻的凡尔纳产生过影响。小时候，他曾跑到海边，和一个船舱服务生互换身份，直到船离开港口都没有被人发现。后来，他又摇身一变，送他书中的主人公们出海探险。

代表作品

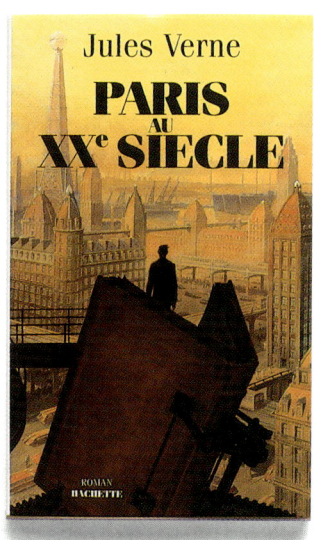

《20世纪的巴黎》

在凡尔纳去世90年之后才首次发表的《20世纪的巴黎》是他早期非同寻常的一部作品，故事的背景定位于以追求财富为中心的巴黎。每天人们挤入拥挤不堪的地铁，用类似传真机的机器与他人联络，过着极度贫困的生活。赫策尔出版社拒绝出版这部小说，认为它过于极端，也过于压抑。这也许可以解释凡尔纳在他的其余作品中为什么采取乐观的基调。

因为将凡尔纳的小说译成英语和其他语言的译者只是把他定位为一个喋喋不休的儿童故事的创作者，所以在翻译过程中删去了任何不符合这一定位前提的资料。而凡尔纳的非法语读者在将近一个世纪的时间里都未注意到他的科幻小说从一开始就压抑沉闷，因循守旧。他们错失了发现这个现象的机会：凡尔纳，当代科幻小说的两位奠基人之一，并不欢迎未来的到来。

但是在1863年凡尔纳发表他的《在已知和未知世界中的奇妙漫游》60部小说的第一部《气球上的五星期》时，把未来当做探索和居住的锦绣天地的现代科幻小说却并不存在。和他的其他作品一样，《气球上的五星期》的背景和出版时间几乎处在同一个时期。凡尔纳的《奇妙的漫游》中的一些故事不太像科幻小说，其本质只是一些发生在具有异国情调、风景如画环境中的探险故事。在这些故事中，凡尔纳常对他认为合理的、为欧洲所统治的世界作出政治性的推测，有时这种推测极为冗长、沉闷。

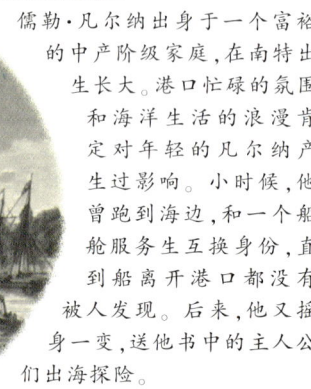

凡尔纳惟一一部至今仍享有盛誉的非科幻小说是《八十天环游地球》，这是一部近乎幻想的小说。在凡尔纳的科幻小说中，旅行见闻和政治家明显减少。《地心游记》、《从地球到月球》(参见212页)、《环游月球》、《海底两万里》和《神秘岛》等小说可能是迄今为止最可靠、最令人振奋的科幻小说。它们之所以是可靠的科幻小说，是因为凡尔纳把科学和发明看做是征服未知世界的机器。在近乎神奇的工具的帮助下，他笔下的主人公们照亮并驯服了那个未知的世界。的确存在着探险者们不愿面对的黑暗。在朦胧的忧虑中，他们担心科学的电力之光不足以穿透所有的谜团。"鹦鹉螺号"潜水艇的绝对领导者尼摩船长，一位拜伦式的主人，或许可以证明世界并非那么容易被征服；那些支持欧洲进步的人们，也并未受到公正的待遇，但是支持这种退缩态度的人并不多。在20年甚至更长的时间中，儒勒·凡尔纳的小说都代表着机器的胜利，并迅速地征服了整个世界。

然而，在凡尔纳后期的创作生涯中，这幅辉煌的画面却变得大为黯淡了。大约从《征服者鲁伯》发表的1886年起，凡尔纳的作品表现出对科学与技术、对管理欧洲帝国的众多政治家，以及对他的想象所产生的主人公的不信任。鲁伯试图用来主宰世界的飞船叫做"信天翁"。

19世纪的不平衡发展有时看起来似乎确实依赖于凡尔纳的精神。他从未停止过写作；在《征服者鲁伯》与他的最后一部小说之间，他还写了许多小说。凡尔纳的最后一本小说《巴萨克使命》是对西方进步势力想要创造理想社会的托辞的严厉抨击。它可以用来作为凡尔纳的墓志铭。

这是一位充满想像力的作家，他的想像力带领读者放眼未来，给予其他作家以无限灵感，但是最终却未能说服作家自己。

奇妙的创作
凡尔纳早期的版本都配上了戏剧性的插图。这幅"遭遇乌贼"的插图选自《海底两万里》的最初版本。

电影改编
20世纪50年代，凡尔纳的小说版权过期后，电影制片厂纷纷改编这些小说。《神秘岛》这部电影将乘气球逃离美国南北战争的囚犯塑造成被海浪冲上岸的主人公。

作品目录

中长篇小说

- 1863 《气球上的五星期》(或《非洲之旅及发现》)，赫策尔出版社
- 1864 《地心游记》，赫策尔出版社
- 1865 《从地球到月球》，赫策尔出版社
- 1866 《海特拉斯船长历险记》，赫策尔出版社
- 1867 《寻找海难者》，赫策尔出版社
- 1869 《环游月球》，赫策尔出版社
- 1870 《海底两万里》，赫策尔出版社
- 1872 《梅里迪阿那》，赫策尔出版社
- 1873 《八十天环游地球》，赫策尔出版社
- 1874 《奥克斯博士的实验与其他故事》，赫策尔出版社
  《神秘岛》，赫策尔出版社
- 1875 《昌斯勒号的失事》，赫策尔出版社
- 1876 《沙皇的信使迈克尔·施特罗高夫》，赫策尔出版社
  《山洞的孩子》，赫策尔出版社
- 1879 《培根的5亿法郎》，赫策尔与帕斯加尔·格罗西特出版社
- 1880 《蒸汽屋》，赫策尔出版社
- 1881 《巨大的木筏》，赫策尔出版社
- 1882 《绿色的射线》，赫策尔出版社
  《克鲁索的学校》，赫策尔出版社
- 1884 《燃烧的爱琴海》，赫策尔出版社
- 1886 《征服者鲁伯》，赫策尔出版社
- 1889 《收购北极》(《从地球到月球》续集)，赫策尔出版社
- 1892 《喀尔巴阡山脉上的城堡》，赫策尔出版社
- 1895 《漂浮岛》，赫策尔出版社
- 1896 《为了大旗》，赫策尔出版社
- 1897 《南极之谜》，赫策尔出版社
- 1901 《树顶上的村庄》，赫策尔出版社
- 1901 《海上撒旦：琼·玛丽·卡比多林的故事》，赫策尔出版社
- 1904 《世界的主人》，赫策尔出版社
- 1905 《世界末端的灯塔》，赫策尔出版社
- 1908 《戈尔登·米特尔的追逐》，赫策尔出版社
- 1909 《乔纳森号的幸存者》，赫策尔出版社
- 1910 《威廉·斯托里茨的秘密》，赫策尔出版社
- 1919 《巴萨克使命》，阿谢特尔出版社
- 1994 《20世纪的巴黎》，阿谢特尔出版社

短篇小说集

- 1871 《漂浮的城市》，赫策尔出版社
- 1910 《昨天和明天》，赫策尔出版社

H·G·威尔斯

生卒年份：1866~1946
国籍：英国
曾用名：雷金纳德·布利斯
主要作品：《时间机器》，《莫罗博士岛》，《隐身人》，《星际战争》

他的嗓音高亢尖锐，他的皮肤散发出蜂蜜的气味。他爱他的妻子们，但他会和任何一个为他的蜂蜜气味所陶醉的女人上床，只要她们愿意这么做。他出生于一个工人家庭，患过结核病，这样的生活往往容易使人过早去世。但是年复一年，他却活到了80岁。他一边装作看不起艰辛的小说创作，但又无法停止创作小说。他的一些作品因其内容的精彩、逻辑的清晰以及明智的预见而令我们拍案叫绝。他发明了英国式的科幻浪漫小说，尽管他本人并未首创这一名称。他是这一类型作品最重要的科幻小说家，尽管他从未称自己的作品为科幻小说。他是个相信未来的人，但是在他的最后一部作品《头脑的极限》中，他通过对未来事件的描述预言了毁灭的命运。

最先对H·G·威尔斯产生影响，或许也是对他影响最大的是他的大学老师T·H·赫胥黎。赫胥黎是赫胥黎家族的前辈，也是查尔斯·达尔文最强有力的支持者。如果说存在着一个自始至终指导威尔斯作品的准则，那么这个准则必然是这样一种信念：人类，以及其他物种，都应该被定义为进化过程的产物，所以我们都与时间联系在一起。自然的深邃力是按照我们不能立刻理解或控制的法则和韵律而发挥作用的，对这种能力的敏锐意识给科学浪漫小说作出了定义。因此威尔斯对这类文体如此重视也是可以理解的。但是，他对美国的巨大影响或许更为惊人。他的所有作品在20世纪20年代几乎都被雨果·根斯巴克在《奇异故事》杂志的早期版本中转载过。雨果·根斯巴克清楚地知道，这些作品对这种有强烈自我意识的新文学体裁有着极为重要的意义。

直到今天，它们仍然十分重要。《时间机器》与《星际战争》(参见213页)或许是威尔斯最著名的作品。但是如果认为这两部是最好的作品，那就可能领会不到他的作品一贯的高质量和他一直在检验的那些疑问。他对于进化的迷恋(参见40页)，在《莫罗博士岛》一书中得到充分的显现。由于这部小说严厉地谴责对物种的强行控制就是一种活体解剖，至今仍萦绕在我们心头。

威尔斯同样也是一位具有高度创新意识的作家：《隐身人》运用科学方法描写了以前只有在超自然小说中才会出现的主题。《月球上的第一批人》或许是最早对生活在自己环境中的外星人进行想象的文学作品，而且肯定也是最具写实性的一部作品。

作为一位预言家，威尔斯并不乐观。他描写未来的少数几部作品之一《当沉睡者醒来之时》，预见了大都会的兴奋与恶梦；而《空中大战》是曾有

外星殖民者

《星际战争》中入侵的火星人旨在与地球上的人类帝国建造者分庭抗礼。作为最早描述外星人入侵的小说，书中的这一概念一直沿用至今。

新读者

雨果·根斯巴克在他的杂志中再版了许多H·G·威尔斯的小说，把这些小说介绍给一个新的国家里的新一代人。一些图示性的解释，一定给了威尔斯思考的空间。

作品目录

中长篇小说
1895	《时间机器》，海纳曼出版集团公司	
	《美妙的访问》，登特出版社	
1896	《莫罗博士岛》，海纳曼出版集团公司	
1897	《隐身人：一个奇异的浪漫故事》，皮尔逊出版社	
1898	《星际战争》，海纳曼出版集团公司	
1899	《当沉睡者醒来之时》，后改名为《沉睡者醒来》，哈伯出版社	
1901	《月球上的第一批人》，纽恩斯出版社	
1902	《海上仙女：一片月光》，梅休因出版社	
1904	《神食，和它如何降临地球》，麦克米伦出版公司	
1905	《现代乌托邦》，查普曼与霍尔出版社	
1906	《彗星上的日子》，麦克米伦出版社	
1908	《空中大战，尤其是战争持续时伯特·斯莫维斯的生活》，乔治·贝尔出版社	
1914	《获得自由的世界：人类的一个故事》，麦克米伦出版公司	
1923	《像神一样的人们》，卡塞尔出版社	
1924	《梦》，海角出版社	
1928	《布莱茨沃斯先生在兰普岛上》，本恩出版社	
1930	《帕勒姆先生的独裁统治》，海纳曼出版集团公司	
1933	《未来的状况》，哈钦森出版社	
1936	《槌球手》，查托与温杜斯出版社	
1937	《视察凯姆福特》，梅休因出版社	
1937	《拜格特星：生物学幻想》，查托与温杜斯出版社	
1939	《神圣的恐惧》，迈克尔·约瑟夫出版社	
1940	《去阿拉法特的人快上船》，塞克尔与瓦尔堡出版社	
1941	《你决不会太谨慎：品尝人生，1901~1951》，塞克尔与瓦尔堡出版社	

短篇小说集
1895	《被盗的杆菌》，梅休因出版社	
1897	《大浅盘的故事》，梅休因出版社	
	《三十个奇怪的故事》，阿诺德出版社	
1899	《空间与时间的故事》，哈伯出版社	
1903	《十二个故事与一个梦》，麦克米伦出版公司	
1911	《盲人之间》，尼尔逊出版社	
	《墙中之门》，米切尔·肯耐utl出版社	
1915	《恩惠》，尔文出版社，笔名雷金纳德·布利斯	
1927	《H·G·威尔斯短篇小说选》，本恩出版社	
1984	《长鼻子的男人》，阿斯龙出版社	
1987	《H·G·威尔斯的短篇小说全集》，圣马丁出版社	

非小说类作品
1897	《私人事件》，劳伦斯与布伦出版社	
1901	《机械和科学发展对人类生活和思想可能产生的作用》，查普曼与霍尔出版社	
1901	《发现未来》，尔尼文出版社	
1903	《塑造人类》，查普曼与霍尔出版社	
1906	《美洲的未来》，查普曼与霍尔出版社	
1908	《崭新的世界》，康斯特布尔出版社	
	《最早的与最后的事件》，康斯特布尔出版社	
1914	《终结战争的战争》，帕默尔出版社	
1916	《即将发生什么》，卡塞尔出版社	
1920	《世界史纲要》，纽恩斯出版社，分2卷	
1928	《公开的密谋》，高兰茨出版社，后改名为《对生活我们该做些什么?》	
1930	《生活的科学》，联合图书出版公司，分3卷	
1931	《人类的劳动、财富和幸福》，双日出版社，分2卷	
1934	《自传中的实验》，高兰茨-克莱塞特出版社，分2卷	
1938	《世界头脑》，梅休因出版社	
1939	《人类的命运》，塞克尔与瓦尔堡出版社	
1942	《凤凰》，塞克尔与瓦尔堡出版社	
	《征服时间》，瓦茨出版社	
1945	《幸福的转折：生活的梦想》，海纳曼出版集团公司	
	《头脑的极限》，海纳曼出版集团公司	

过的最精彩的恐怖警示小说之一,展示了空战的可怕。《获得自由的世界》对原子弹作了清晰的描述。

威尔斯后来的小说没有那么流行,但它们应该获得更好的反响。它们的共同特点是表现出对人性、社会与政治的不耐烦心理:《布莱茨沃斯先生在兰普岛上》是一部杰出的讽刺小说,容易使人联想起乔纳森·斯威夫特的《格利佛游记》一书;《未来事物的形状》预言第二次世界大战可能发生,并提供了成百页的关于我们如何才能从大战的破坏中恢复到从前的建议;而《神圣的恐惧》则暗示了一个有魅力的领导者时代的到来。就像作者本人一样,这些后期作品既明智又愚蠢。它们的愚蠢属于一个过去很久的时代;而它们的明智则超越了时间的限制。

代表作品

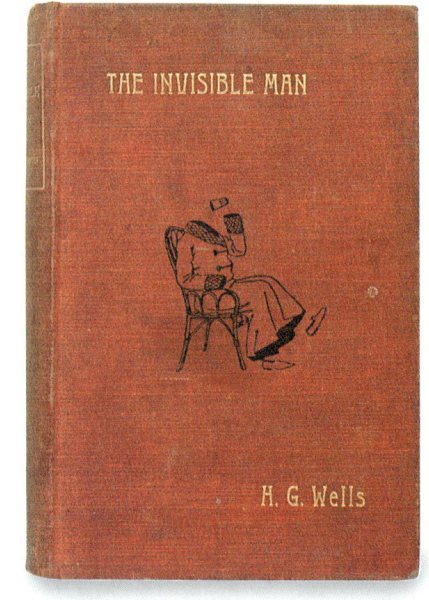

《隐身人》

持怀疑态度的社会主义者

威尔斯总是试图讨论当代的社会问题。在1903年至1908年期间,他是费边社的成员。费边社是一个热衷于将渐进式的社会主义引入英国的社团。当时很多知识分子都加入了这个团体,包括剧作家乔治·萧伯纳。在上图《恩赐》的封面上画着这样一幅漫画:萧伯纳与威尔斯在很多问题上意见都有分歧。

《隐身人》是描述一个好高骛远的科学家搬起石头砸自己脚的经典故事,书中的隐身人为其发明的作用及其副作用而痛苦不堪。1933年的电影改编本(参见254页)也是名副其实的经典。令人遗憾的是,它以后的一系列改编都愧对原著。

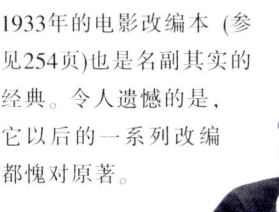

克劳德·雷恩斯在1933年的电影中

矛盾的理想主义者

在《莫罗博士岛》中,威尔斯描写了一个新的后达尔文主义的弗兰肯斯坦式的故事:莫罗博士试图利用外科技术寻找到进化的捷径,他在他的岛上繁殖出了奇异的野兽。尽管它们的外表通过外科技术得到极大改观,而且通过诵读法律它们也变得"文明"了,但最终它们还是恢复了以前的本性。博士本人的性格也很复杂,在1932年改编的电影剧本《失落灵魂的岛屿》中,博士被错误地描述成一个性虐待狂暴君。这一点令威尔斯极为不满。

1900~1924：20世纪的科幻文学体裁

锅中的水开始泛出气泡：对科幻小说持讽刺态度的人们或许会说锅中的水已经开始沸腾了。一年出版几本科幻小说的情形很快就变为出版几十本，再后来就变成出版几百本。H·G·威尔斯在1895年到1904年的短短几年中，为描写未来和未知事物而定下了一系列的基本规则：这是一种科学地描述新事物并与特定事物联系起来的风格；场景可能是火星，月

1900~1904

代表作品

《失落的大陆》
C·J·卡特克里夫-海恩，1900

《乌有乡重访》
塞缪尔·巴特勒，1901

《紫色的云彩》
M·P·希尔，1901

《月球上的第一批人》
H·G·威尔斯，1901

《麦克米尔福特的旅行》
卡尔·格鲁纳特，1902

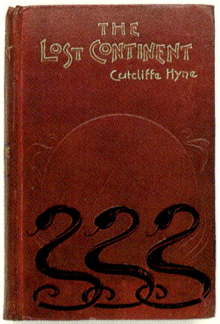
《失落的大陆》

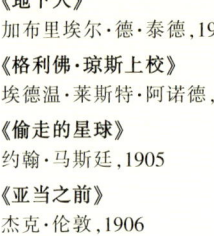
《麦克米尔福特的旅行》

《沙漠之谜》
欧内斯特·奇尔德斯，1903

《诺丁山的拿破仑》
G·K·切斯特顿，1904

《神食》
H·G·威尔斯，1904

代表作家

50年前，当儒勒·凡尔纳开始写作的时候，世界上的许多地方还没有被完全探索过。在1900年左右，我们到达了《失落的世界》浪漫小说的高峰，此类小说是科幻小说中一种至今未被完全了解的亚文体。所有的故事都聚焦于探索世界上被遗忘的角落。H·莱德·哈格德的许多著名作品，从《所罗门王的矿藏》(1885)到《示巴女王的指环》(1910)，都考察了神秘的山谷、洞穴或山脉。在这些地方，被遗忘的人们仍然维持着古老的生活方式，而且对外面的世界一无所知。不为人知的种族中有埃及人，希腊人，以色列部落，还有印加人或阿兹特克人；其他的则可能闻所未闻。

处女作

1900年，加勒特·P·瑟维斯发表了他的第一部作品《月亮金属》。约瑟夫·康拉德和福特·马道克斯·韦弗也首次亮相。在1902年，两人合著了《继承人》。这也是康拉德惟一的一部科幻小说。1907年，比利时作家约瑟夫-亨利·伯克斯开始以J·H·罗斯尼·艾尔这一笔名写作，以前他曾和他的弟弟共用过J·H·罗斯尼这个名字。

1905~1909

代表作品

《地下人》
加布里埃尔·德·泰德，1905

《格利佛·琼斯上校》
埃德温·莱斯特·阿诺德，1905

《偷走的星球》
约翰·马斯廷，1905

《亚当之前》
杰克·伦敦，1906

《彗星上的日子》
H·G·威尔斯，1906

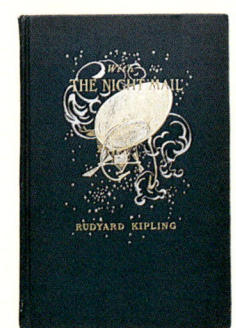
《亚当之前》

《铁蹄》
杰克·伦敦，1907

《边境上的房子》
威廉·霍普·霍奇森，1908

《空中大战》
H·G·威尔斯，1908

《夜间来信》
鲁迪亚德·吉卜林，1909

《夜间来信》

代表作家

科幻小说的另一种文体是"未来战争"小说，或"可怕的警示"小说，此类小说突出的特点是缺乏独创性。自从1871年乔治·切斯尼的《杜金之战》发表后，出现了几百种这样的小说。无一例外，这些小说大多离不开将现代战争技术应用于不久的将来危机中的简单程式。H·G·威尔斯一如既往地改变了这一切。《陆上装甲舰》(1903)中描绘了坦克；《空中大战》(1908)使我们明白牵涉到空战的任何未来战争都与以前的战争不同。从现在起，没人能安全地游离于战争之外。战争会在空中爆发，并将整个世界摧毁。

威廉·霍普·霍奇森的《边境上的房子》(1908)融恐怖、科幻与幻想于一体，该故事所表现的凄凉预示着战争的到来。作为对H·G·威尔斯的关于一个勇敢的新世界的乐观宣传的反驳者，E·M·福斯特在1909年发表了他惟一的一部科幻小说《机器停止》，他强烈反对H·G·威尔斯关于一个勇敢的新世界的乐观看法。

1910

代表作品

《汉普登郡的奇迹》
J·D·贝雷斯福德，1911

《拉尔夫124C 41+》
雨果·根斯巴克，1911，杂志

《失落的世界》
阿瑟·柯南道尔，1912

《夜晚的陆地》
威廉·霍普·霍奇森，1912

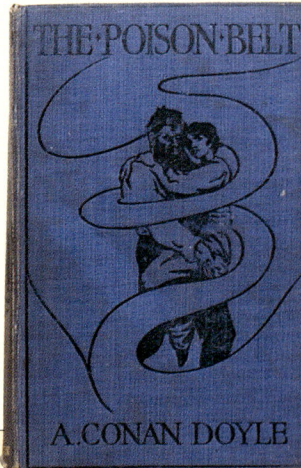
《有毒地带》

代表作家

这是一个深刻预言的时代。天启——欧洲统治的金色黄昏即将逝去——已昭示于空中，只是谁也不想明白地说出来。莫里斯·列那尔的《蓝色的危险》(1911)将我们的命运交到比我们高级得多的外星人手中。

处女作

1912年，一战前科幻小说界的回避主义精神在埃德加·赖斯·巴勒斯的两部作品中表现得淋漓尽致：《火星公主》(出版时改名为《在火星的卫星下》)和《人猿泰山》都刊登于1912年的《故事会》杂志上。火星和非洲都远离萨拉热窝和即将到来的大战的轰鸣声。雨果·根斯巴克，一个狂热地来到美国的移民，在1911

球,未来,或者无论什么地方,只要它拥有一些与伦敦或纽约的现实组成相同的特征;真实生活中的人物的怪癖、弱点及长处与你我类似;承认时间不仅改变着王位上君主的名字,时间还改变着一切;另一坚定的信念是,我们可以决定新世界的本质。威尔斯同样相信乌托邦统治者的能人统治,他称他们为"武士"。

1914

《笨人》
J·D·贝雷斯福德,1913

《有毒地带》
阿瑟·柯南道尔,1913

《黄色的危险》
M·P·希尔,1913

《黑暗与黎明》
乔治·阿伦·英格伦德,1914

《当威廉来到时》
H·H·芒罗(萨奇),1914

《自由的世界》
H·G·威尔斯,1914

1915~1919

《她的陆地》
夏洛特·帕金斯·吉尔曼,1915,杂志

《阿普西多尼亚》
阿奇博尔德·马歇尔,1915

《1925:致命的和平的故事》
埃德加·华莱士,1915

《火星公主》
埃德加·赖斯·伯勒斯,1917

《麦卡尼亚》
格雷戈里·欧文,1918

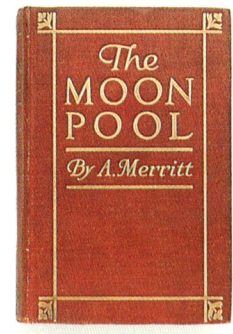
《月亮池塘》

《什么不是》
罗斯·麦考利,1918

《新月亮》
奥立弗·奥尼恩斯,1918

《当世界震动时》
H·莱德·哈格德,1919

《月亮池塘》
亚伯拉罕·马利特,1919

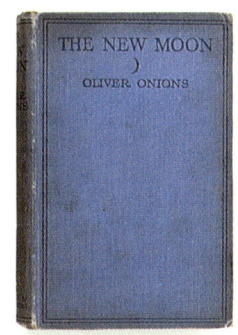
《新月亮》

1920~1924

《罗索姆万能机器人》
卡莱尔·恰佩克,1920

《不夜城》
米罗·黑斯廷斯,1920

《前往大角星的旅行》
戴维·林赛,1920

《金属怪兽》
亚伯拉罕·梅里特,1920,杂志

《高山、大海和巨人》

《回到玛士撒拉》
乔治·萧伯纳,1921

《在地心》
埃德加·赖斯·伯勒斯,1922

《艾里达》
阿列克塞·托尔斯泰,1922

《我们》
叶夫根尼·扎米亚京,1924

《高山、大海和巨人》
艾尔弗雷德·多布林,1924

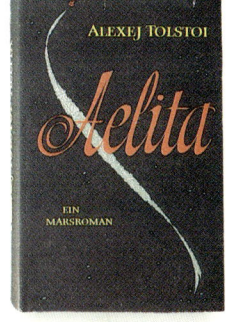
《艾里达》

在第一次世界大战爆发的第一年中,H·G·威尔斯写了《自由的世界》(1914)。他在书中预言了原子弹与炸弹的出现,但同时也安慰我们:到了晚上,一切又会恢复平静的。

"星际浪漫小说"是一种发生在地球外的行星上的探险小说。主人公是如何到达那里的并不重要——埃德加·赖斯·伯勒斯的主人公们或多或少是依靠魔法瞬间到达火星或金星的——但是一旦他们到达那里,就必须赢得公主和王位。"行星浪漫故事"在战时十分流行,这类作品有许多都发表于二战期间。

在《废墟中的人们》(1920)中,爱德华·尚克斯假想了一个废弃了几百年的欧洲。在卡莱尔·恰佩克的第一本小说《克拉克提特》(1924)里,他讲述了一个寓言,将原子能比作现代自我的解体。以上两部小说都很好地反映了一战后欧洲人普遍感受到的精神上的空虚。原先的服从真理和生活的安全感都已解体。在废墟中,我们争夺可以找到的一切食物。

> ### 代表作品
>
> 弗朗茨·卡夫卡 (1883~1924) 是一个说德语的捷克作家。他一生的大部分时间都在为政府工作。同时,他又是20世纪最伟大的作家之一。他关于荒诞、罪恶和压迫的恶梦般的想象,读上去像是人类的心理图。对于科幻小说读者来说,他最为深刻的直觉是:我们会经历世界秩序的超现实主义的崩溃这一罪恶,并且在绝望中我们创造了反面乌托邦。
>
>
>
> 弗朗茨·卡夫卡

1912年发表于他的《现代电学》杂志上的《拉尔夫124C 41+》中暗示:知识将会还我们以自由。

约翰·泰纳,笔名埃里克·坦普尔·贝尔,在1924年发表了他的第一本小说《紫色的蓝宝石》。

H·P·莱弗克拉夫特与弗兰克·贝尔纳普·朗也在这一时期发表了他们的第一本科幻小说。

阿瑟·柯南道尔爵士

生卒年份：1859~1930

国籍：英国

主要作品：《失落的世界》，《有毒地带》

可以认为夏洛克·福尔摩斯使柯南道尔声名远扬，因为直到今天多数读者都认为他是那位伟大侦探的创造者。或多或少可以这样认为，柯南道尔的读者不重视或遗忘其历史浪漫小说以及对当代生活描述生硬的故事，这也是自然的。事实上，他的声誉由于读者如今忘记了他晚年对于神话的信仰而得以提高。他在《灵魂照相案》中表现出来的令人吃惊的轻信令人失笑。但如果读者同样忽略了他关于恰林吉尔教授的故事的话，他们一定会错过一些重要的东西。

在柯南道尔创作生涯的初期，他对幻想世界的描写仅限于恐怖的鬼怪，如《克伦伯之谜》。直到第一本恰林吉尔小说《失落的世界》诞生，他才形成了自己的风格。与这类题材以前众多的作品不同——它们使这个亚文学体裁有了自己的名称——柯南

失落的物种

柯南道尔《失落的世界》中的恐龙，引发了19世纪后半叶的狂热。

> **作品目录**
>
> **中长篇小说**
> 1889 《克伦伯之谜》，沃德与唐尼出版社
> 1891 《拉夫尔斯·霍的所作所为》，约翰·W·洛弗出版社
> 1894 《寄生虫》，康斯特布尔出版社
> 1912 《失落的世界》，霍德与斯托顿出版社
> 1913 《有毒地带》，霍德与斯托顿出版社
> 1925 《雾之地》，哈钦森出版社
>
> **短篇小说集**
> 1889 《谜团与冒险》，沃尔特·斯科特出版社，后改名为《布鲁曼斯迪克的溪谷》
> 1890 《北极星号的船长与其他故事》，朗曼出版集团公司
> 1893 《我的朋友杀人犯》，约翰·W·洛弗尔出版社
> 1894 《伟大的克雷普雷茨实验》，兰德、麦克纳利社
> 《在红灯周围》，梅休因出版社
> 1908 《火堆旁的故事》，史密斯·埃尔德出版社
> 1911 《最后的军舰、印象与故事》，约翰莫雷出版社
> 1918 《危险！与其他故事》，约翰·莫雷出版社
> 1922 《戒指与野营的故事》，约翰·莫雷出版社，后改名为《克劳克斯利的主人》
> 1929 《马拉科特深沟》，约翰·莫雷出版社
> 1952 《恰林吉尔教授的故事》，约翰·莫雷出版社
> 1979 《阿瑟·柯南道尔最佳超自然故事》，多佛出版社
> 1981 《阿瑟·柯南道尔最佳科幻小说》，南伊利诺伊大学出版社
> 1982 《不为人知的阿瑟·柯南道尔：尚未收入文集的作品》，塞克尔与瓦尔堡出版社
> 1988 《阿瑟·柯南道尔最佳恐怖小说》，学术出版社
>
> **非小说类作品**
> 1922 《灵魂照相案》，哈钦森出版社
> 《神仙的到来》，霍德与斯托顿出版社
> 1926 《唯灵论的历史》，克塞尔出版社

道尔的小说以坚定的信念和真实的细节而大放异彩，并使得恰林吉尔在委内瑞拉发现了一个不为人知的物种的故事演变为对探险的隆重庆典。《有毒地带》几乎也同样出色。但是后来那些神话小说和世界边缘的无穷魅力渐渐占了上风，柯南道尔从此坠入了夸夸其谈的境地。

埃德加·赖斯·伯勒斯

生卒年份：1875~1950

国籍：美国

主要作品：《巴松》系列，《贝鲁西德》系列，《被时间遗忘的土地》

很多科幻小说的读者承认，当他们真正想要读一本书消遣时，他们会不由自主地选择埃德加·赖斯·伯勒斯的作品，当然承认这一点的确令人有些尴尬。他们会选择一本讲述人猿泰山的巴松史诗，或《被时间遗忘的土地》，结果几乎总是这样。伯勒斯的作品一次又一次地将我们带回儿童时代那欢乐的、令人着迷的阅读，他故事中主人公的每项成就都如梦幻一般真实可信。

当然，伯勒斯并非无懈可击。他的风格——尤其在他早期的最佳作品中——有些粉饰，而且他的描写常常离谱到极其荒谬可笑的程度。他的非洲从来就不存在，他的星际冒险故事中所描述的人口众多、运河密布的火星早在他停止创作关于被地球引力拉紧了肌肉的约翰·卡特，以及在火星温暖的空气中袒胸露背的他的公主的故事之前，就遭到了来自科学界的猛烈抨击。

在伯勒斯的巨大成功背后可能并没有真正的秘密；即使有，那也是很简单的：主人公代表着愿望的实现。但是伯勒斯并没有限制自己，也没有欺骗我们。只要这些作品存在下去，愿望总会成真。

早期杂志

许多人猿泰山、巴松与贝鲁西德系列中的故事刊载在《故事会》杂志上。

> **作品目录**
>
> **中长篇小说**
> 1914 《人猿泰山》，麦克勒格出版社
> 1915 《泰山归来》，麦克勒格出版社
> 1915 《泰山的野兽》，麦克勒格出版社
> 1917 《泰山的儿子》，麦克勒格出版社
> 《火星公主》，麦克勒格出版社
> 1918 《泰山与欧巴的珠宝》，麦克勒格出版社
> 《火星上的神仙》，麦克勒格出版社
> 1919 《火星的军阀》，麦克勒格出版社
> 1920 《特鲁维亚，火星之女》，麦克勒格出版社
> 1921 《可怕的泰山》，麦克勒格出版社
> 1922 《火星的棋子》，麦克勒格出版社
> 《在地心》，麦克勒格出版社
> 1923 《泰山和金狮》，麦克勒格出版社
> 《贝鲁西德》，麦克勒格出版社
> 1924 《泰山与蚁人》，麦克勒格出版社
> 《被时间遗忘的土地》，麦克勒格出版社
> 1925 《永远的恋人》，麦克勒格出版社，后改名为《永远的野人》
> 《洞穴女孩》，麦克勒格出版社
> 1926 《月亮之女》，麦克勒格出版社，后改名为《月亮人》
> 《疯狂的国王》，麦克勒格出版社
> 1927 《双胞胎泰山》，伏尔兰德出版社，后改名为《泰山与丛林中的双胞胎泰山》
> 1928 《泰山，丛林之王》，麦克勒格出版社
> 《火星的主宰》，麦克勒格出版社
> 1929 《泰山与失落的帝国》，大都会出版社
> 《怪兽人》，麦克勒格出版社
> 1930 《泰山在地心》，大都会出版社
> 《贝鲁西德的塔纳》，大都会出版社
> 1931 《不可征服的泰山》，伯勒斯出版社
> 《胜利的泰山》，伯勒斯出版社
> 《火星的战士》，大都会出版社
> 1932 《丛林女孩》，伯勒斯出版社，后改名为《藏身之地》
> 1933 《泰山与黄金城》，伯勒斯出版社
> 1934 《泰山与狮人》，伯勒斯出版社
> 《金星的海盗》，伯勒斯出版社
> 1935 《泰山与豹人》，伯勒斯出版社
> 《迷失金星》，伯勒斯出版社
> 1936 《泰山与双胞胎泰山及金狮：加德-巴尔-加》，惠特曼出版社
> 《泰山的请求》，伯勒斯出版社
> 《火星之剑》，伯勒斯出版社
> 1937 《回到石器时代》，伯勒斯出版社
> 1938 《泰山与紫禁城》，伯勒斯出版社
> 《少年与狮子》，伯勒斯出版社
> 1939 《金星上的卡森》，伯勒斯出版社
> 1940 《火星上的合成人》，伯勒斯出版社
> 《宽容的泰山》，伯勒斯出版社
> 1944 《恐怖地带》，伯勒斯出版社
> 1946 《金星上的逃亡》，伯勒斯出版社
> 1947 《泰山与外国军团》，伯勒斯出版社
> 1948 《加索的利阿那》，伯勒斯出版社
> 1955 《三十开外》，劳埃德·埃班奇出版社，后改名为《失落的大陆》
> 《食人者》，劳埃德·埃班奇出版社
> 1963 《野人贝鲁西德》，卡纳维拉尔出版社
> 1964 《泰山与疯子》，卡纳维拉尔出版社
> 1965 《泰山与遇难者》，卡纳维拉尔出版社
>
> **短篇小说集**
> 1919 《泰山的丛林故事》，麦克勒格出版社
> 1920 《未驯服的泰山》，麦克勒格出版社
> 1964 《三个行星的故事》，卡纳维拉尔出版社
> 《火星上的约翰·卡特》，卡纳维拉尔出版社
> 1965 《最远的恒星之外》，埃斯出版社
> 1970 《金星上的巫师》，埃斯出版社，后改名为《金星上的巫师与海盗的鲜血》

雨果·根斯巴克

生卒年份：1884~1967
国籍：美国，生于卢森堡
主要作品：《拉尔夫124C 41+》

根斯巴克的故事是美国神话的一部分。20岁时他移民美国。他是20世纪的产物，未来的产物。而就20世纪而言，未来就是美国。

根斯巴克创办了多种杂志，在其中的第一本《现代电学》中，他连载了使他久享盛名的《拉尔夫124C 41+》(参见214页)。这个故事虽略嫌单薄，但作者以传教士般的狂热心情对技术所作的详细描写，使读者在新世界的神奇面前遗忘了呆板、单调的行文。

根斯巴克的想象属于科幻小说，能帮助读者了解并寻找通向未来的道路。他创建了第一本科幻小说杂志《奇异故事》(参见100页)，并旨在通过杂志教育大众。当然，在几年之中，科幻小说的发展使根斯巴克的想象落伍了。但是直至今天，科幻小说奖仍以他的名字命名。

雨果奖
"科幻小说成就奖"几乎一直是以雨果的名字命名的。

作品目录
中长篇小说
1925　《拉尔夫124C 41+：2660年的一个浪漫故事》，斯特拉特福德出版社
1971　《终极世界》，沃克出版社
非小说类作品
1952　《现代科幻小说的发展》，根斯巴克出版社

叶夫根尼·扎米亚京

生卒年份：1884~1937
国籍：俄国
主要作品：《我们》

热爱未来的人们去了美国，而在1920年的苏联，你必须学会和未来妥协。叶夫根尼·扎米亚京是一名海军工程师，也是一位多产作家。1917年革命以前，他与沙皇专制统治的出版审查员就发生过冲突。在20世纪20年代与俄共出版审查员的接触中，他的运气同样不佳。一战期间，他在英国建造破冰船，并写出了充满讽刺意味的《岛民》。回到苏联后，在世界新秩序早期那些令人兴奋的岁月里，他显得非常积极。但他对唯科学主义的不信任——他认为任何规范行为的思想体系都是通过扼杀人类的精神来达到目的的——使他写出了《我们》(参见214页)，并因此不受读者欢迎。

《我们》是20世纪真正伟大的小说之一，它像干冰一样令我们的头脑发热、燃烧起来。作为一个乌托邦社会的恶梦，它仍然无所匹敌。奥威尔的《1984》(参见217页)即受其影响。早在斯大林成为最高元首之前，《我们》就告诉了我们需要了解的关于他的全部内容；早在20世纪30年代的种族灭绝和希特勒的最终解决计划之前，它就告诉了我们需要了解的有害的陈词滥调。

在真正不幸的年代到来之前，扎米亚京设法离开了苏联。最后，他死于流放。

作品目录
中长篇小说
1922　《岛民》(《岛民及渔民》中一部分)，在苏联出版
1924　《我们》，达顿出版社，译自俄文手稿，发表时改名为《我的》

卡莱尔·恰佩克

生卒年份：1890~1938
国籍：捷克斯洛伐克
主要作品：《罗素姆万能机器人》，《无法无天》，《鲵鱼之乱》

两次世界大战间的捷克斯洛伐克是一个忙乱的、如大都市般的但又非常脆弱的国家，而且还具有双重的性质。现代的捷克斯洛伐克面对着国联和一个理性的将来，但这样的将来因为希特勒的介入而从未到来。另一方面，老的捷克斯洛伐克在麻木不仁的聚居区里昏睡，弗朗茨·卡夫卡和哥斯塔夫·梅林克在那里搜罗恶梦。捷克最伟大的用捷克语而不是用德语写作的作家卡莱尔·恰佩克面临着两种选择。他是一个理智的人，政治上的自由信仰者、旅行家和美食家。他的一些故事很活泼，充满了生活的乐趣。但同时他的心头也常萦绕着激情，也为现代社会的畸型所困惑。我们在科幻小说中清楚地听见了第二个恰佩克的声音，而他本人也因为写科幻小说才受到人们永久怀念。

《罗素姆万能机器人》(参见214页) 是一部充满超乎寻常的智慧和活力的戏剧，提出了芸芸众生所无法理解的启示。恰佩克的最后一部科幻小说《鲵鱼之乱》里的鲵鱼与《罗素姆万能机器人》中的机器人很相似，而且它们和这些机器人一样受到人类的压迫。它们施行了可怕的报复：它们提升了海平面，直到即使是内陆的小国捷克斯洛伐克都受到了威胁。其他小说，比如《无法无天》和《克拉克提特》，以描写不可遏制的本能冲动而区别于随心所欲的胡言乱语：性和权力驱使着主人公们陷入可怕的 (通常也是滑稽的)困境。《昆虫的戏剧》中，人类就像昆虫一样跳着死亡之舞，而《马克罗普洛斯的秘密》揭穿了不朽的真面目。恰佩克是幸运的：在纳粹到来之前，他就去世了。

作品目录	
长篇小说	**戏剧**
1922　《无法无天》，捷克斯洛伐克出版	1920　《罗素姆万能机器人》，捷克斯洛伐克出版
1924　《克拉克提特》，捷克斯洛伐克出版，后改名为《原子弹奇想：克拉克提特》	1921　《昆虫的世界》，捷克斯洛伐克出版，与约瑟夫·恰佩克合著，后改名为《昆虫的戏剧》
1936　《鲵鱼之乱》，波洛夫尼博士出版社	1922　《马克罗普洛斯的秘密》，捷克斯洛伐克出版
短篇小说集	1927　《创造者亚当》，捷克斯洛伐克出版，与约瑟夫·恰佩克合著
1921　《金钱与其他故事》，捷克斯洛伐克出版	1937　《权力和荣耀》，后改名为《白色的瘟疫》，捷克斯洛伐克出版
1929　在1卷本中译为《两个口袋的故事》，捷克斯洛伐克出版	
1931　《神话》，捷克斯洛伐克出版	
1945　《天启》，捷克斯洛伐克出版	

1925~1949：科幻小说名称的诞生

很多年以来，对于研究科幻小说的历史学家们来说，作家的选择看上去十分简单，也相当有限。我们先是迎来了儒勒·凡尔纳，H·G·威尔斯，埃德加·赖斯·伯勒斯，以及亚伯拉罕·马利特。接着，《奇异故事》杂志在1926年创办，科幻小说世界在这本杂志以及后来与它竞争的杂志中繁荣起来，直到最后形成。一种文学体裁诞生了。当然，科幻小说的形成并不完全归功于这些杂志。在两次大战之间的欧洲，像奥拉夫·斯特普尔顿，莫里斯·列那尔和卡莱尔·恰佩克这些作家，都在撰写着我们如今

1925~1929

代表作品

《月亮侍女》
埃德加·赖斯·伯勒斯，1926

《黑暗的吞噬者》
罗伯特·M·科茨，1926

《"如果"的国王》
盖伊·坦特，1926

《大都会》
西娅·冯·哈伯，1926

《H·G·威尔斯短篇小说集》
H·G·威尔斯，1927

《太空云雀》
E·E·史密斯，1928，杂志

《两栖动物》
亚历山大·贝拉耶夫，1928

《乘火箭去月球》
奥托·威利·盖尔，1928

《奥兰多》
弗吉尼亚·伍尔夫，1928

《下面的世界》
S·弗奥尔·赖特，1929

《乘火箭去月球》

代表作家

雨果·根斯巴克在他新创办的《奇异故事》杂志的前几期中转载了H·G·威尔斯几乎所有的作品，而这种旨在保证新科幻小说体裁主要是为教而写的努力却注定要失败。在新世纪到来之时，他并没有获得真正的机会。在美国，早在1925年左右，宇宙就已变成"新边疆"。它把主人公们，包括持枪的发明者、牛仔带入太空，驾驶着他们那崭新的宇宙飞船去探索未知的领域。

处女作

埃德蒙·汉密尔顿于1926年在《怪诞故事》杂志上发表了《马默斯的怪兽神》。1928年，科特·希亚德马克在《奇异故事》杂志上发表了第一部英语小说《来自泰加尼卡湖的蛋》；E·E·史密斯发表了杂志版本的《太空云雀》；杰克·威廉森发表了《金属人》；菲利普·诺兰发表了布克·罗杰斯的第一部短篇小说《善恶大决战——公元2419年》。

1930~1934

代表作品

《黑星经过》
小约翰·W·坎贝尔，1930，杂志

《最后的与最早的人》
奥拉夫·斯特普尔顿，1930

《明天的昨天》
约翰·克劳格，1932

《美妙的新世界》
奥尔德斯·赫胥黎，1932

《汤姆的A型感冒》
约翰·科利尔，1933

《失落的地平线》
詹姆斯·希尔顿，1933

《事物的未来形态》
H·G·威尔斯，1933

《当星球碰撞时》
菲利普·怀利与埃德温·巴尔默，1933

《奇怪的人侵者》
阿伦·利亚威林，1934

《宇宙军团》
杰克·威廉森，1934，杂志

《当星球碰撞时》

如果星球之间的黑暗里一片宁静，太空英雄们就会躁动不安。到了1930年，作家们，如小约翰·W·坎贝尔、埃德蒙·汉密尔顿和史密斯博士，开始将星系组织成巨大的战斗营地。由此引发的、在拥有不可征服的巨型无敌战舰的庞大军队间的战斗——尤其是在史密斯笔下——仍然显得惊人的宏大、喧闹和混乱，其规模令人瞠目结舌。

小约翰·W·坎贝尔的第一部小说《当原子衰败时》于1930年发表在《奇异故事》杂志上。1931年，克利福德·D·西马克和约翰·温德姆都发表了处女作。随后，班底兄弟和C·L·莫尔也分别在1932年和1933年首次发表了他们的作品。斯坦利·G·温伯姆于1934年在《奇异故事》上发表了《火星漂泊记》。

1935

代表作品

《英格兰下面的陆地》
约瑟夫·奥尼尔，1935

《塔扎巴37》
保罗·吉克，1935

《奇怪的约翰》
奥拉夫·斯特普尔顿，1935

《鲵鱼之乱》
卡莱尔·恰佩克，1936

《鲵鱼之乱》

在30年代早期常见的描述不受限制的星系之间各种战斗营地间的战斗故事以后，到了该是缩小这个领域的时候了。这10年中最大的战争故事是史密斯博士的《透镜人》系列中文明与

本年度推出的处女作数量多、速度快。罗斯·罗克林尼在1935年，亨利·科特那在1936年，纳尔逊·邦德，L·斯普拉格·德·坎普，威利·利，埃里克·弗兰克·拉塞尔在1937年发表了处女作；弗雷德里克·波尔以一首诗作为处女作。1938年，阿瑟·C·克拉克，莱斯特·德尔·雷，L·罗恩·哈伯德和威廉·F·坦普尔首次发表了作品。1939年才是现代科幻小说真正的开端；这一年有不少作者发

评价为极其深奥的科幻小说,尽管他们自己从来都不知道那个名称,因为他们在这一术语传到欧洲之前就已经开始创作了。斯特普尔顿在去世之前到美国访问时,得知那里有喜爱读自己作品的"小说迷",对此他大为不解。但是就小说迷和杂志而言,那个时候的科幻小说这一体裁的核心毫无疑问是美国式的,而且仍然直接与我们对话。

1939

《塔扎巴37》

《纳粹党徽的夜晚》
凯瑟琳·彼得金,署名莫雷·君士坦丁,1937

《星球缔造者》
奥拉夫·斯特普尔顿,1937

《来自沉寂的星球》
C·S·路易斯,1938

《新亚当》
斯坦利·魏波姆,1939

1940~1944

《超人》
A·E·范·沃格特,1940,杂志

《玛士撒拉的孩子》
罗伯特·A·海因莱恩,1941,杂志

《第六纵队》
罗伯特·A·海因莱恩,1941,杂志

《唯恐黑暗降临》
L·斯普拉格·德·坎普,1941

《超越地平线》
罗伯特·A·海因莱恩,1942,杂志

《艾什尔的武器商店》
A·E·范·沃格特,1941~1942,杂志

《地方行政官卢迪》
赫尔曼·黑塞,1943

《集合,黑暗!》
弗里茨·莱伯,1943,杂志

《贝雷兰德阿》
C·S·路易斯,1943

《天狼星》
奥拉夫·斯特普尔顿,1944

《地方行政官卢迪》

1945~1949

《可怕的力量》
C·S·路易斯,1945

《非A的世界》
A·E·范·沃格特,1945,杂志

《未来的星球》
弗朗茨·魏菲尔,1946

《幽灵》
杰拉尔德·赫得,1947

《夜晚降临时》
阿瑟·C·克拉克,1948,杂志

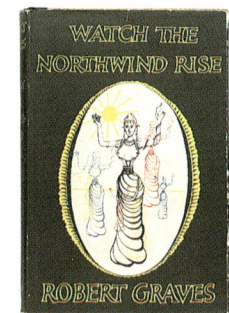

《未来的星球》

《看北风吹起》

《看北风吹起》
罗伯特·格雷夫斯,1949

《星王》
埃德蒙·汉密尔顿,1949

《红色星球》
罗伯特·A·海因莱恩,1949

《1984》
乔治·奥威尔,1949

《地球逗留》
乔治·R·斯图尔特,1949

博斯孔之间逐渐升级的冲突。这一系列于1937年发表在《奇异故事》杂志上,立刻引起了轰动。

科幻小说中一直都存在着**超人**。虽然H·G·威尔斯从未真正创造过超人,但是《神食》(1904)中的主人公因为他们身材高大而成为超级生物。J·D·贝雷尔福德的《汉普登郡的奇迹》(1911)和菲利普·怀利的《斗士》(1931)这两部作品激发了超人连环漫画的创作,甚至奥拉夫·斯特普尔顿的

《奇怪的约翰》(1935)都描写了注定要失败的超人。第一位有成就的超人出现在A·E·范·沃格特的《超人斯兰》中。这部小说于1940年在《奇异故事》杂志上连载,而杰克·威廉森的《比你想的更黑暗》于同年发表在《未知》杂志上。从那时起,很少有作者不在他们的作品中提到全能的超人。

科幻小说作为预言媒介最有名的例子是克莱夫·卡特米尔的《最后期限》。小约翰·W·坎贝尔于1944年在《惊险故事》杂志上刊登了这部用令人毛骨悚然的细节渲染即将到来的原子弹爆炸的作品。但总的说来,战后的科幻小说家满怀希望地对待**核时代**及其危险。一方面,它的确是深渊;而另一方面,它也意味着无穷的力量和无尽头的漫游。

表了处女作,艾尔弗雷德·贝斯特和弗里茨·雷伯写了《两个寻求冒险的人》,罗伯特·A·海因莱恩写了《生命线》,艾萨克·阿西莫夫写了一部糟糕的作品,A·E·范·沃格特发表了《黑色驱逐舰》。

1939年可能是到1962年为止所有年份中发表处女作最为有名的一年。但在1940年,C·M·科恩布卢思和利·布莱克特都发表了各自的第一部短篇小说,而詹姆斯·布利什也为《超级科学故事》杂志撰写了《紧急补给》。1941年,弗雷德里克·布朗、威尔逊·塔克和雷·布雷德伯里都发表了各自的第一篇小说,达蒙·耐特也在《奇妙的科学故事》杂志上发表了处女作《弹性》。乔治·O·史密斯在1942年发表了第一部小说,同年哈·克雷吉的《证据》也发表在《惊险故事》杂志上。到1943年,大多数年轻的作者都穿上了军装,但詹姆斯·H·施密茨还是发表了他的第一部小说。在接下来的战争岁月里,A·伯特伦·钱德勒的第一部小说《这意味着战争》发表在《惊险故事》杂志上。

杰克·万斯在1945年为《惊险故事》杂志写了《世界的思想家》;第二年,玛格丽特·圣克莱尔出现在舞台上,同时出现的还有《诱饵亚历山大》的作者威廉·特恩也发表了自己第一部小说《漏洞》的阿瑟·C·克拉克;1947年,波尔·安德森和H·比姆·派普也发表了他们的处女作;1948年,查尔斯·哈尼斯和朱迪思·格里尔也撰写了他们各自的第一部短篇小说。1949年最著名的处女作也成了封笔之作:**乔治·奥威尔**的第一部科幻小说《1984》也是他的最后一部作品,因为在该书完成后不久,他就去世了。

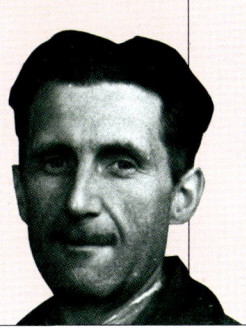

奥拉夫·斯特普尔顿

生卒年份：1886~1950

国籍：英国

曾用名：威廉·奥拉夫·斯特普尔顿

主要作品：《最后的和最早的人》，《星球缔造者》，《奇怪的约翰》，《天狼星》

即使在星系濒临倾覆之际，大多数科幻小说都有一个显示人之本性的特点。有这样一类主人公，以及牵涉到这样一类主人公的故事：如果主题是宇宙的死亡与再生，即使在那时也会有人目睹那奇妙的景观，那些人我们既认识又认同。对于大多数读者来说，斯特普尔顿的问题就在于：他的理念范围太广泛了，他的视角过于惊世骇俗，致使持纯人类观点的人物都被晾在了一边。

就是因为斯特普尔顿的理念太过于广泛了，他在几本书中所构造的未来历史(参见66页)并没像海因莱恩以完美方式所作的描述那样牵动广大读者的心。斯特普尔顿历史小说中的第一部，按其内在的时间顺序是《伦敦最后的人们》。其主人公是最终人类中的一员，一个20亿年之后的高度进化的人。他具有牺牲精神，与最初的人类——当然就是我们——中的一员、一个年轻人，在第一次世界大战中建立了共生关系。他试图唤醒人种意识，但这些努力注定要失败，因为最初的人类继续沉溺于史前的黑暗之中。

未来历史故事从《最后的和最早的人》开始，其中包括了人类所有的18个人种，从最初的人类到最终的人类，而后者与20世纪存在的距离无法想象。在这曲折的20亿年中，几乎所有的在太空剧或宇宙论科幻小说中梦想过的事物都一而再、再而三地发生，死亡，这些事物都得到了检验并被超越。

但我们还只是刚刚开始。《星球缔造者》(参见215页) 又把故事延续了1000亿年。在这永世亘古期间人种和星系以螺旋式发展，直到最后隐藏在这个宏大故事中的脱离现实的意识终于呈现在造星者本人面前。造星者由于意识到宇宙的演变而欣喜若狂。但这种对于存在的优点所表现出的欣喜对于人类本身并无虔诚之意，因为对奥拉夫·斯特普尔顿来说，在寒冷、漫长、黑暗的生存过程中，这种表现出来的优秀品质来之不易，它没有付一分钱的酬劳。它给予的是一种沉思的欣喜。

这些贯穿于斯特普尔顿对宇宙敬畏的描述之中的想法，对于寻求单纯惊奇感的读者来说，或许有些令人望而生畏。因此，相对于他的作品而言，斯特普尔顿本人更为人们所尊敬，尽管许多科幻小说家仍然认为他是这个世纪科幻小说想像力的集中体现。无论如何，斯特普尔顿也写过那些——尽管在理解上可能比较困难——理念并非那么不近人情的高深小说。

> "斯特普尔顿涉及的面是如此之广，他把世间凡人都撇在了一边。"

作品目录

中长篇小说
- 1930 《最后的和最早的人、关于近期与远期未来的故事》，梅休因出版社
- 1932 《伦敦最后的人们》，梅休因出版社
- 1935 《奇怪的约翰：玩笑与认真之间的故事》，梅休因出版社
- 1937 《星球缔造者》，梅休因出版社
- 1942 《黑暗与光明》，梅休因出版社
- 1944 《天狼星：爱与不和谐的幻想》，塞克尔与瓦尔堡出版社
- 1946 《死而复生》，梅休因出版社
- 1947 《火焰》，塞克尔与瓦尔堡出版社
- 1950 《被分离的人》，梅休因出版社
- 1976 《制造星云的人》，布兰海德出版社

短篇小说集
- 1944 《新世界中的老人》，艾伦与昂温出版公司
- 1976 《四次遭遇》，海德出版社
- 1980 《遥远的未来在呼唤：未结集的科幻小说》，特雷纳出版社

非小说类作品
- 1934 《觉醒的世界》，梅休因出版社
- 1939 《哲学与生活》，企鹅图书出版公司
- 1954 《开阔眼界》，梅休因出版社

《奇怪的约翰》是一部极有说服力、极具讽刺性的小说。故事描述了一个经历了正突变的人。在这次突变中，他从第一代人类飞跃性地演化为第二代，甚至更高级的人类。他通过心灵感应将他的伙伴们聚集到一个与世隔绝的岛屿上。但是当那些自认为正常的人去攻击这个偏僻的根据地时，他发现自己因进化过头而无力反击。这个岛屿被摧毁了，而我们依然是第一代人类，沉溺于泥沼之中。

《天狼星》讲述了一个极为感人的狗的故事。在一次培育实验之后，这条狗拥有了很大的脑容量，这使它与一个人类女性发生了注定以悲剧收场的关系。最后，斯特普尔顿在描写这条狗因为世界浩瀚而纷扰的错综复杂心醉神迷的同时，也表述出一种最终的宁静的降临。对斯特普尔顿来说，这种理解上的宁静来自上帝。

世界主义的背景
斯特普尔顿的青年时代有几年是在埃及的塞得港度过的。塞得港是一个繁忙而又高度发展的文化大熔炉，这样的生活给了他一种广阔的世界观。

E·E·史密斯

生卒年份：1890~1965
国籍：美国
主要作品：《太空云雀》系列，《透镜人》系列

史密斯获得的高级学位是在食品化学方面，但他却放弃了担任J·W·艾伦公司综合经营部经理的职务。然而没有人在乎他以什么为生。在现实生活中，他是史密斯博士，是太空剧的创造者。

这种看法可能并不完全正确。要说史密斯1928年在《奇异故事》杂志上发表《太空云雀》（参见216页）之前，没人写过背景为太空情节的动作丰富的科幻小说可能并不公正；甚至在史密斯完成这部小说草稿的1917年之前，我们都还不能这样推断：在一战爆发之前，已有一些太空探险小说发表。例如，早在1898年，加勒特·P·塞维斯就在纽约的一份报纸上发表了《爱迪生征服火星》，所以其至都不能说是史密斯写了第一本重要的爱迪生式的故事。

然而，尽管如此，史密斯博士确确实实创造了太空剧，因为太空剧的秘密不在于其主人公是一位勇敢的发明家兼探险者，不在于他能在敌人刚出现于地平线上时就用摧毁性的新式武器将其击退，也不在于故事的背景必须设定为太空。很简单，秘密就在于规模。

史密斯最早的系列小说是《太空云雀》，他一生中的大部分时间都断断续续地用于这一系列的创作，而这个系列中的最后一本《杜昆森云雀》在他去世后才得以发表。书中的理查德·西顿开始时是一个年轻的天才发明家，但是在几页的篇幅里，他在家中制造的太空船就逸出了太阳系。于是，他和他的朋友就开始了真正的星系旅行，但是在整个旅行过程中他们都被恶棍布莱奇·杜昆森所追逐。故事非常简单：每次布莱奇拥有了一种新式武器，或是建造了大型的新太空船用于征服新的星球，西顿就会建造出更大、更快、更具杀伤力的武器，然后双方就激战一番。这一切都很有趣，而且规模也变得很大。但是有时我们很难集中注意力，因为当一切都变得巨大无比时，使人物比率呈现出来所必需的整体画面就开始淡却。

在史密斯博士的第二部系列小说《透镜人》中，他证明了自己的创造性天赋的突破性所在。就像那位真实的通俗作家斯特普尔顿一样，他为我们的星系创造了追溯到几十亿年之前、向后推进至无限的历史。20亿年前，善良的阿利斯人开始了解了邪恶至极的埃迪多人，并决定在未来的几百亿年中创造一个能够对不可回避的来自埃迪多的爪牙，即博斯孔的大批游牧民族的袭击进行反击的民族。就这样，行动开始了。阿利斯人从海藻中培育出一种物种，当然该物种就是人类，而且《透镜人》传奇故事中的6个主人公都是人类。随着每一卷故事的发展，主人公与庞大的星系邪恶组织展开了斗争，并最终击败了敌人。但是在下一卷的开头，他显示了这个组织只是一个更庞大、更隐秘、更具杀伤力的跨越银河系组织的一部分。中间几卷故事的主人公金·金尼森始终没有发现埃迪多人是这个邪恶透镜的统治集团的主宰者。他们过于强大，金尼森根本无法与之抗衡。直到他的儿女们，才在这一系列小说的最后一卷中实施了阿利斯战役的最后步骤。在小说结尾的时候，史密斯已经把我们送到了最遥远的星球之外。

> "在《透镜人》系列结束的时候，史密斯博士把我们送到了最遥远的星球之外。"

作品目录

中长篇小说

1946	《太空云雀》，布法罗图书出版公司
1947	《IPC的宇宙猎犬》，幻想出版社
1948	《云雀三号》，金字塔出版社
	《三行星》，幻想出版社
1949	《瓦勒伦的云雀》，幻想出版社
1950	《第一代透镜人》，幻想出版社
	《银河巡逻队》，幻想出版社
1951	《灰色的透镜人》，幻想出版社
1953	《第二代透镜人》，幻想出版社
1954	《透镜的儿女们》，幻想出版社
1960	《旋涡的爆炸》，守护神出版社，后改名为《旋涡的主宰》
1965	《星系的鼎盛时期》，埃斯出版社
	《亚宇宙开拓者》，卡纳维拉尔出版社
1966	《云雀杜昆森》，金字塔出版社
1976	《宇宙的主人》，未来出版社，与E·埃弗雷特·埃文斯合著
	《帝国星球》，金字塔出版社，与斯蒂芬·戈尔丁合著（后来的《达兰贝尔家族》，由戈尔丁独著，署名史密斯）
1978	《泰迪克勋爵》，男爵出版社，与戈登·埃克伦德合著（后来的《泰迪克》故事由埃克伦德独著，署名史密斯）
1983	《亚宇宙遭遇战》，伯克利出版社

短篇小说集

| 1975 | 《E·E·史密斯"博士"的最佳作品》，未来出版社 |
| 1979 | 《宇宙的主人》，朱庇特出版社 |

Edward E. Smith, Ph.D.

代表作品

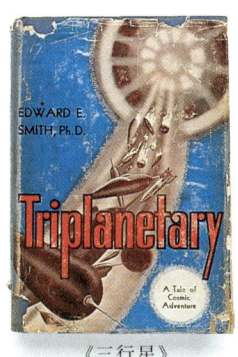
《三行星》

《第一代透镜人》

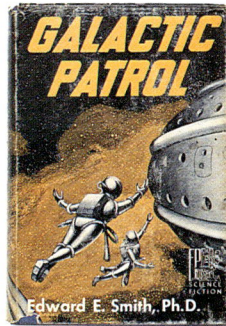
《银河巡逻队》

《灰色的透镜人》

《第二代透镜人》

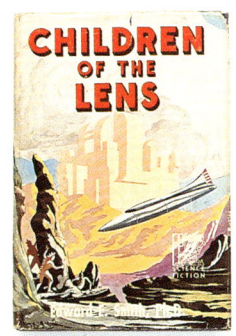
《透镜的儿女们》

《三行星》引领我们进入这个宏大的故事框架。《第一代透镜人》向我们介绍了透镜，它是阿利斯人用来加强人类联盟的一种可以增强头脑和身体功能的透镜状仪器。《银河巡逻队》、《灰色透镜者》和《第二代透镜人》主要描写金尼森。他身材魁梧，健壮聪明，在银河巡逻队中担任最高职位。他和他的朋友们一起在银河系巡逻，他带着他的武器和透镜与博斯孔战斗。在故事的末尾，他开始放松了。但是《透镜的儿女们》揭示了我们已经知道的事实：必须要征服埃迪多，否则星系将永无宁日。

奥尔德斯·赫胥黎

生卒年份：1894~1963

国籍：英国

主要作品：《美妙的新世界》、《在许多个夏天之后》、《猿与本质》

奥尔德斯·赫胥黎的非科幻小说《重访美妙的新世界》与科幻小说《美妙的新世界》(参见215页)之间的区别，是才华与天才之间的区别。《重访美妙的新世界》是一部才华横溢的作品：它写于1958年。这一系列文章告诉了我们，自从1932年《美妙的新世界》出版以来世界上所发生的变化，并试图对未来作出预测，有的也预测对了。然而今天，在它出版后不到半个世纪的时间里，《重访美妙的新世界》已经销声匿迹，没有人会想到去读它了。而另一方面，《美妙的新世界》在今天和它诞生时的影响同样举足轻重。这并不一定是因为这本书对未来的描述都是正确的。对科幻小说最愚蠢的抨击之一是认为它不能预测未来。可这本来就不是科幻小说的初衷所在，科幻小说要做的是训练它的读者去寻找未来。

在1932年，赫胥黎对药物的看法是错误的。他认为政府会公然使用药物，使我们得到由化学物质带来的快乐。在他描述知识分子的等级体系时，他也错了。当他想象一个组织完善、受最高独裁者统治的社会时，他还是错了。

即使这样，《美妙的新世界》仍然是一部意义深远、描写精确的作品，因为与当时大多数美国科幻小说不同，它直接探讨我们自己这个星球的问题，而且还告诉我们它将发生巨大的转变。《美妙的新世界》讲述了真实的巨大变化。1932年，当史密斯博士还在美国假设男性主宰的盎格鲁-撒克逊的核心家族将永远统治整个星系时，赫胥黎已看到陈旧的西方真理记载在岁月里。他就此写出了一部伟大的作品。

没有什么能比得上这种想象的强烈震撼力。《在许多个夏天之后》用令人过目难忘的语言描述了试图达到的永生的恐怖，但这一描述是在冗长而沉寂的文章中艰难地展开的。而《猿与本质》作为至今为止最原始的小说之一，它继续以讽刺的笔调抨击原始，而且这个故事与其说是复杂，不如说是难懂。

故事发生在1947年，讲的是两个好莱坞的电影工作者发现并阅读了一个剧本。小说余下部分写的就是该剧本的内容，这就保证了小说的读者们都不会以为是因为赫胥黎相信这个故事才直接把它讲出来的。故事讲述了一个信奉邪恶的近期未来世界因受辐射的异味影响而倒塌了，现在这个故事已被人们忘记了。但是，赫胥黎的第一部杰作至今仍影响着我们。

不死的痼疾

赫胥黎的第二部小说对他在30年代所见到的加利福尼亚进行了谴责。

作品目录

中长篇小说

1932 《美妙的新世界》，查托与温杜斯出版社
1939 《在许多个夏天之后》，查托与温杜斯出版社，后改名为《天鹅在许多个夏天之后死去》
1944 《时间必须有个终点》，哈珀出版社
1948 《猿与本质》，哈珀出版社
1962 《岛》，哈珀出版社

非小说类作品

赫胥黎写了很多从科幻小说的视角来看意义重大的非小说类作品。

1923 《在边缘》，查托与温杜斯出版社
1937 《目的与手段》，查托与温杜斯出版社
1942 《观察的艺术》，哈珀出版社
1945 《永恒的哲学》，哈珀出版社
1954 《知觉之门》，哈珀出版社
1958 《重访美妙的新世界》，哈珀出版社

乔治·奥威尔

生卒年份：1903~1950

国籍：英国

曾用名：出生名埃里克·布莱尔

主要作品：《动物庄园》、《1984》

作品目录

中长篇小说

1945 《动物庄园：一个神话》，塞克尔与瓦尔堡出版社
1949 《1984》，塞克尔与瓦尔堡出版社

精选非小说类作品

奥威尔的非小说类作品与理解这个世纪息息相关。他重要的短篇小说的最佳文集是：

1968 《乔治·奥威尔的散文、报刊文章及书信集》，塞克尔与瓦尔堡出版社，分4卷出版。

奥威尔是本世纪最伟大的散文作家之一，他意志坚强，刚正不阿，其文风清晰明白。同时，他也是一个小说家。但如果没有他的非小说类作品，他的大部分小说如今都可能已被人们遗忘了，不过其中有两部伟大的作品例外。对乔治·奥威尔这样一个一直认为文学体裁不太重要、无足轻重的文学巨匠来说颇为窘迫的是，他最值得纪念的两部作品是一部伟大的关于动物的幻想小说《动物庄园》(参见216页)和一部伟大的科幻反面乌托邦小说《1984》(参见217页)。

在《动物庄园》中，农场的一群动物赶走了农场的人类主人，接管了农场。一切进展顺利，直到其中最聪明的猪开始把农场变成一个按照斯大林主义的路线管理的官僚统治机构。最后，原来引发革命的口号"所有的动物生来平等"变成了"所有的动物生来平等，但一些动物比别的动物更加平等"。奥威尔的另一部杰作《1984》给我们这个时代的语言贡献了许多词汇：它给我们提供了"正在注视你的老大哥"、"双重思想"和"新话"这些词。这篇小说以脱口而出的语言描述了温斯顿·史密斯如何试图对极权国家机器作出小小的反叛，却被国家审讯者毁灭的故事。和奥尔德斯·赫胥黎的《美妙的新世界》一样，奥威尔的《1984》不是预言，而是梦想。同样，这部小说至今还影响着我们。

不幸的恋人

在1955年摄制的英国电影《1984》中，温斯顿和朱丽叶死得十分壮烈。

小约翰·W·坎贝尔

生卒年份：1910~1971

国籍：美国

曾用名：唐·A·斯图亚特，卡尔·范·坎本，阿瑟·麦坎

主要作品：《阿科特，默雷与韦德》系列，"谁去那儿？"

坎贝尔有过两种职业和两个名字。作为小约翰·W·坎贝尔，他创作了讲述星系形成的太空剧，并且在1938年成为《惊险故事》杂志（参见101页）的编辑。他利用这本杂志开创了后来大家都知道的"科幻小说的黄金时代"。在这个时代里，这种文学体裁在美国形成了，在新一代作家——诸如阿西莫夫和海因莱恩的手中，突然结晶成一种灵活、成熟的媒介。即使在今天，当我们阅读科幻小说时，我们中的大多数人依然沉浸在其中。

作品目录

中长篇小说
- 1947 《最强大的机器》，哈德利出版社
- 1949 《难以置信的星球》，幻想出版社
- 1956 《宇宙之岛》，幻想出版社
- 1961 《来自天外的侵略者》，守护神出版社
- 1966 《终极武器》，埃斯出版社

短篇小说集
- 1948 《谁去那儿？》，沙斯塔出版社，后改名为《这件事与其他故事》
- 1951 《月球是地狱！》，幻想出版社
- 1952 《埃塞的斗篷》，沙斯塔出版社
- 1953 《黑星经过》，幻想出版社
- 1955 《谁去那儿？与其他故事》，德尔出版社
- 1966 《行星人》，埃斯出版社
- 1976 《遥远的宇宙》，金字塔出版社

编辑作品
- 1948 《来自未知的世界》，斯奇特与史密斯出版社
- 1952 《惊险科幻小说集》，西蒙与舒斯特出版社
- 1962 《轨迹文集序言》，道布尔迪出版社
- 1963 《轨迹文集I》，道布尔迪出版社，到1971年为止又出版了7卷

坎贝尔在另一段写作生涯中使用了唐·A·斯图亚特这个名字，这段生涯虽然短暂但却十分重要。在20世纪30年代，化名斯图亚特的坎贝尔写了一些最微妙、最深思熟虑的短篇小说，发表在当时的通俗杂志中。黄金时代受益于他这样的榜样，当然也使他收益大增。

莫里斯·列那尔

生卒年份：1875~1939

国籍：法国

曾用名：文森特·圣文森特

主要作品：《蓝色的危险》，《奥拉克之手》，《盲圈》。

列那尔以《奥拉克之手》而闻名于世。这部小说曾经3次改编为电影（参见251页，255页，266页）。故事讲述了一个钢琴家在手受伤之后移植了一个被处决的杀人犯的手，于是他必须反抗这双手对他的精神控制。

他的其他作品也曾经被翻译成其他文字，但译文质量拙劣，列那尔惊人的现代想像力几乎荡然无存。例如，《蓝色的危险》是一篇从穿越大气层到地球上寻找奇怪的双足动物外星人的角度所讲述的故事，而《盲圈》则讲述了一个人在巴黎播撒其死亡的克隆体。列那尔数百部短篇小说的情节经常被英国作家"借鉴"。

作品目录

中长篇小说
- 1908 《更换新身体》，默丘尔·德·弗朗斯出版社
- 1911 《蓝色的危险》，米肖出版社
- 1920 《奥拉克之手》，尼尔森出版社
- 1925 《盲圈》，克雷斯出版社，与阿尔贝特·琼合著
- 1928 《处于微生物间的人》，克雷斯出版社
- 1947 《光之主人》，泰兰迪尔出版社

短篇小说集
- 1905 《幻像与傀儡》，普龙出版社，署名文森特·圣文森特
- 1909 《空中修理的飞行》，默丘尔·德·弗朗斯出版社
- 1913 《奥特摩特先生和奇怪的故事》，米肖出版社，后改名为《幻想文集》
- 1921 《改变了的人》，克雷斯出版社
- 1926 《恐惧邀请》，克雷斯出版社
- 1929 《秘密的欢庆》，克雷斯出版社
- 1932 《他没有杀人》，克雷斯出版社
- 1990 《幻想的小说与故事》，拉丰出版社

默里·伦斯特

生卒年份：1896~1975

国籍：美国

曾用名：出生名威廉·菲茨杰拉德·詹金斯，威尔·F·詹金斯，威廉·菲茨杰拉德

主要作品："第一次接触"，《时间倾斜》

伦斯特发表的大量作品主要使用两个笔名。他于本世纪20年代开始发表科幻小说，直至1970年一直笔耕不缀。20世纪30年代与40年代是他创作的巅峰时期，他经常在杂志中被称做科幻小说的元老。他的最佳作品——像《第一次接触》那样有名的小说——创作于1950年；尽管他后来写了很多作品，但这些作品只不过是在重复他鼎盛时期的作品。

伦斯特既不是天才，也不是革命者。他对超级英雄不感兴趣，对牵涉到描述整个星系剧变或世界末日的情节也同样不感兴趣。但是伦斯特很有思想，他的一些想法如《时间倾斜》中的平行世界（参见62页）非常有见地，而且他知道应该如何顺畅有力地叙述故事。故事的主人公使我们产生模仿的愿望。在本世纪末，伦斯特几乎完全被遗忘了：他不该遭此冷遇。

作品目录

中长篇小说
- 1931 《谋杀疯狂》，布鲁尔与沃伦出版社
- 1933 《国王之剑》，朗出版社
- 1946 《美国的谋杀》，王冠出版社，笔名威尔·F·詹金斯，后改名为《毁灭美国》
- 1949 《最后一艘宇宙飞船》，费尔出版社
  《为生命而战》，克雷斯伍德出版社
- 1953 《宇宙平台》，沙斯塔出版社
  《宇宙对抗》，沙斯塔出版社
- 1954 《通往别处的门》，埃斯出版社
  《被遗忘的星球》，守护神出版社
  《偷脑者》，埃斯出版社
  《对外层太空的行动》，幻想出版社
  《黑色的星系》，星系出版社
- 1955 《这里的另一边》，埃斯出版社
- 1957 《殖民地调查》，守护神出版社，后改名为《星球开拓者》
  《月亮上的城市》，阿瓦隆出版社
- 1958 《与奇兹莫斯的战斗》，福西特出版社
  《在世界之外》，阿瓦隆出版社
- 1959 《来自世界尽头的怪兽》，福西特出版社
  《来自第五行星的四个》，福西特出版社
  《突变的武器》，埃斯出版社
  《扎恩的海盗》，埃斯出版社
- 1960 《哭泣的小行星》，埃斯出版社
- 1961 《深渊生物》，伯克利出版社，后改名为《听众》
  《禁忌的世界》，埃斯出版社
- 1962 《人才公司》，埃文出版社
- 1962 《恐怖行动》，伯克利出版社
- 1964 《复制者》，埃斯出版社
  《不知道的另一边》，伯克利出版社
  《时间隧道》，金字塔出版社
  《格雷克斯带来了礼物》，麦克范登·巴特尔出版社
  《宇宙入侵者》，伯克利出版社
- 1966 《宇宙上校》，埃斯出版社
  《穿越时间的隧道》，威斯敏斯特出版社
  《边境关卡兰姆达》，伯克利出版社
- 1967 《时间隧道》，金字塔出版社
  《天空中的矿井》，埃文出版社
  《宇宙流浪者》，埃文出版社
  《时光飞逝！》，金字塔出版社
- 1968 《巨人的土地》，金字塔出版社
- 1969 《热点》，金字塔出版社
  《未知的危险》，金字塔出版社

短篇小说集
- 1950 《时间倾斜》，沙斯塔出版社
- 1959 《怪兽们》，埃斯出版社
- 1960 《时间上的迂回》，埃斯出版社
  《进入宇宙的人们》，伯克利出版社
  《外星人》，伯克利出版社
- 1964 《登上星球的医生》，金字塔出版社
- 1966 《从我的世界滚出去！》，伯克利出版社
- 1967 《从三个世界发来的求救信号》，埃斯出版社
- 1976 《默里·伦斯特最佳短篇小说集》，矮脚狗出版社
- 1983 《地中海系列》，埃斯出版社

杰克·威廉森

出生年份：1908

国籍：美国

曾用名：威尔·斯图尔特

主要作品：《比你想象的更黑暗》，《类人外星人》

作品目录

中长篇小说

1929	《来自火星的女孩》，星球出版社，与小迈尔斯·布罗依尔合著
1947	《宇宙军团》，幻想出版社
1948	《比你想象的更黑暗》，幻想出版社
1949	《类人外星人》，西蒙与舒斯特出版社
1950	《绿色女孩》，埃文出版社
	《彗星上的人》，幻想出版社
	《西蒂的震动》，西蒙与舒斯特出版社，笔名威尔·斯图尔特
1951	《西蒂之船》，守护神出版社，笔名威尔·斯图尔特
	《龙岛》，西蒙与舒斯特出版社，后改名为《不是人》
1954	《海下探索》，守护神出版社，与弗雷德里克·波尔合著
1955	《美洲的圆屋顶》，埃斯出版社
	《星桥》，守护神出版社，与詹姆斯·耿合著
1956	《海下舰队》，守护神出版社，与弗雷德里克·波尔合著
1962	《土地的考验》，埃斯出版社
1964	《宇宙暗礁》，巴兰坦出版社，与弗雷德里克·波尔合著
1964	《金黄色的血》，兰谢出版社
	《巫术的统治》，兰谢出版社
1965	《星星的孩子》，巴兰坦出版社，与弗雷德里克·波尔合著
1967	《光明的新宇宙》，埃斯出版社
1968	《困于宇宙》，道布尔迪出版社
1969	《凶猛的星球》，巴兰坦出版社，与弗雷德里克·波尔合著
1972	《月亮上的孩子们》，普特南出版社
1975	《最遥远的星星》，巴兰坦出版社，与弗雷德里克·波尔合著
1976	《黑暗的力量》，伯克利出版社
1977	《可怕的睡眠》，罗伯特·温伯格出版社
1979	《魔鬼兄弟与神的兄弟》，鲍勃斯·梅里尔出版社
1980	《外星人的接触》，霍尔特·莱因哈特出版社
1981	《一个新共和国的诞生》，P.D.A.出版社，与小迈尔斯·布罗依尔合著
1982	《人类的种子》，巴兰坦出版社
1983	《军团女王》，袖珍图书出版公司
	《星球的围墙》，巴兰坦出版社，与弗雷德里克·波尔合著
1984	《生命的爆炸》，巴兰坦出版社
1986	《火孩》，樫鸟出版社
1988	《大陆的尽头》，石山出版社
1990	《迷宫之路》，巴兰坦出版社
	《时代歌手》，道布尔迪出版社，与弗雷德里克·波尔合著
1992	《滩头堡》，石山出版社
1994	《魔鬼月球》，石山出版社

短篇小说集

1952	《时间军团》，幻想出版社，在《时间军团》与《在世界终结之后》2卷本中改为此名
1969	《潘多拉效应》，埃斯出版社
1971	《人民机器》，埃斯出版社
1975	《威廉森的早期作品》，道布尔迪出版社
1978	《杰克·威廉森的最佳作品》，巴兰坦出版社
1980	《异域智慧生物》，P.D.A.出版社
1990	《进入80年代》，普珀豪思出版社

非小说类作品

1972	《科幻小说教程》，自费出版
1973	《H·G·威尔斯：进步的评论家》，幻景出版社
1984	《奇迹的孩子：我的科幻小说生涯》，樫鸟出版社

威廉森的第一篇小说"金属人"发表于1928年，当时科幻小说这一名称还未出现。他的最后一本小说《魔鬼月球》写于1994年。68年的创作生涯并不是创纪录的，但杰克·威廉森的人生与创作生涯几乎完全涵盖了科幻小说历史本身，所以他这几十年的经历显得格外重要。他开始写作即是在这一文学体裁诞生时，他为通俗杂志写了大量冒险小说，其中有一些很久以后才以书籍的形式出版，如《宇宙军团》。他随着这一体裁的成长而成长，并在20世纪40年代末写出了他最好的作品《比你想象的更黑暗》，一部暗示狼人可能是冰川时代一个变形人种的返祖产物的科幻小说。《类人外星人》一书则假想将来机器人可能会纵容人类陷入由吸毒引起的无奈状态。

后来，威廉森还与弗雷德里克·波尔有过深层次的合作。他在20世纪80年代发表的一些小说，对我们人类这一物种作出了基因方面的猜测。在这一点上，威廉森开始与年轻的作家有了分歧：他仍然认为这个世界将朝最好的方向发展。

亨利·科特那和C·L·穆尔

生卒年份：科特那1914~1958，穆尔1911~1987

国籍：美国

曾用名：保罗·埃德蒙兹，诺埃尔·加德纳，詹姆斯·霍尔，基思·哈蒙德，哈得逊·黑斯廷斯，C·H·利德尔，K·H·梅普恩，斯科特·摩根，劳伦斯·奥唐纳尔，罗伯特·奥凯尼恩，路易斯·帕吉特，伍德罗·威尔逊·史密斯

主要作品：《机器人没有尾巴》，《审判之夜》，《世界末日的清晨》，《愤怒》

据说，亨利·科特那和凯瑟林·穆尔经常合作，他们轮流在一台打字机上打字。一个打完后，另一个就接着打。如果说两者风格有什么不同，没有人可以肯定地说出来；两位作者当然也说不出来。当一本合作的小说出版时，会署上两个作者的名字，或其中一个人的，或用笔名。这些笔名中最著名的是路易斯·帕吉特和劳伦斯·奥唐纳尔。

然而，差异还是有的。在他们1940年结婚之前，亨利·科特那专门写生动、机智、用词华丽的科幻小说，写充满刀光剑影与巫术变幻的模仿作品，写喜剧故事，而且还把疯子和未来的机械生物作为主人公。这当中的很多故事都被收录到《机器人没有尾巴》这一文集中。他在这一领域的惟一后继者是荣·古拉特。穆尔的写作开始得要早一些，但发展却慢得多。她以描写火星上一个名叫山姆布鲁的女野蛮人的科学幻想小说而出名，她同时也以浮夸阴郁的太空剧而为人熟知。她影响了诸如利·布莱克特、安德烈·诺顿和马里恩·齐默·布拉德利等作家。两人合著的作品包括太空剧、荒诞故事和真正的推测小说，如《愤怒》等。

虽然没有人能真正确定，但十有八九可以说穆尔更富于想像力。有人暗示说，穆尔在科特那生活中的从属地位反映了20世纪中叶美国的性道德观念。科特那去世之前，科幻小说还未开始审视自己。但在穆尔的晚年，她已博得了来自各方面的好评。

作品目录

几乎每部署名为科特那的作品都可能是科特那和穆尔两人合著的；只有那些确定无疑是合著的作品才被列为合著作品。

亨利·科特那的长篇小说

1968	《来自天外的生物》，大众图书馆出版社

亨利·科特那文集

1952	《机器人没有尾巴》，西蒙与舒斯特出版社，发表时用笔名路易斯·帕吉特，后改名为《骄傲的机器人》
1953	《赶在时间前面》，巴兰坦出版社
1961	《赶往不同世界的弯道》，巴兰坦出版社
1962	《回到不同世界》，巴兰坦出版社
1965	《科特那的最佳作品》，五月花出版社，分为2卷
1975	《亨利·科特那的最佳作品》，道布尔迪出版社
1985	《亚特兰蒂斯的埃拉克》，格里芬出版社

C·L·穆尔的长篇小说

1952	《审判之夜》，守护神出版社
1957	《世界末日的早晨》，道布尔迪出版社
1990	《葡萄丰收的季节》，石山出版社

C·L·穆尔文集

1953	《山姆布鲁与其他》，守护神出版社
1954	《地球西北部》，守护神出版社
1969	《乔尔斯的乔尔》，平装本图书馆出版社，后改名为《黑色上帝的影子》
1975	《C·L·穆尔的最佳作品》，道布尔迪出版社
1981	《猩红色的梦》，唐纳德·M·格兰出版社，后改名为《西北的史密斯》

两人合著的长篇小说

1950	《愤怒》，格罗西特与邓莱普出版社，后改名为《目标无尽》
1951	《明天和明天，和神奇的棋子》，守护神出版社，笔名路易斯·帕吉特部分以《明天和明天》（美国）与《棋盘星球》（英国）名称出版
1953	《世界之井》，星系出版社，笔名路易斯·帕吉特
1954	《越过地球之门》，埃斯出版社，笔名路易斯·帕吉特
	《基因突变》，守护神出版社，笔名路易斯·帕吉特
1964	《地球上最后的城堡》，埃斯出版社，笔名亨利·科特那
	《火焰之谷》，埃斯出版社，笔名亨利·科特那
1965	《时间轴》，埃斯出版社，笔名亨利·科特那
	《黑暗的世界》，埃斯出版社，笔名亨利·科特那
1971	《巫师的面具》，埃斯出版社，笔名亨利·科特那

两人合著的文集

1950	《有一个守护神》，杜尔出版社，笔名路易斯·帕吉特
1954	《划分明天的线》，矮脚鸡图书出版公司，笔名路易斯·帕吉特
1955	《无界限》，巴兰坦出版社，笔名亨利·科特那
1980	《夜晚的撞击》，哈姆林出版社，笔名亨利·科特那
1983	《棋盘行星与其他故事》，哈姆林出版社，笔名亨利·科特那

A·E·范·沃格特

出生年份：1912
国籍：加拿大
主要作品：《超人斯兰》，《非A系列》，《武器商店系列》

宴会上总会出现神秘人物。范·沃格特生于威尼贝——然而令人难以理解的是，他似乎未被邀请参加于1994年在那里召开的世界科幻小说大会——并且在二战结束之前一直住在加拿大。1939年，在写过其他体裁的作品之后，他开始为小约翰·W·坎贝尔的《惊险故事》杂志撰写科幻小说，并在很短的时间内与阿西莫夫、德·坎普、海因莱恩及斯特金一起，成为科幻小说新黄金时代的中心人物。他是一位著作甚丰、想象恣肆且广受欢迎的作家。

但在1950年左右，他几乎停止了创作，并在以后的近20年里只是将一些早年的作品改头换面，以旧翻新。当他在1968年重新开始创作新小说时，他的时代已经过去了。他离开太久了——或许也是因为他的作品一贯太过于怪异了——所以不可能像阿西莫夫那样作为旧时代的作家之一，在怀旧的浪潮中再度开始写作生涯。范·沃格特是黄金时代一位被遗忘了的巨人，一个活着的幽灵。对此有没有好的理由可作出解释呢？

理由有两个。第一个理由比较复杂：从一开始，范·沃格特就致力于一种梦想科幻小说。这些小说的逻辑很难把握：主人公既像神又像不成熟的青年人；事件发生的现场像埃舍尔的绘画一样难以理解。发表在1940年《惊险故事》杂志上的《超人斯兰》（参见216页）讲述的是乔米·克罗斯的故事。这是一个经基因突变而诞生的孩子，一个超人，长着两颗心，并拥有超人的智慧。到此为止还很不错，这篇小说成为这种愿望实现的叙事诗的典范。但是乔米成年后的英雄事迹令人莫测高深。不同种类的超人得以繁衍，各种各样的星球、武器和诡计发生碰撞。所以在小说的最后，当我们得知世界的主宰原来也是一个超人的时候，我们心神恍惚，无力与结局争辩。

但是与《艾什尔的武器商店》或《Ā的世界》（参见217页）相比，与这些惊人复杂小说的续集相比，这还不算什么。现实发生冲突，幽灵互相攻击，时间深渊豁开大裂口，超人改造时代，女王和帝国倒台，巨大的航空舰队闪烁而过，神秘的哲学填塞着沟壑。这些故事用语言描述会显得很愚蠢。直到你读了它们，当你被范·沃格特早期这种充满惊人的梦幻般激情的风格所吸引时，就会立即被拖入各种突兀的事件中，速度之快令你无暇发问。言语的激情很难维持，或许就是因为这个缘故，范·沃格特在10年笔耕不辍后感到了疲倦。如此激情演绎的故事，对常识竟然如此漠视，很容易招致嘲笑。或许就是因为这个原因，在他蛰伏期间，读者渐渐地习惯于把他看成一个怪人。

然而他被忘却还有另外一个原因。大约在1950年，范·沃格特对排除有害印象精神治疗法着迷不已。这是一个由同时代的一位科幻小说家L·荣·哈伯德设计，并引起很多争议的旨在改善头脑和精神状况的

从杂志开始
范·沃格特是坎贝尔《惊险故事》杂志的长期明星作者之一。

《绯红色的不和谐》
人们认为里德利·斯科特的外星人，借用了范·沃格特的《太空警察之旅》中的这个故事。

系统。在这项事业的早期，范·沃格特投入了大量的精力。尽管他没有参与排除有害印象精神治疗法的不祥产物"科学论派"的研究，但是他作为一名作家的动力却永远地失去了。

在1969年之前发表的每一部作品几乎都源自40年代：那些作品的名称令人难以忘怀。从那以后的每一部作品都是新

> "范·沃格特写作时像一个陷入梦境中的人。"

的：复杂依然，活力不再。人们常说早期的范·沃格特像个陷于绚烂华丽却无法停止的梦境中的人，后期的他好像从梦中醒来又回到了白天的单调乏味之中，却似乎再也无法记起夜晚的辉煌。

作品目录

中长篇小说

1946	《超人斯兰》，阿克海姆书屋
1947	《武器制造者》，哈德利出版社，后改名为《反永恒的人》
	《普塔斯的书》，幻想出版社，后改名为《公元2亿年》
1948	《Ā的世界》，西蒙与舒斯特出版社，后改名为《非A的世界》
1950	《太空警察之旅》，西蒙与舒斯特出版社，后改名为《使命：星际间》
	《静止不动的房子》，格林伯格出版社，修改后改名为《交配的呼叫》，后改名为《秘密的外星人》
1951	《艾什尔的武器商店》，格林伯格出版社
1952	《混合人》，守护神出版社，后改名为《前往星球的使命》
1953	《宇宙缔造者》，埃斯出版社
1954	《待售的星球》，弗雷德里克·费尔出版社，与E·梅恩·赫尔合著
1956	《非A的爪牙》，埃斯出版社，后改名为《非A游戏者》
1957	《原子帝国》，沙斯塔出版社
	《头脑的监宰》，西蒙与舒斯特出版社
1959	《反抗鲁尔的战争》，西蒙与舒斯特出版社
	《隐形者的围攻》，埃斯出版社，后改名为《魔鬼的三只眼》
1962	《瀑布的巫术》，埃斯出版社
	《凶暴者》，法拉·施特劳斯出版社
1963	《野兽》，道布尔迪出版社
1965	《女徒之船》，道布尔迪出版社
1966	《长着翅膀的人》，道布尔迪出版社，与E·梅恩·赫尔合著
1969	《丝绸》，埃斯出版社
1970	《探索未来》，埃斯出版社
	《明天的孩子》，埃斯出版社
1971	《永远的战斗》，埃斯出版社
1972	《钻石上的黑暗》，埃斯出版社
1973	《未来的光辉》，埃斯出版社，后改名为《泰拉诺凌利斯》
1974	《秘密的银阿》，普伦蒂斯·雷尔出版社，后改名为《地球要素X》
	《拥有1000个名字的男人》，道尔图书出版公司
1977	《无政府主义者的巨人石像》，埃斯出版社
	《超级头脑》，道尔图书出版公司，后改名为《超级头脑：智商10 000》
1979	《复兴》，袖珍图书出版公司
1980	《宇宙遭遇战》，道布尔迪出版社
1983	《计算机世界》，道尔图书出版公司，后改名为《计算机的眼睛》
1984	《非A3》，道尔图书出版公司，后改名为《非A-3》

短篇小说集

1948	《来自未知的世界》，幻想出版社，与E·梅恩·赫尔合著后扩写为《海上故事与其他的故事》
1950	《时间的主宰》，幻想出版社，分为两部中篇小说出版，分别名为《地球上最后的城堡》与《丑陋的怪孩子》
1952	《遥远的与未来的》，佩拉格林尼与卡德西出版社
	《目的地：宇宙！》，佩拉格林尼与卡德西出版社
1964	《扭曲的人》，埃斯出版社
1965	《怪兽》平装本图书馆出版社，后改名为《布莱尔》
1968	《A·E·范·沃格特的遥远世界》，埃斯出版社，扩写后改名为《A·E·范·沃格特的世界》
1971	《不仅仅是超人》，戴尔出版社
	《智慧生物代理人》，平装本图书馆出版社，后改名为《格莱伯》
	《仙女座的M33》，平装本图书出版社
1972	《范·沃格特的书》，道尔图书出版公司，后改名为《失落的50个太阳》
1974	《A·E·范·沃格特的最佳作品》，斯菲亚出版社
1978	《钟摆》，道尔图书出版公司

非小说类作品

1975	《A·E·范·沃格特的反思录》，小说人出版社

罗伯特·A·海因莱恩

生卒年份：1907~1988

国籍：美国

曾用名：安森·麦克唐纳，莱尔·门罗，约翰·里弗赛德，凯莱布·桑德斯

主要作品：《第六纵队》，《双星》，《星球的时间》，《穿上宇宙服——就要旅行了》，《星际飞船警察》，《陌生土地上的陌生人》，《月亮是位严格的女教师》，《爱不愁没时间》

大多数作家在内心深处都保持着一份童真。然而，大多数科幻小说家似乎在孩提时代就开始了他们的创作生涯。当然，那些作为20世纪30年代科幻小说迷的小伙子们，一直梦想着写些关于太空星球的故事——女科幻小说迷在很长一段时间内都较为少见，直到50年代也只有少数女科幻小说迷成为作家——小小年纪还未成年的他们的名字就出现在报章杂志等印刷品上，有的是所爱好的杂志，有的是杂志出版商为留住读者而开辟的读者来信专栏。杰克·威廉森19岁时即有作品发表；而阿西莫夫和波尔在开始剃须之前就已经向出版社写信投稿了。

但是罗伯特·A·海因莱恩不是这样的。这位美国科幻小说史上最具影响的人物到1939年才进入这一领域，是年他已32岁。如果说他在32岁之前写过勉强算得上类似科幻小说作品的话，这些作品也没有保留下来；如果说他曾寄信给杂志专栏的话，这些信件也未刊登出来。成年后他当过海军官员，在1934年因为健康问题提早退役。后来，他曾参与工程与政治工作。正是在有了这些及其他方面的经历之后，他才转行写作。他进步的速度令人惊叹。1942年在作为工程师前往海军航空实验站工作之前，他已经在《惊险故事》杂志上发表了3部长篇小说〔《第六纵队》〕(参见217页)，《玛士撒拉的孩子》，《超越地平线》(参见217页)和大约30部短篇小说。倒不是因为作品的数量或其行文流畅的感染力而令这些作品显得与众不同；真正使它们显得与众不同的是它们以一种方式构成了一部未来历史，这部未来历史以图表的形式刊登在《惊险故事》杂志上。别的作家也写过系列作品，奥拉夫·斯特普尔顿创造了今后千万年的历史，但是像海因莱恩这样的历史图却从未出现过。他的"未来历史"从后天开始(《第六纵队》后来就是以此改名的)，而且行之有效：它不仅是一张图，更是一架梯子。要给1938年到1945年的科幻小说黄金时代下定义有很多种方法，但是要了解那段时间里科幻小说作家和读者的兴奋心情，一个好办法就是，假设他们以某种方式感觉到他们正在搭建一架通向未来的梯子。科幻小说本身就是这幅历史图，每一本科幻小说杂志新推出的每一期不仅是一本由许多故事组成的书，更是一个伟大计划推进中的一步。而所有这一切的中心就是罗伯特·A·海因莱恩。他有能力使最不拘一格，或最富个人色彩的想象听上去像常识一样，像是一个青少年梦想从周游列国、充满冒险精神的叔叔那里得到富于睿智且具有诱惑力的

> "海因莱恩有能力使最不拘一格，或最富个人色彩的想象听上去像常识一样。"

目的地：好莱坞

海因莱恩在20世纪50年代写过几部电影剧本，最早的一部是《目的地月球》。这是一部现实主义影片，除了遵从惯例由私人企业来执行这个使命，以及制片厂认为真实的月球表面太过于阴暗这两个看法以外。

建议。那是一个在政府部门有着神秘工作的叔叔……

海因莱恩在战后再次拿起笔的时候,并未试图重新捕捉以前那些日子里的兴奋心情,或许是因为他过于明智,但也许是因为他与小约翰·W·坎贝尔及其《惊险故事》杂志的关系已经变得冷淡。但是这次他的创作却仍然富有创新精神和智慧。他开始为斯克里布纳斯出版社创作一系列的青少年科幻小说读物,随后又为一家以前对纯文学体裁不感兴趣的久享盛名的出版社撰稿。他还开始在《星期六晚邮报》这样的杂志上发表成熟的科幻小说。海因莱恩单枪匹马(看上去似乎是这样)打破了以下假设:科幻小说是一座贫民窟,试图逃脱是毫无意义的。

到了1950年,杂志已经不再是海因莱恩主要的投稿场所。和其他名声相当的科幻小说家相比,他是有意识地把重点转移到精装本市场的作家,并在接下来的10年里连续发表了总数达22本写作技巧高超、结构精巧、词藻华丽以及富于乐观主义色彩的小说。它们中的部分作品,如《双星》(参见220页)、《星球的时间》、《通往夏季之门》、《星系公民》、《穿上宇宙服——就要旅行了》和《星际飞船警察》(参见221页),对到那时为止美国科幻小说中的最佳作品作了精彩的评述。然而这些作品中的最后一部成为海因莱恩新风格作品的开端,此后创作的故事变得更加复杂。以一个青少年的口吻叙述的《星际飞船警察》,描述了一种连洗脑与之相比都黯然失色的强度极高的军事训练,而且还非常强烈地认为军事与平民价值观相对抗,这当然有高估的成分。就是从这本书开始,很多人发现海因莱恩是一个不讨人喜欢的右翼理论家。尽管说他是个纯粹的右翼分子并不完全正确。

但有一点可以确定,那就是从1960年起,海因莱恩的小说越来越致力于传播关于政治、性、性别和军事问题的很多有争议的看法。另外也可以肯定的是,他对于这些问题的看法倾向于把个人行为看得过重而不顾及别人。当然,海因莱恩是在写小说,而小说总有可能使最极端的理念得出最好的结果。但是查尔斯·曼森读了《陌生土地上的陌生人》,黑人们读了《法恩海姆完全保有的地产》,或许觉得书中的前提令人苦恼。女士们读了《我不怕恶魔》,或许觉得书中的性扩张并不受欢迎。而且我们还可以认为,在《爱不愁没有时间》中,拉扎鲁斯·朗杀了人却侥幸未被发现,并且还对此沾沾自喜。作为辩论的论坛,小说面临着一个现实的问题:作者很难不改变游戏的规则。很难让坏人——那个与作者有不同意见的无礼的家伙——赢得胜利。海因莱恩从来不让坏人赢得胜利。在他后期所有的作品中,无论是自由主义者、生态学家、政府官员,还是其他的类似人物,都无一例外地大败而归。

令人遗憾的是,悲伤的故事还远不止于此。海因莱恩开始其职业生涯时,可能是一个并不太喜欢竞争的独断专行者,然而他的早期作品里却表现出一种社区意识,让人觉得在每本书中不只有一个人物吸引作者的注意,赢得作者的喜爱。而在后期的作品中,情况就不同了。例如,《野兽的数目》中明显地充满了各种各样的人物,到最后结尾时整本书看上去却只有一个人物:那就是海因莱恩自己。

尽管在平时的待人接物中海因莱恩很随和(但也保持着距离);尽管在他去世以后有人提出,海因莱恩曾暗中资助过许多位与他同时代的有经济困难的作家,我们必须承认,海因莱恩的后期作品显示出他对自己花费了大量心血缔造起来的这种文学体裁的大大疏远。《山洞中的咕哝声》所展现出来的那个人并不快乐。这或许与他的年龄有关,或许也与70年代一直困扰着他的极度糟糕的健康状况有关,因为他最后的几部作品当然要比他身体最差时创作的作品要温和得多。

但最主要的原因可能仍在于科幻小说本身。海因莱恩在1940年全心全意写出的"未来历史"故事,到了60年代已不再能使他的读者以及同时代的作家迷恋不已了。它同样不再能使这些人相信未来的世界会在某种程度上类似于今天的艺术。最终,不是科幻小说使海因莱恩失败了,而是世界令科幻小说失败了。

用笔名发表的作品

未来历史故事以外的作品,如"依靠自己",则用笔名发表。

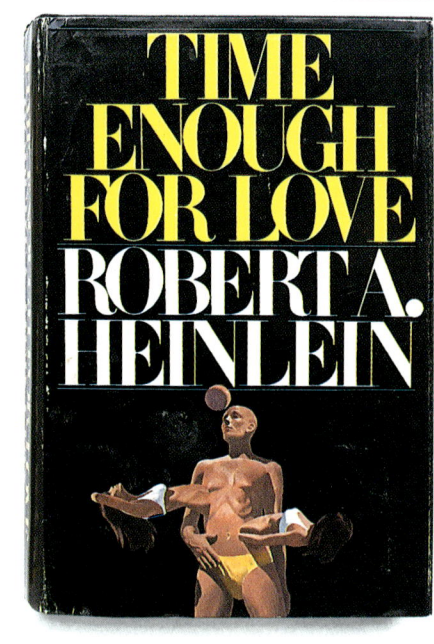

代表作品

谁会想到写于1941年的简洁严谨的《玛士撒拉的孩子》会引出这部小说?《爱不愁没有时间》讲的是第一本书的主人公拉扎鲁斯·朗后来的冒险故事。这本书充满了故事。拉扎鲁斯是个实现海因莱恩愿望的人物,是个有胆有识、精力过人、好斗善辩、永垂不朽、永远正确的人物。他在时空中穿梭旅行,与他的母亲繁育后代,许多城镇中都充满了他的后代。他死后,居然又在《日落之后的航行》中再生。

《爱不愁没有时间》

作品目录

中长篇小说

1947	《伽利略号火箭船》,斯克里布纳斯出版社
1948	《宇宙军官》,斯克里布纳斯出版社
	《在地平线外》,幻想出版社
1949	《第六纵队》,守护神出版社,后改名为《后天》
	《红色行星》,斯克里布纳斯出版社
1950	《空中农夫》,斯克里布纳斯出版社
1951	《傀儡大师》,道布尔迪出版社
	《星球之间》,斯克里布纳斯出版社
	《宇宙》,戴尔出版社,后扩写为《天空的孤儿》
1952	《滚石》,斯克里布纳斯出版社,后改名为《太空家族斯通》
1953	《太空人琼斯》,斯克里布纳斯出版社
1954	《星球野兽》,斯克里布纳斯出版社
1955	《空中隧道》,斯克里布纳斯出版社
1956	《双星》,道布尔迪出版社
	《星球的时间》,斯克里布纳斯出版社
1957	《通往夏季之门》,道布尔迪出版社
	《星系公民》,斯克里布纳斯出版社
1958	《玛士撒拉的孩子》,守护神出版社
	《穿上宇宙服——就要旅行了》,斯克里布纳斯出版社
1959	《星际飞船警察》,帕特南出版社
1961	《陌生土地上的陌生人》,帕特南出版社
1963	《火星的波德卡尔:她的生活与时代》,帕特南出版社
	《光荣之盛》,帕特南出版社
1964	《法恩海姆完全保有的地产》,帕特南出版社
1966	《月亮是位严厉的女教师》,帕特南出版社
1970	《我不怕任何魔鬼》,帕特南出版社
1973	《爱不愁没有时间:拉扎鲁斯·朗的生活》,帕特南出版社
1980	"野兽的数目",新英语图书馆出版社
1982	《星期五》,霍尔特·莱因哈特出版社
1984	《工作:一出正义的喜剧》,巴兰坦出版社
1985	《走在墙间的猫:一出礼貌的喜剧》,帕特南出版社
1987	《日落之后的航行:默林·约翰逊的生活与恋情》,帕特南出版社

短篇小说集

1950	《月球的卖主》,沙斯塔出版社
1950	《沃尔多与魔法公司》,道布尔迪出版社
1951	《地球上的绿色山丘》,沙斯塔出版社
1953	《2100年的反叛》,沙斯塔出版社
	《永远的任务》,幻想出版社,缩写后改名为《丢失的遗赠》
1959	《来自地球的威胁》,守护神出版社
	《乔纳森·霍格令人不快的职业》,守护神出版社,后改名为《6×H;6个故事》
1966	《罗伯特·A·海因莱恩的世界》,埃斯出版社
1967	《昨天到明天:未来历史的故事》,帕特南出版社
1973	《罗伯特·海因莱恩的最佳作品》,西吉维克与杰克逊出版社
1979	《目的地月球》,格雷格出版社
1980	《扩张的宇宙》,格罗西特与邓莱普出版社
1992	《挽歌:新收集的作品》,石山出版社

非小说类作品

1989	《山洞中的咕哝声》,巴兰坦出版社
1992	《流浪汉罗》,埃斯出版社
1993	《收回你的政府》,贝恩出版社

1950~1954：光辉灿烂的新时代

科幻小说的黄金时代随着二战的结束而结束了。然而经过一段时间的沉寂之后，到了1950年，一个光辉的新时代即将展现在人们面前，而科幻小说也呈现出一片乐观主义的表象。新的杂志创刊，新的出版商开始推出科幻小说。名气一般的作家，如弗雷德里克·波尔，开始走红，声望达到了新的高度；新作家，如菲利浦·K·迪克，开始定义新的时代。这是一个内省、狂野的幽默、偏执以

1950

代表作品

《我，机器人》艾萨克·阿西莫夫
《火星人纪事》雷·布雷德伯里
《针》哈尔·克莱门特
《银河巡逻队》E·E·史密斯
《梦想的珠宝》西奥多·斯特金

《炉灶上的影子》

《月球的卖主》罗伯特·A·海因莱恩
《炉灶上的影子》朱迪斯·梅里尔
《死亡中的地球》杰克·万斯
《太空警察之旅》A·E·范·沃格特

《太空警察之旅》

代表作家

战后一代全新的科幻小说家纷纷登上舞台，并且为其令人困惑而纷繁复杂的未来寻找市场。道布尔迪出版社开始出版艾萨克·阿西莫夫的作品。对太空旅行和宇宙飞船的迷恋占据了支配地位。罗伯特·A·海因莱恩的电影剧本《目的地月球》，令人难忘地捕捉住了离开地球时的激动心情，以及载着我们前往其他星球的火箭的美丽光泽和力量。在阿西莫夫、范·沃格特和布雷德伯里的作品中，我们一旦到达外星球，就会遇见机器人、外星人以及我们自己。

处女作

理查德·巴西森著名的第一部小说《天生的男人和女人》，发表在新创立的《幻想和科幻小说杂志》上。戈登·R·迪克生与波尔·安德森合著的《侵犯》，发表在《荒诞故事季刊》中。

1951

代表作品

《基地》艾萨克·阿西莫夫
《文身人》雷·布雷德伯里
《宇宙前奏》阿瑟·C·克拉克
《凶残的皇后》L·斯普拉格·德·坎普

《傀儡大师》罗伯特·A·海因莱恩
《可怕的避难所》埃里克·弗兰克·拉塞尔
《灰色的头戴透镜者》E·E·史密斯
《艾什尔的武器商店》A·E·范·沃格特
《失踪》菲利浦·怀利
《巨型三裂植物的日子》约翰·温德姆

《可怕的避难所》

随着冷战的加剧，科幻小说家以威胁和侵略的形象作出反应。精神控制的形象大量出现在诸如《惊险科幻小说》等杂志的封面上。这一年的主要人物可能是控制人类头脑的外星入侵者，用海因莱恩颇具特色的偏执狂的词汇来讲就是"傀儡大师"。地球变成了一个"可怕的避难所"，而且很快就会进入"巨型三裂植物的日子"。死里逃生的人们注定要在受到侵略的世界被人遗忘的角落里盲目地为生活而斗争。但是，E·E·史密斯、阿瑟·C·克拉克和其他作家仍然在向其他领域推进。

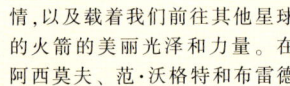

约翰·布伦纳以吉尔·亨特为笔名发表了他的第一部小说《星系风暴》，当时他才17岁。哈里·哈里森发表了短篇小说《滚石潜水员》，朱利安·梅发表了《沙丘巨浪》，而沃尔特·M·米勒发表了《死亡大厦的秘密》。

19

代表作品

《基地与帝国》艾萨克·阿西莫夫
《鹰的杰克》詹姆斯·布利希
《地球孤岛》雷蒙德·F·琼斯
《起飞》C·M·科恩布卢斯
《审判之夜》C·L·穆尔

《审判之夜》

科幻讽刺小说几乎是第一次在美国出现。这一年的中心是城市，尽管这一主题是用多种方式描述的。克利福德·D·西马克以上述主题为名的小说，几乎以怀旧的笔调来对待城市。但小库尔特·冯内古特

出现了许多第一次发表的短篇小说，其中包括阿尔吉斯·布德里斯发表在《惊险科幻小说》杂志上的《高尚的目的》以及菲利普·K·迪克的《维伯在远处》。弗兰克·赫伯特的《寻找什么？》发

及探索太阳系的新现实主义兴趣几者相混合的时代。冷战已全面展开，而科幻小说作家以描述星系中刻板的独裁统治的倒台而自豪。到了这个10年的中期，美国科幻小说的前景看来无须忧虑，因此科幻小说作家可以描述美国梦在世界范围内的胜利了。在这段时期，科幻小说这一文学体裁逐渐归属于美国，如同新世界归属于科幻小说一样。

52

《钢琴弹奏者》

《他的喇叭的声音》
萨班

《城市》
克利福德·D·西马克

《目的地：宇宙！》
A·E·范·沃格特

《钢琴弹奏者》
小库尔特·冯内古特

《地狱边缘》
伯纳德·乌尔夫

在《钢琴演奏者》中对城市的描述更为直露，那些在幕后等待登上1953年舞台的大多数新作家也同样如此。

表在《惊异故事》杂志上，唐纳德·金斯伯里的《幽灵镇》发表在《惊险科幻小说》杂志上，而罗伯特·夏克利的《最终检验》发表在《想象》杂志上。

1953

《第二座基地》
艾萨克·阿西莫夫

《被毁的人》
艾尔弗雷德·贝斯特

《451华氏度》
雷·布雷德伯里

《童年的尾声》
阿瑟·C·克拉克

《太空人琼斯》
罗伯特·A·海因莱恩

《宇宙商人》
C·M·科恩布鲁斯与弗雷德里克·波尔

《带来狂欢》
沃德·莫尔

《围绕太阳》
克利福德·D·西马克

《不仅仅是人类》
西奥多·斯特金

《克拉肯醒来》
约翰·温德姆

《带来狂欢》

沉寂了几年后，激情开始爆发。科幻小说家开始发表紧扣大主题的小说，从明天的审查制度到人类的命运。埃斯出版社、巴兰坦出版社及其竞争者在北美给科幻小说下了定义，作家们则以热烈的反应作为回答。在1953年出版的10部最佳作品中，5部成为其作者的最佳作品。即使是一些不太出众的作品，如西里尔·科恩布卢思的《长官》，也表现出深邃的思想。

马里恩·齐默·布拉德利在《旋涡科幻小说》杂志上发表了两部短篇小说《只有女人》与《匙孔》。安妮·麦卡福里为雨果·根斯巴克的《科幻小说》杂志写了《种族的自由》。以前以黑色战争讽刺系列小说而闻名的依弗林·沃发表了他的第一篇科幻小说《废墟中的爱情：不久将来的浪漫故事》。

1954

《脑波》
波尔·安德森

《钢之洞》
艾萨克·阿西莫夫

《引力使命》
哈尔·克莱门特

《蝇王》
威廉·戈尔丁

《太阳上的影子》
查德·奥立弗

《人手尚未触及之处》
罗伯特·谢克莱

《透镜的儿女们》
E·E·史密斯

《救世主》
戈尔·维达尔

代表作品

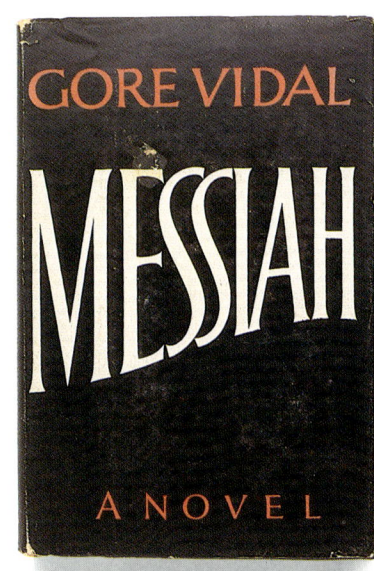

戈尔·维达尔以他作为讽刺作家的才能，写了一些近似科幻小说的作品。《救世主》以现世的美国为背景，描述了一个新的救世主来到世间领导了一次精神上的文艺复兴。这是一部关于宗教和美国的讽刺小说，这两个目标在后来的小说《受难场中再生》中再次提起。后一部小说描述了进行时间旅行的电视工作者所遭受的苦难。

《救世主》

这是作品丰富多采的一年。在这一年中，科幻小说家的作品涵盖广泛，包括哈尔·克雷芒的硬科幻小说和戈尔·维达尔的宗教讽刺小说。科幻小说开始成熟。这一年的偶像是一个直立着的，或试图直立起来的人的形象。有的把直立人与在其中间的外星人相比，如《太阳上的影子》中描述的那样；有的是直立人跃入另一个新世界，如《透镜的儿女们》中描述的那样。这一年值得怀念的是直立的人类。

布赖恩·W·奥尔迪斯在《科学荒诞故事》杂志上发表了《犯罪记录》。阿弗拉姆·戴维森在《荒诞和科幻小说》杂志上发表了《我的男友的名字叫果冻》。罗伯特·西尔弗伯格发表了《戈登星球》，后赢得年度"最具潜力的新作者雨果奖"。

1955~1959：科幻小说地位的确定

到现在为止，科幻小说已经处于平稳的发展之中。当然杂志市场的确存在着一些不景气的状况，引起种种关于这一文学体裁将要终结的可怕预测，而且更多不景气的状况还要出现。小出版社如守护神和沙斯塔，开始感到他们难以对付来自大出版社如埃斯、巴兰坦和道布尔迪的竞争。然而科幻小说的大多数元老仍然处在创作的黄金时期，而新人们——包括二战中的退伍军

1955

代表作品

《地球人，回家吧》
詹姆斯·布利希

《大跨步》
利·布拉克特

《太阳彩票》
菲利普·K·迪克

《继承者》
威廉·戈尔丁

《地狱道路》
达蒙·耐特

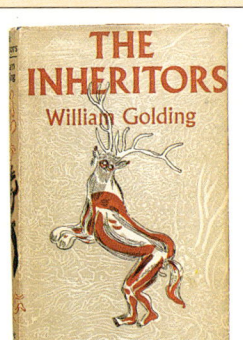
《继承者》

《不是这个8月》
C·M·科恩布普斯

《宇宙藻类》
安德烈·诺顿

《蛹》
约翰·温德姆

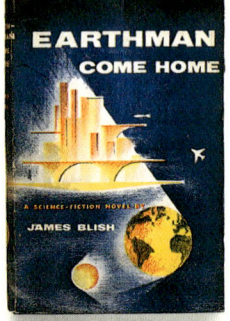
《地球人，回家吧》

代表作家

随着《飞行城市》系列小说中的最佳作品——《地球人，回家吧》以单行本的形式出版，詹姆斯·布利希向人们展示了他如何把飞行城市这一旧概念——飞行城市的例子可追溯到科幻小说的雏形作品——改造成为一种20世纪50年代的复杂现代建筑结构。他的飞行中的曼哈顿将飞船、文化、戏剧以及对未来人类生活的想象融为一体。

处女作

这是科幻小说发展史上重要的一年，这一年出版的处女作包括：理查德·威尔逊的《来自第五行星的女孩》，罗伯特·西尔弗伯格的《阿尔法C星球上的叛乱》，威廉·特恩的《所有的可能世界》，弗兰克·赫伯特的《海中龙》，达蒙·耐特的《地狱的道路》，以及菲利普·K·迪克的《太阳彩票》。

1956

代表作品

《虎！虎！》
艾尔弗雷德·贝斯特

《草的死亡》
约翰·克里斯托弗

《神经》
莱斯特·戴尔·雷

《嘲笑别人的人》
菲利普·K·迪克

《双星》
罗伯特·A·海因莱恩

《星球的时间》
罗伯特·A·海因莱恩

《未知的代理人》
马格利特·圣·克莱尔

《永生》
杰克·万斯

《永生》

偏执狂早已显示出是这10年电影中的一个极其重要的主题，这一点强烈地显示在本年度的科幻小说中：艾尔弗雷德·贝斯特的精彩的《虎！虎！》是关于背叛和报复的经典故事。

处女作包括玛格丽特·圣克莱尔的《未知的代理人》和雅克·斯滕伯格的《性特征'95》等。在杂志上发表的处女作则包括《新世界》上的《摛纵结构》，以及刊登在《科学荒诞故事》上的《上等颠茄》。这两部作品均出自J·G·巴拉德之手。《荒诞历险故事》杂志刊登了凯特·威尔赫尔姆的《小怪》，《无限科幻小说》杂志则刊登了哈伦·埃利森的《萤火虫》。

19

代表作品

《他们宁愿是对的》
马克·克利夫顿与弗兰克·赖利

《宇宙傀儡》
菲利普·K·迪克

《琼斯制造的世界》
菲利普·K·迪克

《绿色的漂泊之旅》
菲利普·乔斯·法默

《乌云》
弗雷德·霍伊尔

《在海滩上》

科幻小说开始显示出它所关注的事物的广泛性：广袤无比、矿产贫瘠、分封割据的星球在"星球浪漫故事"中受到如此钟爱。它后来又出现在杰克·万斯的《大行星》和菲利普·乔斯·法默的《绿色的漂泊之旅》中；弗雷

戴维·R·邦奇的处女作《常规急救》发表在《如果》杂志上。菲利普·乔斯·法默的第一部长篇小说《绿色的漂泊之旅》给人们留下了深刻的印象。这一年以单行本形式出版处女作的其他作者包括：《树林中的贵族》的意大利作者伊塔洛·卡尔文诺，《奇怪的魔鬼》的作者简·盖恩凯尔，《幸存者》的作者汤姆·戈德温，《2140年危机》的作者H

人和那些战后开始走上创作道路的作家——似乎生来就是此中高手。科幻小说已经有足够的历史来提供规范的写作模式了。当两个风格迥然不同的作家，如哈伦·埃利森和罗伯特·西尔弗伯格，一个拥有粗犷的激情，而另一个执着于勃勃雄心，都认为科幻小说这一文学体裁是他们写作的竞技场时，可以肯定地说，这一体裁已经开始成熟了。

57

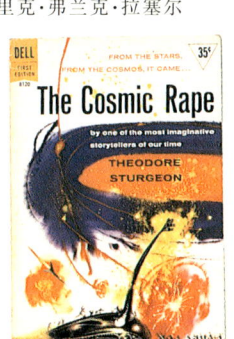
《尼乌克》

《世界末日的早晨》
C·L·穆尔

《贩奴船》
弗雷德里克·波尔

《在海滩上》
内维尔·舒特

《大行星》
杰克·万斯

《尼乌克》
斯蒂芬·乌尔

1958

《直达旅程》
布赖恩·奥尔迪斯

《敌星》
波尔·安德森

《良心案件》
詹姆斯·布利希

《谁？》
阿尔吉斯·布德里斯

《宇宙中的紧张气氛》
埃里克·弗兰克·拉塞尔

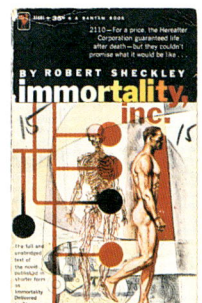
《不朽的永生》

《不朽的永生》
罗伯特·谢克莱

《宇宙掠夺》
西奥多·斯特金

《安德洛墨达》
伊凡·耶夫勒莫夫

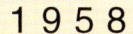
《宇宙掠夺》

1959

《在第四纪冰川时代中间》
科博·阿贝

《落下的火炬》
阿尔吉斯·布德里斯

《赞的强盗》
莫雷·莱因斯特

《星际飞船警察》
罗伯特·A·海因莱因

《夸特马斯实验》
奈杰尔·克利尔

《行进中的傻瓜》
C·M·科恩布卢斯

《伊甸园》
斯坦尼斯劳·莱姆

《献给莱博维茨的颂歌》
小沃尔特·M·米勒

《第七层》
莫迪凯·罗什瓦尔德

《绯色云彩的乡村》
阿克迪与鲍里斯·斯特鲁格茨基

《泰坦的女妖》
小库尔特·冯内古特

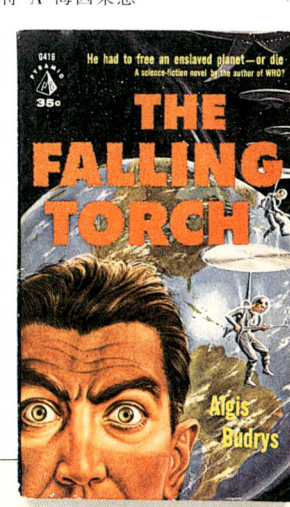
《落下的火炬》

德·霍尔的《黑云》表现的是一个奇怪的外星人；内维尔·舒特站在澳大利亚的角度，预测了世界的终结；斯帝芬·乌尔则向遥远的未来投去一瞥。

一般来说，交通是单向的：科幻小说著作给电影提供素材，而后者又往往将素材歪曲接受。但是阿尔吉斯·布德里斯却从现代政治和科幻电影中，吸取了普遍存在的关于在阴险的外星人和外国人面前失去身份的偏执狂意识，并将这种恐惧转变为典型的科幻小说的术语。《谁？》深化了这一主题，并使之成熟起来，以一种冷酷而平稳的语气讨论在一个科学可以把"自身"丑化成新形状的世界中身份的本质。最终，没有人知道"谁"是谁。

对未来极端悲观的想象在这10年末期对小说起了决定性的影响。小沃尔特·M·米勒的《献给莱博维茨的颂歌》以及库尔特·冯内古特的《泰坦的女妖》对天启作出了不同的无限概述：前者认为灾难是周期性的，而后者则认为灾难完全不受我们控制。

比姆·派普，这本书是他与约翰·J·迈克居尔合著的，以及《秘密访问者》的作者詹姆斯·怀特。

科幻小说处女作包括布赖恩·W·奥尔迪斯的《直达旅程》，约翰·鲍恩的《雨后》，热拉尔·克莱因的《星球主宰者的谋略》。在杂志上发表的处女作包括科林·卡普发表在《新世界》上的《生命计划》，理查德·麦肯那发表在《幻想和科幻小说》上的《主人公凯西》，以及拉马斯·伯内特·斯旺发表在《荒诞宇宙》上的《崇高的胜利》。

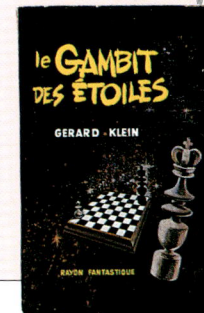

科幻小说处女作包括莫迪凯·罗什瓦尔德的《第七层》，约翰·厄普戴克的《救济院义卖》，斯特格茨基的《绯色云彩的乡村》。在杂志上发表的处女作包括基思发表在《奇异故事》上的"格雷罗恩"，乔安娜·拉斯发表在《荒诞和科幻小说》上的"旧习俗也不行"，迈克尔·穆尔科克与巴林顿·培雷合著发表在《新世界》上的"地球上的和平"。

艾萨克·阿西莫夫

生卒年份：1920~1992
国籍：美国，生于俄罗斯
曾用名：保罗·弗伦奇
主要作品：《机器人》系列，《基地》系列

如果没有罗伯特·A·海因莱恩的话，艾萨克·阿西莫夫将会成为现代科幻小说之父。阿西莫夫拥有骄人的成就：早在30年代，他就是一个科幻小说迷；二次大战爆发之前，他发表了他的第一篇小说；他创作的《机器人》和《基地》这两个系列对美国科幻小说黄金时代的界定起了积极的作用；直到去世之前，他共发表了大约500部作品。阿西莫夫极其活跃，待人亲切，著作等身，他本人的经历听上去就像是一部科幻小说。然而，海因莱恩作为一位更有力量、更有计谋的作家，恰恰早于他出现，而且看上去有一种天生的长者风范：彬彬有礼，要求严格而又充满魅力。

阿西莫夫从来就不是彬彬有礼的。相反，他更像个弟弟：急躁、自负、工作至上，对待女人很冷酷（也非常笨拙），宣传自己多产的奇迹时过于自信（却往往莫名奇妙地弄巧成拙）。海因莱恩充满了神秘感，而阿西莫夫却几近透明，没什么秘密。因为他知道如何去解释（这是一种少有的天赋），他成了科学和艺术最伟大、最多产的普及者之一。然而他对人们对于环境或挑战的反应的描述却苍白无力。阿西莫夫小说的中心在于重要人物间的长篇对白。他们谈及舞台外发生的事件，并且对此作出评论。为了科学与剧情的需要，他提出了理论上的解决办法。故事以一种忽隐忽现的动作结尾。它就像一杯冰水，深受读者喜爱。

他最为著名的作品很早就问世了。《夜幕降临》（1941）是迄今出版的最受欢迎的科幻小说。它讲述的是在围绕一颗太阳转动的行星上居住的人们，而这颗太阳仅是一个多重太阳系的一小部分。由于天空中有如此充足的光源，这些人每隔2000年当日蚀发生的时候，才经历一次黑夜。一旦黑夜真的降临了，他们才意识到宇宙原来如此浩瀚。于是，他们发疯了。

阿西莫夫著名的《机器人学三大法则》（参见306页）也很早问世。在1940年，他与坎贝尔一起提出了关于机器人智能的规则。这些规则与机器人学关系不大，却与如何处理20世纪30年代的机器人主题大有关系。所有创造了机器怪物的科幻小说作家都会争辩说，阿西莫夫错就错在制定了这些保证可靠的法则，但是很少有人真正敢这么说。

阿西莫夫本人把这三大法则看成是对自己的挑战。他在以后50年中的大部分时间里，把这些法则用于小说创作中。不论前提多么惊世骇俗，三大法则总是以胜利告终。

《机器人》系列开始于1940年左右，并且最早被收入他的第一部作品《我是机器人》中。后来，在可能是他最优秀的两部单行本小说《钢之洞穴》和《赤裸的太阳》中，他创造了他所有主人公里面最具人性（或者说最不残忍）的一个，即机器人侦探R·丹尼尔·奥立瓦。然而，即使是丹尼尔，最终也成为人类的仆人。直到阿西莫夫晚年又回到如作品《200岁的人》所表现的机器人主题时，他才开始表达出一种更为复杂的观点。在这部短篇小说以及《黎明时的机器人》和《机器人与帝国》等长篇小说中，他开始考虑对于人工智能的推测，并且谨慎地暗示：或许如此狂暴、无理性的人类需要的是警卫，而不是奴隶。然而到最后，他最初在战术上所犯的错误——专注于机器人而不是电脑——令他无法正视网络世界。

《基地》系列始于40年代初，它甚至比《机器人》系列更受欢迎。三部曲《基地》、《基地与帝国》和《第二基地》，作为最受欢迎的科幻小说系列，始终稳居读者投票榜的前列。这些小说中充满了对话（无论是多么富于机智，或内容充实），这说

> "阿西莫夫从来就不是彬彬有礼的。相反，他更像个急躁、自负、工作至上的弟弟。"

> "《基地》系列大受欢迎，说明科幻小说读者是多么热爱辩论。"

代表作品

《千年计划》

构成《基地》系列的小说有着一段变化多端的早期历史。它们最早于50年代以单行本的形式出版，其中第一部小说《基地》在1955年问世，删节后改名为《1000年计划》。同年，第二篇小说《基地与帝国》以更名以后的《扰乱宇宙的人》的面目出现。这些小说大多发表在小约翰·W·坎贝尔的《惊险科幻小说》杂志上。对阿西莫夫来说，坎贝尔是重要的出版商，同时也是重要的良师益友。他们都将机器人学三大法则的构想归功于对方。

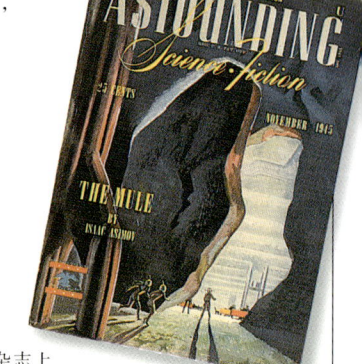

《基地》发表在《惊险科幻小说》杂志上

明科幻小说读者是多么热爱辩论，热爱书中可信的未来。

虽然描述的是几千年后巨大的星际帝国覆灭的故事，但这一系列明显是在复述罗马帝国的衰败与没落，并暗示了代替基督教而崛起的世俗信仰。在阿西莫夫的宇宙里，文明不是被一种宗教而是被两个基地所拯救的，其中第二个基地是秘密的，它的任务就是保证心理历史学家哈里·塞尔登的预言不被意外事故或不可预料的事件妨碍。最后，经历了漫长的黑暗时代之后，文明得以重建。这些被阿西莫夫坚定不移地创造出来、与宗教魅力没有任何联系的基地，竟然能够拯救桀骜不驯、遍布各地的人类，这或许不能完全令人信服。然而这一内容被坚决地提出，并且被大胆地讲述出来。

即使在阿西莫夫早年成功的岁月里，他也总是认为建立一个"正当的"事业非常重要。在1948年获得博士学位之后(其间他投笔从戎)，他开始在大学里教化学。直到1958年他停止写小说的时候(就在这时，苏联的人造卫星上天，标志着科幻小说写作的规则会有所变化)，他才最终放弃教学。此后，他开始出版一系列科普文章。到80年代初，这样的文章发表了数百篇。

在这段时间里，阿西莫夫只写了一部长篇小说《神祇自身》(参见227页)。这部与他的两大主要系列无关的单本小说，获得了雨果奖和星云奖。这是他的最佳小说之一：是对科学社会学的尖锐分析，也是对平行宇宙的复杂描述。

到了80年代，阿西莫夫已经名闻遐迩。他发现自己难以抗拒回到科幻小说创作的诱惑，这是他最初和最终的钟爱所在。然而，他好像从来就不曾从科幻小说迷的视野中消失过一样。他每月在《荒诞和科幻小说》杂志(参见103页)的科学专栏上发表文章，共计达399篇。他创立的《艾萨克·阿西莫夫的科幻小说》杂志(受其影响，但他并未参与编辑工作)，他编辑的选集(大多通过马丁·H·根斯巴克的选集印刷出版)，都意味着他的名字在科幻小说界早已家喻户晓(尽管海因莱恩仍然是人们心目中的上帝)。他的新小说具有反抗性的老式风格。那些主要作品，如《基地的边缘》、《黎明时的机器人》、《机器人与帝国》、《基地与地球》、《基地前奏》与《传递基地》，是一项试图将他的两大系列融合在一起的巨大工程。因为在《基地》的宇宙中不存在机器人，所以这项任务极其艰巨，直到他去世时仍未完成。结果留下了一座气势恢宏，但却没有完工的大厦。读者们非常喜欢这座大厦，评论家们却有些不以为然，他们觉得阿西莫夫已经失去了早期简洁明快的风格。

阿西莫夫有一点非常奇怪，那就是他害怕乘飞机。晚年时，他的健康状况朝不保夕，因此他很少旅行，总是呆在纽约写作。他承认自己只有在打字机前才感到快乐。他的作品仍然源源不断地问世。在它们之中——这一点非常令人惊奇，即他对于私事和有节制的生活三缄其口——有4卷本自传。最早的一卷篇幅很长。最后一卷《我，阿西莫夫》稍短一些，但仍然非常简洁。这本书的最后几页也是他创作生涯的终点。在该书出版之后，人们很难相信他的作品会就此终结。艾萨克·阿西莫夫似乎永远都处于传统科幻小说的中心，以一种听上去有很多缺点，然而却是这种文学体裁最真实的声音与我们交谈。他就是科幻小说的声音。

阿西莫夫的另一本杂志

艾萨克·阿西莫夫并不总是一帆风顺的：《阿西莫夫的科幻探险小说》杂志仅出过一期。

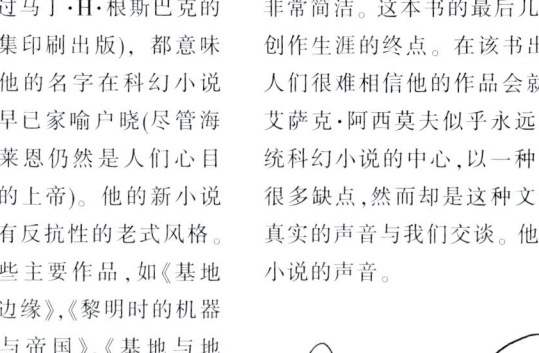

合并

这两种都获得巨大成功却又互相独立的思想在80年代合为一体。

无所不在

阿西莫夫的名字家喻户晓，它被用来推销那些通常已颇有成就的作家。

作品目录

中长篇小说
- 1950 《天空中的碎石》，道布尔迪出版社
- 1951 《灰尘一般的星星》，道布尔迪出版社，删节后改名为《反叛的星星》
- 《基地》守护神出版社，删节后改名为《1000年计划》
- 1952 《宇宙的气流》，道布尔迪出版社
- 《基地与帝国》，守护神出版社，后改名为《扰乱宇宙的人》
- 1953 《第二基地》，守护神出版社
- 1954 《钢之洞》，道布尔迪出版社
- 1955 《永恒的尽头》，道布尔迪出版社
- 1957 《赤裸的太阳》，道布尔迪出版社
- 1966 《奇妙的旅程》，霍顿·米弗林出版社
- 1972 《神祇自身》，道布尔迪出版社
- 1982 《基地的边缘》，道布尔迪出版社
- 1983 《黎明时的机器人》，道布尔迪出版社
- 1985 《机器人与帝国》，道布尔迪出版社
- 1986 《基地与地球》，道布尔迪出版社
- 1987 《奇妙的旅程II》，道布尔迪出版社
- 1988 《基地前奏》，道布尔迪出版社
- 1989 《报应》，道布尔迪出版社
- 1990 《夜幕降临》，高兰茨出版社，与罗伯特·西尔弗伯格合著
- 1991 《时间的孩子》，高兰茨出版社，与罗伯特·西尔弗伯格合著
- 1992 后改名为《丑陋的小男孩》《带正电的人》，高兰茨出版社，与罗伯特·西尔弗伯格合著
- 1993 《转交基地》，道布尔迪出版社

短篇小说集
- 1950 《我是机器人》，守护神出版社
- 1954 《火星之路》，道布尔迪出版社
- 1957 《地球有足够的空间》，道布尔迪出版社
- 1959 《9个明天：不久将来的故事》，道布尔迪出版社
- 1964 《其他机器人》，道布尔迪出版社
- 1967 《透过玻璃，清清楚楚》，新英语图书馆出版社
- 1968 《阿西莫夫的侦探小说》，道布尔迪出版社
- 1969 《夜幕将临和其他故事》，道布尔迪出版社
- 1972 《早期的阿西莫夫：艰难的11年》，道布尔迪出版社
- 1974 《你见过这些吗？》，内斯法出版社
- 1975 《买下木星》，道布尔迪出版社
- 1976 《200岁的人》，道布尔迪出版社
- 1982 《完整的机器人》，道布尔迪出版社
- 1983 《改变之风》，道布尔迪出版社
- 1986 《另一个阿西莫夫》，道布尔迪出版社
- 《机器人之梦》，道布尔迪出版社
- 1984 《艾萨克·阿西莫夫最佳小说》，道布尔迪出版社
- 1985 《艾萨克·阿西莫夫最佳侦探小说》，道布尔迪出版社
- 1989 《阿西莫夫的年代志》，达克哈维斯出版社
- 1990 《机器人幻想》，大鹏出版社
- 1990 《小说全集卷1》，道布尔迪出版社
- 1992 《小说全集卷2》，道布尔迪出版社

儿童读物
- 1952 《戴维·斯塔尔，宇宙巡逻者》，道布尔迪出版社，署名保罗·弗伦奇
- 1953 《幸运的斯塔尔与来自小行星的海盗》，道布尔迪出版社，署名保罗·弗伦奇
- 1954 《幸运的斯塔尔与金星的海洋》，道布尔迪出版社，署名保罗·弗伦奇
- 1956 《幸运的斯塔尔与水星的大太阳》，道布尔迪出版社，署名保罗·弗伦奇
- 1957 《幸运的斯塔尔与木星的卫星》，道布尔迪出版社，署名保罗·弗伦奇
- 1958 《幸运的斯塔尔与土星的光环》，道布尔迪出版社，署名保罗·弗伦奇
- 1983 《诺比，混合型机器人》，沃克出版社，与珍妮特·阿西莫夫合著
- 1984 《诺比的其他秘密》，沃克出版社，与珍妮特·阿西莫夫合著
- 1985 《诺比，受雇的机器人》，沃克出版社，与珍妮特·阿西莫夫合著
- 1985 《诺比与侵略者》，沃克出版社，与珍妮特·阿西莫夫合著
- 1986 《诺比与皇后的项链》，沃克出版社，与珍妮特·阿西莫夫合著
- 1987 《诺比找到了一个恶棍》，沃克出版社，与珍妮特·阿西莫夫合著
- 1989 《诺比与尤伯伟大的探险》，沃克出版社，与珍妮特·阿西莫夫合著
- 《诺比来到了地球》，沃克出版社，与珍妮特·阿西莫夫合著
- 1990 《诺比与最古老的龙》，沃克出版社，与珍妮特·阿西莫夫合著
- 1991 《诺比与宫廷小丑》，沃克出版社，与珍妮特·阿西莫夫合著

非小说类作品选
阿西莫夫写了400多篇非小说类作品，其中许多兼有科幻小说的性质，其中的一些是：
- 1960 《聪明的人类关于科学的指导》，基础图书出版社，分两卷，后改名为《新的聪明的人类关于科学的指导》
- 1962 《事实与想象》，道布尔迪出版社，(后出版多卷，收录了数百篇发表于《荒诞与科幻小说》杂志及其他杂志上的大众科普文章)
- 1964 《阿西莫夫科学技术传记百科全书》，道布尔迪出版社

自传
- 1979 《在新鲜的记忆里》，道布尔迪出版社
- 1980 《欢乐犹存》，道布尔迪出版社
- 1992 《阿西莫夫又笑了》，道布尔迪出版社
- 1994 《我，阿西莫夫》，道布尔迪出版社

编辑作品选
阿西莫夫编辑了100多本选集，其中许多是与马丁·H·格林伯格共同编辑的。其中一些重要的作品有：
- 1962 《雨果奖文集》，道布尔迪出版社(后出版数集续集)
- 1974 《在黄金时代以前》，道布尔迪出版社
- 1979 《艾萨克·阿西莫夫奉献的最伟大的科幻故事集，卷1，1939》，道尔图书出版公司，与马丁·H·格林伯格一起编辑(另24卷，出版至1963年)
- 1982 《欢笑的宇宙》，霍顿·米弗林出版社，与J·O·杰普森(珍妮特·阿西莫夫)合著
- 1988 《经典科幻小说大全：20世纪30年代的短篇小说》，卡罗尔与伯爵出版社，与马丁·H·格林伯格和查尔斯·G·沃合著(后出版各种续集)

哈尔·克莱门特

出生年份：1922

国籍：美国

曾用名：出生名哈里·克莱门特·斯塔布斯，乔治·理查德

主要作品：《引力使命》，《接近临界》，《星光》

硬科幻小说有这样一个特点，即它的摘要几乎总是比写出来的书更吸引人。即使是哈尔·克莱门特这位最受喜爱的硬科幻小说作家也不例外。他的一些后期的小说呈现出令人厌倦的单调。

硬科幻小说可以定义为：用我们的知识或对科学的猜想可以解释为合理，并对支持那些世界的科学提出论点的背景下的科幻小说。通常，哈尔·克莱门特遵从这些规则的第一条，而不太注意第二条。因此他的最佳作品《引力使命》(参见220页)读起来常常更像是充满灵感的游记。我们跟随书中重行星主人公进行长时间的探索，仿佛他是一位向导。

《穿过针眼》是一篇侦探小说。在这篇小说中一个外星人警察代替了一个地球人，为的是去捉拿一个外星人逃犯。《固氮》描述的是未来的地球，那时只有少数人在生态灾难后幸存下来。小说的主要效果又是描述一次奇妙的旅行，因为毁灭后的行星仍然保持着一种奇特的美。我们为了欣赏克莱门特描述的场景而一再捧起他的作品。

作品目录

中长篇小说

- 1950 《针》，道布尔迪出版社，后改名为《来自外太空》
- 1953 《冰世界》，守护神出版社
- 1954 《引力使命》，道布尔迪出版社
- 1956 《宇宙中的巡逻兵》，波士顿出版社
- 1957 《火圈》，巴兰坦出版社
- 1964 《接近临界》，巴兰坦出版社
- 1971 《星光》，巴兰坦出版社
- 1973 《顶部的海洋》，道尔图书出版公司
- 1978 《穿过针眼》，巴兰坦出版社
- 1980 《固氮》，埃斯出版社
- 1987 《静河》，巴兰坦出版社
- 1994 《艾萨克的宇宙：化石》，道尔图书出版公司

短篇小说集

- 1965 《宇宙土著人》，巴兰坦出版社
- 1969 《小变化》，道布尔迪出版社，后改名为《宇宙冲击》
- 1979 《哈尔·克莱门特最佳作品选》，巴兰坦出版社
- 1987 《直觉》，内斯法出版社

L·斯普拉格·德·坎普

出生年份：1907

国籍：美国

曾用名：莱曼·R·莱昂

主要作品：《凶残的女王》

L·斯普拉格·德·坎普博学、健谈，老于世故，不太像一般的科幻小说家。他不是从科幻小说迷转向科幻小说家的；他从未把自己局限于科幻小说或其他小说的创作；他乐于与别人合作，包括他的妻子凯瑟琳·德·坎普，上图为两人的合影。

30年代时，在小约翰·W·坎贝尔劝说他为其《惊险科幻小说》和《未知》杂志撰稿之前，德·坎普从事多种写作事业。所以当他转向写科幻小说和荒诞小说时，他已是一位经验丰富的作家。就是他最早的小说也表现出流畅的文笔，就像是那些刊登在通俗杂志上的小说一样。诸如《星期六晚邮报》，在二战前它就很受欢迎。

可能是由于有这样的背景，德·坎普开始时就对科幻小说与荒诞小说的区别并不加以注意。《以防黑暗降临》和《不完整的巫士》(与弗莱彻·普拉特著) 都讲述了富有创造力的主人公在被投入幻境或古代环境中后，利用他们实用的、有创造力的20世纪头脑来改造他们的新世界。德·坎普是最早写作这种理性化幻想小说的大师，后来他的作品经常被人模仿。

当他真正将精力投向科幻小说时，德·坎普设法使他的作品，诸如《凶残的女王》，或《宇宙追踪》，或《泽尔的人质》，读起来像荒诞小说。这些故事有声有色，充满浪漫色彩，散发出一种东方的情调，但同时又增加了一种讽刺的意味。例如，在《凶残的女王》中，在一个刚刚被人类发现的行星上，有一个政治举措执行不当的蜂王。它被人说服——必须说明，不是那种怕人的硬性说服——是基于相信了民主制度的好处。像德·坎普的许多作品一样，《泽尔的人质》的背景是一个鲜艳、野蛮、叫做克里什那的行星。乐趣(就像他所有的作品中表现出来的)大家共享。

作品目录

中长篇小说

- 1947 《以防黑暗降临》，霍尔特出版社
  《法术一般的巫师》，霍尔特出版社，与弗莱彻·普拉特合著
- 1942 《愚昧之地》，霍尔特出版社，与弗莱彻·普拉特合著
- 1948 《玛瑞》，守护神出版社，与弗莱彻·普拉特合著
- 1950 《人种》，幻想出版社，与P·斯凯勒·米勒合著
  《钢铁城堡》，守护神出版社，与弗莱彻·普拉特合著
- 1951 《凶残的女王》，道布尔迪出版社
  《不招人喜欢的公主》，幻想出版社
- 1954 《宇宙追踪》，埃斯出版社，后改名为《称作克里什纳的星球》，后又改名为《赞巴的皇后》
- 1957 《所罗门的石头》，阿瓦隆出版社
  《柯南归来》，守护神出版社，与比昂·奈伯格合著
- 1958 《扎尼德之塔》，阿瓦隆出版社
  《亚里士多德的大象》，道布尔迪出版社
- 1960 《昔日荣光》，阿瓦隆出版社
  《魔鬼之塔》，普拉特合著
- 1962 《寻找泽侬》，阿瓦隆出版社，后改名为《漂浮的大陆》
- 1963 《泽依的手》，阿瓦隆出版社
- 1968 《小岛上的柯南》，兰谢出版社，与林·卡特合著
  《恶鬼之塔》，金字塔出版社
- 1971 《伊拉兹的时钟》，金字塔出版社
  《海盗柯南》，兰谢出版社，与林·卡特合著
- 1973 《易上当的恶魔》，西格尼特出版社
- 1976 《处女与轮子》，伯克利出版社
- 1977 《泽尔的人质》，伯克利出版社
- 1978 《伟大的物神》，道布尔迪出版社
- 1979 《解放者柯南》，矮脚鸡图书出版公司，与林·卡特合著
- 1980 《柯南与蜘蛛精》，矮脚鸡图书出版公司
  《泰尼克斯的财富》，埃斯出版社，与罗伯特·E·霍华德合著
- 1982 《野人柯南》，矮脚鸡图书出版公司，与林·卡特合著
- 1982 《赞马纳克的犯人》，幻境出版社
- 1983 《不杀头的国王》，巴兰坦出版社
  《佐拉的骨头》，幻境出版社，与凯瑟琳·克鲁克·德·坎普合著
- 1987 《拼成的骑士》，幻境出版社
- 1988 《诺姆伯的石头》，唐宁出版社
- 1989 《值得尊敬的野人》，巴兰坦出版社
- 1991 《奇怪的贵妇》，巴兰坦出版社
  《全加巴的剑》，贝恩图书出版公司，与凯瑟琳·克鲁克·德·坎普合著
- 1991 《哈罗德爵士与鬼帝》，瓦尔德塞德出版社
- 1992 《森加的毒树》，巴兰坦出版社

短篇小说集

- 1948 《分而治之》，幻想出版社
  《设想之轮》，沙姆塔出版社
- 1953 《大陆创造者与万尔金斯的其他故事》，特魏恩出版社
  《来自加万甘酒吧的故事》，特惠尔出版社，与弗莱彻·普拉特合著
  《斯普雷格·德·坎普的科幻小说新文选》，黑豹出版社
- 1955 《柯南的故事》，守护神出版社，与罗伯特·E·霍华德合著
  《泰通尼亚指环》，特惠尔出版社
- 1963 《恐龙的枪》，道布尔迪出版社
- 1966 《探险者柯南》，兰谢出版社，与罗伯特·E·霍华德合著
- 1967 《高利贷者柯南》，兰谢出版社，与罗伯特·E·霍华德合著
- 1968 《海盗柯南》，兰谢出版社，与罗伯特·E·霍华德合著
  《流浪者柯南》，兰谢出版社，与罗伯特·E·霍华德合著
  《流浪者柯南》，兰谢出版社，与罗伯特·E·霍华德和林·卡特合著
- 1969 《西米里亚的柯南》，兰谢出版社
- 1970 《难以驾驭的莎曼》，金字塔出版社
- 1971 《阿其洛尼亚的柯南》，兰谢出版社，与林·卡特合著
- 1977 《L·斯普雷格·德·坎普的最佳作品》，道布尔迪出版社
- 1978 《刀剑手柯南》，矮脚鸡图书出版公司，与林·卡特和比昂·奈伯格合著
- 1979 《紫色的翼手龙》，幻境出版社
- 1993 《时间之河》，贝恩出版社

编辑作品

德·坎普编辑了一些选集，最早的一部是：

- 1963 《刀剑与巫术》，金字塔出版社

约翰·温德姆

生卒年份：1903~1969

国籍：英国

曾用名：出生名约翰·温德姆·帕克斯·卢卡斯·贝依·哈里斯，约翰·贝依，约翰·贝依·哈里斯，温德姆·帕克斯，卢卡斯·帕克斯，约翰逊·哈里斯

主要作品：《巨型三裂植物的日子》，《蛹》

在约翰·贝依·哈里斯以约翰·温德姆的名字出名之前，他只是战前英国一个为通俗杂志写作的三流平庸作家。除了根据编辑的需要创作各种体裁的探险小说之外，他并未显示出特别的天赋。

战后，在沉寂了一段时间之后，哈里斯似乎突然经历了一次根本性的转变。他遇到了一位新出版商迈克尔·约瑟夫，一家在科幻小说出版界并不出名的出版社。然后他就开始用约翰·温德姆这个笔名写作。1951年，他出版了《巨型三裂植物的日子》（参见218页）。这个故事牢牢地抓住了生活在艰苦岁月里的英国中产阶级读者的不安全感，并且精确地展望了那些将会给读者带去安慰的、能够自我防护的社区。大部分人类在宇宙神秘的爆炸中失明，而幸存者也受到畸形植物的烦扰。一切听上去都那么可怕，但小说的主人公们团结一致地生存了下来。这个结果令人欣慰，但却不合情理。再加上温德姆在人物塑造上平静而使人丧失痛觉的风格，形成了布赖恩·奥尔迪斯所称的"舒适的灾难"。

《克拉肯醒来》重复了大部分同样使人感到安慰的结构，但只有这些早期作品才充分体现了奥尔迪斯所描述的这类小说的实质。例如，《米德维奇的白痴儿》悬念不断，令人焦躁不安：外星人使米德维奇村的妇女怀孕，这些妇女产下奇怪而强壮的孩子，即题目中所称的白痴儿。故事的结尾没有带来任何慰藉，也没有任何迹象显示这一几乎偶然的发现，以及外星人的毁灭与中产阶级美德的胜利有什么关系。这篇小说的中心思想——也是温德姆真正艺术的中心思想——是不安定。偶尔他也会给不安定覆上一件让人安心的外衣。

后来的小说，如《乔其》或《网》，作为小说更是令人不快，并且显示出更明显的不安全感。最后，温德姆却表达出他热切希望掩盖的东西：帝国的丧失。他所祝福的岛屿暴露在摇曳不定的命运中。

作品目录

中长篇小说

1935	《神秘的人们》，牛恩斯出版社，署名约翰·贝依	
1936	《星球飞机》，牛恩斯出版社，署名约翰·贝依，修改后名为《偷渡去火星》	
1945	《及时的爱》，乌托邦出版社，署名约翰逊·哈里斯	
1951	《巨型三裂植物的日子》，迈克尔·约瑟夫出版社，后改名为《巨型三裂植物的反抗》	
1953	《克拉肯醒来》，迈克尔·约瑟夫出版社，后改名为《来自深处》	
1955	《再生》，巴兰坦出版社，后改名为《蛹》	
1957	《米德维奇的白痴儿》，迈克尔·约瑟夫出版社，后改名为《爱诅咒的村子》	
1959	《外来的鞭策》，迈克尔·约瑟夫出版社，署名约翰·温德姆与卢卡斯·帕克斯	
1960	《青苔的烦恼》，迈克尔·约瑟夫出版社	
1968	《乔其》，迈克尔·约瑟夫出版社	
1979	《网》，迈克尔·约瑟夫出版社	

短篇小说集

1954	《杰泽尔》，多布森出版社，修改后名为《鸡皮疙瘩与欢笑的故事》	
1956	《时间的种子》，迈克尔·约瑟夫出版社	
1961	《考她的方法及其他》，迈克尔·约瑟夫出版社，修改增加了部分内容，改名为《无尽的时刻》	
1973	《约翰·温德姆之最佳作品》，球形出版社，后改名为《来自超越的男人》	
1973	《火星上的沉睡者》，科罗内特出版社	
1973	《时间流浪者》，科罗内特出版社	
1979	《阿斯布鲁斯上的流放者》，塞汶出版社，署名约翰·贝依	

埃里克·弗兰克·拉塞尔

生卒年份：1905~1978

国籍：英国

曾用名：邓肯·H·芒罗，韦伯斯特·克雷格，莫里斯·G·哈吉

主要作品：《邪恶的障碍》，《可怕的避难所》，《阿拉马古萨》

他与温德姆同为英国人，同属一代人，但这两位科幻小说家的风格却截然不同：温德姆专为英国人或亲英的美国人写作，拉塞尔兴致十足地为美国人和喜爱美国风格的英国人创作。除了阿瑟·C·克拉克这个人人都知道的英国科幻小说家之外，拉塞尔在很多年中都是最受欢迎的非美国风格的科幻小说作家，而许多美国人根本不知道他并非美国人。

《邪恶的障碍》是一部典型的作品，发表在小约翰·W·坎贝尔的《未知》杂志上。它讲述了美国受到外星人的威胁，后者将人类看做宠物。主人公识破了这一侵略的实质，并粉碎了这次侵略。《可怕的避难所》也在坎贝尔的《惊险科幻小说》杂志上连载。作为拉塞尔最好的小说，这部作品风格活泼，以美国读者对战后作家所期望的乐观主义精神描述了宇宙的各种可能情况。太空旅行也通过个人的冒险精神与狂热密谋的敌对势力之间的抗衡，以典型的美国方式完成。

拉塞尔最受欢迎的作品却是短篇小说，所有这些短篇小说几乎都在美国出版。拉塞尔轻松地迎合坎贝尔的"描写外星人比人类优越的小说"的批评：描述笨手笨脚的外星人无法理解在宇宙中不受约束的人类的迅捷、富有个人冒险精神的机智的故事。这些故事饶有乐趣，引发了对乐观、朴素的久已逝去的时光的怀旧情绪。拉塞尔给我们带来了昨天的明天的欢乐。

作品目录

中长篇小说

1943	《邪恶的障碍》，世界作品出版社	
1951	《可怕的避难所》，幻想出版社	
1953	《宇宙哨兵》，波利奇出版社	
1956	《征服的三个》，阿瓦隆出版社	
1957	《黄蜂》，阿瓦隆出版社	
1958	《宇宙中的紧张气氛》，埃斯出版社	
1962	《大爆炸》，多布森出版社	
1964	《带有奇怪的装置》，多布森出版社	

短篇小说集

1954	《深层太空》，幻想出版社	
1956	《人类、火星人与机器》，多布森出版社	
1958	《遥远的6个世界》，埃斯出版社	
1961	《遥远的星星》，多布森出版社	
1962	《暗潮》，多布森出版社	
1965	《某处的声音》，多布森出版社	
1975	《不像地球上的任何东西》，多布森出版社	
1978	《埃里克·弗兰克·拉塞尔的最佳作品》，巴兰坦出版社	

拉塞尔的主人公

《宇宙中的紧张气氛》的主人公是个典型的埃里克·弗兰克·拉塞尔构思出来的人物：语言简洁，足智多谋，仅凭他一个人的智慧就赢得了战争的胜利。

阿瑟·C·克拉克

出生年份：1917

国籍：英国，定居斯里兰卡

曾用名：查尔斯·威利斯，E·G·奥布赖恩

主要作品：《夜晚降临时》，《童年的尾声》，《2001：太空漫游记》，《和拉玛约会》，《天堂喷泉》

阿瑟·C·克拉克的创作生涯始于第二次世界大战爆发之前，并一直持续到90年代。他是一个传奇人物，短短几年间就在科幻小说领域成名，接着在开始出版小说和科普文章之后的短短10年时间里就变得举世闻名。他没有取得像海因莱恩一样的在这个领域里无可争议的地位，也没有像阿西莫夫那样沉湎于马拉松式的个人宣传之中，但他却在平静之中成为了科幻小说界所涌现出来的最为人们所熟知的人物。这样的声誉从此就再也没有衰落过。

回想起来，这一切似乎都顺理成章，其实却并非如此。克拉克于30年代末在英国开始他的写作生涯，写了一些并不起眼的非小说类作品。在正式投身写作事业之前，他在1941年到1946年这段时间里为皇家空军效力，于1948年获得了理科学位；直到将近30岁时，他才开始显示出自己丰富的创造性思维。他的第一部小说于1946年发表在小约翰·W·坎贝尔的《惊险科幻小说》杂志上。

《营救使命》绝对是一部很合坎贝尔口味的小说。它描述的是由一个古代富有智慧的、但思维缓慢的外星种族控制的太空舰队，在太阳变成新星的几十年之后造访地球。指挥官对丧失了一个年轻的人类种族而感到痛心，他后来又发现了一支以亚光速行进的舰队正步履维艰地想要离开炽热的太阳。外星人指挥官为人类艰苦的努力所打动，就下令他的舰队帮助行进中的人类。指挥官得意地认为这些年轻的人类会对古代人发达的科学充满敬畏。但是——小说的最后一句话令结果大白于天下——40年后，当活跃的人类轻而易举地就超过那些来自星系中心的老顽固时，他开始感到一些深深的忧虑。

或许这是个愚蠢的故事，但它在半个世纪之后仍然很有可读性。作品表现出的对我们了解世界的能力的自信，并将这种了解转化为设计跨越世界范围项目的能力的自信一直延续至今。正是这种自信使克拉克在1945年撰写的一部非小说类作品中预言了地球同步通信卫星的诞生。

因为克拉克对于科学与技术之间的关系是如此了解，如此明智，因此他能够既安抚同时又刺激他的读者和来向他请教的政府。克拉克最好的小说同样占据了思想和情感世界，这与他的科普文章以及对未来技术进行推测的作品中温和慈祥的乐观主义精神相去甚远。

《夜晚降临时》写于40年代，在1956年以《城市与星球》这一书名出版。它将人类置于进化的环境中。在这种环境中，无尽岁月似乎只有几年之久。克拉克借鉴了威尔斯和斯特普

作品目录

中长篇小说

1951	《宇宙前奏》，星系出版社，后改名为《宇宙的主宰》，后再改名为《宇宙梦想家》
	《火星之沙》，西吉维克与杰克逊出版社
1952	《空中的岛屿》，温斯顿出版社
1953	《夜晚降临时》，守护神出版社，修改后名为《城市与星星》
	《童年的尾声》，巴兰坦出版社
1955	《地球之光》，巴兰坦出版社
1957	《深远的山脉》，哈考特·布雷斯出版社
1963	《海豚岛》，霍尔特·莱因哈特出版社
1968	《2001：太空漫游记》，新美国图书馆出版社
1973	《与拉玛约会》，高兰茨出版社
1975	《帝国地球：爱情与不和谐的幻想故事》，高兰茨出版社
1979	《天堂的喷泉》，高兰茨出版社
1982	《2010：太空漫游记之二》，幻境出版社
1986	《遥远地球的歌曲》，巴兰坦出版社
1988	《摇篮》，高兰茨出版社，与吉奇·李合著
	《2061：太空漫游记之三》，格拉夫顿出版社
	《与水母相会》，石山出版社
1989	《拉玛(第二集)》，高兰茨出版社，与吉奇·李合著
1990	《来自大沙洲的幽灵》，高兰茨出版社
1991	《拉玛的花园》，巴兰坦出版社，与吉奇·李合著
1993	《被发现的拉玛》，高兰茨出版社，与吉奇·李合著
	《上帝的锤子》，高兰茨出版社

短篇小说集

1956	《接近明天》，巴兰坦出版社
1957	《来自怀特·哈特的故事》，巴兰坦出版社
1958	《天空的另一边》，哈考特·布雷斯出版社
1961	《月球尘埃的降落》，哈考特·布雷斯出版社
1962	《10个世界的故事》，哈考特·布雷斯出版社
1967	《上帝的90亿个名字》，哈考特·布雷斯出版社
1968	《克玛拉的狮子与夜晚降临时》，哈考特·布雷斯出版社
1972	《太阳风：宇宙时代的故事》，哈考特·布雷斯出版社
	《时有与星星》，高兰茨出版社
1973	《阿瑟·C·克拉克1937~1971年最佳作品集》，西吉维克与杰克逊出版社
1983	《哨兵》，伯克利出版社

非小说类作品选

1950	《星际战斗：太空学入门》，坦普尔出版社
1951	《宇宙探险》，坦普尔出版社
1960	《海洋的挑战》，霍尔特·莱因哈特出版社
1962	《展望未来》，哈考特·布雷斯出版社
1972	《2001年失落的世界》，新美国图书馆出版社
1984	《1984年春：选择未来》，巴兰坦出版社
1992	《世界是怎样合而为一的》，高兰茨出版社

自传

1977	《塞雷迪普的见解》，兰登书屋
1989	《令人震惊的日子》，高兰茨出版社

模糊的来源

《10个幻想故事》是一本并不出名的杂志，仅出版过一期。但就是这惟一的一期却包括了《永远的哨兵》，它是小说《2001年》的雏形。

尔顿的例子，告诉我们从一种真正长远的角度来看，我们这一种族像其他种族一样处于生命的循环之中；虽然我们的辉煌可以照亮黑暗，但最终黑暗会笼罩一切。

这种观点的升华在克拉克最为著名的早期小说《童年的尾声》(参见219页)中更为明显。在该书开头的几页里，人类轻而易举地就被状似恶魔的、可以担任人类导师的外星人所征服。随着故事的发展，我们渐渐明白人类注定要繁殖出一种人类的继承者，后者将比人类和外星人都要高级。在这种新人类形成一种群体意识，去宇宙的中心探险，与更大的事物的创造者会面之后，像我们这样的凡人将注定要被单独留在日渐干涸的时间堤岸上。

这些早期作品里蕴含着一种诗歌的韵味，一直萦绕在想象之中，在读者遭遇克拉克后将他们带回从前。

这是技术知识与对宇宙朦胧尽头的热爱相结合的一种感受，因为知识与智慧如此自然地融为一体是十分少见的。也可能是因为他在说实话。但几十年过去之后，部分诗歌韵味已经从他的小说中消失了，这或许是不可避免的。而他也越来越把精力转向科普文学和关于在他所钟爱的太平洋中潜水的内容的作品。然后，一切都改变了。

促使克拉克成为世界著名人物和科幻小说世界前沿标志的是《2001年：太空漫游记》的电影及同名小说。克拉克与斯坦利·库布里克为电影编写了剧本，同时克拉克又将原剧本——此剧本来源于一篇在1951年发表的名为《永远的哨兵》的短篇小说 (后改名为《哨兵》)——改写成小说。也许是因为库布里克的电影剧本变了味，而且还打断了克拉克对于一直在持续的进化的想象。但是，这无

单篇故事

《来自大沙洲的幽灵》是近年来难得一见的单本小说。

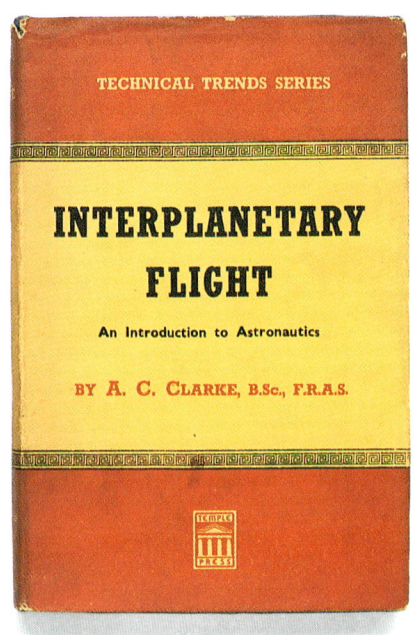

代表作

阿瑟·C·克拉克在成为科幻小说作家之前，曾编辑过一本科学杂志。除了科幻小说之外，他还发表了许多非小说类作品和推理科学文章。发表于1950年的《星际逃逸》是他10年中发表的一系列作品的第一部。这部非小说类作品为克拉克赢得了1962年的联合国教科文组织奖，这一声誉使他成为美国哥伦比亚广播公司"阿波罗号"宇宙飞船月球之行的电视评论员的当然人选。

《星际逃逸》

碍大局。1968年后，全世界都知道了克拉克。他后来的小说是混合型的：《和拉玛约会》(参见227页) 赢得了所有可能获得的奖项，它对一艘巨大、空旷、完全不可思议的宇宙飞船的描述传递了一种强烈的惊奇；但他与别人合作创作的续集相形之下却成为令人遗憾的作品，使原著的恢宏气势沦落为陈词滥调。《帝国地球》是一部充满灵感的太阳系记，但除此之外并无其他突出之处；然而《天堂的喷泉》却以小说的形式惊心动魄地宣传了宇宙电梯的概念，即一种把地球上的某一点与宇宙终端连接在一起的金属电缆。克拉克提出，通过乘电梯离开地球的引力场，人们能够轻松地进入自由的太空，从而将地球从我们对能源贪婪的需求中解救出来。他还提出，如果大家有意去建造这样一部电梯的话，它几乎现在就可以完成。

克拉克后来的其他小说更难以令人信服。《来自大沙洲的幽灵》描述了一支21世纪的队伍试图使"泰坦尼克号"重新浮出水面的故事，书中的确有令人心动之处，但小说的框架却与内容脱节。这种单薄在《上帝的锤子》中更加明显，这本小说读起来好像是一部小说的脚注。但是，这些脚注却无关紧要。克拉克平和、冷静的声音显示出世界的实质，并将永远伴随着我们，只要还有一部值得纪念的科幻小说存在。

电影的声誉

《2001：太空漫游记》是一部大制作，制作过程耗时两年，起用了大量的技术人员。该影片获得了多项奥斯卡奖和雨果奖，给原创人员带来了持久的声誉。

雷·布雷德伯里

出生年份：1920

国籍：美国

曾用名：爱德华·班克斯，威廉·埃利奥特，D·R·班纳特，伦纳德·道格拉斯，伦纳德·斯伯丁，布莱特·斯特林

主要作品：《黑色的欢庆》，《火星人纪事》，《451华氏度》

布雷德伯里花了近半个世纪的时间创作出的小说，是那种难以被忽视、却又难以赢得足够关注的作品。如果你期望他描写的是真实的未来，或者是对如何赢得、达到和经历未来作出评论——因为他的小说发表在科幻小说杂志上，或者他的小说是以火星为背景的——那么，阅读布雷德伯里的小说对你来说就会是一次奇怪的经历。

事实上，布雷德伯里的愿望远远不只是写科幻小说。他对客观世界、科学、太空旅行、星系、预测未来、政治体制或前往未来的时间旅行都不感兴趣。他作品中的人物回到过去旅行并不是为了改变过去，而是为了纪念过去。最终，他的作品成为对极乐境界的探索。在那种境界里，地点与本我合为一体。归根结底，他是在寻找天堂。

因此，布雷德伯里的大多数作品都在回顾过去，同时他那些最佳作品中势不可挡的情感力量在稍欠灵感的小说中转化为浓浓的怀旧情绪。这些并不足为奇。《火星人纪事》徘徊在矫揉造作的边缘，但并没有深陷进去。我们知道他笔下充满浪漫色彩的古老的火星，即使在诞生了大量作品的40年代也是异想天开；但这并不要紧，因为对曙光和慰藉的想象是如此完美地传递给我们。我们知道不断变换外形的火星人可能从来就没有存在过，人类的殖民活动也永远不可能在麻醉的迟钝状态下完成；但这也无关紧要，因为是一个关于失落的伊甸园的梦想驱使我们继续读下去。火星不是土制的；经历了不可挽回变化的是人类的心灵。

布雷德伯里最伟大的单本小说几乎可以肯定是《451华氏度》（参见219页），但他在四五十年代创作了几十部作品。在这些作品中，对记忆中的天堂的探寻与危险感错综复杂地混合在一起。50年代末，他根据19世纪的经典小说《莫比·迪克》为约翰·休斯敦写了一部电影剧本，其中的鲸可以看成是对布雷德伯里的向往的暗喻。数十年来，他一直迷恋着这个反映怀旧、探索和危险的强烈生动的形象，这是美国哥特式的想象。这条巨大的鲸包含了他的梦想、黑暗和光明。

> "归根结底，布雷德伯里是在寻找天堂。"

作品目录

中长篇小说
- 1953 《451华氏度》，巴兰坦出版社
- 1957 《蒲公英英酒》，道布尔迪出版社
- 1962 《坏东西往这边来了》，西蒙与舒斯特出版社

短篇小说集
- 1947 《黑色的欢庆》，阿克海姆出版社，删节后改名为《小刺客》
- 1950 《火星人纪事》，道布尔迪出版社，后改名为《银色的蝗虫》
- 1951 《附插图的男人》，道布尔迪出版社
- 1953 《太阳的金苹果》，道布尔迪出版社
- 1955 《10月的乡村》，巴兰坦出版社
- 1959 《治疗忧郁症的药》，道布尔迪出版社，修改后名为《永远下雨的日子》
- 1962 《R代表火箭》，道布尔迪出版社
- 1964 《欢乐的机器》，西蒙与舒斯特出版社
- 1965 《布雷德伯里作品精选》，兰登书屋出版社
- 1966 《S代表宇宙》，道布尔迪出版社
- 1969 《我歌唱带电的身体》，诺普夫出版社
- 1976 《午夜之后许久》，诺普夫出版社
- 1979 《吟唱奇异的歌曲》，惠顿出版社
- 1980 《雷·布雷德伯里故事选》，诺普夫出版社
- 1983 《恐龙的故事》，矮脚鸡图书出版公司
- 1988 《托凡比对流加热器》，诺普夫出版社

戏剧与其他作品选
布雷德伯里创作了大量的戏剧、诗歌和小册子。较大的一些合集包括：
- 1975 《火柱与其他关于今天、明天与以后的戏剧》，矮脚鸡图书出版公司
- 1982 《雷·布雷德伯里诗歌全集》，巴兰坦出版社

摄制成电影的《451华氏度》
在《451华氏度》的结尾，主人公和他的情人在一个有文学气息的乡间伊甸园里找到了慰藉。在特鲁福特执导的电影中，主人公和他的情人分别由奥斯卡·韦尔纳和朱丽叶·克里斯蒂扮演。

弗里茨·雷伯

生卒年份：1910~1992

国籍：美国

主要作品：《集合，黑暗！》，《大时代》，《流浪者》，《幽灵出没于得克萨斯》，《法夫荷德与格雷·毛瑟》系列

大多数作家在内心深处像个孩子，他们中的多数在年轻时就凋谢了。弗里茨·雷伯却相反，他是最为与众不同的作家。他很成熟，有不少缺点，却也绽放出许多人性的闪光点。与大多数作家不同——那些作家倾向于在影响他们才华的童年时代就执笔写作；随着时光的流逝，他们的作品每况愈下——雷伯的作品却随着年龄的增长而不断进步。

但这并不是说雷伯的第一部小说是可以忽视的，因为《两个追求冒险经历的人》于1939年发表在《未知》杂志上。这篇小说使人们认识了法夫荷德和格雷·毛瑟，他们是所有刀剑与巫术搭档中最有人情味、最受喜爱的一对。然而到了60年代末，雷伯使他的这两个伙伴的形象大大地深入人心；格雷·毛瑟以哈里·费许为原形，哈里是雷伯大学时代的朋友，就是他最早建议雷伯写这些小说的；而法夫荷德其实是雷伯自己的写照。

雷伯以创作幻想小说开始了他的写作生涯，同时他也写恐怖小说和科幻小说。但是与雷·布雷德伯里(举例来说)不同的是，他一直严密关注着他所写的这一文学体裁。雷伯在他所写的这三个领域里都得到了认可，并且荣获终身成就奖。因此，他的作品极其多样化。《集合，黑暗！》和《巫婆》是充满活力的科学幻想；《大时代》是一部令人炫目的关于时间矛盾的室内剧；《流浪者》是一部欢闹、忧郁的小说，描写了一场勉强避免的星球灾难；《幽灵出没于得克萨斯》是一部以流浪汉和无赖的冒险故事为题材的小说；《我们的黑暗女士》是一部深深打动人心的城市恐怖小说。

雷伯是一个公认的酒鬼，他一直试图摆脱这一苦恼(不止一次)；他对于猫、性、女人、男人、巫术、过去和将来都很感兴趣。他的生活和写作都是全方位的。

作品目录

中长篇小说

- 1950 《集合，黑暗！》，佩拉格林尼与卡德西出版社
- 1953 《巫婆》，特魏尼出版社
  - 《绿色千禧年》，阿伯拉尔出版社
  - 《有罪的人》，宇宙巨人出版社，后改名为《你独自一人》
- 1957 《命运乘3》，星系小说出版社
- 1961 《大时代》，埃斯出版社
- 1962 《银色的书生》，巴兰坦出版社
- 1964 《流浪者》，巴兰坦出版社
- 1966 《泰山与黄金山谷》，巴兰坦出版社
- 1968 《兰克荷马的刀剑》，埃斯出版社
- 1969 《幽灵出没于得克萨斯》，沃克出版社
- 1977 《我们的黑暗女士》，伯克利出版社
  - 《结霜岛》，威士珀出版社，后改名为《刀剑与冰魔术》
- 1988 《骑士与持剑的恶棍》，莫勒出版社

短篇小说集

- 1947 《夜晚的黑色代理人》，阿克海姆出版社，删节后改名为《来自夜晚的黑色代理人的故事》
- 1957 《两个寻求冒险的人》，守护神出版社
- 1961 《头脑蜘蛛》，埃斯出版社
- 1962 《有眼睛的影子》，巴兰坦出版社
- 1964 《一桶空气》，巴兰坦出版社
  - 《前往星球的船队》，巴兰坦出版社
- 1966 《狼之夜》，巴兰坦出版社
- 1968 《神秘的歌曲》，哈特·戴维出版社
  - 《抵御巫术的刀剑》，埃斯出版社
  - 《雾中的刀剑》，埃斯出版社
  - 《刀剑与恶行》，埃斯出版社
- 1969 《夜晚的怪物》，埃斯出版社
- 1970 《抵御死亡的刀剑》，埃斯出版社
- 1974 《弗里茨·雷伯最佳作品集》，斯菲亚出版社
  - 《弗里茨·雷伯作品集》，道尔图书出版社
- 1975 《弗里茨·雷伯的作品集二》，道尔图书出版公司
- 1976 《弗里茨·雷伯的世界》，埃斯出版社
- 1978 《改变的战争》，格雷格格出版社
- 1978 《奇怪的市场》，唐纳德·M·格兰特出版社
  - 《英雄与恐怖》，威士珀出版社
- 1979 《影子之舟》，高兰茨出版社
- 1983 《改变之战》，埃斯出版社
  - 《灵光》，伯克利出版社
- 1990 《雷伯记事录：弗里茨·雷伯的50年》，达克·哈维斯出版社

西奥多·斯特金

生卒年份：1918~1985

国籍：美国

曾用名：出生名爱德华·汉密尔顿·沃尔多，E·亨特·沃尔多，E·沃尔多·亨特

主要作品：《梦想的珠宝》，《不仅仅是人类》，《金星加未知数》

斯特金并不是最幸福的作家，但他却比他的同辈们更加强烈地感受到自己的幸福。他因为过度工作和长期写作而饱受了疼挛和作者心理阻滞的折磨，可是他却凭着自己的职业精神、写作技巧和冒险精神受到同行们的仰慕。他一次次地被遗弃，又一次次地崛起，但他却始终受到读者的喜爱。

斯特金早期的一些小说，诸如《微观宇宙之神》(1941)，或《止瞌剂》(1944)，或许也可以出自与他同时代的其他一些有才能的作家之手，但是斯特金那些成熟的作品，如《比安卡之手》(1947)，《成熟》(1947)，《完全失落的世界》(1953)，或《丢失了海洋的男人》(1959)，几乎不会被误认。这些作品经常专注于描写冷漠或邪恶的成人世界中孤独的儿童，或青少年的心灵创伤。作品的风格有时有些过头，他试图以简单易懂的语言传达过于复杂的感情；但在更多的时候，他的作品才华横溢，令人难忘。在文章的最后，爱总能获胜。

斯特金的长篇作品中至少有3部会永远留在人们心中。第一部《梦想的珠宝》是他实现愿望的隐喻中最优秀的。年轻的霍蒂受到歹毒继父的迫害，逃到了一个马戏团。在那里他找到了保护和朋友，并渐渐地爱上了这个世界。但霍蒂不是个普通孩子；他是个会传心术的变形人，由像珠宝一样的外星人"梦想"形成。同时他也代表了最真实的人类精神。像斯特金所有的对自由最美好的梦想所表现的一样，逃离了我们世间状况的约束就能最终完全成人。这一强烈的抱负在《不仅是人类》(参见219页) 中被更有力地表达出来，尽管仍没有一个现实的世界来证实它。只有在《金星加未知数》中，斯特金才尝试创造了一个不受性别或想像力限制的社会，这是由美国科幻小说家创作的为数不多的乌托邦小说中的一部。但可惜的是，这部作品仅以平装本出版，并最终难寻踪迹。斯特金最后一部小说是他的遗著《神躯》，作品显示了在一个错综复杂、感受迟钝的世界中，他为了坚持这个远大的理想所付出的努力。

作品目录

中长篇小说

- 1950 《梦想的珠宝》，格林伯格出版社，后改名为《合成人》
- 1953 《不仅是人类》，法勒·施特劳斯出版社
- 1958 《宇宙掠夺》，戴尔出版社，后改名为《与水母结婚》
- 1960 《金星加未知数》，金字塔出版社
- 1961 《你的鲜血》，巴尔坦出版社
  - 《海底之旅》，金字塔出版社
- 1986 《神躯》，唐纳德·范恩出版社

短篇小说集

- 1948 《不用巫术》，普赖姆出版社，删节后改名为《并非不用巫术》
- 1953 《独角兽E·普鲁里布斯》，阿伯拉尔出版社
- 1955 《鱼子酱》，巴兰坦出版社
  - 《回家之路》，芬克与瓦格奈尔斯出版社，删节后改名为《雷与玫瑰》
- 1958 《奇怪的接触》，道布尔迪出版社
- 1959 《异形4》，埃文出版社
- 1960 《超越》，埃文出版社
- 1964 《旋转中的斯特吉恩》，金字塔出版社
- 1965 《令人高兴的人侵》，高兰茨出版社
  - 《星光灿烂》，金字塔出版社
- 1971 《斯特金活得很好》，帕特南出版社
- 1972 《西奥多·斯特金的世界》，埃文出版社
- 1974 《案件与梦游者》，尼尔森·道布尔迪出版社
- 1978 《展望与冒险者》，戴尔出版社
- 1979 《金色的螺旋》，尼尔森·道布尔迪出版社
  - 《星星是复河》，贝昂丛书出版社
  - 《成熟：三个故事》，明尼阿波利斯科幻小说协会出版社
- 1984 《异域货物》，怪鸟出版社
- 1987 《接触斯特金》，西蒙与舒斯特出版社《与水母结婚》，贝昂丛书出版社
- 1994 《极端的自我中心者》，北大西洋图书出版公司

威廉·特恩

出生年份：1920
国籍：美国
曾用名：出生名菲利普·克拉斯
主要作品：《人与怪物之间》，《7种性别》，《人的平方根》，《木质的星球》

作品目录

中长篇小说
1968　《人与怪物之间》，巴兰坦出版社
　　　《水母的灯》，贝尔蒙特出版社

短篇小说集
1955　《所有可能的世界》，巴兰坦出版社
1956　《人类的角度》，巴兰坦出版社
1958　《超前时光》，矮脚鸡图书出版公司
1968　《7种性别》，巴兰坦出版社
　　　《人的平方根》，巴兰坦出版社
　　　《木质的星球》，巴兰坦出版社

编辑作品
1953　《了不起的孩子》，西蒙与舒斯特出版社，后改名为《旁观者》
1968　《一度违法》，麦克米伦出版社，与唐纳德·E·怀斯特雷克合著

威廉·特恩的兴趣没能始终放在科幻小说上，这是战后这一文学体裁的悲剧之一。特恩在现实生活中的真名叫做菲利浦·克拉斯，是一位大学教授。他在1946年开始出版他富于智慧、带有讽刺意味、持严厉批评态度、彬彬有礼、有同情心的小说，在1970年左右停止写作。他的这一决定对于这个领域不是一件好事。在开始写作的半个世纪之后，他的笔调显得比以往任何时候都要现代，而他对于人类虚伪的讽刺作品更是显得十分必要。

特恩创作的第一篇小说——"诱饵亚历山大"发表在小约翰·W·坎贝尔的《惊险科幻小说》杂志上，虽然它对于众人深信不疑的科幻小说的信仰进行了毁灭性的攻击——具有典型意义。小说认为，对宇宙空间的探索应该由有组织的雇员团队来进行——这是他践踏科幻小说黄金时代教条的表现——而不是由超越持某种主义的、僵化的官僚机构的个人企业家去征服星球。

几十部精彩的小说相继出版，其中一些被收入早先的几部作品集如《所有可能的世界》中，其余大部分都已于1968年收入由巴兰坦出版社出版的威廉·特恩的一本作品集中：如《7种性别》，《人的平方根》与《木质的

《所有的可能世界》
特恩为《星系》杂志写的许多故事都被收入第一本合集。

星球》，这几部合集展示了他在20年中创作的作品，同时也标志着他的科幻小说创作生涯的结束。虽然近年来他陆陆续续地又有一些佳作问世，但这些作品只是加重了人们的沮丧，因为那样的好作品实在是太少太少了。

在那套由巴兰坦出版社出版的作品中有一部是特恩创作的惟一一部足本小说：《人与怪物之间》——在杂志上发表时名为《墙中人》，这个题目更准确，同时也更好记——是一篇很精彩的小说，其讽刺技巧容易使人想起乔纳森·斯威夫特的《格利佛游记》。只是在这一版本中，人类成了侏儒。一种巨型外星人在地球定居下来，它们对人类的存在几乎毫无意识，只是把人类看成一种害虫。(迪施的《种族灭绝》写于同时代，其中也提到了同样冷漠的外星人定居者，它们像对待苹果中的虫子一样把我们灭绝了。)小说以一个年轻人的经历的形式娓娓道来，这个年轻人在发现人类的真实地位之后进入了他的成年期。这篇小说极尽挖苦贬低之能事，叙述中饱含热情；但是小说却以带着希望的语气来结束全文。藏在外星人巨大的宇宙飞船壁板中的人类，开始搭车前往别的星球，在那里他们或许可以找到比地球更有意义的地方。

我们需要更多的像特恩这样的作家。

达蒙·耐特

出生年份：1922
国籍：美国
曾用名：唐纳德·拉维特依
主要作品："服务人类"，"这种国家"，《地狱的道路》，《寻找奇迹》

耐特与他的同辈作家威廉·特恩一样，是一位尖锐的讽刺小说家，一位对人性的洞察一针见血的评论家。他在50年代出版的作品着实令科幻小说界的部分人士大吃一惊。与特恩一样，耐特觉得难以专门为那些他很可能会激怒的读者写小说。但达蒙·耐特也是一位天生的小说家、评论家、编辑和组织者。他与凯特·威廉结婚至今，后者是当代科幻小说界文笔最为流畅、最为优美的作家之一。因此，他从未在真正意义上离开过科幻小说这一领域。

然而，50年代是耐特小说创作的黄金时期。在这10年中，他写出了诸如1950年出版的著名的"服务人类"和1956年出版的"这种国家"等短篇小说，这些小说尖锐地反映了美国市郊的情况。其他小说，如《地狱的道路》，在很长的篇幅里驰骋于反面乌托邦的情节之中。但美国的科幻小说从本质上说不是一种自我批评的文体，因此耐特永远都不可能成为其主要的代言人，或者说他无论如何都不会凭借他的小说而成为代言人。

但是耐特在这一文学体裁的其他方面，使人感到了他的存在。《寻找奇迹》中的文章代表了最早的真正的文学批评与书籍评论。与它一起的还有詹姆斯·布利什的作品。这些评论以美国科幻小说领域为对象。在1965年，他建立了"美国科幻小说作家协会"，一个在快速成长的市场中帮助保护作家利益的组织。另外，他的《轨迹》系列文集也非常有价值。

近来，耐特又发表了几部神秘小说，就像在下一卷才会公布谜底的谜语一样。对此，我们只能焦急地等待。

作品目录

中长篇小说
1955　《地狱的道路》，雄狮出版社，后改名为《模拟人》
1959　《人类制造者》，顶峰出版社，后改名为《永远争第一》
　　　《进化的主宰》，雄狮出版社
1961　《太阳上的破坏分子》，埃斯出版社
1964　《越过障碍》，道布尔迪出版社
1965　《头脑开关》，伯克利出版社，后改名为《另一只脚》
　　　《利斯的恐怖》，埃斯出版社
1980　《世界与多林》，伯克利出版社
1984　《树中人》，伯克利出版社
1985　《CV》，石山出版社
1988　《观察者》，石山出版社
1991　《合理的世界》，石山出版社
1992　《为什么是鸟类》，石山出版社

短篇小说集
1961　《遥远》，西蒙与舒斯特出版社
1963　《深处》，伯克利出版社
1965　《离心》，埃斯出版社
1966　《打开》，道布尔迪出版社
1967　《小说三部：黄金法则，自然国家，濒死者》，道布尔迪出版社，后改名为《自然国家与其他短篇小说集》
1974　《小说两部：地球领域，双重意义》，高兰茨出版社
1976　《达蒙·耐特最佳作品选》，厄尔森·道布尔迪出版社
1979　《黄金法则与其他故事》，埃文出版社
1980　《总比一个好》，内斯法出版社，与凯特·威廉合著
1985　《近斯耐特作品集》，内斯法出版社
1991　《欢笑的一边》，圣马丁出版社
　　　《上帝的鼻子》，通俗读物出版社

非小说类作品
1956　《寻找奇迹》，阿德范特出版社
1970　《查尔斯·福特：无法解释的问题的预言家》，道布尔迪出版社
1977　《未来主义者》，戴伊出版社
1981　《创作短篇小说》，作家文摘出版社

编辑作品选
1962　《科幻小说100年》，西蒙与舒斯特出版社
1966　《奇迹之城》，道布尔迪出版社
　　　《轨迹》，普特南出版社，到1980年共出版20卷
1974　《金光大道》，西蒙与舒斯特出版社
1977　《转折点：关于科幻小说艺术的论文》，哈珀出版社
1984　《小号奖》，道布尔迪出版社

C·M·科恩布卢斯

生卒年份：1923~1958

国籍：美国

曾用名：阿瑟·库克，塞西尔·科尔文，沃尔特·C·戴维斯，肯尼思·法尔科纳，S·D·格茨曼，保罗·丹尼斯·拉瓦德，斯科特·马利那

主要作品：《宇宙商人》，《狼毒乌头》，《行进中的傻瓜》

以50年代科幻小说家布德里斯，迪克·耐特，卡特那，小沃尔特·M·米勒，雪克利和特恩淡出的速度而言，如此之多的科幻小说家不是无力再继续从事这项工作，就是离开了这一领域；而他们当中有充足理由离开的人是如此之少，这一现象实在令人惊奇。迪克年纪轻轻就撒手人寰；亨利·卡特那从30年代起就一直非常活跃，却在1958年去世，年仅53岁；西里尔·科恩布卢斯也于同年去世，他在这个领域也活跃了许多年，从十几岁时就开始写作，到去世时年仅35岁。

在这35年中，科恩布卢斯经历了许多事情。二战前，他是一个积极活跃、喜爱争论的小说迷，也就在这时他与弗雷德里克·波尔开始了一生之久的职业联系；他因在战场上表现勇敢而被授予勋章；他与朱迪斯·梅里尔一同写作——《炮兵凯德》因其对军队中发爱关系的具有讽刺性的观点至今仍有很强的可读性——还与波尔一同写作；他写了一些严厉、悲观的故事；他还被传统的小说迷和评论家指责为"民粹主义"，他们用的词语听上去似乎在指责他不忠于祖国；他写过单本小说。然后，他去世了。

作品目录

中长篇小说

1952　《炮兵凯德》，西蒙与舒斯特出版社，与朱迪斯·梅里尔合著，笔名西里尔·杰德

　　　《火星前哨》，阿伯拉尔出版社，与朱迪斯·梅里尔合著，笔名西里尔·杰德，修改后名为《宇宙中的罪恶》

　　　《起飞》，道布尔迪出版社

1953　《宇宙商人》，巴兰坦出版社，与弗雷德里克·波尔合著

　　　《长官》，道布尔迪出版社

1954　《搜寻星空》，巴兰坦出版社，与弗雷德里克·波尔合著

1955　《法律斗士》，巴兰坦出版社，与弗雷德里克·波尔合著

　　　《不是这个8月》，道布尔迪出版社，后改名为《圣诞夜》

　　　《淹没中的城镇》，巴兰坦出版社，与弗雷德里克·波尔合著

1959　《狼毒乌头》，巴兰坦出版社，与弗雷德里克·波尔合著

短篇小说集

1954　《探索者》，巴兰坦出版社
1955　《头脑中的虫子》，迈克尔·约瑟夫出版社
1958　《月亮上的一英里》，道布尔迪出版社
1959　《行进中的傻瓜》，巴兰坦出版社
1962　《奇迹的效用》，巴兰坦出版社，与弗雷德里克·波尔合著，修改后名为《挑剔的大众》
1968　《最佳科幻小说》，法贝出版社
1970　《13点钟与其他零的故事》，戴尔出版社，由詹姆斯·布利什编辑
1976　《C·M·科恩布卢斯最佳作品选》，道布尔迪出版社，由弗雷德里克·波尔编辑
1980　《宇宙之前》，矮脚鸡图书出版公司
1987　《我们的最佳作品》，贝恩出版社

长久以来，与波尔的合作使得科恩布卢斯的名字一直保持着生气。《宇宙商人》是他们的第一部合作作品，到了50年代仍是一部主要的讽刺小说。小说将矛头指向广告人、腐败的政府、郊区居民和自欺欺人者。从某种意义上说，它也是一部历史小说，因为它所嘲笑的因循守旧的年代已过去，世纪末的生活并不像半个世纪前科幻讽刺作家所假想的那样是一片灰暗、死气沉沉的沙漠。然而《宇宙商人》娴熟地使他们重新成为人们关注的焦点。《狼毒乌头》是波尔与科恩布卢斯最后一部合作的作品，这部力作讲述了外星人使地球偏离轨道，并强迫人类变成一台巨型计算机的各种元件。

如果科恩布卢斯今天还健在的话，他会写些什么呢？

《行进中的傻瓜》

在该故事中，科恩布卢斯预见了一个用游戏节目来保持平静的"面包和马戏"的世界。

小沃尔特·M·米勒

出生年份：1922

国籍：美国

主要作品："十字架艾得阿姆"，"达夫斯泰勒"，《献给莱博维茨的颂歌》

小沃尔特·M·米勒在50年代写了不少短篇小说，其中有一些仍为人们所称道。但是它们却与他如今的声誉无关，这是不公平的。在米勒的40多部短篇小说中，确有几部高水平的作品。1953年出版的"十字架艾得阿姆"屹立不倒。一个从事火星土质化的劳动者，了解到他将永远无法返回地球。于是，他为后代奉献了自己的余生。这是一种近似宗教上的牺牲。像米勒其他所有的作品一样，这篇小说显示出一直占据他心灵的对宗教的关注：他在25岁时皈依罗马天主教。

但是，几乎和其他所有的一流科幻小说家不同的是，米勒仅写了一部小说，这就是成为经典小说的《献给莱博维茨的颂歌》(参见222页)。许多年来，一直有人谣传说它会有续集。但是续集始终没有出现，而且也很难找到适合写续集的题材。

这个有着浓厚宗教色彩的小说被分成三个部分（每部分都在几年前先单独发表在《银河系》杂志上）。小说的第一部分发生在一场核灾难使世界进入一个新"黑暗时代"的600年之后。在美国沙漠的深处，存在着莱博维茨的天主教社会。这个宗教社会以一位犹太工程师的名字命名。这位工程师在灾难刚刚过去之后的那段时期熟读禁书。宗教社会继续进行创建工作，并设法把人类书面记录下来的知识的精华保留了下来。一份莱博维茨的蓝图——留给宗教社会的神圣遗产——在一个流浪的犹太人的帮助下，终于被救了出来。即使是核弹轰炸也无法减轻这个犹太人永远的负疚感。

小说的第二部分发生在又一个600年过去之后，那时历史开始重复。(在整部作品中，米勒将他对于世俗的历史是周而复始的这一认识，与认为神圣的历史正不断地移向一种可能的美好状态的观点进行对比。)电再次被发明出来，工业革命也将重新开始，修道院受到威胁。

在小说的第三部分，历史又向前推进了6个世纪。这部分用最犀利的语言描述了20世纪世俗的糟糕状况的回归。安乐死诊所(这是与米勒保守的天主教信仰相背离的)遍地开花，而另一场核战争再一次带来大灾难。同时，这个宗教社会的成员准备乘宇宙飞船逃离地球，他们希望能在半人马座上建立一个新社会，一个科技不会腐蚀人类心灵的社会。作品总体上的复杂程度非常惊人。小说的每一部分都预示并回应着其他部分，产生一种交相呼应的效果。作品中有幽默、哀愁、悲剧、谜团、推测、讽刺和希望等多种情感。这是当代科幻小说中仅有的两至三本最佳单本小说之一。事实上，这样的一部作品不可能会有续集。

> "几乎所有米勒的作品，都显示出如此占据他心灵的对宗教的关注。"

作品目录

长篇小说

1960　《献给莱博维茨的颂歌》，利平科特出版社

短篇小说集

1962　《有条件的人类》，巴兰坦出版社
1965　《星球视角》，巴兰坦出版社
1980　《小沃尔特·M·米勒的最佳作品》，袖珍图书出版公司
1982　《达夫斯泰勒》，矮脚狗出版社
1984　《小沃尔特·M·米勒的科幻小说》，霍尔出版社

菲利普·乔斯·法默

出生年份：1918
国籍：美国
曾用名：格尔高·乔特
主要作品：《情人》，《河的世界》系列

作为一种自认为前卫的文学体裁，科幻小说却显得颇为腼腆。这一点在对性这一问题的处理上，表现得最为明显。早期的通俗杂志有时表现得确实骇人听闻：一些杂志专门登载性虐待情节的画面，画面上裸体的女人被绳子捆绑着，等待别人来援救。但是通俗科幻小说杂志却相当克制，它们的插图仅限于描绘从外星来的怪物企图跟穿着比基尼的女孩上床。惟一允许裸体出现的场合是在星际浪漫故事中的火星和金星上。

到了50年代，沉默演变为压抑、古板和对青少年读者的谨慎。这时，出现了菲利普·乔斯·法默。他的创作始于40年代，1952年因为在《惊险故事》杂志上发表了小说《情人》而一下子变得声名狼藉。需要一提的是：《情人》在该杂志发表前，已因其主题而被《惊险故事》和《银河系》杂志拒绝过。因为法默的小说完全不属于色情文学，也因为它用严格的科幻小说语言一针见血地推测出性的实质，《情人》成为具有开创性的一篇小说。到1961年（海因莱恩发表了《陌生土地上的陌生人》），闸门被打开了。

但在1952年，《情人》的确令人震惊。一个地球人被送往外星球，去灭绝那里的昆虫类物种。他发现当地的那些物种能够模仿人类的形状，而且他爱上了一个引诱他的女性。他们很快就发生了性关系。它的怀孕对它来说是致命的（这种事情即使是在现代科幻小说中也经常发生），于是他被留下来，照顾和爱护他的那些昆虫孩子。这是一种今天常说的宇宙生物学的故事，但是在艾森豪威尔将军当选总统的那一年却激起了公愤。

1953年，法默被授予当年的雨果最佳新人奖，看上去他似乎马上就要成为这一体裁的主流作家之一了。他对宗教和社会旧传统的攻击十分必要，而他的技巧又无可质疑。但他在好几年都运气极坏：除了遭遇其他挫折之外，他还丢失了一部长篇手稿。尽管他的第一部小说《绿色的漂泊之旅》（参见221页）非常高明地将科幻小说与星际浪漫小说结合在一起，他却似乎难以靠他的写作技艺来谋生。

直到60年代，他的职业写作生涯才开始真正腾飞起来。《情人》以长篇小说的形式出版了。《宇宙缔造者》开始了一部关于一群袖珍宇宙的漫长、复杂、充满狂想的史诗般复杂的长篇系列小说。《未知的宴会》是对人猿泰山的拙劣模仿。《到你散落的躯体上去》（参见227页）以及它的许多部续集将所有转世的人类全部置于一条巨大的河流两岸，在那里恶作剧和探险令人沉醉地交织在一起。《白昼世界》、《白昼世界的反抗》和《白昼世界的解体》扣人心弦地描述了在一个极其拥挤的世界上，几个头脑轮流使用同一个躯体。

法默总是站在前沿。他作出模仿和探索，他发出嘲笑和评论，他亵渎神灵。他和库尔特·冯内古特很相像，他在《半开闭贝壳上的金星》中表达了对库尔特的尊敬。他的小说中充满了动作、人物和想象的激情；但同时它们似乎也表现出一种奇怪的孤独感。它们站在传统科幻小说的边缘，指向未来。

事物并不是它们看上去那样的
《情人》中的人类主人公爱上了一个以人类面貌出现的外星女子，虽然他知道那并不是其真实面目。这部短篇小说为法默赢得了雨果奖。

作品目录

中长篇小说

- 1957　《绿色的漂泊之旅》，巴兰坦出版社
- 1960　《肉体》，星系出版社
  - 《一天一个女人》，星系出版社，后改名为《时间停顿的日子》
- 1961　《恋人》，巴兰坦出版社
- 1962　《躲避外太空》，埃斯本出版社，扩写后改名为《隐藏处》
- 1964　《里外》，巴兰坦出版社
  - 《月亮的舌头》，金字塔出版社
- 1965　《大胆果敢》，巴兰坦出版社
  - 《宇宙缔造者》，埃斯出版社
- 1966　《时间之门》，贝尔蒙特出版社，后改名为《来自地球的秃鹰》
  - 《创造之门》，埃斯出版社
  - 《光之夜》，埃斯利出版社
- 1968　《野兽的形象》，埃塞克斯书屋
  - 《私立的宇宙》，埃斯出版社
- 1969　《未知的宴会：葛兰狄斯勋爵的回忆录卷IX》，埃塞克斯书屋
- 1970　《在地球的墙后》，埃斯本书屋
  - 《泰格勋爵》，道尔迪出版社
  - 《丛林的勋爵》，埃斯出版社
  - 《疯狂的小鬼》，埃斯出版社，后改名为《保守秘密者》
  - 《石神醒来》，埃斯出版社
- 1971　《到你散落的躯体上去》，帕特南出版社
  - 《令人难以置信的河上渡船》，帕特南出版社
- 1972　《时间的最后礼物》，巴兰坦出版社
- 1973　《菲利斯·福格的其他航海日志》，道尔图书出版公司
  - 《活人的背叛者》，巴兰坦出版社
- 1974　《医学博士约翰·H·沃森之无双的同辈的探险》，阿斯本出版社
  - 《古代欧巴的海顿》，道尔图书出版公司
- 1975　《半开闭贝壳上的金星》，戴尔出版社，笔名格尔高·乔特
- 1976　《飞往欧巴》，道尔图书出版公司
  - 《黑暗设计》，伯克利出版社
  - 《拉瓦利特的世界》，埃斯出版社
- 1979　《黑暗的是太阳》，巴兰坦出版社
  - 《火星上的耶稣》，海礁出版社
- 1980　《神奇的迷宫》，伯克利出版社
- 1981　《非理性的面具》，帕特南出版社
- 1982　《欧兹的江湖艺人：或对于不同层次上的连续状况的合理化与推测》，幻境出版社
  - 《银色伤心》，海礁出版社（系列故事）
  - 《恶梦车站》，石山出版社，（系列故事）
- 1983　《河界之神》，帕特南出版社
  - 《永恒的河流》，幻境出版社
- 1983　《白昼世界》，帕特南出版社
- 1986　《白昼世界的反抗》，帕特南出版社
- 1990　《白昼世界的解体》，石山出版社
- 1991　《红色沃克的怒火》，石山出版社
  - 《野人多克：逃离洛奇：野人多克的第一次探险》，矮脚鸡图书出版公司
- 1993　《不仅仅是火》，石山出版社

短篇小说集

- 1960　《奇怪的关系》，巴兰坦出版社
  - 《陋巷之神》，巴兰坦出版社
  - 《天体蓝图》，埃斯出版社
- 1971　《深陷黑蒂》，尼尔森·道布尔迪出版社
- 1973　《菲利浦·约瑟·法默的作品：或是简朴的西蒙盛果冻饼的器具与宇宙飞行员》，道尔图书出版公司
- 1979　《河界与其他故事》，伯克利出版社
- 1980　《河界大战：被禁止的菲利普·约瑟·法默的小说》，埃利斯出版社
- 1981　《星星之父》，海礁出版社
- 1982　《恶梦车站》，海礁出版社
  - 《紫色的书》，伯克利出版社
- 1984　《菲利普·约瑟·法默的经典作品》(2卷)，王冠出版社
  - 《大探险》，伯克利出版社
- 1992　《骑紫色威奇马的人》，石山出版社

小说体传记

- 1972　《活着的泰山：格雷斯托克传》，道布尔迪出版社
- 1973　《野人多克：他的天启生活》，道布尔迪出版社

译作

- 1976　《铁堡》，道尔图书出版公司，改编自J·H·洛斯尼的《铁堡哈雷顿的奇异探险》

杰克·万斯

出生年份:1916
国籍:美国
主要作品:《死亡中的地球》、《魔鬼王子》系列

他是一名园丁:他看护着世界和人类。万斯的每一部作品中几乎都充满了对乡村或城市风景的描写。万斯用悠闲、自信的手笔塑造出来的这些风景显得错综复杂。它们具有异国情调,彼此之间存在着根本区别;它们大量产生并迅速繁荣;这就是想象的核心。万斯的宇宙,即他的艺术语言所指的几十亿颗星星,是一个繁荣的宇宙。

这个宇宙必然会遭受"热寂",但现在还没有。那些在围绕星系中无数颗太阳运转的行星上存在的社会,却没有这么幸运。万斯描述了几十种各自独立的文化。有时他的目光相当敏锐,对关于人类行为的学说如何被认为是真实的,如何才能取得成功有一个清晰的认识。例如《鲍的语言》,在一条假设的基础上进行推断。这一假设认为语言的深层结构决定了它所在的文化的性质,以及所在文化中人类认识世界的方式。自从万斯写了这篇小说以后,这一沃尔夫·萨丕尔假设(以提出这一学说的语言学家的名字命名)受到了严峻的挑战,但这无关紧要;重要的是这篇小说极好地展现了如果沃尔夫·萨丕尔假设正确的话,我们将会迎来怎样一种世界。这是一个思想试验。对某些人来说,这就是科幻小说的全部。

万斯的第一部作品《死亡中的地球》非常有名。他的第一部足本小说《永生》是一部严酷的反面乌托邦小说,背景是一个被永生的可能性弄得

四分五裂的未来的地球。万斯常创造冷酷、谨慎、孤独的主人公。这些主人公不信任自己的物种、其他物种和环境,这对于一个被事物的多样性和复杂性所吸引的人来说或许有些奇怪;万斯似乎还认为他的主人公们这样做是对的,这一点更令人惊奇。

结果,万斯因坚持坏脾气的自由意志论而出名。如果考虑到他所使用的大量的明智方法,即

《惊险故事》
像万斯的许多早期作品一样,《大行星》最初发表在《惊险故事》杂志上。

代表作品

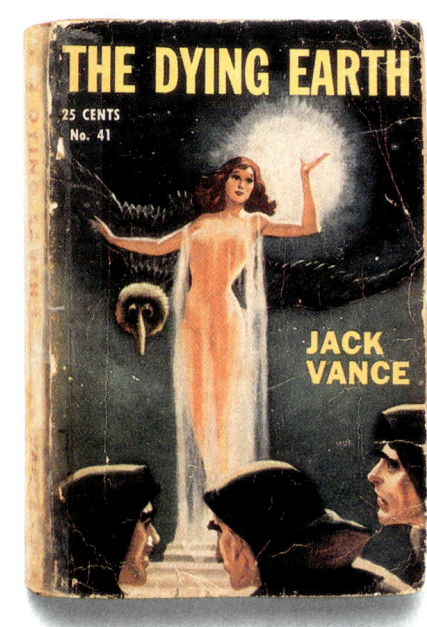

从20世纪初开始,科学幻想小说的背景就已经设置在一个模糊、遥远的将来。只有在《死亡中的地球》中,人们才得以将此背景限定在足以支撑一部科幻小说的坚实事物上。《死亡中的地球》的背景设在极其遥远的将来,以至于已重复了几千次的历史也成了一个神话。在这里,魔术和技术是相同的东西,人类在时间花园中嬉戏。

《死亡中的地球》

使是他最反社会的主人公也都知道他们在做什么以及为谁而做,这一名声就难以否定。他最著名的主人公是科斯·吉森,即《魔鬼王子》系列(由《星王》、《杀人机器》、《爱的宫殿》、《脸》和《梦想的书》组成)中的复仇人物。每部作品里,吉森都像我们在西部片中所期望的那样对他的敌人施以惩罚。然而最终,在《面具》、《威斯特》、《里昂耐斯》和其他许多作品中,星球的园丁赢得了胜利。

作品目录

中长篇小说

1950 《死亡中的地球》,《希尔曼期刊》(系列故事)
1953 《宇宙强盗》,托比出版社,缩编后改名为《5条金色的绳索》
《真空中的汪达尔人》,温斯顿出版社
1956 《永生》,巴兰坦出版社
1957 《大行星》,阿瓦隆出版社
1958 《鲍的语言》,阿瓦隆出版社
《克劳的奴隶》,埃斯出版社
1963 《龙的主人》,埃斯出版社
1964 《伊斯姆的房子》,埃斯出版社
《树的儿子》,埃斯出版社
《星王》,伯克利出版社
《杀人机器》,伯克利出版社
1965 《旋转中的怪兽》,埃斯出版社
《太空探索》,金字塔出版社
1966 《蓝色世界》,巴兰坦出版社
1966 《地球的头脑》,埃斯出版社
《上流社会的眼睛》,埃斯出版社
1967 《爱的宫殿》,伯克利出版社
《最后的城堡》,埃斯出版社
1968 《夏什的城市》,埃斯出版社,后改名为《夏什》
1969 《安菲利奥》,道布尔迪出版社
《万奇汗的仆人》,埃斯出版社,后改名为《万克汗》
《德尔斯》,埃斯出版社
1970 《杜米》,埃斯出版社
1973 《阿诺米》,戴尔出版社,后改名为《没有脸的人》
《勇敢的自由人》,戴尔出版社
《特鲁廉:阿拉斯泰尔2262》,巴兰坦出版社
1974 《奥修特拉》,戴尔出版社
《灰色王子》,鲍勃斯-梅里尔出版社
1975 《门罗尼:阿拉斯泰尔933》,巴兰坦出版社
1975 《演戏船的世界》,金字塔出版社,后改名为《下维塞尔河的华丽演戏船》,《南方》,《月牙形XXIII》,《大行星:演戏船的世界》
1976 《面具:泰利》,伯克利出版社
1978 《威斯特:阿拉斯泰尔1716》,道尔图书出版公司
1979 《脸》,道尔图书出版公司
《莫雷昂》,恩德伍德-米勒出版社
1981 《梦想之书》,恩德伍德-米勒出版社
1983 《库格尔的传奇》,袖珍图书出版公司
《索尔军的花园》,伯克利出版社
1984 《奇妙的莱阿尔托》,勃兰迪威恩出版社
1985 《里昂耐斯:绿色的珍珠》,后改名为《里昂耐斯》
1987 《阿拉伯他车站》,恩德伍德-米勒出版社
1989 《里昂耐斯:马多克》,恩德伍德-米勒出版社,后改名为《马多克》
1991 《埃斯与地球》,圣马丁出版社
1992 《特罗伊》,恩德伍德-米勒出版社

短篇小说集

1964 《将来时态》,巴兰坦出版社,后改名为《遥远恒星的灰尘》
1965 《中间的世界》,埃斯出版社,后改名为《月亮飞蛾》
1966 《马拉纳斯·里道夫的许多世界》,埃斯出版社,扩写后改名为《完整的马格纳斯·里道夫的故事》
1969 《8个幻想与魔幻故事》,麦克米伦出版社,后改名为《幻想与魔术》
1973 《杰克·万斯的世界》,埃斯出版社
1976 《杰克·万斯最佳作品》,袖珍图书出版公司
1979 《绿色的魔术:杰克·万斯的幻想王国》,恩德伍德-米勒出版社
1979 《17个处女:许多个梦:聪明人的探险故事》,恩德伍德-米勒出版社
1980 《银河系执行者》,恩德伍德-米勒出版社
1982 《狭地》,道尔图书出版公司
《丢失的月球》,恩德伍德-米勒出版社
1985 《来自孤独星球的光》,内斯法出版社
1986 《扩大的代理》,恩德伍德-米勒出版社
《月球黑暗的一边》,恩德伍德-米勒出版社
1990 《"如果"城堡》,恩德伍德-米勒出版社
1992 《当5个月亮升起时》,恩德伍德-米勒出版社

詹姆斯·布利希

生卒年份：1921~1975

国籍：美国

曾用名：唐纳德·拉维蒂，约翰·迈克道格尔，阿瑟·默林，小威廉·阿特尔林

主要作品："表面张力"，《流动农业工人》系列，《良心案件》

如果美国的科幻小说对理念的论述比对讲故事更感兴趣，对被深层思想毁灭的思想家比对主人公更感兴趣，那么詹姆斯·布利希一定会成为这一文学体裁的历史上最重要的人物。这并不是说他不会写故事。《表面张力》的背景是一个星球，在这个星球上聚居的人类被生物工程技术改造成几乎看不见的微小生物。这是一篇在概念上有所突破的伟大小说。布利希的错误在于——或许他是正确的——他几乎总是要停下他的小说来思考。

布利希的背景与达蒙·耐特，C·M·科恩布卢斯和弗雷德里克·波尔等作家颇为相似，并且也同样为几个编辑打短工。有一段时间，他努力想成为一名科幻小说作家。大约在1950年，他因出版了《鹰的杰克》等小说而给人留下了不准确的印象，人们都以为他想成为一位伟大的故事大师。

布利希不是那样想的。他的科幻小说的杰作有对原罪概念作出艰辛研究的《良心案件》(参见221页)和组成《飞行城市》的长短篇小说。在小说《飞行城市》中，德国哲学家奥斯瓦尔德·施本格勒的历史学说(文明经历成长和衰落的周期)取缔了他开始讲述的喧闹的太空剧。但是两部作品都深深地铭记在我们的脑海中。

后来的《星际旅行》系列是他为了赚钱而写的。只有在别处才能够找到真正的布利希，他已经迷失在思想的螺旋中了。

作品目录

中长篇小说

1952	《鹰的杰克》，格林伯格出版社，后改名为《超能力者》
1953	《白天的战斗者》，星系出版社
1955	《地球人，回家吧》，帕特南出版社
1956	《他们应该拥有星球》，法贝出版社，修改后改名为《2018年》
1957	《冰冻的一年》，巴兰坦出版社，后改名为《坠落的星星》
1958	《时间的胜利》，埃文出版社 《良心案件》，巴兰坦出版社
1959	《复制人》，阿瓦隆出版社，与罗伯特A·W劳恩斯合著
1961	《星球居住者》，帕特南出版社 《泰坦的女儿》，伯克利出版社
1962	《夜晚造形》，巴兰坦出版社
1964	《米拉比利斯博士》，法贝出版社
1965	《去核心星球的使命》，矮脚鸡图书出版公司
1967	《连续涌来的脸庞》，道布尔迪出版社，与诺曼·L·耐特合著 《欢迎来火星》，法贝出版社
1968	《黑色的百圣节，或浮士德·阿莱夫-纳尔》，道布尔迪出版社 《消失的喷气式飞机》，韦布莱特与泰利出版社
1970	《斯波克必须死!》，矮脚鸡图书出版公司
1971	《审判后的日子》，道布尔迪出版社，《……所有的星球都是舞台》，道布尔迪出版社
1972	《中夏世纪》，道布尔迪出版社
1973	《时间5点》，戴尔出版社
1978	《马德的天使》，矮脚鸡图书出版公司，与J·A·劳伦斯合著

短篇小说集

1957	《新星》，守护神出版社
1959	《星际星团》，新美国图书馆出版社
1961	《遥近家园》，巴兰坦出版社
1965	《詹姆斯·布利希的最佳科幻小说》，法贝出版社，修改后名为《安德洛斯的信条》
1967	《星际旅行》，矮脚鸡图书出版公司
1968	《星际旅行2》，矮脚鸡图书出版公司
1969	《星际旅行3》，矮脚鸡图书出版公司
1970	《任何时候》，道布尔迪出版社 《星际旅行4》，矮脚鸡图书出版公司
1971	《星际旅行5》，矮脚鸡图书出版公司 《星际旅行6》，矮脚鸡图书出版公司
1972	《星际旅行7》，矮脚鸡图书出版公司 《星际旅行8》，矮脚鸡图书出版公司
1973	《星际旅行9》，矮脚鸡图书出版公司
1974	《星际旅行10》，矮脚鸡图书出版公司
1975	《星际旅行11》，矮脚鸡图书出版公司，后改名为《和平鸽之日》
1977	《星际旅行12》，矮脚鸡图书出版公司，与J·A·劳伦斯合著
1979	《詹姆斯·布利希的最佳作品选》，巴兰坦出版社
1980	《离开我的天空，这里不允许有黑暗》，美洲豹出版社

非小说类作品

1964	《手边的话题：当代杂志科幻小说研究》，阿德范特出版社，笔名小威廉·阿特尔林
1970	《手边的话题：当代科幻小说的批评研究》，阿德范特出版社，笔名小威廉·阿特尔林
1987	《撼动上帝的故事》，阿德范特出版社

科德威那·史密斯

生卒年份：1913~1966

国籍：美国

曾用名：出生名保罗·迈伦·安东尼·莱恩巴格，菲利克斯·C·福雷斯特，卡尔基尔·史密斯

主要作品："虚度一生的审视者"，《工具》系列

假如美国科幻小说选择了另一条道路的话，科德威那·史密斯将会成为一名绝对中心的人物。在那种情况下，这一文学体裁将不得不集中描写人类旧日辉煌的恢复，而不是我们将要经历的成功和苦难。他的作品都是关于过去巨大的、具有浪漫色彩的重负；它和进入未来的浪漫趋势几乎毫无关系。

史密斯的第一篇小说，即应该出名的"虚度一生的审视者"(1950)在当时却被所有主要的科幻小说杂志拒之门外。这在今天看来简直不可思议，因为90年代的读者能够毫无困难地认识到这是一部极好的一流作品。这可能是因为二战以后，世界发生了根本性的变化。

"虚度一生的审视者"阴郁、粗野地描述了人类在宇宙中获得胜利所付出的各种代价，带有预言性地嘲讽了技术变革对通过获得成功来让自己过时的"英雄们"的深刻影响。这不是一篇1950年的科幻小说界想要听到的故事。

后来，史密斯的观点变得温和了一些，虽然第一篇小说中的暗示从未被否定过。这很有可能是因为作为一个政治科学家与中国问题专家的史密斯在1950年已经相当成熟，并且他关于人类旧时代的、高昂浪漫的悲观主义观点不太可能发生重大的改变。他所写的东西也不会改变：他写的每部作品，甚至包括"虚度一生的审视者"，几乎都可以纳入一个前后一致、跨越几千年的宇宙之中。但是虽然这个宇宙被描述得如此详细，以至于可以在科幻小说未来历史中占有一席之地，其重点却不是在于讲述，而是在于记住故事。

在遥远的将来，人类失去了感染力；统治机构决定重新引进斗争与死亡的因素。史密斯的精彩小说是用模糊的语言来庆祝这一返朴归真的民谣。它们带有伤感、挖苦、诗意和严肃的色彩。读着这些作品，我们感到自己像是处在金色、艳丽且略带幽默的黎明时分的生物。

作品目录

中长篇小说

1947	《莱阿》，杜尔出版社，笔名菲利克斯·C·福雷斯特
1948	《卡罗拉》，杜尔出版社，笔名菲利克斯·C·福雷斯特
1949	《奥托姆斯克》，杜尔出版社，笔名卡米基尔·史密斯
1964	《行星购买者》，金字塔出版社
1968	《下边的人们》，金字塔出版社
1975	《诺斯特拉》，巴兰坦出版社

短篇小说集

1963	《你永远不会和原来一样》，雷金里斯出版社
1965	《宇宙勋爵》，金字塔出版社
1966	《探索三个世界》，埃斯出版社
1970	《在古老地球下面》，美洲豹出版社
1971	《星梦者》，猎犬出版社
1975	《科德威那·史密斯的最佳作品选》，道布尔迪出版社，后改名为《人类再发现》(与1993年同名作品不同)
1979	《人类的工具》，巴兰坦出版社
1993	《人类再发现：科德威那·史密斯短篇科幻小说全集》，内斯法出版社

非小说类作品选

| 1937 | 《孙逸仙的政治教条》，约翰·霍普金斯大学出版社 |
| 1948 | 《心理战》，步兵团杂志出版社 |

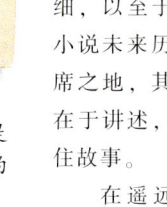

工具

这一短篇小说集是科德威那·史密斯的第一部科幻作品。

安德烈·诺顿

出生年份：1912
国籍：美国
曾用名：出生名艾丽斯·玛丽·诺顿；安德鲁·诺思
主要作品：《巫术的世界》系列

安德烈·诺顿不仅仅是著作等身，尽管事实确实如此，她的作品仍在源源不断地涌来。诺顿如此之长的作品目录的特别之处，或许就在于这些作品所表现出来的创作的连贯性：从1951年开始的每一年中，都至少有一本、且常常可多达4本的新作品添加到这个目录中来。

尽管诺顿开始写作时很年轻，早在1934年就发表了自己的第一部小说，她的起步却十分缓慢。直到她成年以后，并且对自己的风格以及想要传达给读者的东西可以完全把握时，作品才如潮水般涌来。在50年代，她追随海因莱恩领导的潮流，后者在40年代为年轻读者而写的小说使出版商们明白了那些读者喜爱真实，即看上去能够反映真实未来的真实故事。诺顿很快就被公认为是一位为青少年读者撰写简洁、浪漫、乐观、有活力的冒险科幻小说的作家。

然而，应当注意的是，当出版商以平装本重印这些作品时，他们并没有考虑过原来的青少年市场。从一开始，成人读者读诺顿的作品时就不觉得与她头脑里迅速、清晰、活泼的节拍有什么距离。她也从未用过一个有优越感的字眼。她写作用的是并不经常变化的说话语气。从早期带有稚气的探险小说，如《星际骑兵》，到复杂、充满情节且篇幅很长的后期作品，如《金色的延龄草》，她的作品的风格始终如一。

这一切都是真实的，但也并非完全如此。如果诺顿必须和阅读她作品的世界进行斗争，这些斗争必然和她对于原始科学和技术的深刻的不信任感有关。诺顿似乎经常对书中出现的这种不信任感加以掩饰。但这种不信任感却明确地体现在她最大的成就——那部获得巨大成功的鸿篇巨制《巫术的世界》系列中。因为安德烈·诺顿本质上是一个描写星球的浪漫故事作家，而不是星球的破坏者。

代表作品

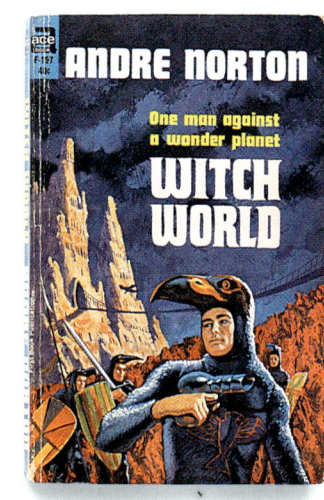

《巫术的世界》

故事始于《角状王冠》。在该作品中，人们发现了通往"另类宇宙"的门，来到了巫术世界的埃斯特卡普岛，开始在那里生活。后来的故事——《巫术的世界》本身，虽然最先出版，按照内部的时间顺序却是第二部——逐渐描绘了一个被巫术困扰、由传奇定义的国家。这是一个有足够空间讲述刀剑和巫术、成人仪式故事的母系社会，其中隐含着科幻小说的理念，感觉却像是荒诞故事。

作品目录

中长篇小说

- 1934 《王子发号施令》，阿普顿世纪出版社
- 1938 《雷尔斯通的运气》，阿普顿世纪出版社
- 1942 《菝葜声前行》，宾州出版社
- 1946 《剑出鞘》，霍顿·米弗林出版社
- 1947 《流氓列那》，霍顿·米弗林出版社
- 1948 《疤脸》，哈考特·布雷斯出版社
- 1949 《剑在鞘》，哈考特·布雷斯出版社，后改名为《失落的岛屿》
- 1951 《带角的泪柏》，哈考特·布雷斯出版社
- 1952 《外星人之子，公元2250年》，哈考特·布雷斯出版社，后改名为《破晓时分，公元2250年》
- 1953 《星际骑兵》，哈考特·布雷斯出版社，后改名为《最后的星球》
- 1954 《星球是我们的》，世界出版社
  《剑锋》，哈考特·布雷斯出版社
- 1955 《星球卫士》，哈考特·布雷斯出版社
  《美国私掠船》，世界出版社
  《宇宙藻类》，守护神出版社，笔名安德鲁·诺斯
- 1956 《时间的十字路口》，埃斯出版社
  《朝着马的方向站立》，哈考特·布雷斯出版社
  《瘟疫船》，守护神出版社，笔名安德鲁·诺斯
- 1957 《海上围攻》，哈考特·布雷斯出版社
  《星星诞生》，世界出版社
- 1958 《星门》，哈考特·布雷斯出版社
  《时间商人》，世界出版社
- 1959 《失落种族的秘密》，埃斯出版社，后改名为《狼区》
  《野兽主人》，哈考特·布雷斯出版社
  《伏都行星》，埃斯出版社，笔名安德鲁·诺斯
  《星际漂流船》，世界出版社
- 1960 《巫师风暴》，世界出版社
- 1960 《苏族宇宙飞行员》，埃斯出版社
  《影子秃鹰》，哈考特·布雷斯出版社
- 1961 《星球猎手》，埃斯出版社
  《猫眼》，哈考特·布雷斯出版社
  《骄傲地开车，叛逆者!》，世界出版社
- 1962 《怪兽之眼》，埃斯出版社
  《目中无人的代理人》，世界出版社
  《雷神》，哈考特·布雷斯出版社
  《反叛爆发》，世界出版社
- 1963 《巫术的世界》，埃斯出版社
  《时间之外的钥匙》，世界出版社
  《对杰那斯的审判》，哈考特·布雷斯出版社
- 1964 《在别处的考验》，世界出版社
  《面具之夜》，哈考特·布雷斯出版社
  《巫术世界之网》，埃斯出版社
- 1965 《X因子》，哈考特·布雷斯出版社
  《穿越时空的探索》，威金出版社，后改名为《穿越时空的代理人》
  《钢铁魔法》，世界出版社
  《三个反巫术世界者》，埃斯出版社
  《独角兽年》，埃斯出版社
- 1966 《三个指环的月亮》，威金出版社
  《对杰那斯的胜利》，哈考特·布雷斯出版社
- 1967 《时间搜索行动》，哈考特·布雷斯出版社
  《八角魔法》，世界出版社
  《巫术世界的巫师》，世界出版社
- 1968 《黑暗的管道》，哈考特·布雷斯出版社
  《零石》，威金出版社
  《皮毛魔法》，世界出版社
- 1969 《巫术世界的女巫》，埃斯出版社
  《给星球盖上邮戳》，哈考特·布雷斯出版社
- 1970 《冰王冠》，威金出版社
  《可怕的伙伴》，哈考特·布雷斯出版社
- 1971 《武装机器人》，哈考特·布雷斯出版社
  《星球流放者》，威金出版社
- 1972 《未来的种族》，威金出版社
  《水晶半狮半鹫怪兽》，雅典娜出版社
  《龙魔法》，克劳威尔出版社
- 1973 《怪兽在这里逗留》，雅典娜出版社
  《先驱的侵略》，威金出版社
- 1974 《铁笼》，威金出版社
  《灰豹》，雅典娜出版社，与伊尼德·库欣合著
  《淡紫-绿色魔法》，克劳威尔出版社
- 1975 《天外》，沃克出版社
  《海角之日》，沃克出版社，与迈克尔·吉尔伯特合著
  《梦想的骗子》，雅典娜出版社，与A·C·克里斯平合著
  《没有一个无星星的晚上》，雅典娜出版社
  《曾经愤怒》，奇普街出版社
  《默林的镜子》，道尔图书公司
- 1976 《白玉狐狸》，达顿出版社
  《凯阿特星》，沃克出版社，与多萝西·米德李合著
  《红鹿魔法》，克劳威尔出版社
  《时间的幽灵》，雅典娜出版社
  《危险的梦》，道尔图书公司
- 1977 《猫眼迷》，达顿出版社
  《天鹅绒影子》，福西特出版社
  《凯阿特星的世界》，沃克出版社，与多萝西·米德李合著
  《泥沼守卫》，雅典娜出版社
  《尤斯的负担》，道尔图书公司
- 1978 《扎斯德的毒物》，埃斯出版社
  《贝蒂和梅》，世界出版社，与伯莎·斯特恩·诺顿合著
- 1979 《凯阿特星与行星人》，沃克出版社，与多萝西·米德李合著
  《雪影》，福西特出版社
  《主日的7道咒语》，雅典娜出版社，与菲利斯·米勒合著
- 1981 《凯阿特星与维因治勇士》，沃克出版社，与多萝西·米德李合著
  《10里财富》，袖珍图书出版公司
  《沃尔罗普》，埃斯出版社
  《先驱》，礁石出版社
  《光荣的半狮半鹫怪兽》，雅典娜出版社
  《永恒的加伦》，幻想出版公司
  《角状王冠》，道尔图书出版公司
- 1982 《呼唤月狼》，西蒙与舒斯特出版社
  《卡罗琳》，礁石出版社，与伊尼德·库欣合著
- 1983 《星之轮》，西蒙与舒斯特出版社
  《鹰制品》，雅典娜出版社
- 1984 《影子之屋》，雅典娜出版社，与菲利斯·米勒合著
  《站着送出》，戴尔出版社
  《鹭巢》，雅典娜出版社，与A·C·克里斯平合著
- 1985 《先驱·第二次冒险》，雅典娜出版社
  《骑上绿龙》，雅典娜出版社，与菲利斯·米勒合著
- 1986 《依克克特的逃遁》，沃克出版社
- 1987 《猫之门》，埃斯出版社
  《蛇牙》，安德烈·诺顿有限公司
- 1989 《帝国之眼》，石山出版社，与苏珊·斯瓦茨合著
- 1990 《杰基尔的遗产》，石山出版社，与罗伯特·布洛奇合著
  《黑色的延龄草》，道尔库迪出版社，与马里恩·齐默·布莱德利和朱丽安·梅合著
  《去打猎》，石山出版社
- 1991 《埃尔·范贝恩》，石山出版社，与默西迪斯·拉奇合著
  《胜利的风暴》，石山出版社，与P·M·格里芬合著
- 1992 《报复的逃遁》，石山出版社，与P·M·格里芬合著
  《作曲匠》，石山出版社，与A·C·克里斯平合著
- 1993 《鹰之帝国》，石山出版社，与苏珊·斯瓦茨合著
  《使星球停止飞行》，石山出版社，与P·M·格里芬合著
  《金色的延龄草》，矮脚鸡图书出版公司
- 1994 《火之手》，石山出版社，与P·M·格里芬合著
  《在魔法的翅膀上》，石山出版社，与帕特丽夏·马修斯和萨莎·米勒合著
  《莱尔之手》，莫罗尔出版社

短篇小说集

- 1970 《高级巫师》，埃斯出版社
- 1972 《巫术世界的咒语》，埃斯出版社
- 1974 《安德烈·诺顿的许多世界》，奇尔顿出版社，后改名为《安特·诺顿的作品》
- 1977 《刀剑的假子》，格罗塞特与邓兰出版社
- 1980 《巫术世界之王》，道尔图书出版公司
- 1988 《月亮镜子》，石山出版社
- 1989 《巫术的世界》，石山出版社

编辑作品选

- 1953 《宇宙服务》，世界出版社
- 1973 《通往明天之门：科幻小说入门》，雅典娜出版社
- 1985 《伊斯卡的魔法》，石山出版社，与罗伯特·亚当斯合著，至1987年另出3卷
- 1987 《巫术世界的故事》，石山出版社，至1990年另出2卷

戈登·R·迪克森

出生年份：1923
国籍：美国，生于加拿大
主要作品：《多萨》系列，《时间风暴》，《狼与铁》

希拉尔·贝洛克和G·K·切斯特顿有过合作的先例，在合作时他们署名"切斯特贝洛克"。而波尔·安德森和戈登·R·迪克森也合作过，他们从未那样亲密，尽管人们一直认为他俩亦步亦趋。这是一个误解，可是算不上什么大错。

毕竟，波尔·安德森和戈登·R·迪克森有许多相似之处：他们同岁；他们一起在明尼苏达大学读书；一个开始发表作品几年后，另一个也开始发表作品；他们曾合作过；他们都住在北方并倾向于北方风格，都对背景设在英雄主义的北欧曙光时代有着强烈的偏爱；他们都被称为右翼作家——尽管这几乎不能被称做是美国科幻小说家与众不同的政治方向；他们都不善于描写可以信任的女人；他们都很多产；他们都创作了叫做"菲尔克宋"的歌曲(类似民歌，但是只在科幻小说领域里出现，而且与科幻小说领域有关)，他们甚至还偶尔哼唱几首；他们都是浪漫主义作家。

另一方面，波尔·安德森喜爱活跃、复杂的社交活动，迪克森却相反。所以安德森的长篇系列作品受到大众的欢迎，而迪克森的长篇系列作品——他只写了一部——是关于孤独的复杂故事。安德森的硬科幻小说读起来有些不舒服，像是摆错了地方的诗歌；然而即使是迪克森的幻想小说读起来也像是不拘一格的科幻小说。波尔·安德森是美国人；戈登·R·迪克森虽然在大约12岁时就来到了美国南部，但骨子里还带有加拿大人的气质。

戈登·R·迪克森的早期作品大部分是充满了思考的"太空剧"，它们中以《基因将军》为高潮。此书即《多萨》系列，或称《公子循环》系列中的第一本。后来的小说包括《巫师》、《战士》、《别问》、《错误策略》、《最后的百科全书》、《教堂公会》、《年轻的布雷》和《其他故事》，以及许多短篇小说集。整个系列是作者毕生创作的结晶，结果成了套在作者脖子上的一个沉重枷锁。其理由依据是哲学。迪克森发展了"有意识的进化论"这一概念；它的独创性可能并不显著，但对于他的创造性的要求却是惊人的，因为它要求他通过小说的动作情节来展示完整而理想的人类的缓慢、有意识的形成过程。这个生物是一个男性(迪克森对女人不太感兴趣)，他把各种类型的人召集起来，因为它们散布在各个行星上，然后使它们成为一个协调一致的物种。这些小说的主人公是多萨——斗士星球上的一个居民，尽管读者有时觉得它对人类本性的深刻直觉从实质上来讲是具有战略意义的，但他的任务并没有因此而变得合乎情理。换言之，它是一个好的基因将军，但不是一个好领袖。

迪克森创作的其他作品——对一些作家来说，以上作品已经足够了——相对于《多萨》系列是次要的，但是《狼与铁》或许是自从《地球继续存在》(参见217页)，或《献给莱博维茨的颂歌》以来最好的描述灾难后的小说。

代表作品

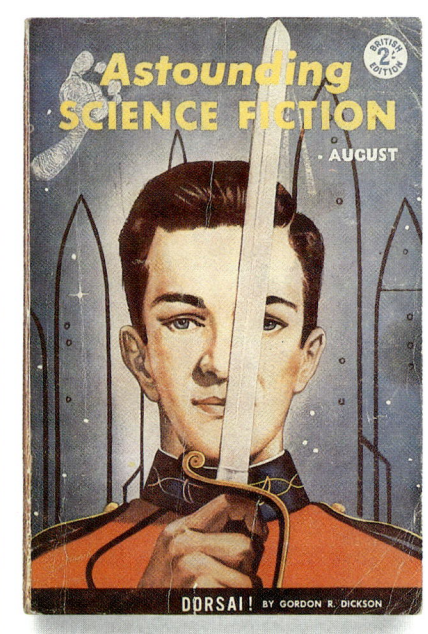

《多萨！》是迪克森在杂志上发表这部探险小说时给它取的名字。《基因将军》是埃斯出版社为其缩写本起的名字，但是后来又改成了《多萨！》，这个名称一直延用至今。唐纳尔·格里依姆是公子形象中最了不起的一个。他与其他公子一样，注定要将人类合并到一种超级文化中去。但是，《多萨！》本身比它听上去要有趣得多：它是一部经典科幻小说，描述了一个年轻人发现自己拥有其他人难以想象的能力。为了人类，他征服了世界。

《多萨！》

作品目录

中长篇小说

1956	《来自大角星的异758生物》，埃斯出版社，后改名为《大角星着陆》
1956	《奔逃中的人类》，埃斯出版社，后改名为《奔逃中》
1960	《基因将军》，埃斯出版社，后改名为《多萨！》
	《遥控的时间》，埃斯出版社
	《海底的秘密》，霍尔特·莱因哈特出版社
1961	《赤裸裸奔向星球》，金字塔出版社
	《幻境世界》，埃斯出版社
	《特别派送》，埃斯出版社
1962	《巫师》，道布尔迪出版社，后改名为《没有时间留给人类》
1963	《南极洲下的秘密》，霍尔特·莱因哈特出版社
1964	《加勒比海下的秘密》，霍尔特·莱因哈特出版社
1965	《异域之路》，矮脚鸡图书出版公司
	《前往宇宙的使命》，伯克利出版社
1967	《宇宙游泳者》，伯克利出版社
	《星球运行》，道布尔迪出版社，与基恩·劳默合著
	《士兵，别问》，戴尔出版社
1969	《只有人类》，道布尔迪出版社
	《幼狼》，戴尔出版社
	《宇宙之爪》，帕特南出版社
1970	《流浪之时》，帕特南出版社
	《错误的策略》，道布尔迪出版社
1971	《梦游者的世界》，利平科特出版社
1972	《先驱》，利平科特出版社
	《昔里奇·马斯》，戴尔出版社
1973	《异域的艺术》，达顿出版社
	《R主人》，利平科特出版社，修改后名为《最后的主人》
1974	《小顽皮鬼，快回家！》，圣马丁出版社，与本·包法合著
1975	《星球王子查理》，帕特南出版社
1976	《龙与乔治》，道布尔迪出版社
1976	《救生船》，哈珀出版社，与哈里·哈里森合著，后改名为《救生艇》
1977	《时间风暴》，圣马丁出版社
1978	《远方的呼唤》，德意尔出版社
	《岸边的家》，森里奇出版社
	《赞成》，埃斯出版社
1980	《埃弗伦的主人》，道布尔迪出版社
	《红色的杰米》，埃斯出版社，与罗兰·格林合著
	《最后的百科全书》，石山出版社
	《永远的人类》，埃斯出版社
1986	《朝圣之路》，埃斯出版社
1987	
1988	《教堂公会》，埃斯出版社
1989	《地球之神》，埃斯出版社
1990	《龙骑士》，石山出版社
	《狼与铁》，石山出版社
1991	《年轻的布雷们》，埃斯出版社
1992	《霍卡》，西蒙与舒斯特出版社
	《边境上的龙》，石山出版社
1993	《交战中的龙》，埃斯出版社，与波尔·安德森合著
1994	《其他》，石山出版社

短篇小说集

1957	《地球人的负担》，守护神出版社，与波尔·安德森合著
1970	《危险——人类》，道布尔迪出版社，后改名为《戈登·R·迪克森的作品》
1973	《突变》，麦克米伦出版社
	《星路》，道布尔迪出版社
1974	《古代，我的敌人》，道布尔迪出版社
1978	《戈登·R·迪克森最佳科幻小说选》，戴尔出版社，修改后名为《在骨头中》
1979	《多萨的精神》，埃斯出版社
1980	《失落的多萨》，埃斯出版社
	《在铁器时代》，道布尔迪出版社
1981	《是爱而不是人类》，埃斯出版社
1983	《霍卡！》，西蒙与舒斯特出版社
	《来自地球的人》，贝恩出版社
1984	《生存！》，贝恩出版社
1985	《迪克生！》，内斯法出版社，修改后名为《钢铁兄弟》
	《达·阿尔-哈伯之外》，石山出版社
	《向前！》，贝恩出版社
	《入侵者》，贝恩出版社
1986	《最后的梦想》，贝恩出版社
	《多萨的同伴》，埃斯出版社
	《世界抛弃的人》，贝恩出版社
	《心灵跨度》，贝恩出版社
1987	《陌生人》，石山出版社
1988	《开端》，贝恩出版社
	《终结》，贝恩出版社
	《导游》，石山出版社

编辑作品选

1975	《战斗科幻小说》，道布尔迪出版社
1978	《星云胜利者12》，哈珀出版社
1991	《劫掠者》，贝恩出版社
1993	《劫掠者II：鲜血与荣誉》，贝恩出版社

库尔特·冯内古特

出生年份：1922

国籍：美国

主要作品：《泰坦的女妖》，《猫屋里的金丝雀》，《5号屠宰场》，《加拉帕戈斯群岛》

库尔特·冯内古特有一段出名的经历，这段经历对一个拥有叙述未来故事天赋的人来说不同寻常。这段经历似乎太过简洁，又意味深长，所以显得不真实，但它的确是事实：库尔特·冯内古特是二战中的一名美国士兵，曾被德国人俘虏，并被作为战犯关在德累斯顿。盟军轰炸德累斯顿时，死者不计其数（据估计有12万人），整个城市变成了一片火海。冯内古特是德累斯顿轰炸后少数的几个幸存者之一。从那以后，像得了舞蹈病的以实玛利一样，他一直在向我们诉说着20世纪发生的变化。

库尔特·冯内古特是世界上最有趣的作家之一，除了约翰·T·斯莱德克之外——后者在冯内古特之后不久开始写作生涯，作为喜剧作家却在大约10年后销声匿迹——他是惟一真正将天赋和幽默集中于科幻小说的作家。但是这里有一个问题。冯内古特总是不喜欢把自己与这种文学体裁联系在一起，虽然他对科幻小说家试图直面现实世界的尝试也持明显的赞同态度，同时他也认为科幻小说旗帜下的大多数作品都是垃圾，所以称他是科幻小说家不一定是对他的恭维或赞美。

然而另一方面，又必须承认冯内古特是一位科幻小说家。只有外行的评论家才会认为一部背景设在未来、与人类命运相关的推理小说不是明显的科幻小说，即使这部小说的作者是一位幽默且享有盛誉的人。冯内古特的第一部小说《钢琴弹奏者》，只是二战后从新的工业化因循守旧的世界秩序中得出的一长串反面乌托邦观点中的一个杰出代表。作品的目标——自动化——精确地预示了斯莱德克将会选择的目标，后者的黑色超现实主义喜剧通常类似于冯内古特的作品。两位作者都是一种特别幽默者的典型，因为他们倾向于把人类看成是难以驯服、靠自身支持的外星人。机器人、火星人和回到家乡的人类，对于冯内古特来说，都一样陌生，一样地心神不宁。

冯内古特的下一部小说在相隔几年后才发表，即《泰坦的女妖》（参见221页）。它兴高采烈地模仿了一种旧式科幻小说的情节。在这一情节中，一个古老的种族（像E·E·史密斯的《透镜人》中的阿利斯特人）在几百年中提高了人类的地位，使我们承担起星系中的重大责任。不幸的是，特尔法玛多利人使人类离开泥沼，从而使我们制造出泰坦上一艘搁浅的宇宙飞船的替换部件。这艘宇宙飞船中有一个机器人信使，它所携带的等待送出的信息已经等候了5万年。这些信息原来是"贺词"。

《挑绷子游戏》和《上帝保佑你，玫瑰香水先生》继续这一攻击，继续分析人们说他们正在做的事情与他们实际正在做的事情之间的差距。怪诞的牧师和忧郁的女人在这里繁衍。《母亲之夜》不是一部科幻小说，而是对一名纳粹同情者可怕、冷酷的一瞥；它在冯内古特的小说中显得与众不同，并不是因为其哀怨的笔调，也不是因为冯内古特独有的振奋总是恰好在深渊的边缘摇摆，而是因为它没有给我们提供伪装的深渊、逗笑的姿势以及给我们做掩护的玩笑。

被毁灭的城市
轰炸后的德累斯顿在战争结束多年之后仍然是一片废墟。

在冯内古特的下一部小说《5号屠宰场》（参见225页中）中，冯内古特直面他的德累斯顿，并带来了许多信息。他的主人公——朝圣者比利发现在给他留下血与火的痛苦回忆的世界里生活是不可能的，于是随着特尔法玛多利人在时空中穿梭。《加拉帕戈斯群岛》的背景设在大屠杀之后，仍然在玩时间游戏，似乎时间游戏是一种躲避大火的方法。而《魔术》则对2001年的美国进行了推测，它是冯内古特最悲伤的一部作品。这部作品讲了一些笑话，但这些笑话及其世界给人有如鲠在喉的感觉。

作品目录

中长篇小说

1952	《钢琴弹奏者：或乌托邦14》，斯克莱伯纳斯出版社
1959	《泰坦的女妖》，戴尔出版社
1962	《母亲的夜晚》，福西特出版社
1963	《挑绷子游戏》，霍尔特·莱因哈特出版社
1965	《上帝保佑你，玫瑰香水先生，或贪婪者面前的珍珠》，戴勒科特出版社
1969	《5号屠宰场，或儿童十字军：与死亡的礼节性舞蹈》，戴纳科特出版社
1973	《冠军的早餐，或再见，蓝色的星期一》，戴勒科特出版社
1976	《闹剧，或不再孤独》，戴勒科特出版社
1979	《惯犯》，戴勒科特出版社
1982	《死亡之眼迪克》，戴勒科特出版社
1985	《加拉帕戈斯群岛》，戴勒科特出版社
1987	《蓝胡子》，戴勒科特出版社
1990	《魔术》，帕特南出版社

短篇小说集

1961	《猫屋里的金丝雀》，福西特出版社
1968	《欢迎来猴屋》，戴勒科特出版社

非小说类作品

1974	《万彼特斯，福马和甘脯隆斯：观点》，戴勒科特出版社
1981	《荣誉周日：自传剪辑》，戴勒科特出版社
1991	《比死亡更糟的命运：80年代的自传剪辑》，帕特南出版社

代表作品

《加拉帕戈斯群岛》

基尔高·特奥特这个人物以西奥多·斯特金为原形，贯穿于冯内古特的作品之中。他是一个御用文人，但同时他实话实说，尽管他并未立足事实。如图所示，他儿子的灵魂回顾加拉帕戈斯群岛上——达尔文的进化温室——100万年的人类生活。20世纪的一次瘟疫过后，幸存者在这些岛上定居下来，并且不断进化。他们变成的生物——失去理智的食海草类带鳍生物——似乎并非奄奄一息。或许是这样。

波尔·安德森

出生年份：1926
国籍：美国
主要作品：《技术历史》系列，《脑波》，《陶零》，《百万年之舟》

波尔·安德森年轻时写过一两部糟糕的作品，但那时他承担得起。从1947年开始发表小说以来，他几乎从未歇过笔；几乎每年总有一两本或更多的作品问世，至今总共至少有65本，还有数百篇短篇小说。不过，关键不在这里。别的作家也会声称他们至少也同样多产，但他们却没有写出如此多高质量的作品，作品的种类如此丰富，每部作品中都保持着那种气势；他们也没有像安德森那样作出过让他引以为豪的近半个世纪的不懈努力。他获得了所有主要的奖项，大多数奖项都不止一次获得。他是科幻小说领域的核心人物，虽然有时——这引起可信性的下降——他常常被想当然地接受。他不该被这样认为。

波尔·安德森的大部分作品都是各个系列的组成部分，其中最重要的是名义上独立的两个系列：《心理技术联盟》和《多米尼克·佛兰德利》。两个系列如果放在一起来读，就会构成一部漫长、松散、特别多变的"未来历史"（参见66页）。这两部系列的总称是《技术历史》。《心理技术联盟》系列中最好的作品包括《默克海姆》和《风暴之门的地球读本》，它们都描写了一个到尼古拉·范·里金星球上去的胖胖的拉伯雷式的商人。最好的《佛兰德利》系列包括《海军少尉佛兰德利》、《他们归来之日》和《灵魂与影子的骑士》。这些作品内容充实，感情忧郁，充满了人物和动作描写。

在安德森许多非系列小说中，多数重要作品仍属于科幻小说领域。不过他也写过侦探小说、历史小说和一些有影响的幻想小说，包括《断剑》、《三颗心》、《三只狮子》及其续集《仲夏的暴风雪》。在科幻小说方面，创作高峰在安德森50年的创作生涯中频繁出现。他的早期小说之一《脑波》（参见220页）非常有名，同样有名的还有《高高的十字军》，后者描述了一群被外星人劫持的中世纪骑士最终接管了一个新的世界。《陶零》是一次到宇宙的尽头，以及宇宙之外的令人着迷的旅行。在他的后期作品中，《百万年之舟》用一种猜疑的目光长久地审视着地球的历史，就像通过不朽者的眼光来看一样。而《星球的收获》则直面不受约束的进步给世界带来的一些后果，最终将其主人公送往别处去重新开始。这些作品彼此各不相同，但它们中间贯穿着一种彻底的、有时是带着忧郁的对未来的沉醉，而未来正是梦想开始安定的地方。

杂志出版物

安德森的小说出现在各种杂志上，从《惊险科幻小说》到《荒诞和科幻小说》。他的中篇小说《代用火箭》原名为《酿酒用的自行车》，是《惊险科幻小说》的封面故事。

作品目录

中长篇小说

- 1952 《时代的拱形屋顶》，温斯顿出版社
- 1954 《断剑》，阿伯贝尔·舒曼出版社
- 1955 《他们没有自己的世界》，埃斯出版社，后改名为《漫长归路》
- 1956 《星路》，阿瓦隆出版社，后改名为《外来者》
- 1957 《不可回归的星球》，埃斯出版社，后改名为《问答》
- 1958 《格利米德的雪》，埃斯出版社
  《翼人之战》，埃斯出版社，后改名为《重要的人》
- 1959 《处女行星》，阿瓦隆出版社
  《两个世界的战争》，埃斯出版社
  《我们拥有这些星球》，埃斯出版社
  《敌星》，利平科特出版社
- 1960 《高高的十字军》，道布尔迪出版社
  《地球人，回家！》，埃斯出版社
- 1961 《黄昏世界》，托奇出版社
  《呼救轨道》，埃斯出版社
  《三颗星与三只狮子》，道布尔迪出版社
- 1962 《世界末日到来之后》，巴兰坦出版社
  《代用火箭》，埃斯出版社
- 1963 《让宇航员小心！》，埃斯出版社，后改名为《面对黑夜》
- 1964 《要征服的三个世界》，金字塔出版社
- 1965 《泰兰帝国的特工》，奇尔顿出版社
  《时间走廊》，道布尔迪出版社
  《地球的佛兰得利》，奇尔顿出版社
  《星球狐狸》，道布尔迪出版社
- 1966 《海军少尉佛兰得利》，奇尔顿出版社
  《狐狸，狗与半狮半鹫的怪兽》，道布尔迪出版社
  《无星的世界》，埃斯出版社
- 1969 《反叛的世界》，纳尔出版社，后改名为《指挥官佛兰得利》
  《撒旦的世界》，道布尔迪出版社
  《陶零》，道布尔迪出版社
- 1970 《地狱的马戏团》，纳尔出版社
- 1971 《旁边的世界的人》，纳尔出版社
  《来自亚特兰蒂斯的舞蹈者》，纳尔出版社
- 1972 《运行混乱》，道布尔迪出版社
  《会有时间的》，道布尔迪出版社
- 1973 《赫罗尔夫·克拉奇的传奇》，巴兰坦出版社
- 1974 《他们归来之日》，道布尔迪出版社
  《地球继承者》，奇尔顿出版社，与戈登·埃克伦德合著
  《大火的时候》，道布尔迪出版社
  《仲夏的暴风雪》，道布尔迪出版社
- 1975 《星球王子查里》，帕特南出版社
- 1977 《没有尽头的冬天》，伯克利出版社
  《默克海姆》，伯克利出版社
- 1978 《天神下凡》，伯克利出版社
- 1979 《男性人鱼的孩子》，伯克利出版社
  《天堂里的石头》，埃斯出版社
  《散播的恶魔》，埃斯出版社，与米吉德·唐尼·康罗克合著
- 1980 《反叛的柯南》，矮脚鸡图书出版公司
  《魔鬼的游戏》，袖珍图书出版公司
- 1983 《时间巡逻员》，石山出版社
- 1984 《猎户星将升起》，幻境出版社
- 1985 《帝国的游戏》，石山出版社
- 1986 《Ys的国王：拉玛的母亲》，贝恩出版社，与克伦·安德森合著
- 1987 《Ys的国王：加利西那》，贝恩出版社，与克伦·安德森合著
- 1988 《Ys的国王：达赫特》，贝恩出版社，与克伦·安德森合著
  《风中的人们》，道布尔迪出版社
- 1989 《Ys的国王：狗与狼》，贝恩出版社，与克伦·安德森合著
  《绑架的年份》，沃克出版社
  《百万年之舟》，石山出版社
  《土星游戏》，石山出版社
- 1991 《最长的旅行》，石山出版社
- 1993 《星球的收获》，石山出版社

短篇小说集

- 1957 《地球人的负担》，守护神出版社，与戈登·R·迪克森合著
- 1960 《时间卫士》，巴兰坦出版社
- 1961 《来自地球的陌生人》，巴兰坦出版社
  《无限的轨道》，金字塔出版社
- 1962 《非人类》，埃斯出版社
- 1964 《时间与星球》，道布尔迪出版社
  《前往星球的商人》，道布尔迪出版社
- 1965 《特兰帝国的特工》，奇尔顿出版社
- 1966 《爱麻烦困扰的人》，道布尔迪出版社
- 1968 《时间的号角》，纳尔出版社
- 1969 《没有尽头的远行》，麦克米伦出版社
  《7次征服》，麦克米伦出版社
- 1970 《飞行山脉的故事》，麦克米伦出版社
- 1973 《空气与黑暗女皇》，纳尔出版社
- 1974 《波尔·安德森的许多世界》，奇尔顿出版社
- 1975 《回家与超越》，道布尔迪出版社
- 1976 《啤酒》，内斯法出版社
  《波尔·安德森最佳作品选》，袖珍图书出版公司
- 1978 《风暴之门的地球读本》，伯克利出版社
- 1979 《黑夜之脸与其他故事》，格莱格出版社
- 1981 《心理技术联盟》，礁石出版社
  《星星之间的黑暗》，伯克利出版社
  《幻想》，礁石出版社
  《探索》，礁石出版社
  《赢家》，礁石出版社
- 1982 《冷静的胜利》，石山出版社
  《莫莱与邻居》，石山出版社
  《神欢笑》，海礁出版社
  《星球飞船》，石山出版社
  《新美洲》，石山出版社
- 1983 《霍卡！》，西蒙与舒斯特出版社，与戈登·R·迪克森合著
  《漫漫长夜》，石山出版社
  《冲突》，石山出版社
  《独角兽贸易》，贝恩出版社，与克伦·安德森合著
- 1984 《过去的时代》，石山出版社
  《与黑暗对话》，石山出版社
- 1989 《宇宙的人们》，贝恩出版社
- 1991 《浮于真空》，石山出版社
  《与星球有关》，石山出版社
- 1992 《埃尔夫大陆的军队》，石山出版社

罗伯特·谢克莱

出生年份:1926
国籍:美国
主要作品:《人手尚未触及之处》、《地位文明》

作品目录

中长篇小说
- 1958 《递送的永生》,阿瓦隆出版社,后改名为《永生公司》
- 1960 《地位文明》,纳尔出版社
- 1962 《明天以后的旅程》,纳尔出版社,后改名为《乔安尼斯的旅行》
- 1966 《第10个受害者》,巴兰坦出版社
- 《头脑交易》,戴勒科特出版社
- 1968 《奇迹的大小》,戴尔出版社
- 1975 《选择》,金字塔出版社
- 1978 《阿利斯特尔·克朗普顿的炼金术的婚礼》,迈克尔·约瑟夫出版社,后改名为《分裂的克朗普顿》
- 1983 《德拉莫斯》,霍尔特·莱因哈特出版社
- 1987 《最大的受害者》,马休恩出版社
- 1988 《猎人或受害者》,纳尔出版社
- 1990 《比尔,瓶装智力星球上的星系英雄》,埃文出版社,与哈里·哈里森合著
- 《异域的星丛》,戴姆小说出版社
- 《人身牛头怪兽的迷宫》,阿克斯劳特出版社
- 1991 《给我带来有魅力的王子的脑袋》,矮脚鸡书出版公司,与罗杰·齐拉兹尼合著
- 1993 《如果你在福斯特不成功》,矮脚鸡书出版公司,与罗杰·齐拉兹尼合著

短篇小说集
- 1954 《人手尚未触及之处》,巴兰坦出版社
- 1955 《宇宙公民》,巴兰坦出版社
- 1957 《前往地球朝圣》,矮脚鸡图书出版公司
- 1960 《无尽的商店》,矮脚鸡图书出版公司
- 1960 《不受限制的想法》,矮脚鸡图书出版公司
- 1962 《宇宙碎片》,矮脚鸡图书出版公司
- 1968 《人们的陷阱》,矮脚鸡图书出版公司
- 1971 《我这样做时,你能感觉得到什么吗?》,道布尔迪出版社,后改名为《给你的同一封信》
- 1973 《罗伯特·谢克莱的精选集》,高兰茨出版社
- 1978 《看上去像我的机器人》,球形出版社
- 1979 《罗伯特·谢克莱的奇妙世界》,矮脚鸡图书出版公司
- 1984 《那是人们做的事吗?》,霍尔特·莱因哈特出版社
- 1991 《罗伯特·谢克莱的短篇故事集》,普帕豪斯出版社,分5卷出版

由于两个原因,罗伯特·谢克莱被认为是作家之作家:他偏爱写短篇而不是长篇小说,这说明他选择了最艰难、最需技艺的成名之路;他也写幽默小说,而幽默小说是作家所面对的最艰难、最需要有献身精神、有时也是最麻烦的任务。他的创作生涯开始于50年代的太平岁月,这个时期对于科幻小说来说,好比一群圣牛已经被放牧了太久。而且在此期间,它们没有受到任何干扰。在诸如《人手尚未触及之处》(他最有名的作品)等小说集中,他对科幻小说关于未来世界、男女主人公以及外星人和野兽的描述进行了颇具幽默的讽刺。

在诸如《地位文明》(各因素不自在地铆接在一起,但仍充满气势)等小说中,他指出了存在于我们对希望看到的美好世界的理想与我们所创造并生活在其中的等级制度的现实之间的巨大差距。

谢克莱后来的创作生涯就没有那样愉快了。随着时间的流逝,他的喜剧讽刺小说渐渐变得具有怀旧倾向而不是攻击性,给人安慰而不是令人窘迫。

阿尔吉斯·布德里斯

出生年份:1931
国籍:美国,生于立陶宛
主要作品:《谁?》、《落下的火炬》、《凶猛的月球》

布德里斯在公众场合是一个亲切随和的人,他有很多朋友。他有一点像迈克尔玛斯。迈克尔玛斯是以他的名字命名的小说中沉默、肥胖、极富智慧的记者,原来是个秘密的、有同情心的世界统治者。但阿尔吉斯·布德里斯还有另一面,这表现在《谁?》、《落下的火炬》和《凶猛的月球》等小说中。这些小说朴素、复杂、凄凉。小说中,着迷、孤独的主人公试图解决最黑暗的形而上学和政治问题,而且只是取得模糊的胜利。

《凶猛的月球》是这些小说中最伟大的一篇:其内容是讲述月球上一个外来的人工制品,被地球上因心碎而想自杀的艾尔·巴克的经过心灵传输的幽灵们进行勘查。幽灵们被一个个杀死了。最后,巴克自己来到了月球上。在那里他面对着关于他自己的自我本质的难以躲避的困境,最终选择了自杀。

布德里斯在50年代达到了创作的顶峰。近年来,他花了一部分精力写科幻小说评论,在这方面也有一定影响。有争议的是,他也编辑了一系列有创意的与"科学论派教会"有间接关系的选集。但是他所选编的很多由新作者撰写的小说都非常出色。

作品目录

中长篇小说
- 1954 《虚构的夜晚》,雄狮出版社,后改名为《不会死的人》
- 1958 《地球人》,巴兰坦出版社 《谁?》,金字塔出版社
- 1959 《落下的火炬》,金字塔出版社
- 1960 《凶猛的月球》,福西特出版社
- 1967 《阿姆瑟斯与铁刺》,福西特出版社,后改名为《铁刺》
- 1977 《迈克尔玛斯》,伯克利出版社
- 1993 《艰难的着陆》,矮脚鸡图书出版公司

短篇小说集
- 1960 《未预计到的范围》,巴兰坦出版社
- 1963 《布迪斯的地狱》,伯克利出版社,后改名为《愤怒的将来》
- 1978 《血与火》,伯克利出版社

非小说类作品
- 1983 《非文学对科幻小说的影响》,博格出版社
- 1985 《水准基点·星系书架》,南伊利诺斯大学出版社

《谁?》
这一围绕个人身份问题的恐怖科幻小说由杰克·戈尔德搬上银幕。这部影片的发行很低调。

1960～1964：鼎盛时期

每一个10年对人类的意义都很重大：它不仅仅表明时间的量度，更意味着变化。当然，随着历史进入20世纪60年代，科幻小说作家和读者在思想上都发生了一些变化。科幻小说的范围在扩展、变化，而原先的种种束缚也逐步松开。人造卫星正逐渐被人们所了解，其结果是可想而知的。起初，没有人意识到这不仅仅标志着一个开端，同时也意味着一个结

1960

代表作品

《地狱的新地图》 金斯利·艾米斯
《凶猛的月球》 阿尔吉斯·布德里斯
《遗传将军》 戈登·R·迪克森
《肉体》 菲利普·乔斯·法默
《表面的正义》 L·P·哈特利
《儿童购买者》 约翰·赫西
《婴儿》 罗伯特·内森
《醉鬼步行》 弗雷德里克·波尔
《地位文明》 罗伯特·谢克莱
《金星加未知数》 西奥多·斯特金

《金星加未知数》

代表作家

像超人一样的孩子一次次地在科幻小说中露面，他们大致有两种情形：他们或是长大成人后统治世界，就像《多萨》系列小说的第一部《基因将军》中所描述的那样，这是一种比较传统的描述；另一种有嘲讽意味的观点是，他们将成为自己才能的受害者，这正是小说《儿童购买者》中的观点：故事中的神童被人买卖。

处女作

本·博瓦和R·A·拉弗蒂的处女作，是分别刊登在《惊险》杂志上的"漫漫归程"和刊登在《科幻小说》上的"冰川来临的日子"。首次出版的长篇科幻小说包括菲利普·柯沃的《金星上的鲜花》，哈伦·埃利森的《拥有9条生命的人》，以及哈里·哈里森的《死亡世界》。

1961

代表作品

《情人》 菲利普·乔斯·法默
《黑暗的宇宙》 丹尼尔·F·加留耶
《不锈钢鼠》 哈里·哈里森
《陌生土地上的陌生人》 罗伯特·A·海因莱恩
《伟大时代》 弗里茨·利贝尔

《太阳城》 斯坦尼斯劳·莱姆
《你的一些血液》 西奥多·斯特金
《动物园里的老人们》 安格斯·威尔逊

《黑暗的宇宙》

代表作家

菲利普·乔斯·法默的小说《情人》的出版标志着一个新时代的到来，它是对1952年一篇曾引起轩然大波的短篇小说的扩写。一个男人在外星球上爱上了当地一个昆虫状的女性（怀孕后即死去）。从这以后，看似可能但又难以理解的外星人更经常出现在科幻小说中。

处女作

首次出版的重要的科幻小说包括马里恩·齐默·布拉德利的《通向太空之门》，A·伯特伦·钱德勒的《太空边缘》，赫伯特·弗兰克的《兰花牢笼》，以及安格斯·威尔逊的《动物园里的老人们》。弗雷德·萨博哈根的处女作是刊登在《银河系》杂志上的"帕-圣饼盒卷"。

19

代表作品

《温室》 布赖恩·奥尔迪斯
《被淹没的世界》 J·G·巴拉德
《装有发条的橙子》 安东尼·伯吉斯
《阿普特的珠宝》 塞缪尔·R·德拉尼
《太空退潮》 菲利普·柯沃

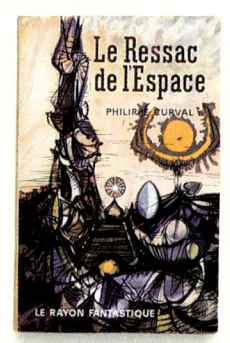

《太空退潮》

代表作家

从30年代开始，并行世界和可能世界经常出现在科幻小说里。在本年度，对这一主题有两种大不相同的反应。《帝国世界》是背景设在平行世界的三部曲的第一部，这些平行世界必须始终保持警惕以确保自身的稳定；而《城堡中人》则是描述希特勒胜利的最著名的作品之一。

处女作

首次出版的重要作品包括伯吉斯的《装有发条的橙子》，德拉尼的《阿普特的珠宝》，以及穆尔和戴维森合著的《欢快的腿》。本年度首次出版的作品还有J·G·巴拉德的《空穴来风》，H·B·法伊夫的《D-99》，阿瑟·塞林斯的《沉默的演讲者》，伊夫林·E·史密斯的《飘香的星球》，彼得·范·格里纳韦的《被钉在十字架上的城市》，以及法国皮埃尔·巴贝特的《巴

束。1960年，科幻小说大有成为20世纪后期纯正文学的弄潮儿的态势，尽管势头并不像表面上看起来那么凶猛。美国科幻小说已经度过了它的童年和青少年时代。在经历了许多争执和成功之后，它终于走向了成熟。

时代呼唤世界主流文学的改变，同时也改变整个世界。

62

《欢快的腿》

《城堡中人》
菲利普·K·迪克

《帝国世界》
基恩·劳默

《及时的妙计》
马德林·伦格尔

《欢快的腿》
沃德·穆尔和阿夫拉姆·戴维森

1963

《一丝记忆》
基恩·劳默

《女巫世界》
安德烈·诺顿

《小站》
克利福德·D·西马克

《你永远不会和原来一样》
科德威那·史密斯

《加布雷尔》
多明戈·桑托斯

《掉到地球上的人》
沃尔特·蒂维斯

《挑绷子游戏》
库尔特·冯内古特

《一英里长的宇宙飞船》
凯特·威廉

《加布雷尔》

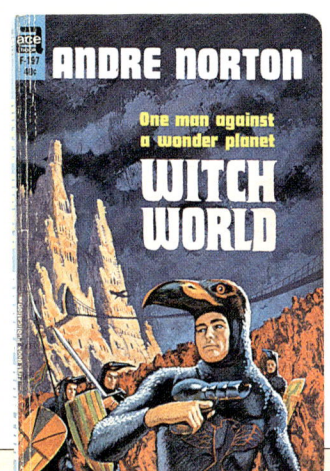

《女巫世界》

1964

《花白胡子》
布赖恩·奥尔迪斯

《燃烧的世界》
J·G·巴拉德

《完整的男人》
约翰·布伦纳

《诺瓦快车》
威廉·S·伯勒斯

《火星的时间误差》
菲利普·K·迪克

《漫游者》

《诺瓦快车》

《倒数第二条真理》
菲利普·K·迪克

《法内姆的地产》
罗伯特·A·海因莱恩

《漫游者》
弗里茨·利贝尔

《常胜将军》
斯坦尼斯劳·莱姆

《做神的艰辛》
阿克迪和博里斯·斯特鲁格茨基

从妄想狂到精神错乱只有一步之遥，但意义深远。妄想狂的精神状态——至少在科幻电影和小说中——通常被他真正的敌人的观点证实是正常的。精神错乱者的敌人只有他自己，因为敌人在胜利之后早已远走高飞。在沃尔特·蒂维斯的小说《掉到地球上的人》中，一个外星人来到地球上，为它濒临死亡的种族寻找避难所，结果发现人类的反应实在令它无法忍受。对它来说，我们的星球是一个实实在在的深渊。

英国的科幻小说方向有所改变：英国最重要的杂志《新世界》反映了这一改变，而且J·G·巴拉德的《燃烧的世界》成为英国后科幻小说的第一部杰作。按照这一认识，地球已经成为外星球，而科幻小说则成为历史小说的一种形式。

别塔3805》。在杂志《荒诞》上发表处女作的作家包括"两次探索宇宙的人"的作者托马斯·M·迪施和"巴黎的四月"的作者厄休拉·L·勒吉恩。

本年度两位重要的刚刚成名的短篇小说作家出版了他们各自的第一本合集：加德韦纳·史密斯的《你永远不会一样》和凯特·威廉的《一英里长的宇宙飞船》。首次出版的长篇科幻小说包括迪安·麦克劳克林的《来自地球的怒火》和特里·卡尔的《科尔的战争霸王》。在杂志上发表的处女作包括亚历克西·潘辛的"落到凡人世界"，皮尔斯·安东尼的短篇小说"能买到的后悔药"，以及谢里·S·泰珀的诗"催眠曲1990"。

值得关注的第一本合集是唐纳德·巴塞姆的《回来吧，卡利戈里博士》。首次出版的长篇小说包括克里斯托弗·安维尔的《机器停止运转的那一天》，苏珊·库珀的《曼德拉草》，菲利斯·戈特利布的《阳光突现》，以及克里斯·内维尔的《非地球人》。在杂志上发表的处女作包括刊登在《如果》上的拉里·尼文的"最冷的地方"，刊登在《科学荒诞故事》上的查尔斯·普拉特的"那些日子中的一天"和基恩·罗伯茨的"逃避主义"。

1965~1969：未来就在此时

到了60年代后期，人造卫星及随后的太空竞赛的隐含意义才开始逐渐渗透到整个科幻小说体裁当中。也只有在这时，作者和读者才开始意识到不能再把未来想象成一步之遥了；未来就在此时此地；然而它的来到可并不容易，其困难程度大大出乎我们的意料。原来近太空只是地球上人类历史的延续，而且太空的轨道上面既没有现成的答案，也没有万能的方法，只是给凡间的

	1965	1966	19
代表作品	《防御工事》布赖恩·奥尔迪斯 《迷宫的主人们》阿夫拉姆·戴维森 《赚血腥钱的医生》菲利普·K·迪克 《埃利德》艾伦·加纳 《沙丘》弗兰克·赫伯特 《帕尔默·埃尔德瑞奇的三桩耻辱》菲利普·K·迪克 《恶魔灾害》基恩·劳默 《网络世界》斯坦尼斯劳·莱姆 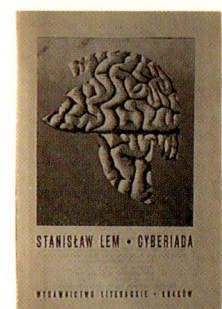《迷宫的主人们》 《网络世界》	《水晶世界》J·G·巴拉德 《牧羊男孩贾尔斯》约翰·巴思 《巴别塔-17》塞缪尔·R·德拉尼 《让开！让开！》哈里·哈里森 《月亮是个无情的情妇》罗伯特·A·海因莱恩 《献给阿尔杰农的鲜花》丹尼尔·凯斯 《朝着地球》威廉·梅恩 《普塔夫斯的世界》拉里·尼文 《非值班时间》詹姆斯·怀特 《梦想家》罗杰·泽拉兹尼 《不朽者》罗杰·泽拉兹尼 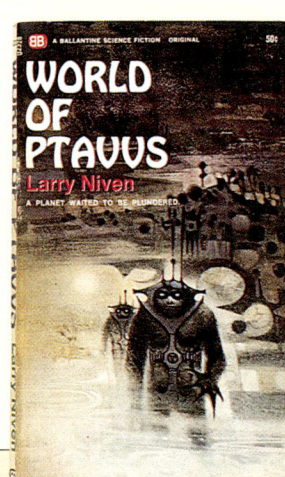《普塔夫斯的世界》	《阴间》皮尔斯·安东尼 《爱因斯坦交叉现象》塞缪尔·R·德拉尼 《冰》安娜·卡万 《熊皮武士》弗雷德·萨博哈根 《荆棘》罗伯特·西尔弗伯格 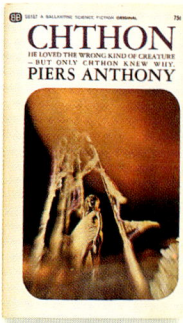《阴间》
代表作家	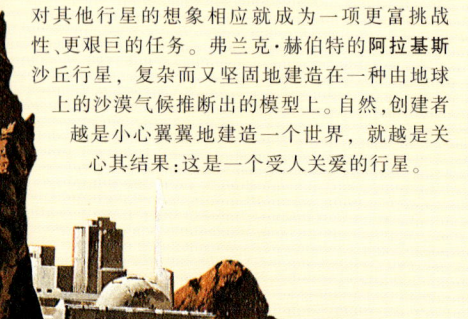随着我们对错综复杂的地球母亲的逐步了解，对其他行星的想象相应就成为一项更富挑战性、更艰巨的任务。弗兰克·赫伯特的阿拉基斯沙丘行星，复杂而又坚固地建造在一种由地球上的沙漠气候推断出的模型上。自然，创建者越是小心翼翼地建造一个世界，就越是关心其结果：这是一个受人关爱的行星。	本年度，对人类内在本质的复杂观察占了上风，如德拉尼对语言的深入考察，凯斯对智力的专注研究，以及泽拉兹尼对心理学和死亡的奇异想象等。尼文的《普塔夫斯的世界》与这一主流相悖，它公布了一个为人类设置的丰富多采的新日程。	本年度几部主要的新作品，其中最著名的是又继续获得星云奖的《爱因斯坦交叉现象》和描写精神错乱及精神诱惑的风格化小说《荆棘》，对科幻小说中日新月异的世界里出现的复杂情况作出了反应，并且在情节上把现实看成一座不断重复自己的迷
处女作	首次出版的长篇科幻小说，包括威廉·R·伯克特的《沉睡的星球》，霍顿斯·卡利舍的《埃利普西亚日记》，D·G·康普顿的《仁慈的品质》，托马斯·M·迪施的《大屠杀》，G·C·埃德蒙森的《航行在时间河流上的船》，以及迈克尔·穆尔科克的《分崩离析的世界》。在杂志上发表的处女作包括《荒诞小说和科幻小说》上的格雷戈里·本福德的"替身"，《科学荒诞故事》上的布赖恩·斯特布尔福德与克雷格·A·麦金托什合著的"超出时间的支持"，《新世界》上的弗纳·文奇的"隔离"，以及《先生》上的吉恩·沃尔夫的"死者"。	本年度的长篇小说处女作包括约翰·巴思的《牧羊男孩贾尔斯》，E·L·多克托罗的《广阔的人生》，厄休拉·K·勒吉恩的《罗坎农的世界》，基恩·罗伯茨的《怒火》，诺曼·斯平拉德的《日光浴室》，以及罗杰·泽拉兹尼的《不朽者》。在杂志上发表的处女作包括刊登在《如果》上的加德纳·多佐尔斯的"空虚的人"、刊登在《奇异故事》上的多丽丝·皮塞奇娅的"射向欣嫩子谷的火箭"，以及刊登在《冲动》上的克里斯托弗·普里斯特的"旅程"。	首次出版的长篇科幻小说，包括皮尔斯·安东尼的《阴间》，理查德·考珀的《突破》，马克·格斯顿的《恒星飞船的主人们》，安妮·麦卡弗里的《被修复的人》，麦克·雷斯尼克的《木卫三上的女神》，以及伊恩·华莱士的《克罗伊德》。在

男男女女提供了更多的表现机会,他们的表现有好有坏,和在地球上的情形完全相同。科幻小说作者也开始感觉到——近太空已经成为历史的一部分——要使读者相信光辉灿烂的未来可以飞速进入更是难上加难。过去不可能,现在也做不到。要实现这样的目标,科幻小说开始感到力不从心。

67

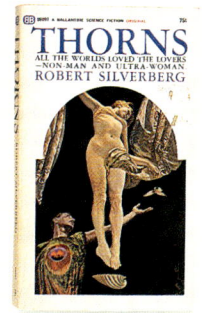

《荆棘》

《杜马里斯特1:盖思的风》
E·C·塔布

《最后一座城堡》
杰克·万斯

《月亮是个无情的情妇》
罗伯特·A·海因莱恩

《光明之王》
罗杰·泽拉兹尼

1968

《站在桑给巴尔港上》
约翰·布伦纳

《天气兜售者》
彼得·迪金森

《集中营》
托马斯·M·迪施

《最终的方案》
迈克尔·穆尔科克

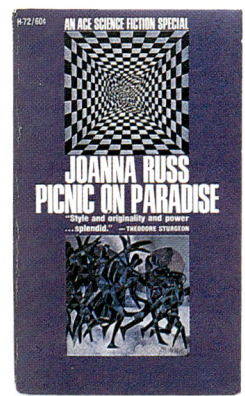

《成人仪式》
亚历克西·潘辛

《帕凡舞》
基思·罗伯茨

《天堂里的野餐》
乔安娜·拉斯

《霍克斯比尔火车站》
罗伯特·西尔弗伯格

《遥远的彩虹》或《火星人的第二次入侵》
阿克迪和博里斯·斯特鲁格茨基

《遥远的彩虹》

《天堂里的野餐》

1969

《长在头上的光脚丫》
布赖恩·奥尔迪斯

《宏观》
皮尔斯·安东尼

《边缘不齐的轨道》
约翰·布伦纳

《英雄与无赖》
安杰拉·卡特

《尤比克》
菲利普·K·迪克

《长在头上的光脚丫》

《命运之战》
斯特林·拉尼尔

《黑暗的左手》
厄休拉·K·勒吉恩

《黑夜的翅膀》
罗伯特·西尔弗伯格

《虫子杰克·巴伦》
诺曼·斯平拉德

《5号屠宰场》
库尔特·冯内古特

《边缘不齐的轨道》

宫。宗教被视作对现实迷宫的一种歪曲。这一思想尤其反映在《爱因斯坦交叉现象》和《光明之王》这两部作品中,后者获得了雨果奖。这两部小说都把人类对自身的再创造融合到神的形象中。

本年度有一些重要的作品属于次科幻小说一类。最著名的作品之一是《站在桑给巴尔港口》。它继续讨论哈里·哈里森在1966年出版的《让开!让开!》中提出的人口过剩问题,并且得出一个合乎逻辑但又骇人听闻的结论。

到60年代末,美国科幻小说对女性长期置之不理的现象——实际上是拒绝把一半人类表现在未来人类的模型中——已经成为极其尴尬的问题。但是,乔安娜·拉斯于1968年出版的小说《天堂里的野餐》重点突出了一位女主人公。书中只描写了她的英雄事迹,而没有提及她的性别。同年,厄休拉·K·勒吉恩在小说《黑暗的左手》中平静地改换了一些术语,从而使性别为人们所理解。

代表作家

英国的科幻小说一向都很执拗,但是M·约翰·哈里森于1968年在《新世界》上发表的《咩咩叫的木头羊》,使读者听到了一种新的执拗语气。他痴迷地相信宇宙发展的终极匀寂状态,关于帝国消失的隐喻说法,以及新浪潮的其他主题;而且他不断地挖掘这些主题,最终使它们清晰、生动地描绘出真实的世界。

M·约翰·哈里森

杂志上发表的处女作包括刊登在《科幻小说名著》上的格雷格·贝尔的"破坏者",刊登在《荒诞和科幻小说》上的迪安·R·孔茨的"群龙安静到来",以及刊登在《银河系》上的巴里·N·马尔兹伯格的"我们正在通过窗户"。

上述重要作品中,乔安娜·拉斯和彼得·迪金森的作品是处女作。处女作还包括约翰·博伊德的《从地球发射的最后一艘星际飞船》,迪安·R·孔茨的《恒星探索》,罗恩·古拉特的《吞剑人》,以及鲍勃·肖的《两次探索宇宙的人》。在杂志上发表的处女作包括罗伯特·霍尔德斯托克的"乞丐的阴谋"和小詹姆斯·蒂普特里的"一个推销员的诞生"。

怀曼·吉恩的《长久的快乐》,安杰拉·卡特的《英雄与无赖》,布赖恩·斯塔布尔福特的《太阳的摇篮》,迈克尔·克赖顿的《安德洛墨达品系》,弗纳·文戈的《格里姆的世界》和戴维·S·加尼特的《空中的镜子》,均为长篇科幻小说处女作。在杂志上发表的处女作包括《银河系》上的乔·霍尔德曼的"异相"和《新世界》上的伊恩·沃森的"土星下的屋顶花园"。

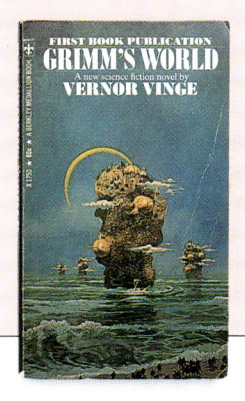

斯坦尼斯劳·莱姆

出生年份：1921

国籍：波兰

主要作品：《太阳城》，《飞行员皮尔克斯的故事》，《网络世界》

科幻小说有时似乎很容易理解：它讲述的就是关于未来的梦想以及历险活动，很简单。但是在左翼作家中，我们注意到了斯坦尼斯劳·莱姆，他正回头凝视着我们。他身材矮胖，性情乖戾，但极具智慧，对几乎所有的美国科幻小说都嗤之以鼻。他可能是20世纪后期用英语以外的文字写作的最好的科幻小说家（当然也是最著名的）。引用一段他的原话（波兰语）："你们都是一派胡言，还是让我来教你们怎么写吧。"

不可否认，他说的颇有道理。很多英语科幻小说都把娱乐性作为衡量的标准，而且也太拘泥于此种体裁的诸多"规则"。40多年来，莱姆一直在他的理论著作和小说中强调，使懒惰的读者感到很舒服的科幻小说其实已经背叛了科幻小说的主旨。对于莱姆来说，科幻小说不仅仅是讲述故事，更主要是一种推理方式，一种洞察凡夫俗子思维奥秘的方式。莱姆认为，如果某一篇科幻小说不是很清楚、很切实地建立在推理和对宇宙真实本质的理解上，那么它背叛的就不仅仅是科幻小说这种形式，而是整个人类。因为科幻小说家就是要有思想，敢批评，能起到净化作用。

莱姆最著名的科幻小说是《太阳城》（参见222页），不过《惨重的失败》

作品目录

短篇小说和中长篇小说

1951	《宇航员》，读者出版社
1955	《麦哲伦星云》，星火出版社
	《芝麻》，星火出版社
1957	《整容医院》，文学出版社
1959	《调查》，国防部出版社
	《伊甸园》，星火出版社
	《毕宿五的入侵》，国防部出版社
1961	《从星球上返回》，读者出版社
	《在浴缸里找到的回忆录》，文学出版社
	《太阳城》，国防部出版社
1964	《常胜将军》，国防部出版社
1965	《网络世界》，国防部出版社
1966	《高高的城堡》，国防部出版社
1966	《他的主人的声音》，读者出版社
1968	《飞行员皮尔克斯的故事》，和《飞行员皮尔克斯的故事续集》，文学出版社
1971	《绝对真空》，读者出版社
	《未来学会议》，文学出版社
	《一个太空旅行者的回忆录》，星火出版社
1973	《泥人十四世》，读者出版社
	《虚构的广大》，读者出版社
1977	《机遇链》，文学出版社
1981	《斯坦尼斯劳·莱姆的宇宙狂欢》，出版社不明
1982	《犯罪现场》，文学出版社
1984	《挑衅》，文学出版社
1986	《惨重的失败》，文学出版社
1987	《地球上的和平》，文学出版社
1988	《黑暗与发霉》，文学出版社

等小说也重申并深化了这篇代表作的主题：主人公使用一切可以使用的思维手段，来分析外星球的外在表现和制造物。被他们忽略的思维导致了惨重的失败。概括地讲，这就是莱姆想要告诫人们的内容。对什么可以理解，什么不可以理解，必须要有一个清醒的认识。其他的只是低劣的花招。

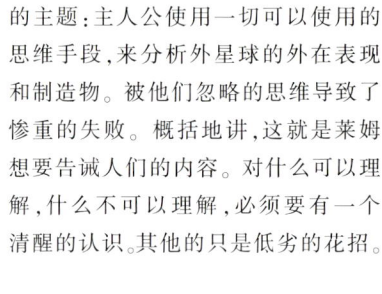

鬼魂作祟
和原作不同的是，电影《太阳城》主要讲述的是科学家和她的"幽灵"之间的关系。这个幽灵是由一个神秘的湖泊创造出来的。

哈里·哈里森

出生年份：1925

国籍：美国，定居爱尔兰

曾用名：出生名亨利·马克斯韦尔·登普瑟，菲利克斯·博伊德，汉克·登普瑟

主要作品：《不锈钢鼠》系列，《星系英雄比尔》系列，《让开！让开！》

为什么幽默从一开始就在科幻小说中通常不起作用，其原因何在？这个问题令人费解。喜剧似乎是自由精神的最佳表达形式，而这种自由精神可以使艺术充满人性。因此，人们可能会自然而然地期望，拥有无限自由空间的科幻小说能因作家的幽默而大放异彩。

答案依然很简单：喜剧性质的科幻小说所存在的问题，恰恰在于它的自由。喜剧毕竟是以描写真实、稳定社会中的随机事件和矫饰之人而见长的。而在科幻小说中，有时很少有空间能插入一个笑话；即使有，那笑话也会变得粗俗不堪。哈里森是一位幽默的科幻小说家，但是他也不免会有粗俗的滑稽剧。《毁灭星球的星系漫游者》内容太广泛，目标不明确，读者最后只能发出苦涩的一笑。然而，一旦他有了一个真正的目标，他就是科幻小说界最敏锐、最具幽默感的作家之一。

哈里森有两个喜爱攻击的目标：其一是官僚主义。《不锈钢鼠》系列小说经常会用惯例对官僚主义的刻板及其思想体系进行猛烈的攻击。其二是军人心态。在小说《星系英雄比尔》中，他对英雄主义和由士兵艺术捍卫者发起的宣传持有偏见，但此后的续篇每况愈下，成了双关语充斥的粗俗滑稽剧。凡是读过海因莱恩的《恒星飞船上的骑兵》的人，也应该读一下《星系英雄比尔》。哈里森的喜剧系列如此出名，以至于使读者很容易忽略他的其他作品。关于人口过剩的《让开!让开!》以无可辩驳的严厉口吻，表达了对人类自我欺骗的训诫。《死亡世界》、《死亡世界之二》、《死亡世界之三》是三部极具影响的历险小说。《家园世界》、《车轮世界》和《星球世界》是三部华丽的太空剧，而《伊甸园可能世界》三部曲对恐龙有知觉这一熟悉的"如果这样会怎么样"的假设进行了深入而全面的检查。

哈里·哈里森经常和他的同事布赖恩·奥尔迪斯合作。他们编辑了一些颇有影响的选集，其中最著名的是《科幻小说精品选集》系列，每年编一集，从1968年起整整编了10年。和奥尔迪斯一样，哈里森也是科幻小说作家，一个把科幻小说亚文化群的活力带到"外部"世界的人。政治上，他不像很多幽默作家那样嗟叹被他们嘲弄的过去，他是一个自由主义者。

哈里森的老鼠
在英国首次出版的精装本中，哈里森的不锈钢鼠的卡通形象与通常花花绿绿的人物形象有着明显的区别。

克利福德·D·西马克

生卒年份：1904~1988
国籍：美国
主要作品：《小站》、《城市》

科幻小说的内容涉及整个宇宙，而透过一粒沙子也可见宇宙一斑。对于写作生涯长达半个多世纪的克利福德·D·西马克来说，宇宙就在威斯康星州西南部的一个小角落里，也就是他一直居住的那几个小城市的附近。在他的大半生中，第二职业是做当地的新闻记者。他把自己在外面任记者和思考者时所学到的关于乡村生活的知识，都写入了小说中。

西马克是科幻小说界一位伟大的田园作家。他把自己生活的地方当做天堂，这里的居民，包括农民、访问教授和年轻夫妇，过着同他们的环境颇为协调的生活。当外星人通过时空隧道来到这儿时，相处融洽的人们会像《小站》里的主人公那样对异类的引诱作出反应。他的态度很恭敬，但实际上也很矜持。对来访的外星人来说，他尽了地主之谊。只有当他明白——西马克小说中的很多人物都逐渐地明白了——外星人会给他们带来和平与富裕的机会时，他才会采取积极的行动。

在《小站》中，世界得到拯救，而《一次又一次》的结局却不确定。在《城市》(参见218页)中，整个星球变成了一片广袤而孤立的土地，一个包容世界的威斯康星星。通过继承得到地球的狗类们对这个星球崇敬有加。

西马克后期的小说经常重复早期作品中的训诫，因此有时显得有些拖沓。但是，西马克始终保持着一位新闻工作者所特有的敏锐洞察力，在80多岁高龄时仍笔耕不辍。《来访者和波普项目》等小说保留了许多对人文景观古朴、平静的热爱。

随着时光的流逝，西马克的生活变得既不简单也不愉快。20世纪的发展日新月异。他精心酝酿的小镇真理越来越难以提倡，因为读者已经背离古老的文明，而在寻求边缘城市和大卖场文化。到去世时，他所推崇的具有乡村特点的威斯康星州已经成为科幻小说的一个梦想，一段难以继续的历史。

作品目录

中长篇小说

1960	《死亡世界》，矮脚鸡图书出版公司
1961	《不锈钢鼠》，金字塔出版社
1962	《该死的行星》，矮脚鸡图书出版公司，后改名为《责任感》
1964	《死亡世界之二》，矮脚鸡图书出版公司，后改名为《有道德的工程师》
1965	《星系英雄比尔》，道布尔迪出版社 《来自太空的瘟疫》，道布尔迪出版社，后改名为《朱庇特的遗产》
1966	《让开!让开!》，道布尔迪出版社，后改名为《人造绿色豆类植物》
1967	《色彩鲜艳的时间机器》，道布尔迪出版社
1968	《死亡世界之三》，戴尔出版社 《来自P.I.G的人》，埃文出版社
1969	《被俘获的宇宙》，帕特南出版社
1970	《戴尔恩效应》，帕特南出版社，后改名为《星球在我们手中》 《不锈钢鼠的报复》，沃克出版社 《宇宙飞船上的医生》，费伯出版社
1972	《海底隧道》，帕特南出版社，后改名为《好哇! 穿越大西洋的隧道》 《石头对冲》，斯克里布纳斯出版社，与利昂·E·斯托弗合著，后改名为《石头对冲:亚特兰蒂斯死亡之处》 《不锈钢鼠拯救世界》，帕特南出版社
1973	《毁灭星球的星系漫游者》，帕特南出版社
1975	《加利福尼亚冰山》，费伯出版社
1976	《救生船》，哈珀出版社，与戈登·R·迪金森合著，后改名为《救生艇》 《天空坍塌》，费伯出版社
1978	《不锈钢鼠要见你》，迈克尔·约瑟夫出版社
1979	《行星的故事》，皮埃罗出版社
1980	《家园世界》，矮脚鸡图书出版公司
1981	《车轮世界》，矮脚鸡图书出版公司 《星球世界》，矮脚鸡图书出版公司 《没有退路的行星》，西蒙和舒斯特出版社
1982	《入侵地球》，埃斯出版社 《不锈钢鼠竞选总统》，矮脚鸡图书出版公司
1983	《及时的叛乱者》，格拉纳达出版社
1984	《伊甸园之西》，格拉纳达出版社
1985	《不锈钢鼠诞生记》，矮脚鸡图书出版公司
1986	《伊甸园的冬天》，格拉夫顿出版社
1987	《不锈钢鼠参军了》，矮脚鸡图书出版公司
1988	《返回伊甸园》，格拉夫顿出版社
1989	《星系英雄比尔在机器人做奴隶的星球上》，埃文出版社
1990	《星系英雄比尔在瓶装大脑的行星上》，埃文出版社，与罗伯特·谢克莱合著
1991	《星系英雄比尔在无味乐趣的行星上》，埃文出版社，与戴维·比肖夫合著 《星系英雄比尔在僵尸吸血鬼的行星上》，埃文出版社，与杰克·C·霍尔德曼合著 《星系英雄比尔在有1万间酒吧的行星上》，埃文出版社，与戴维·比肖夫合著，后改名为《星系英雄比尔在地狱嬉皮士的星球上》
1992	《星系英雄比尔:不连贯的最后一次冒险》，埃文出版社，与戴维·M·哈里斯合著 《图灵基金》，华纳出版社，与马文·明斯基合著
1993	《锤子和十字架》，石山出版社，与约翰·霍尔姆(汤姆·希比)合著

短篇小说集

1962	《与机器人之战》，金字塔出版社
1965	《两篇故事与8个明天》，戈言茨出版社
1970	《原始数字》，伯克利出版社 《从地球迈出的第一步》，麦克米伦出版社
1976	《哈里·哈里森精品选》，袖珍图书出版社
1993	《不锈钢幻想》，石山出版社
1994	《星系梦想》，石山出版社

作品目录

中长篇小说

1946	《造物主》，克劳福德出版社
1950	《宇宙工程师》，格言出版社
1951	《一次又一次》，西蒙和舒斯特出版社，后改名为《首先他死了》 《帝国》，星系小说出版社
1952	《太阳周围的光环》，西蒙和舒斯特出版社 《城市》，格言出版社
1961	《时间是最简单的东西》，道布尔迪出版社 《第谷的麻烦》，埃斯出版社
1962	《他们像人一样走路》，道布尔迪出版社
1963	《小站》，道布尔迪出版社
1965	《众生即草》，道布尔迪出版社
1967	《为何要把他们从天堂叫回来?》，道布尔迪出版社 《狼人原则》，帕特南出版社
1968	《妖怪居留地》，帕特南出版社
1970	《被他们忘却》，帕特南出版社
1971	《命运布娃娃》，帕特南出版社
1972	《神的选择》，帕特南出版社
1973	《墓地世界》，帕特南出版社
1974	《我们的子孙》，帕特南出版社
1975	《受迷惑的朝圣》，伯克利出版社
1976	《莎士比亚的星球》，伯克利出版社
1977	《星球遗产》，伯克利出版社
1978	《马斯托多尼亚》，巴兰坦出版社，后改名为《猫脸》 《护身符的友谊》，巴兰坦出版社
1980	《来访者》，巴兰坦出版社
1981	《波普项目》，巴兰坦出版社
1982	《特殊传送》，巴兰坦出版社 《魔鬼居住的地方》，巴兰坦出版社
1986	《永恒公路》，巴兰坦出版社，后改名为《通向永恒的公路》

短篇小说集

1956	《宇宙里的陌生人》，西蒙和舒斯特出版社
1960	《克利福德·西马克的世界》，西蒙和舒斯特出版社，先后改名为《外星人邻居》和《克利福德·西马克的其他世界》
1962	《地球上所有的陷阱》，道布尔迪出版社，后分为2卷出版，改名为《地球上所有的陷阱》和《普德利之夜》
1964	《没有尽头的世界》，贝尔蒙特出版社
1967	《克利福德·西马克科幻小说精品选》，费伯出版社
1968	《幻想如此明亮》，埃斯出版社
1975	《克利福德·西马克精品选》，西奇威克利杰逊出版社
1977	《小冲突》，帕特南出版社
1986	《马拉松照片》，塞文书屋 《兄弟》，塞文书屋
1988	《离开星球》，塞文书屋
1990	《秋天的土地》，曼德林出版社
1991	《移民》，塞文书屋
1993	《造物主和其他故事》，塞文书屋

布赖恩·W·奥尔迪斯

出生年份：1925
国籍：英国
曾用名：杰尔·克拉肯，约翰·朗西曼，C·C·沙克尔顿
主要作品：《直达旅程》、《温室》、《花白胡子》、《长在头上的光脚丫》、《唾液树》、《10亿年狂欢》、《解放了的弗兰肯斯坦》、《马来西亚挂毯》、《地狱圣像》系列

人们经常把布赖恩·W·奥尔迪斯和他的好友兼同事J·G·巴拉德相提并论。对此，他们两人似乎都习以为常了。然而，巴拉德的作品结构紧凑，观点执拗，对同样的主题一再进行抨击，而且他的作品深刻、细致。和巴拉德不同，奥尔迪斯具有丰富、集中和深远的想像力，作品极少有重复，而且数量也很多。因此，他的风格更难定位。不过说到底，有一点是肯定的：他的成就及影响几乎大大胜过黑皮肤的J·G·巴拉德。毫无疑问，奥尔迪斯是一位多产作家。而且和所有涉猎广泛的作家一样，布赖恩·奥尔迪斯也写过一些不尽如人意的作品。值得注意的是，他同时也写了很多内容迥异、无懈可击的上乘之作。他的第一部长篇小说《直达旅程》对其主题的陈述堪称经典。4年后他创作的《温室》成为对"地球灭亡论"感兴趣者的主要读物。即使在读过这部作品几十年之后，读者仍能感受到在太阳成熟的日子里潮湿、富饶的地球以及热带地区的紧张状态。

《黑暗的年代》、《防御工事》和《花白胡子》这三部作品——讲述的是一个荒凉的近期未来世界由于土地贫瘠而瘫痪——很快相继问世，出版间隔时间之短令人惊叹。他的长篇小说的覆盖面也值得注意。《一个时代》对时间旅行的研究令人眼花缭乱。《关于概率A的报告》既是一篇真正的实验小说，同时又是一篇科幻小

一件古玩
这是《10亿年狂欢》一书获得的欧洲文学奖的奖品，同时也是奥尔迪斯本人最钟爱的奖品之一。

说。《长在头上的光脚丫》以容易引起幻觉的乔伊斯式措辞对战后启示录展开论述；《解放了的弗兰肯斯坦》对玛丽·雪莱作了审视；《马来西亚挂毯》是一部超现实的幻想作品；而《地狱圣像》系列小说(参见232页)以一种睿智的悲观主义观点对星

代表作品

《直达旅程》

世代星球飞船的故事是科幻小说的中心，虽然经典作品依靠的是读者起初并不知道所描绘的世界实际上是包含在巨大的恒星飞船当中的，但它仍然是一个非常流行的情节构想。《直达旅程》巧妙地讲述了这一中心故事：一个退化的文化忘记了自己的起源，却发现自己到了一个用来挑选邻近星球移民的殖民飞船上。当主人公破门进入控制室以后，天空成了边界。

球构建进行了艺术手法上的演习，从而与美国模式区别开来。最近出版的《生活的东方》以一种复杂的挽歌形式描写了在不久以后东欧分崩离析的画面，表达了对世界的厌倦以及对光芒消失的愤怒。

奥尔迪斯时善时恶，时喜时悲，而且他几乎已穷尽科幻小说之言。

作品目录

中长篇小说

- 1958 《直达旅程》，费伯出版社，修改后名为《星际飞船》
- 1959 《从主星上来的先锋队》，埃斯出版社，后改名为《赤道》
- 1960 《一刺到底》，埃斯出版社，后改名为《译员》
- 1961 《男性的反应》，星系图书出版公司
  《最初的冲动》，巴兰坦出版社
- 1962 《温室》，费伯出版社，删改后名为《地球漫长的下午》
- 1964 《黑暗的年代》，费伯出版社
  《花白胡子》，费伯出版社
- 1965 《防御工事》，费伯出版社
- 1967 《一个时代》，费伯出版社，后改名为《隐身》
- 1968 《关于概率A的报告》，费伯出版社
- 1969 《长在头上的光脚丫：一篇欧式幻想作品》，费伯出版社
- 1970 《一手养大的男孩》，韦登菲尔德和尼科尔森出版社
- 1971 《不屈的战士》，韦登菲尔德和尼科尔森出版社
- 1973 《解放了的弗兰肯斯坦》，凯普出版社
- 1974 《80分钟一小时》，道布尔迪出版社
- 1976 《马来西亚挂毯》，凯普出版社
- 1977 《头脑兄弟》，皮埃罗出版社
- 1978 《系统的敌人》，凯普出版社
- 1980 《莫罗的另一个岛》，凯普出版社，后改名为《莫罗岛》
  《西方生活》，韦登菲尔德和尼科尔森出版社
- 1982 《海利科尼亚之春》，凯普出版社
- 1983 《海利科尼亚之夏》，凯普出版社
- 1985 《海利科尼亚之冬》，凯普出版社
- 1987 《昨天之前的那一年》，富兰克林·沃茨出版社，后改名为《废墟上的克拉肯》
  《废墟》，肯钦森出版社
- 1988 《被遗忘的生活》，戈兰茨出版社
- 1991 《解放了的德拉丘拉》，格拉夫顿出版社
- 1993 《休战纪念日》，戈兰茨出版社
- 1994 《生活的东方》，哈珀·柯林斯出版社

短篇小说集

- 1957 《空间、时间和纳撒尼尔：先见之明》，费伯出版社，删改后名为《有不像明天的时间》
- 1959 《时间的华盖》，费伯出版社，修改后名为《沙粒一样的星系》
- 1963 《地球的空气》，费伯出版社，修改后名为《繁星》
- 1965 《布赖恩·奥尔迪斯科幻小说精品选》，费伯出版社，后改名为《谁能取代人？》
- 1966 《唾液树和其他奇怪的植物》，费伯出版社
- 1969 《无形物公司》，费伯出版社，修改后名为《尼安德特人的行星》
- 1970 《日食时分》，费伯出版社
- 1972 《布赖恩·奥尔迪斯选集》，道尔图书公司，后改名为《宇宙的地狱》
- 1977 《最后的命令》，凯普出版社
- 1979 《新客人、老冤家》，凯普出版社
- 1981 《异体》，乔普曼出版社
- 1984 《飞行中的季节》，凯普出版社
- 1988 《布赖恩·W·奥尔迪斯短篇科幻小说精品选》，戈兰茨出版社，后改名为《人生》
- 1989 《赤道的浪漫故事：布赖恩·W·奥尔迪斯幻想小说精品选》，戈兰茨出版社
- 1991 《身体的功能》，阿韦尔纳斯出版社
- 1993 《遥远的图波列夫》，戈兰茨出版社

非小说类作品

- 1955 《布赖特方особ的日记》，费伯出版社
- 1970 《后继事物的形状：关于变化的思索》，费伯出版社
- 1973 《10亿年狂欢：科幻小说史》，韦登菲尔德和尼科尔森出版社，扩写后改名为《亿万年狂欢：科幻小说的历史》，与戴维·温格罗夫合著
- 1975 《科幻小说艺术》，英国新图书馆出版社
- 1978 《纯科幻小说》，布兰的黑德出版社
- 1979 《这个世界和邻近的世界》，韦登菲尔德和尼科尔森出版社
- 1983 《科幻小说知识竞赛》，韦登菲尔德和尼科尔森出版社
- 1985 《科学的暗淡阴影》，瑟科尼亚出版社
- 1986 《彗星火红的光芒》，瑟科尼亚出版社
- 1990 《把我的心埋藏在W·H·史密斯家：写作生涯》，阿韦尔纳斯出版社

编辑作品

- 1961 《企鹅科幻小说》，企鹅图书出版公司，带有续集
- 1962 《幻想小说精品选》，费伯出版社
- 1968 《1967年最佳科幻小说》，伯克利出版社，与哈里·哈里森合著，到1976年为止共出版了8卷
- 1974 《太空剧》，韦登菲尔德和尼科尔森出版社
  《太空奥德赛》，富特拉出版社
- 1975 《为地狱描绘地图的人们：科幻小说作家的履历》，韦登菲尔德和尼科尔森出版社
  《10年：20世纪40年代》，麦克米伦出版社，到1978年为止另出版4卷
- 1976 《星系帝国》，韦登菲尔德和尼科尔森出版社，共2卷

普里莫·利瓦伊

生卒年份：1919~1987
国籍：意大利
主要作品：《周期表》、《扳手》、《第六天》

对那些只通过作品译本熟悉他的外国读者来说，普里莫·利瓦伊的特色就是他的一生。在后来的40多年里，他一直在努力审视自己是一名奥斯威辛集中营的幸存者这一事实。他的努力既体现在勇敢的行动上，也反映在那些极其辛酸的作品的创作上。尽管利瓦伊凭借着他广博的自然科学知识——他是一位受过专门训练的工业化学家——来创作被称为科幻小说的作品，但他的小说和非小说、寓言和自传读起来都是对大屠杀的隐喻。

利瓦伊最著名的小说《周期表》，把俄国化学家门捷列夫的元素周期表作为他的21篇系列回忆录的基础，并且指出稳定的科学秩序可以加以利用，而且其本身也可以减轻科学家们局限在暖炉旁生活里的酸甜苦辣。在小说《扳手》中，作者通过一系列似乎是他本人与一位最终证明是虚构的机械工师傅的遭遇，表达了对一个可测量的理性世界神奇现实的相同感受。

上面介绍的这两篇小说都在科幻小说读者中引起了强烈的共鸣，因为它们和那些最优秀的科幻小说一样，认为对世界的科学认识可以真正解决世界上的一些问题。对于像普里莫·利瓦伊这样的人来说，带有科幻小说色彩的纯理论科学——它对一些喜欢象牙塔里舒适生活的人文主义者可以产生离间效果——是一条生命线。

把可以深切感受到的对硬科学的讥讽用法作为隐喻和自传的基础，显示出利瓦伊作为一名作家的过人之处。而且，他身处意大利的文化背景中，那里自然科学与人文科学的隔阂尤为突出。尽管在《第六天》中收集的一些短篇小说是名副其实的科幻小说，但这些风格可辨的科幻小说在他的写作生涯中并未占有什么重要地位。更多时候，他的作品只是与科幻小说相像而已。例如，短篇小说"水是最好的"就是以一个真正的科幻小说前提开头的——水的粘性逐渐增大是一种始于意大利并慢慢扩展到全世界的现象——然而小说的隐喻意义很快便占据了突出位置，我们立刻就明白了利瓦伊实际上讲述的是现代生活中个性丧失的问题。同样，在《制镜人》的小说译文中，有人制造了一种能看到别人眼中的自己的镜子。利瓦伊更多关心的是道德含义，而非意识形态含义。

虽然利瓦伊始终强迫自己用科学的理论去解释生活中的不合理现象，而且他还求助于其他知识和人类接触，然而这一切最终都未能拯救他。众所周知，利瓦伊的斗争失败了，他于1987年自尽。

> "他的小说和非小说读起来都是对大屠杀的隐喻。"

作品目录

中长篇小说
1975 《周期表》，伊诺第出版社，后被翻译
1978 《扳手》，伊诺第出版社，后被翻译
1982 《如果不是现在，那又是什么时候?》，伊诺第出版社，后被翻译

短篇小说集
1966 《第六天》，伊诺第出版社，后被翻译
1986 《制镜人》，新闻出版社，后被翻译

伊塔洛·卡尔维诺

生卒年份：1923~1985
国籍：意大利，出生于古巴
主要作品：《不存在的骑士》、《隐形城市》、《冬夜旅行者》、《零时区》、《宇宙连环画》

伊塔洛·卡尔维诺和普里莫·利瓦伊一样，也通晓很多科学知识，也会使用科学论述的那些准则。这种能力使他被划分到意大利文学的主要传统之外的作家行列中。然而作为一名作家，卡尔维诺要比利瓦伊更有魄力，因此他的小说给意大利人提出的挑战更富有激情——由于他的作品被翻译成多种文字，因此也给全世界的人们提出了挑战——使他们明白像科幻小说这一体裁的写作技巧不仅很实用，而且在理解20世纪时还很有存在的必要。

然而，这并没有使我们感觉其作品读起来像通常所说的科幻小说体裁。卡尔维诺的作品实质上都在讨论故事和讲述者之间纷繁复杂的关系。作为一位文学通才——不仅写小说，还是编辑和随笔作家——他对小说本质的处理非常复杂。简而言之，卡尔维诺是一位真正意义上的后现代作家，他每一部成熟的作品都不只是一个关于世界的故事。从这点上说，他完全不是意大利的艾萨克·阿西莫夫。

卡尔维诺的写作生涯是从长篇小说《分成两半的子爵》和《不存在的骑士》开始的，后者讲述的是一套从来没有人穿过的盔甲，由于对礼节仪式和传奇故事所表现出的激情而始终保持着生命力。这有点类似于L·弗兰克·鲍姆写的关于《绿野仙踪》很多寓言中的生灵，本该没有生命的各种各样的机械装置只是因为它们表现得有生命力，居然被赋予了生命。与此相关的两部小说《宇宙连环画》和《零时区》，则更接近传统的科幻小说，它们的主人公兼讲述者都是和宇宙一样古老的长生不老者。这样讲述的故事最终成为关于科学、艺术、进化以及其他更深奥的事物的寓言。

卡尔维诺最著名的作品《冬夜旅行者》并不是一篇真正的科幻小说。读者要通过译文来了解作品的内容、错综复杂的阴谋和各个层次的现实，这些东西捉摸不定、玄妙无比。在小说《隐形城市》中，马可·波罗如痴如狂地描述了一系列超现实的城市。从严格意义上来讲，它也不能被称为科幻小说，但是它确实表现了一种纯科幻的神奇感受。

> "卡尔维诺是一位真正意义上的后现代作家。"

作品目录

中长篇小说
1952 《分成两半的子爵》，伊诺第出版社，后被翻译
1957 《树上的男爵》，伊诺第出版社，后被翻译
1959 《不存在的骑士》，伊诺第出版社，后被翻译
1963 《看守人》，伊诺第出版社，后被翻译
1972 《隐形城市》，伊诺第出版社，后被翻译
1973 《马可瓦尔多》，伊诺第出版社，后被翻译
1979 《冬夜旅行者》，伊诺第出版社，后被翻译
1983 《帕洛马先生》，伊诺第出版社，后被翻译

短篇小说集
1967 《零时区》，伊诺第出版社，后被翻译
1968 《宇宙连环画》，伊诺第出版社，后被翻译
1969 《受挫的命运三女神的城堡》，伊诺第出版社，后被翻译
1984 《艰难的爱》，伊诺第出版社，后被翻译
1986 《在美洲虎太阳下》，加赞第出版社，后被翻译

阿夫拉姆·戴维森

生卒年份：1923~1993

国籍：美国

曾用名：埃勒里·奎因

主要作品："或许是所有有牡蛎的海洋"，《星球王者之争》，《埃兹特黑济博士的疑问》

戴维森在七八十年代最接近自我，但他功成名就却是在60年代。这并不是对他的侮辱。戴维森的问题就在于他最好和最有趣的想法、见识和题外话，无法在小说这一形式中淋漓尽致地展现出来。他永远也不会写出像《项狄传》或《匹克威克外传》这样的小说。

戴维森是一只"智力鼠"，从一个主题跳到另一个主题，或摆出茫然和博学的样子大量探讨一个个主题，就像《非历史上的历险记》中收集的那些讨人喜欢的文章一样。为了讲述一个连续的故事，他只得在精神上成为另外一个人。

他在七八十年代创作的后期小说，例如《旅居外国者：塞肯德斯或阿韦尔诺的维吉尔》（作为小说来说）都缺乏气魄。它们漫游在由奇异知识构成的草场上，有时显得悠闲静谧。喜爱戴维森后期作品的读者对这部小说爱不释手，而这样的读者始终数量有限，因此他的作品未能及时出版。

另一个问题是戴维森很难完成最具个人特色的作品。早些时候，从60年代中期开始，他创作并完成了几部传统小说，而且《恶龙》、《迷宫的主人们》和《星球王者之争》的出版肯定让人们记住了他的名字。其中最后一部作品很好地展示了他的才华：两个交战的外星种族曾在古代访问过墨西哥，他们现在回到原来的星球是为了寻找武器，以便征服对方，而且还要使当代的人类也卷入这一错综复杂、悬念迭起的纷争之中。作者用生动、敏感的笔调描写了墨西哥。故事强劲有力，构思成熟，惊险刺激，令人难以忘怀。

在戴维森写作生涯的各个时期推出的短篇小说都能使人联想起在1621年创作了《忧郁解剖学》的罗伯特·伯顿，以及切斯特顿，或许还有弗朗兹·卡夫卡。这些短篇小说散发着古书的味道，但也表达了一种犀利、幽深、具有现代气息的恐惧。甚至连《埃兹特黑济博士的疑问》中的短篇小说都与它们鲁里坦尼式的背景不一致。戴维森或许已经不再写长篇大论了，但是在这个拥挤的世纪，他还是一位忧郁的学问大师，一位真正的探索者。

作品目录

中长篇小说

1962	《欢快的腿》，金字塔出版社，与沃德·穆尔合著
1964	《太空的叛乱》，金字塔出版社
	《在第八天》，兰登书屋，署名埃勒里·奎因
1965	《恶龙》，埃斯出版社
	《罗克!》，伯克利出版社
	《迷宫的主人们》，金字塔出版社
1966	《我的敌人的敌人》，伯克利出版社
	《星球王者之争》，埃斯出版社
	《卡-奇统治时期》，埃斯出版社
1969	《地球下面的岛屿》，埃斯出版社
	《凤凰和镜子》，道布尔迪出版社，后改名为《神奇的银镜》
1971	《旅居外国的人：普赖默斯》，沃克出版社
1973	《天涯海角的厄萨斯》，埃文出版社
1981	《旅居外国的人：塞肯德斯》，伯克利出版社
1987	《阿韦尔诺的维吉尔》，道布尔迪出版社
1988	《马可·波罗和睡美人》，贝恩出版社，与格拉尼娅·戴维斯合著

短篇小说集

1962	"或许是所有有牡蛎的海洋"，伯克利出版社
1965	《多么奇怪的星球和天空》，埃斯出版社
1971	《奇怪的海洋和海岸》，道布尔迪出版社
1975	《埃兹特黑济博士的疑问》，华纳出版社，扩写后改名为《埃兹特黑济博士历险记》
1978	《雷德沃尔德·爱德华文件》，道布尔迪出版社
1979	《阿夫拉姆·戴维森精品选》，道布尔迪出版社
1982	《阿夫拉姆·戴维森幻想小说全集》，伯克利出版社

非小说类作品

1993	《非历史上的历险记：对几篇古代传奇的事实根据的猜测》，奥尔斯威克出版社

获奖作品

"或许是所有有牡蛎的海洋"为戴维森赢得了雨果奖。

R·A·拉弗蒂

出生年份：1914

国籍：美国

主要作品：《原主》，《太空的水手号子》，《4号大厦》，《900个祖母》，《到达伊斯特怀恩》，《别人是否还有补充?》

宗教与科幻小说的关系不大，作者拥有什么信仰通常并不重要。在这方面以及其他很多方面，拉弗蒂多多少少显得有些与众不同。他是一名罗马天主教徒，在他近乎轻浮的小说背后有一台评判机器在发挥作用。拉弗蒂是一位伦理学家。更重要的是，他狂野的想象不仅证实了应该对行为进行控制的道德真理，还表现出试图描绘宇宙的雄心壮志。与此相一致的认识是，整个物质世界是一座神赐的剧院，而我们的行为就是宇宙戏剧的组成部分。

60年代时，拉弗蒂观望了一阵，似乎有志要成为科幻小说界的中心人物，然而不久他就滑脚开溜了。今天要买到拉弗蒂的作品颇为不易。不断增加的书名目录，描绘出他与主流文学背道而驰的历程。

在小说《原主》中，托马斯·摩尔爵士被转移到一个未来的乌托邦中，其目的是试图拯救它。然而他不幸重蹈覆辙，犯了极刑。《太空的水手号子》把荷马的《奥德赛》改编成一部欢快的太空剧；《4号大厦》则描绘了一幅巴罗克风格异常鲜明的人类历史画卷，历史被演绎成一出戏剧，剧中神圣的主人公隐匿在秘密组织里，出于某种目的而从幕后操纵人类。短篇小说《到达伊斯特怀恩》讲述的是一个有知觉——同时也有灵魂，这是对上帝的一种亵渎——的电子计算机。

拉弗蒂的后期作品甚至使《4号大厦》显得简单多了。在系列小说、长篇小说、短篇小说和包含各种寓言、传统故事以及可以想象得到的流传和失传的神话在内的训诫中，拉弗蒂继续构建关于我们人类状态的丰富、滑稽和阴郁的寓言。科幻小说仅仅是他用来发现真理、讲述上帝伟大剧作的工具之一。

作品目录

中长篇小说

1968	《原主》，埃斯出版社
	《地球的暗礁》，伯克利出版社
	《太空的水手号子》，埃斯出版社
1969	《4号大厦》，埃斯出版社
1971	《绿色的火焰》，沃克出版社
	《罗马的衰亡》，道布尔迪出版社
	《魔鬼死了》，埃文出版社
	《到达伊斯特怀恩》，斯克里布纳斯出版社
1972	《俄克拉·汉纳利》，道布尔迪出版社
1976	《更别提骆驼了》，鲍勃斯·梅里尔出版社
1977	《启示录》，礁石出版社，上下集全本
1979	《群岛》，马努斯克里普出版社
1982	《海月水母》，唐宁出版社
1984	《半边天》，科罗伯利出版社
1987	《巨蛇的卵》，莫里根出版社
	《我的心情七上八下》，德拉姆出版社，共5卷
1988	《笑声之东》，莫里根出版社
1989	《辛巴德：第十三次航行》，布罗青米勒出版社
	《椭圆形的墓穴》，联合神话出版社
1992	《甚于麦基洗德》，联合神话出版社，共3卷
	《南船座》，联合神话出版社

短篇小说集

拉弗蒂后期的短篇作品只以小册子的形式出版，这里只列出其中的一部分。

1970	《900个祖母》，埃斯出版社
1971	《奇怪的行为》，斯克里布纳斯出版社
1974	《别人是否还有补充?》，斯克里布纳斯出版社
1976	《滑稽的手指和卡布里托》，彭德拉根出版社
	《他们头上的角》，彭德拉根出版社
1983	《金门》，科罗伯利出版社
	《4个故事》，德拉姆出版社
	《透过漂亮的眼睛》，科罗伯利出版社
1984	《响亮的变化》，埃斯出版社
1985	《圆滑》，德拉姆出版社
1988	《拉弗蒂早期作品选》，联合神话出版社
1990	《拉弗蒂早期作品选第二卷》，联合神话出版社
	《南船座的故事》，联合神话出版社
1991	《走入正轨的拉弗蒂》，布罗青米勒出版社
	《恶作剧》，联合神话出版社
1992	《铁泪》，埃奇伍德出版社

赫伯特·弗兰克

出生年份：1927
国籍：德国
曾用名：瑟吉厄斯·博斯
主要作品：《兰花牢笼》，《负伊普西龙》，《时间终点》

赫伯特·弗兰克是德国最重要的科幻小说家之一。从50年代起，他就开始出版一些非小说类作品，主题有洞穴学——他本人热衷于洞穴探索——和计算机制图法，这也是他在慕尼黑大学教授的一门课程。在那几年里，他也写过一些短篇小说。

弗兰克的头两部长篇小说《思维网络》和《兰花牢笼》是他早期的代表作。小说中的未来世界处在非人力的控制之下，人类的领导者则陷入困境，这种描述具有欧洲的独特风格。有时似乎无法逃离这个世界，就像《负伊普西龙》中的主人公，当计算机删除了他三年的寿命，而他看到的只是一张薄膜时，他发觉自己已经无力逃脱。不过，弗兰克开始写到超人。在《超人学校》等小说中，超人的超人之处使他能够战胜敌对的外部世界。

弗兰克的后期作品在结构上要松散一些，而且似乎允许对企图控制我们的力量有一种更灵活的理解，虽然它们还是继续分析由计算机等引起的对现实的扭曲。弗兰克已经与这个世纪同步：他清楚地觉察到如今要左右个人的行为更困难了。而相应地，要影响人们对现实的感知则容易得多，结果我们的行为最终仍然符合世界的主人们的需求。

弗兰克后期的小说，例如《时间终点》，隐含意义的思维方式越来越形而上学，而且还包含了颇具力度的诗歌片断。《时间终点》的主人公——试图在计算机模拟的帮助下增加世界上的水资源，结果令他很失望——随着一场带有启示性的净化雨的神奇降落，有了宗教上的经历。弗兰克来自中欧，那里的人们把未来视作牢狱，幸好他现在看到了出口。

思维网络
弗兰克是戈尔德曼出版社的编辑顾问，许多作品由该社出版。

作品目录

中长篇小说
1961　《思维网络》，戈尔德曼出版社，后被翻译
　　　《兰花牢笼》，戈尔德曼出版社，后被翻译
1962　《玻璃陷阱》，戈尔德曼出版社
　　　《钢铁沙漠》，戈尔德曼出版社
1963　《迷路人的行星》，戈尔德曼出版社，署名瑟吉厄斯·博斯
1965　《象牙塔》，戈尔德曼出版社
1970　《零区》，金德勒出版社
1975　《负伊普西龙》，苏哈坎普出版社
1979　《天狼星疫日》，苏哈坎普出版社，署名瑟吉厄斯·博斯
1980　《超人学校》，苏哈坎普出版社
1982　《不朽者之死》，苏哈坎普出版社
　　　《横跨冥王星》，苏哈坎普出版社
1984　《寒冷的太空》，苏哈坎普出版社
1985　《时间终点》，苏哈坎普出版社
1986　《太阳的气息》，苏哈坎普出版社
1990　《银河中心》，苏哈坎普出版社

短篇小说集
1960　《绿色的彗星》，戈尔德曼出版社
1963　《到达光的旅程：乌托邦式短篇小说》，桑休斯亚出版社
1972　《爱因斯坦的后嗣》，岛屿出版社
1977　《琐罗亚斯德回归》，苏哈坎普出版社
1978　《一个叫做乔的半机械人》，科姆出版社
1981　《天堂3000》，苏哈坎普出版社
1982　《毫无生命的迹象》，苏哈坎普出版社，（广播剧）
1990　《思想的反映》，苏哈坎普出版社

热拉尔·克雷恩

出生年份：1937
国籍：法国
曾用名：吉尔·德阿盖尔
主要作品：《时间眼中的小错误》，《机遇的权力》，《战争霸主》

一些评论家认为，热拉尔·克雷恩是继儒勒·凡尔纳之后法国惟一的一位最重要的科幻小说家。无疑，他的确是本世纪法国科幻小说界最重要的人物。

克雷恩活跃的写作生涯只有15年之久，然而他的作品受到了高度评价，而且影响很大。他的8部被公认的长篇小说的前7部书名，被刊印在一张书单上。这种书单通常列出的是通俗书刊的书名。而且小说发表时，作者使用的是笔名。这一事实难免让人怀疑这些小说是否也是通俗小说。像《消磨时间的人》这样的题目(在美国则巧妙地译成《时间眼中的小错误》)也似乎很明显地暗示人们，克雷恩或许不是一位野心勃勃的小说家。

接受这样的暗示是错误的。尤其是克雷恩最后的三部长篇小说，巧妙地利用时间旅行来评价精神世界和外部世界之间的关系，是对哲学领域的颇有见识的涉猎。在小说《战争霸主》(由约翰·布伦纳译成英语)中，时间旅行被用来创造出一个竞技场，在那里历史就像经历了一场辩论般被消耗得筋疲力尽。这是克雷恩最优秀的作品。

退出小说界之后，克雷恩创办了《异时异地》，并担任主编；为罗贝尔·拉丰特出版社负责科幻小说的出版印刷；在近35年以来培养了一大批法国科幻小说读者。作为一名活跃的评论家和学者，他是科幻小说界最早的理论家。

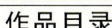

作品目录

中长篇小说
1958　《星球主人的策略》，蚕蛾出版社，后被翻译
1960　《整修星球》，黑流出版社，署名吉尔·德阿盖尔，改写后名为《森林的梦想》
1961　《太阳的帆船》，黑流出版社，署名吉尔·德阿盖尔
　　　《后天》，德诺尔出版社，后被翻译
1964　《漫长的旅程》，黑流出版社，署名吉尔·德阿盖尔
1965　《时间眼中的小错误》，黑流出版社，署名吉尔·德阿盖尔，后被翻译
1968　《机遇的权力》，黑流出版社，署名吉尔·德阿盖尔
1971　《战争霸主》，罗贝尔·拉封特出版社，后被翻译

短篇小说集
1958　《时间的珍珠》，德诺尔出版社
1966　《石头之歌》，埃里克·洛斯费尔德出版社
1973　《以眼还眼》，罗贝尔·拉封特出版社
1975　《如果之类的故事》，出版社不明
1979　《科幻小说黄金作品：热拉尔·克雷恩》，袖珍图书出版公司

编辑作品
热拉尔·克雷恩不仅编辑具体的作品，他还是罗贝尔·拉封特出版社在1960年创办的《科幻小说丛书》的总编。
1975　《壮观的未来，法国科幻小说选集第一卷》，塞热尔斯出版社，与莫尼克·巴蒂斯蒂尼合作，至1977年另出版两卷
1976　《科幻小说大选集》，袋装本出版社，与雅克·戈伊玛和德米特里合作
1978　《科幻小说黄金作品：厄休拉·勒吉恩》，袖珍图书出版公司
　　　《科幻小说黄金作品：弗兰克·赫伯特》，袖珍图书出版公司

翻译作品
1959　《歧异的世界》，卫星出版社，译自菲利普·K·迪克的《天空中的眼睛》

菲利普·K·迪克

生卒年份：1928~1982

国籍：美国

主要作品：《城堡中人》，《帕尔默·埃尔德里奇的三桩耻辱》，《机器人梦见电动羊了吗?》，《死亡迷宫》

说迪克死了并不符合实际。他阴郁、令人不安的想象仍留在恶梦般的黑色电影《银翼杀手》(参见283页)中，该影片是由里德利·斯科特根据迪克的小说《机器人梦见电动羊了吗?》改编而成的。迪克依然活在网络朋客中，尽管在吉布森出版《神经浪游者》(参见232页)的两年前，他已经去世了。迪克的45部小说今天仍在出版。在这一世纪迅速迈进新千年之时，他近乎疯狂的想象是人类对自身未来的大胆窥视。如果迪克健在的话，到2000年，他正好72岁。他会一如既往地编织可怕的梦想，然后把这些梦想遗留给我们。

菲利普·K·迪克是在科幻小说世界里出生和成长起来的两三个真正称得上伟大作家中的一个，也是本世纪后期对美国科幻小说作出诠释的最重要的作家之一。他不是一个容易接近的人——性情乖僻，数次离婚，长年处于半疯狂的状态，而且还是个妄想狂——他的作品的出版同样也是好事多磨。因此，迪克的作品目录颇具迷惑性：他早期的许多作品直至他去世以后才得以发表；而当他灵感突发、下笔如飞时，杰出的大作和粗糙的纯商业小说都相继问世。由于作品出版的顺序与写作的顺序并不一致，这里我们按创作时间的先后来介绍这些作品，出版时间则在目录中列出。

最后出版的《重整旗鼓》事实上差不多是迪克最早写成的作品，时间约在1950年。正如他的其他很多去世后出版的作品一样，它既不是科幻小说，也不是荒诞小说。迪克如果不算最重要的，起码也是最早从事当代题材小说写作的作家，他的小说大多以家乡加利福尼亚州为背景。迪克在1956年创作了《幻灭的梦》，从1958年起开始撰写《在密尔顿·拉姆基的领地》，1959年创作了《一个爱吹牛的艺术家的自白》，1960年又创作了《汉普蒂·邓普蒂在奥克兰》。这些小说行文流畅，言语尖刻，文笔犀利，对现实生活进行了深入的剖析。然而，这几本小说却没有一本得到出版商的青睐。

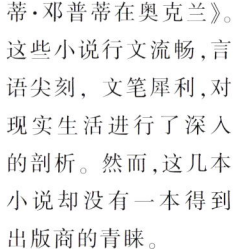

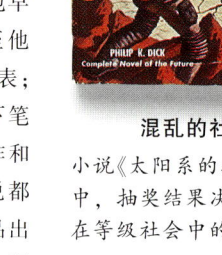

混乱的社会

小说《太阳系的抽奖游戏》中，抽奖结果决定着人们在等级社会中的位置。

在这些小说的创作过程中，迪克也对科幻小说的创作发生了巨大兴趣。短篇小说《宇宙玩偶》和《未来博士》在1953年写成。然而，谁都未料到这个狂热的梦想家竟会以他的第四部小说《太阳系的抽奖游戏》而一鸣惊人。该小说于1954年完成，是迪克出版的第一本小说，也是他的10部上乘佳作之一。它在内容上与范·沃格特在其全盛时期所创作的小说一样情节复杂，但更富于现代感。这世界由于抽奖活动而似乎变得太平下来，而实质上整个体制已经腐朽：身心困顿、神经过敏的统

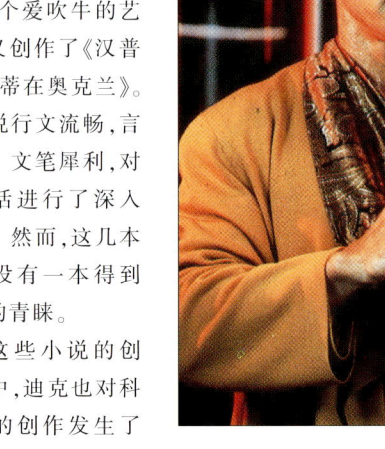

多亏了这些记忆

电影《宇宙龙威》是在短篇小说《我们为你记住这一切》的基础上扩展而成的，但是影片中仍然保留了迪克的多层妄想。

治者(这是迪克的一个独创)决策失误；下属背叛上司；卑微的推销员任由妻子摆布；现实成了不堪一击的骗局和假象。迪克在他于1958年完成的《脱节的时间》中强化了这一信息。小说主人公受愚弄，误以为自己只是一个普通小镇上的普通市民；事实上，他是一个"先知"(这些超感官的多种能力，例如先知先觉，并没有使它们的主人受益，这是迪克的又一独创)，他的整个宇宙是由军队维持着的，目的就是要制造出扑朔迷离的局面，而主人公凭借他的才能缓和了这些局面。这些局面反映出战争中的一些战略问题，于是主人公——他有些类似于奥森·斯科特·卡德的小说《恩德的游戏》(参见232页)中的恩德——可能会在解决交通堵塞问题时无意中进行了种族灭绝的大屠杀。

迪克在1961年写的《城堡中人》(参见223页)是他第一部完全意义上的代表作。这部著名的长篇小说描写了希特勒如果在二战中获胜可能出现的世界状况。它的叙述纷繁复杂，连贯顺畅，扣人心弦；故事中的人物

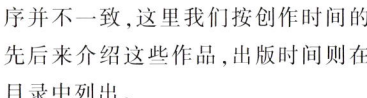

作品目录

中长篇小说

- 1955 《太阳系的抽奖游戏》，埃斯出版社，修改后名为《不可预期的世界》
- 1956 《琼斯创造的世界》，埃斯出版社
  《戏谑别人的人》，埃斯出版社
- 1957 《天空中的眼睛》，埃斯出版社
  《宇宙玩偶》
- 1959 《脱节的时间》，利平科特出版社
- 1960 《未来的博士》，埃斯出版社
  《伏尔甘的锤子》，埃斯出版社
- 1962 《城堡中人》，帕特南出版社
- 1963 《提坦游戏人》，埃斯出版社
- 1964 《火星的时间误差》，巴兰坦出版社
  《幻影》，埃斯出版社
  《倒数第二条真理》，贝尔蒙特出版社
  《阿尔芬月球上的部族》，埃斯出版社
- 1965 《帕尔默·埃尔德里奇的三桩耻辱》，道布尔迪出版社
  《赚血腥钱的医生——我们在被轰炸后的艰难生活》，埃斯出版社
- 1966 《太空的裂缝》，埃斯出版社
  《等待去年》，道布尔迪出版社
  《心灵未被传送的人》，埃斯出版社，修改后名为《谎言有限公司》
- 1967 《逆时针世界》，伯克利出版社
  《一枪毙命》，金字塔出版社
  《侍酒童接管大权》，埃斯出版社，与雷·纳尔逊合著
- 1968 《机器人梦见电动羊了吗?》，道布尔迪出版社，后改名为《银翼杀手》
- 1969 《尤比克》，道布尔迪出版社
  《星际补罐人》，伯克利出版社
- 1970 《死亡迷宫》，道布尔迪出版社
  《从8号弗罗利克斯来的朋友》，埃斯出版社
- 1972 《我们能让你成名》，道尔图书出版公司
- 1974 《警察说他流下了眼泪》，道布尔迪出版社
- 1975 《一个爱吹牛的艺术家的自白》，恩特威斯尔出版社
- 1976 《德乌斯·艾尔雷》，道布尔迪出版社，与罗杰·V·泽拉兹尼合著
- 1977 《秘密扫描仪》，道布尔迪出版社
- 1981 《凡利斯》，矮脚鸡图书公司
  《神圣的侵荡》，蒂姆斯坎伯出版社
- 1982 《提摩西·阿契尔的轮回》，蒂姆斯坎伯出版社
- 1984 《牙齿颗颗相同的人》，马克·齐辛出版社
- 1985 《在密尔顿·拉姆基的领地》，飞龙出版社
  《不受无线电干扰的阿尔比摩思》，阿伯书屋
  《在一小片陆地上闲荡》，学术出版社
- 1986 《汉普蒂·邓普蒂在奥克兰》，戈兰茨出版社
- 1987 《玛丽和巨人》，阿伯书屋
- 1988 《尼克和格利蒙》，戈兰茨出版社
  《幻灭的梦》，阿伯书屋
- 1994 《重整旗鼓》，沃茨出版社

短篇小说集

- 1955 《一片黑暗》，里奇和考恩出版社
- 1957 《多变的人》，埃斯出版社
- 1969 《防腐机器》，埃斯出版社
- 1977 《菲利普·K·迪克精品选》，巴兰坦出版社
- 1980 《金色的人》，伯克利出版社
- 1984 《自动机、机器人和机械怪物》，南伊利诺斯大学出版社
- 1985 《我希望我能尽快到达》，道布尔迪出版社
- 1987 《短篇小说集》，安德伍德-米勒出版社，共5卷，分别为：
  《伍伯在远方》，后改名为《布朗·牛津短暂、快乐的一生》
  《第二类》，后改名为《我们为你把这一切记住》
  《父亲的东西》，后改名为《第二类》
  《珀金·帕特的日子》，后改名为《关于未成年者的报告》
  《小黑匣子》，后改名为《我们为你把这一切记住》(不同于改名后的《第二类》)

焦虑不安,真实可信;书中悲切的回声令人难以忘怀。《火星的时间误差》(参见223页)是在1962年完成的,小说以火星为背景,而它与雷·布拉德伯里笔下的那颗充满感伤情调的行星有着天壤之别。那些定居者四处碰壁:现实对真理肆意嘲弄,妄想狂和超自然的少年折磨烦恼不已的独裁者,人类的意志脆弱而不堪一击。由于小说意在揭示人生的索然无味,不免使我们感到恐怖和悲哀,可它同时对心神困扰的人们改造世界的描述又让我们欢愉不已。这是一部关于荒谬的奇谈;它是一部杰作,很可能也是迪克的最佳手笔。

1963年写成的《赚血腥钱的医生》或《我们被轰炸后的艰难生活》,文章的格调更为凄凉,而且也缺少幽默。除了对浩劫之后的美国极尽嘲讽之能事外,它的点睛之笔就在于情节设计的精巧缜密,与众不同。由此,用普通男女的困境反映并讽刺了伟人们想扭转乾坤的意愿。继这4本在几个月内一挥而就的小说之后,迪克于1964年完成了他的第四部重要作品《帕尔默·埃尔德里奇的三桩耻辱》(参见223页)。这篇小说通过讲述埃尔德里奇的故事,抨击了所有治疗精神病的药物。埃尔德里奇是一个企业家,他的产品能吞食现实。继而文章用一种渗透着埃尔德里奇怪异而精髓的梦魇般的环境来取代那个被吞掉的、真实的世界。至于迪克在1955年写的早期小说《天空中的眼睛》,则以一种危言耸听、困惑烦乱的口吻对上帝的本性作出评论。不管迪克的小说表面上在何处展开,它们的背景永远是一个暗淡苍白超写实的洛杉矶。那里居住着被驱逐的美国人,他们在寻找天国的过程中发现太平洋标志着他们旅行的终点。与众多美国科幻小说作家不同的是,迪克对人类现状、科技成就、政府的忠实程度以及内外太空都抱着极为悲观的态度。在迪克的小说中,每张笑脸后面似乎都隐藏着帕尔默·埃尔德里奇的耻辱——虽然世界的残酷性是潜在的,然而同时它又无时无处不显现出来。

迪克在他的精神几近崩溃之前仍有几篇小说问世。1966年他创作的《机器人梦见电动羊了吗?》当时已经闻名于世;同年创作的《尤比克》把世界上像埃尔德里奇的人异化成能继续统治世界的尸体,尽管从严格意义上来说他们已经死亡。1968年,迪克写了《死亡迷宫》(参见226页),把死亡的知识引向深入。到这个时候为止,迪克写作的数量和速度已经达到极限,然而他得到的报酬却少得可怜,于是压力不断沉积。从1970年开始他动笔创作《我流下了眼泪,警

"迪克正在和我们大多数人难以想象的异常强大的魔鬼搏斗。"

代表作品

小说《机器人梦见电动羊了吗?》之所以出名,不仅是因为里德利·斯科特把它改编成电影《银翼杀手》,从而使它名声斐然;它的成功之处更在于它强化了迪克早期作品中所蕴含的深层涵义,更在于它读起来像一部凝炼的室内歌剧,一篇信息摘要。主人公的任务是捕捉非法机器人,但小说中频繁出现合法的机器动物,幸存下来的软弱孤寂的人类与这些动物和睦相处,以此来减少他们对自己破坏星球罪行的内疚感。

《机器人梦见电动羊了吗?》

察说》,虽然力求取得一定的影响,但作品最终还是有些牵强附会,不尽如人意。在这篇小说完成后不久,他开始认为自己正在不断地接收到由更高级生物传达的旨意。据说他写了几百万字的笔记,并称之为"《圣经》的注释"。同时他开始构建一个极其复杂的关于多层错觉的想象。他认为就是这些错觉使我们未能认识到隐藏着的真理:从某种意义上说,潜在的现实是有生命力的。换句话说,迪克在这些年里形成的信仰构成了后来诺斯替主义的一种形式。

由于他的振振有辞,更由于他在1978年完成了一部振聋发聩的短篇小说《凡利斯》,把模拟的自我分析和对新世界令人信服的虚构描写融为一体,一切都不致变得更悲哀。迪克正在和我们大多数人难以想象的异常强大的魔鬼搏斗,然而不久他就去世了。

狂妄的想象

迪克小说中的技术构想并不多,作品中大多数狡狯的杀人机器都冷酷无情,比如电影《银翼杀手》中警察用的旋转器就是专门为杀人而制造的。

弗兰克·赫伯特

生卒年份：1920~1986
国籍：美国
主要作品：《沙丘》系列

正如大多数有非凡思想的人一样，赫伯特经常感到辞不达意，因此他总是不厌其详地铺陈文字。这可能使他有时显得啰嗦乏味。

很多科幻小说读者都知道，赫伯特的第二部小说，即他的代表作《沙丘》(参见224页)，就是一部涵盖广泛、包罗万象的巨著，内容涉及神学、社会学、生态学及其他学科，并且关于保罗·阿特雷兹的中心故事也跃然纸上。然而接下来的几个续篇，如《沙丘弥赛亚》、《沙丘天主》、《此沙丘》、《彼沙丘》和《无数沙丘》等，就不及原著成功，其中两本废话连篇，了无情趣。

弗兰克·赫伯特出生在美国最偏远的太平洋沿岸地区，而且一生居住于此。在他的作品中，家乡的痕迹清晰可见：无论他的小说以何处为背景，都散发着一种与其他美国小说截然不同的气息。即使当赫伯特饶有兴致地发表长篇大论时，他的小说也总流露出一种暴躁的情绪和对与己关系融洽的外部世界的不安。由于他对白种人掠夺太平洋沿岸北部地区的行径记忆犹新，萌生这种不安感也就不足为奇了。

因此自然而然地，赫伯特在他的许多作品——例如《灵魂捕捉器》等短篇故事中，都企图拯救已被现代社会改变得面目全非的自然环境。他的尝试屡屡被用来考验人类能否与现实和谐共处，结果人类常常以失败告终。

在他的第一部小说《海上骄龙》中，赫伯特把21世纪的潜水艇作为一种试验环境，否则他们只有死路一条。《目的地：真空》同样以一个限定的试验环境为背景。在一艘恒星飞船上，它的导航电脑一旦被转换成人工智能后就会自命为上帝。船员们必须与这个上帝建立一种生态协调关系，而且要对它顶礼膜拜，以换取它同意继续为他们控制这艘船。《桑塔罗格障碍》描写的是一种高级智能动物在一个限定群落中的进化过程，智能动物和群落之间相互检验。《黑尔斯特洛姆的蜂房》描述了在另外一个封闭的试验环境中，以社会性昆虫为雏形创造人类集体的过程。

赫伯特就像他的作品一样令人久读不厌。作为受人敬仰的领袖人物和经验丰富的水手，他教会了我们如何赋予科幻小说以思想。

作品目录

中长篇小说

1956	《海上骄龙》，道布尔迪出版社，先后改名为《21世纪的潜水艇》和《重压之下》
1965	《沙丘》，奇尔顿出版社
1966	《幼稚的头脑》，埃斯出版社；《目的地：真空》，伯克利出版社；《海森的眼睛》，伯克利出版社
1968	《桑塔罗格障碍》，伯克利出版社；《天堂的缔造者们》，埃文出版社
1969	《沙丘弥赛亚》，帕特南出版社
1970	《飞逝的星球》，帕特南出版社
1972	《上帝的创造者》，帕特南出版社
1973	《灵魂捕捉器》，帕特南出版社
1973	《赫尔斯特龙的蜂房》，道布尔迪出版社，后改名为《第四十号方案》
1976	《沙丘儿女》，伯克利出版社
1977	《多萨迪实验》，帕特南出版社
1979	《耶稣事件》，伯克利出版社，与比尔·兰森合著
1980	《直系血统》，英国新图书馆出版社
1981	《沙丘天主》，帕特南出版社
1982	《白色瘟疫》，帕特南出版社
1983	《拉撒路效应》，帕特南出版社，与比尔·兰森合著
1984	《沙丘的异端邪说》，戈兰茨出版社
1985	《牧师集会沙丘》，戈兰茨出版社，后改名为《牧师会礼堂：沙丘》
1986	《跨越两个星球的人》，帕特南出版社，与布赖恩·赫伯特合著
1988	《耶稣升天因素》，帕特南出版社，与比尔·兰森合著

短篇小说集

1970	《弗兰克·赫伯特的前生后世》，英国新图书馆出版社
1973	《弗兰克·赫伯特作品选》，道尔图书出版公司
1975	《弗兰克·赫伯特精品选》，西奇威克和杰克逊出版社
1980	《超心理教士》，戈兰茨出版社
1985	《眼睛》，伯克利出版社

前功尽弃？

《沙丘》在80年代中期被改编成电影搬上银幕。为使影片获得惊人的视觉效果，改编者可谓不遗余力，煞费心机。然而遗憾的是，赫伯特的长篇巨著最终被演绎成一出哗众取宠的情节剧，这样的结局或许确实是不可避免的。

阿克迪和鲍里斯·斯特鲁格茨基

生卒年份：阿克迪 1925~1991，鲍里斯1931~
国籍：俄罗斯
主要作品：《做神的艰辛》

斯特鲁格茨基兄弟作为苏联公民所著的每一部作品，都让人们记住了他们的名字。这本身就是一种悲哀，因为苏联科幻小说对世界的假想不能与官方的政治论断相悖，因此他们的很多科幻作品都是用代号写成的。然而更令人悲哀的是，虽然审查制度的约束力现已大大减弱，但斯特鲁格茨基兄弟恐怕再也不会有大作问世。阿克迪已于1991年去世，传闻也只是说鲍里斯尚有新作问世。

审查制度固然是一种桎梏，斯特鲁格茨基兄弟的代号语言——经常被称为伊索式语言，这是由那个以动物寓言的形式讲述真实现实的奴隶而来的——对于听惯了清楚响亮信息的西方读者来说，有时的确显得晦涩难解。但即使是最懒惰的读者也无法抗拒像《做神的艰辛》这样充满喧闹的小说。后来的小说《路边野餐》，曾被安德雷·塔可夫斯基摄制成电影《潜近猎物的猎手》，巧妙地对到地球上野餐后扔下垃圾的外星人进行了严厉的讽喻，它们的这些废弃物被证实对我们人类极其有害。

小说《一定可能》和《斜坡上的蜗牛》都认为任何一种形式的知识最终都是不安全的，甚至连马克思列宁主义关于人类历史发展进程的论断也是如此(隐含某种意义)，这种观点有颠覆政府之嫌。《雨的孩子》嘲讽了一些过去受欢迎的科幻小说，这些小说讲述的是超能儿童被暗中抚养、长大成人后统治世界的故事。审查制度和翻译中出现的问题最终都不能阻止斯特鲁格茨基兄弟：他们是天才作家，并且他们与我们直接对话。

作品目录

中长篇小说
1959 《红云之国》，杰特基兹出版社
1960 《6根火柴》，在苏联出版
     《终点：木卫五》，莫洛达亚·格瓦季亚出版社
1963 《遥远的彩虹》，莫洛达亚·格瓦季亚出版社
1964 《做神的艰辛》，莫洛达亚·格瓦季亚出版社
1965 《天堂的最后一道圈》，莫洛达亚·格瓦季亚出版社
     《星期一从星期六开始》，杰茨卡亚文学出版社
1966 《斜坡上的蜗牛》，发表于苏联刊物
     《雨的孩子》，发表于苏联刊物
1968 《遥远的彩虹：火星人的第二次入侵》，在苏联出版
1969 《路边野餐和三套车的故事》，在苏联出版
1970 《"最后一个攀登者"的旅店》，发表于苏联刊物
1972 《路边野餐和三套车的故事》，在苏联出版
1976 "肯定可能"，发表于苏联刊物
1979 "蚁山上的甲虫"，发表于苏联刊物
1985 "时间漫游者"，发表于苏联刊物
1989 《注定灭亡的城市》，在苏联出版
     《背负着邪恶，或是40年之后》，普罗米泰出版社

短篇小说集
1962 《正午：22世纪》，莫洛达亚·格瓦季亚出版社
     《太空学徒》，在苏联出版
1982 《逃跑的企图》，在苏联出版

哈伦·埃利森

出生年份：1934
国籍：美国
曾用名：诺尔若·诺斯雷利，杰伊·查比，华莱士·埃德蒙森，埃利斯·哈特，杰伊·索洛，科德韦纳·伯德
主要作品："'后悔吧，哈勒根！'赛马情报员说"，"无声的尖叫"，《危险的想象》

很少有作家是以短篇小说成名的。我们对V·S·普里切特和约翰·奥哈拉驾驭短篇文学作品能力的认识，几乎总是在读过他们的长篇小说或其他作品后才会形成。因此，从这点以及其他方面来看，哈伦·埃利森是一个特例，因为他的长篇小说篇幅短、质量差、数量少，容易被人遗忘，而且总是被人遗忘。他以单行本形式出版的作品中最优秀的是《我的生活全是谎言》和《缟玛瑙中的墨菲斯托》：两部作品都只有中篇小说的篇幅，虽然文笔有时略显驽钝，但都不失为优秀作品。

作为一名作家，埃利森确实有他与众不同之处。这就能解释为什么他在创作长篇小说时力不从心，而在创作短篇小说时却驾轻就熟。大多数作家在创作时喜欢把自己封闭起来，连续几个星期或几个月编写故事。而埃利森与他们不同，他是一位表现型的艺术家。尽管他的大部分小说也是在与外界隔绝的状态下创作的，但他尤其喜欢在公共场合写作，有时甚至是在商店的橱窗里。每到此时，他的灵感就犹如泉涌，当然这种状态通常也不会让他写出比短篇小说更长的篇幅。灵感一旦付诸笔端，我们就会看到诸如"'后悔吧，哈勒根！'赛马情报员说"(1965)、"无声的尖叫"(1967)、"在世界边缘城市漫游的人"(1967)和"漂亮的玛吉·玛尼爱斯"(1967)之类的小说。就像题目暗示的那样，这些小说的语言往往夸大其辞，文笔尖刻犀利。

虽然埃利森是以他的小说而闻名的，但他同时也是一位喜好争辩的专栏作家和随笔作家，而且他的文选(特别是著名的《危险的想象》)就像他的短篇小说一样，成为科幻小说领域的上乘之作。

埃利森在最佳状态下创作的作品充满了对真实的渴望，热切地呼唤在这个混乱、冷漠、罪恶的世界里能有人性和真诚存在。他的世界是一个存在主义的试验场，而人类在未来则必须经受夹道鞭打。

作品目录

中长篇小说
1960 《拥有9条生命的人》，埃斯出版社
1967 《必死之人》，贝尔蒙特出版社
1975 《没有骨灰的凤凰》，福西特出版社，与爱德华·布赖恩特合著
1980 《我的生活全是谎言》，安德伍德-米勒出版社
1991 《追星》，石山出版社
1993 《缟玛瑙中的墨菲斯托》，齐辛出版社

短篇小说集
1960 《无尽的感觉》，埃斯出版社
1962 《埃利森奇境》，平装本图书馆出版社，后改名为《地球人回家》
1965 《悲痛的神和其他错觉》，金字塔出版社
1967 《无声的尖叫》，金字塔出版社
     《来自恐惧岛》，贝尔蒙特出版社
1968 《爱情即是性爱》，三叉戟出版社
1969 《在世界的中心呼唤爱的野兽》，埃文出版社
1970 《在边缘》，贝尔蒙特出版社
1971 《明天的孤独》，麦克米伦出版社，后分两卷出版，改名为《恐惧的声音》和《眼睛的时间》
     《惊奇的伙伴》，沃克出版社(与他人合著)
1974 《渐渐忘却》，沃克出版社
1975 《死亡鸟的故事：现代万神殿》，哈珀出版社
     《无门无窗》，金字塔出版社
1978 《奇怪的酒》，哈珀出版社
1979 《哈伦·埃利森的幻想小说》，格雷格出版社
1980 《破碎的日子》，霍顿·米夫林出版社
1982 《追踪梦魇》，幻想出版社
1987 《埃利森精品选》，尼莫出版社
1988 《发怒的坎迪》，霍顿·米夫林出版社
1994 《精神的原野》，休斯敦出版社

编辑作品
1967 《危险的想象》，道布尔迪出版社
1972 《危险的想象(续集)》，道布尔迪出版社

迈克尔·穆尔科克

出生年份：1939

国籍：英国，定居美国

曾用名：迈克尔·巴林顿，比尔·巴克利，爱德华·P·布拉德伯里，詹姆斯·科尔文，德斯蒙德·里德

主要作品：《杰里·科尔内留斯》系列，《埃尔里克》系列，《皮阿上校》系列，《伦敦母亲》

关于迈克尔·穆尔科克这位奇才不知该从何说起。这绝非偶然。几乎他所有的单行本作品(除了他的第一部长篇小说《加勒比海的危机》和他最优秀的单行本作品《伦敦母亲》这两个特例之外) 都是设计好或经翻新改进后，在一套巨型的超系列小说中各得其所。这套系列现在通常被称为《永恒战士的传说》。这个战士使用好几个名字，如杰里·科尔内留斯、梅尔尼波涅的埃尔里克、乔鲁姆、霍克穆恩、杰雷克·卡尼琳和冯·贝克，这里只列举一些他比较为人熟知的身份。每一个战士似乎都不知道，或者忘记了他同时所具有的其他各种身份。

在一个又一个系列中，"永恒战士"努力均衡有序与无序状态之间的力量对比，虽然这有时是迫于无奈。冲突发生在各种各样的世界中，这些世界被称为多元世界，它是现实的巨型再版。它们具有共同的主要特征，都以不同的方式反映出法律与创造性头脑(代表混乱，是任何生命系统不可缺少的组成部分)之间永恒的斗争。在所有这些冲突之上占支配地位的是匀寂状态的缓慢升级。

有的世界是荒诞小说的王国；而另一些，比如杰里·科尔内留斯所处的60年代的伦敦，是科幻小说的领域；还有一些，像奥斯瓦尔德·巴斯特布尔居住的爱德华七世时代的可能未来世界，兼有荒诞小说和科幻小说的特点。

穆尔科克的有些小说循规蹈矩，尽管在最无聊的时候还弥漫着一种若隐若现、冷嘲热讽的忧郁情绪；其他则是影响深远的杜撰作品，其中最著名的是《伦敦母亲》和《科尔内留斯》系列(包括《最后的方案》、《癌症疗法》、《英国杀手》、《穆扎克的状况》和后来的一些合集，以及《皮阿上校》系列(对异想天开的事情只轻描淡写地

维多利亚遗风

《穆扎克的状况》把这些作为素材的来源。

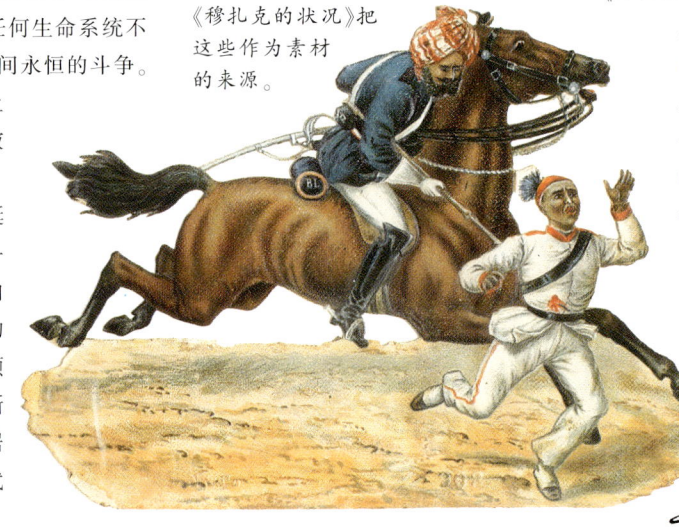

多重世界

《分崩离析的世界》这部长篇小说第一次介绍了穆尔科克的多元世界。在这个背景下，永恒战士不断变化和重复的角色得到反映。

一笔带过，虽然文章中也顺便提到了多元世界的其他部分，这个系列包括《拜占庭的耐性》、《迦太基的笑声》以及《耶路撒冷命令》这三部作品)。这些年来，由于这些系列小说逐渐控制了穆尔科克的创造性思维，往日口若悬河的杜撰者变成了一个为新的千年创造神话的思考家。

作品目录

中长篇小说

- 1962 《加勒比海的危机》，弗利特韦出版社，与詹姆斯·考察恩合著，共同署名德斯蒙德·里德
- 1965 《带来风暴的人》，詹金斯出版社
  《分裂的世界》，康珀克特出版社，后改名为《血红色的游戏》
  《火中小丑》，康珀克特出版社，后改名为《地狱边境的风》
  《火星上的战士》，康珀克特出版社，署名爱德华·P·布拉德伯里，后改名为《野兽之城》
  《火星上的恶少》，康珀克特出版社，署名爱德华·P·布拉德伯里，后改名为《蜘蛛王》
  《火星上的野蛮人》，康珀克特出版社，署名爱德华·P·布拉德伯里，后改名为《地狱的主人们》
- 1966 《曙光人》，康珀克特出版社，后改名为《死亡海岸》
  《印刷所学徒》，康珀克特出版社，署名比尔·巴克利，修改后名为《俄国谍报》
  《LSD档案》，康珀克特出版社，为罗杰·哈里斯而作
  《在夜晚的某处》，康珀克特出版社，修改后名为《中国代理商》
- 1967 《头颅里的珠宝》，兰瑟出版社
  《时间的残骸》，埃斯出版社，修改后名为《无尽的仪式》
- 1968 《最终的方案》，埃文出版社
- 1969 《巫师的护身符》，兰瑟出版社，后改名为《疯神的护身符》
  《方术历书的秘密》，兰瑟出版社，后改名为《方术历书》
  《冰船》，天体出版社
  《注视那个人》，阿利森和巴斯比出版社
  《黑色走廊》，埃斯出版社
- 1970 《永恒战士》，五月花出版社
  《黑曜岩里的凤凰》，五月花出版社，后改名为《银甲战士》
- 1971 《癌症疗法》，阿利森和巴斯比出版社
  《宝剑骑士》，五月花出版社
  《宝剑女王》，五月花出版社
  《宝剑国王》，五月花出版社
  《睡觉的女巫》，新英国图书馆出版社，后改名为《消失的塔》
  《空中宝阀》，埃斯出版社
- 1972 《外星的热量》，麦吉本和基* 出版社
  《废墟中的早餐》，新英国图书馆出版社
  《英国杀手》，阿利森和巴斯比出版社
  《埃尔里克·梅尔尼博恩》，哈钦森出版社
- 1973 《公牛和梭镖》，阿利森和巴斯比出版社
  《布拉德伯爵》，五月花出版社
  《加拉索姆的冠军》，五月花出版社
  《橡树和白羊》，阿利森和巴斯比出版社
  后改名为《疯神的护身符》
- 1973 《玉人的眼睛》，独角兽书店
- 1974 《宝剑和宝马》，阿利森和巴斯比出版社
  《陆上怪兽》，道布尔迪出版社
  《凹陷的陆地》，哈钦出版社
- 1975 《遥远的太阳》，独角兽书店，与詹姆斯·考察恩合著
  《寻找塔尼洛恩》，五月花出版社
- 1976 《命运海上的水手》，四重奏出版社
  《乌纳·珀森和凯瑟琳·科尔内留斯在20世纪的历险记》，四重奏出版社
  《所有歌声的结尾》，哈珀出版社
- 1977 《穆扎克的状况》，阿利森和巴斯比出版社
  《梅维斯·明小姐的改变》，W·H·艾伦出版社，后改名为《时间尽头的弥赛亚》
  《白狼的厄运》，道尔出版公司
  《黑色宝剑的毁灭》，道尔图书出版公司
- 1978 《格洛丽安娜》或《不满足的女王》，阿利森和巴斯比出版社
- 1979 《纽曼先生的真实生活》，阿利森和巴斯比出版社
- 1980 《金色的驳船》，萨沃伊出版社
  《摇滚大骗局》，弗吉尼出版社
- 1981 《匀寂状态下的探戈舞》，新英国图书馆出版社
  《坚强的沙皇》，五月出版社
  《战争猎狗和世界的悲痛》，袖珍图书出版公司
  《拜占庭的耐性》，塞克和沃伯格出版社
- 1982 《布拉泽尔在罗森斯特拉斯》，新英国图书馆出版社
- 1984 《迦太基的笑声》，塞克和沃伯格出版社
- 1986 《秋季星球中的城市》，格拉夫顿出版社
  《剑上的龙》，埃斯出版社
- 1988 《伦敦母亲》，塞克和沃伯格出版社
- 1989 《珍珠堡垒》，埃斯出版社
- 1991 《玫瑰的报复》，格拉夫顿出版社
- 1992 《耶路撒冷的命令》，塞克和沃伯格出版社

短篇小说集

- 1963 《灵魂偷盗者》，斯皮尔曼出版社
- 1966 《深陷维谷》，康珀克特出版社，署名詹姆斯·科尔文
- 1969 《时间居民》，哈特·戴维斯出版社
- 1970 《唱歌的城堡》，五月花出版社
- 1976 《穆尔科克的烈士之歌》，四重奏出版社，后改名为《为明天献身》
  《杰里·科尔内留斯的生命和时代》，阿利森和巴斯比出版社
- 1976 《时间尽头的传说》，W·H·艾伦出版社
- 1977 《索简》，萨沃伊出版社
- 1980 《我在第三次世界大战中的经历》，萨沃伊出版社
- 1984 《鸦片将军》，哈利普出版社
  《时间尽头的埃里克》，新英国图书馆出版社
- 1989 《卡萨布兰卡》，戈兰茨出版社
- 1993 《奥贝克伯爵》，新千年出版社

非小说类作品

- 1983 《逃避自由》，松巴出版社
- 1986 《好莱坞的来信》，哈利普出版社
- 1987 《巫术和传奇：史诗性幻想小说研究》，戈兰茨出版社

编辑作品精选

- 1965 《〈新世界〉精选》，康珀克特出版社
- 1967 《〈新世界〉科幻小说精选》，潘德出版社，到1974年为止共出版8卷
- 1968 《时间陷阱》，拉普和怀廷出版社
- 1969 《内部风景》，阿利森和巴斯比出版社
- 1970 《大灾难的性质》，哈钦森出版社，与兰登·琼斯合著，修改后名为《大灾难的新本质》

乔安娜·拉斯

出生年份：1937
国籍：美国
主要作品：《天堂里的野餐》，《具有女性特征的男人》

几十年来，写科幻小说的女作家既没有把自己假扮成男性，也没有将科幻小说写成"女性"小说，更没有保持沉默。乔安娜·拉斯是科幻小说界最先把争论激烈的女权主义观点应用到幻想文学中的女作家之一。阿利克斯是小说《天堂里的野餐》和《阿利克斯》中的主人公，她适合在都市生存，但绝对不是一个浪荡的女人。她为无数的后继者树立了榜样：她写过太空剧的冒险经历，忍受过失败的痛苦，也享受到了成功的喜悦。在这整个过程中，她都没有特别关注"女性化"或性别问题。她让成千上万的读者长长地松了一口气，而他们中绝大多数是男性。

然而，乔安娜·拉斯对这个问题的认识并不仅限于此。《具有女性特征的男人》是一部最伟大的女权主义长篇科幻小说，也是近30年来各种文学体裁中最具影响的作品之一。在这篇小说中，作者极好地控制住了愤怒的情绪，讲述了似乎会在截然不同的可能世界中发生的同一个女人的故事，描绘了在沉闷压抑的文化中女人们的命运，以及在不被鄙视、不被陷害人类另一半的任务所左右的文化中的女人们，乃至全人类的快乐。凡是阅读过这部长篇小说的人都懂得，每个人都是另外一个人的另一半，每个人都是另外一个人的守护神或替罪羊。

拉斯的短篇小说同样也很尖锐，尽管这些作品很少会像她的长篇小说那样对我们的预想产生破坏性的影响。《灵魂》是一部优秀的长篇小说，后以单行本的形式出版。这部小说的典型特征就在于它对人物、地点的关注，以及对受威胁的人们生活的描绘。拉斯认为，做女人就是要在威胁下生存。

Joanna Russ

作品目录

中长篇小说
1968 《天堂里的野餐》，埃斯出版社
1970 《浑沌状态消失了》，埃斯出版社
1975 《具有女性特征的男人》，矮脚鸡图书出版社
1977 《我们正要……》，戴尔出版社
1978 《基塔帝尼：一篇神奇的故事》，多特斯出版社
《他们两个》，伯克利出版社
1980 《反对上帝的罢工》，奥特奥特出版社
1989 《灵魂》，石山出版社

短篇小说集
1976 《阿利克斯》，格雷格出版社，后改名为《阿利克斯历险记》
1983 《桑给巴尔汽车》，阿克汉姆书屋
1985 《不凡(平凡)的人们》，圣马丁出版社
1987 《月球隐藏的一面》，圣马丁出版社

非小说类作品
1983 《如何压制女人的作品》，得克萨斯大学出版社
1995 《会魔法的妈妈们，颤抖的姐妹们，清教徒和堕落者：女权主义短文》，十字路口出版社

拉里·尼文

出生年份：1938
国籍：美国
主要作品：《已知太空的故事》系列，《上帝眼中的小缺点》

尼文本人可能非常内向，然而他的小说却极富外向性，或者说一度曾如此。《已知太空》系列(参见66页)中最初的一些欢快的短篇及长篇小说，和他规模庞大、不断发展的对于未来几千年的历史所显示出来的丰富创造力，是科幻小说从未有过，或许以后也不会再有的。他把对自然科学的巧妙理解与对人类行为的玩笑态度结合在一起，创造了一个大多数人都向往着去居住的自由未来。作品中有可恶的威胁。

《普塔夫斯的世界》中的那个外星人确实恐怖，后来的作品越来越令人感到难以与前面众多复杂故事创下的先例相适应，然而他整体的感觉是关于一个开放的世界。我们所需要的是思想、工具、意志以及朋友的帮助。在《圆环世界》(参见226页)中，从先前五花八门的故事中来的朋友太多了，以至于这篇小说的伟大思想——太阳周围有个平坦、可供居住的圆环——差点被埋没。

同时，尼文与杰里·波内尔一起也写了像《上帝眼中的小缺点》这样具有轰动效应的科幻小说。在这篇小说中，他的极为丰富的想像力(异域人的那些小缺点具有尼文的特色)为波内尔史诗式的情节增添了色彩。但是他后期的作品，不论是单独创作的，还是与人合作完成的，都似乎对新事物日渐淡漠。竞赛结束了，却没有奖品。

Larry Niven

杰里·波内尔

杰里·波内尔不只是尼文的助手，几部长篇小说，如《上帝眼中的小缺点》和《效忠誓言》——他们对自由主义价值观最出名的抨击——显然是他们合作的成果。然而波内尔自己的作品并不出色，他的《共同自治领》系列中的大部分作品都是与尼文或别人合作完成的。要聚焦于他个人很不容易。

作品目录

中长篇小说
1966 《普塔夫斯的世界》，巴兰坦出版社
1968 《地球的礼物》，巴兰坦出版社
1970 《圆环世界》，巴兰坦出版社
1971 《会飞的巫师》，巴兰坦出版社，与戴维·杰罗德合著
1973 《保护者》，巴兰坦出版社
1974 《上帝眼中的小缺点》，西蒙和舒斯特出版社，与杰里·波内尔合著
1976 《地狱》，袖珍图书出版公司，与杰里·波内尔合著
《不合拍的世界》，霍尔特·莱因哈特出版社
1977 《魔王的锤子》，花花公子出版社，与杰里·波内尔合著
1978 《魔法离开了》，埃斯出版社
1980 《圆环世界的工程师》，幻想出版社
《拼凑起来的女孩》，埃斯出版社
《莫尔德雷德》，埃斯出版社，与约翰·埃里克·霍姆斯合著
1981 《梦想公园》，巴兰坦出版社，与史蒂文·巴恩斯合著
《效忠誓言》，幻想出版社
《战士的血》，埃斯出版社，与杰里·波内尔和理查德·S·麦金罗合著
《烟圈》，巴兰坦出版社
1982 《阿南西血统》，石山出版社，与史蒂文·巴恩斯合著
1983 《罗杰的森林看守》，埃斯出版社，与杰里·波内尔和约翰·西尔伯萨克合著
1984 《整片树林》，巴兰坦出版社
1985 《脚步》，巴兰坦出版社，与杰里·波内尔合著
1987 《赫尔罗特的遗产》，戈兰茨出版社，与史蒂文·巴恩斯和杰里·波内尔合著
1989 《巴苏姆计划》，埃斯出版社，与史蒂文·巴恩斯合著
1991 《阿喀琉斯的选择》，石山出版社
《梦想公园：伏都游戏》，潘恩出版社，与史蒂文·巴恩斯合著，后改名为《加利福尼亚伏都游戏》
《落下的天使》，贝恩出版社，与杰里·波内尔和迈克尔·弗林合著
1993 《握紧的手》，袖珍图书出版公司，与杰里·波内尔合著，后改名为《默奇森眼睛周围的深沟》

短篇小说集
1968 《中子星球》，巴兰坦出版社
1969 《太空的形状》，巴兰坦出版社
1971 《无数种方法》，巴兰坦出版社
1973 《马的奔腾》，戈兰茨出版社
《多变的月球》，巴兰坦出版社
1974 《太空里的一个洞》，巴兰坦出版社
1975 《已知太空的故事》，巴兰坦出版社
1976 《吉尔·汉密尔顿的长胳膊》，巴兰坦出版社
1979 《收敛级数》，巴兰坦出版社
1984 《沃洛克的时代》，斯蒂尔德拉贡出版社
《尼文的法则》，费城科幻小说协会出版社
1985 《极限》，巴兰坦出版社
1990 《N太空》，石山出版社
1991 《精神的操场》，石山出版社

编辑作品
1981 《会魔法的梅回来了》，埃斯出版社
1984 《更多魔法》，埃斯出版社
1988 《人类与克津的战争》，贝恩出版社，到1991年止另出版3卷

罗杰·泽拉兹尼

出生年份：1937
国籍：美国
主要作品：《明天的4个》，《他脸上的门，嘴上的灯》，《不朽者》，《光明之王》，《琥珀》系列

1962年的那一批作家在科幻小说界独领风骚。在该年发表处女作的作家有塞缪尔·R·德拉尼、托马斯·M·迪施和厄休拉·R·勒吉恩；然而最引人注目的恐怕就是罗杰·泽拉兹尼了。泽拉兹尼略显稚嫩，而且过分拘泥于文体限制。迪施开始写作时进展缓慢；勒吉恩也一样。而泽拉兹尼却羽翼丰满地翩翩而来，像一个从海里升起的神仙，踏着一叶小舟乘风破浪地向我们飞驶过来；而且很多人认为在他的处女作出版前后大约一年时间内，他所写的作品是最好的。

这或许是不公平的，当然也是残酷的。然而他早期的作品很惹眼，这一点无庸置疑。他最早创作的短篇小说(其中很多被收入《明天的4个》和《他脸上的门，嘴上的灯》)以科幻小说的语言对神话题材进行了浓缩式的再创造，作品中的正、反面人物都是由人类的原始模型直接派生出来的。这些人物经常遭受深刻的变形，为其他正统科幻小说的故事情节提供了一种直接来源于更隐晦的凯尔特语幻想小说的回应。事实上，像《送给教士的一朵玫瑰花》这样的小说很难被理解成科幻小说或荒诞小说，因为它把两种体裁结合在一起，试图理解隐藏在故事背后的真理。小说讲述了地球上一个失败的诗人来到火星后不仅使自己获得了新生，而且使古老的火星民族以及这个贫瘠的星球面貌焕然一新。这篇小说是一首颂扬神圣事迹的诗作，在一定程度上又是用最严格的科幻小说的语言讲述的。

泽拉兹尼的第一部长篇小说通过对不同类型故事的平衡处理，也取得了成功。《不朽者》(参见224页)中的主人公确实不会死亡，而且他精力充沛，热爱生命。其背景是未来的地球，地球上的居民被美化成不仅长相酷似，而且还刻意模仿远古神仙世界的人物。在外星人降临并宣布主人公康拉德为地球的统治者之后，一场复兴开始了。其他几部错综复杂的长篇小说，比如《光明之王》(参见224页)不久之后相继发表。

随着《琥珀中的9个王子》的问世，泽拉兹尼的写作事业进入了一个新阶段。他的创作更加自如，尽管多产使作品质量并不一定比先前好，且这部小说是仍在继续的《琥珀》系列的开始。琥珀是一个比地球更高级、更紧张的星球，地球上神圣居民的行为构成了人类行为的深层结构，即人是神的祖先。这种行为是永恒的，有时也是混乱的，然而这个系列却深受欢迎。如果有些读者对泽拉兹尼最近一些作品略感失望的话，这可能是因为他们认为像他这样一个绝顶聪明、想象丰富、激情澎湃、令人陶醉的作家应写出20世纪后期最伟大的科幻小说。然而泽拉兹尼没做到这一点。多年来，他所做的就是为我们提供了一些科幻小说领域最具特色的娱乐作品。或许有一天他的这类大作会问世。

作品目录

中长篇小说

1966	《不朽者》，埃斯出版社
	《梦想家》，埃斯出版社，后改名为《造型家》(最先刊登在杂志上的题目)
1967	《光明之王》，道布尔迪出版社
1969	《死亡岛》，沃克出版社
	《光明和黑暗的尘灵》，道布尔迪出版社
	《惩戒巷》，帕特南出版社
1970	《琥珀中的9个王子》，道布尔迪出版社
1971	《阴影杰克》，沃克出版社
1972	《阿瓦隆的枪》，道布尔迪出版社
1973	《今天我们选择脸》，新美国图书馆出版社
	《死在伊特尔沃酒吧里》，道布尔迪出版社
1975	《独角兽的踪迹》，道布尔迪出版社
1976	《沙里的门道》，哈珀出版社
	《奥伯龙之手》，道布尔迪出版社
	《灰烬之桥》，新美国图书馆出版社
	《末日经》，道布尔迪出版社，与菲利普·K·迪克合著
	《我的名字是军团》，巴兰坦出版社
1978	《混沌的庭院》，道布尔迪出版社
1979	《路标》，巴兰坦出版社
1980	《丑婴儿》，埃斯出版社
1981	《马德万德》，幻想出版社
	《变化的陆地》，埃斯出版社
1982	《线圈》，石山出版社，与弗雷德·萨伯哈根合著
	《跳绳子的游戏》，安德伍德-米勒出版社
1985	《死亡的号声》，阿伯书屋
1986	《琥珀的血》，阿伯书屋
1987	《黑暗的旅行》，沃克出版社
1987	《混沌的迹象》，阿伯书屋
1989	《阴影骑士》，莫罗出版社
1990	《黑色的王位》，贝恩出版社，与弗雷德·萨伯哈根合著
	《洛基的面具》，贝恩出版社，与托马斯·T·托马斯合著
	《墓地的中心》，石山出版社
	《刽子手在家》，石山出版社
1991	《把白马王子的脑袋给我带来》，矮脚鸡图书出版公司，与罗伯特·谢克利合著
	《混沌王子》，莫罗出版社
1992	《火焰》，贝恩出版社，与托马斯·T·托马斯合著
1993	《寂寞10月的一个夜晚》，莫罗出版社
	《如果你不小心失败了》，矮脚鸡图书出版公司，与罗伯特·谢克利合著
1994	《荒野》(半自传体)，锻造出版社，与杰拉尔德·豪斯曼合著

短篇小说集

1967	《明天的4个》，埃斯出版社，后改名为《送给教士的一朵玫瑰花》
1971	《他脸上的门，嘴上的灯》，道布尔迪出版社
1980	《卡默斯特的最后一个辩护人》，袖珍图书出版公司
1982	《该死的迪尔维施》，巴兰坦出版社
1983	《独角兽的变异》，袖珍图书出版公司
1989	《霜与火》，莫罗出版社

失败的影片
影片《惩戒巷》与原作大相径庭。

塞缪尔·R·德拉尼

出生年份：1942
国籍：美国
曾用名：K·莱斯利·斯坦诺
主要作品：《爱因斯坦交叉现象》，"被当作半宝石螺旋线的时间"，《托勒格伦》，《纳韦尔扬》系列，《美国海岸》

1962年的德拉尼可谓年少轻狂。小时候他是一个神童，以惊人的速度完成了高等教育，不到20岁就出版了第一部长篇小说《阿普特的珠宝》。他喜欢多变复杂的生活，并绘声绘色地把这种生活展现在《圣餐：爱情的冬季》和《水中光的运动：1957~1965年间在东部村庄写的有关性的作品和科幻小说》中，这是两部在文中叙述的事件发生了很久之后才出版的回忆录。德拉尼是一个黑人，兼具两性特征，酷爱交际，从小天资聪颖，而且非常热爱生活。

德拉尼的事业持续了5年的快乐历程。他与玛丽莲·哈克的关系如日中天，她现在是一位大名鼎鼎的诗人(他们结了婚，有了一个孩子，几年后离异)，而且他的小说一本接一本地发表。《巴别塔-17》最受欢迎。但所有的作品内容都过于丰富。

德拉尼第一阶段的颠峰之作是《爱因斯坦交叉现象》(参见224页)，这是科幻小说界出现的最壮观的长篇小说之一(令人惊讶的是，它最初是由一家大众市场出版社出版的，而且还是简装本)。在遥远的巴罗克式未来世界里，一个外星民族接管了被遗弃的地球。主人公与神话故事里的奥尔甫斯很相似，这并非巧合；他到容格尔下层做社会调查，目的就是要为这个垂死星球上的新居民捕获一种对意义的解释，那里人类的原始模型在集体无意识的迷宫中漫游。

《新星》也是一部颠峰之作，但这部作品关注的不是复杂的内部探索，而是集中描写一次在太空剧宇宙中搜寻圣杯状物体的过程。有一段时期，德拉尼突然销声匿迹，而且似乎真的是这样。事实上，他是在忙于两项工程：一项是建立在现代文学批评理论基础之上，用来描述和论证科幻小说是一种重要体裁的语言；另一项是一部目前已成为巨著的作品。

这部巨著就是《托勒格伦》，它可能是仍在大量销售的最难懂的科幻小说。它讲述的是一个典型的德拉尼式英雄人物的循环故事：一个名叫基德的孤独的艺术家来到了一座神秘的城市，在那里经历了复杂的惊险活动，写了一本几乎应该叫做《托勒格伦》的作品，然后像来的时候那样离去(就像詹姆斯·乔伊斯的小说《芬尼根的觉醒》一样，末句是首句的开始)。《托勒格伦》成为一部受人崇拜的作品，而德拉尼也成了众人仰慕的领袖。从此，他对性别、种族、文体和政治的见解都被给予——当然也完全值得——充分的关注。

然而，德拉尼的小说创作事业同时也在一定程度上有所衰退。他早期

代表作品

《巴别塔-17》产生于一个像德拉尼这样的科幻小说家们都认为他们能征服文学世界的时代。它可能是德拉尼最明快的一部长篇小说，引人入胜地研究了性别角色(主人公是一位女性)和语言(就像题目暗示的那样，小说描写的是一种分解语言的武器)。和他所有的早期作品一样，这篇小说充斥着神话故事的气势和材料：有太空剧里的诡计，浪漫的情节，深奥的辩论和令人赏心悦目的人物，内容确实丰富。

《巴别塔-17》

的一些作品中纠缠不清的深邃思想在后期小说(如《艾里顿》和《我口袋里沙粒般大小的星星》)中开始凝固，并始终显示出一种自我意识，尽管《纳韦尔扬》系列还保留了先前的大部分气势。在这些小说中，表面上是虚幻境界里有刀剑和巫术的惊险故事，德拉尼大量地穿插男女交往、性爱和种族问题。这些故事里有很多施虐、受虐狂。小说《我口袋里沙粒般大小的星星》也同样如此。但这样设计总是想使读者出乎意外，进而不受预想的限制，而不仅仅是想让他们受一次惊吓。

德拉尼最近几十年来的重要作品可能具有教学上的意义。他已经成为一位颇有影响的英国研究的教授，而且还出版了几部颇为艰深的评论作品，有关科幻小说性质的叙述让界内的批评家望尘莫及。其中最著名的是《美国海岸》，全书透彻地分析了托马斯·M·迪施的短篇小说《昂古莱姆》。这部短篇小说重新修改之后成为迪施的长篇小说《334》(参见227页)的一部分。两部合集《右舷酒》和《梅内纳海峡》，囊括了德拉尼大部分浅显易读的小说。他不是一个容易读懂，但却是我们不可或缺的作家。

德拉尼从事数种职业，并致力于多个问题的研究。对待所承担的每一项任务，他都干劲十足。他是一个大人物，而且看起来很严肃；然而几十年来，他保证让那些聆听他的人受到嘲弄，得到快乐，接受挑战，并为人们所理解。

作品目录

中长篇小说

1962 《阿普特的珠宝》，埃斯出版社
1963 《火焰的俘虏》，埃斯出版社，修改后名为《走向死亡城》
1964 《多伦之塔》，埃斯出版社
1965 《千日之城》，埃斯出版社
     《贝塔-2民谣》，埃斯出版社
1966 《帝国星球》，埃斯出版社
     《巴别塔-17》，埃斯出版社
1967 《爱因斯坦交叉现象》，埃斯出版社
1968 《新星》，道布尔迪出版社
1973 《贪欲之潮》，兰瑟出版社，后改名为《昼夜平分时》
1975 《托勒格伦》，矮脚鸡图书出版公司
1976 《海卫一》，矮脚鸡图书出版公司
1978 《帝》：一篇供观赏的小说，伯克利出版社
1983 《纳韦尔扬或符号和城市的故事》，矮脚鸡图书出版公司
1984 《我口袋里沙粒般大小的星星》，矮脚鸡图书出版公司
1989 《星球坑》，石山出版社
1990 《我们在某种神奇力量的驱使下在一条严密的线上移动》，石山出版社
1993 《他们在赛轮上飞行》，古书出版社
1994 《发疯的人》，理查德·卡萨克出版社

短篇小说集

1978 《漂移的玻璃》，道布尔迪出版社，扩写后名为《漂移的玻璃》或《星球碎片》
1979 《纳韦尔扬的故事》，矮脚鸡图书出版公司
1981 《遥远的星球》，矮脚鸡图书出版公司
1985 《逃出纳韦尔扬》，矮脚鸡图书出版公司
1987 《丧失的欲望的桥》，阿伯书屋，修改后名为《返回纳韦尔扬》

非小说类作品

1977 《有珠宝铰链的下颚：论科幻小说的语言》，飞龙出版社
1978 《美国海岸：对托马斯·M·迪施的科幻小说〈昂古莱姆〉的思索》，飞龙出版社
1979 《圣餐：一篇关于爱情冬季的随笔》，矮脚鸡图书出版公司
1984 《古舷酒：再论科幻小说的语言》，飞龙出版社
1988 《水中光的运动：1957~1965年间在东村写的有关性和科幻小说作品》，阿伯书屋
     《瓦格纳或阿尔托：19世纪和20世纪批判小说改编而成的一个戏剧》，安萨茨出版社
1989 《墨西拿海峡》，悉康拿出版社

编辑作品

1970 《夸克》，平装书图书馆出版社，与玛里琳·哈克合著，到1971年共出版4卷
1980 《获星云奖的13部作品》，哈珀出版社

凯特·威廉

出生年份：1928

国籍：美国

主要作品：《楼下的房间》，《晚间小鸟悦耳的歌声在那里响起》

凯特·威廉内心所关注的领域，特别是农村地区已经遭受到本世纪所带来的极大破坏，那里的传统习惯和生态环境也容易遭受破坏。她有一点像西马克，但她的看法更荒谬出格，笔调更阴郁隐晦。有时西马克的行为表明他似乎无法相信他所热爱的世界正在发生的变化，而后出道的她则目睹了这些变化。

凯特·威廉也没有把自己局限在太平洋沿岸，虽然她的一些小说，如《冬天的海滩》构成了《受欢迎的混沌状态》中最感人的前半部分，清楚地叙述了美国北太平洋沿岸的雾霭、极其不适的生活和飞地安全。她的作品多次谈到要对科学以及人类（经常是男性）的恣意妄为给脆弱的环境所造成的影响负责。她早期的小说，如《让火下来吧》，语言华丽，但毫无条理；后期的小说则极其忧郁。《晚间小鸟悦耳的歌声在那里响起》描写的是这样一群人，他们在生态灾难中幸存下来，以无性生殖的方式建立起一种新的生活，但却用一种悲哀、谨慎的眼光来审视这种新生活。《临时死亡：混沌的秘密》把对世界同样的忧虑倾注到一桩神秘谋杀案和审判室戏剧化的场景中，其中的科幻小说成分虽然无处不在，却没有歪曲对社会的惨淡描写。可以看得出，这个社会就是我们所处的社会；也可以看得出，它是漂浮不定的。

威廉的长篇小说虽然令人叹服，有时却也会偏离轨道（《临时死亡》除外）。她的短篇小说，尤其是她的中篇小说，因为她是科幻小说界最优秀的中篇小说作家之一，特别引人注目。在《楼下的房间》、《无穷大的盒子》和《天使的歌声》等集子中收录的大部分故事都以我们熟悉的近期未来为背景；很多作品专门描写无性生殖以及对社会生活的其他生物学控制的方法。威廉对家庭问题和来自家庭内外的种种干扰尤为关注，因为这样的干扰分裂（亦或是强化）了生活在未来世界边缘的人类小群落。

作品目录

中长篇小说

1965	《无性系》，伯克利出版社，与西奥多·L·托马斯合著
1966	《下不为例事件》，道布尔迪出版社
1967	《杀手事件》，道尔迪出版社，后改名为《杀人事件》
1969	《让火下来吧》，道尔迪出版社
1970	《多云之年》，道尔迪出版社，与西奥多·L·托马斯合著
1971	《马格丽特和我》，利特尔·布朗出版社
1974	《该隐之城》，利特尔·布朗出版社
1976	《克卢伊斯顿试验》，法勒·斯特劳斯出版社
	《晚间小鸟悦耳的歌声在那里响起》，哈珀出版社
1977	《断层界线》，哈珀出版社
1979	《朱尼珀时刻》，哈珀出版社
1981	《朦胧感》，霍顿·米夫林出版社
1982	《噢，苏珊娜！》，霍顿·米夫林出版社
1983	《受欢迎的混沌状态》，霍顿·米夫林出版社
1986	《胡斯曼的宠物》，布卢台伊出版社
1987	《哈姆雷特陷阱》，圣马丁出版社
1988	《黑暗的门》，圣马丁出版社
	《疯狂时刻》，圣马丁出版社
1989	《漂亮房子》，圣马丁出版社
1990	《坎比波湾》，圣马丁出版社
	《甜甜的毒药》，圣马丁出版社
1991	《临时死亡：混沌的秘密》，圣马丁出版社
	《掉到空中的女孩》，通俗读物出版社
1992	《7种死亡》，圣马丁出版社
	《给花命名》，通俗读物出版社

短篇小说集

1963	《一英里长的宇宙飞船》，伯克利出版社，后改名为《安多弗和机器人》
1968	《楼下的房间》，道尔迪出版社
1971	《深渊》，道尔迪出版社
1975	《无穷大的盒子》，哈珀出版社
1978	《迥异的梦》，哈珀出版社
1980	《比一要好》，内斯法出版社，与戴蒙·奈特合著
1981	《听，听》，霍顿·米夫林出版社
1989	《风的孩子》，圣马丁出版社
1991	《天恩》，通俗读物出版社
1992	《天使的歌声》，圣马丁出版社

编辑作品

| 1974 | 《星云奖短篇小说9篇》，戈兰茨出版社 |
| 1977 | 《克拉里昂科幻小说》，伯克利出版社 |

马里恩·齐默·布拉德利

出生年份：1930

国籍：美国

曾用名：马里恩·布拉德利，瓦莱丽·格雷夫斯

主要作品：《黑暗笼罩》系列，《阿瓦隆的薄雾》

起初布拉德利为埃斯出版社撰写一般的科幻冒险小说，只是一位名不见经传的普通作者。《来自星星的塞文》是一篇绝妙的小说，是严格按照出版商的要求写的，然而也不过是达到了一般的目标。可以说没有人能料想得到，当她把1958年的一篇刊登在杂志上的小说扩写为《行星拯救者》，并在1962年与《奥尔顿斯之剑》一起出版之后所引起的轰动；也没有人能料想到，以黑暗笼罩星球为背景的小说最终会成为科幻小说界最受欢迎的两三个系列之一。

在某种程度上，《黑暗笼罩》的成功秘诀就在于其构思更精巧，与社会的联系也更紧密。早期小说描写的是黑暗笼罩星球上居民的冒险活动，他们是长期与银河系的其他部分隔离的人类殖民者，在过渡期间培植了中权力。后期的作品，如《哈斯特尔的遗产》和《沙拉的流放生活》，不仅以更尖锐的语言对早期小说进行了改写，而且还引入了女主人公。很多作家都把自己写的小说收录到以"黑暗笼罩"为背景的选集中，现在看来这个系列似乎是没完没了了。

然而马里恩·齐默·布拉德利最著名的作品并没有以"黑暗笼罩"为故事背景。《阿瓦隆的薄雾》是一部关于亚瑟王的荒诞小说，是从摩根·勒费伊的角度来叙述的。后期的《黑暗笼罩》系列小说改写了这个星球，这个长篇故事则改写了英国的神话事件。

作品目录

中长篇小说

1961	《通向太空之门》，埃斯出版社
1962	《来自星星的塞文》，埃斯出版社
	《行星拯救者》，埃斯出版社
	《奥尔顿斯之剑》，埃斯出版社
1963	《太空的颜色》，莫纳克出版社
1964	《血红的太阳》，埃斯出版社
	《纳拉贝德拉的猎鹰》，埃斯出版社
1965	《危险的星球》，埃斯出版社
1969	《黄铜龙》，埃斯出版社
1970	《黑暗笼罩的风》，埃斯出版社
1971	《世界破坏者》，埃斯出版社
1972	《黑暗笼罩着陆地》，埃斯出版社
	《女巫山》，绿叶出版社，署名瓦莱丽·格雷夫斯
1973	《红色月球上的猎手》，道尔图书出版公司
1974	《魔咒剑》，道尔图书出版公司
1975	《永无终结的航行》，埃斯出版社，修改后名为《无尽的宇宙》
	《哈斯特尔的遗产》，道尔图书出版公司
1976	《破碎的链条》，道尔图书出版公司
	《黑暗之鼓》，巴兰坦出版社
	《被禁止的塔》，道尔图书出版公司
1978	《风暴女王》，道尔图书出版公司
	《伊希斯的遗迹》，唐宁出版社
1979	《幸存者》，道尔图书出版公司，与保罗·E·齐格合著
1980	《星球之间的房子》，道尔迪出版社
	《征服两个》，道尔图书出版公司
	《测量船》，唐宁出版社
1981	《沙拉的流放生活》，道尔图书出版公司
1982	《霸主》，道尔图书出版公司
	《光明之网》，唐宁出版社
1983	《阿瓦隆的薄雾》，克诺夫出版社，署名马里恩·布拉德利
	《西恩达勒的房子》，道尔图书出版公司
1984	《黑暗之网》，袖珍图书出版公司，后改名为《亚特兰蒂斯的陷落》
1984	《继承人》，石山出版社
	《巫术之城》，道尔图书出版公司
1985	《黑夜的女儿》，巴兰坦出版社
	《女战士》，道尔图书出版公司
1987	《煽动叛乱的人》，西蒙·舒斯特出版社
1989	《哈默费尔的后嗣》，道尔图书出版公司
1990	《黑延龄草》，道尔迪出版社，与朱利安·梅和安德烈·诺顿合著
1993	《重新发现》，道尔图书出版公司，与默瑟迪斯·拉基合著
	《森林之屋》，迈克尔·约瑟夫出版社

短篇小说集

1964	《秘密入侵者》，埃斯出版社
1985	《马里恩·齐默·布拉德利精品选》，学术出版社，修改后名为《杰米和其他故事》
1986	《利瑟恩德》，道尔图书出版公司

编辑作品

1980	《保管员的价格》，道尔图书出版公司
1982	《混沌之词》，道尔图书出版公司
1984	《宝剑和女巫》，道尔图书出版公司，到1992年共出版9卷
1985	《达克奥弗的自由女战士》，道尔图书出版公司
1987	《达克奥弗的红日》，道尔图书出版公司
	《镜子的另一面》，道尔图书出版公司
1988	《达克奥弗的4个月球》，道尔图书出版公司
1990	《达克奥弗的领土》，道尔图书出版公司
1991	《达克奥弗的莱鲁尼》，道尔图书出版公司
	《达克奥弗的放弃》，道尔图书出版公司
1993	《达克奥弗的塔》，道尔图书出版公司
	《马里恩·齐默·布拉德利的达克奥弗》，道尔图书出版公司

约翰·布伦纳

出生年份：1934

国籍：英国

曾用名：吉尔·亨特，约翰·劳克斯密斯，基利恩·休斯敦，特雷弗·斯坦斯，基思·伍德科特

主要作品：《站在桑给巴尔港上》，《边缘不齐的轨道》，《抬头羊》，《驾驭冲击波的人》

在大多数同时代的作家尚未出版他们的处女作之前，布伦纳就发表了他的第一部长篇小说。40多年之后，他宝刀未老，一如既往地把他敏锐、讥诮、典型欧洲式的思想应用到最具美式风格的文学形式当中。

布伦纳在五六十年代为埃斯出版社创作的作品对于阅读并收藏它们的读者来说，像是出自一个美国人之手。很多崇拜者在了解到他是一个完完全全的英国人之后大吃一惊，或许是因为他们年少无知，但是他们不能理解他作品的要旨还是有一些原因的。他早期的小说，如《世界交易人》和《大西洋怨结》，都颇具美式风格：以太空边境和不计其数的外星人为特色的美式情节他运用得很得体，且思维敏捷；作品通俗易懂，语言流畅，是最好的科幻冒险小说。然而，即使是像《空中避难所》这样一篇早期的小说也向谨慎的人们提出了告诫。在这篇具有戏剧性讽刺意味的杰作中，从各个由人类居住、优越感十足的星球上来的形形色色的人类代表在一个"一直"存在的太空制造物上发生争吵。他们当中一个来历不明的人消失了，随之这个人工制造物发出一种悠长的嗡嗡声。最后，这帮被制服的人才知道：他们的那位同伴是从远古地球上来的；那个人工制造物是一艘宇宙飞船，可惜他们没有恰当地使用；那种声音是由一个巨型引擎发出的；而且那个人是来收回他的飞船的。这篇小说的语意非常深邃。它警示人们，成功不是唾手可得的，而是要通过努力才能够获得，每一个胜利都要付出代价。

人们可能对布伦纳在科幻冒险小说创作道路上搁笔的决定感到遗憾，因为他的那些小说都非常成功，不过他作出这样的决定也是必然的。到60年代中期，他开始展现出创作长篇小说的真实志向，如《城市广场》，它的情节再现了一场国际象棋比赛。1968年，他出版了《站在桑给巴尔港上》(参见225页)，该书至今仍然是他最著名的作品。之后，他又写了几部作品，对技术进步所引起的后果进行了广泛、复杂和透彻的分析。这些小说，包括《边缘不齐的轨道》、《抬头羊》和《驾驭冲击波的人》，和《站在桑给巴尔港上》一起组成了"恐怖警示"四部曲。布伦纳大概是想通过这些大作来完成两项任务：第一，这些启示会被科幻小说读者以及世界范围内的广大读者看到和听到，人们在明白了利害关系后会做出实际行动来阻止灾难的发生；第二，这些小说能在经济上使他得到解放，以便他创作更多的同类作品。

然而，布伦纳的两个志向一个都没有实现。人口和污染问题愈演愈烈；政治腐败仍然普遍存在；布伦纳在1974年预示的电子革命把消费者引诱到虚拟现实的避难所中，使他们忽视了外部世界的衰落。布伦纳的事业几近失败。不过他还是取得了巨大的成就：他在80年代创作的一些作品颇受关注，而且他给我们留下了今后几十年内必须认真思考的问题。

代表作品

《抬头羊》

《抬头羊》很可能是关于地球污染问题的最优秀的小说。千丝万缕的情节描写了6个看似毫无联系的人物，他们的故事与基本环境系统逐步遭受残酷破坏的因果关系纵横交错。20多年来，关于本可以避免、但总未能避免的灾难的先兆，以及关于地球呜咽而死的先兆，读起来令人感到布伦纳颇有先见之明。

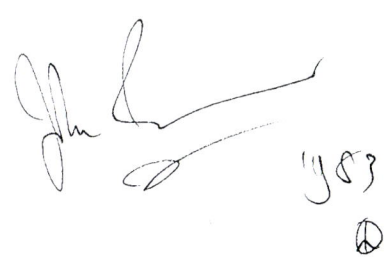

作品目录

中长篇小说

- 1951 《星系风暴》，柯蒂斯·沃伦出版社，署名吉尔·亨特
- 1959 《永恒的开端》，埃斯出版社
  《边缘》，戈兰茨出版社
  《世界交易人》，埃斯出版社
  《头脑里的回声》，埃斯出版社，修改后名为《对世界的警告》
  《第一百个千年》，埃斯出版社，修改后名为《抓住一颗下落的星星》
- 1960 《大西洋怨结》，埃斯出版社
  《太空里的奴隶贩子》，埃斯出版社，修改后名为《进入奴隶星云》
  《空中避难所》，埃斯出版社
- 1961 《在无穷处相遇》，埃斯出版社
  《我为地球辩护》，埃斯出版社，署名基思·伍德科特
- 1962 《地球的秘密代理人》，埃斯出版社，修改后名为《为卡里格报仇的人》
  《超级野蛮人》，埃斯出版社
- 1962 《空中的梯子》，埃斯出版社，署名基思·伍德科特
  《无数次》，埃斯出版社
- 1963 《窜改太空时间的人》，埃斯出版社
  《宇航员不准登陆》，埃斯出版社，修改后名为《天堂里的其他事情》
  《Ψ粒子的威胁》，埃斯出版社，署名基思·伍德科特
  《流浪者的世界》，埃斯出版社，修改后名为《博学的人》
  《奥赫仪式》，埃斯出版社
  《梦幻地球》，金字塔出版社
  《听着！星球！》，埃斯出版社，修改后名为《落下的星球》
- 1964 《环状的影子》，埃斯出版社，修改后名为《为人形》
  《喧闹的星球》，埃斯出版社
  《撒谎的始祖》，贝尔蒙特出版社
  《完整的人》，巴兰坦出版社
- 1965 《阿斯科内尔上的祭坛》，埃斯出版社
  《星球城之日》，埃斯出版社，修改后名为《奇迹时代》
  《坦塔罗斯之谜》，埃斯出版社
  《库克罗普斯的修理工》，埃斯出版社
  《长周的结果》，费伯出版社
  《城市广场》，巴兰坦出版社
  《火星上的斯芬克斯》，埃斯出版社，署名基思·伍德科特
- 1966 《你自己的星球》，埃斯出版社
- 1967 《在火星下面出生》，埃斯出版社
  《时间的成果》，西格尼特出版社
  《流沙区》，道布尔迪出版社
- 1968 《站在桑给巴尔港上》，道布尔迪出版社
  《征服混沌状态》，埃斯出版社
- 1969 后改名为《会传心术的人》
  《翻一番，再翻一番》，巴兰坦出版社
  《时间勺》，德尔出版社
  《人类的罪恶》，贝尔蒙特出版社
- 1971 《剧作家》，埃斯出版社
- 1971 《时间错误的尽头》，道布尔迪出版社
- 1972 《抬头羊》，哈珀出版社
- 1973 《从来不会掉下的石头》，道布尔迪出版社
- 1974 《驾驭冲击波的人》，哈珀出版社
  《全食》，道布尔迪出版社
  《无处不在的网》，矮脚鸡图书出版公司
- 1980 《"去"的不定式》，巴兰坦出版社
  《玩具众游戏的人》，巴兰坦出版社
- 1983 《时间坩埚》，道布尔迪出版社
  《蒸汽艇大赛》，巴兰坦出版社
- 1984 《时间的潮流》，道布尔迪出版社
- 1987 《字型变换键》，梅休因出版社
- 1989 《雷声的孩子》，巴兰坦出版社
- 1991 《星球迷宫》，埃斯出版社
- 1993 《混乱的地球》，巴兰坦出版社

短篇小说集

- 1962 《它没有未来》，戈兰茨出版社
- 1965 《此时彼时》，五月花—德尔出版社
- 1966 《除我之外没有其他神》，康佩克出版社
- 1967 《被我遗忘》，巴兰坦出版社
- 1968 《不在时间之前》，英国新图书馆出版社
- 1971 《黑衣旅行者》，埃斯出版社，扩写后改名为《完整的黑衣旅行者》
- 1972 《从今以后》，道布尔迪出版社，《进入其他时间的入口》，道尔图书出版公司
- 1973 《时间跳跃》，德尔出版社
- 1976 《约翰·布鲁纳作品选》，道尔图书出版公司
- 1980 《外来的星座》，埃斯弗里斯特书屋
- 1988 《约翰·布伦纳最佳作品选》，巴兰坦出版社

托马斯·M·迪施

出生年份：1940
国籍：美国
曾用名：卡桑德拉·尼伊，汤姆·德米约翰，利奥尼·哈格雷夫
主要作品：《集中营》，《334》，《医学博士：一则恐怖故事》

在所有健在的科幻小说、幻想小说和恐怖小说作家当中，迪施颇为出众。这是因为在其他作家眼里，他崇高而伟大；而在读者心中，他却是个名不见经传的小人物。直到最近，这一形象才有所改观。到90年代，由于小说《医学博士》的巨大成功，他成了一位令读者信赖的作家。这其中自然是有原因的。

迪施在1962年开始创作科幻小说，在1965年出版了他的第一部作品《种族大屠杀》；之后，他还出版了很多作品。《种族大屠杀》是一部很严肃的小说，显然不会受到读者的青睐；然而，他随后的小说《受束缚的人类》则比较轻快，这从它的另一些篇名变化中就能看出来。

刊登在杂志上时，它的篇名是《流浪的怀特·芳》，而最终被定名为《地球玩偶》。一眼看上去，它似乎很欢快：人类受到外星人的奴役，这些外星人喜欢我们的长相和舞姿；主人公决定像狗骚扰繁忙的经理那样惹恼他的新主人，这样就能把他们赶走。最终，他们走了。最后一行这样写道："他们受不了犬吠声。"这篇小说很有趣，也很肤浅。于是，大家以为快速浏览一下后付之一笑就可以了。很少有人能记住它。

这其中是有原因的。小说《受束缚的人类》表面看起来逍遥自在，却表现了对人类所取得的成就的冷酷蔑视；小说的主人公很有智慧，却软弱无能。他的成功就在于他不断骚扰这个外星民族，直至其舍我们而去。科幻小说读者很快便领悟到迪施与他们习惯的作家风格迥异；他们对这种新现实主义不太热衷，也不喜欢他散文中傲慢冷漠的成分：他的写作风格让人感到，必须努力争取才能获得欣赏他作品的权利。

《集中营》(参见225页)是迪施科幻小说的颠峰之作，它深入、尖锐地描写了大屠杀。书名就是一个双关语：军事集中营里的囚犯们被注射了一种致命的神奇药物，这种药物可使人的智力和对工作的专注能力大大提高，但同时也会使人在注射后不久变得疯狂(而且变得怄怍作态)。它与梅毒有明显的相似之处：梅毒经常被作家(错误地)认为是一种先赋予灵感，后致人死地的疾病。《334》恐怕是一篇更严酷的小说，它的题目也同样有趣：既是指事件发生的地点，而且如果写成3,3,4这种形式，它又代表了统领人物、事件和地点的一种算术模式。小说中没有英雄人物——迪施不喜欢英雄人物——也没有希望。

《乘着歌声的翅膀》虽然不如以往的小说严肃，但是也缺乏平易近人的乐趣，它又回到了迪施长久以来一直关注的艺术制作上。很多有趣的主人公都是艺术家，尽管他们中的大多

代表作品

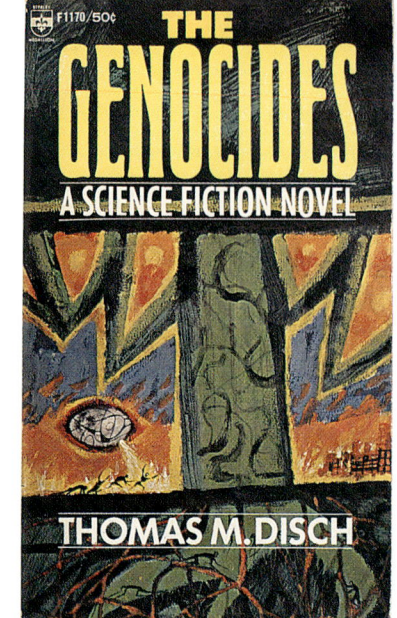

《种族大屠杀》

这篇恐怖小说的大胆令人敬畏。在传统的科幻小说中，大部分外星人在侵略地球时都会遭到失败。即使他们胜利了，也只能称霸一时，注定要死在勇敢的人类秘密组织手里。在迪施的第一部长篇小说《种族大屠杀》中，外星人接管了地球表面，似乎根本没有注意到人类。一些人在地壳深处幸存了一段时间，可只是在外星人熏燃他们的新苹果之前。

数都是失败者。在濒临崩溃的纽约市，小说的主人公渴望能在歌剧上获得成功。他最终是否胜利，其结果模棱两可。在这篇小说中，迪施对自己的科幻小说事业做了隐晦的陈述；小说出版以后，他开始专注于其他体裁的创作。

迪施曾经尝试写过各种体裁的故事：《克拉拉·里夫》是一部极为复杂的哥特式小说；《勇敢的小主持人》(被制作成动画片)和它的续集《到火星上去的勇敢的小主持人》是描写聪明孩子的小说；还有几部深受好评的诗集。随着《商人：一则恐怖故事》、《医学博士：一则恐怖故事》和《牧师：哥特式浪漫故事》的出版，他的读者群变得相当庞大。这些恐怖式幻想小说毫不避讳地探索了人类社会的阴暗面。其中最著名的《医学博士：一则恐怖故事》主要描写了一个医生，魔王撒旦指派给他一个魔棍(或者叫节仗)，后来他把这一工具带给他的希望搞得一团糟。这是一个严酷的启示，但也是一个必要的教训：这就是迪施全部事业的概括。

杂志插图
帕梅拉·佐赖恩为小说《集中营》画的一只做实验用的兔子，以及一头炼金时用的动物。

作品目录

中长篇小说

1965	《种族大屠杀》，伯克利出版社
1966	《受束缚的人类》，埃斯出版社，后改名为《地球上的幼犬》
	《恐惧建造的房子》，平装书图书馆出版社，与约翰·斯莱德克合著，共同署名卡桑德拉·奈
1967	《他身体周围的回音》，伯克利出版社
1968	《集中营》，哈特·戴丽耶出版社
	《黑人艾丽斯》，道布尔迪出版社，与约翰·斯莱德克合著，共同署名汤姆·德米约翰
1969	《囚犯》，埃斯出版社，后改名为《囚犯：我不是一个数字》
1972	《334》，麦吉本和基出版社
1975	《克拉拉·里夫》，克诺夫出版社，署名利奥尼·哈格雷夫
1979	《乘着歌声的翅膀》，戈兰茨出版社
1984	《商人：一则恐怖故事》，哈珀出版社
1985	《虐待安伯利克》，奇普街出版社
1986	《勇敢的小主持人》，道布尔迪出版社
1988	《银柳》，马克·V·齐辛出版社
1988	《到火星上去的勇敢的小主持人》，道布尔迪出版社
1989	《医学博士：一则恐怖故事》，克诺夫出版社
1994	《牧师：哥特式浪漫故事》，新千年出版社

短篇小说集

1966	《102个氢弹》，康佩克出版社，扩写后改名为《流浪的怀特·芳等有趣的科幻故事》
1968	《被迫》，哈特·维斯出版社，后改名为《你的新头脑的乐趣》
1973	《进入死亡》，哈特·戴维斯·麦吉本出版社
1977	《托马斯·M·迪施早期的科幻故事》，格雷格出版社
1980	《迪施主要作品选集》，矮脚鸡图书出版公司
1982	《没有思想的人》，戈兰茨出版社

诗集

1970	《公路三明治》，自费出版，与玛丽莲·哈克和查尔斯·普拉特合著
1971	《手指测量的正确方法》，巴西利斯克出版社
1980	《枕中诗》，安费尔出版社
1981	《字母歌》，安费尔出版社
1982	《燃烧这个》，哈钦森出版社
1982	《视网膜的命令》，图思佩斯特出版社
1984	《我在这里，你在那里，我们原来在哪里》，哈钦森出版社
1986	《丹·莱昂的故事：一则寓言》，咖啡屋出版社
1989	《是，让我们：新诗精选集》，约翰斯·霍普金斯大学出版社
1991	《阴郁的诗与光》，约翰斯·霍普金斯大学出版社

编辑作品

1971	《地球的遗迹》，帕特南出版社
1973	《残月升起》，哈珀出版社
1975	《一轮新太阳》，哈珀出版社
1976	《新星座》，哈珀出版社，与查尔斯·内勒合著
1977	《怪异》，斯克里布纳斯出版社，与查尔斯·内勒合著

J·G·巴拉德

出生年份：1930

国籍：英国

主要作品：《空穴来风》、《被淹没的世界》、《燃烧的世界》、《水晶世界》、《庸俗不堪的展览》、《大碰撞》、《太阳帝国》

一些人认为巴拉德是20世纪后半叶最重要的一位科幻小说家，不难看出他们这样认为的理由。和迪施一样——他们两人都在60年代初开始创作，而且都参与了《新世界》杂志的工作——J·G·巴拉德对传统科幻小说的程式总是冷眼相待。凭借对形象的有效选取，他创造了一系列比喻的说法，不可避免地暴露了他阴冷的思想。他为我们构建了对本世纪阴暗面的想象。

从一开始，巴拉德就认为，传统科幻小说把未来想象成一条康庄大道，在这条大道上我们踩着崭新的车档、带着崭新的工具行驶着，这几乎完全是一种愚蠢的幻想。对他来说，20世纪的终点就是技术梦想的终点，而不是梦想成真时代的起点。巴拉德很久以前就颇有预见性地说过，太空时代早已结束了。他也因为对如此令人伤感的事实的洞察而未能很快得到人们的宽恕。

巴拉德的前4部长篇小说是灾难四部曲，由风、水、火和超自然变形而成的水晶会导致我们星球的灭亡 (和我们对日光控制权梦想的幻灭)。换句话说，这是由传统元素引起的星球灭亡。事实上，这些小说中有一种炼金衡力，特别是《被淹没的世界》和《燃烧的世界》(参见223页)。在读这些小说时，人们的心情总是惴惴不安的，似乎要理解它们的含义必须像进行炼金实验一样，以某种方式激励世界遵守终结这一切的规则。当人们意识到这4部小说的主人公积极迎接他们和整个星球正在经历的灾难时，不安感会更加深。

很多美国科幻小说作家认为，这些长篇小说以及巴拉德同期创作的短篇小说，是绝对不可饶恕的。这些作品采用了科幻小说向上移动的意象，并把它转化成损失、衰落和死亡的连续。它们的语气坚定、隐喻丰富的风格坚定不移，并且正确无误地突出了信息。它们像恶梦一样，使那些仍然相信物质进步效用的作家整日心神不宁。

在后来这些年里，巴拉德逐渐远离了科幻小说的创作。《大碰撞》用隐喻的手法深刻地分析了性、城市生活以及汽车那诱惑人的金属迷宫之间的相互作用；但它并不是真正的科幻小说。《坚实的岛屿》和《高楼大厦》也只是徐徐地进入了最模糊的近期未来。与此相反，《美国，你好》中的主人公们在灾难后的美国旅行，而这篇小说却是他最差的作品。《太阳帝国》(由斯蒂文·斯皮尔伯格拍摄成电影)具有自传性质。它以战时上海为背景，展现了巴拉德最阴郁的意象的根源。

不管巴拉德写的是不是科幻小说，他都是一个精神奇观。他指引我们走出了梦想。

作品目录

中长篇小说

1962	《空穴来风》，伯克利出版社	
	《被淹没的世界》，伯克利出版社	
1964	《燃烧的世界》，伯克利出版社，修改后名为《旱灾》	
1966	《水晶世界》，凯普出版社	
1973	《大碰撞》，凯普出版社	
1974	《坚实的岛屿》，凯普出版社	
1975	《高楼大厦》，凯普出版社	
1979	《无限梦想公司》，凯普出版社	
1981	《美国，你好》，凯普出版社	
1982	《从太阳上传来的新闻》，因特佐恩出版社	
1984	《太阳帝国》(具有自传性质)，戈兰茨出版社	
1987	《创造日》，戈兰茨出版社	
1988	《发狂》，哈钦森出版社	
1991	《女人的善良》(具有自传性质)，哈珀·柯林斯出版社	
1994	《冲向天堂》，红鹤出版社	
1962	《亿禧之年》，伯克利出版社	
1963	《四维梦魇》，戈兰茨出版社	
	《进入永恒的护照》，伯克利出版社	
1964	《终端海滩》，戈兰茨出版社，一些小说改写后名为《终端海滩》	
1966	《十分讨厌的人》，伯克利出版社	
1967	《灾难地区》，凯普出版社	
	《永远的日子》，潘特出版社	
	《不负重荷的人》，潘特出版社	
1970	《庸俗不堪的展览》，凯普出版社，后改名为《爱与凝汽油剂：美国出口》	
1971	《时间城邦》，帕特南出版社	
	《朱红色的沙滩》，伯克利出版社	
1976	《低飞的飞机》，凯普出版社	
1977	《J·G·巴拉德精选集》，富图出版社	
1978	《J·G·巴拉德短篇小说精选集》，霍尔特·莱因哈特出版社	
1980	《金星上的猎手》，格伦纳达出版社	
1982	《近期未来的神话》，凯普出版社	
1988	《太空时代的记忆》，阿克汉姆书屋	
1990	《战争狂热》，柯林斯出版社	

短篇小说集

1962	《时间之声》，伯克利出版社	

战时童年
《太阳帝国》展现了在战争破坏和毁灭下的巴拉德的童年。

1970~1974：下一代

到这个时候，第三代、第四代科幻小说作家和读者已经出现，很多刚刚进入科幻小说领域的男作家和越来越多的女作家把这种体裁的语言、目的、读者群以及它在传统评论家心中所处的隐秘位置视为既成事实，他们或许是可以原谅的。事实上，科幻小说这一亚文化正在与外部世界同步进化，而且还在与本世纪不可思议的、纷繁复杂的种种可能性进行勇敢的争斗——

1970

代表作品

《庸俗不堪的展览》
J·G·巴拉德

《在那里》
杰西·科辛斯基

《完美的一天》
艾拉·莱文

《贝蒂亚恩》
克里斯·内维尔

《圆环世界》
拉里·尼文

《城市居民》
查尔斯·普拉特

《向下朝着地球》
罗伯特·西尔弗伯格

《玻璃塔》
罗伯特·西尔弗伯格

《缪勒–福克效应》
约翰·斯莱德克

《琥珀中的9个王子》
罗杰·泽拉兹尼

代表作家

30年前，在太空剧盛行的时代，作家们创造出想象中的最大太空无畏级战舰，甚至激活偶尔相遇的小行星都是符合惯例的事情。这些宇宙中的庞然大物所缺乏的是科学或技术根据：它们根本不使用计算机，这在20世纪70年代已经是不可能的事情。而且真正巨大的人工制造物，像拉里·尼文的环绕太阳的圆环世界，这类想象必须仔细地彻底考虑一下了。

处女作

作为处女作发表的长篇科幻小说包括：尼尔·巴雷特的《凯尔文》，格雷戈里·本福德的《比黑暗更深刻》，巴林顿·J·贝利的《恒星病毒》，克里斯托弗·普里斯特的《非教条主义》，玛吉·皮尔西的《让鹰在舞蹈中睡去》，苏泽特·黑登·埃尔金的《共同路径》，以及吉恩·沃尔夫的《ARES计划》。在杂志上发表的处女作包括《银河系》上的迈克尔·毕晓普的"矮松瀑布"，《新世界》上的爱德华·布赖恩特的"送去最好的"，《冒险行动》上的冯达·N·麦金太尔的"断点"。

1971

《半逝去的人》
T·J·巴斯

《死亡迷宫》
菲利普·K·迪克

《错误的策略》
戈登·R·迪克森

《到你散落的躯体上去》
菲利普·乔斯·法默

《信守承诺者》
M·约翰·哈里森

《未来学大会》
斯坦尼斯劳·莱姆

《癌症疗法》
迈克尔·穆尔科克

《变革的时代》
罗伯特·西尔弗伯格

代表作品

在他最多产的10年的中期，罗伯特·西尔弗伯格在小说《里面的世界》中提出了一种对人类可能遭致的结果之一的忧郁的想象，如果人口爆炸问题继续被当成个人伦理学，或者甚至是审美学的问题，而不是一个由我们的生态意识提出的问题；我们希望地球不致于因我们个人的生育习惯而毁灭。在这本书中，巨大的，或者叫做"城市怪物"的城市建筑，使亿万人得以生存下来，同时也把他们囚禁了起来。

《里面的世界》

现代科学伟大主题之一的遗传工程受到传统科幻小说作家的冷遇，除了在他们想创造怪物超人时外。然而到了今天，我们越来越清楚地认识到关于这个题目要说的还很多，有人还暗示说人类载体的延展性几乎是无限的。

在本年作为处女作发表的长篇小说中，《坚贞不屈的人》和《半逝去的人》是重要作品。其他还包括戴维·R·邦奇的《编码者》，戴维·杰罗尔德和拉里·尼文的《会飞的巫师》，萨姆·J·伦德沃尔的《艾丽斯的世界》，以及理查德·A·卢波夫的《人类的精英》。在选集中，《克拉里恩之一》收录了冯达·麦金太尔的"只在夜晚"和奥克塔维亚·巴特勒的"交换体"。在杂志上发表的处女作有康尼·威利斯的"圣的的喀喀"，乔治·亚历克·埃芬格的"8点半到9点的空档"，以及乔治·R·R·马丁的"英雄"。

19

《神祇自身》
艾萨克·阿西莫夫

《抬头羊》
约翰·布伦纳

《隐形城市》
伊塔洛·卡尔文诺

《334》
托马斯·M·迪施

《阿波罗之外》
巴里·N·马尔兹伯格

《铁梦》

无庸置疑，大半个世纪以来，美国科幻小说都弃了城市。在这种体裁中，有一个毫无价值、未经考虑的假设，认为覆盖这个星球的城市将成为政府的中心。除此之外，很少对城市生活可能的发展前途作出令人信服的推测。西尔弗伯格的《里面的世界》是关于人

理查德·亚当斯的《下沉的水船》，迈克尔·科尼的《镜像》，乔治·亚历克·埃芬格的《匀寂状态对我的意义》，艾伦·迪安·福斯特的《塔艾伊姆·克兰》，以及乔治·泽布罗斯基的《奥米茄点》，都是本年度的长篇小说处女作。莉萨·塔特尔的第一部短篇小说"房子里的陌生人"出现在选集《克拉里恩之二》中。

也许比世界上的政治家们还要勇敢。各种全新的未来似乎一天比一天更加变为可能,而且其中任何两个都不是完全相同的。要应付如此多变的世界,一种主要靠供读者消遣娱乐来赚钱的文学体裁要维持下去的话是很不容易的,但这却是科幻小说作家自己设定并且每天都要面对的任务。这种体裁只能适应现实。

72

《外星热辐射》

《外星热辐射》
迈克尔·穆尔科克

《其他日子,其他眼睛》
鲍勃·肖

《死在里面》
罗伯特·西尔弗伯格

《铁梦》
诺曼·斯平拉德

《三头狗的第五个脑袋》
吉恩·沃尔夫

口和城市规划问题的。而托马斯·M·迪施的《334》则表露出作者对纽约爱憎参半的理解。在欧洲,卡尔文诺的《隐形城市》中的观点是建立在边远城市生活的基础上的,而布伦纳的城市只能摧残我们这一物种和地球。

1973

《解放了的弗兰肯斯坦》
布赖恩·奥尔迪斯

《大碰撞》
J·G·巴拉德

《和拉玛约会》
阿瑟·C·克拉克

《爱不愁没有时间》
罗伯特·A·海因莱恩

《日本沉没》
小松左京

《希罗的旅程》
斯特林·E·拉尼尔

《赫罗威特的世界》
巴里·N·马尔兹伯格

《保护者》
拉里·尼文

《深刻的记忆》
伊恩·沃森

《赫罗威特的世界》

到70年代中期为止,科幻小说将开始审视自己。它透过现在通常被称做"循环科幻小说"的短篇和长篇小说的范畴来回顾自己的历史,就像照镜子一般。最显著的是,布赖恩·奥尔迪斯认为科幻小说是由玛丽·雪莱在1818年开始创立的。他把这一理论应用于他的小说《解放了的弗兰肯斯坦》形式本身。这篇小说将这一主题戏剧化,让雪莱和她的发明物都参与了进去。

小詹姆斯·蒂普特里的第一部短篇小说集《离家1万光年》和爱德华·布赖恩特的连载故事集《死者之中》问世了。作为处女作发表的长篇小说,包括伊恩·沃森的《深刻的记忆》,F·M·巴斯比的《囚禁人》,威廉·巴顿的《在昆德若狩猎》,以及埃玛·坦南特的《爆裂时刻》。**米歇尔·约里**用真名发表了《不确定的时间》。

1974

《点火时刻》
波尔·安德森

《时刻城邦的陷落》
巴林顿·贝利

《走到世界的尽头》
苏西·麦基·查纳斯

《布里亚若斯的曙光》
理查德·考珀

《一无所有的人》
厄休拉·K·勒吉恩

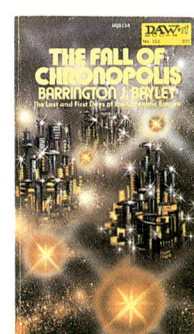
《时刻城邦的陷落》

《我流下了眼泪,警察说》
菲利普·K·迪克

《上帝眼中的小缺点》
拉里·尼文和杰里·波内尔

《颠倒的世界》
克里斯托弗·普里斯特

《寻找辛比利斯》
迈克尔·谢伊

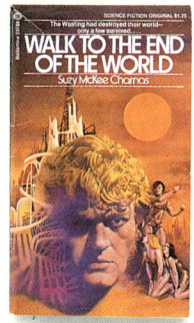
《走到世界的尽头》

关于乌托邦和反面乌托邦的作品销路欠佳或许是可以理解的,这种双重体裁的作品大多数都是非常枯燥、带有倾向性的文章,勉强地被定义为小说。因此,在本年度问世且受到一致好评的小说《一无所有的人》,显示了厄休拉·K·勒吉恩的大胆,以及成熟的读者想要对付说教的乌托邦思想的心愿。此书对乌托邦和反面乌托邦社会模型均衡的描写,显示了作者意志坚强平衡的特点。

在本年度的重要作品中,苏西·麦基·查纳斯的长篇小说《走到世界的尽头》是一部处女作。作为处女作的长篇小说还包括迈克尔·谢伊的《寻找辛比利斯》,以及霍华德·沃尔德罗普和杰克·桑德斯合著的《得克萨斯与以色列之战》。琼·文奇的第一部短篇小说"锡兵"发表在文集《第十四号轨道》上。

1975~1979：科幻小说的同化

到这个时候，科幻小说的"新浪潮"已经成为历史。人造地球卫星、太空竞赛和登月都已经成为历史，于是一些科幻小说作家开始怀疑科幻小说这种体裁本身是否也将成为历史。或许它是历史中一个辉煌的篇章，但是它再也不是用来理解和普及未来的一贯的工具。有人甚至怀疑科幻小说不再是通向未来的指路明灯，它只不过是一座纪念碑。并不是所有的人都

1975

代表作品

《驾驭冲击波的人》
约翰·布伦纳

《地球帝国》
阿瑟·C·克拉克

《海》
约翰·克劳利

《托勒格伦》
塞缪尔·德拉尼

《永远的战争》
乔·霍尔德曼

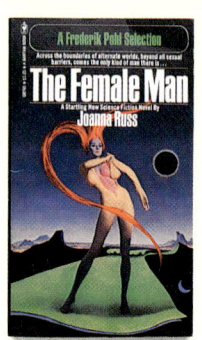

《生之墓》
坦尼思·李

《星系》
巴里·N·马尔兹伯格

《女性男人》
乔安娜·拉斯

《轨道群落》
鲍勃·肖

《笼中人》
布赖恩·斯特布尔福德

《托勒格伦》

《女性男人》

代表作家

乔·霍尔德曼的《永远的战争》很快成为试图与越南战争的隐含意义达成妥协的姗姗来迟的科幻小说的杰出代表。这场冲突结束了科幻文学的旧观念，即征服外星球是空谈。

代表作品

艾伦·迪安·福斯特代表了70年代以前科幻小说中不可能存在的东西。他是一个真正的职业作家，有才华，而且下笔快，创作科幻小说对他来说是如鱼得水，游刃有余。他独立创作的长篇小说——最著名的《人类联邦》系列——不负众望，人人争相阅读。他的作品被广泛阅读（尽管可能并不广为人知），主要是因为他是科幻小说界把电影、电视小说化的最成功的作家。

艾伦·迪安·福斯特

处女作

在重要的作品中，《永远的战争》、《生之墓》和《海》是处女作。其他处女作还包括普里莫·利瓦伊的《周期表》，费利克斯·戈查尔克的《成长在第三千层》，以及迈克尔·毕晓普的《火眼的葬礼》。《夭折的婴儿》和《格里马斯》则分别是马丁·艾米斯和萨蒙·拉什迪的第一部科幻小说。

1976

《马来西亚挂毯》
布赖恩·奥尔迪斯

《改变》
金斯利·艾米斯

《制模能手》
奥克塔维亚·E·巴特勒

《半人半鱼的海神》
塞缪尔·R·德拉尼

《阿斯兰》
M·J·恩格

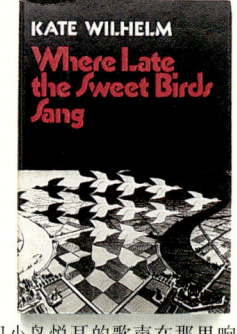

《老鼠医生》
威廉·科茨温克尔

《人气十足》
弗雷德里克·波尔

《明日的挽歌》
丹尼尔·沃尔瑟

《晚间小鸟悦耳的歌声在那里响起》
凯特·威廉

《明日的挽歌》

本年度长篇小说最有力的主题是生物学，而作者们的处理方法却各不相同。威廉·科茨温克尔写了实验室动物的造反，凯特·威廉写了克隆人，弗雷德里克·波尔写了为火星制造的电子人，奥克塔维亚·巴特勒在其《制模人》系列的一开始就描写了王朝斗争。

作为处女作发表的长篇小说，包括罗伯特·霍尔斯托克的《盲人中的眼睛》，蒂姆·鲍尔斯的《退位的天空》，切尔西·奎因·亚伯的《第四个骑手的时间》，斯派德·鲁滨逊的《遥测路径》，C·J·彻里的《艾维雷尔的大门》，奥克塔维亚·巴特勒的《制模能手》，K·W·杰特的《梦境》。

19

《黑暗之光》
波尔·安德森

《米迦勒节》
阿尔吉斯·布德里斯

《徒步到恒星旅行的人》
杰克·丹恩

《秘密的扫描仪》
菲利普·K·迪克

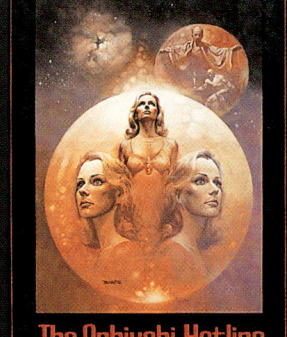

《蛇夫座热线》

科幻小说最大的优点之一，就是它开诚布公地假定宇宙里充满了人，我们并不一定是我们用仪器刚刚计算出来的几万亿个恒星中的惟一生物。弗雷德里克·波尔的《门道》就描绘了一个想象中似乎可能的通向其他世界中难以想象的巨大财富的入点网络。在本年度，还有其他类

约翰·瓦利的长篇小说《蛇夫座热线》是一部特别有实力的处女作。其他作家的处女作还包括乔治·R·马丁的《光芒渐逝》，格温内恩·琼斯的《空气中的水》，詹姆斯·D·霍根的《继承恒星》，玛丽·金特尔的《镀银的鹰》，加里·基尔沃思的《单独监禁》，以及布鲁斯·斯特林的《退化的海

这样认为,即使在本世纪将要结束之时。许多科幻小说作家还在继续为世界的未来而争执不休,还在继续毫无愧色地用旧式体裁的故事来应付日渐庞大的读者群。即使是那些心存疑惑的人们,也保留着一丝慰藉:如果世界清醒地意识到有无数可能的未来在争夺视线,科幻小说在创造这种紧迫的意识中起到了核心作用。

77

《假如星星是神》
格雷格·本福德和戈登·埃克隆

《在幽灵井旁的午夜》
杰克·乔克

《时间风暴》
戈登·R·迪克森

《世界叫做森林》
厄休拉·K·勒吉恩

《穆扎克的状况》
迈克尔·穆尔科克

《门道》
弗雷德里克·波尔

《韦塞克斯之梦》
克里斯托弗·普里斯特

《蛇夫座热线》
约翰·瓦利

《火星上的印加人》
伊恩·沃森

1978

《化身》
波尔·安德森

《上帝的选民之网》
杰克·L·乔克

《母线》
苏西·麦基·查纳斯

《通向考利之路》
理查德·考珀

《陌生人》
加德纳·多齐尔斯

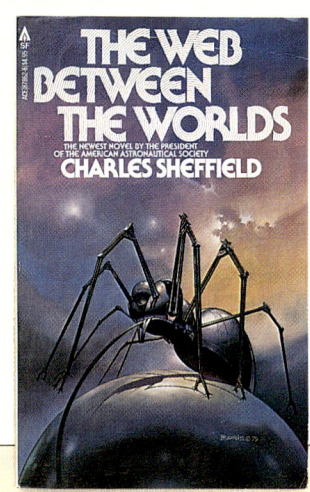
《攀登世界之墙》

《看台》
斯蒂芬·金

《梦蛇》
冯达·N·麦金太尔

《他们两个》
乔安娜·拉斯

《攀登世界之墙》
小詹姆斯·蒂普特里

《假曙光》
切尔西·奎因·亚伯格

《母线》

1979

《天堂的泉水》
阿瑟·C·克拉克

《引擎之夏》
约翰·克劳利

《乘着歌声的翅膀》
托马斯·M·迪施

《吉姆》
弗雷德里克·波尔

《地下墓窟年代》
迈克尔·毕晓普

《泰坦神》
约翰·瓦利

《变形》
迈克尔·毕晓普

《亲属》
奥克塔维亚·E·巴特勒

《冬夜旅行者》
伊塔洛·卡尔维诺

《搭车旅行者银河系指南》
道格拉斯·亚当斯

《星球之间的网》
查尔斯·谢菲尔德

《星球之间的网》

似的作品。戈登·R·迪克森的《时间风暴》,通过一个装货箱传送可能世界;克里斯托弗·普里斯特的《韦塞克斯之梦》,约翰·瓦利的《蛇夫座热线》,以及伊恩·沃森的《火星上的印加人》,都可以被认为是与《门道》同一类的作品。

科幻小说作家现在可以自由地设想有能力的女主人公了。在本年度,查纳斯、麦金太尔、拉斯、蒂普特里和亚伯洛都是这样做的。冯达·麦金太尔的《梦蛇》可能是其中最有趣的一篇。女主人公因为有疗伤的神力而处境危险,人们(尤其是男人)很容易同情这些给人疗伤的女人,而把她们引入流动公厕。然而医治者的偶像是很有作用的。从文学意义上来讲,它对科幻小说这种体裁整体有治疗的效果。或许由于像《梦蛇》这样的作品,科幻小说作者再也不可能仅仅通过它所发动的战争和它所侵入的边境,就可以真切地描绘出一个完整的社会。

1979年,阿瑟·C·克拉克的《天堂的泉水》和查尔斯·谢菲尔德的《世界之间的网》同时提出了这一观点:通过极长的单丝"豆茎"或太空升降机与地球连在一起的轨道发射台,可以解决受地球引力的问题,而且每次发射都不会使整个太空计划破产。现在我们要做的就是像杰克那样爬上升降机,进入上面的茫茫世界。

洋》。奥森·斯科特·卡德在《模拟》杂志上发表了他的处女作"恩德的游戏";查尔斯·谢菲尔德的处女作"女妖唱的是什么歌"刊登在《银河系》上。

重要的长篇科幻小说处女作包括杰弗里·A·卡弗的《里格星星的路》,埃莉诺·阿纳森的《剑匠》,查尔斯·谢菲尔德的《普洛特斯的视野》,迈克·康纳的《我不是另一个瞿迪尼》,汤姆·雷米的《盲音》,以及琼·文奇的《天堂地带的流浪者》。在法国,瑟奇·布鲁索罗的第一部短篇小说发表在由菲利普·柯沃编辑的选集《当前的未来》中。

重要的科幻小说处女作包括道格拉斯·亚当斯根据他的广播连续剧《搭车旅行者银河系指南》改编成的小说(后广播稿也被出版),格雷格·贝尔的《心灵寂寞》,哈里·塔特尔德夫的《血人》,奥森·斯科特·卡德的《国会大厦:一部有价值的编年史》,戴维·德雷克的《哈默的牢房》,以及戴维·兰福德的幽默讽刺小说《1871年与另一世界的居民会见记》,该书作者署名威廉·罗伯特·卢斯利,编辑是戴维·兰福德。

厄休拉·K·勒吉恩

出生年份：1929
国籍：美国
主要作品：《海恩》系列，《黑暗的左手》，《地球海》系列，《总是回家》

有的作者一心想成名成家，结果却一生默默无闻；而有的作者虚怀若谷，倒一鸣惊人。厄休拉·K·勒吉恩就是其中杰出的代表。和其他一两位在科幻小说界占据不可动摇地位的作家一样，勒吉恩为人谦逊有礼。她与人见面似乎是期盼，或者是希望能从这次邂逅中学到些什么。她就像小说家多丽丝·莱辛那样：她们不是去反映世界，而是吸收世界。

一开始，勒吉恩就悄悄地显示出她的非凡之处。不徐不疾的叙述技巧和镇静自若的情节过渡，使她早期的短篇小说如同定时炸弹一般，读后使人心灵受到震撼。她最早创作的长篇小说《罗坎农的世界》和《流亡的行星》首次出版时是平装本，看起来像太空剧。这两部小说的背景是"海恩宇宙"（她是这么称呼的），那是更广阔的太空剧的典型代表，提供了一个关于各个故事情节的起源和结构的神话。海恩是早先的一个人种，他们在星系中播撒像人一样的原种（包括地球上的居民）。以这个宇宙为背景的几部长短篇小说，组成了从几百年后开始沿这条线持续两三千年的未来历史。这种未来历史代表了一种回复到阿西莫夫和海因莱恩时的传统，然而勒吉恩的处理方法却与众不同。

在小说《罗坎农的世界》中，一个典型情节——被困在遥远星球上的人学会如何解救芸芸众生，使他们免受外星人的侵略——被小说的真正主题所淹没：主人公急切地想要学会"精神语言"，是为了理解和吸收这种文化。这是人类学家的一个梦想，它渗透在勒吉恩的作品之中。这并不奇怪，因为她的父亲是一位著名的人类学家，她的母亲在这个领域也至少写过一部很有建树的作品。《流亡的行星》也是一篇这种内容的小说。主人公在另一个遥远的星球上借助她的神力（这里指传心术）理解了并把两个种族联合起来。接着在1969年，勒吉恩突然成为一个不可忽视的人物，尽管使她备受瞩目的小说《黑暗的左手》（参见225页）的初版也是平装本。小说的语言看似流畅，但这次故事底下蕴藏的功力不禁跃然纸上。科幻小说界连同那些心神不宁地监视着科幻小说界的学者们，很快就知道一个明星诞生了。

人类住在一个叫做"冬季"的星球上。当一位星系公使来访问时——这在勒吉恩深受人类学影响的小说中是很典型的，她最好的小说大多牵涉到从外面来的访问者——他几乎没有预料到会有什么新发现。然而他很快就发现，冬季的居民从严格意义上来讲是半阴半阳的，他们只有在繁殖期才会表现出男性或女性的特征。因此，这位公使所作出的自己一直在与一个男人打交道的假设，是与文化休戚相关的。勒吉恩在这本书里以一种无法平息但又镇静自若的关切语气，使性别分析和性别意识成为推断小说主要的和合理的论题。其他人，如德拉尼、拉斯以及小詹姆斯·蒂普特里，或许写过更愤怒或更激进的作品，但谁也没能像勒吉恩那样自信。

代表作品

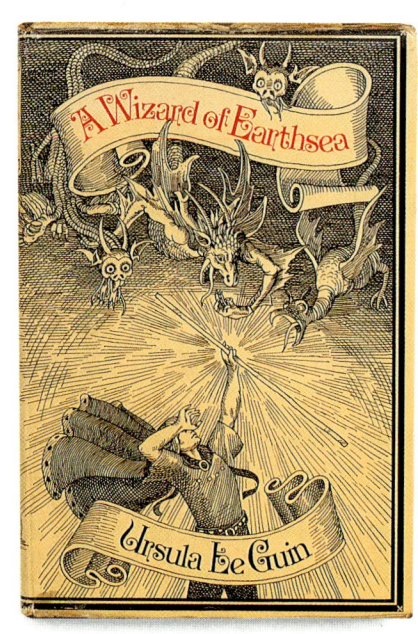

《地球海的巫师》

地球海是在水晶般清澈的浩瀚大海中的一个壮丽的海岛世界。在"最内海"正中央的中心群岛的"内岛"上，存在着各式各样的社会。年轻的格德离开了遍布岩石的乡村冈特来到罗克岛。他学会了通过控制魔法来平衡善与恶、增与减，成了一名巫师。在后续的几部小说中，他找到了能重新统一所有地球海的圆环，并保卫他的世界免受复原派信徒的破坏。最后阳光普照。

同时，表面的理由是为了儿童，她开始写《地球海》小说四部曲，背景设在一个几乎全部被水所覆盖的星球的一个群岛上。在《地球海的巫师》中，格德（前3部小说的主要人物）学会了一些受过训的巫师应有的能力和应负的职责。巫术在勒吉恩的宇宙中就是学会平衡现实、自然力和欲望中的阴和阳。在《阿图恩的坟墓》和《最遥远的海岸》中，格德变得明智多了。他帮助一个年轻的女人了解自己，最终拯救了一个失去平衡、痴迷于一种神教的世界，然而他自己却疲惫不堪。在很久之后才出版的最后一部《特哈努》中，一个女人成了主人公，并且改写了地球海的故事，措辞也使巫术失去了幻想的光彩，同时形成了人的生命在任何星球上都非常坚毅这一强烈的意识。

在《海恩》系列小说的最后一本《一无所有的人》（参见228页）中，勒吉恩以美国科幻小说为蓝本，只要它与乌托邦的推测方向是一致的。科幻小说从来没有因为这种形式而自在许多，这大概是因为它不仅代表一个已

> "勒吉恩的一个典型特色，就是她最好的小说大多牵涉到从外面来的访问者。"

作品目录

中长篇小说

- 1966 《罗坎农的世界》，埃斯出版社
- 《流放的星球》，埃斯出版社
- 1967 《幻觉之城》，埃斯出版社
- 1968 《地球海的巫师》，帕马萨斯出版社
- 1969 《黑暗的左手》，埃斯出版社
- 1971 《天堂的车床》，斯克里布纳斯出版社
- 《阿图恩的坟墓》，雅典娜神庙出版社
- 1972 《最遥远的海岸》，雅典娜神庙出版社
- 1974 《被剥夺者：一个模棱两可的乌托邦》，哈珀出版社
- 1976 《世界的名字叫森林》，帕特南出版社
- 《远离其他任何地方》，雅典娜神庙出版社，后改名为《与其他任何地方相鄙遥远》
- 1979 《马拉弗伦那》，帕特南出版社
- 1980 《开始的地方》，哈珀出版社，后改名为《门槛》
- 1982 《苍鹭的眼睛》，戈兰茨出版社
- 1985 《总是回家》，戈兰茨出版社
- 1990 《特哈努：地球海的最后一集》，雅典娜神庙出版社
- 1991 《海洋之路：克拉特沙漠的编年史》，哈珀·柯林斯出版社

短篇小说集

- 1975 《风的12个方向》，哈珀出版社
- 1976 《奥尔西尼故事集》，哈珀出版社
- 1982 《罗盘玫瑰》，哈珀出版社
- 1987 《水牛女孩和其他动物精灵》，卡普拉出版社

非小说类作品

- 1973 《从埃尔福兰到波基普西》，彭德拉根出版社
- 1975 《梦必须自圆其说》，阿尔戈尔出版社
- 1979 《黑夜的语言：评论科幻和幻想小说的杂文集》，帕特南出版社
- 1989 《在世界的边缘跳舞：关于文字、妇女和场所的思考》，格罗夫出版社

编辑作品

- 1976 《星云故事》，第二辑，戈兰茨出版社
- 1980 《分界面》，埃斯出版社，与弗吉尼亚·基德合著
- 《边缘》，袖珍图书出版公司，与弗吉尼亚·基德合著
- 1993 《诺顿科幻小说选集》，诺顿出版社，与布赖恩·阿特伯里合编

经实现了的目标,而且还为这个目标辩护;可是直到最后一页,对到达一个理想世界所要采取的行动却只字未提。《一无所有的人》通过对两个乌托邦的描述——一个统治行星,另一个统治这颗行星的卫星——来避免叙述性的分析。第一个是复杂的、充满人道主义的资本主义社会,第二个是同样复杂的无政府主义社会。没有哪一个极其邪恶,也没有哪一个完美无缺。主人公从一个社会进入另一个社会,但在两个社会里他都感到不舒服。自始至终,全书一直在暗示"即时应答"的发明会带来的后果,这种装置可以允许在有人居住的世界之间进行瞬间的沟通。

到这个时候,勒吉恩已经和迪克一起成为学者们最乐于讨论的科幻小说作家。一份学术期刊的编辑曾经坦率地说,在七八十年代送上来的每5篇论文中就有4篇是讨论勒吉恩或迪克的。

勒吉恩必须应付意想不到的曝光问题,因为她的作品看上去非常清晰。她还必须解决自己很容易就被评论家读懂这个问题。勒吉恩于是不再写纯粹的科幻小说,这可能是对这个焦点的一个反应,尽管它也可能引发这样的解释:她已经因海恩世界的创作而一时精疲力竭。她的《奥尔西尼》系列小说(《奥尔西尼故事集》和《马拉弗伦那》),是以与我们的地球相似的另类地球为背景的寓言。《开始的地方》是一部幻想小说,它仔细地检验了从少年到青年的成长历程。尽管小说以灾难后的未来为背景,但从严格意义上讲仍属于科幻小说。《总是回家》体现了叙述力量和鼓舞人心的观点:英雄行为必胜,并显示了勒吉恩改进旧式科幻小说的彻底性。这本书读起来甚至不像长篇小说:它是综合各种材料的一个抽象艺术,包括歌曲、寓言、艺术作品和一盘盒式录音带,形成了一幅描绘一个固步自封的母权社会的画卷。这是隐晦的空想主义,显示出作者惊人的胆识。这本书也很成功。

勒吉恩的作品越来越多地把科幻小说、荒诞小说与容易被人接受的说教内容融为一体:她后期的小说因为内容过于繁杂而缺少正义性。和她之前的科幻小说作家不同的是,她是一个聪明的故事大王。

> "她的作品把科幻小说、荒诞小说与说教内容融为一体。"

处女作

厄休拉·勒吉恩发表的第一部短篇小说是"巴黎的4月",小说对出卖灵魂作了巧妙的解释。

詹姆斯·怀特

出生年份:1928
国籍:北爱尔兰
主要作品:《防区总医院》系列,《非值班时间》

半个多世纪以来,总有为数不多的几个英国作家的作品被称做美国式的科幻小说。他们中有不少作品在美国出版,而且他们显得相当轻松自在,很愉快。约翰·拉塞尔·费恩和埃里克·弗兰克·拉塞尔是他们的先驱;阿瑟·C·克拉克有一段时期也美国味十足,后来才回归自我;E·C·塔布、肯·布尔默和约翰·布伦纳跟随其后,此后又有了詹姆斯·怀特。

怀特著名的《防区总医院》系列是从收集在《医院驻地》中的短篇小说开始的,然后他创作了几部短篇和长篇小说,包括《救护船》和《大屠杀的治疗者》。这些小说充分显示了他的写作方式的优点。小说中有坐落在星系边缘的一座巨大的、高达384层的医院和太空聚居地;有浩瀚的星系,里面充满了需要各种医疗服务的形形色色、性格各异的外星人;有对药物超技术的认识,同时也就意味着有创造力、讲人道的医生在治疗有机体方面比任何机器都更胜

作品目录

中长篇小说
- 1957 《秘密来访者》,埃斯出版社
- 1962 《第二个结局》,埃斯出版社
- 1963 《星球外科医生》,巴兰坦出版社
- 1965 《逃离轨道》,埃斯出版社,后改名为《开放的监狱》
- 1966 《非值班时间》,巴兰坦出版社
- 1969 《一切判断都消失了》,拉普和怀廷出版社
- 1971 《明天太遥远》,巴兰坦出版社
- 1972 《黑暗的地狱》,迈克尔·约瑟夫出版社,后改名为《救生艇》
- 1974 《千年之梦》,迈克尔·约瑟夫出版社
- 1979 《杀伤力不足》,科吉出版社 《救护船》,巴兰坦出版社
- 1985 《星球医治者》,巴兰坦出版社
- 1987 《蓝码——紧急情况》,巴兰坦出版社
- 1988 《联邦世界》,巴兰坦出版社
- 1991 《寂静的星球飞过去了》,巴兰坦出版社
- 1992 《种族灭绝疗药》,巴兰坦出版社

短篇小说集
- 1962 《医院驻地》,巴兰坦出版社
- 1964 《致命的稻草》,巴兰坦出版社
- 1969 《我们中间的外星人》,巴兰坦出版社
- 1971 《主要行动》,巴兰坦出版社
- 1977 《妖怪和军医》,巴兰坦出版社
- 1982 《未来的过去》,巴兰坦出版社
- 1983 《防区总医院》,巴兰坦出版社

一筹。最重要的是,这些故事本身流畅精炼,似乎是信手拈来之作。总之,《防区总医院》系列是一部赏心悦目的作品,虽然小心谨慎,却也沉稳大方。

不过,詹姆斯·怀特的作品远不止这一系列。他创作的单本小说气势恢宏,令人陶醉。其中,最优秀的是《非值班时间》。在这篇小说中,两条线索互相交织。二战中的一艘商船沉没了,5个幸存者靠一小袋密封的空气繁衍生息,竟生存了几十年。与之平行的第二个故事,讲述的是一艘外星球上的星际飞船远行寻找有大面积水域的行星。在21世纪中叶,它到达了地球,正好及时挽救了那艘商船上的幸存者。到故事结尾时,人们不能不击节叫好。詹姆斯·怀特确实值得我们那样做。

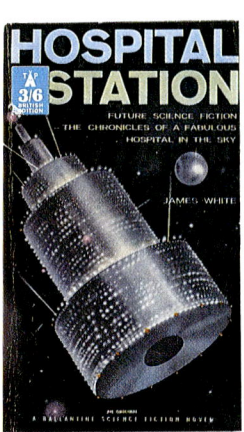

处女作问世

《防区总医院》首先发表在短篇小说集《医院驻地》中。

伊恩·沃森

出生年份：1943
国籍：美国
主要作品：《嵌入》，《约拿的装备》，《记忆的苍蝇》

很多科幻小说作家都比伊恩·沃森有更多值得骄傲的头衔，而一个作家要写很多书并不一定需要多才多艺，或拥有一个敏锐的头脑，但沃森给人的印象是出奇地有思想。他的小说思想丰富，思维千变万化，好像他已经写了几百部小说。事实上，他只写了26部，仅此而已。

有一件事总使沃森耿耿于怀：人们对他的第一部长篇小说《嵌入》大加赞赏，却使得他其余25部同样有创造性的小说相形见绌，更别提那8本短篇小说集了。这个数目都够得上出合集了，尤其是在短篇小说受到贬斥的20世纪后期。《嵌入》(参见228页)当然是值得纪念的。它对沃尔夫和萨丕尔作出的语言能够塑造感知这一假说进行了彻底、细致的检查。小说里有3个故事：第一个是一个美洲印第安人部落变换语言就像变换药物那样频繁；第二个是说外星来访者试图通过分析人类的语言来了解人类；最后一篇讲的是教孩子们学说一种人造语言。这些故事穿插在一起，形成一个令人炫目的故事高潮。

沃森对语言的关注在《约拿的装备》中继续反映出来。这篇小说想象当鲸发现语言只是与之相关的声音的模式，且通过语言并不能理解宇宙的真实现状时，它们所感到的沮丧。

在《火星上的印加人》中，一种外来的病毒改变了人类对宇宙的感知能力。在《记忆的苍蝇》中，宇宙如果不能被它的居民世代记忆的话，就会有分崩离析的危险。《幸运的收获》和《陷落的月球》以科幻小说的形式，重演了芬兰史诗《卡勒瓦拉》；《战锤》系列小说是太空剧；《火虫》是对传说的重述；《女王的魔力，国王的魔力》则是一盘象棋游戏。

沃森总是不甘寂寞，他在思维世界里尽显身手。

作品目录

中长篇小说
1973 《嵌入》，戈兰茨出版社
1975 《约拿的装备》，戈兰茨出版社
1977 《火星上的印加人》，戈兰茨出版社
　　《外星人大使馆》，戈兰茨出版社
1978 《奇迹来访者》，戈兰茨出版社
1979 《上帝的世界》，戈兰茨出版社
1980 《快乐花园》，戈兰茨出版社
1981 《天堂桥下》，戈兰茨出版社，与迈克尔·毕晓普合著
　　《死亡猎手》，戈兰茨出版社
1983 《契诃夫的旅程》，戈兰茨出版社
1984 《皈依者》，格拉纳达出版社
　　《河流篇》，戈兰茨出版社
1985 《星球篇》，戈兰茨出版社
　　《生命篇》，戈兰茨出版社
1986 《女王的魔力，国王的魔力》，戈兰茨出版社
1987 《权力》，黑德兰因出版社
1988 《火虫》，戈兰茨出版社
　　《肉》，戈兰茨出版社
　　《巴比伦的妓女》，帕拉丁出版社
1990 《记忆的苍蝇》，戈兰茨出版社
　　《战锤40000：审问官》，专业创作室出版社
1991 《耗费毫微时间》，石山出版社
1993 《战锤40000：太空商船》，博克斯特里出版社
　　《幸运的收获》，戈兰茨出版社
1994 《陷落的月球》，戈兰茨出版社
　　《战锤40000：哈乐根》，博克斯特里出版社

短篇小说集
1979 《很慢的时间机器》，戈兰茨出版社
1982 《中暑》，戈兰茨出版社
1985 《笨鸟》，戈兰茨出版社
　　《伊恩·沃森作品集》，马克·V·齐辛出版社
1987 《恶水》，戈兰茨出版社
1989 《救助仪式》，戈兰茨出版社
1991 《斯大林的泪滴》，戈兰茨出版社
1994 《弗图姆纳斯的来临》，戈兰茨出版社

编辑作品
1981 《展览会上的图画》，格雷斯托克·莫伯雷出版社
1983 《变化》，埃斯出版社，与迈克尔·毕晓普合著
1986 《来生》，文特吉出版社，与帕梅拉·萨金特合著

克里斯托弗·普里斯特

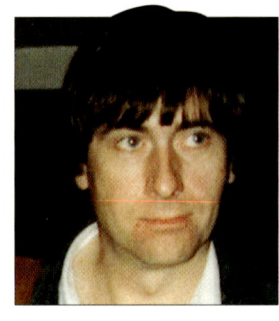

出生年份：1943
国籍：英国
曾用名：约翰·卢瑟·诺瓦克，科林·韦奇洛克
主要作品：《颠倒的世界》，《太空机器》，《梦幻群岛》系列

普里斯特是一个不安分的人。15年来，他对科幻小说的文学品质，科幻小说要为人类行为提供准则的愿望，以及科幻小说总体上的主题思想持否定的评价。他的判断虽然很有见地，却无异于内部造反。尽管他自称再也不写科幻小说了，《文静的女人》事实上却是一篇简洁、严厉、敏锐和深刻的"近期未来"道德小说，它描写的是被摧毁后的荒凉的英国景况。

克里斯托弗·普里斯特是在英国的"新浪潮"运动中成长起来的，这场突然爆发、为期短暂的运动在当时看来是天才的爆炸。现在回顾起来，他似乎激励了五六个重要作家：奥尔迪斯、巴拉德、穆尔科克、迪施和斯莱德克，使他们创作了好几本上乘之作。

普里斯特开始时写得很缓慢：他早先的几部短篇小说一味效仿别人，显得呆板笨拙。他的头几部长篇小说《非教条主义》和《黑暗小岛的赋格曲》，生硬地叙述了早已被人们预料到的故事。然而，从这些经历中走出来的作者把新浪潮运动对科幻小说的既成形式、实用主义的真理和传统事实的不满情绪带到了70年代。

普里斯特的代表作《颠倒的世界》让读者在读过之后久久难以忘怀。和伊恩·沃森许多别的作品一样，这是一篇关于知觉的寓言，但比普里斯特同时代作家的任何作品都令人荡气回肠。从外面看，似乎是一个大城市在灾难后的欧洲四处移动；从内部看，这个城市的居民似乎是被迫沿着一个能扭曲时间的双曲面不停地移动他们的城市。如果不坚持下去的话，他们就会失去自我，因此必须这样做。这篇小说是对处在极限的人类状况的隐喻，就像梦境一样生动。

与此相反，《太空机器》似乎只在表面上起到了一些作用。这部小说认为H·G·韦尔斯的《时间机器》和《星际战争》描写的是同一个虚构的环境，于是就把它们结合起来，造成一种带有讽刺意味的怀旧效果。《韦塞克斯之梦》中的《梦幻群岛》以及《无尽的夏季》中的故事都想象了一个既让人心动，又被与日俱增的失败感所笼罩的英国。梦幻群岛本身就是一个半沉浸在海洋中的英国。它由一系列岛屿组成，上面的居民是恐怖工厂沉陷这一灾难的幸存者。这个小说系列的实质，就是使那些热爱英国的人对它产生深切的渴望：渴望发生一次大变故，这样能从这个岛国正在分裂的文化中挽救出一些有价值的东西。

克里斯托弗·普里斯特后期的大部分作品都远离了科幻小说，他不愿意写传统科幻小说，但这并不意味着他再也不会在新的科幻小说领域里表演一番。

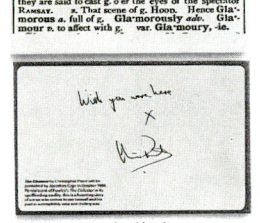

文字游戏
在有普里斯特签名的一张卡片上，"魔力"这个词的字典解释就是对小说《魔力》的宣传。

作品目录

中长篇小说
1970 《非教条主义》，费伯出版社
1972 《黑暗小岛的赋格曲》，费伯出版社，后改名为《走向黑暗的小岛》
1974 《颠倒的世界》，费伯出版社
1986 《太空机器》，费伯出版社
1977 《韦塞克斯之梦》，费伯出版社
1981 《断言》，费伯出版社
1984 《魅力》，海角出版社
1990 《文静的女人》，布卢姆斯伯里出版社

短篇小说集
1974 《实时世界》，新英国图书馆出版社
1979 《无尽的夏季》，费伯出版社

鲍勃·肖

出生年份：1931
国籍：北爱尔兰，定居英国
主要作品：《其他日子，其他眼睛》，《轨道群落》系列，《衣衫褴褛的宇航员》系列

肖在讲笑话时手里总是拿着一大杯啤酒，但是他的小说大多很严肃，而他的那些故作幽默的小说并不十分成功。他具有欧洲人典型的固执、谨慎的性格，却首先在美国出版作品。他从来也不在别人期望的地方出现。

肖早期的小说把太空剧的场景和得出星球太空并不一定快乐这一结论的情节融合在一起，给人留下了十分深刻的印象。其中最优秀的大概是《永恒的宫殿》，该小说的大部分篇幅都很严肃，其间一个异常迷人的星球在星际战争中被敌对势力所摧毁；但到末尾，当死而复生的主人公成为超自然的行星意识的一部分时，文章就增添了一种奋力争取并获得胜利的意味。

但完全体现肖自己风格的作品是《其他日子，其他眼睛》，这篇小说揭开了减速玻璃(一种能使光"减速"的玻璃)的隐含意义，透过这种玻璃就能看到过去。由于光穿过这种减速玻璃要花费很长时间，因此窗玻璃可以被送到任何地方去观察未来。在某些情况下，悲剧接踵而至。

《轨道群落》和它的几本续集出于报复又回到太空中。这篇小说代表了科幻小说对戴森球体首次有效的使用。这个球体围绕着太阳，捕获它所有的能量。另外，这个球体肯定有一个巨大的直径，相当于行星的轨道。一般来说，肖非常成功地表达了一种天文尺度的意识。

肖后期的作品也很不错，一套系列小说，如《衣衫褴褛的宇航员》、《木制的宇宙飞船》和《易逝的星球》，欢快而生动。两个行星像杠铃一样被一条大气带连接起来。这套系列小说的第一部讲述的是人们通过木制气球从一个行星移居到另一个行星，并遭受了一次复杂的、毁灭性的瘟疫；在中点，两个行星都庞大无比。如同肖所有的杰作一样，这一景象堪称巍峨壮观。

作品目录

中长篇小说
- 1967 《夜行》，班纳出版社
- 1968 《两次探索宇宙的人》，埃斯出版社
- 1969 《天堂之影》，埃文出版社，修改后名为《天堂的影子》《永恒的宫殿》，埃斯出版社
- 1970 《100万个明天》，埃斯出版社
- 1971 《和平机器》，埃文出版社
- 1972 《其他日子，其他眼睛》，戈兰茨出版社
- 1975 《轨道群落》，戈兰茨出版社
- 1976 《镶满星星的圆环》，戈兰茨出版社
- 1977 《水母体的孩子们》，戈兰茨出版社
- 1978 《眩晕》，戈兰茨出版社，修改后名为《终极速度》
- 1979 《刺向精神的匕首》，戈兰茨出版社
- 1981 《谷神星解法》，戈兰茨出版社
- 1983 《轨道群落横距》，戈兰茨出版社
- 1984 《火势图》，戈兰茨出版社
- 1986 《衣衫褴褛的宇航员》，戈兰茨出版社
- 1987 《木制的宇宙飞船》，戈兰茨出版社
- 1989 《杀手星球》，戈兰茨出版社
- 1990 《轨道群落判断》，戈兰茨出版社
- 1993 《人口密集地的和平》，戈兰茨出版社

短篇小说集
- 1954 《被迷惑的复制者》，自费出版，与沃尔特·威利斯合著
- 1973 《埋伏着的明天》，戈兰茨出版社
- 1976 《宇宙万花筒》，戈兰茨出版社
- 1982 《一个更好的陷阱》，戈兰茨出版社
- 1986 《氧气瓶里发现的消息》，内斯法出版社
- 1989 《玩具世界的黑夜》，戈兰茨出版社

非小说类作品
- 1979 《蒲虱耳的最大作用》，帕拉诺伊德-印加出版社
- 《伊斯特康演说》，帕拉诺伊德-印加出版社

巴里·N·马尔兹伯格

出生年份：1939
国籍：美国
曾用名：迈克·巴里，梅尔·约翰逊，K·M·奥唐奈
主要作品：《阿波罗之外》，《赫罗维特的世界》，《众赞歌》

巴里·N·马尔兹伯格是个忧郁的家伙。他认为世界正在疾步走向毁灭，而自谓会告诉我们如何从毁灭中逃生的美国科幻小说也不能拯救我们。以前他每年都有五六部出色的小说问世，现在他已不再这样了。一方面，这是因为他想说的话已经说得差不多了；另一方面，市场再也无法轻松地承受他那措辞强烈、全盘否定的声音。到了90年代，他对自己每年能出10~20篇短篇小说感到颇为满足：现在总数已经超过300篇了。马尔兹伯格是个创作天才：他思维敏捷，性格阴郁，令人仰慕。

而且，马尔兹伯格幽默风趣。他出席科幻小说大会时总是板着脸，却作出有趣得让人难以置信的发言。他写的短篇小说讲述的是失败的宇航员、嗜赌难戒的赌徒和对老练的敌人作出正确判断的妄想狂；但这些小说都没有给人压抑的感觉。它们是关于世界末日的苦涩中带着欢乐的故事。《阿波罗之外》把墓地的幽默用来描述美国太空计划的垮台。《赫罗维特的世界》是最有趣的科幻小说。《众赞歌》如同贝多芬再世。

马尔兹伯格是一个在荒野中说俏皮话的作家。

作品目录

中长篇小说
- 1968 《千手神使》，奥林匹亚出版社《屏幕》，奥林匹亚出版社
- 1969 《空虚的人们》，兰瑟出版社，署名K·M·奥唐奈
- 1970 《海洋居民》，埃斯出版社，署名K·M·奥唐奈
- 1971 《下落的宇航员》，埃斯出版社《宇宙日》，埃文出版社，署名K·M·奥唐奈《在星球的大厅里聚会》，埃文出版社，署名K·M·奥唐奈
- 1972 《遮掩》，兰瑟出版社《阿波罗之外》，兰登书屋《启示》，华纳出版社
- 1973 《里面的人们》，兰瑟出版社《第四阶段》，袖珍图书出版公司《在围场里面》，埃文出版社
- 1974 《赫罗维特的世界》，兰登书屋《格尔尼卡之夜》，鲍伯斯·梅里尔出版社《一个星球上的外星人》，袖珍图书出版公司《征服战术》，金字塔出版社《燃烧日》，埃斯出版社《所多玛与蛾摩拉事件》，袖珍图书出版公司《铺垫》，埃文出版社《寺院的毁灭》，袖珍图书出版公司
- 1975 《要花招者》，袖珍图书出版公司《对话》，鲍伯斯·梅里尔出版社《星系》，金字塔出版社
- 1976 《斯科普》，金字塔出版社《野兽的奔跑》，帕特南出版社，与比尔·普龙齐尼合著
- 1977 《最后一笔交易》，礁石出版社《赦免法令》，帕特南出版社，与比尔·普龙齐尼合著
- 1978 《众赞歌》，道布尔迪出版社
- 1979 《夜半尖叫》，花花公子出版社，与比尔·普龙齐尼合著
- 1980 《乏味的盆地》，圣马丁出版社，与比尔·普龙齐尼合著
- 1982 《火十字》，埃斯出版社
- 1985 《西格蒙德·弗洛伊德的再造》，巴兰坦出版社

短篇小说集
- 1969 《决战》，埃斯出版社，署名K·M·奥唐奈
- 1971 《在口袋里》，埃斯出版社
- 1974 《从木卫三上出来》，华纳出版社
- 1975 《巴里·马尔兹伯格的众多世界》，大众图书馆出版社
- 1976 《在这里的梦境》，道布尔迪出版社《巴里·N·马尔兹伯格精品选》，袖珍图书出版公司
- 1979 《马尔兹伯格总述》，埃斯出版社
- 1980 《爱上午夜小姐的男人》，道布尔迪出版社

非小说类作品
- 1981 《黑夜的引擎：80年代的科幻小说》，道布尔迪出版社

编辑作品选
- 1974 《最后阶段》，埃斯出版社，与爱德华·L·弗曼合编
- 1976 《竞技场：运动科幻小说》，道布尔迪出版社，与爱德华·L·弗曼合编
- 1977 《阴暗的罪孽，阴暗的梦想：科幻小说中的罪恶》，道布尔迪出版社，与比尔·普龙齐尼合编
- 1979 《夏季结束：50年代的科幻小说》，埃斯出版社，与比尔·普龙齐尼合编
- 1980 《被忽略的幻想》，道布尔迪出版社，与马丁·H·格林伯格和约瑟夫·D·奥兰德合编

弗雷德里克·波尔

出生年份：1919

国籍：美国

曾用名：保罗·弗莱赫，沃伦·霍华德，S·D·戈特斯曼，埃德森·麦卡恩，詹姆斯·麦克雷，斯科特·马里纳，厄恩斯特·梅森，查尔斯·萨特菲尔德，德克·怀利

主要作品：《太空商人》，《人气十足》，《门道》，《吉姆》，《城市的岁月》，《时间尽头的世界》，《数量超出死者》

我们夸奖一个作家时通常不会说他在其他方面做得如何出色；但对于波尔，我们却不能不称赞他所做的一切。波尔长寿，因而得以写出了不少杰作。假如他像与他早期合著过几本小说的C·M·科恩布卢斯那样英年早逝的话，他就不会因写小说而出名了。

波尔少年老成。30年代中期，他就一心想成为崭新的科幻小说界的一分子。到30年代末，他以各种各样的让人头晕目眩的笔名发表作品，而且经常和其他年轻的作家合作出版小说，有的还挺不错，但也有不少质量很差。同时，他还编辑了《惊奇故事》。到1940年，他编辑了《超级科幻故事》。这些杂志并没有举足轻重的意义，很快就停刊了。这时，二战刚刚结束，作家们又变成了平民，波尔成了一名文学代理人。在当时，他很有影响，受到广泛的支持，同时也结交了不少朋友。

到1950年，波尔重新开始写作。几年之内，他终于开始用他自己的名字全身心地投入到写作事业中。这是他的第一职业。这样的情况大约持续了10年。在这10年里，他与科恩布卢斯合著了几部杰出的社会讽刺小说《太空商人》(参见219页)、《法律辩论家》和《狼毒乌头》。

对于50年代的年轻读者来说，波尔和科恩布卢斯对社会的评论犹如一把利刃；即使在今天看来，尽管他们的观点缓和了许多，他们还是刺到了在那个年代滋扰着美国精神的消费主义和守旧主义的要害。另外，他自己写的短篇小说在当时也很出众。

> "在50年代，他对社会的评论犹如一把利刃。"

波尔因为编写了《星系科幻小说》系列作品而成了一位重要的选集编者。接着，他担任了《银河系》的编辑。在他任职期间，从1961年到1969年，这本杂志在科幻小说领域占据了主导地位。然而他发现自己的写作时间越来越少，而且他的作品也显得毫无条理，虽然《巨蛇灾害》还算成功。一直到70年代，他才开始了他的二度写作生涯。尽管他在1974~1976年曾担任美国科幻小说作家的专门组织科幻小说作家协会的主席，他的写作也从未间断过，一直持续到90年代。

代表作品

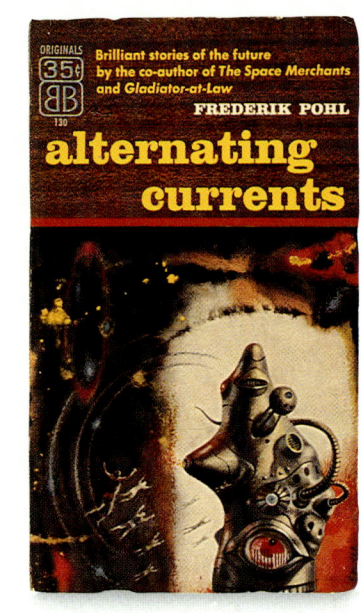

《交流电》

波尔从50年代起写的许多短篇小说都收集在了《交流电》和此后出版的几本合集中，如《吞下世界的人》。其中的两篇小说很突出：《迈达斯瘟疫》描写的是一个非常富裕的社会。在这个社会里，只有富人才能够按照严格的定额购买商品而不疯狂地消费；《世界下面的隧道》是对多疑症的一次精彩的演习。小说中有一个人为了检验各种各样的广告语而不断地重复同一天的生活。这些小说将永远地留在人们的记忆中。

他的代表作《门道》内容丰富，小说中人类有机会摘星取月。《吉姆》是个生动的乌托邦故事。《城市的岁月》表达了对城市生活的强烈渴望。《切尔诺贝利》以一种敏锐的科幻思想去看待俄国的灾难。《时间尽头的世界》选取了几十亿年和几十亿个宇宙。《数量超出死者》讲述的是生活在不朽者国度里的一个凡人。波尔晚年的写作生涯给他带来了极大的收获。

作品目录

中长篇小说

- 1953 《太空商人》，巴兰坦出版社，与C·M·科恩布卢斯合著
- 1954 《搜寻天空》，巴兰坦出版社，与C·M·科恩布卢斯合著
  《海底探索》，格言出版社，与杰克·威廉森合著
- 1955 《比较喜欢的危险》，西蒙和舒斯特出版社，与莱斯特·德尔·雷伊合著，共同署名埃德森·麦卡恩
  《法律辩论家》，巴兰坦出版社，与C·M·科恩布卢斯合著
- 1956 《海底舰队》，格言出版社，与杰克·威廉森合著
- 1957 《贩奴船》，巴兰坦出版社
- 1958 《海底城市》，格言出版社，与杰克·威廉森合著
- 1959 《狼毒乌头》，巴兰坦出版社，与C·M·科恩布卢斯合著
- 1960 《醉鬼的步子》，格言出版社
- 1964 《太空里的暗礁》，巴兰坦出版社，与杰克·威廉森合著
- 1965 《星球的孩子》，巴兰坦出版

- 1965 社，与杰克·威廉森合著
  《巨蛇灾害》，巴兰坦出版社，修改后名为《头颅里的恶魔》
- 1969 《暧昧时代》，三叉戟出版社
- 1975 《最遥远的星辰》，巴兰坦出版社，与杰克·威廉森合著
- 1976 《人气十足》，兰登书屋
- 1977 《门道》，圣马丁出版社
- 1979 《吉姆：乌托邦的缔造》，圣马丁出版社
- 1980 《在蓝色事件地平线之外》，巴兰坦出版社
- 1981 《冷酷的战争》，巴兰坦出版社
- 1982 《星球爆炸》，巴兰坦出版社
  《朔望》，矮脚鸡图书出版公司
- 1983 《环绕星球的墙》，巴兰坦出版社，与杰克·威廉森合著
  《迈达斯世界》，圣马丁出版社
- 1984 《希琪约会》，巴兰坦出版社
  《城市的岁月》，西蒙和舒斯特出版社
- 1985 《商人的战争》，圣马丁出版社
  《黑色星球升起》，巴兰坦出版社
- 1986 《恐怖》，伯克利出版社

- 《量子猫的到来》，矮脚鸡图书出版公司
- 1987 《希琪的编年史》，巴兰坦出版社
  《切尔诺贝利》，矮脚鸡图书出版公司
  《纳拉贝德拉股份有限公司》，巴兰坦出版社
- 1988 《火星人来到的那一天》，圣马丁出版社
  《陆地的尽头》，石山出版社，与杰克·威廉森合著
- 1989 《回家》，巴兰坦出版社
- 1990 《时间尽头的世界》，巴兰坦出版社
  《数量超出死者》，传奇出版社
- 1991 《时间歌手》，道布尔迪出版社，与杰克·威廉森合著
  《停在慢年》，通俗读物出版社
- 1992 《开采奥尔特》，巴兰坦出版社
- 1994 《天堂之声》，石山出版社

短篇小说集

- 1956 《交流电》，巴兰坦出版社

- 《反对明天的案例》，巴兰坦出版社
- 1959 《明天乘七》，巴兰坦出版社
- 1960 《吞掉世界的人》，巴兰坦出版社
- 1961 《在星期四向左转》，巴兰坦出版社
- 1962 《奇观效应》，巴兰坦出版社，与C·M·科恩布卢斯合著，修改后名为《临界质量》
- 1963 《可恶的地球人》，巴兰坦出版社
- 1966 《弗雷德里克·波尔选集》，戈兰茨出版社，一部分作品重印后改名为《生存工具》《数字和惴夫》
- 1970 《一天100万》，巴兰坦出版社
- 1972 《星虹尽头的黄金》，巴兰坦出版社
- 1976 《在问题谷》，矮脚鸡图书出版公司
  《早年的波尔》，道布尔迪出版社
- 1980 《宇宙之前》，矮脚鸡图书出版公司，与C·M·科恩布卢斯合著
- 1982 《三个星球》，巴兰坦出版社

- 1984 《波尔星座》，巴兰坦出版社
- 1987 《我们的最佳作品：弗雷德里克·波尔和C·M·科恩布卢斯精品选》，贝恩出版社
- 1990 《门道旅行：希琪的故事和画像》，巴兰坦出版社

非小说类作品选

- 1978 《未来状况：一篇回忆录》，巴兰坦出版社
- 1991 《发怒的地球》，石山出版社，与艾萨克·阿西莫夫合著

编辑作品选

- 1952 《超越时间终点》，珀曼图书出版公司
- 1953 《星球科幻小说》，巴兰坦出版社，到1959年止共6卷
- 1962 《梦想专家》，道布尔迪出版社
- 1975 《科幻小说光荣榜》，兰登书屋
- 1986 《行星地球的故事》，圣马丁出版社，与伊丽莎白·安妮·赫尔合著

小詹姆斯·蒂普特里

生卒年份：1915~1987

国籍：美国

曾用名：出生名艾丽斯·谢尔登，拉孔娜·谢尔登

主要作品："艾恩医生的最后一次飞行"，"当我醒来时发现自己在冷山上"，"男人们所看不见的女人"，"出于爱，死于爱"，"旋丽蝇溶液"，"姐妹们，瞧你们的脸，你们神采飞扬的脸"

小詹姆斯·蒂普特里的姓是由一种果酱的名称而得来的，她因为写了一大批短篇小说于1968年出现在科幻小说舞台上，被誉为成熟而有活力的作家。很多人认为性别是引起写作风格和内容差异的原因之一。如果从这点上考虑，那么很少有人怀疑蒂普特里不是个男人也就不足为奇的。"他"住在华盛顿特区附近，在五角大楼里工作；"他"的文字充满生气，直截了当，而且幽默风趣，这些特点(说这句话实在让人为难)似乎更应该属于男人，而不是女人。而且"他"扮演男人扮得很成功。揭开"他"神秘面纱的小说是"男人们所看不见的女人"，小说以动人、诙谐的语言描写了两个被世界上吵吵嚷嚷的男人们弄得一生都默默无闻的女人。最后，她们选择了离开这个星球，登上了一艘从外星球来到地球作短暂访问的宇宙飞船。最后一句话很有名："我们中的两只负鼠消失了。"这句话隐含的意思就是：男主人公虽然一点也不理解女人，"他"还是一个正派、友好、大方的男人。"他"事实上就像蒂普特里自己。

艾丽斯·谢尔登的父母经常到处旅行，她的母亲是一位多产作家，还把女儿作为一个人物写入她的好几本作品当中。艾丽斯最初曾做过艺术评论家的这段经历，以及她的第一次婚姻过程都不广为人知；她第二次结婚后，在1945年才开始真正为读者所熟悉。她的第一篇小说(不是科幻小说)于1946年发表在《纽约人》上；1967年她获得心理学博士学位；从52岁那年起，她开始出版科幻小说。她的精力像烈火一样熊熊燃烧着。从1968年至1976年这段时期，她大约出版了20篇非常优秀的小说。创作热情如此强烈地迸发在科幻小说领域或其他任何领域，这种情况是罕见的。就是书名也激荡人心："以我们的方式忠诚于你，特拉"，"当我醒来时发现自己在冷山上"，"艾恩医生的最后一次飞行"(这是一则凶残的寓言，讲述一个人屠杀人类以拯救地球的故事)，"被通电的女孩"，"她的烟圈永远上升"，"出于爱，死于爱"(一句概括了其人生观的令人毛骨悚然的格言)，"姐妹们，瞧你们的脸，你们神采飞扬的脸"和《尼安德特人眼睛的色彩》。这些小说表述外向，轻松欢快，生机勃勃；同时它们又严肃深沉。由于我们对她的生平原本有所了解，这些小说似乎是把她年轻时对生活的欲望和老年时对生命终结的深刻理解结合在了一起。换句话说，几乎她所有的小说的结局都是死亡。它们欢乐的火光在黑夜里闪烁几下后便熄灭了。

在自己的身份被一位崇拜者识破之后，她也写了几部长篇小说。《攀登世界之墙》是一本纷繁复杂、颇具雄心的作品。正因为内容过于繁杂，目标过于艰深，这篇小说差点功亏一篑。文中一个庞然大物由于不知道与地球密切相关的微小生物体，差点毁灭了这个和我们一样生活在星系角落里的有感觉力的物种。《从空气中来的光亮》是一篇非常残酷的小说，而且也差一点失败：在一个遥远的星球上，人们要经历一次死亡的痛苦。这篇小说的讽刺意义是：这种死亡的经历就像琼浆玉液一样能在精神上麻醉别人。

艾丽斯·谢尔登最后的几篇小说因为被狂乱的感情(对于我们这个物种和我们曾有能力的爱和恨的交织)所左右而变成畸形。她是一位大名鼎鼎、受人敬仰的作家，可她总在为人类担忧。她的健康每况愈下，丈夫也患了早老性痴呆症。1987年，她用手枪结束了自己和丈夫的生命。

> "她的故事豪放、欢快、充满活力，同时它们又是极为严肃的。"

作品目录

中长篇小说

1978	《攀登世界之墙》	伯克利出版社
1985	《从空气中来的光亮》	石山出版社
1989	《被通电的女孩》	石山出版社
	《休斯敦，休斯敦，你经常读书吗？》	石山出版社
1990	《尼安德特人眼睛的色彩》	石山出版社

短篇小说集

1973	《远离家乡1万光年》	埃斯出版社
1975	《温暖的星球及其他》	巴兰坦出版社
1978	《一个年老大主教的命运之歌》	巴兰坦出版社
1981	《走出各处，以及其他奇特的想象》	巴兰坦出版社
1985	《美丽的蒂普特》	道布尔迪出版社
1986	《布满星星的裂缝》	石山出版社
	《金塔纳罗奥的故事》	阿克汉姆书屋
1988	《镶着星星的王冠》	石山出版社
1990	《她的烟圈永远上升：小詹姆斯·蒂普特里的辉煌年代》	阿克汉姆书屋

代表作品

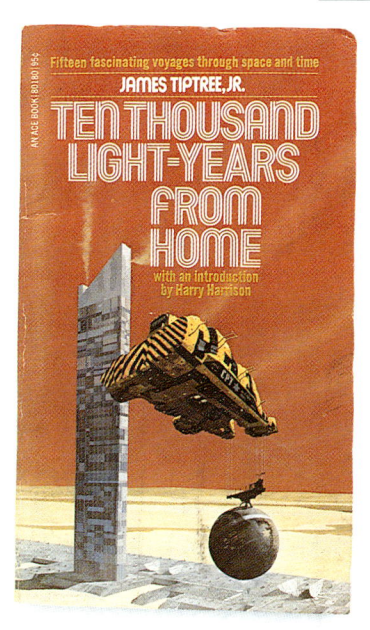

《远离家乡1万光年》

糟糕的设计、粗糙的校对使这部作品受到轻视，并且得到"最差出版物之一"的评价。但是这些故事是一位现代科幻小说作家的第一部最佳作品集。她最早的一些小说差强人意，而像"雪融化了，雪消失了"、"走回家的人"、"永远的哈得逊湾毛毯"这样的小说则都是精彩至极的作品。它们充满浪漫色彩，内容五花八门，引人入胜，而且处处体现了死亡是在终点的思想。最优秀的作品重新出现在《她的烟圈永远上升》中，但第一本合集始终在收藏者的收藏品之列。

一个作家的诞生

蒂普特里的第一篇作品"一个推销员的诞生"，于1968年发表在《惊险》杂志上。

罗伯特·西尔弗伯格

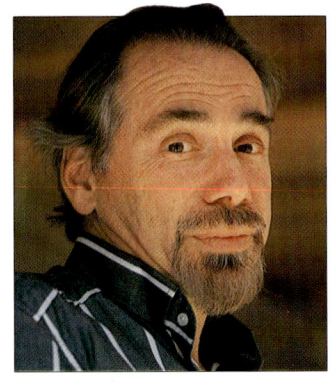

出生年份：1935

国籍：美国

曾用名：T·D·拜特伦，德克·克林顿，伊瓦尔·乔根森，卡尔文·M·诺克斯，丹·马尔科姆，韦伯·马丁，亚历克斯·梅里曼，戴维·奥斯本，乔治·奥斯本，罗伯特·兰德尔，埃里克·罗德曼，霍尔·桑顿，理查德·F·沃森

主要作品：《第十三个不朽者》，《生死之主》，《碰撞过程》，《霍克斯比尔火车站》，《时间的面具》，《下到地球》，《玻璃塔》，《里面的世界》，《变革的时代》，《人之子》，《死在里面》，《骷髅画册》

罗伯特·西尔弗伯格的科幻作品目录占据了本页相当一部分篇幅。这不能不让人钦佩：在将近40年的时间里，他笔耕不辍，创作了上百本小说和合集，而且这一切只是他所有作品中的一小部分。他全部的作品，包括他并不放在眼里的那些用笔名写的体裁各异的作品，可能有几百篇之多，他是一架写作机器。或者说看起来是这样，而事实并非如此。

西尔弗伯格的写作生涯与比利时作家乔治斯·西米农的很相似。年轻时，他们的作品犹如泉涌，而且大多是署笔名。在这一时期，西尔弗伯格的太空剧，如《第十三个不朽者》和《碰撞过程》颇受瞩目，不过也使科幻小说读者感到一点儿厌烦。

后来，两位作家都放慢了写作的速度，有时一年只写两三本书，不过都有大作问世。西米农写了《梅格雷茨》；西尔弗伯格在1967年到1976年共出版了25本小说，而且篇篇都是精品。这些作品都没有续集：每一本都是对小说世界的一个新贡献。《霍克斯比尔火车站》是黎明时分在因禁持不同政见者集中营里的一幕室内歌剧；《时间的面具》根据对未来人类的推测展示了其中的一员；《下到地球》有一个特别受人喜爱的主题：在超越的过程中，有人移居到了一个更好、更高或者说更具极限性的国度。《玻璃塔》研究了极端利己主义；《里面的世界》是一个非理想社会；《变革的时代》(参见226页) 是一出太空生物学戏剧；《人之子》推测了人类在未来的进化；《死在里面》(参见227页) 讲述了一个能力衰退的传心术者；《骷髅画册》描述了一次成为死亡之舞的对不朽的探索；《火炉里的沙德拉赫》是一篇关于权力和责任的道德小说。作品目录似乎没完没了，西尔弗伯格也似乎永不疲倦。

接着，西米农出现了危机；西尔弗伯格也在70年代中期搁笔，因为他对自己的作品遭受冷落而感到不满。后来两位作家又都重新开始写作。但从80年代起，西尔弗伯格的作品尽管思想深刻，技艺精湛，却有杜撰的倾向。不过，他的短篇小说依然深得人心。他或许是不想再多写了，或者他可能还会东山再起。

奖 项

西尔弗伯格的长篇小说错失了得大奖的机会，而他的短篇小说则屡受殊荣。"黑夜的翅膀"在1969年首先为他赢得了雨果奖。

作品目录

中长篇小说

- 1955 《主星上的叛乱》，克罗韦尔出版社
- 1957 《第十三个不朽者》，埃斯出版社
  《生死之主》，埃斯出版社
  《被遮盖的星球》，格言出版社，与兰德尔·加勒特合著，署名罗伯特·兰德尔
- 1958 《从地球来的侵略者》，埃斯出版社
  《以免我们忘记你，地球》，埃斯出版社，署名卡尔文·M·诺克斯
  《隐形障碍》，阿瓦隆出版社，署名戴维·奥斯本
  《地球继养的儿子》，埃斯出版社
  《来自太空的外星人》，阿瓦隆出版社，署名戴维·奥斯本
  《星港》，阿瓦隆出版社，署名伊瓦尔·乔根森
- 1959 《星球人的探案》，格言出版社
  《反对地球的阴谋》，埃斯出版社，署名卡尔文·M·诺克斯
  《破晓的曙光》，格言出版社，与兰德尔·加勒特合著，共同署名罗伯特·兰德尔
  《毁灭星球的人》，阿瓦隆出版社
- 1960 《火星上失踪的种族》，温斯顿出版社
- 1961 《碰撞过程》，阿瓦隆出版社
- 1962 《地球的种子》，埃斯出版社
  《苏醒》，兰瑟出版社
- 1963 《沉默的侵略者》，金字塔出版社
- 1964 《我们的一个小行星失踪了》，埃斯出版社，署名卡尔文·M·诺克斯
  《严寒时候》，霍尔特·莱因哈特出版社
- 1965 《从黑暗中来的胜利者》，霍尔特·莱因哈特出版社
- 1967 《星球之门》，霍尔特·莱因哈特出版社
  《观察的人们》，西格尼特出版社
  《打开天空》，巴兰坦出版社
  《荆棘》，巴兰坦出版社
  《在时间隧道上来回跳动的人》，道布尔迪出版社
  《死亡行星》，霍尔特·莱因哈特出版社
- 1968 《霍克斯比尔火车站》，道布尔迪出版社，后改名为《时间的铁砧》
  《时间的面具》，巴兰坦出版社，后改名为《沃南-19》
- 1969 《在线上》，巴兰坦出版社
  《黑夜的翅膀》，埃文出版社
  《纵横10亿年》，巴兰坦出版社
  《迷宫里的人》，埃文出版社
  《三人幸存》，霍尔特·莱因哈特出版社
  《再活一回》，道布尔迪出版社
- 1970 《1992年的世界博览会》，福利特出版社
  《下到地球》，纳尔逊·道布尔迪出版社
  《玻璃塔》，斯克里布纳斯出版社
  《里面的世界》，道布尔迪出版社
  《变革的时代》，纳尔逊·道布尔迪出版社
- 1971 《人之子》，巴兰坦出版社
  《骷髅画册》，斯克里布纳斯出版社
  《死在里面》，斯克里布纳斯出版社
- 1972 《第二次旅行》，纳尔逊·道布尔迪出版社
- 1975 《随机的人》，哈珀出版社
- 1976 《熔炉里的谢德拉克》，鲍伯斯·梅里尔出版社
- 1980 《瓦伦丁勋爵的城堡》，哈珀出版社
- 1981 《偷来的梦中的沙漠》，安德伍德-米勒出版社
- 1982 《梅吉普尔编年史》，阿伯书屋
- 1983 《瓦伦丁主教》，阿伯书屋
- 1983 《黑暗之王》，阿伯书屋
- 1984 《家庭生活》，幻想出版社
  《国王吉尔伽美什》，阿伯书屋
- 1985 《汤姆·奥贝德拉姆》，法恩出版社
  《航行到拜占庭》，安德伍德-米勒出版社
- 1986 《吉普赛人的星球》，法恩出版社
- 1987 《钟摆方案》，沃克出版社
- 1988 《冬天快要结束的时候》，华纳出版社
  《分享秘密的人》，安德伍德-米勒出版社
- 1989 《突变的季节》，道布尔迪出版社，与卡伦·哈伯合作
  《春日女王》，戈兰茨出版社，后改名为《崭新的春天》
  《到达生命之地》，戈兰茨出版社
- 1990 《黄昏》，戈兰茨出版社，与艾萨克·阿西莫夫合著
  《亚特兰蒂斯来信》，雅典娜神庙出版社
- 1990 《在另一个国度》，石山出版社
  《廷巴克图的狮子》，阿克索弗特尔出版社
- 1991 《水面》，格拉夫顿出版社
  《100扇门的底比斯》，阿克索劳出版社
  《时间的孩子》，戈兰茨出版社，与艾萨克·阿西莫夫合著
- 1992 《城墙的王国》，哈珀·柯林斯出版社
  《夏天的歌》，戈兰茨出版社
- 1980 《有1000种颜色的世界》，阿伯书屋
- 1984 《混合鸡尾酒会》，阿伯书屋
- 1986 《安全地区之外》，法恩出版社，与艾萨克·阿西莫夫合著
- 1992 《晨曦中的普路托》，短篇小说集书出版公司

短篇小说集

- 1962 《下一站是恒星》，埃斯出版社
- 1964 《戈德林，回家吧！》，贝尔蒙特出版社
- 1965 《到达远方的星球》，奇尔顿出版社
- 1966 《时间堆里的一根针》，巴兰坦出版社
- 1969 《符合标准的鳄鱼》，霍尔特·莱因哈特出版社
  《十三维》，巴兰坦出版社
- 1970 《秒差距和寓言》，道布尔迪出版社
  《不确定的立方根》，麦克米伦出版社
- 1971 《月亮藓和星尘之歌》，巴兰坦出版社
- 1972 《现实旅行和其他难以置信的事情》，巴兰坦出版社
- 1973 《时间以外的山谷》，德尔尔出版社
  《不熟悉的领土》，斯克里布纳斯出版社
  《地球的另一片阴影》，西格尼特出版社
- 1974 《同死者一起出生》，兰登书屋
  《太阳舞》，纳尔逊出版社
- 1975 《水星上的日出》，纳尔逊出版社
  《圣狄奥尼西的筵席》，斯克里布纳斯出版社
- 1976 《明天的海岸》，纳尔逊出版社
  《魔羯座游戏》，兰登书屋
  《罗伯特·西尔弗伯格精品集》，袖珍图书出版公司
- 1979 《夏天的歌》，戈兰茨出版社

非小说类作品选

- 1961 《进入太空的第一个美国人》，莫纳克出版社
- 1962 《失去的城市和消失的文明》，奇尔顿出版社
- 1967 《人类的早晨》，书画协会
- 1969 《太空世界》，梅雷迪思出版社
- 1971 《进入太空》，哈珀出版社，与阿瑟·C·克拉克合著
- 1972 《祭司王约翰的王国》，道布尔迪出版社
- 1974 《科幻小说中的毒品主题》，国家滥用药物研究所

编辑作品选

- 1966 《地球人和陌生人》，迪尤尔出版社
- 1967 《在时间中航行的人们》，梅雷迪思出版社
- 1969 《黑暗的星球》，巴兰坦出版社
- 1970 《无穷之镜》，哈珀出版社
  《阿尔法1》，巴兰坦出版社，至1978年共出版9卷
- 1971 《新空间》，道布尔迪出版社，至1981年共出版12卷
- 1975 《新亚特兰蒂斯》，霍索恩出版社
- 1976 《水晶船》，纳尔逊出版社
- 1980 《阿伯书屋现代科幻小说文库》，阿伯书屋，与马丁·H·格林伯格合著，后改名为《20世纪的科幻小说大作》
- 1990 《宇宙I》，道布尔迪出版社，一套连续出版的系列丛书
- 1992 《紫式部》，矮脚鸡图书出版公司

第一卷》，格拉夫顿出版社，扩写后改名为《罗伯特·西尔弗伯格的短篇小说集第一卷：分享秘密的人》

吉恩·沃尔夫

出生年份：1931
国籍：美国
主要作品：《三头狗的第五个脑袋》，《新太阳》系列，《自由自在地生活》，《遥远的太阳》系列

除沃尔夫之外还有很多重要的科幻小说作家。海因莱恩、阿西莫夫、迪克和勒吉恩都写了大量的科幻作品，并对这种文学体裁产生了开创性和巨大推动力的影响；沃尔夫写的纯科幻小说并不多，他对青年作家的影响也只是从90年代起才开始被人感受到。他并不是一个非常有影响力的作家，但他可能是科幻小说界所造就的最优秀的作家。

有人会认为，沃尔夫是到最后才成名的。对于年轻的读者来说，科幻小说作为一种体裁是在60年代初期达到顶峰的，这时他刚刚开始写作。从那以后，随着读者群的老化，这一体裁开始衰退，但是也留下了许多宝贵的思想和范例。"未来历史故事"的童年世界可能已经融入过去的历史之中，但黄金时期尚未到来。沃尔夫的经历，展示了作家如何才能把科幻小说作为一种成熟的文学形式加以运用。

《三头狗的第五个脑袋》是必须被当作一部长篇小说的三部分来读的3部短篇小说，是沃尔夫最主要的科幻作品。小说对殖民世界的描绘刚劲有力，富于美感；它对有可能进行无性生殖的地方所出现的同一性问题的研究非常感人；它的叙述技巧比以往这种体裁中的任何作品都更透彻、更平地检验了读者对文章的注意程度，和平是一种极为残忍(尽管并非直接)的幻想。

1980年，沃尔夫的代表作4卷本开始出版。《虐待者的影子》、《安抚者的爪子》、《侍从官的宝剑》和《统治者的城堡》，事实上是一部连续的长篇小说《新太阳之书》(参见231页)。它的背景设在遥远的未来，到那时地球被叫做新地球。小说从头到尾带有效法杰克·万斯《垂死的地球》的痕迹。它讲述的是在南部大城市内萨斯一个被统治者宫廷里的虐待者行会抚养的孤儿塞弗里亚恩的故事。塞弗里亚恩是一个前面被称做安抚者的人的化身。他成为虐待者，背叛了他所深爱的女人，被迫流亡，历尽险阻，参军打仗，最后返回内萨斯，成为新的统治者。这听起来简单得很，和其他有关英雄成为国王的故事大同小异。但是塞弗里亚恩(虽然他的记忆准确无误，他却不总是讲真话)不仅仅是从一开始就注定要成为统治者。他既是救世主，又是阿波罗。他能使死人复活；和幻想故事中的人物一样，他有6种特异功能，却一种都不需要；尽管是个虐待者，他却能创造救免的奇迹；他斡旋于新地球和一个从更高层次来的外星人之间，这些外星人有的拯救人类，有的剥削人类，有的两者兼而有之。在《新太阳下的新地球》中，塞弗里亚恩终于把一轮新太阳带回家。那是一个白色的窟窿，它将给垂死的旧太阳带来新的生命，却也会溺死大多数人类。从小说的第一卷到第五卷，奇迹就像杂草一样生长在新地球的神圣土地上。

《新太阳》系列小说思想深邃，引经据典，扣人心弦，难以捉摸，不容忽视，是一部名副其实的上乘之作。而且因为它概括了许多已经成为过去的事件，例如从弥塞亚到机器人技术，从太空剧到荒诞剧，所以它对科幻小说没有多少新的贡献。从某种意义上讲它是这样。或许这已足够，它不是一部容易把握的作品。

> "沃尔夫不是一个非常有影响力的作家，但他可能是科幻小说界所造就的最优秀的作家。"

代表作品

《叶子和花的帝国》

在《新太阳之书》中，塞弗里亚恩一直随身带着的书叫做《新地球和天空的奇观》。这是一本寓言集，读者可以大略地浏览一下其中的一些故事。没有收集在《新太阳之书》中的《叶子和花的帝国》就是其中的一个故事。它讲述了一个女孩跟随一个叫做锡姆的哲人周游世界、回到家后重新成为她自己的历程。这也是塞弗里亚恩的故事。

沃尔夫多年以来一直拒绝尝试创作与《新太阳》相似的作品。《自由自在地生活》以一个难以居住的美国城市为背景，它的人物和情节重现了L·弗兰克·鲍姆的《绿野仙踪》。沃尔夫一直在模仿别人，但他的模仿作品总是因为技艺精湛而相当成功。《雾中的士兵》、《阿瑞特的士兵》、《这里有门》和《城堡视图》都是幻想小说。

收集在《死亡医生岛等故事》中的一些短篇小说则成了精品。《书籍人》收集了很多假想的人物，这些人或者拥有很多书籍，或者出现在各式各样的书籍当中。

沃尔夫已经开始创作另一部规模庞大的系列小说。《遥远的太阳的阴暗面》、《遥远的太阳中的湖泊》、《遥远的太阳中的考尔德》讲述了佩特·西尔克的故事。当得到从一个天神那里下载的浩如烟海的记忆时，他惊呆了。沃尔夫整理出来的故事和他的其他作品一样，几乎肯定会是一个新的启示。

> "沃尔夫一直在模仿别人，但他的模仿作品总是因为技艺精湛而相当成功。"

作品目录

中长篇小说

1970	《ARES计划》，伯克利出版社	
1972	《三头狗的第五个脑袋》，斯克里布纳斯出版社	
1975	《和平》，哈珀出版社	
1976	《森林里的魔鬼》，福利特出版社	
1980	《新太阳之书：虐待者的影子》，时景出版社	
1981	《新太阳之书：安抚者的爪子》，时景出版社	
1982	《新太阳之书：侍从官的宝剑》，时景出版社	
1983	《新太阳之书：统治者的城堡》，时景出版社	
1984	《自由自在地生活》，马克·V·齐辛出版社	
1986	《雾中的士兵》，石山出版社	
1987	《新太阳中的新地球》，戈兰茨出版社；《叶子和花的帝国》，奇普·斯特里特出版社	
1988	《这里有门》，石山出版社	
1989	《阿瑞特的士兵》，石山出版社；《7个美国之夜》	
1990	《城堡视图》，石山出版社；《霍利·霍兰德的潘多拉》，石山出版社	
1990	《岛屿博士之死》，石山出版社	
1993	《遥远的太阳的阴暗面》，石山出版社	
1994	《遥远的太阳中的湖泊》，石山出版社；《遥远的太阳中的考尔德》，石山出版社	

短篇小说集

1980	《死亡医生的岛屿和其他故事》，袖珍图书出版公司	
1981	《吉恩·沃尔夫的历史书》，道布尔迪出版社	
1983	《沃尔夫群岛》，马克·V·齐辛出版社	
1984	《书人：20个人物等待一本书》，奇普街出版社；《星球工程》，内斯法出版社	
1988	《旧旅店的楼层》，克罗西纳纳出版社	
1989	《濒临灭绝的物种》，石山出版社	
1992	《年轻的沃尔夫》，新神话出版社；《历史的城堡》，石山出版社	

非小说类作品

1982	《水獭的城堡》，马克·V·齐辛出版社	
1991	《家信》，联合神话出版社	

菲利普·科沃

出生年份：1929
国籍：法国
曾用名：本名菲利普·特朗切
主要作品：《太空退潮》、《倒退的人》、《美妙的旧世界》

对于母语不是英语、或者对那些对美国文体不是特别偏爱的科幻小说作家来说，常常无意涉足科幻小说。以前这种情况经常发生在女作家身上，而它仍然困扰着大部分用其他语种写作的作家。为了平等地被人接受，他们必须做出比那些似乎生来就高人一等，生来就拥有鲜花和掌声的人更大的成绩。例如，菲利普·科沃就是一个成功的作家，同时也是一个记者、长篇小说家、短篇小说家和编辑。在法国，他曾获得阿波罗奖和儒勒·凡尔纳奖。

然而在30多年成绩卓著的写作生涯中，科沃只有一篇小说，即获奖作品《美妙的旧世界》，被翻译成英语并出版。《美妙的旧世界》译本虽然还算可以，却没有真正地表现出他流畅的、诗歌一般的写作风格。

科沃的作品深深植根于欧洲文明和文化模式的基础上，他对占统治地位的美国科幻小说所崇拜的神圣偶像的处理方式显示出内心的一种矛盾心理。这一占统治地位的文化一直在未来的盛宴上款待乞丐，而只有代表这一文化的作家才会产生这种矛盾心理。

作品目录

中长篇小说

1960	《金星上的鲜花》，阿歇特，雷翁幻想出版社
1962	《太空退潮》，阿歇特，雷翁幻想出版社
1967	《棉花堡全》，加利马宗出版社
1973	《当心！》，埃里克·洛斯费尔出版社
1974	《倒退的人》，罗贝尔·拉封，埃利尔斯出版社
1975	《法伦的沙滩》，让·克劳德·雷特，蒂雷科幻出版社
	《回忆皮尔·洛蒂》，罗贝尔·拉封，埃利尔斯和德蒙出版社
1976	《美妙的旧世界》，罗贝尔·拉封出版社
1977	《虚无的暗示》，袖珍本图书出版社
1978	《欲望的阴暗面》，卡尔曼-莱维，多维科幻出版社
1979	《有人在家吗？》，卡尔曼-莱维，多维科幻出版社
	《睡觉的人会醒吗？》，德诺尔，面向未来出版社
	《星际的交配季节》，袖珍本图书出版社
1981	《野兽的气味》，德诺尔，面向未来出版社
	《皆大欢喜》，让·克劳德·雷特，蒂雷科幻出版社
1982	《回忆未来》，罗贝尔·拉封，埃利尔斯和德蒙出版社
	《啊！纽约真美》，德诺尔，面向未来出版社
1986	《三节课上的隐身人》，德诺尔，面向未来出版社
1988	《阿基洛伊》，弗拉马里翁出版社

短篇小说集

1980	《孩子，看看这瓶酒后面是否有一个外星人》，德诺尔，面向未来出版社
	《科幻小说极品：菲利普·科沃》，袖珍本图书出版社，名人录出版社
1984	《起立，亡人们，幽灵火车马上就要进站了》，德诺尔，面向未来出版社
1990	《我们真的是在某处生活吗？》，德诺尔，面向未来出版社

编辑作品

1979	《未来就在此时》，德诺尔，面向未来出版社
1986	《超未来》，德诺尔，面向未来出版社

约翰·斯莱德克

出生年份：1937
国籍：美国
曾用名：卡桑德拉·尼耶，汤姆·德米约翰，詹姆斯·沃，理查德·A·蒂尔姆斯
主要作品："马斯特森和职员们"、《生殖系统》、《罗德里克》（上下卷）、《蒂克-托克》、《疯狂》

不只是欧洲人喜欢美国科幻小说在其全盛时期所描绘出来的未来的流亡生活。在美国中西部出生和长大的约翰·斯莱德克却是在国外，主要是在英国，写下了他现在受人推崇的所有作品。然而，他的成名是在美国，不管他的小说如何从超现实主义的角度受到怎样的扭曲，它们几乎都是以美国为背景的，这也反映出他前几十年的生活经历对他的影响是何等的深刻。

每次提到斯莱德克，总要把他与库尔特·冯内古特进行一番比较。这里需要强调的是，只有那些字里行间保留着美国风格的作家才能感受到与美国风格的背离。还有一点需要强调的是，斯莱德克的作品特别有趣。他也许是科幻小说领域里最有趣的作家。当然，他也是最擅长模仿的作家。

斯莱德克的幽默感从一开始就表现出来。创作于1967年的"马斯特森和职员们"，可以说是他最早的作品。这篇小说痛斥了消费主义和办公室文化的终极效应。即使在英国，它也是在很久以后才得以出版。书名很含糊，叫《外星人的故事》。这本书现在已经绝版。

斯莱德克的其他作品大多已绝版，比较著名的小说包括《生殖系统》、《缪勒-福克效应》、《罗德里克》（上下卷）、《蒂克-托克》和《疯狂》。至于冯内古特的一些作品，它们都描写了一个人无奈地热爱着自己的祖国，而且为了我们的快乐和幸福被迫记录着它的缺陷——它的灾难性的疯狂冲击陷入了下个世纪的恐怖深渊。重复出现的人物，如机器人、精神错乱的领导者和疯狂的人工智能，则讲述着重复的笑话，教授着重复的道理。这些小说告诉我们，生活在这样的时代是多么快乐，我们都会笑着走向死亡。

作品目录

中长篇小说

1966	《恐惧建造的房子》，佩帕巴克图书馆出版社，与托马斯·M·迪施合著，共同署名卡桑德拉·奈
1967	《城堡和钥匙》，佩帕巴克图书馆出版社，署名卡桑德拉·奈
1968	《生殖系统》，戈兰茨出版社，后改名为《机制》
	《阴郁的艾丽斯》，道布尔迪出版社，与托马斯·M·迪施合著，共同署名汤姆·德米约翰
1970	《缪勒-福克效应》，哈钦森出版社
1974	《阴郁的奥若》，海角出版社
1977	《看不见的绿色：撒克里·菲恩的一则神秘故事》，戈兰茨出版社
1980	《罗德里克》或《一台年轻机器的教育》，格拉纳达出版社
1983	《无拘无束的罗德里克》或《一台年轻机器的进一步教育》，格拉纳达出版社
	《蒂克-托克》，戈兰茨出版社
1989	《疯狂》，麦克米伦出版社
1990	《血和姜饼》，奇普街出版社

短篇小说集

1973	《蒸汽驱动的男孩和其他陌生人》，潘特出版社
1978	《让鹿豹座一直燃烧》，潘特出版社
1981	《约翰·斯莱德克精品集》，袖珍图书出版公司
1982	《外星球的故事》，潘特出版社
1984	《地球上的疯人》，戈兰茨出版社
	《线索集》，科吉出版社

非小说类作品

1973	《新伪经：奇怪的科学和神秘的信仰指南》，哈特-戴维斯·麦吉本出版社
1977	《上升的阿拉略涅：黄道带的第十三个标志》，哈特-戴维斯·麦吉本出版社，署名詹姆斯·沃，后改名为《第十三个黄道带，阿拉略涅的标志》
1978	《宇宙因素》，哈特·戴维斯·麦吉本出版社，署名詹姆斯·沃
1980	《朱庇特的判断》，新英国图书馆出版社，署名理查德·A·蒂尔姆斯

C·J·彻里

出生年份：1942
国籍：美国
曾用名：出生名洛琳·贾尼斯·彻里
主要作品：《联盟－联邦》系列小说

要介绍C·J·彻里，从哪里着手都不容易。她所有的科幻小说几乎都互有关联，但彼此之间又不是简单的线形联系，而且它们所依靠的是广阔的未来历史。直至今天，其内容还是如此宽泛、复杂，不易被人把握。她的一些小说读起来似乎是独立的，直到（就像地板突然从你脚底下消失了一样）你越来越清楚地看到一种看似独立的事件与其他事件交相呼应。如果你不了解它们的背景，那么你就根本无法理解她的其他小说。

这一背景就是彻里的主要作品《联盟－联邦》超级系列小说，其中包括一些风格各异的小型系列小说，例如《商人》系列小说、《查纽尔》系列小说和《消失的太阳》三部曲。这部超级系列小说讲述的是发生在未来2000年里地球外方圆50光年空间内的故事。迄今为止，它已为几十部小说提供了一个实用的框架。地球变得无比强大，并被超级公司所控制，但其在太空的势力受到联邦和联盟的牵制，前者是一个独裁的、用不正当手段操纵的扩张主义组织，是由大量观点相同的行星组成的；后者则是一个较为松散的商人协会。

在彻里所创造的星系中，外星人比比皆是，它们大多受到"欣嫩子主义"的保护；这条原则在近期的很多其他科幻小说中也频频出现，它禁止在像人类一样强大、星球间跳来跳去的种族与它们遇到的当地文化之间产生任何强制的接触。彻里的许多小说与主要的联盟－联邦世界很少、甚至毫无关系，这就是因为它们受到"欣嫩子主义"的保护，从而能够免受"污染"。

关于彻里，最值得一提的也许并不是她在短短20年中创作了一大批小说，而是她的许多代表作品思想丰富，人物多样，故事充盈。她不仅创作了大量的小说，而且她的小说大多情节逼真，充满生气。同时，她似乎急于继续她的创作。她大步流星般地走向远方。

尽管彻里的许多小说都处在那部主要的系列小说的外围，她早期的佳作，如获得雨果奖的《车站下面》（参见231页）、《商人的运气》以及《欣嫩子谷里的4万》，却位于那部史诗般小说的中心。其中第一篇作品主要讲述了地球最终失去控制，并受制于"联盟商人"的漫长历程，这些联盟商人控制着星系中成千上万个活跃的文明社会间的贸易。

《欣嫩子谷里的4万》是一个极其复杂而繁琐的故事，描述了由联邦世界创造、然后又放弃的一个行星上的文明社会。在那里，非自然人（或者叫做机器人）和自认为比机器人高级的"自然人"之间发生了深刻的冲突。最后，双方都被这个行星上叫做"半兽人"的土著居民轻而易举地击败了。整篇故事就像是一幅巨大的镶嵌画，其中的丝丝缕缕都能唤起读者对她撰写的其他故事以及其他画面的回忆和憧憬。

《联盟－联邦》系列小说的颠峰之作恐怕要算是《塞廷》（参见233页）了。故事发生在联邦的中央行星上，其文化特点是专注于制造和培养机器人，这些机器人与人类艰难地共处。彻里通过集中描写一个强权女人，被她虐待的年轻情人，依附于这个男人的机器人以及处境悲惨的该女人的克隆人之间错综复杂的关系，控制了这本书的广阔范围。该书重印时分为3卷。小说悬念迭起，不断地吸引着读者读下去。同时，它也像烟花一样照亮了整个世界。

从哪里开始都不容易，从哪里开始都可以。读彻里的小说的惟一方法就是一头扎进去。

代表作品

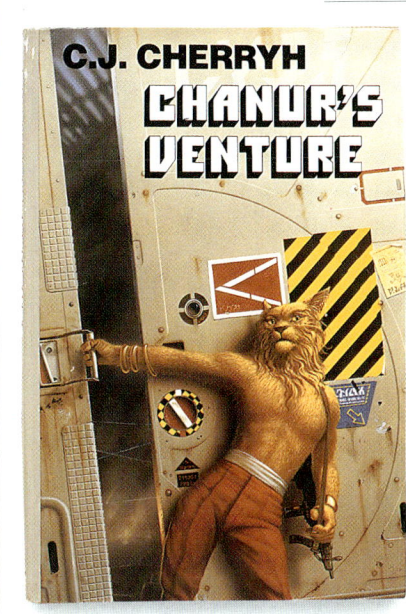

C·J·彻里的5卷本长篇小说《查纽尔》是《联盟－联邦》系列小说的一部分。主人公是在一个极其复杂、受到威胁的星际聚集地发挥作用的外星人。和她的其他许多作品一样，小说中的情节大多发生在以太空为基地的环境中，诸如宇宙飞船和空间站等。这部系列小说的特点是情节发展迅速，对外星人文化的描写逼真、可信。这些神气活现的哈尼人（长相似猫的外星人）不仅真实可信，而且最后看来，那个形单影只的地球人反倒显得有些像异类了。

《查纽尔历险记》

作品目录

中长篇小说

1976	《伊夫雷尔门》，道尔图书出版公司
	《地球的兄弟》，道尔图书出版公司
	《星球猎手》，纳尔逊·道布尔迪出版社
1978	《希乌安井》，道尔图书出版公司
	《消失的太阳：凯斯里思》，纳尔逊·道布尔迪出版社
	《消失的太阳：肖恩吉尔》，纳尔逊·道布尔迪出版社
1979	《阿寒罗思的火》，道尔图书出版公司
	《赫斯提》，道尔图书出版公司
1980	《巨蛇的活动范围》，道尔图书出版公司
	《消失的太阳：库塔思》，纳尔逊·道布尔迪出版社
1981	《无岸之波》，道尔图书出版公司
	《车站下面》，道尔图书出版公司
	《伊夫德伍德》，唐纳德·M·格兰特出版社，扩写后改名为《梦石》
1982	《查纽尔的骄傲》，道尔图书出版公司
	《商人的运气》，道尔图书出版公司
	《永恒港》，道尔图书出版公司
1983	《长者宝剑和宝石的树》，道尔图书出版公司
	《欣嫩子谷里的4万》，幻想出版社
1984	《夜晚航行的人》，道尔图书出版公司
1985	《查纽尔历险记》，幻想出版社
1985	《布谷鸟蛋》，幻想出版社
	《基夫反击了》，道尔图书出版公司
	《带剑的天使》，道尔图书出版公司
1986	《地狱之门》，贝恩出版社，与珍妮特·莫里斯合著
	《查纽尔回家了》，幻想出版社
1987	《地狱里的国王们》，贝恩出版社，与珍妮特·莫里斯合著
	《地狱军团》，贝恩出版社
1988	《武士》，贝恩出版社
	《流亡者之门》，巴兰坦出版社
	《塞廷》，华纳出版社，后分为《背叛》、《再生》和《辩护》3卷再版
1989	《在边缘跑步的人们》，华纳出版社
	《鲁莎乐卡》，巴兰坦出版社
	《为萨比斯唱的挽歌》，贝恩出版社，与莱斯利·菲什合著
	《小巫师》，贝恩出版社，与南希·阿西尔合著
	《恶有恶报》，贝恩出版社，与默瑟迪斯·拉基合著
1990	《切尔尼沃格》，巴兰坦出版社
1991	《伊夫杰尼》，巴兰坦出版社
	《繁忙时刻》，华纳出版社
1992	《妖镜》，巴兰坦出版社
1992	《查纽尔的遗产》，道尔图书出版公司
1992	《地狱之炉》，新英国图书馆出版社
1993	《阴影下的仙女》，传奇出版社
1994	《外国人：第一次接触的小说》，道尔图书出版公司
	《3点》，华纳出版社

短篇小说集

1981	《日落》，道尔图书出版公司
1986	《可见的光》，幻想出版社
1987	《玻璃与琥珀》，内斯法出版社

编辑作品

1987	《梅罗文根之夜：节日的月亮》，道尔图书出版公司
	《梅罗文根之夜：狂热的季节》，道尔图书出版公司
1988	《梅罗文根之夜：浑水》，道尔图书出版公司
	《梅罗文根之夜：走私者的黄金》，道尔图书出版公司
1989	《梅罗文根之夜：神圣的权力》，道尔图书出版公司
1990	《梅罗文根之夜：涨潮》，道尔图书出版公司
1991	《梅罗文根之夜：残局》，道尔图书出版公司

冯达·N·麦金太尔

出生年份：1948
国籍：美国
主要作品：《梦蛇》、《星际旅行者》系列

美国科幻小说创作的后期，作家工作室开始蓬勃发展。在20世纪30年代，刚刚崭露头角的作家多少都从低级的黄色杂志中学习写作技巧；到了70年代，这些低级刊物消失了，而且科幻小说也有了可以学习的历史和可以借鉴的(或是应该丢弃的)技巧。年轻的作家们需要有地方来检验自己的写作技巧。克拉里昂工作室最优秀的毕业生之一冯达·N·麦金太尔以其出色的表现通过了检验。

麦金太尔第一篇重要的小说《雾，草，沙》是在她离开克拉里昂工作室两年以后问世的，而且还获得了最佳中篇小说的星云奖。这篇小说后来扩写成《梦蛇》，讲述了大屠杀后沙漠中的一位女医师的经历。她与一条蛇有一种复杂的移情联系，这种联系在她疗伤的过程中会与她发生相互作用。无知的村民杀死了她的蛇，她的技艺因此受到很大的打击。但是，她从打击中重新振作起来，小说的后半部分讲述的就是她寻找一条新蛇的过程。她的第一部长篇小说《等待的流亡者》也利用了同样荒凉的环境，尽管这个背景是一座隐匿在荒原中的城市。

《梦蛇》为麦金太尔又一次赢得了星云奖及雨果奖，但是这时她决定改变只写各自独立的小说的习惯。短短几年间，她就写了5本《星际旅行》小说，其中两本与一部电视连续剧有关，另外3本则是根据电影改编而成的。在这5本小说中，她也遵循着一条同时代的作家值得借鉴的路线。因为他们中的许多人都满怀热情地投身于稀奇古怪而又欲罢不能的柯克和斯波克(两人都是军人，而且在整个星系中代表地球)的美国现代传奇故事中。这部系列小说可能会因为它的幼稚和老套的模式而受到嘲讽，但它对现代意识的研究比其他任何科幻作品都要深刻。麦金太尔的作品对这一研究作出了贡献。

最近，麦金太尔又重新开始了独立的创作。《星际旅行者》系列小说(到目前为止包括《星际旅行者》、《过渡》和《中期》)把它的主人公，一位黑人物理学家，从沉闷压抑的地球带到了星际太空。在第一卷中，在某些激动人心的时刻，她似乎还无法摆脱一个失常的美国政府设下的陷阱。一旦进入太空，这个故事就会因为思想的带动而变得活跃起来。麦金太尔又开始了她的旅行。

> "随着《星际旅行者》系列小说的创作，麦金太尔又开始了她的旅行。"

作品目录

中长篇小说
- 1975 《等待的流亡者》，道布尔迪出版社
- 1978 《梦蛇》，霍顿·米夫林出版社
- 1981 《匀寂状态的效应》，袖珍图书出版公司
- 1982 《可汗的怒火》，袖珍图书出版公司
- 1983 《超级光》，霍顿·米夫林出版社
- 1984 《星际旅行Ⅲ：寻找斯波克》，袖珍图书出版公司
- 1985 《新娘》，德尔出版社
- 1986 《冒险计划：初次涉险》，袖珍图书出版公司
- 《星际旅行Ⅳ：归来的航行》，袖珍图书出版公司
- 1986 《柏柏里》，霍顿·米夫林出版社
- 1989 《星际旅行者》，矮脚鸡图书出版公司
- 《螺旋盖》，石山出版社
- 1991 《过渡》，矮脚鸡图书出版公司
- 1992 《中期》，矮脚鸡图书出版公司

短篇小说集
- 1979 《火洪》，霍顿·米夫林出版社

编辑作品
- 1976 《曙光：超出平等》，福西特金牌出版社，与苏珊·贾尼丝·安德森合编

乔·霍尔德曼

出生年份：1943
国籍：美国
主要作品：《永远的战争》、《星球》系列、《海明威骗局》

对美国在越战中所遭遇到的灾难，文学界的普遍看法是：这种经历太痛苦了，也太混乱了，因而无法产生出好的小说。如果我们只阅读非科幻体裁的文学作品，这种看法似乎还颇有道理。只要我们撇开乔·霍尔德曼——他曾在越南打过仗，且早在1972年就根据自己的亲身经历撰写了一篇题为"英雄"的讽刺小说——我们就可以继续贬斥美国人对那个创伤的反应。

然而科幻小说界并没有撇开霍尔德曼。他的第一部长篇小说《战争年代》不是科幻小说，也没有引起科幻小说界的多少评论；但是《永远的战争》毫无疑问是一部科幻小说，而且尽管这本书的叙述在时间上跨越了1000多年，科幻小说界却并没有人上当：《永远的战争》是关于越战的小说。在地球和一个不可知的敌人之间的战争中，士兵们随着时间的扩张，穿越太空来到战场。宇宙飞船上的几个月相当于外界几十年甚至更长的时间。1000年之后，他们已被完全异化，而且丧失了公民权；他们被卷入了一场不知因何原因开始的，也难以预料会怎样结束的超现实战争。《永远的战争》是对越战经历的最好隐喻。在科幻小说界之外，它一直默默无闻，这正是文学界权威人士思想狭隘的集中体现。霍尔德曼笔下的主人公都伤痕累累。

作品目录

中长篇小说
- 1974 《永远的战争》，圣马丁出版社
- 1975 《阿塔尔的报复》，袖珍图书出版公司，署名罗伯特·格雷厄姆
- 《神经战》，袖珍图书出版公司，署名罗伯特·格雷厄姆
- 1976 《心桥》，圣马丁出版社
- 1977 《判断的星ංු》，矮脚鸡图书出版公司
- 1979 《无尽的世界》，矮脚鸡图书出版公司
- 1981 《星球》，瓦伊金出版社
- 1983 《没有黑暗》，埃斯出版社，与杰克·C·霍尔德曼合著
- 《分离的星球》，瓦伊金出版社
- 1987 《交易工具》，莫罗出版社
- 1989 《拖延时间》，莫罗出版社，后改名为《长久以来的生活习惯》
- 1990 《海明威骗局》，莫罗出版社
- 1992 《足够的星球和时间》，莫罗出版社

短篇小说集
- 1977 《我记忆中的全部罪孽》，圣马丁出版社
- 1978 《无尽的梦想》，圣马丁出版社
- 1985 《未来的交易》，瓦伊金出版社
- 1993 《越南和其他外星世界》，内斯法出版社

编辑作品选
- 1974 《宇宙的笑声》，霍尔特·莱因哈特出版社
- 1977 《不再研究战争：方案的选择》，圣马丁出版社

霍尔德曼在《海明威骗局》中写到了有权势者的焦虑：主人公变成了海明威，最终打败了这个老人。这使读者想起了海明威，而且让他们非常高兴。《足够的星球和时间》是《星球》三部曲的高潮；去了解他目前正在做些什么一定会很有趣。他已经打败了战争和上帝。下一个该轮到谁呢？

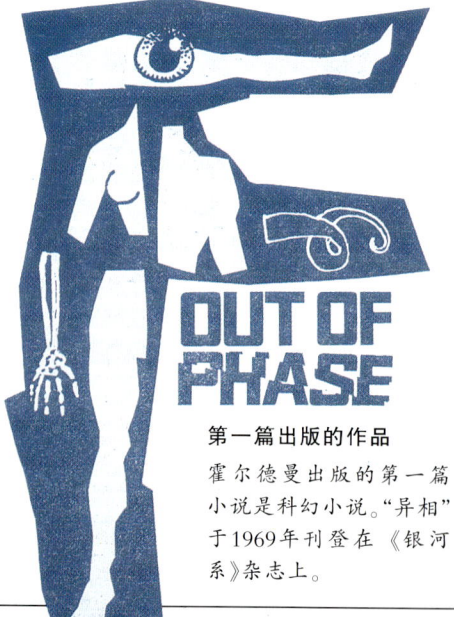

第一篇出版的作品

霍尔德曼出版的第一篇小说是科幻小说。"异相"于1969年刊登在《银河系》杂志上。

奥克塔维亚·巴特勒

出生年份：1947

国籍：美国

主要作品：《制模能手》系列，《亲属》，《异种生殖》系列

没有人会对科幻小说作家中只有少数几个黑人这一事实感到惊讶。这种体裁本来就不是让一无所有者来写的，也不是为他们而写的，所有了解1960年以前科幻小说所描绘的世界的人对此肯定是确信无疑的。美国科幻小说这一数十年来占支配地位的文学体裁，讲述的是现在或即将拥有世界的人的故事。这已不是什么秘密。

请试想这样一幅画面：主人公，一位聪明的年轻发明家登上了一个星球，他的学识和智慧让挤成一团的黑皮肤的当地居民眼花缭乱，然后他占领了这个星球，并且有权加入"星系邦联"。毫无疑问，这种想象并不面向黑人读者。这并不是黑人读者太多的缘故，因为很显然几十年来科幻小说一直缺乏黑人读者。如果有关科幻小说会议的出席人数是一个标志的话，比较而言，他们的人数仍然会很少。同样，这种想象也不是面向第三世界的读者，尽管第三世界一直不缺乏科幻小说读者。是的，科幻小说不是为失败者而写的；它是为地球的继承者们而写的。

但是，(当然)我们既是失败者，也是地球的继承者。到20世纪60年代，人们已经发现，如果科幻小说想要面向全人类，就再也不能只向一个小的利益集团——即富裕的白人作宣传了。在这种情况下，像塞缪尔·R·德拉尼和奥克塔维亚·巴特勒这样的作家，能够在不必经常提到他们都是黑人这一事实的同时，写出与以往科幻小说的传统习惯大相径庭的作品。这也许正是这种体裁内在力量的一种表现吧。他们的这种写法对小说本身，对我们读者都大有裨益。

巴特勒的第一部系列小说《制模能手》，是从她的第一部同名长篇小说《制模能手》开始的。在科幻小说幻想手法的依托下——两个神人就如何将人类塑造成一种适宜的模式激烈斗争了几个世纪——性别和种族问题敏感地呈现出来，而且冲突大多针对的是刻板的父权制保守主义和在该系列小说中占主导地位的强权女人所提倡的较为宽松的社区模式之间的反差。

独立成篇的小说《亲属》，是一部描述时光倒流的幻想小说：20世纪的一个黑人妇女发现自己在1820年的马里兰州。作者高超的叙述技巧减轻了这个灾难的恐怖性。在80年代出版的《异种生殖》系列小说中，外星人奥南卡利来到了被破坏的近期未来地球，想要拯救一些有用的基因。一个黑人妇女被指派负责外星人与疲惫不堪的人类幸存者之间的联络工作。最后，奥南卡利创造了一个经过改造的社会。在那个社会，我们不会感到舒适；但这个星球再也不会遭到毁灭。

> "为了我们所有人的利益，巴特勒背离了科幻小说的某些传统。"

作品目录

中长篇小说

1976	《制模能手》，道布尔迪出版社
1977	《我的思想的思想》，道布尔迪出版社
1978	《幸存者》，道布尔迪出版社
1979	《亲属》，道布尔迪出版社
1980	《野生的种子》，道布尔迪出版社
1984	《泥方舟》，圣马丁出版社
1987	《破晓》，华纳出版社
1988	《成人仪式》，华纳出版社
1989	《意象》，华纳出版社
1993	《播种者的寓言》，四墙八窗出版社

迈克尔·毕晓普

出生年份：1945

国籍：美国

主要作品：《火眼的葬礼》，《埃克巴顿奇怪的树木》，《变形》，《没有敌人，只有时间》，《短暂的机会》

毕晓普出生于内布拉斯加，却在美国南部度过了一生。他住在佐治亚州的一个偏远地区，说起话来一直像个人类学家：冷漠、机智而有魅力。在他的小说中，一无所有的人比比皆是，其中几部就是以南部为背景的。

毕晓普最初的几部长篇小说就已显示出他的冷漠和深度。其中大多描写的是复杂的外星社会：《火眼的葬礼》主要描述了一种迷恋于眼睛的意义的文化。在这个外星球上，主人公必须创造伟大的奇迹，否则就会被遣送回专制的地球。在《埃克巴顿奇怪的树木》中，各种文化之间发生了冲突；而《变形》的主人公则是一位人类学家，他对一个外星球文化中的宗教仪式很着迷，尽管这种文化在科技方面并不比地球文化先进。为了探究其中的奥秘，他航行到了黑暗的中心；约瑟夫·康拉德颇有影响的中篇小说《黑暗的中心》(1902)及其隐含的关于异己的不可知性的主题，对这篇小说的叙事产生了巨大影响。

《一点点知识》和《地下墓穴年代》组成了21世纪亚特兰大的一小段未来历史。《没有敌人，只有时间》和《古代人》虽然表面上似有联系，两者都有联结史前史和现在的情节。在第一部小说中，一个当代主人公返回到更新世，娶了当时的一个哈比林女子。在第二部小说中，一个哈比林男子被带到当代的佐治亚州，在那里他也结了婚。两个故事的讽刺意味和忧郁情绪使读者想起了当代黑人科幻作家的作品，它们表达出对听任遗产被舍弃的世界本质的一种理解。他还写了很多小说，尽管大多以亚特兰大式的城市为背景，但主题都各不相同。其中最好的一部作品《短暂的机会》成功地再造了毕晓普的整个写作生涯，它讲述的是恶魔弗兰肯斯坦的故事。在故事中他成了美国南部一个不起眼的棒球联合会的球员。

作品目录

中长篇小说

1975	《火眼的葬礼》，巴兰坦出版社，后改名为《火眼》
1976	《埃克巴顿奇怪的树木》，哈珀出版社，后改名为《破碎的月亮下面》
1977	《偷来的面孔》，哈珀出版社
	《一点点知识》，伯克利出版社
1979	《地下墓穴年代》，伯克利出版社
	《变形》，伯克利出版社
1981	《天堂桥的下面》，戈兰茨出版社
1982	《没有敌人，只有时间》，时景出版社
1984	《是谁制造了莱蒂维·克顿?》，阿克汉姆出版社
1985	《古代人》，阿伯书屋
1987	《秘密升天》，石山出版社，后改名为《菲利普·K·迪克去世了，哎呀!》
1988	《独角兽山》，阿伯书屋
1989	《种族隔离，超级手段，和末底改》，阿克索劳特尔出版社
1992	《盖革伯爵的忧伤》，石山出版社
1994	《短暂的机会》，矮脚鸡图书出版公司

短篇小说集

1982	《血酒阿拉喀涅》，阿克汉姆书屋
1984	《在伊甸园度过的一个冬天》，阿克汉姆书屋
1986	《与上帝亲密接触》，桃树出版社
1991	《几乎强调不是科幻小说》，通俗读物出版社

编辑作品选

1983	《变化》，埃斯出版社，与伊恩·沃森合编
1984	《光年和黑暗：我们时代的科幻和幻想小说》，伯克利出版社

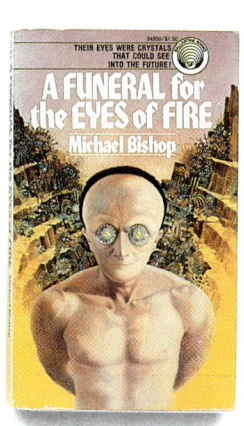

对眼睛的崇拜

硬科幻小说和哥特式风格在《火眼的葬礼》中融为一体。

安妮·麦卡弗里

出生年份：1926
国籍：美国，定居爱尔兰
主要作品：《被修复者》，《唱歌的船》，《珀恩》系列

麦卡弗里一直坚持说自己写的是科幻小说，不是荒诞小说，而且读者也似乎开始相信她的话了。在这方面，她早期的一些作品也确实如此。《被修复者》是纯粹的科幻小说，虽然其中对一个女人在太空历险的描述有点奇特。《唱歌的船》也是科幻小说，它是就人类和机器的分界面作出想象的一部早期的主要作品：一个奇丑无比的少女变成了一艘宇宙飞船，作为一个起码能与年轻男人友好相处的电子人，她的生活开始了新的一页。

这些故事使那些遭遗弃的孩子心中充满了希望，并且与小詹姆斯·蒂普特里的小说形成鲜明的对比。詹姆斯对人与机器分界面的理解就悲观多了。然而，就可读性和严密性而言，这两部作品无法与在此期间出版的作品相比。《飞龙》是以一个叫做珀恩的不为人知的殖民星球为背景的系列小说的第一篇，它使麦卡弗里一举成名。因为这个小说系列是围绕着人类与一种会传心术的龙的关系而展开的，人类把这种龙当马骑。长久以来，人们一直认为《珀恩》系列小说是荒诞小说。但是麦卡弗里始终认为——在以后的几篇小说中，她指出大飞龙有科学的理论依据，以此来支持她的观点——她写的是科幻小说，而且希望评论家能像她的读者那样认真地对待她。

虽然珀恩的冒险活动始终充满浪漫色彩，而这些活动的基础却是一种对行星的合理描述。龙有喷火的本领，这是为了对付一种叫做丝菌的致命细胞的侵袭。只有龙喷出的火焰才能消灭它们。当龙在时间隧道中旅行时发生的其他情节并不是一定要发生的，然而麦卡弗里已经触及了一个棘手的问题。她后期的一些作品是与别人合著的，水平不及她个人独著的最佳作品，但《珀恩上的海豚》是麦卡弗里的代表作。

作品目录

中长篇小说
- 1967 《被修复者》，巴兰坦出版社
- 1968 《飞龙》，巴兰坦出版社
- 1969 《杜纳决议》，巴兰坦出版社
- 1971 《寻龙》，巴兰坦出版社
- 1976 《龙的歌声》，雅典娜神庙出版社
- 1977 《龙歌手》，雅典娜神庙出版社
- 1978 《恐龙星球》，未来出版社
   《白龙》，巴兰坦出版社
- 1979 《龙鼓》，雅典娜神庙出版社
- 1982 《水晶般的歌手》，巴兰坦出版社
- 1983 《科埃路拉》，安德伍德-米勒出版社
   《珀恩的龙夫人莫里塔》，巴兰坦出版社
- 1985 《听见龙声的女孩》，奇普街出版社
   《基拉沙德拉》，巴兰坦出版社
- 1986 《尼里尔卡的故事：在珀恩的一则冒险故事》，巴兰坦出版社
- 1988 《龙的开端》，伊斯顿出版社
- 1989 《背叛珀恩的人们》，巴兰坦出版社
- 1990 《飞行中的珀伽索斯号》，伊斯顿出版社
   《罗恩》，帕特南出版社
   《萨西纳克》，贝恩出版社，与伊丽莎白·穆恩合著
   《死亡之眠》，贝恩出版社，与乔迪·林恩·奈合著
- 1991 《珀恩上所有叫塔尔的人》，矮脚鸡图书出版公司
   《紧急救援》，怀尔德赛德出版社
   《时代战士》，贝恩出版社，与伊丽莎白·穆恩合著
- 1992 《搭档船》，贝恩出版社，与玛格丽特·鲍尔合著
   《搜寻船》，贝恩出版社，与默瑟迪斯·拉基合著
   《水晶线》，巴兰坦出版社
   《达米亚》，帕特南出版社
- 1993 《战斗的船》，贝恩出版社，与S·M·斯特林合著
   《达米亚的儿女们》，帕特南出版社
   《能力》，贝恩出版社，与伊丽莎白·安·斯卡伯勒合著
- 1994 《获胜的船》，贝恩出版社，与乔迪·林恩·奈合著
   《杜纳条约》，埃斯出版社，与乔迪·林恩·奈合著
   《珀恩上的海豚》，矮脚鸡图书出版公司

短篇小说集
- 1969 《唱歌的船》，沃克出版社
- 1973 《驾驶珀伽索斯号》，巴兰坦出版社
- 1977 《离开独角兽》，巴兰坦出版社
- 1993 《珀恩的历史：第一次衰亡》，巴兰坦出版社
- 1994 《听见龙声的女孩》，石山出版社

乔治·R·R·马丁

出生年份：1948
国籍：美国
主要作品：《光芒渐逝》，《避风港》，《杂乱的卡片》系列，《塔夫的航行》

马丁把一切都弄得简单明了。他的第一部长篇小说《光芒渐逝》轻松流畅地为我们展示了一个月光照耀下的移动世界。在这个世界的中心有一个大城市，当这个世界经过一个巨大的太阳并重新慢慢进入黑夜时，那里将举行一次盛大的庆典。这个作品有些理想化，但很有说服力。在完美的表象之下，狂烈的热情正在燃烧。

《献给利亚的歌》和《星星和影子的歌》中的故事很相似，一些故事的背景和那部长篇小说的背景都是同一个宇宙，这些故事大多有意犹未尽的感觉。在这点上，马丁与西尔弗伯格有些相似：两位作者都有能力把他们的笔锋指向任何事物，并且用恰当的语言给我们表达出这些现实。他们的区别在于（这对于马丁并不完全有利）马丁的作品从不嫌多。事实上，在科幻小说领域，他的作品寥寥无几。

这是由于电视的缘故。从1980年起，马丁已经写了很多优秀的剧本，也赚了很多钱，只是偶尔才写些科幻或荒诞小说。他与莉萨·塔特尔合著的《避风港》描写了一个群岛世界，这个世界要依靠用人造翅膀在各个岛之间飞行的信使。《大决战的遗迹》是一部精彩的恐怖小说，它把一种超自然现象与一个摇滚乐队结合起来。这种技巧在此之后经常使用，但都未能取得同样好的效果。《费弗里的梦》是一部极好的描写吸血鬼的小说。

接着，马丁创作并编辑出版了《杂乱的卡片》系列小说，他也偶尔写些短篇小说，并把它们编入各个分册中。如果超级英雄这个词不是——难以想象——变形玩具制造者的版权的话，这个系列小说中的主人公就应该这样定义。正因为他们是超级英雄，他们被叫做"爱斯"。他们很幸运。在这个另类世界中，一种从外星球来的病毒侵袭了纽约市，使百分之十的人死亡，并使剩下来的人的基因发生突变。只有少数几个人成了"爱斯"。他们就像连环画中老练的主人公一样，把纽约市变成了创造超现实业绩的场所。《塔夫的航行》中的一系列短篇小说，是马丁在科幻小说领域写的最后一篇独创性作品。他对《杂乱的卡片》的把握受到赞赏，但他仍然没有被大家理解。

作品目录

中长篇小说
- 1977 《光芒渐逝》，西蒙和舒斯特出版社
- 1980 《避风港》，时景出版社，与莉萨·塔特尔合著
- 1982 《福弗之梦》，海神出版社
- 1983 《大决战的遗迹》，海神出版社

短篇小说集
- 1976 《献给利亚的歌》，埃文出版社
- 1977 《星星和影子的歌》，袖珍图书出版公司
- 1981 《沙漠国王》，袖珍图书出版公司
- 1983 《死去的男人们唱的歌》，达克·哈维斯特出版社
- 1985 《夜游人》，布卢杰伊出版社
- 1986 《塔夫的航行》，贝恩出版社
- 1987 《他的孩子们的画像》，达克·哈维斯特出版社

编辑作品
- 1977 《科幻小说中的新声音》，数家出版社，到1981年共4卷
- 1981 《杂乱的卡片》，矮脚鸡图书出版公司，到1992年共11卷

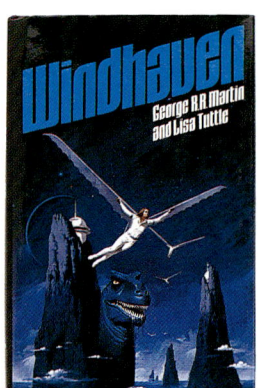

早期作品

《避风港》是一部创作于1975年的中篇小说，但直到1980年才得以出版。

约翰·克劳利

出生年份：1942

国籍：美国

主要作品：《海》、《引擎之夏》、《大小》

对于一个受到如此尊敬的作家来说，这个作品目录并不算长。当人们意识到《时间的伟大作用》是一部篇幅很短的长篇小说时(它也被收录在《新小说》中)，就会产生这样一种想法：约翰·克劳利肯定有他自己的特别之处，否则他不可能仅凭6部小说就赢得如此高的地位。

但是，他确实成功了。他是活跃在科幻，或幻想小说领域里最杰出的英语散文作家之一。从一开始，他就是的。

克劳利在发表小说《海》时已过而立之年，这是在科幻小说领域出现的最古怪的一部作品。在宇宙的一个偏僻角落，在一根向下无限延伸的大柱子上面有一个平台。虽然这个平台没有特里·普拉特切特的圆盘世界大，这个平台却足以让生物在远离边缘的地方安全地居住。那里生活着一个战乱纷繁的人类社会。据传这些人是被一个想"坐山观虎斗"的神通广大的外星人带到这里来的。他们的行为很复杂，但是懂历史知识的读者一眼就能看出真相：他们正在重演"玫瑰战争"。然后小说就结束了。它就像真空中握紧的一个拳头。

克劳利的第三部长篇小说《引擎之夏》更加激动人心，这可能是因为它集中描写了一个构思精巧、叫做"会说话的灯心草"的主人公。他生活在一种田园式的、印第安夏季文化之中。这时高级文明已经衰亡，他的部落是由一些想说真话的人组成的。他一生的任务就是变成一个"圣徒"，一个真诚得能被看穿的人。然而，"会说话的灯心草"不知道他是一个真正的引擎之夏：他鲜活的个性事实上是一种记录。他只是一块水晶，当人们希望理解他们所生活时代的真相时，就会把它激活。就这样，他被世世代代的人一次又一次地激活。因此，在某种程度上，他实现了他的心愿。他是一块水晶，他能够被看穿。

紧接着，《大小》出版了。克劳利写这本书断断续续用了10年时间。准确地讲，它是幻想小说，不是科幻小说。斯莫奇·巴纳布尔离开纽约，与艾丽斯·德林克沃特结婚，人们也把她叫做戴利·艾丽斯。这大概是因为她居住的世界与艾丽斯漫游的仙境一样奇妙；在那里斯莫奇度过了漫长而又快乐的日子。然而，就在此时，一个新生的皇帝巴巴罗莎开始统治新千年后近期的未来美国。艾丽斯和她的一大群家人准备穿越这个世界进入仙境，最后她们别无选择；而斯莫奇，一个完完全全的凡人，孤孤单单地死去了。

克劳利是一个有什么就写什么的作家，或是科幻小说，或是幻想小说。使我们感到庆幸的是，他把这两个世界结合在了一起。

> "约翰·克劳利是活跃在科幻，或幻想小说领域最杰出的英语散文作家之一。"

作品目录

中长篇小说
- 1975 《海》，道布尔迪出版社
- 1976 《野兽》，道布尔迪出版社
- 1979 《引擎之夏》，道布尔迪出版社
- 1981 《大小》，矮脚鸡图书出版公司
- 1987 《埃伊及》，矮脚鸡图书出版公司
- 1991 《时间的伟大作用》，矮脚鸡图书出版公司
- 1994 《爱情与睡眠》，矮脚鸡图书出版公司

短篇小说集
- 1989 《别出心裁》，道布尔迪出版社
- 1993 《古迹》，古籍出版社

约翰·瓦利

出生年份：1947

国籍：美国

主要作品：《蛇夫座热线》、《钢铁海滩》

瓦利就像一个野人般突然出现在科幻小说舞台上，满脑子都是新奇的观点和由性感、独立的女人做主角的刺激情节。作为人类一员的意义，他有一种谦卑的解释：人类就是在瓦利想象的宇宙中，未能好好管理太阳系的一个低级物种的成员。坦率地说，我们把地球、月球和其他星球搞得一片狼藉。是到该彻底大扫除一下的时候了。

因此，在瓦利的"未来历史"小说中，人类在毫无心理准备的情况下被外星人从地球上驱逐了出去。《蛇夫座热线》写的是我们被驱逐很久以后的事情，那时我们已开始形成应付流亡生活的方法。我们住在月球上拥挤的地方；我们住在很远处昂贵的住所里。我们学会了复制自己，随意改变我们的身体、性别和意志力。我们可以到处移动，并且总是鲁莽地涌到除地球以外的任何地方。地球是我们的禁区，那些外星人实在是太强大了，我们做梦也不敢违背他们的驱逐令。遗憾的是，我们还是祸害四方；而且小说的结尾清楚地表明在太阳系里的任何地方，我们都不再受欢迎。

这是一条残酷的消息，但瓦利却能兴致勃勃地加以传达，因此很快就成为众多读者心目中现代科幻小说作家的典范。他是写新式科幻小说的作家，这类小说适合一种新型的复杂世界，但他逐渐偏离了这种创作。《泰坦神》及其几部续集都不错，可没特色；《千禧年》也一样，谁也不知道其中的原因。只有在写《钢铁海滩》(参见235页)时，他才回到从前。这是以蛇夫座未来历史为背景的一部有说服力的大作。他能回到原来的风格，是件好事。

作品目录

中长篇小说
- 1977 《蛇夫座热线》，戴尔出版社
- 1979 《泰坦神》，伯克利出版社
- 1980 《巫师》，伯克利出版社
- 1983 《千禧年》，伯克利出版社
- 1984 《恶魔》，帕特南出版社
- 1989 《探戈查利和狐步舞罗密欧》，石山出版社
- 1990 《按键入键》，石山出版社
- 1991 《视觉暂留》，石山出版社
- 1992 《钢铁海滩》，帕特南出版社

短篇小说集
- 1978 《视觉暂留》，戴尔出版社，后改名为《在火星众诸侯的大厅里》
- 1980 《巴比谋杀犯》，伯克利出版社，后改名为《在旁边的野餐》
- 1986 《蓝色的香槟酒》，达克·哈维斯特出版社

盗灵人魔

1989年的电影《千禧年》是根据瓦利的剧本改编的。影片中，尸体离奇地从飞机坠落事故中消失了。

1980~1984：科幻小说的新时代

要理解今天在科幻小说领域里所发生的变化，我们就不能只谈论占主导地位的美国科幻小说是怎样从认识和娱乐的前瞻性工具慢慢地发展成为一个了解"未来的过去"的档案馆，以及一个藏书浩瀚的图书馆的过程。它已成为了这样一个地方：在这里，作家可以借用过去的思想，读者也可以通过阅读这些随处可见的作品重新回到自己的童年和本世纪的童年。

1980

代表作品

《时景》
格雷戈里·本福德

《歌王》
奥森·斯科特·卡德

《龙蛋》
罗伯特·L·福沃德

《里德利·沃克》
拉塞尔·霍本

《戴维王的宇宙飞船》
杰里·波内尔

《戴维王的宇宙飞船》

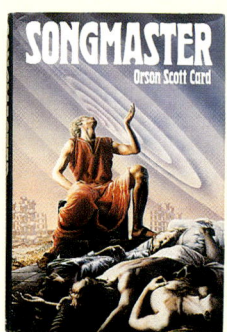
《歌王》

《莫利零点》
基恩·罗伯茨

《瓦伦丁勋爵的城堡》
罗伯特·西尔弗伯格

《罗德里克》
约翰·T·斯莱德克

《白雪女王》
琼·D·文奇

《新太阳之书》
吉恩·沃尔夫

代表作家

随着科幻小说的发展，它对于能在新世界里担任指挥的人的理解也变得更加复杂了。于是，我们有了像文奇的女王、波内尔的国王、西尔弗伯格的瓦伦丁勋爵以及沃尔夫的《受难者》这样的君主。最惹眼的恐怕要算塞弗里安了。他既是受难者，又是统治者；他的故事涵盖了所有的科幻小说。

处女作

首次出版的重要的科幻小说包括琼·M·奥尔的《穴居熊部族》，乔纳森·卡罗尔的《笑声地带》，戴维·布林的《太阳潜鸟》，克里斯托弗·埃文的《卡佩拉的金黄色的眼睛》，巴里·朗耶尔的《巴拉布市》，雷切尔·波拉克的《珍贵的虚荣心》，鲁迪·拉克的《白光》，以及希尔伯特·申克的《驾驭波浪的人》。迈克尔·斯旺尼克出版的第一部作品"圣贾尼斯的节日"刊登在文选《新领域》的第十一集中。

1981

代表作品

《血眠》
瑟奇·布鲁索罗

《查纽尔的骄傲》
C·J·彻里

《车站下面》
C·J·彻里

《大小》
约翰·克劳利

《瓦利斯》
菲利普·K·迪克

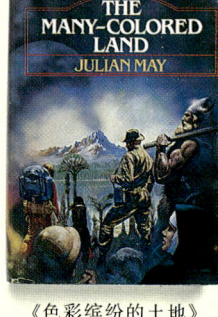
《色彩缤纷的土地》

《拉纳克》
阿拉斯代尔·格雷

《世界》
乔·霍尔德曼

《时间之风吹过的地方》
罗伯特·霍尔斯托克

《避风港》
乔治·R·R·马丁和莉萨·塔特尔

《色彩缤纷的土地》
朱利安·梅

《血眠》

代表作家

这10年中最重要的两部作品，即克劳利的《大小》和格雷的《拉纳克》，提供了具有象征性的、复杂的理解结构。两者都不是(或者都是)严格意义上的科幻小说，因为科幻小说也是一种不断发展的趋势。作品中，主人公的精神生活和外部世界彼此反射，彼此呼应。对这两部作品研究得越深入，所揭示的世界就越广阔。越来越多的科幻小说开始思索存在的意义。

处女作

朱利安·梅的《色彩缤纷的土地》和阿拉斯代尔·格雷的《拉纳克》都是颇有影响的作品。首次出版的小说还有特里·比森的《创造世界的人》，杰克·丹恩的《接合点》，A·A·阿塔纳西欧的《根源》，詹姆斯·莫罗的《烈性酒》，南希·克雷斯的《晨钟王子》，S·P·苏查里特库尔的《星际飞船和俳句》，以及伊丽莎白·冯纳伯格的《城市的寂静》。

1982

代表作品

《海利科尼亚的春天》
布赖恩·奥尔迪斯

《基地的边缘》
艾萨克·阿西莫夫

《没有敌人，只有时间》
迈克尔·毕晓普

《星期五》
罗伯特·A·海因莱恩

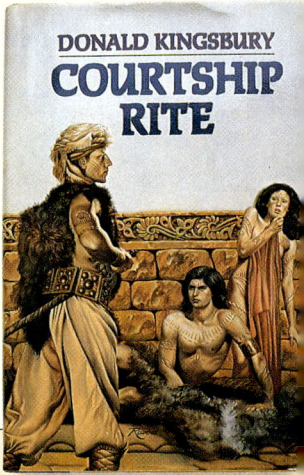
《求爱仪式》

代表作家

科幻小说没停留在建造世界上，它创造了整个太阳系，并重新创造了宇宙。布赖恩·奥尔迪斯的《海利科尼亚》三部曲揭开了这一年的序幕，它详细地描绘了一个像万古一样漫长的复杂年度。艾萨克·阿西莫夫的《基地》系列小说的续篇依然徘徊在特兰特周围。唐纳德·金斯伯里的《求爱仪式》有一个生动有趣的行星聚集处。

处女作

本年度首次出版的长篇科幻小说包括莉萨·戈尔茨坦的《红皮肤的魔术师》，唐纳德·金斯伯里的《求爱仪式》，帕特·墨菲的《虚幻的猎手》，L·E·莫德西特的《超时间火灾》，理查·鲍尔的《紫禁圣殿》，以及村上治二的《追逐野羊》。首次出版的短篇小说包括由丹·西蒙斯创作的、刊登在罗德·塞林编辑的《星光闪烁地带杂志》上的"斯提克斯河逆流而行"；在澳大利

有趣的是,科幻小说领域里仍然在出版的过去的作品比其他任何体裁的小说都要多。现在的情形还不仅止于此。我们必须理解的是,最好的科幻作品就是现在正在创作之中的作品。既然在这个领域从事创作的最优秀的作家能够更加完整地看到它的观点和历史,他们就能比以前更有意识地从未来事物中创造出伟大的艺术。

82	1983	1984	
《白色瘟疫》 弗兰克·赫伯特 《求爱仪式》 唐纳德·金斯伯里 《追逐野羊》 村上治二 《软件》 鲁迪·拉克 《伊拉兹马斯地方官》 查尔斯·谢菲尔德 《声音中的光》 索姆托·苏查里特库尔	《猎户星座将会上升》 波尔·安德森 《纳韦尔扬》 塞缪尔·R·德拉尼 《金色的女巫品种》 玛丽·金特尔 《冬天的故事》 马克·赫尔普林 《超光速》 冯达·N·麦金太尔	《穿过太阳之海》 格雷戈里·本福德 《实践效应》 戴维·布林 《神经浪游者》 威廉·吉布森 《伊甸园之西》 哈里·哈里森	《米撒戈·伍德》 罗伯特·霍尔斯托克 《神性的忍耐》 格温内思·琼斯 《整片树林》 拉里·尼文 《荒凉的海岸》 金·斯坦利·鲁滨逊 《他们这些人》 霍华德·沃尔德罗普 《这条河的故事》 伊恩·沃森 《自由自在地生活》 吉恩·沃尔夫

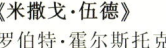
《真空首领的故事》

《天空的蒸汽机车》
迈尔克·科尼
《大决战的遗迹》
乔治·R·R·马丁
《导引之门》
蒂姆·鲍尔斯
《真空首领的故事》
诺曼·斯平拉德

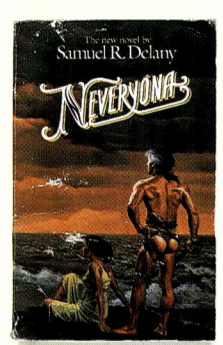
《内维扬》

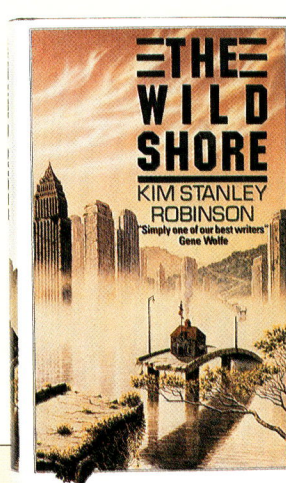
《荒凉的海岸》

科幻小说的一个古老主题"后崩溃文化"是本年度的特色。科尼在《天空的蒸汽机车》中描绘的文明已经进入遥远的未来;而德拉尼的《纳韦尔扬》却是一种本质上属于后崩溃时期的野蛮文化。本年度第二个主题是性,特别是在德拉尼和斯平拉德的作品中。在今天的科幻小说中,性无处不在,而且被认为理所当然,这在几十年前是不可思议的。

在这一年里,"网络朋客"一词成为流行语。人物既为数众多,又模糊不清。信息、秘密、控制、复杂性、人造性、空想性以及新的现实,条线很多。和这些平行的是对根源的求索:鲁滨逊作品中的加利福尼亚的根源,沃尔德罗普作品中对根源的考古探究,以及尼文作品中的树的根源。

亚,还有刊登在《欧米茄科学文摘》上的**特里·道林**的"悄然走开的人"。

卢修斯·谢泼德第一部短篇小说"泰勒斯维尔的重建"登载在《宇宙》第十三期上。首次出版的长篇科幻小说包括斯蒂芬·巴恩斯的《街道致死因子》,谢里·S·泰珀的《国王的第四种血》,以及蒂莫西·察恩的《黑衣领》。

本年度首次出版的重要作品包括金·斯坦利·鲁滨逊的《荒凉的海岸》,伊恩·班克斯的《特权白人的工厂》,以及**威廉·吉布森**的《神经浪游者》。首次出版的作品还包括科林·格林兰的《另一座山上的黎明》,卢修斯·谢泼德的《绿眼睛》,沃尔特·乔恩·威廉的《巡行大使》,刘易斯·希纳的《新生代》,以及詹姆斯·帕特里克·凯利的《微语星球》。

1985～1989：汇成巨流

一旦得到正式承认，网络朋客就成了过去。这并不是说作家不再写它了，而是说它已经被吸收和改进，成为科幻小说不断丰富的遗产中的又一部分。在这10年的后期出版的科幻小说大多仍在回顾过去，追忆或重复过去的事件。在其他方面，这种体裁的范围越来越广泛——有些人说它已被弱化——而且开始接受在几十年前甚至几年前没有被当做科幻小说作品的新风格、新

1985

代表作品

《血腥音乐》
格雷格·贝尔

《万古》
格雷格·贝尔

《终结者游戏》
奥森·斯科特·卡德

《白昼世界》
菲利普·乔斯·法默

《一个怪念头》
约翰·福尔斯

《过去的萨拉班德舞》
理查德·格兰特

《自由海滩》
詹姆斯·帕特里克·凯利和约翰·凯塞尔

《绿眼睛》
卢修斯·谢泼德

《分裂矩阵》
布鲁斯·斯特林

《加拉帕戈斯群岛》
库尔特·冯内古特

《自由海滩》

代表作家

科幻小说的世纪向前迈进了：未来还在，但过去比以前更广阔，载满了已成为具有怀旧情调、受人推崇的民间传说的老故事。科幻小说有挽歌的空间。贝尔的《血腥音乐》想象出人类的生化超越，而他的《万古》则是一首为转移恒星和连续体的现实科幻小说规划而唱的挽歌；格兰特的《过去的萨拉班德舞》和冯内古特的《加拉帕戈斯群岛》，都是为时间尽头的人类文化而唱的挽歌。

处女作

卢修斯·谢泼德的《绿眼睛》，理查德·格兰特的《过去的萨拉班德舞》，以及约翰·凯塞尔和詹姆斯·帕特里克·凯利的《自由海滩》都是首次出版的重要作品。首次出版的重要作品还包括马克·莱德劳的《爸爸的核武器》，罗杰·麦克布赖德·艾伦的《荣誉的火炬》，丹·西蒙斯的《卡利的歌声》，丹尼斯·约翰逊的《菲斯卡多罗》，**迈克尔·斯旺尼克**的《随波逐流》，康尼·威利斯的《防火手表》，以及杰夫·赖曼的《运送生命的勇士》。

1986

代表作品

《女仆的故事》
玛格丽特·阿特伍德

《桥》
伊恩·班克斯

《饶舌者》
特里·比森

《侏儒》
詹姆斯·P·布莱洛克

《死者的代言人》
奥森·斯科特·卡德

《女仆的故事》

《溃败》
斯坦尼斯劳·莱姆

《堕落的女人》
帕特·墨菲

《尚未被征服的国家》
杰夫·赖曼

《女人的海岸》
帕梅拉·萨金特

《衣衫褴褛的宇航员》
鲍勃·肖

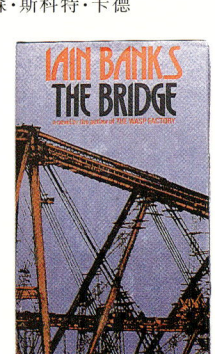

《桥》

代表作家

现代科幻故事经常作为挽歌，同样它们也经常作为有关起源的神话：《女仆的故事》、《死者的代言人》和**《尚未被征服的国家》**都是这样的例子。由于旧科幻故事成为传说的一部分，其作者就把它们进行了改写。在被加固和加强后，它们成了神话。阿西莫夫在这10年中把他40年代的《基地》和《机器人》系列结合在一起，建成一座旨在抵抗时间沙漠的大厦。科幻小说的过去日益成为需要重述的一系列传说。

处女作

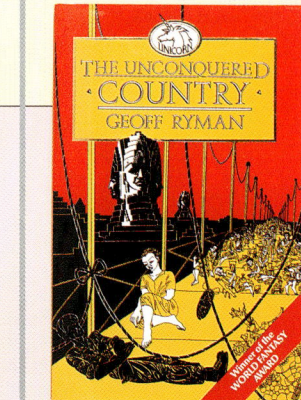

本年度首次出版的长篇科幻小说包括卡伦·乔伊·福勒的《人造物》，约翰·巴恩斯的《推翻天空的人》，洛伊丝·麦克马斯特·布乔德的《荣誉的碎片》，布拉德利·登顿的《毁灭》，玛格丽特·阿特伍德的《女仆的故事》，利·肯尼迪的《美国人尼古拉斯的日记》，朱利安·巴恩斯的《凝视太阳》，以及罗伯特·查尔斯·威尔逊的《隐匿之处》。

19

代表作品

《考虑弗莱巴斯》
伊恩·M·班克斯

《穿过漆黑的美国》
小尼尔·巴雷特

《上帝的磨难》
格雷格·贝尔

《推动社会进步的战争》
戴维·布林

《黎明》
奥克塔维亚·巴特勒

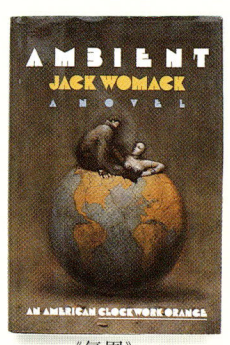

《氛围》

代表作家

本年度的基调是日益增长的复杂性。《氛围》和《真空花卉》展现了一种无限复杂、难以估量的未来：网络朋客的出现只是引起表面的波澜。巴雷特、贝尔、巴特勒和埃芬格的作品都反映出这一点。在另一个层面上，科幻小说作家讲述的新老故事越来越成功地混合在一起。

处女作

本年度首次出版的重要的科幻小说包括保罗·帕克的《天堂里的士兵》，朱迪思·莫菲特的《佩恩特拉》，以及杰克·沃马克的《氛围》。另外，首次出版的重要科幻作品还有保罗·奥特的《在最后事件的国家》，斯托姆·康斯坦丁的《愤怒》三部曲的第一卷——《肉体和精神的魅力》，威廉·T·沃乐曼的《聪明的你》和《复活的天使》。

方案和新途径。界限开始变得模糊不清:非科幻小说作家写了科幻小说,这是过去经常发生的现象,但现在变得越来越普遍;而科幻小说作家写的小说却不是科幻小说。在这10年即将结束时,又有更多的科幻小说在出版之中,但是有人说科幻小说正在逐渐消亡。怎么会这样呢?因为其他作品越来越像科幻小说,而科幻小说则越来越像其他作品了。

87	1988	1989	

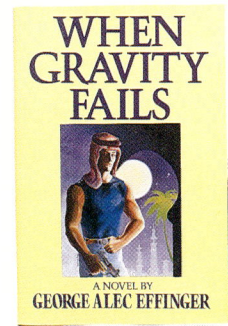

《失重的时候》

《失重的时候》
乔治·亚历克·埃芬格

《战时生活》
卢修斯·谢泼德

《真空花卉》
迈克尔·斯旺尼克

《林肯的梦想》
康尼·威利斯

《氛围》
杰克·沃马克

《自由了》
洛伊丝·麦克马斯特·布乔德

《塞廷》
C·J·彻里

《外星之光》
南希·克雷斯

《山上之火》
特里·比森

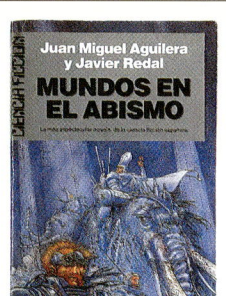

《地狱里的世界》

《恐惧帝国》
布赖恩·斯特布尔福德

《网中岛屿》
布鲁斯·斯特林

《通向女儿国的大门》
谢里·S·泰珀

《地狱里的世界》
胡安·迈克尔·埃格莱拉

《恐惧帝国》

《100万年之舟》
波尔·安德森

《边缘的人们》
奥森·斯科特·卡德

《凝望太阳》
詹姆斯·帕特里克·凯利

《来自外太空的好消息》
约翰·凯塞尔

《梦幻婴儿》
布鲁斯·麦卡利斯特

《不久以后的城市》
帕特·墨菲

《儿童花园》
杰夫·赖曼

《士卫七》
丹·西蒙斯

代表作品

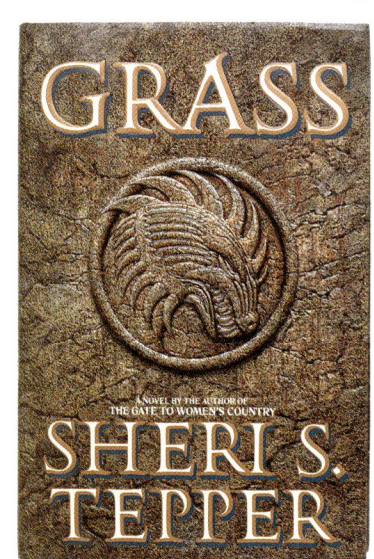

近年来,居住在生态环境易受损害的美国西部的谢里·S·泰珀日益表现出她对人类可能消灭所有其他生命形式的恐惧。三部曲《草》、《举起石头》和《穿插表演》中的反面人物常常是男人,通常信仰宗教,而且常常毁灭世界。在《草》中帮助拯救了一个行星的玛乔里·韦斯特赖丁也出现在后几卷中。那就是泰珀的声音:一个意味深长的、无可辩驳的克拉里昂号声。

《草》

如果世界太复杂,就重造一个:可能世界给了我们无限的空间。比森为了创造一种天堂而改写了美国内战,克雷斯检查了这样的原因,斯特布尔福德写了一部可能历史,而泰珀在《通向女儿国的大门》中写了对女性自主的梦想。

这个星球在不断老化。本年度,在诸如波尔·安德森的《100万年之舟》和丹·西蒙斯的《士卫七》这样的作品中,人类中精选出来的朝圣者的目标不是地球。在其他作品中,卡德的主人公离开了腐败的东方,而墨菲笔下的圣弗朗西斯科则是朝圣者的目标。

以及**帕特·卡迪根**的《玩精神游戏的人》。

首次出版的重要的科幻作品包括里贝克·奥尔的《成为人类》,理查德·卡德里的《子宫噬菌》,斯科特·布拉德菲尔德的《房子的秘密生活》,罗纳德·安东尼·克罗斯的《天堂里的囚犯》,保罗·J·麦考利的《1000亿颗恒星》,帕梅拉·佐林的《为生命之树而忙碌》,理查德·保罗·拉索的《内部的日月食》,戴维·津德尔最优秀的《决不》,伊恩·麦克唐纳的《荒凉的路》,以及迈克勒·罗辛纳的《四处游走的女人》。

本年度重要的处女作包括凯瑟琳·邓恩的《野人的爱情》和吉尔·奥尔德曼的《档案保管员》。首次出版的重要的科幻小说还有艾伦·斯蒂尔的《轨道的衰变》,杰克·巴特勒的《茄属植物》,迈克尔·坎德尔的《奇异的入侵》,金·纽的《黑夜市长》,本·埃尔顿的《赤裸裸》,以及戴夫·沃尔弗顿的《在我去天国的路上》。

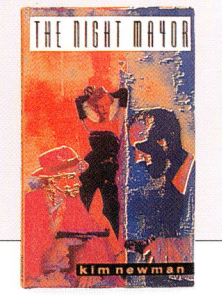

格雷格·贝尔

出生年份：1951
国籍：美国
主要作品：《血腥音乐》、《万古》、《上帝的磨难》、《天使女王》

贝尔是科幻小说的孩子，他献身于科幻小说。在80年代这富有挑战性的10年中，他是科幻小说的主要承载者。早在幼年时，他就是个科幻小说迷，读起书来废寝忘食，而且千方百计地挤入科幻小说爱好者的亚文化群中。他的第一部短篇小说"破坏者"早在1967年就已出版，当时他年仅16岁。他曾婚时娶的是波尔·安德森的女儿，这标志着他本人将继续参与到自己童年时就拥抱过的世界中去。波尔·安德森是所有健在的科幻小说作家中最活跃、最受尊敬的作家之一。贝尔与他女儿的联姻，显示了贝尔想通过裙带关系和文学上的追求在这一领域中占据核心位置。

然而，要到达核心位置尚需一番工夫。贝尔最早的长篇小说只有在回顾时才显得突出。其中最初的两部《逃亡》和《心灵孤独》所具有的影响力大大超出了原先对它们的认识。特别是《逃亡》，在1979年看来似乎过于喜剧化了：它描绘了一个在宇宙中运行的巨大而空洞的行星要寻找一条出路，以走出我们眼前的现实，并进入时间尽头之后将要形成的世界。早期的其他小说，如《天堂河之外》，本想把复杂的个人奇遇和对宇宙哲学的道德讨论融为一体。这种尝试同样受到了挫折。然而，早期的这些小说在最近几年大多进行了改写，它们现在的版本比起初版本要顺畅得多。

直到80年代中期——接着就带来了像丹·西蒙斯5年后产生的那样的影响——随着1985年几乎同时发表的两篇截然不同、却都非凡出众的小说的问世，贝尔才完全进入他的鼎盛时期，成为一名具有很高声望的科幻小说家。其中的第一部《血腥音乐》（参见232页）是关于遗传工程的故事，它不仅敏锐地掌握了硬科幻小说的严酷事例和常规习俗，而且高超地把握住了空想科幻小说的语言和梦想。这种科幻小说被奥拉夫·斯特普尔顿和阿瑟·C·克拉克等作家以他们英国人的视角写了几十年。英国作家创作的最好的科幻小说，总是倾向于从漫长的进化角度来观察人类的生活，而且常常带有讽刺的意味；另一方面，美国科幻小说普遍从一开始就避免采取可能会使人类在宇宙的漫长故事中的作用减小的观点。

贝尔在《血腥音乐》中的成功之处，就在于借助语言巧妙地利用了美国科幻小说的活力，讲述那个久远的故事的一个片断，叙述的跌宕起伏能让人们感到塑造的人物就是他们自己。故事开始时规模不大：一个心怀不满的二流科学家，利用生物工程技术将一群DNA分子转化成有生命的、最终具有感觉的计算机。故事发展到一个必然的结局：这些DNA分子联合起来组成一种单一的环绕宇宙的意识。这种意识把那些愿意放弃个性、开始攀登认识更高新世界伟大阶梯的人也网罗于麾下。

"他高超地把握住了空想科幻小说的语言和梦想。"

贝尔于1985年出版的第二部巨著《万古》的情节比《血腥音乐》的情节更难描述，但这本书读起来非常激动人心。故事的规模大不一样：《万古》中一个主要的人工制造物是一个巨大的小行星，它的里面被挖空成一条隧道，但是这条隧道没有尽头，通向时间的永恒，向前向上无限地延伸下去。人类探险者沿着这条隧道行进时遇到无数次意外的事件，在此过程中涌现出了各种情形。它的续集《永恒》比前一部范围更广阔，尽管整体庞大的视角使小说本身读起来并不令人陶醉。

贝尔的其余作品从某种意义上说大同小异。在他作品多样性的前提下，人们总能发现和1985年出版的那两部长篇小说同样的一种对科幻小说故事种类的严肃认识，一种对相关科学知识的深刻掌握，以及对人类想要继续生存所必须经历的巨大转变的表达连贯的意识。

《上帝的磨难》及其续集《恒星的锤炼》与太空剧的接近程度是贝尔，或者说任何一位严肃的科幻小说家，今天所能到达的极限。在前一部作品中，自动机械武器摧毁了地球，只是因为这个星球容纳了生命；在第二部作品中，大灾难的幸存者采取了报复行动，却在道德上对自己可怕的行为感到厌恶。《天使女王》（参见234页）是一张描绘毫微技术使我们很快就会面临转变的详图。贝尔的作品绘制了未来：它们是必读作品。

作品目录

中长篇小说
- 1979 《逃亡》，戴尔出版社
  《心灵寂寞》，埃斯出版社，后改名为《迷失的灵魂》
- 1980 《天堂河之外》，戴尔出版社
- 1981 《石头的力量》，埃斯出版社
- 1984 《花冠》，袖珍图书出版公司
  《无限协奏曲》，伯克利出版社
- 1985 《血腥音乐》，阿伯书屋
  《万古》，樫鸟出版社
- 1986 《会魔法的巨蛇》，伯克利出版社
- 1987 《上帝的磨难》，石山出版社
- 1988 《永恒》，华纳出版社
  《睡眠旁的故事》，奇普街出版社
  《硬战》，石山出版社
- 1990 《天使女王》，华纳出版社
  《头脑》，世纪出版社
- 1992 《星球的铁砧》，世纪出版社
- 1993 《移动的火星》，石山出版社

短篇小说集
- 1984 《从一个燃烧的女人身上吹来的风》，阿克汉姆出版社，修改后名为《复仇》
- 1988 《早到的收获》，内斯法出版社
- 1989 《正切》，华纳出版社
- 1992 《贝尔的幻想小说：6篇旧式小说》，怀尔赛德出版社

编辑作品
- 1994 《新传说》，传奇出版社，与马丁·H·格林伯格合编

代表作品

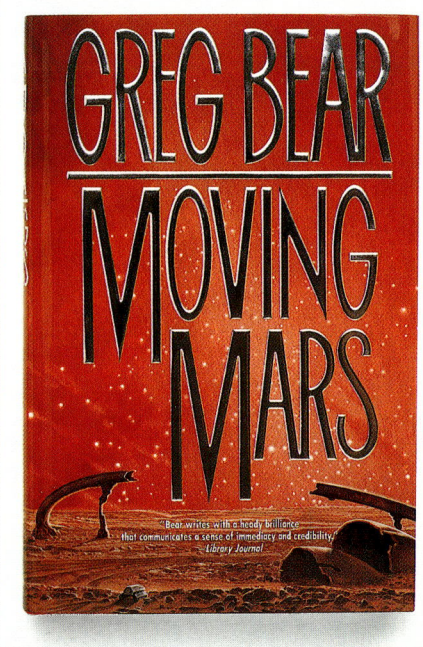

《移动的火星》

这是90年代出现的几部火星小说中最为大胆的一部。虽然它不可能拥有金·斯坦利·鲁滨逊激情澎湃的三部曲那样历经艰辛得来的真实性，但它提出了问题，并且用科幻小说鼓舞人心的热情来解决这些问题。这个故事是由一个火星上的毫无幽默感、但又很可爱的女人讲述的，她积极反对地球对这个新殖民地的严厉统治。后来，她成为火星的总督，并且帮助它转移到环绕一个新恒星的轨道上去。

奥森·斯科特·卡德

出生年份：1951
国籍：美国
主要作品：《恩德》系列小说，《阿尔文制造者》系列小说，《有价值的编年史》系列小说

奥森·斯科特·卡德和格雷格·贝尔是真正的同时代人。他俩同年出生，同年发表处女作，但是他们创作科幻小说的方法却大相径庭。科幻小说这一体裁如此宽阔，能同时包容他们两个人，这正是它成熟的标志。

奥森·斯科特·卡德与贝尔形成对照。对他来说，现代科幻小说是一种思考方法，一种讲故事的方法。有时他显得几乎不带个人感情色彩，这是因为他的作品代表了处在最佳状态下的科幻小说。他是一位独树一帜的作家，几乎就是一个外行人，一个创作科幻小说却不代表科幻小说的作家。他可能写出了近15年来最尖锐、最精巧的长篇科幻小说，他获得过科幻小说界颁发的大部分奖项，他的科幻作品极为畅销，但他还是与众不同。这是有原因的。

卡德是一个摩门教信徒，对摩门教价值观的深切关注——不管在具体的故事中信仰是否被直接提到或象征化——驱动着他所写的每一个词。这其中的一个方面就是其小说关注的焦点是家庭。在这点上他与本世纪活跃的大多数科幻小说家都截然不同。传统上，科幻小说这种体裁关注的主要焦点要么是个人，要么是社会。如果是后一种情况，通常这个社会的命运被某个人的行为所决定。这个人总是具有性格魅力，或许还有特异功能，而且对能够改造这个社会，以及这个世界概念上的突破总有一些重要的见识和线索。

事实上，卡德对概念上的突破这一点并不是很感兴趣，尽管他在写作时采用了流畅的叙述技巧。读者自然而然地就会设想，像《歌王》和《怀姆斯》这样具有里程碑意义的小说，将把他们真正带入一个新的宇宙，那里将发生前所未闻的奇迹。真正驱动他的最佳小说[如著名的《恩德的游戏》(参见232页)和它的两本续集《死者的代言人》和《他杀》]的事情是对和解的一种强烈的热望。

卡德笔下最难忘的主人公就像恩德自己，总是在不停地倒退，想要回到与他们曾经失去或从未认识的家庭的和解中去。例如，恩德在他的家世小说目前已经问世的3卷本的第一卷里，显得尤其像一个传统的科幻

代表作品

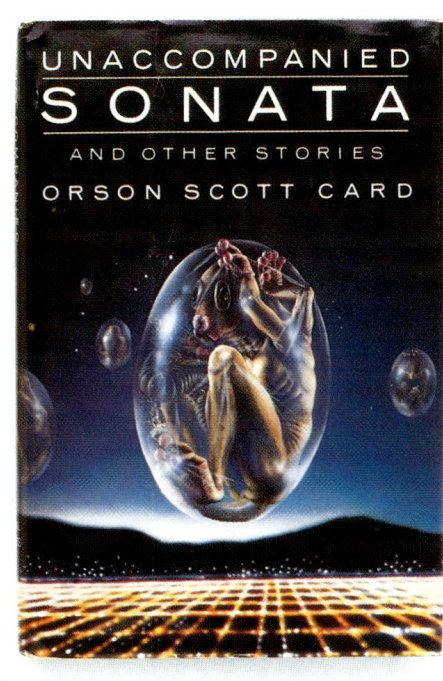

《无伴奏的奏鸣曲》

卡德在他创作的早期写了许多短篇小说，包括《恩德的游戏》的一个版本。在《无伴奏的奏鸣曲》中收入的故事都一针见血地描述了人类和其他物种施加给他们自己和其他物种的残忍行径。一些是太空剧，一些是家庭剧，几乎所有的故事都对读者有着强烈的影响。一些故事很肤浅，还有一些故事读起来就像是揭露真实、可怕的人类生活故事的独家报道。

小说主人公。他是一个对方位特别敏感的孩子 (好像他在时空中有一个精确的坐标似的)，后来被人从家里带到军队，在那里接受训练，以便在一系列战争游戏中无往不胜。恩德在这些游戏中取得了胜利，并且在最后一次、也是最艰难的一次游戏中取胜之后发现：他一直在解决的难题是真正的星系中的真正的战略问题；而且通过在这些游戏中战胜对方，他已经导致了一个外星种族的整体灭绝。该系列的后几部小说发生在第一部小说结尾的很多年之后，它们详细地描述了恩德和他妹妹一起赎罪的过程，小说最终把它安插到一个临时家庭中。在那里，他的不安消除了。

《阿尔文制造者》系列小说迄今为止包括《第七个儿子》、《红衣先知》和《学徒阿尔文》，经常按照可能世界和一个他统治下的18世纪美国家庭的思想方法来描述阿尔文本人。但是在某些方面，阿尔文的生活显然是在模仿摩门教的创始人约瑟夫·史密斯的生活，而且他与占主导地位的美洲本土国家联合创立的美国，似乎也将成为一个建立在摩门教义之上的希望之乡，而印第安人(因为他们也被写在摩门教的圣典上) 将被看成和以色列失落的部落一样的民族。所有这些都不是通常的科幻小说。因此，卡德之所以重要，与科幻小说这种体裁几乎没有直接的关系。它只是表明，有关教堂的科幻小说的描述范围能变得多么宽广，因为他探究精神世界的宗教寓言很明显地仍然是现代科幻小说，而不是别的什么。卡德之所以重要，是因为他的话很重要，尽管他很偏激。卡德之所以重要，是因为他的写作技巧超凡脱俗、直接明了，但却故意搅扰我们的思想，而且做得出奇的好。

"他超凡脱俗的写作技巧故意搅扰我们的思想。"

作品目录

中长篇小说
- 1979 《热眠》，巴龙特出版社
- 《一个叫做背叛的星球》，圣马丁出版社，修改后名为《背叛》
- 1980 《歌王》，戴尔出版社
- 1983 《哈特的希望》，伯克利出版社
- 《有价值的编年史》，埃斯出版社
- 1984 《命运女神》，伯克利出版社，扩写后改名为《圣徒》
- 1985 《恩德的游戏》，石山出版社
- 1986 《死者的代言人》，石山出版社
- 1987 《怀姆斯》，阿伯书屋
- 《第七个儿子》，石山出版社
- 1988 《红衣先知》，石山出版社
- 1989 《深渊》，袖珍图书出版公司
- 《学徒阿尔文》，石山出版社
- 1990 《以眼还眼》，石山出版社
- 1991 《他杀》，石山出版社
- 1992 《地球的记忆》，石山出版社
- 1992 《丢失的男孩们》，哈珀·柯林斯出版社
- 1993 《地球的呼声》，石山出版社
- 《恋锁》，石山出版社，与凯瑟琳·H·基德合著
- 1994 《地球之舟》，石山出版社

短篇小说集
- 1978 《美国国会大厦》，巴龙特出版社
- 1981 《无伴奏的奏鸣曲》，戴尔出版社
- 1987 《心动描纪器》，海佩谢出版社
- 1989 《边缘的人们》，幻想出版社
- 1990 《镜子中的地图》，石山出版社，再版时分为《改变了的人》、《波动》、《猴子奏鸣曲》和《残酷的奇迹》4卷

编辑作品
- 1980 《光明之龙》，埃斯出版社
- 1981 《黑暗之龙》，埃斯出版社
- 1991 《未来在燃烧》，石山出版社

弗纳·文奇

出生年份:1947
国籍:美国
主要作品:《格里姆的世界》,《真实的名字》,《和平之战》,《困在真实的时间里》,《海洋之火》

我们周围充满了智慧,其中大部分是谬误。关于科幻小说有一种明智的说法:它应该由科学家,或者是那些对现代科学活动有着透彻理解的人来写。但是半个世纪以来,最杰出的科幻作品都是由那些对科学的了解还不及有见识的读者的男女作家们写的。另一种明智的说法几乎直接与前一种说法相对立,它认为科幻小说不应该由科学家来写,因为他们根本不知道该如何讲故事。但是,如何解释格雷格·本福德呢?又如何解释弗纳·文奇呢?

和本福德一样,文奇首先是一位科学家,其次才是一位小说作家。从1972年起,他就是加利福尼亚州的一位数学教授,而且这是他的专职工作。大概由于他不是一个职业作家的缘故吧,他的长篇小说和短篇小说似乎代表了一种对宇宙的个人看法,而不是那种通常与硬科幻小说(即利用科学论据的科幻小说)作家联系在一起的观点。文奇的科学知识与本福德或尼文的一样深厚,而且他利用了许多硬科幻小说的方法(合理的精神力量;网络空间;静止机器;复杂的时间旅行难题;遗传工程;宇宙论的思考,等等)。但是,他把它们合并到一情节框架中去,这些情节虽然在历经多年之后变得不太严密,可却表现得特别残酷。

因此,文奇的第一部长篇小说被命名为《格里姆的世界》并没有什么不当,而且它的主人公——某个从被破坏的殖民星球上来的有天赋的女人,她能与外星人取得联系——大半生都沮丧地被隔绝在一种连她的出生都不知道的文化之外。《自作聪明的人》中类似的主人公只有在她脑部受伤时才获得一种快乐的感觉。这一损伤使她沦为一个正常人,一个能拥有美好婚姻的人。

在《真实的名字》中也有情感缺憾和星际情人。但是,这篇小说的刺激性在于它很早就对后来被叫做网络空间的事物进行了描述。从那些有意识的操作者角度来看,计算机网络简直妙不可言。

在写了几篇更阴郁的小说之后,文奇创作了他的颠峰之作《海洋之火》(参见236页)。这是自E·E·史密斯起最优秀的太空剧之一,他那时的宇宙要简单得多。在这篇小说中,星系被证明是一个为智能而设计的豆荚状的复杂陷阱。只有当生物逃离其中心时,才能从它的压制中解脱出来。到了外面的边缘地区,那里的信息高速公路连接着千百万种物种,我们最终获得了自由。

> "他把硬科幻小说的方法,合并到表现得特别严酷的故事情节中去。"

作品目录

中长篇小说
1969 《格里姆的世界》,伯克利出版社,扩写后改名为《塔特加·格里姆的世界》
1976 《假作聪明的人》,道尔图书出版公司
1981 《真实的名字》,戴尔出版社
1984 《和平之战》,樫鸟出版社
1986 《困在真实的时间里》,樫鸟出版社
1992 《海洋之火》,石山出版社

短篇小说集
1987 《真实的名字和其他危险》,贝恩出版社
1988 《威胁和允诺》,贝恩出版社

琼·D·文奇

出生年份:1948
国籍:美国
主要作品:"琥珀的眼睛","遗产",《白雪女王》系列

他们的名字并非巧合。弗纳·文奇和琼·D·文奇在1972年到1979年间是夫妇。他们的作品从一开始就大不相同,然而他们从1980年起都获得了巨大的成功。因此,我们要感谢这两个完全独立的文奇。

琼·D·文奇早期的重要小说,像"琥珀的眼睛"、"遗产"以及与其相关的《天堂地带的流浪者》,都可以被称做女性小说。但前提是学会如何去爱,如何生活以及如何理解自己并不是男人的产物这一点。她的大部分小说都隐含着一种寓言意识。她最出色的作品回归并丰富了公共题材,结果倾向于集中描写与生活方式妥协之类的内容。

在闪烁的外表下面,文奇的小说几乎总是在讨论一个适合的命运的开端、经过和设想。在《琥珀的眼睛》中,一个一无所有、背井离乡的年轻女子重新找到了她的个性和财产,并且重新发现了她原来的世界与整个太阳系内更大的人类事业之间的关系。《遗产》是以小行星带为背景的,讲述的也是一个被剥夺了继承权的年轻女人找到人生意义、爱情和一份好工作的故事。《Ψ粒子》也是一篇成熟的小说。

但是这些寓言故事与到目前为止还是她主要作品的小说系列相比,要逊色许多。《白雪女王》(参见230页)和《夏日女王》,以及姐妹篇《世界的尽头》把影响幻想小说、可是很少影响科幻小说的寓言结构和一种与科幻小说相一致的表面情节结合在一起。这是她的一次大胆尝试。

文奇把来自遥远过去的结构与指向未来的故事融为一体。在《白雪女王》中,一个年迈的统治者想通过创造她自己的克隆人来维持她冬日的不朽。不过这些克隆人中有一个原来是老女王的镜像,而不是其继续:老女王支持的一切都被这个新上任的继承人抛弃,老女王失败了。新女王后来把春天带到了这个世界上。在续集《夏日女王》中,新女王努力控制复活的技术,这些技术代表了她所在的那个星球的冬季状态,而且是被从遥远恒星上来的帝国主义者引入的,同时她意识到这些技术是生存所必需的。最后,人们都知道,寓言总是愉快地结束的。

作品目录

中长篇小说
1978 《天堂地带的流浪者》,新美国图书馆出版社
1980 《白雪女王》,戴尔出版社
1982 《Ψ粒子》,德拉科特出版社
1983 《杰迪故事书的回归》,兰登书屋
《猿王泰山》,兰登书屋,与埃德加·赖斯·伯勒斯合著
1984 《沙丘故事书》,帕特南出版社
《世界的尽头》,布卢杰伊出版社
1985 《霍克夫人》,新美国图书馆出版社
《疯狂的马克斯:在雷声的穹隆之外》,华纳出版社
《返回奥兹》,巴兰坦出版社
《电影圣诞老人》,伯克利出版社
1988 《柳树》,兰登书屋
《猫爪》,华纳出版社
1990 《锡兵》,石山出版社
1991 《夏日女王》,华纳出版社

短篇小说集
1978 《火攻船》,德尔出版社,后改名为《火攻船,母亲和孩子》
1979 《琥珀的眼睛》,新美国图书馆出版社
1985 《骨灰里的凤凰》,布卢杰伊出版社

经典故事
《白雪女王》的题目和部分情节,来自于汉斯·克里斯琴·安徒生的童话。

威廉·吉布森

出生年份：1948
国籍：美国，定居加拿大
主要作品：《神经浪游者》系列

如果一点小名气可以长久维持的话，那么吉布森的名气就应该归功于安德洛墨达。从一般的媒介角度来看，他是一位重要的当代科幻小说作家，他的名字在有关科幻小说和计算机革命的节目中经常被提到。说他并非如此重要，他自己就会第一个站出来说他并不很重要，这对外界来说并不意味着什么。

但是在科幻小说界，对这一切必须有一种全面的视角。自1984年发表处女作以来，威廉·吉布森已经创作了5部长篇小说，其中有一部是与布鲁斯·斯特林合著的。另外，他还出版了一卷短篇小说集，并且为好莱坞写过一些剧本。他很有影响，颇受尊敬，聪明谨慎，收入颇丰，而且(也许有一点出乎意料)非常明智。尽管他出版的作品肯定不是自1984年以来科幻小说界最有价值的，但是他显然产生了巨大的影响。

《神经浪游者》(参见232页)已经成为几十篇学术论文的研究目标，然而它的价值并不是因为其思想的别出心裁。网络世界(或者是在吉布森提出这个完美术语之前的任何名称)为科幻小说读者所熟悉，这些读者早已习惯了大脑通过神经系统与活地图连接在一起的故事。这些地图可以记录一个计算机网络所掌握的信息的位置和流动。这种虚拟现实"版图"几乎可以采用各种形状或形式：雷蒙德·钱德勒笔下的加利福尼亚州的中间街道，荒凉的西部或城市中心。重要的是这些地图代表了信息。

吉布森的重要性就在于他认识到信息极其重要，并且设计出如何描述进入数据世界之后的感受。因此，《神经浪游者》创造的并不是网络世界本身，而是感受它的方法。网络空间受信息驱动和污染，由公司控制且创造出网络世界的经历，这一切就是网络朋客的全部内容。吉布森并没有发明那个术语，但《神经浪游者》很快便成为网络朋客的《旧约全书》。这里最适于体验城市生活的技能，体验地球已成为强大的外星人军队控制之下的一个破烂不堪的城市这一冷漠的观点，体验浏览数据时的快乐与亢奋，体验在海面上冲浪与拥有海洋不同这一严酷的意义。网络朋客的作家或多或少表现出对这些事物的关注，但只有吉布森能运用文学技巧使它们倾泻而出。事实上，他是一个对变化中现代世界的特征极其敏感的作家，他正确地指出了这一变化。

《神经浪游者》的两部续集《数到零》和《疲劳过度的蒙娜丽莎》，是在一些相同的基础上更为复杂的推断。然而它们对读者的影响并不大，这可能是因为认识时引起的震惊再也无法触动他们的感官，而且指出变化总比理解后天将要发生的事情有趣得多。吉布森并没有推卸责任，但他的读者以及各种媒体都倾向于对前一

"吉布森的重要性就在于他认识到信息极其重要。"

作品目录

中长篇小说
1984 《神经浪游者》，埃斯出版社
1986 《数到零》，戈兰茨出版社
1988 《疲劳过度的蒙娜丽莎》，戈兰茨出版社
1990 《差分引擎》，戈兰茨出版社，与布鲁斯·斯特林合著
1993 《虚光》，瓦伊金出版社

短篇小说集
1986 《燃烧的铬》，阿伯书屋

部作品的简朴风格难以释怀。

对于吉布森来说，《差分引擎》(参见234页)是一篇奇特的小说，虽然他写的那一部分自始至终都显得非常重要，小说生硬的严肃风格很可能来源于斯特林。《虚拟之光》又是一部纯粹的吉布森式作品：假日里的吉布森。它的背景设在未来几年的加利福尼亚，主要描绘了奥克兰湾桥在汽车失踪很久后成为一个由流离失所的人们所组成的复杂社会里的聚居地。然而，这篇小说并没有假装已了解了下一个世界发展的动向。《神经浪游者》仍是吉布森的最佳作品。

代表作品

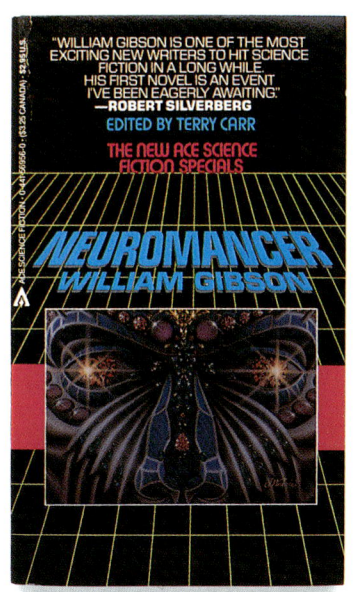

《神经浪游者》

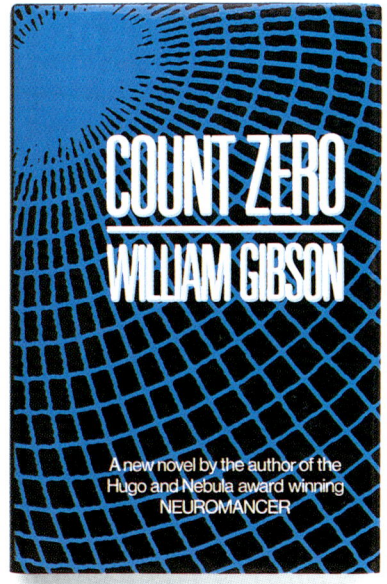

《数到零》

《疲劳过度的蒙娜丽莎》

文学批评家们，特别是那些对科幻小说不熟悉的文学批评家，在谈到简装本原著时常常认为它们没品位，不健康，很俗气。可是80年代最有影响的长篇科幻小说《神经浪游者》第一次出版时也是简装本。《数到零》和《疲劳过度的蒙娜丽莎》的初版都是精装本。这三部作品构成了吉布森著名的三部曲。它们的情节错综复杂、相互交织：从最初开始，记住网络世界里的路线，记住伏都教众神的名字，对地理有所了解，对人工智能、大生意、风格、枪炮、性欲、悲伤和智慧略述一二，然后把我们引入地图。

伊恩·班克斯

出生年份：1954
国籍：苏格兰
曾用名：伊恩·M·班克斯
主要作品：《在玻璃上行走》、《桥》、《文化》系列

作品目录

中长篇小说

1984	《黄蜂工厂》，麦克米伦出版社
1985	《在玻璃上行走》，麦克米伦出版社
1986	《桥》，麦克米伦出版社
1987	《考虑一下弗莱巴斯》，麦克米伦出版社，署名伊恩·M·班克斯
	《埃斯皮戴尔街》，麦克米伦出版社
1988	《玩游戏的人》，麦克米伦出版社，署名伊恩·M·班克斯
1989	《发展现状》，马克·V·齐辛出版社，署名伊恩·M·班克斯
	《运河梦想》，麦克米伦出版社
1990	《武器的使用》，轨道出版社，署名伊恩·M·班克斯
1992	《乌鸦路》，麦克唐纳出版社
1993	《在阴暗的背景下》，轨道出版社，署名伊恩·M·班克斯
	《同谋》，利特尔·布朗出版社
1994	《可怕的班德金》，轨道出版社，署名伊恩·M·班克斯

短篇小说集

| 1991 | 《发展现状》，轨道出版社，署名伊恩·M·班克斯，包括同名长篇小说 |

伊恩·班克斯经过苏格兰的漫漫长夜，在1984年出版了《黄蜂工厂》，从此以后他笔耕不辍。他的特别之处并不仅仅是作品的数量和他所使用的两个名字，而是作品中的混乱局面以及作品中所充满的巨大、苍凉和欢愉的活力。他的小说大约只有一半是科幻体裁的，然而他却是这几十年来英国最重要的科幻小说家。这也很特别：在泾渭分明的文学世界，他既是文学家，同时又是科幻小说家。他是H·G·威尔斯第二。

伊恩·班克斯的长篇小说《在玻璃上行走》、《桥》和《运河梦想》中都包含了科幻小说的思想，通常是对平庸的科幻冒险小说的模仿，或者是对和今日世界不完全相同的周围世界的暗示。伊恩·班克斯的小说是明白、直接的科幻小说。《考虑一下弗莱巴斯》向读者们介绍了一种文化。在这个跨银河的文明中，人们主要居住在巨大的人工制造物中。这个社会在进化过程中经历了20世纪地球上资本主义与社会主义之间的争端。事实上，生活在这个社会的居民与地球人邂逅时（参见《发展现状》）所表现出来的惊奇显得很不文雅，而且他们逐渐明白了地球人之间是多么残酷，特别是在追求"合法利润"的时候。《武器的使用》是关于战争令道德沦丧的一篇更为阴郁的寓言。这几篇小说的笔锋都很犀利、耐读，颇具分量。

没有尽头的桥梁

班克斯的长篇小说《桥》把通向前方的桥，转变成一种容易使人联想到卡夫卡的梦魇环境。

金·斯坦利·鲁滨逊

出生年份：1952
国籍：美国
主要作品：《橙子县》系列，《火星》系列

又是群星璀璨的一年。和1962年时德拉尼、迪施、勒吉恩和泽拉兹尼都发表了他们的处女作一样，1984年伊恩·班克斯、克莱夫·巴克、威廉·吉布森、詹姆斯·帕特里克·凯利、卡特·肖尔茨、刘易斯·夏纳和金·斯坦利·鲁滨逊都有处女作同世。金·斯坦利·鲁滨逊在这一年就出版了3部作品。

鲁滨逊初出茅庐第一年所出版的3部作品预示了他迄今为止的创作历程。《菲利普·K·迪克的长篇小说》仍然是介绍这位极具影响力的科幻小说家及创作的最佳作品。《冰块阵》为读者们介绍了鲁滨逊坚固、浪漫的太阳系，它的物理结构坚固地建立在硬科学知识和广阔的政治结构的基础之上，因此几乎是确定有形的。《荒凉的海岸》一度曾是他最著名的作品，它展示了鲁滨逊创建想象社会的勇气和胆略。

《荒凉的海岸》是鲁滨逊的第一部作品，由它开始的三部曲（后面两部分别是《金色海岸》和《太平洋的边缘》）可能是惟一一部背景设在3个可能世界的三部曲。有趣的是，每一卷都以相同的地点为背景：洛杉矶南部的橙子县。在《荒凉的海岸》中，美国在一场持久战中战败，橙子县的居民发展了他们独具特色的后灾难文化；在《金色海岸》中，一切都如30年后的情形：建筑过密、私有化、树木稀少、到处是技术给人们带来的威胁和希望；在《太平洋的边缘》中，美国演变成半独立的小实体温床。在那里对环境和人口的明智控制产生出一个真实的乌托邦，但是也有外界生活中的悲剧发生。这3部作品组成了关于美国的一场辩论，它的隐含意义相当深刻。

之后鲁滨逊还发表了其他作品和许多短篇小说。但鲁滨逊的颠峰之作是《火星》系列，由《红色火星》、《绿色火星》和《蓝色火星》组成。在这里起作用的是另一种乌托邦思想。按照他对科幻小说的理解，即科幻小说可以被定义为对进入未来的历史的继续推测。

《火星》系列小说描述了火星上人类殖民者的到来，以及他们企图把这个星球地球化的漫长而缓慢的过程。这是一个关于地球上生命继续的故事，而且小说也为我们在地球上遇到的问题提供了一个符合逻辑的解决办法。政治、名人、科学、经济和文化都与小说的内容休戚相关，结局非常振奋人心。这部系列小说是企图把火星变成人类家园一部分的第一次真正的尝试。

"他勇敢地创建想象社会。"

作品目录

中长篇小说

1984	《荒凉的海岸》，埃斯出版社
	《冰块阵》，埃斯出版社
1985	《白色的记忆：一篇科学浪漫故事》，石山出版社
1988	《金色海岸》，圣马丁出版社
	《绿色火星》（不同于1993年的长篇小说），石山出版社
1990	《太平洋的边缘》，昂温·曼曼出版社
	《短暂、激烈的震动》，马克·V·齐辛出版社
1992	《红色火星》，哈珀·柯林斯出版社
1993	《绿色火星》，哈珀·柯林斯出版社

短篇小说集

1986	《桌上的行星》，石山出版社
	《失明的几何学家》，奇普街出版社
1987	《逃出加德满都》，阿克索劳特出版社
1989	《失明的几何学家》，或名为《从彩虹桥返回》，石山出版社
1991	《对初始条件灵敏的依赖》，通俗读物出版社
	《重铸历史》，石山出版社

非小说类作品

| 1984 | 《菲利普·K·迪克的长篇小说》，安·阿伯书屋 |

谢里·S·泰珀

出生年份：1929

国籍：美国

曾用名：谢里·S·埃伯哈特，E·E·霍拉克，A·J·奥德，B·J·奥利芬特

主要作品：《通向女儿国的大门》，《马乔里西行记》系列，《美人》

谢里·S·泰珀给人的感觉似乎很年轻。她的处女作直到1983年才问世。她笔下的女主人公大多很年轻。另外，她早期的很多作品似乎都是为年轻读者而写的，并且她自己也朝气蓬勃。但是她确实是1929年出生的，这一点儿没错。在出版第一部作品时，她已经50多岁了。

至今为止，泰珀已出版了至少30部作品(这里没有列举她以别名写的侦探小说)。她在科幻小说界的地位如此举足轻重，以至于人们都以为她一直属于这一领域。

泰珀最新的作品即是她最好的作品。早期的小说大多被收入《真实的游戏》这部行星传奇系列当中。小说的女主人公们要保护她们的家园，免受Ψ魔力和外星人的侵扰。这听起来有点儿像马里恩·齐默·布拉德利的《黑暗笼罩》系列小说，但却没能拥有那么广泛的读者群。这大概是因为各卷之间缺乏密切的联系，因此读者在选择这些作品时带有很大的任意性。《觉醒的人们》最初(不很明智地)是以2卷本的形式出版的。它是一部形而上学的科幻戏剧，背景设在不能向东行进的世界。《长久的沉寂之后》是一部令人迷惑的科幻小说，它的背景是一个神秘的外星人居住的星球。

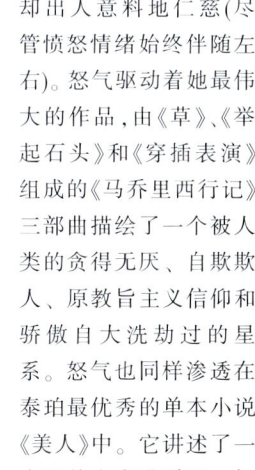

设定风格
《通向女儿国的大门》为谢里·S·泰珀的作品确定了基调。

随着《通向女儿国的大门》的问世，泰珀一举成名。这篇小说从表面上看十分残酷。在一个大屠杀后的艰难世界里，男人和女人过着几乎完全隔离的生活，女人明显受到压抑。然而关于真实情况的揭露却出人意料地仁慈(尽管愤怒情绪始终伴随左右)。怒气驱动着她最伟大的作品，由《草》、《举起石头》和《穿插表演》组成的《马乔里西行记》三部曲描绘了一个被人类的贪得无厌、自欺欺人、原教旨主义信仰和骄傲自大洗劫过的星系。怒气也同样渗透在泰珀最优秀的单本小说《美人》中。它讲述了一个睡美人在逃脱了一场长达百年的睡眠后，却发现自己被放逐到一个21世纪的反面乌托邦社会，而且衰老得特别快。她最终对劫掠后的地球满怀希望。这样的命运使这篇小说成为一则有说服力的寓言。

> **作品目录**
> **中长篇小说**
> 1983 《国王的第四种血》，埃斯出版社
> 《同卜亡魂的第九个巫师》，埃斯出版社
> 1984 《亡魂》，埃斯出版社
> 《巫师的11》，埃斯出版社
> 1985 《多形马文的歌》，埃斯出版社
> 《多形马文的逃遁》，埃斯出版社
> 《搜寻多形马文》，埃斯出版社
> 《玛丽安娜，魔术家和预言家》，埃斯出版社
> 《吉尼恩·富特西尔》，石山出版社
> 1986 《血液遗产》，石山出版社
> 《德尔维希式女儿》，石山出版社
> 《星星眼吉尼恩》，石山出版社
> 1987 《长久的沉寂之后》，矮脚鸡图书出版公司，后改名为《谜底》
> 《觉醒的人们：北岸》，石山出版社
> 《觉醒的人们：南岸》，石山出版社
> 《尸骨》，石山出版社
> 1988 《通向女儿国的大门》，道布尔迪出版社
> 《玛丽安娜夫人和转瞬即逝的天神》，石山出版社
> 1989 《草》，道布尔迪出版社
> 《火柴盒玛丽安娜和孔雀石鼠》，埃斯出版社
> 《平静的生活》，矮脚鸡图书出版公司，署名E·E·霍拉克
> 1990 《举起石头》，道布尔迪出版社
> 1991 《美人》，道布尔迪出版社
> 1992 《穿插表演》，矮脚鸡图书出版公司
> 1993 《天使之灾》，矮脚鸡图书出版公司

朱莉安·梅

出生年份：1931

国籍：美国

曾用名：伊恩·索恩，李·N·福尔克纳

主要作品：《被流放者的传奇故事》系列，《星系背景》系列

朱莉安·梅正式迈入科幻小说界时早已饱经世面。早在1951年，她就出版过一部短篇科幻小说。在后来的30年里她以别名出版了近300部作品，其中大部分是为儿童写的非小说类作品。她还创立并经营了一系列小型出版社，其中最著名的是她与她丈夫T·E·迪基蒂合办的斯塔蒙特出版社。因此在她登上科幻小说舞台时，她对出版业已经有所了解。

不管《被流放者的传奇故事》是否经过精心构思，事实上我们很难明白如此复杂的一项事业如何能够来自心灵以外的任何地方，它的影响非常巨大。它是一篇用科幻小说的框架搭建的幻想史诗，一部以散文为形式的歌剧，一出演员是人类深切感情冲动的化身的家庭戏剧，一篇关于人类与外星人接触的激动人心的故事。它很亲切，背景主要是在更新世的欧洲。故事内容广泛，牵涉到至少两个外星人种族、千万年的时间以及至少一个星系的旅行。从各方面来说，它确实是一部太空剧，也是一个神秘哲学的练习，因为小说的具体内容包括世界心理和星系心理，大都反映了皮埃尔·德日进这位激进的神学家、哲学家的研究。

这并不简单，《一个上新世的伙伴》是介绍梅主要系列小说的非小说指南读物，非常有帮助。其基本框架是：未来地球上的居民已经相当成熟，他们加入了5个种族。这5个种族监控着星系，而且还拥有一台畸形的时间机器。这台机器只能回到过去，而且只能回到一个地点和一个时间：更新世的法国。这篇小说以歌剧式的华丽形式描述了一群人的生活。他们选择了更新世的流亡生活，而且发现两伙交战的外星人已经占据了地面。于是，情节不可避免地变得复杂了。

《干涉》重新回到地球的近期未来，检查了星系联络建立之后到达2013年的历史进程。它把她的前一系列与《举起无形体的人》和《钻石面具》联系起来，这两篇小说属于《星系背景》系列。这个系列在完成以后，会比第一部还要壮观。很早以前就显而易见的精神进化这一主题，已经变得更加重要。而且梅的《星系背景》系列小说，与建立在苏菲派哲学基础之上的多丽丝·莱辛的5卷本系列小说《阿尔戈斯的坎诺普斯：档案馆》之间的相似之处不仅仅在表面上。

梅和莱辛的不同之处就在于，梅对科幻小说与荒诞小说了如指掌，而且她的史诗更复杂，更棘手，更惊险，更有趣。

> "梅的史诗更复杂，更棘手，更惊险，更有趣。"

> **作品目录**
> **中长篇小说**
> 1981 《色彩缤纷的陆地》，霍顿·米夫林出版社
> 1982 《金色的项链》，霍顿·米夫林出版社
> 1983 《不是从母体中出生的国王》，霍顿·米夫林出版社
> 1984 《对手》，霍顿·米夫林出版社
> 1987 《干涉》，霍顿·米夫林出版社，再版时分为两卷《监视》和《总音乐会》
> 1990 《黑色的延龄草》，道布尔迪出版社，与马里恩·齐默·布拉德利和安德烈·诺顿合著
> 1992 《举起无形体的人》，克诺夫出版社
> 《血色的延龄草》，哈珀·柯林斯出版社
> 1994 《钻石面具》，克诺夫出版社
> **非小说类作品**
> 1977 《科南海伯里安世界的地名词典(索引)》，斯塔蒙特出版公司，署名李·N·福尔克纳
> 1984 《一个上新世的伙伴》，霍顿·米夫林出版社

戴维·布林

出生年份：1950
国籍：美国
主要作品：《社会进步》系列，《地球》，《全盛时期》

每一条规则都有例外，戴维·布林就是好几条规则的例外。有人认为，科幻小说大约在1960年就已经开始衰退。而且，在此之后进入这一领域的作家，都对旧式的太空剧和科幻小说抱有悲观的看法。似乎人类只要有勇气，就可以攀登这个阶梯到达最遥远的星辰。事实上，像德拉尼、迪施和泽拉兹尼这些作家都没有花时间去征服星系。但和他们一样聪慧无比的布林在他主要的一部系列——《社会进步》系列，包括开篇部分《星潮涨起》和《实践效应》，以及目前的高潮部分《推动社会进步的战争》(参见233页)中，就像重生的E·E·史密斯一样，用生动的笔触呈现出星系的景象。在这部系列小说中，有一个到达星星的阶梯，人类奋力爬到了"5个星系"的终极位置。这些星系是由一个逝去的祖先种族播撒的，并且受5个恩主家族管理，一个家族管理一个星系。人类从社会等级的最下层开始，却发现当地的恩主家族已经腐化，因此我们只好遵循自己的路线才得以到达蕴藏着多年智慧的伟大中心——正本图书馆。它很有趣，但不是确切意义上的科学。

下面是第二个例外。布林是一个有丰富思维能力的人，并获得物理学博士学位，有时他还和令人肃然起敬的格雷格·本福德合作。本福德是一位物理学教授，然而他写的硬科幻作品充满了活泼轻快的模糊语言、横扫一切的手势以及许多难题的答案。

第三个例外是：大多数硬科幻小说作家都很保守，他们对技术和私有企业能取得的成就抱有一种(越来越谨慎的)乐观看法。然而布林在长篇小说《地球》中与杰里·波尔内尔等作家的技术癖毫无关系 (直到后来硬科幻小说喜欢夸大答案的习惯开始盛行)。在《地球》中，布林描述了一个处在自我毁灭边缘的行星，这一紧急危机是由一个不负责任的企业家引起的。唉!

在太空剧式的硬科幻小说《全盛时期》中，高兴的灭亡预言者与一个新世界进行较量，几乎遭到惨败。一个孤立的母权制星球受到这个星系其余部分的威胁，这个星系是由男人控制的。在续篇中，我们将会看到在飞船都靠岸以后，布林就会去与那些受人喜爱、自主自立的女人周旋。

> "布林的作品中充满了模糊语言、横扫一切的手势和许多难题的答案。"

作品目录
中长篇小说
1980 《冲向太阳的人》，矮脚鸡图书出版公司
1983 《星潮涨起》，矮脚鸡图书出版公司
1984 《实践效应》，矮脚鸡图书出版公司
1985 《邮递员》，矮脚鸡图书出版公司
1986 《彗星的中心》，矮脚鸡图书出版公司，与格雷戈里·本福德合著
1987 《推动社会进步的战争》，幻想出版社
1989 《帕克博士的幼儿园》，奇普街出版社
1990 《地球》，矮脚鸡图书出版公司
1993 《全盛时期》，矮脚鸡图书出版公司
短篇小说集
1986 《时间之河》，达克·哈维斯特出版社
1994 《不同物》，轨道出版社
编辑作品
1990 《太阳风帆项目》，罗克出版社，与阿瑟·C·克拉克合编

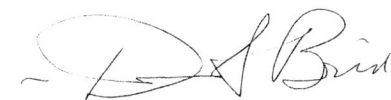

布鲁斯·斯特林

出生年份：1954
国籍：美国
主要作品：《分裂矩阵》，《网上岛屿》，《阴沉的天气》

他似乎一直在进步。当然，他有过发展的历程：《错综复杂的海洋》的内容为在一个没水的星球上颠簸地行驶，兴奋地探索；《人造儿童》虽发出城市高科技的卡嗒声，却太过于依赖这个充满传奇色彩的儿童主人公，以至于对事物未能作出明确的解释。(德拉尼不太幸运的遗产之一就是儿童，这个适合城市生活、性感的恰尔德式的人物是斯特林《人造儿童》的模型。)然而网络朋客随即出现了。如果说这个术语不是斯特林发明的，那么通过编辑网络朋客文集《镜子的阴暗处》，他很快就在文章中成为网络朋客的权威发言人。

对于斯特林来说，网络朋客是新科幻小说的一个信号。威廉·吉布森是最重要的新科幻小说作家。随着80年代的逐步深入，这种新科幻小说最终要面对我们即将进入的新世界。这个世界污秽不堪，城市气息浓烈，难以名状的复杂，计算机享有至高无上的支配权。在这个世界里，人类通过不断适应取得胜利：在精神上通过学会控制所有信息能量存在的网络世界；在肉体上通过变成可以在任何裂缝中生存，可以爬越任何虚拟现实中的山脉状的动物。在《分裂矩阵》和《网上岛屿》(参见233页)中，斯特林假设了一些狂热的新世界，还极力主张把它们结合起来。他讨论了进化、系统、适应性、坚韧、攻击和超越。《网上岛屿》创造了共同控制之下近期未来信息网络世界中真实、沉闷的妄想狂。《分裂矩阵》是电子时代的太空剧，遗传工程与外星人入侵这一常规主题同时存在。

《差分引擎》把对未来的这种想象解释成一个"可能"的过去，一个被巴比奇电脑的胜利改变了的1850年的英国。这是一个发了疯的机器的达盖尔银板，而且整篇小说不知怎么是由电脑本身生成的。《阴沉的天气》则回到了美国西部的近期未来。蓄水层枯竭了，但全球变暖的趋势使降雨量增加，可在新植物把它吸收之前还不能到达蓄水层的水位。天气逐渐恶化。地球必定要经受一次动荡。因为有了斯特林，你可以身临其境。

蒸汽朋客
《差分引擎》中的人工智能，是由巴比奇看上去不可靠的计算机发展而来的。

作品目录
中长篇小说
1977 《错综复杂的海洋》，乔夫出版社
1980 《人造儿童》，哈珀出版社
1985 《分裂矩阵》，阿伯书屋
1988 《网上岛屿》，阿伯书屋
1990 《差分引擎》，戈兰茨出版社，与威廉·吉布森合著
1994 《阴沉的天气》，矮脚鸡图书出版公司
短篇小说集
1989 《水晶直快车》，马克·V·齐辛出版社
1992 《球形脑袋》，马克·V·齐辛出版社
非小说类作品
1992 《镇压黑客：电子前沿领域的法制与混乱》，矮脚鸡图书出版公司，已上互联网
编辑作品
1986 《镜子的阴暗处：网络朋客文集》，阿伯书屋

詹姆斯·P·布莱洛克

出生年份：1950

国籍：美国

曾用名：威廉·阿什布莱斯

主要作品：《侏儒》，《凯尔文勋爵的机器》，《梦境》，《纸圣杯》

作品目录

中长篇小说

1982	《小精灵船》，巴兰坦出版社	
1983	《消失的小矮人》，巴兰坦出版社	
1984	《挖掘用的巨兽》，巴兰坦出版社	
1986	《侏儒》，伯克利出版社	
1987	《梦境》，阿伯书屋	
1988	《最后一枚硬币》，马克·V·齐辛出版社	
1989	《石头巨人》，埃斯出版社	
1991	《纸圣杯》，埃斯出版社	
	《神奇的眼镜》，莫里根出版社	
1992	《凯尔文勋爵的机器》，阿克汉姆书屋	
1994	《黑夜的遗迹》，埃斯出版社	

有人认为布莱洛克与科幻小说的联系很少，他应该被当作一个为新时代读者编织模糊神话的作家。那些读者喜爱温和的真理、飘渺的音乐，以及在道路另一侧的污水处理厂。也有一些人认为，他对世界有一种真正科幻意义上的理解。

《小精灵船》和《消失的小矮人》是幻想小说，尽管它们比普通的幻想小说更尖锐，疑问更多。然而小说《侏儒》则属于另一类，内容为一次酝酿良久的前往19世纪另类伦敦的旅行。小说中回响着狄更斯和一些名声不及他的作家的声音，比如布尔沃·利顿和哈里森·安斯沃思。这些作家都写过关于错综复杂的19世纪城市的小说，这些小说被统称为神秘小说。蒸汽朋客（布莱洛克和他的朋友蒂姆·鲍尔斯在其中是主要人物）利用了同样浓缩的情节、戏剧化的场景以及复杂得难以置信的阴谋，目的是创造出对正在诞生中的现代世界一种可能历史的想象。正如布莱洛克在《侏儒》和《凯尔文勋爵的机器》中所写的那样，蒸汽朋客是真正的科幻小说用以理解、解释工业革命，也就是今天的根源的对策。

然而加利福尼亚仍然是布莱洛克现实中和精神上的家园，它也是小说《梦境》和《纸圣杯》的背景。这些小说试图通过创造"可能世界"来捕获一个复杂的新世界，这些可能世界能够暴露隐藏在事物表面之下真相的丰富脉络。在布莱洛克手中，加利福尼亚是一个充满了非凡人物和事件的魔幻－现实主义天堂。然而这个天堂的结构，即它的土壤和生命，似乎是由蛇艳丽的鳞片编织而成的。换句话说，他笔下的加利福尼亚在本质上既神圣又腐败。一个太平洋岸边的年迈的跛子可能是个鱼王，希望奇迹发生以拯救其国土；也可能是个房产商，想趁机把它抢劫一空；或者两者兼而有之。在布莱洛克笔下的加利福尼亚，一切几乎都有可能发生。

蒂姆·鲍尔斯

出生年份：1952

国籍：美国

曾用名：威廉·阿什布莱斯

主要作品：《安努毕斯门》，《在离经叛道者宫殿的晚餐》，《陌生人如潮而至时》

蒂姆·鲍尔斯和他的同事布莱洛克不同，从一开始他就是一个为激光书籍编写常规太空剧的作家，出版这些书籍是希望把科幻小说变得像医院浪漫故事一样平常。激光的构想失败了。于是，鲍尔斯改写了书名。读者如果想读这些作品，就应该读它们修改后的版本。

接着鲍尔斯写了《黑暗降临》，这是一部意义深远的幻想小说。然后就是他的脱颖之作《安努毕斯门》，这部小说获得本年度的菲利普·K·迪克奖。它同布莱洛克的小说一样，是最好的蒸汽朋客小说。一个当代人被送回19世纪早期的英国，名义上是去听塞缪尔·泰勒·柯尔律治的演讲，但实际上他卷入了一场阴谋。它牵涉到长着弹簧脚后跟的杰克·安努毕斯、古埃及的巫师、诗人威廉·阿什布莱斯，以及伦敦本身不为人所知的神秘人物。这些小说不易忘却，而且有些部分很恐怖。然而令人惊讶的是，它也充满了温和的气氛，以及能让读者兴高采烈地走出黑暗生活的快乐。

《在离经叛道者宫殿的晚餐》是科幻小说，但采用的是鲍尔斯和布莱洛克在他们的成熟小说中共同发展起来的结构丰富这一类型的写法。它的背景设在灾难后的旧金山，小说非常成功地展示了一个荒凉世界的必然意义。然而同时，小说的情节由于充满了魔法、神话和美国废墟上丰富的早餐而变得难以捉摸。主人公重新演绎了俄耳甫斯和欧里狄克的动人故事。《陌生人如潮而至时》是一篇海盗小说，它把超自然因素与幻想和科幻小说结合在一起，通过错综复杂的超现实情节展现了他与拉斐尔·萨巴蒂尼所写小说的迥异之处。拉斐尔·萨巴蒂尼是《斯卡拉穆恰》的作者，他对鲍尔斯的影响是众所周知的。

《她关注的重点》和《最后一个电话》均是根据鲍尔斯早期作品中所发现的丰富矿藏进一步发掘而写成的。神话故事和高技术相互交织，时间旅行的悖论使小说变得阴沉暗淡，但都有一个精确、复杂的时间。

作品目录

中长篇小说

1976	《铁锈上的墓志铭》，莱瑟出版社，改写后名为《铁锈上的一篇墓志铭》	
	《退位的天空》，莱瑟出版社，修改后名为《遗弃天空》	
1979	《黑暗降临》，巴兰坦出版社	
1983	《安努毕斯门》，埃斯出版社	
1985	《在离经叛道者宫殿的晚餐》，埃斯出版社	
1987	《陌生人如潮而至时》，埃斯出版社	
1989	《她关注的重点》，埃斯出版社	
1992	《最后一个电话》，莫罗出版社	

代表作品

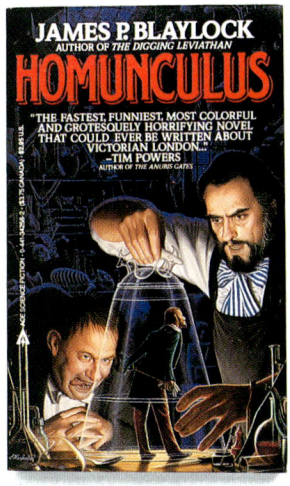

《侏儒》

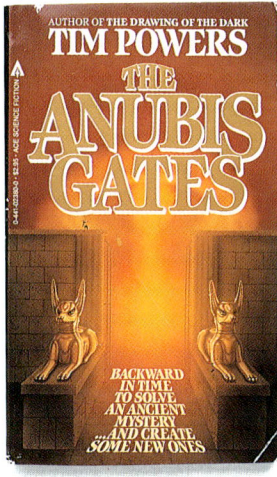

《安努毕斯门》

19世纪伟大的诗人威廉·阿什布莱斯把布莱洛克和鲍尔斯联系在一起。在《侏儒》中曾提到过他，但他始终没露面；在诗歌介绍中也找不到他。这并不奇怪；他完全是由这两个在小说和大幅广告中以阿什布莱斯的名义写诗的作家杜撰出来的。最后发现，他是《安努毕斯门》的主人公。他的诗确实很好。

康尼·威利斯

出生年份：1945

国籍：美国

主要作品："防火手表"，"克利里家来的一封信"，"最后一个温内巴戈人"，"在里亚尔托"，《林肯的梦想》，《世界末日篇》

作品目录

中长篇小说
- 1982 《水中女巫》，埃斯出版社，与辛西娅·费利斯合著
- 1987 《林肯的梦想》，矮脚鸡图书出版公司
- 1989 《轻微袭击》，埃斯出版社，与辛西娅·费利斯合著
- 1992 《世界末日篇》，矮脚鸡图书出版公司
- 1994 《未知疆域》，矮脚鸡图书出版公司

短篇小说集
- 1985 《防火手表》，欧鸟出版社
- 1994 《不可能事件》，矮脚鸡图书出版公司
- 1994 《未知疆域》，新英国图书馆出版社

在70年代，康尼·威利斯断断续续地为杂志社撰写过一些文章。经过一段缓慢而审慎的开创期之后，她于1980年在科幻小说界一炮打响。尽管她在最受瞩目的15年里只出版了两部长篇小说，她还是理所当然地被认为是科幻小说界最主要、最成熟的作家之一。她与辛西娅·费利斯合著的两部长篇小说《水中女巫》和《轻微袭击》热情奔放，但是并不深刻。她单独创作的小说就完全不同了。

《林肯的梦想》是最令人难以忘怀的时间旅行小说之一，尽管实际上并没有回归过去的旅行。一个用浓重的笔墨充分刻划的当代女性投身于超自然的研究，结果却发现自己与罗伯特·E·李将军发生了整整两个世纪的精神联系，并且走进了他对美国内战后果的阴郁想象。在这场战争中他不敢奢望取胜，因为他代表的是身遭围攻、以农业为主、保持着奴隶制的南方势力。同时，这个女人的情人开始思考由李将军的著名坐骑"旅行者"所感受到

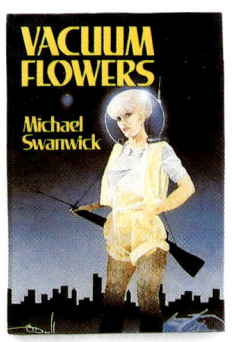

历史人物
在《林肯的梦想》中，李将军和他的坐骑"旅行者"接触到了现在。

的对事件有失公正、但很生动的意识。这听起来很滑稽，但威利斯（她知道如何讲笑话）懂得如何进入并展现给我们美国精神真实、阴郁的想象。《林肯的梦想》向我们传递了美国的梦想。

《世界末日篇》（参见236页）不能以同样的方式对待英国，而且它也没有试图这样做。这篇小说发生在近期未来的牛津，又一次给我们讲述了一个包含时间旅行的故事。但与以往不同，这次的旅行是真实的。

负责把志愿者送回到过去的牛津编年史机构——也是威利斯在1984年写的最著名的单本小说《防火表》的特色——训练了一个准备返回到14世纪中期的年轻女人，那时黑死病即将毁灭这个国家。一个细微的计算错误把她送回到了一个危险区域，在那里她与一个充满奇想的村庄关系密切。死亡不可避免地来临了，通过一幅幅连绵不断的悲惨景象，我们开始对启示的详细情况有了一些了解。我们经历了死亡来临、蔓延、玷污和洗刷的细节。最后，这个年轻女人逃回未来，但我们这些读者却难以脱身。康尼·威利斯是生命的编织者。

迈克尔·斯旺尼克

出生年份：1950

国籍：美国

主要作品："金努恩阿加普"，《真空鲜花》，《潮汐驿站》

科幻小说界仍然有创作速度快、作品数量多的作家，他们在富有价值、多产的写作生涯中为我们创作了几十部作品。然而与此同时，科幻小说界在最近几年出现了一种明显转向于像威利斯、斯旺尼克和卡迪根等作家的现象。他们出版的小说比通常的文学体裁有更强的目的性。

在此之前，我们应该记得，写科幻小说的报酬少得可怜。一心把写作当成事业的人被迫不停地创作，不断地推出大量作品。近来，虽然科幻小说作家大多还很贫困，但他们的经济情况已经发生了很大的改变，使得像迈克尔·斯旺尼克一类的作家逐渐开始了新的事业。

也许正因为如此，斯旺尼克没有写过一部续集。而且时至今日，他的作品很少有雷同之处。《随波逐流》是他最早、也是最差的一部作品。这是一篇关于可能世界的故事，背景设在被巴尔干化了的灾难后的美国，三里岛爆炸后带来的辐射效应使这里的人们深受其害。

与此相反，《真空鲜花》描写了一个最终开始占据遍及太阳系的太空居住处的人类，而且揭示了旧式太空剧中冒险家们富有西方风格的英雄行为虽然很值得称道，但却只是一种幻想。同时，它深刻地分析了在一个我们很快就会进入的世界中人类个性的本质，在那里经过编辑的性格可以通过医学移植，以计算机芯片的形式插入人的大脑，然后我们就有了新的视野、新的能力、新的自我，以及新的束缚。

《格里芬的蛋》同样描绘了一个我们很快就会进入的世界：它的背景是近期未来的月球，那里被跨星球的公司所控制，而且在生态上也受到了它们的威胁，这些公司的权力远远地超过了被废黜的国家。

到目前为止，斯旺尼克最好的一部长篇小说是《潮汐驿站》（参见235页）。故事离开了近期未来，来到几个世纪以后的时代。那是一个被控制着星际太空的人类政府隔离的星球。小说的主人公是一个被送到这个星球上来调查一起重要盗窃案的"官僚"，这是一个十分复杂的人物。一开始他看上去不过是个缺乏个性、犯了大错的人；到最后才发现他很有能力，是个既明智又危险的人物，与莎士比亚《暴风雨》中的普罗斯帕罗有异曲同工之处。这部小说读起来就像《文艺复兴记忆戏剧》的虚拟现实版本。

接着斯旺尼克又有《铁龙的女儿》问世，这是一部惊心动魄、尖刻犀利的幻想小说。斯旺尼克从不重复自己。

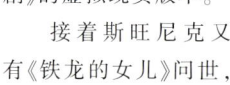

和网络朋客打招呼
《真空鲜花》在描绘未来极其城市化的生活时，对网络朋客进行了仔细的分析。

作品目录

中长篇小说
- 1985 《随波逐流》，埃斯出版社
- 1987 《真空鲜花》，阿伯书屋
- 1990 《格里芬的蛋》，传奇出版社
- 1991 《潮汐驿站》，莫罗出版社
- 1993 《铁龙的女儿》，千年出版社

短篇小说集
- 1991 《重力的天使》，阿克汉姆书屋

卢修斯·谢泼德

出生年份：1947
国籍：美国
主要作品：《绿眼睛》，"R&R"，《战时生涯》

作品目录

中长篇小说
1984 《绿眼睛》，埃斯出版社
1987 《战时生涯》，矮脚鸡图书出版公司
1988 《捕鳞人的漂亮女儿》，马克·V·齐辛出版社
1989 《石头之父》，华盛顿科幻小说协会
1990 《加里曼丹》，传奇出版社
1993 《金色的标记》，马克·V·齐辛出版社

短篇小说集
1987 《捕捉美洲豹的人》，阿克汉姆书屋
1989 《楠塔基特杀戮马道》，伊尔·格拉斯出版社，与罗伯特·弗雷泽合著
1991 《地球的尽头》，阿克汉姆书屋
1994 《运动和音乐》，马克·V·齐辛出版社

假如卢修斯·谢泼德专门或主要从事科幻小说创作的话，那我们在这里就需要用更多的篇幅来作介绍；但是他的创作跨越了好几种体裁，而且他必须被看成是一个对多种体裁（不仅仅是科幻小说，还有恐怖小说、荒诞小说）都要仔细研究以寻找素材的作家。

对于谢泼德这样的作家来说，一篇特定的小说是否遵守一个特定体裁的规则并不很重要，只要能让他检查一下他所选择的人类的处境，并且从这些处境中吸取教训，任何规则都可以。

尽管谢泼德经常对传统观念进行攻击，但从另一角度看，他却是个道德主义者；他最早写的两部无疑可以称做科幻小说的长篇小说证实了这一点。《绿眼睛》通过描写起死回生者的经历检验了医疗道德，而在《战时生涯》中收集的各种各样的故事带有惩罚性地把美国的越战经历转化成一个美国南部的恶梦，一个离家很近而又无法躲避的恶梦。

洛伊丝·麦克马斯特·布乔德

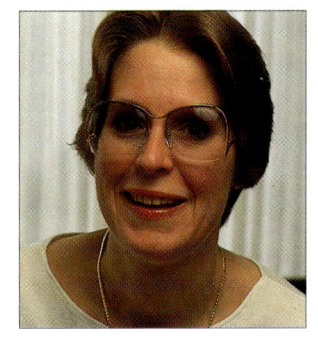

出生年份：1949
国籍：美国
主要作品："哀悼的山脉"，《伏尔游戏》

作品目录

中长篇小说
1986 《破碎的荣誉》，贝恩出版社
    《武士的学徒》，贝恩出版社
    《伊桑·阿索斯》，贝恩出版社
1988 《获得自由》，贝恩出版社
1989 《参战弟兄》，贝恩出版社
1990 《伏尔游戏》，伊顿出版社
1991 《巴拉亚》，贝恩出版社
1994 《对镜起舞》，贝恩出版社

短篇小说集
1989 《无限的边界》，贝恩出版社

科幻小说这一体裁对各种形式的喜剧充满敌意，这是众所周知的事实。在科幻小说的背景下很难表达出幽默和诙谐，反而常常以最愚蠢、最粗俗的滑稽剧收场。

洛伊丝·麦克马斯特·布乔德不是一个表现得非常有趣的作家，她也从来没有迷恋过粗俗的滑稽剧，然而她的长短篇小说却总能给人留下一种阅读时笑意盈盈的感觉。换句话说，她是一个带着喜悦来讲故事，并把这份喜悦传达给读者的作家。这些小说和故事几乎都是有关一个叫做迈尔斯·沃科西根的年轻外交军官的故事。他是个残废军人，极富性格魅力，秉性温厚，而且非常机敏，他的冒险活动横贯了这个长年不和、由人类控制的星系。他是一位军事天才，也是一个好人。

《伏尔游戏》是这部系列小说中最好的一篇，在1991年获得雨果奖；《获得自由》是《沃科西根》系列小说问世以前的一部单本长篇小说，在1988年获得星云奖；而在1989年出版的关于迈尔斯·沃科西根的短篇小说"哀悼的山脉"包揽了这两项大奖。

帕特·卡迪根

出生年份：1953
国籍：美国
主要作品：《图案》，《合成人》，《愚人》

如果不了解帕特·卡迪根所描绘的世界不仅死气沉沉，而且还很严肃这一特色，读者甚至会连她的第一部、也是最浅显的一部长篇小说《玩弄精神的人》都读不下去。卡迪根经常，或许是过于频繁地被说成是第一个写作真正有效的网络朋客题材的女作家。虽然这一赞许中具有真实的成分，但是事实上她的作品的范围要远比网络朋客这个名称广阔得多。

卡迪根笔下的世界城市气息浓郁，错综复杂，闷热难耐，受计算机支配，肮脏不堪，而且还很危险，反映了90年代的现实世界：她写的是小说，不是在贴标签。

《玩弄精神的人》毕竟是一篇由她最早出版的作品构建起来的小说，其问题在于它的主人公能够从容地面对现代自我的破裂，这些破裂不只在她自己心里，还在她执行医疗任务时进入其梦乡的病人心里。然而，过分浅显

致人于死地的朋友

《合成人》警告由计算机控制的世界很危险。

不再是《合成人》中存在的问题，小说中这些精神破裂在我们头脑中已经不存在了，而是开始进入近期未来的城市迷宫当中。实际上可能是电脑病毒的人工智能，开始使受到威胁的人类自身和没有坚固基础的世界那无限深处的分界面发生致命的变形。

卡迪根的第三部长篇小说《愚人》建立在《合成人》的实力之上，是迄今为止由当代科幻小说作家所撰写的最精致、同时也最难以解析的小说之一。在这篇小说中，自我不再是单纯的破裂，它已经成为出租屋，其住户们就他们必须共享的一具躯体而争吵不休。女主人公整体性格的某些部分隐伏在主框架内，有的干脆寄居其上。结尾采用了一种非常复杂的叙述。但是，只有我们熟悉其写作风格，它才能声誉日隆。或者说，只有当我们通过自己的镜子才能认识到卡迪根明确表示的我们将立即显示出展现于世界的多重表象。

作品目录

中长篇小说
1987 《玩弄精神的人》，矮脚鸡图书出版公司
1991 《合成人》，矮脚鸡图书出版公司
1992 《愚人》，矮脚鸡图书出版公司

短篇小说集
1989 《图案》，乌尔苏斯出版社
1991 《家信》，妇女出版社，与卡伦·乔伊·福勒和帕特·墨菲合著
1992 《海边的家》，乌斯法出版社
1993 《脏活》，马克·V·齐辛出版社

1990~1994：迎接新千年

随着新千年的临近，人们开始对我们将要面临一个怎样的新时代以及我们应该如何面对这个新时代提出疑问。20世纪初，人类既充满希望又满怀恐惧，在那些久已尘封的日子里创作的科幻小说反映了我们当时觉察到将要面对的巨大变化。现在，我们已经站在了20世纪的终点。也许在向新千年迈进时，会有更多的巨变发生。在这个世纪，科幻小说已经从婴儿时代经

1990

代表作品

《冥卫一的光环》
罗杰·麦克布赖德·艾伦

《天使女王》
格雷格·贝尔

《火星之行》
特里·比森

《地球》
戴维·布林

《伏尔游戏》
洛伊丝·麦克马斯特·布乔德

《引发冲突的隔阂》
斯蒂芬·唐纳森

《差分引擎》
威廉·吉布森和布鲁斯·斯特林

《接受普伦蒂》
科林·格林兰

《智慧玫瑰》
南希·克雷斯

《寂静的池塘》
迈克尔·库伯-麦克道尔

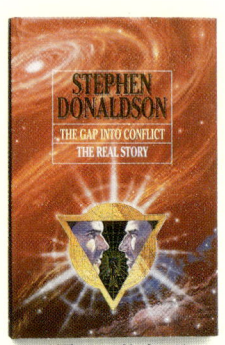
《冥卫一的光环》

代表作家

我们对人脑了解得越多，就越会发现它很像一种结构非常复杂的地雷。很多小说，比如南希·克雷斯的《智慧玫瑰》，告诉我们大脑内部的景观不仅可以用陷阱捕捉到，而且还极为诱人。计算机也许更有威力，但像霍迪尼这样的头脑，可以躲避我们想束缚它们的企图。

处女作

首次发表科幻作品的作者包括《赖诺塞罗斯》的作者特里·道林，《老鼠的大脑》的作者迈克尔·布卢姆莱因，《氧气大王》的作者格雷戈里·菲利，《漫长的冬季》的作者伊丽莎白·汉德，《缩时摄影人》的作者埃里克·布朗，以及《金羊毛》的作者罗伯特·J·索耶。

1991

代表作品

《合成人》
帕特·卡迪根

《撒拉·加那利》
卡伦·乔伊·福勒

《白衣女王》
格温内思·琼斯

《轨道中的拉弗蒂》
R·A·拉弗蒂

《限度死亡》
凯特·威廉

《永恒之光》
保罗·麦考利

《零乱荒芜的世界》
朱迪思·莫菲特

《杰戈》
金·纽曼

《硅人》
查尔斯·普拉特

《星球之外的黑暗》
弗兰克·M·鲁滨逊

《空心地球》
鲁迪·拉克

《水面》
罗伯特·西尔弗伯格

《潮汐驿站》
迈克尔·斯旺尼克

《限度死亡》

本世纪初，科幻小说作家倾向于假定——有时是不加思索地——智人将要控制星系，就像我们控制自己的星球一样。然而要这样想却越来越不容易。目前最好的科幻小说大多把一种相反的想象戏剧化：也许我们可能是宇宙中的下等人；也许我们需要的是联合，而不是征服；也许我们需要请求别人的帮助，从而可以成为自己星球，以及除此之外更加巨大的星球上完全成熟的公民。

亚历山大·雅布洛科夫的《雕刻天空》，斯蒂芬·巴克斯特的《木筏》，劳伦斯·诺福克的《伦普里尔的字典》是本年度的长篇科幻小说处女作的杰出代表。其他重要的处女作包括珍妮特·卡根的《奇迹》，汤姆·马多克斯的《光环》，伊恩·辛克莱的《下游》，以及克里斯丁·凯瑟琳·鲁施的《权力的白色雾霭》。

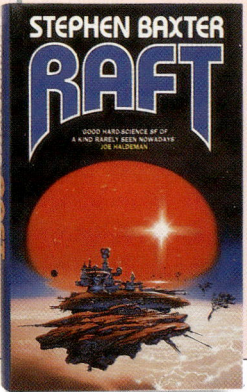

19

代表作品

《100万扇敞开的门》
约翰·巴恩斯

《盖格伯爵的烦恼》
迈克尔·毕晓普

《凯尔文勋爵的机器》
詹姆斯·布莱洛克

《愚人》
帕特·卡迪根

《消灭天使》
理查德·保罗·拉索

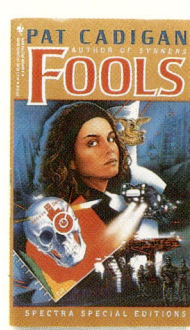
《愚人》

人类也许很快就会遇到进化过程中的一个危机，一个真实的时刻。就像第一条肺鱼爬到让它兴奋不已、但很可能有死亡危险的沙滩上，第一次呼吸空气中的氧气。我们也许很快会发现自己也筋

格雷格·伊根出版了第一部被人们期待已久且深受好评的科幻小说《隔离》。其他处女作包括理查德·考尔德的《死去的女孩们》，莉萨·W·坎特雷尔的《骨头人》，西蒙·英戈斯的《急性人》，肖恩·麦克马林的《声嘶力竭》，P·D·詹姆斯的《男人的

过青春期创伤走向成熟，但它仍然带着一开始就有的那种挑战意识面对未来：要么勇敢地面对未来，要么就会陷于困境。如果说有区别的话，那就是现在的形势更加紧迫。这个世纪已经把我们带到了地球发展的极限。如今的科幻小说认为到其他星球旅行不再是大胆的冒险，而是一项必要的探索。太阳系是我们发展的下一个目标。

92

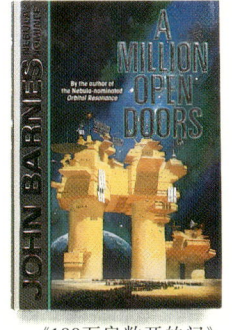

《100万扇敞开的门》

《更深的海洋》
亚历山大·雅布洛科夫

《红色的火星》
金·斯坦利·鲁滨逊

《钢铁海滩》
约翰·瓦利

《深处的火》
弗纳·文奇

《世界末日篇》
康尼·威利斯

疲力尽地站在另一个新海滩上。瓦利的《钢铁海滩》描述了这个人造的、由电子控制的、城市化的、紧张而苛求的新环境。我们必须学会呼吸由计算机监控的居所的新空气，否则我们就会重新陷入被陆地包围的童年时代的有毒污泥中，并在那里死去。

孩子》，罗伯特·哈里斯的《祖国》，以及丹尼尔·奎因的《以实玛利》。还有两篇是肯·凯西的《水手的歌》和莫林·F·麦克休的《中国的张山》。

1993

《全部的星球》
波尔·安德森

《抗冰》
斯蒂芬·巴克斯特

《移动的火星》
格雷格·贝尔

《全盛时期》
戴维·布林

《播种人的寓言》
奥克塔维亚·E·巴特勒

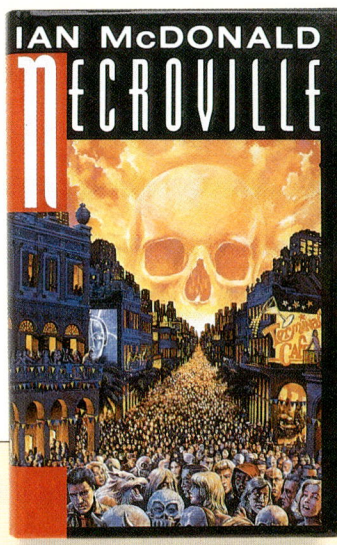

《移动的火星》

《西班牙的乞丐》
南希·克雷斯

《伽利福尼亚》
马克·莱德劳

《红尘》
保罗·麦考利

《天青石》
保罗·帕克

《破碎的上帝》
戴维·津德尔

火星也许是第一个钢铁沙滩：它是与地球为邻的行星；它的地貌很复杂；虽然它现在对没有防卫的人类生命是完全有害的，然而我们很有可能把这个邻居地球化，并开始在那里定居下来。金·斯坦利·鲁滨逊在1992年开始出版的《火星》三部曲中，很有说服力地提出一个把火星作为下一个新领域的建议。本年度的其他长篇小说，如格雷格·贝尔的作品和保罗·J·麦考利的作品，把取得的初步胜利视为是理所当然的。

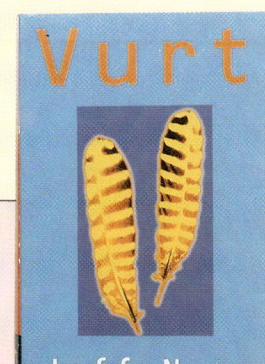

首次出版科幻作品的作者包括《菊石》的作者尼古拉·格里菲思，《捕捉影子的人》的作者威尔·贝克，《冷漠的同盟者》的作者帕特里夏·安东尼，以及《征途》的作者托尼·丹尼尔。杰夫·努恩的处女作《弗尔特》荣获阿瑟·C·克拉克奖。

1994

《生活的东方》
布赖恩·奥尔迪斯

《星星也是火》
波尔·安德森

《可怕的恩德金》
伊恩·M·班克斯

《风暴之母》
约翰·巴恩斯

《短暂的机会》
迈克尔·毕晓普

《野生动物》
詹姆斯·帕特里克·凯利

《帕斯奎尔的天使》
保罗·J·麦考利

《死尸村》
伊恩·麦克唐纳

《一天的一半是黑夜》
莫林·F·麦克休

《光线里的声音》
肖恩·麦克马伦

《午夜发热的天空》
罗伯特·西尔弗伯格

《阴沉的天气》
布鲁斯·斯特林

《极端自我主义者》
西奥多·斯特金

《死尸村》

随着90年代的发展，我们接近了一个对西方人(包括其他种族)具有象征性重要意义的时刻，因为整个世界几乎都采用同样的公历制。2000年对于从星球到植物的世间万物来说，只是普通的一年；而对于人类来说，则代表了一个时刻。从此以后，人类将开始舍弃北欧古诗，评价过去，展望未来，把我们的关注集中于光荣辉煌，或善恶大决战，或介于这两者之间。1994年以后的几十篇科幻小说，将直接以此为主题。

本年度出版的重要的科幻小说处女作包括尼科尔森·贝克的《延长记号》，凯瑟琳·安·古南的《城市爵士乐女王》，以及乔纳森·莱瑟姆的《鸣号，间或伴以乐声》。

丹·西蒙斯

出生年份：1948
国籍：美国
主要作品：《希佩里恩星球的故事》，《空心人》

1989年出版的《希佩里恩星球》（参见233页），大概是自40年前艾尔弗雷德·贝斯特出版《被拆成碎片的人》（参见219页）之后发生的对科幻小说界最为有利的事件。和贝斯特一样，丹·西蒙斯在出版他的第一篇科幻小说时在这个领域已不能算是无名之辈了，但也并非是声名显赫的人物。迄今为止，他的作品始终局限在恐怖小说的领域。然而突然间，《希佩里恩星球》不声不响地问世了，接着它的续集《希佩里恩星球的衰亡》也接踵而至。太空剧成为一种时髦玩艺。

并不是说C·J·彻里和弗纳·文奇——我们仅以单举80年代写作跨星系小说的最杰出的两位作家——在《希佩里恩星球》出现前一直无所作为。这两位作家都精力充沛，对建筑学有一定了解，他们的小说呈现了一种奇观。他们会事先给出许多关于他们打算写作的内容的信息，然后分段去描述出他们的宇宙。我们只能逐渐认识到（当然以彻里为例）展现在我们面前的景象是多么显著，多么广阔。

和他们两人截然不同的是，丹·西蒙斯的宇宙是在大量无法阻挡读者阅读欲望的文字（总共近50万字）中与读者相遇的。因为这两个名称实际上构成了一部相连的长篇小说：它们在1990年以单卷本《希佩里恩星球的故事》的形式出版。而且，虽然彻里和文奇都写过很不错的作品，但是他们都没有刻意去追求《希佩里恩星球》那种扣人心弦、勾魂摄魄的高超而大器的风格。西蒙斯以后的长篇小说把科幻、幻想和恐怖小说融为一体；至今为止，《希佩里恩星球》仍然是他的代表作。

这篇故事是建立在乔叟的《坎特伯雷故事集》这一模式的基础之上的：7个彼此独立的人被选派去朝圣，他们要通过星际太空到达一个叫做希佩里恩的星球。这里有沿着时间隧道向后倒退的神秘的时间坟墓，还有守卫着这些坟墓的伯劳鸟。伯劳鸟是一种浑身长满剪刀刃的动物。凭借这些刀刃，它可以用一种准宗教式的折磨使受难者陷于永恒的痛苦之中。这7个朝圣者身上都藏着秘密，随着他们在去希佩里恩星球的路上相互讲述各自的故事，情形变得越来越复杂。小说的情节就像伯劳鸟一样机警神秘。

约翰·济慈也来到两部小说当中。这两部小说是根据他写的有关逐出旧神的诗命名的。在第二部小说中，情节深化，而后发生了爆炸性的变化。由人类控制的星系——太复杂，难以描述——必将发生深刻的剧变：时间旅行，虫洞旅行，人工智能的战争，如此等等。人类也许会被消灭，也许不会。续集会出现的。

> "他的宇宙，是在大量不可阻挡的文字中与读者相遇的。"

作品目录

中长篇小说
- 1985 《卡利之歌》，樫鸟出版社
- 1989 《腐朽的舒适》，达克·哈维斯特出版社
  《重力相》，矮脚鸡图书出版公司
  《希佩里恩星球》，道布尔迪出版社
- 1990 《希佩里恩星球的衰亡》，道布尔迪出版社
- 1991 《夜之夏》，帕特南出版社
- 1992 《夜之子》，帕特南出版社
  《空心人》，矮脚鸡图书出版公司
- 1994 《伊甸园之火》，黑德莱恩出版社

短篇小说集
- 1991 《向碎石的祈祷》，达克·哈维斯特出版社
- 1993 《殉情》，黑德莱恩出版社

非小说类作品
- 1991 《追逐橡胶鸡》，罗德基尔出版社
- 1992 《夏日速写》，劳德·约翰出版社

斯蒂芬·巴克斯特

出生年份：1967
国籍：英国
曾用名：史蒂夫·巴克斯特，S·M·巴克斯特
主要作品：《齐里人》系列

从前有段时期，硬科幻小说的情节非常简单：它是遵照并为描绘硬科学可能的作用而写的科幻小说。根据硬科幻小说作家的理解，硬科学就是结果可以进行严格量化、并能按照在真实世界里出现的真实过程来加以理解的科学。相反，人文科学被认为是软科学。

也许正是由于这一原因，硬科幻小说总是对美国男作家——经常具有明显保守倾向的男作家，最具吸引力。英国和其他欧洲作家普遍回避硬科幻小说的写作。而且他们即使开始写作这种把对人类命运的理论探讨，建立在一些范围有限、通往法律上合适的学科基础之上的小说，他们也会回避政治性的争论，比如影响拉里·尼文和杰里·波尔内尔作品的那些争论。斯蒂芬·巴克斯特就是一个最好的例子。

熟悉巴克斯特早期短篇小说的读者都知道，当《木筏》在1991年出版时，巴克斯特不仅仅是写了一部长篇小说，尽管硬科幻小说的前提——包括对一个宇宙的博学描述，这个宇宙的重力场比我们自己的重力场远远要强大得多——本身就很玄妙。续篇似乎并不需要。但是值得一提的是，《木筏》是一个更大的讲故事游戏的组成部分，而且它和《时间状的永恒》、《波动》及《圆环》一起，用不涉及政治的方式巧妙地构成了关于齐里人和他们的人类祖先像宇宙一样长久的故事。

作品目录

长篇小说
- 1991 《木筏》，格拉夫顿出版社
- 1993 《时间状的永恒》，哈珀·柯林斯出版社
- 1993 《波动》，哈珀·柯林斯出版社
  《抗冰》，哈珀·柯林斯出版社
- 1994 《圆环》，哈珀·柯林斯出版社

代表作品

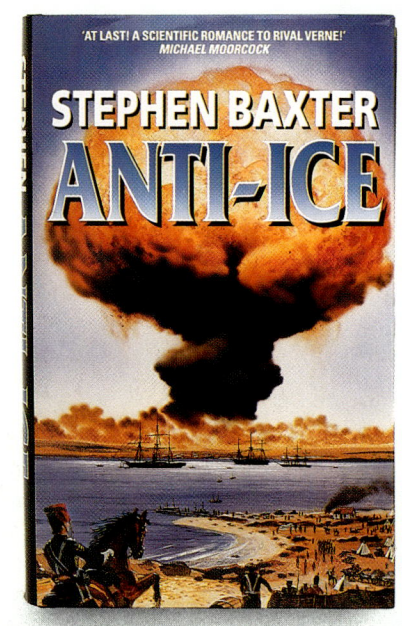

要介绍巴克斯特的话，最好是从他的第一部非未来历史故事着手。《抗冰》是一篇蒸汽朋克史诗，背景设在地球的可能世界。在这个世界里，一种非常危险的超导元素在非洲的一颗流星中被发现。这种元素可以毫不费力地推动轮船，而且控制了这种元素的英国政府在20世纪末实现了对全世界的统治。这篇小说描述了抗冰的发现者到月球的疯狂旅行，将其带回地球来的浪漫故事，以及其间的快乐和悲伤。

《抗冰》

南希·克雷斯

出生年份：1948
国籍：美国
主要作品：《外星之光》，《智慧玫瑰》，《西班牙的乞丐》

一些作家，比如波尔·安德森或是C·J·彻里，在他们的写作生涯中在科幻和幻想小说之间转换自如。还有很多作家，像皮尔斯·安东尼、马里恩·齐默·布拉德利和安德烈·诺顿，在这些年里已经逐渐从科幻小说转向幻想小说。只有少数作家从幻想小说转向了科幻小说。

南希·克雷斯在80年代开始出版作品。那时，她写的是具讽刺性和多少有一点颠覆性的幻想小说。但在1988年，随着《外星之光》的问世，她转向了科幻小说。

从此，克雷斯不再追溯过去。《外星之光》对人性进行了缓慢、可信、忧郁的检验。它对人类的描绘是从一个外星民族的角度进行的。这个外星民族在一场战争中俘虏了各种各样的智人样本，并把他们一起关在一个军营里，以便找出他们能持续生存的原因。科幻小说沾沾自喜的传统设想——我们人类喜欢争论的性格不仅具有内在的吸引力，而且从进化的意义上讲具有适应性——在这篇小说中受到冷遇。克雷斯是在一个漫长的世纪之末写作的作家，对于我们不能阻止内部争吵的致命弱点，这个世纪没有显现任何正面的证据。这篇小说中给出的信息绝对不是对我们这一物种的赞扬。

《智慧玫瑰》的背景是一个被一种吞食记忆的疾病所破坏的近期未来，小说加深了人们把克雷斯当成世纪末科幻小说中心感觉的认识。她们这一代人再也不能以为只要他们能够自由行动，并被允许创造出到达外星球的方法，而且谁落后谁遭殃，就能万事大吉了。然而同时，她对新世界以及我们希望在这些新世界中要取得的成就的描述是用正确的科幻语言来表达的。她发现有问题，尽管她与过去的硬科幻小说作家不同，她无法相信我们还能只凭技术手段就逃避我们的问题。然而，她与很多幻想小说作家也不同，她不是卢德派成员。她告诉我们，如果我们想胜利通过接下来的这几十年，就必须凭借我们对真实世界的知识和对我们自身的知识。这两种知识就是90年代科幻小说的内容。

然而，随着克雷斯接下来的一部长篇小说《西班牙的乞丐》（参见236页）及其续集《乞丐和选择者》的问世，克雷斯起飞了。她接纳了旧式科幻小说的又一个旧题材，即基因有所改变的人类儿童在与世隔绝的地方长大成人，然后接管了世界，并且把它无限复杂化。天才当然好，但必须被恰当地使用到一个无限复杂的世界中去。当然，这是一个属于我们的世界。

> "在《外星之光》中，她所给的信息不是对我们这个物种的赞扬。"

作品目录

中长篇小说
1981 《晨钟王子》，袖珍图书出版公司
1984 《金色的小树林》，樫鸟出版社
1985 《白色的管子》，樫鸟出版社
1988 《外星之光》，阿伯书屋
1990 《智慧玫瑰》，威廉·莫罗出版社
1991 《西班牙的乞丐》，阿克索劳特出版社（中篇小说）
1993 《西班牙的乞丐》，威廉·莫罗出版社（长篇小说）
1994 《乞丐和选择者》，石山出版社

短篇小说集
1985 《三位一体》，樫鸟出版社
1993 《地球上的外星人》，阿克汉姆书屋

保罗·J·麦考利

出生年份：1955
国籍：英国
主要作品：《永恒之光》，《红尘》，《帕斯奎尔的天使》

作品目录

中长篇小说
1988 《4000亿个星球》，戈兰茨出版社
1989 《秘密协调》，戈兰茨出版社，后改名为《哀亡》
1991 《永恒之光》，戈兰茨出版社
1993 《红尘》，戈兰茨出版社
1994 《帕斯奎尔的天使》，戈兰茨出版社

短篇小说集
1991 《一山之王》，戈兰茨出版社

编辑作品
1992 《在梦中》，戈兰茨出版社，与金·纽曼合编

不可否认，欧洲的科幻小说作家与他们大西洋对岸的同行相比确实显得很忧郁。他们对匀寂状态耿耿于怀，对遍及整个宇宙的缓慢但又不可逆转的能量消失耿耿于怀，这就意味着最终什么事情都不会发生，因为没有斜坡会使能量流下来引起任何事物的发生。匀寂状态潜伏在欧洲科幻小说，尤其是英国科幻小说的每一个角落里，起码包含在隐含意义当中。这就是为什么很多科幻小说读者，不管他们是否出生在英国，总是、而且仍旧会倾向于从美国科幻小说中寻找不受羁绊的快乐；因为美国人对匀寂状态从来就没有好感。

保罗·J·麦考利早期的长篇小说当然不免受到匀寂状态这种诱惑的影响。比如，《4000亿个星球》自诩有一个合适、实在的太空剧题目；但故事本身从疲惫的地球上把一个特遣部队带到另一个星球，这个星球上的生物否认并混淆任何形式的直接活动。像这样的一个剧本存在的问题并不是科幻小说读者想以某种方式否定匀寂状态、损失和混乱，而是(尤其是碰到像这样的一个题目)他们期望能远离这些事物，得到短暂的休息。但是麦考利很快便使那些评论家和读者们感到震惊和高兴，他们认为他只不过是又一个在太空剧领域猎奇后疲惫的成年人。

《4000亿个星球》中讲述的故事在《秘密协调》和《永恒之光》中继续下去。这个三部曲的最后一部是一篇了不起的、充满活力而又具有跳跃性情节的作品，牵涉到生与死的追逐、宇宙中巨大的无畏战舰、隐藏整个星球的虫洞，以及一个巨大的模型。这是一部融历险故事和天体演化为一体的作品。从那以后，麦考利一直在进步。

《红尘》的背景设在几百年后一个被中国控制的火星上，这篇小说兼具粗率和微妙的特点；而且它也具有经典的美国特质，是一篇关于改变整个世界的探索的故事。麦考利最新的长篇小说《帕斯奎尔的天使》展现出其小说风格适应性不断增强的特点，并用令人产生幻觉的生动笔调讲述了在意大利的另类世界变体中一个画家的故事。这个世界由年老的列奥纳多·达·芬奇控制。他在画中的梦想被转化成一种极权主义的现实世界。

在目前这种不断进步的文学体裁中，保罗·J·麦考利已经成为一位我们不仅要仔细研读，而且要认真观察的作家。

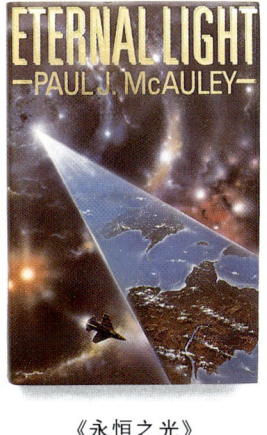

《永恒之光》

麦考利的第三部长篇小说，是一篇美国式的太空剧故事。

第五章

经典作品

任何文学体裁都是指该体裁作品的总和。科幻作品包括电影、电视以及绘画作品。所有这些都是其历史的重要组成部分。然而,科幻小说首先是一种文学体裁。

本章按照时间的顺序,展示了科幻小说界从诞生之初直到最近出版的作品。这些作品曾经获得过一些奖项,受到评论家们的推崇,或者长期受到读者的青睐,因而成为经典之作。本章将给出每部作品的第一版、出版者和书名等细节。所给的书名有时也许会与封面上的书名有所不同,这可能是因为后者是再版时的书名的缘故。

上图:《从地球到月球》
左图:理查德·鲍尔斯的《童年的尾声》的封面

早期的科幻小说

在19世纪，虽然科幻小说这个名称还没有出现，但是可以被视为科幻小说的作品却已经出现了。这个时代最伟大的科幻作品被称为哥特式小说、异想天开的旅行、乌托邦小说或科学传奇，最后一种说法曾被H·G·威尔斯在19世纪末使用过。这些不同的类型有许多共同之处：在这个世纪，人们第一次把历史当作"进步"的故事；这一时期伟大的推测性小说都反映出世界正在改造其自身这一中心思想。

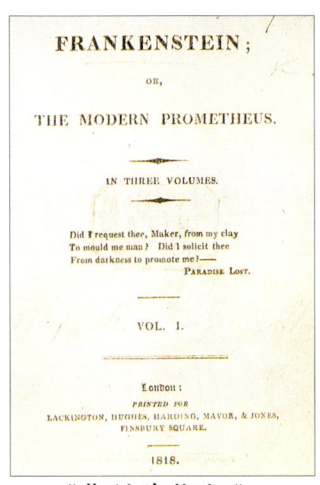

《弗兰肯斯坦》

玛丽·雪莱

出版时间：1818

出版者：拉金顿，休斯，哈丁，梅弗和琼斯出版社

本书最初发表在科幻小说渐露端倪之时，书中的内容是：怪物向人们乞求注视的目光。奋发向上的人造电子怪物，渴望成为一个成功自立的人。但是，我们知道了他是人造的这一事实之后，对他充满了厌恶和恐惧，于是最终他只好逃走了。

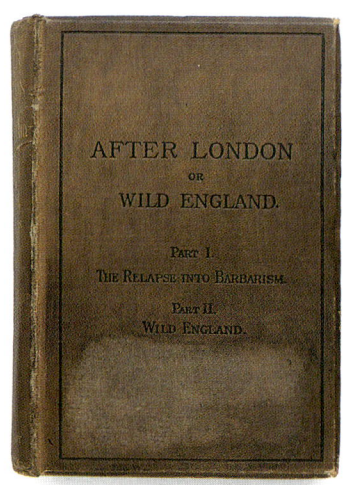

《伦敦之后》

理查德·杰弗里斯

出版时间：1885

出版者：卡斯尔出版社

到1885年，英国已经成为一个工业国。一些作家为失去以往的伊甸园而感到痛惜，于是杰弗里斯有了一个伟大的梦想：那个肮脏污秽、臭气熏天的伦敦和像恶魔一样邪恶的工厂将被一场巨大的洪水所淹没。几个世纪之后，人类在可爱的"荒芜的英国"再次繁衍。

《从地球到月球》

儒勒·凡尔纳

出版时间：1865　　**出版者**：赫策尔出版社

在被称做"奇妙的漫游"的60部作品中，凡尔纳的想象在地球和海洋、山脉和山脚下的深谷里纵横交错。他只有一次表现出宇宙探险家和学者的特色，但是《从地球到月球》及其续集(在续集中主人公回到了地球)却表现出炫耀的意味。在佛罗里达的中心，那门形似火山的巨大火炮的底座深陷于地表之下。哥伦比亚德把勇敢的炮手们射向太空，那里千奇百怪的现象让他们目不暇接。在环绕月球飞行之后，他们被安全地送回——也许显得有些虎头蛇尾——至地球。科幻小说的太空时代从这时开始了。

早期的科幻小说 · 213

《时间机器》
H·G·威尔斯

出版时间：1895
出版者：海涅曼出版社

马克·吐温笔下的旅行者往回走，并且更改了过去；而威尔斯作品中的旅行者却向前行，不仅目睹了人类在地球上的命运，还从最后的终端海滩上看到了太阳消亡时地球的最后时刻。这篇小说的语气平和、确定、可信、真实，而且非常清晰。这种语气被后来很多科幻小说作家所竭力效仿。事实上，当时间旅行者回到1895年告诉他的朋友们人类已经退化成两个物种，一种是中看而不中用的埃劳人，一种是中用而不中看的莫劳克人时，我们很难不相信他所说的故事。在威尔斯描述时间终点本身的时候，读者们大多领悟了威尔斯所传递的信息：进化并不总是对我们有利的。

《亚瑟王朝廷上的美国佬》
马克·吐温

出版时间：1889
出版者：查托和温达斯出版社

一个顽固的美国佬猛撞他的脑袋，醒来时发现自己糊里糊涂地来到了亚瑟王时代的英国。他当了首领，把这个世界弄得乱七八糟。然后他又撞撞脑袋，回到了家里。这是一个崇尚时间的关于时间旅行的传说。

《两个行星》
库尔德·拉斯威茨

出版时间：1897
出版者：埃利舍·纳赫弗格出版社

德国最重要的长篇科幻小说《两个行星》把威尔斯打到了火星上去，并且认为火星人不仅在技术上比我们优越，而且在举止上也比我们文明。当我们发现它们在北极时，我们还试图把它们赶走，结果却失败了。我们只有在几个世纪之后最终成长起来，才能成为太阳系中的合伙人。

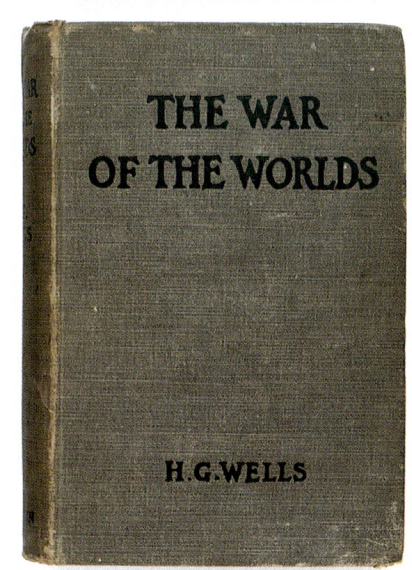

《星际战争》
H·G·威尔斯

出版时间：1898
出版者：海涅曼出版社

在我们的想象中，外星人曾访问过地球，但却从没侵略过地球。威尔斯笔下的火星人在地球登陆时所乘坐的火箭在乡村的土地上划下了巨大的壕沟。它们的武器很可怕，破坏力也很强，最后它们都被我们杀死了。使我们得以安全逃脱的不是人类的勇猛，而是我们的细菌。

《火星公主》
埃德加·赖斯·伯勒斯

出版时间：1917
出版者：A·C·麦克勒格出版社

在伯勒斯之前，对其他行星的访问几乎总是出于教育的目的：作家们创造出其他行星上的社会，目的是通过对比，告诉读者人类世界有哪些错误或正确之处。伯勒斯的火星充满了逃避现实主义的乐趣：主人公、裸体的公主、宝剑、巫术、战争和奇观。

黄金时代的经典作品

在科幻小说黄金时代到来之前的1920年，没有一部作品可以被称做科幻小说，因为这种体裁还没有完全形成；到黄金时代末期的1950年，我们已经知道了背景几乎恒定于未来的有关奇迹、发明和社会思考的这种小说的特点。由于这种体裁有了明确的定义，它呈现出一种非常鲜明的特征。1920年，俄国人、捷克人、英国人、德国人、美国人和加拿大人都在著书谈论未来的好坏。但是，到了1950年，美国作家已经占据了统治地位，对美国世纪的想象决定着这一体裁的梦想。

《罗素姆万能机器人》

卡莱尔·恰佩克

出版时间：1923

出版者：维达罗·阿文提努姆出版社

本书引入了卡莱尔的哥哥约瑟夫提出的"机器人"一词。在捷克语中其意思为"工人"，而且恰佩克的机器人实际上就是我们称做"人形自动机"的工业奴隶。这些机器人发动了叛乱，最后全书以混沌状态和新的希望收场。

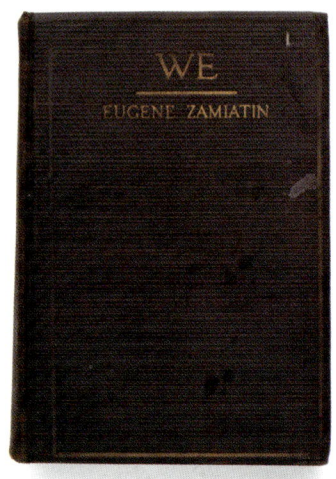

《我们》

叶夫根尼·扎米亚京

出版时间：1924

出版者：斯达福德出版公司

《我们》是用一种热烈的诗化风格写成的，很难翻译。这一政治反面乌托邦巨著为赫胥黎和奥威尔、波尔和迪克等作家铺平了道路。但由于它揭示了残酷的现实，即思想一旦胜利，就会扼杀人类的精神，因此从未在苏联出版。

《拉尔夫124C 41+》

雨果·根斯巴克

出版时间：1925　　**出版者**：斯达福德出版公司

没有人会说雨果·根斯巴克是一个优雅、敏感的作家，或者说他描写的人物很有价值。虽然《拉尔夫124C 41+》现在已经没有人去读了，但是读者如果想知道科幻小说在美国如何能作为一种体裁，并自觉地意识到自身的存在，那它仍然是一部重要的作品。从德国移居到美国的根斯巴克于1911年在他的杂志《现代电学》上发表了这篇小说。小说与杂志结合得很完美：小说的背景定在27世纪，它描述了未来技术的奇迹和美国佬的实用技术在宇宙中的胜利。到1925年，当《拉尔夫124C 41+》作为一本书问世时，根斯巴克正要创办第一本专门性的科幻小说杂志《惊奇故事》。

《美妙的新世界》

奥尔德斯·赫胥黎

出版时间：1932

出版者：查托和温达斯出版社版

《美妙的新世界》与最著名的长篇科幻小说《1984》相比略逊一筹。具有讽刺意味的是，这两部作品都没有作为科幻小说出版：在1932年，"科幻小说"这个词在通俗杂志以外的媒体上几乎鲜为人知。对于赫胥黎来说，《美妙的新世界》是他一系列剖析第一次世界大战所带来的后果的小说的巅峰之作。它充满了战后的灾祸、信念的丧失、对新兴技术神一般的尊敬，以及原始乐趣的诱惑。"可感觉的艺术品"提前半个世纪预示了虚拟现实，而"躯体"则预示着毒品作为社会控制手段的使用。赫胥黎没有想到，可感觉的艺术品和躯体几十年后只是可能的选择，而不是控制的手段。

《星球缔造者》

奥拉夫·斯特普尔顿

出版时间：1937

出版者：梅休因出版公司

时间长河川流不息，星球的产生和灭亡却似乎转瞬之间即可完成。斯特普尔顿最后一次到达时空最外层的自若之旅，依然是一部空前宏大、壮观、奇妙的作品，在此之前有《最后的和最早的人》(1930)。

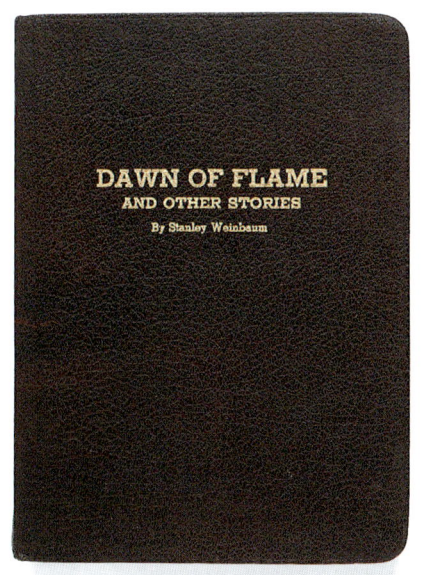

《火焰的开端》

斯坦利·温鲍姆

出版时间：1936

出版者：米尔沃基小说作家出版社

很多短篇小说集无法凭其本身的实力而成为经典作品，《火焰的开端》却很出色。它收集了温鲍姆把通俗科幻小说转变成文学作品的短篇小说。小说集是为纪念温鲍姆英年早逝而出版的，也是为读者出版的第一部科幻作品。

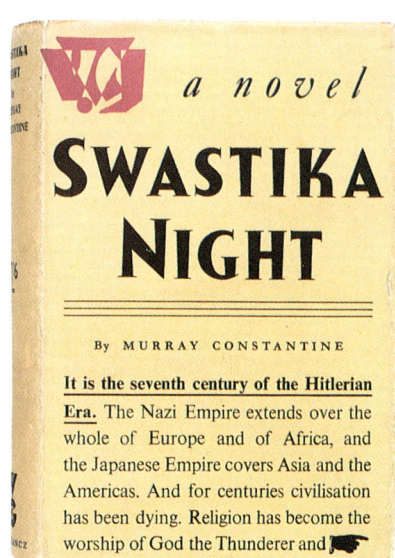

《卍之夜》

默里·康斯坦丁(凯瑟琳·伯德金)

出版时间：1937

出版者：戈兰茨出版社

很多经典的科幻作品都是一出版就立刻闻名于世的，但《卍之夜》却直到现在才变得有名。它的背景定在未来的几个世纪里，是第一部预言纳粹胜利的小说。它是一部深刻剖析战争、性别歧视和权力的女权主义作品。

《走出寂静的行星》

C·S·刘易斯

出版时间：1938

出版者：博德利·黑德出版社

很多不喜欢科幻作品的读者却非常喜爱《兰塞姆》三部曲〔还包括《佩雷兰德拉》(1943)和《可怕的力量》(1945)〕。它把太阳系顺利转化成一张体现上帝意愿，以及兰塞姆寻找拯救陷落的(由此变得寂静的)地球方法的三维图。

《动物庄园》
乔治·奥威尔
出版时间：1945
出版者：塞克和沃伯格出版社

虽然这是一部滑稽作品，但奥威尔的讽刺一针见血，以至于出版商因为害怕得罪与希特勒的战争中英国的同盟国俄国而把它拒之门外。但这反而使得文中那个比他的猪兄弟们更平等的猪的名气大涨。

《太空云雀》
E·E·史密斯
出版时间：1946
出版者：布法罗图书出版公司

史密斯博士的第一部太空剧是一部命名精巧的作品，因为我们自始至终感受到一种如入仙境般的乐趣。《太空云雀》并不是第一部爱迪生式的作品，但它非常有趣。年轻的主人公似乎生来就是为了从面相凶险的坏人手中拯救人类。他发明新式武器，从事海上运输，制服外星人，以及抢救被监禁的梦中情人。更重要的是，银河被建成一个人类历险记中的聚居处；《太空云雀》为我们发射梦想提供了一个平台。

《超人斯兰》
A·E·范·沃格特
出版时间：1946
出版者：阿克汉姆书屋

《超人斯兰》讲述的是一个年轻超人的故事。由于斯兰人受到迫害，因此他的成长过程无人知晓。长大以后，他成为一位超级科学家，拯救了太阳系，并且世界总统也说自己是他失散多年的父亲。《超人斯兰》为年轻的科幻小说迷塑造了他们的梦想。

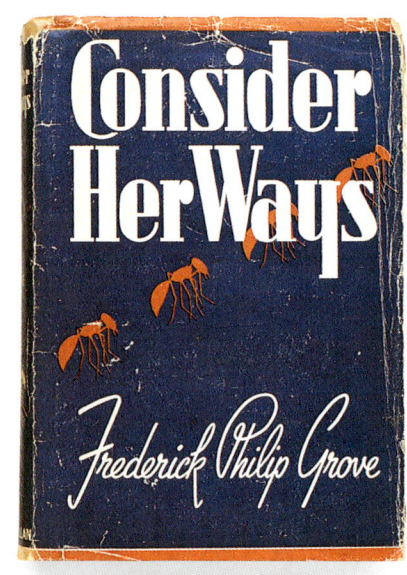

《想想她的方式》
弗雷德里克·格罗夫
出版时间：1947
出版者：加拿大麦克米伦出版公司

南美洲的3只蚂蚁北上，与一位科学家建立了心灵感应，并且对人类进行了带有贬斥的思索。《想想她的方式》在写成几十年之后才得以出版，是这位德、加双重国籍作者的惟一一部科幻作品。它是一篇由动物讲述的道德寓言小说，讽刺性强，赢得了广泛的声誉。

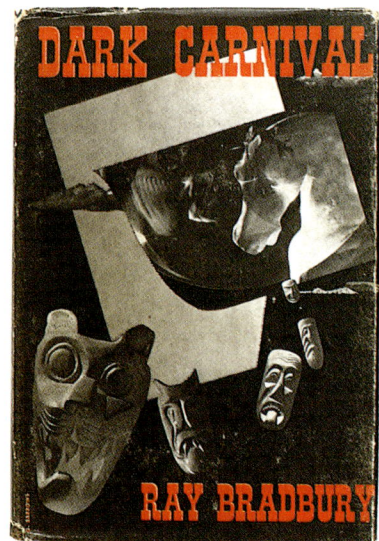

《黑暗的狂欢节》
雷·布拉德伯里
出版时间：1947
出版者：阿克汉姆书屋

在斯坦利·温鲍姆的《火焰的开端》和《黑暗的狂欢节》之间的10年中，没有重要的短篇小说集问世。布拉德伯里的第一部作品发表在战后时代，语气浮夸，但其中的故事充满了对科学阴暗面的暗示。

黄金时代的经典作品·217

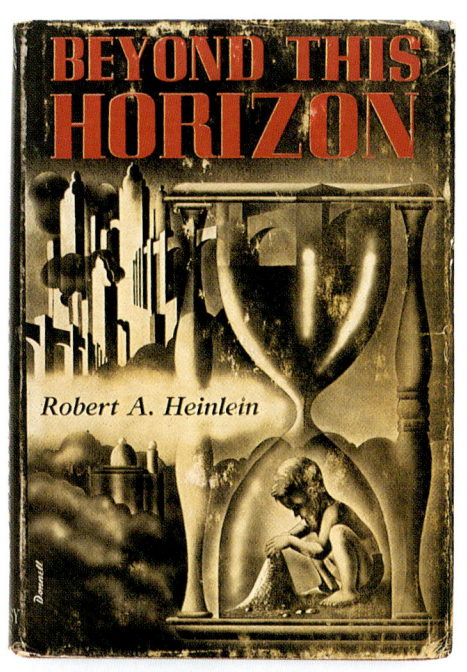

《超越地平线》

罗伯特·A·海因莱恩

出版时间：1948
出版者：幻想小说出版社

海因莱恩出版的第一部长篇小说，对一个由一种能确保婴儿健康的基因工程塑造的社会进行了鞭辟入里的嘲讽。在得知反动的"幸存者俱乐部"已经没有出路，以及在与预定的女友结婚之前，主人公差一点发动叛乱。

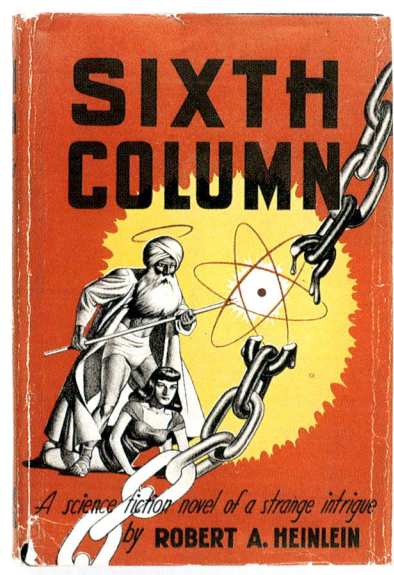

《第六纵队》

罗伯特·A·海因莱恩

出版时间：1949
出版者：守护神出版社

《第六纵队》是海因莱恩于1942年弃笔从戎之前，发表在《惊险科幻小说》杂志上的三部长篇小说中的第一部。这是一个关于勇气和欺骗的故事，它的背景设在被邪恶的亚洲人(暂时)霸占的美国。小说的情节保证正义和勇敢很快将会取得胜利。

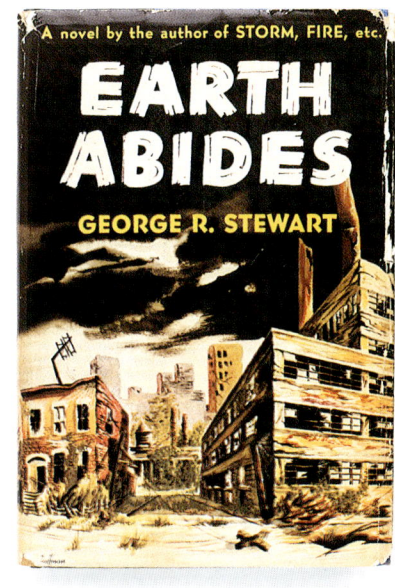

《地球继续存在》

乔治·R·斯图尔特

出版时间：1949
出版者：兰登书屋

刊登在杂志上的美国科幻小说喜欢玩弄灾难，但又往往避免描绘大规模的灾难。斯图尔特是个从事非科幻小说创作的作家，他并没有这类内疚的心理。《地球继续存在》严肃而平静地以一小群人的生活为线索，随着对文明的逐渐淡忘，他们在世界灾难中幸存下来。

《A的世界》

A·E·范·沃格特

出版时间：1948
出版者：西蒙和舒斯特出版社

阅读科幻小说的乐趣之一就在于欣赏故事中无数难以想象的复杂情况。《A的世界》是此类作品中第一部，也是最复杂的一部。它把平行的宇宙、黑暗的阴谋和一个多体主人公糅合成一个梦幻般的故事大厦。这座大厦移动得如此迅速，以至于难以倒塌。

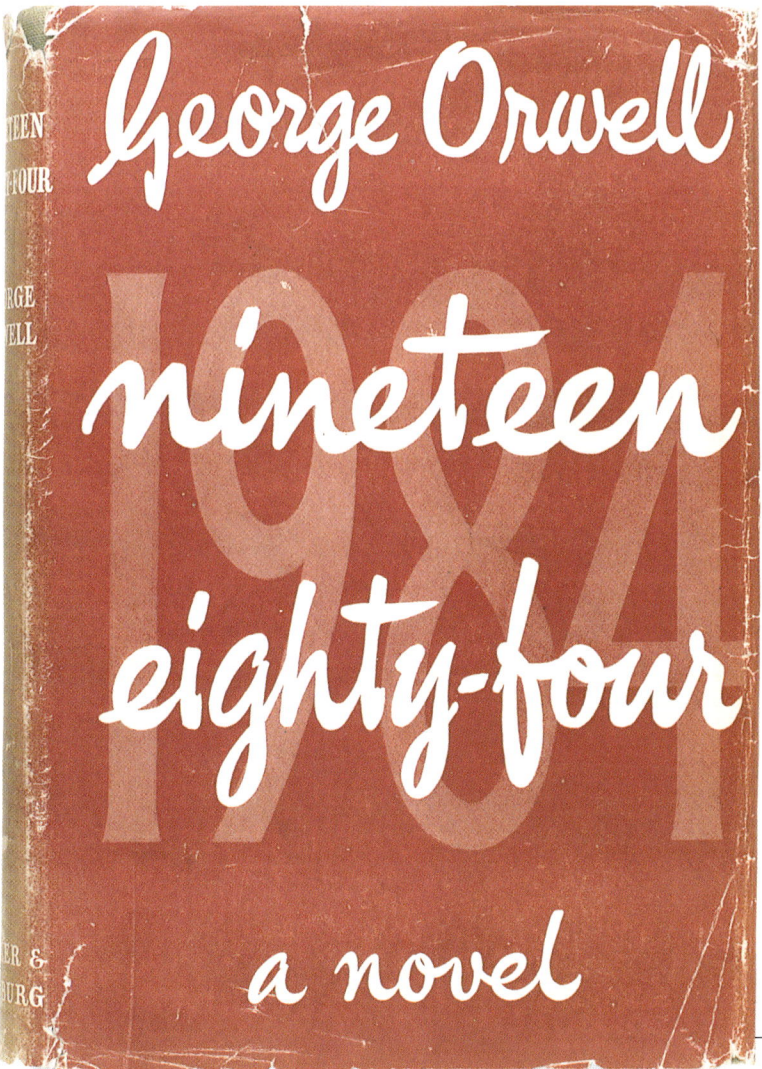

《1984》

乔治·奥威尔

出版时间：1949
出版者：塞克和沃伯格出版社

这是文学作品中最著名的开场白之一。"这是5月的一个晴朗、寒冷的日子，时钟正敲响13点。"奥威尔始终没有放慢叙述的速度；《1984》之所以出名，是因为它对左右两派的讽刺，因为它的双重思想，因为故事里正在注视你的老大哥，但最重要的是因为它狂热的叙述。这部作品是一场恶梦：它就像那不断增强的压力，像那被政治霸主切分得支离破碎的世界，像那陷阱、失望、短暂而突然的快乐。也许它未能准确地描述当代政治，但很多人认为它捕捉到了当代生活。

20世纪50年代的经典作品

这是科幻小说世界和美国的全盛时期,一切都可以演绎。美国是大多数科幻小说的诞生之地,成功地经受住了第二次世界大战的考验,正在同斯大林领导的苏联进行较量。它把联合国设在自己的国土上,制造出了原子弹、可口可乐和莱维敦的乌托邦梦想,成为这个行星上最强大的国家。这一切似乎早已在1926年以来出版的几百期科幻小说杂志和几十本著作中被预言过了。1950年以来,按照科幻小说的说法,未来就在我们面前:它是我们唾手可得的。真的是这样吗?

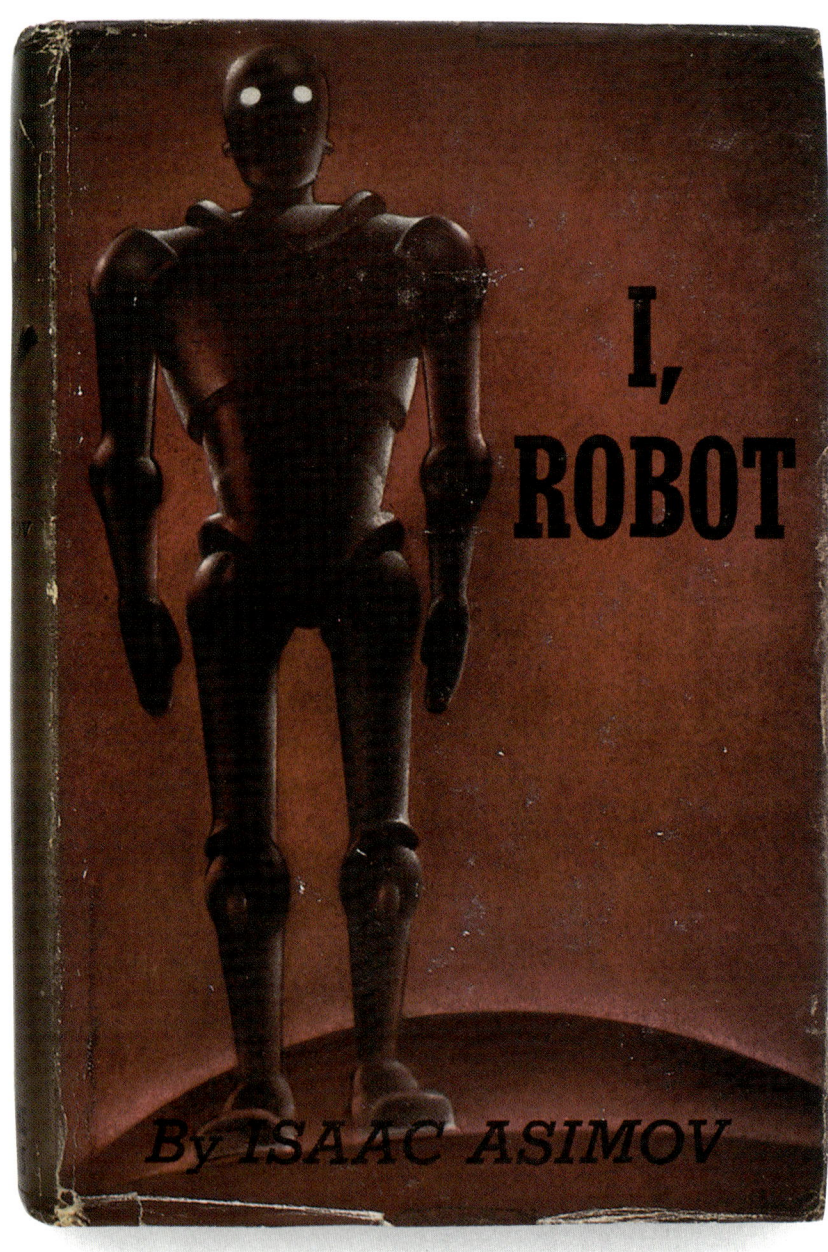

《我,机器人》

艾萨克·阿西莫夫

出版时间:1950　　出版者:守护神出版社

阿西莫夫肯定是迟至1950年才推出专集的美国最著名的科幻小说作家。构成他的两部系列《基地》和《机器人》的小说,多年来一直在《惊险科幻小说》杂志上发表,而且《夜幕降临》(1941)已经被认为是最佳短篇科幻小说。然而,于1950年问世的《我,机器人》给他带来了更大的辉煌。机器人学三大法则(正如阿西莫夫在后来一些年月里所暗示的那样)不仅适合于描述控制论这一领域,更适合于编撰新故事。当然在这一作品中,使机器人为人类服务的法则同时也帮助阿西莫夫构造了一组动情、感人、好辩的故事。

《巨型三裂植物的日子》

约翰·温德姆

出版时间:1951

出版者:迈克尔·约瑟夫出版社

英国科幻小说在50年代并没有停滞不前。技术知识和流畅的叙述技巧两者融为一体的温德姆的灾难故事,把不列颠之战的精神轻巧地带入了新时代。《巨型三裂植物的日子》是其中最好的一篇。

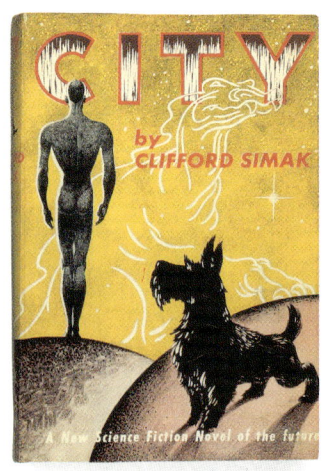

《城市》

克利福德·D·西马克

出版时间:1952

出版者:守护神出版社

西马克创作《城市》中的故事耗费了多年心血。这些故事被编织成一篇记叙性作品,其影响或许是意想不到的。接管了被人类遗弃的地球的善良机器人詹金斯和聪明的小狗令人难忘。小说的语气忧伤、模糊、充满智慧。

20世纪50年代的经典作品·219

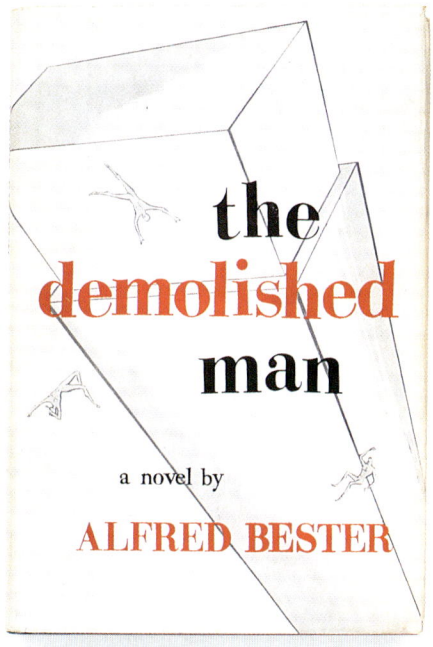

《被毁的人》
艾尔弗雷德·贝斯特

出版时间：1953

出版者：沙斯塔出版社

在贝斯特破除用儿语写小说的习惯之前(因为这些小说的读者是青少年)，科幻小说并不是以其风格而闻名的。本·赖克企图逃避通灵侦探世界对他的拘捕，这一故事富于机智与活力。

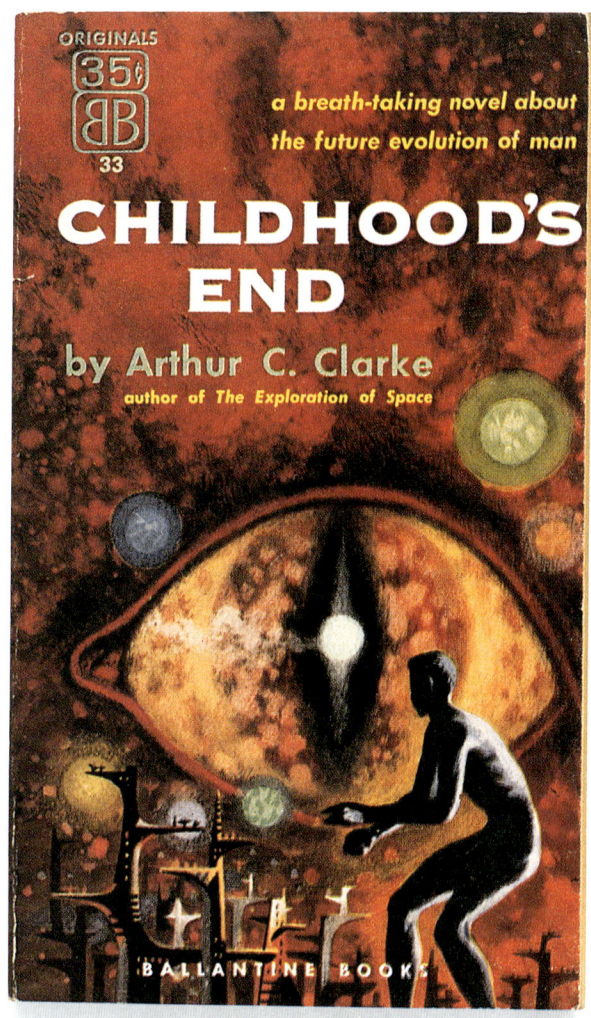

《童年的尾声》
阿瑟·C·克拉克

出版时间：1953

出版者：巴兰坦出版社

一个被很多美国科幻小说漠视的主题是进化，也就是作为过程的进化。并不是指缺少突变的怪物或是由正常的人种进化而来的过度生长的超人；而是指缺少这样一种思想，这种思想认为进化过程是以一种缓慢的、递增的方式进行的，不会出现偏离正常状态的巨大而明显的飞跃——用达尔文的话来说，所谓正常的事物是根本不存在的。这位本世纪最重要的英国科幻小说作家的这一篇最富盛名的小说，使H·G·威尔斯和奥拉夫·斯特普尔顿对更漫长的进化前景的关注在科幻小说这一体裁中再度复兴。小说的情节不仅富于戏剧性，同时也很平静。突然接管并统治地球的外星人之所以这样做，原来并不是为了它们自己的利益；而是作为人类的保姆，使它们进化到某一个程度，可以与一个宇宙"超灵"融为一体。

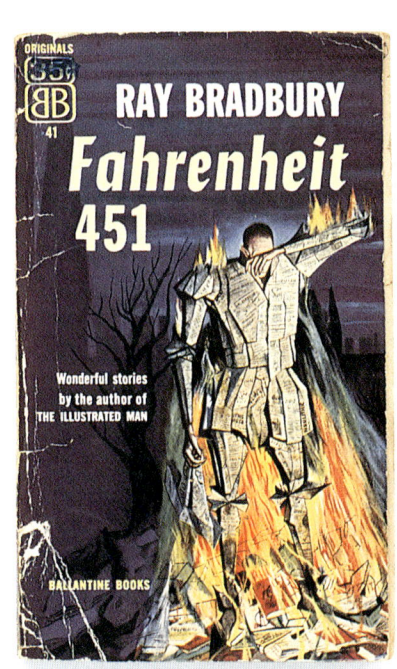

《451华氏度》
雷·布雷德伯里

出版时间：1953

出版者：巴兰坦出版社

《451华氏度》这个题目是个绝妙的想法，因为到达这个温度纸会自燃。在极权主义的美国，主人公对作为"消防队员"专干焚书的工作感到后悔，于是开始熟记文学名著。迄今为止，他仍然是这10年作品中一个经久不衰的形象。

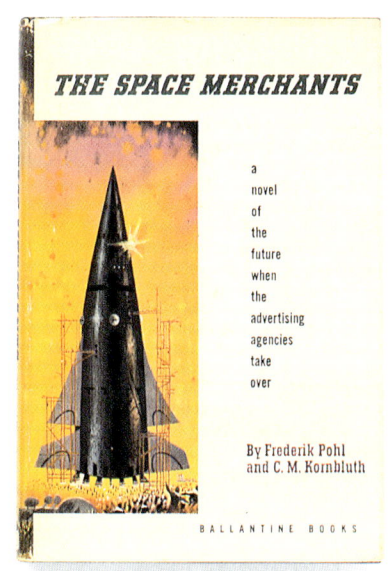

《太空商人》
弗雷德里克·波尔和C·M·科恩布卢斯

出版时间：1953

出版者：巴兰坦出版社

长久以来，英年早逝的科恩布卢斯与波尔相比总是显得黯然失色，但是很多人认为正是科恩布卢斯的存在才衬托出他温文尔雅的搭档的骨气和棱角。无论如何，《太空商人》是一篇经典的近期未来讽刺小说。

《不仅仅是人类》
西奥多·斯特金

出版时间：1953

出版者：法勒·斯特劳斯和扬出版社

斯特金喜欢两性故事、风流韵事和人类灵魂中其他阴暗的角落。他与经典科幻小说的白昼世界并不相称。然而超自然的格斯塔式人物战胜这个残酷世界的绝妙故事，展示了乘着想象翅膀的他正在用真实、关爱的语气讲话。

220 · 经典作品

《脑波》

波尔·安德森

出版时间：1954

出版者：巴兰坦出版社

这是最伟大的梦想成真的故事之一。千千万万年以来，我们所在的星系一直经受着减缓电化反应的光热族射。在我们逃脱后(大概就是现在)，我们的大脑加速了运转，我们解决了自己的问题，而且我们还在宇宙中探险。

《蝇王》

威廉·戈尔丁

出版时间：1954

出版者：费伯和费伯出版社

在这篇著名寓言的初稿中，孩子们都在逃避由于他们的飞机失事而引起的核破坏；而且他们发现自己正在这个伊甸园式的岛上，重新演绎一番人类行为中过去的所有恐怖感受。戈尔丁说，蝇王是天生存在于我们每个人之中的恶魔。

《双星》

罗伯特·A·海因莱恩

出版时间：1956

出版者：道布尔迪出版社

海因莱恩兴致很高的时候往往会引起烦扰，但在这篇思维敏捷、结构巧妙的故事中，他显得很自在。一位被调来扮演患病的统治者的演员，发现这个角色变成了永恒的现实而且不断升级。对《囚犯曾达》的每一个相同反应都出自一定的目的。

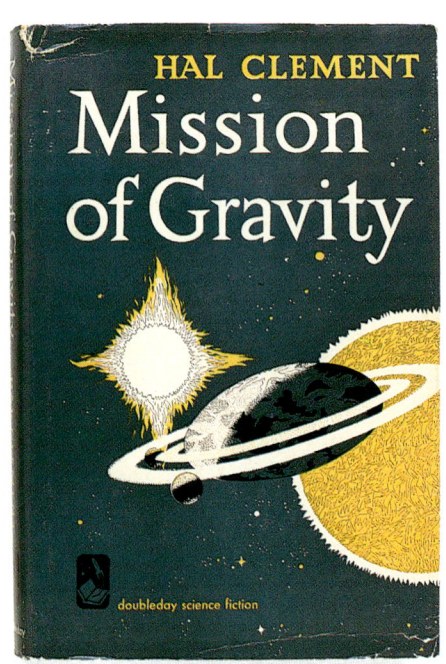

《引力使命》

哈尔·克莱门特

出版时间：1954

出版者：道布尔迪出版社

遵守硬科学规律的小说很少能被当做文学作品，但克莱门特在讲述巴利南上尉救援故事时，其精彩叙述之紧凑可与凡尔纳媲美。穿着长统袜的上尉住在重力为地球700倍的星球上，我们能感受到他"奇异航行"的全过程。

《虎！虎！》

艾尔弗雷德·贝斯特

出版时间：1956

出版者：西奇威克和杰克逊出版社

这篇小说略作改动之后改名为《星球：我的目的地》，而且在美国改名后的作品更出名。贝斯特的第二部长篇科幻小说为太空时代重了大仲马的经典作品《基度山伯爵》。格利·福伊尔被一些背叛后变得有钱有势的人遗弃在一艘宇宙飞船上，九死一生；后来他通过太阳系之间的心灵运输逃脱了厄运。在报复行动未得手之前，他又被囚禁起来遭受严刑拷打；最后，他心满意足地把自己的奇异天赋传授给星球上的人们。这篇小说的原始结构对大多数人来说是丰富的精神食粮，但它却会让评论家们大叫"老虎来了！"。这篇最伟大的科幻小说语言丰富，真实地描述了城市生活丑恶的一面，提前25年描绘了未来的网络朋客世界。

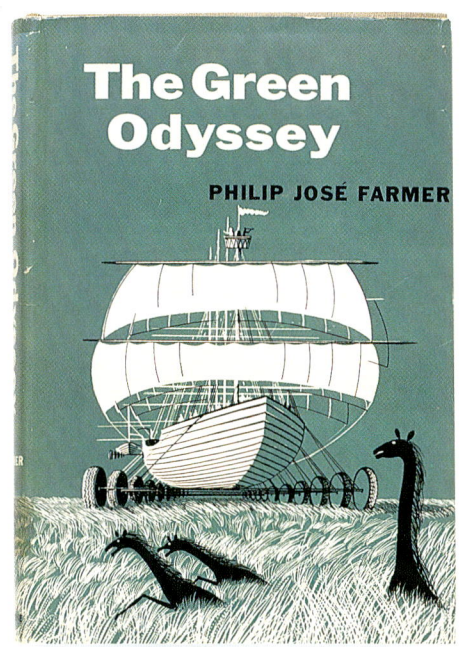

《绿色的漂泊之旅》

菲利普·乔斯·法默

出版时间：1957
出版者：巴兰坦出版社

在埃德加·赖斯·伯勒斯创造了一个适合英雄们尽情挥洒的中世纪宝剑巫术式火星之后，星球传奇故事似乎已经到达了它的顶峰。然而法默又在这篇小说中增添了诙谐、科学、讽刺和一种强有力的科幻小说的想象。

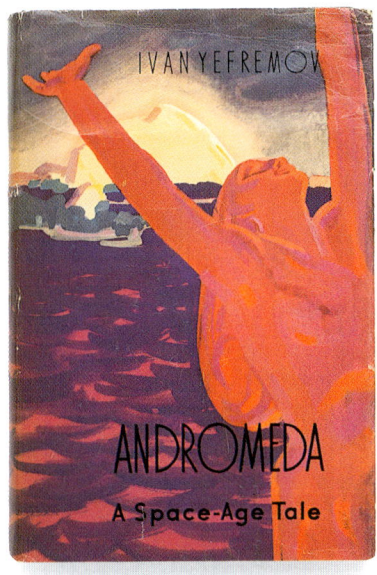

《安德洛墨达》

伊凡·耶弗里莫夫

出版时间：1959
出版者：莫斯科外文出版社

《安德洛墨达》是根据与多克·史密斯的太空剧大致相同的普通背景制作出来的。科学技术建立了通向未来的公路，人类通过这条公路到达了很多星球。一个主要的不同之处：正面人物是个社会主义者。

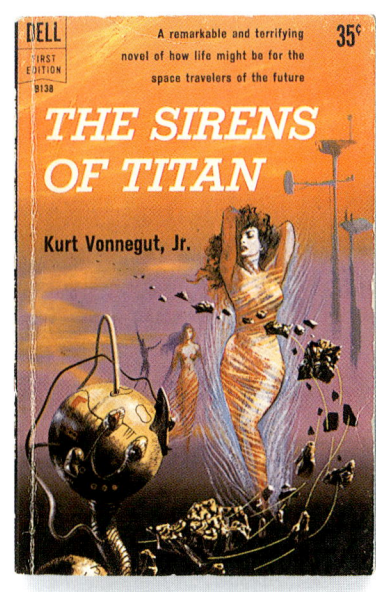

《泰坦的女妖》

小库尔特·冯内古特

出版时间：1959
出版者：戴尔出版社

太过滑稽、残酷、忧郁的库尔特·冯内古特不能轻松地适应科幻小说世界。在《泰坦的女妖》中，我们的历史被从特拉法马多尔来的外星人的语言歪曲了。他们在修理一艘自动控制的宇宙飞船时需要一些零部件。这艘宇宙飞船是用来传送信息的，而这信息平淡无奇。

《良心案件》

詹姆斯·布利希

出版时间：1958
出版者：巴兰坦出版社

科幻小说和宗教信仰通常不能在文学中珠联璧合，然而并不信仰宗教的布利希却设计出一个极端痛苦的道德事件来让他的神父解决：如果遇到一个没原罪的外星人种，我们能认为其有灵魂吗？如果不能，那就把他们杀掉。

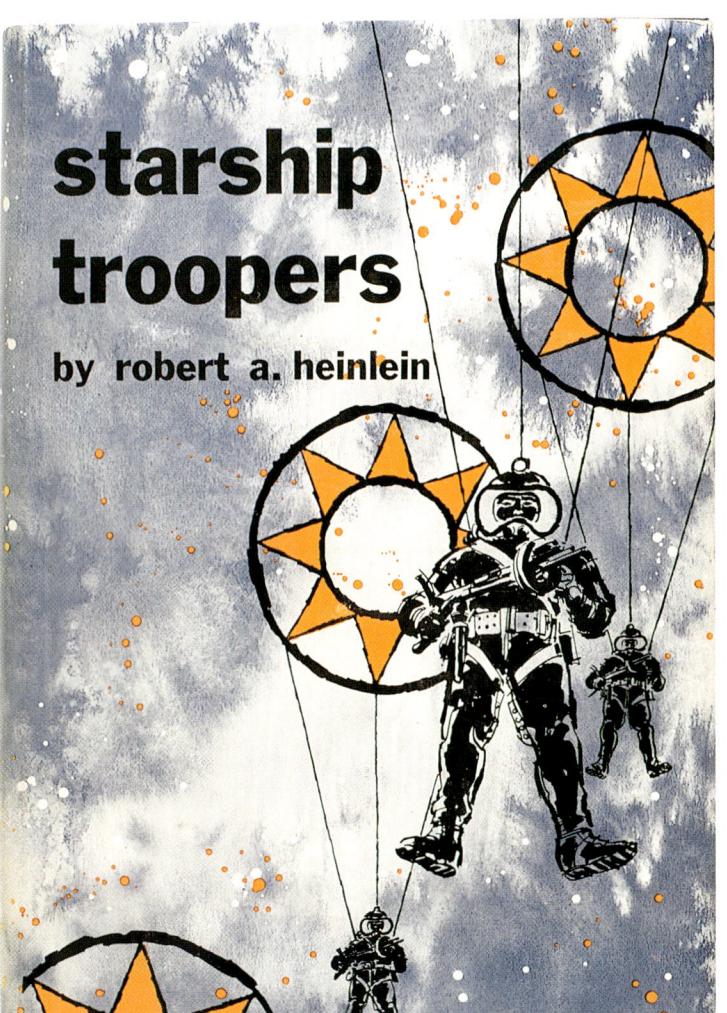

《星际飞船警察》

罗伯特·A·海因莱恩

出版时间：1959
出版者：帕特南出版社

最令人惊讶的是，海因莱恩写这部著名作品时采用的是青少年的口吻，而且他以为曾经出版过其儿童小说的斯克里布纳斯出版社当然会接受他的这部作品。斯克里布纳斯出版社在是否将这部残酷的小说推向图书市场这件事上犹豫不决，而帕特南出版社却把它作为成人小说——确实如此——出版。《星际飞船警察》标志着作者后期写作事业的开始：被释放了的海因莱恩。它叙述了一个想当勇士的军校学员到达法定年龄的过程，他准备参加的战争开始为很多美国人所深恶痛绝(越战即将爆发)。但是海因莱恩坚决反对自由主义的价值观。他认为对荣誉和责任的怀疑是有害的，并且还打击了年轻人的男子汉气概。

20世纪60年代的经典作品

在成熟之后,在体味过第一次成功的喜悦之后,在冷战成为旧日的梦魇一去不复返之后,科幻小说面临着要么繁荣,要么衰亡的选择。前10年中既有巩固,也有发展,几十部小说遵守着早在黄金时代就设定好了的未来日程。然而,为前几代人坚定的必胜主义信念做支撑的假想的可信性不再是不容置疑的了。我们现在应该对科幻小说轻易地摒弃有关"进步大进军"带有疑问的做法表示怀疑。

《献给莱博维茨的颂歌》

沃尔特·M·米勒

出版时间:1960

出版者:利平科特出版社

米勒的这部有关灾难后的代表作有两个创举:保护文明的是罗马天主教信徒,而不是一群科学家;历史没被看成一条不断向上攀升前进的线形通道,而是一个轮回。

《太阳城》

斯坦尼斯劳·莱姆

出版时间:1961

出版者:帕特南出版社

"黄金时代"科幻小说的一条重要假设是外星人是可以得到理解的。莱姆,一个对这种体裁看法尖刻的波兰人,并不这么认为。《太阳城》中一个有感觉力的海洋,是人类的探索(不管是物质的,还是形而上学的)都无法理解和把握的:它完全是另外一个世界。

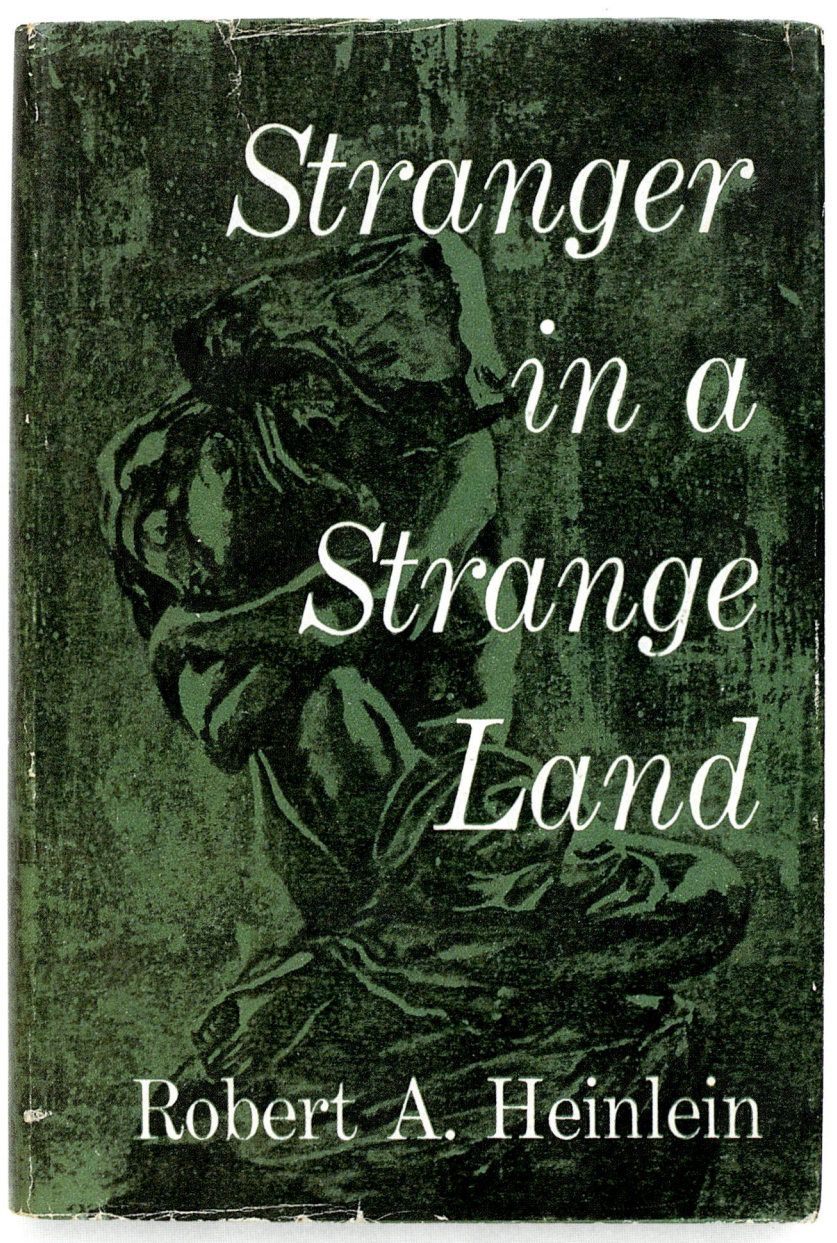

《陌生土地上的陌生人》

罗伯特·A·海因莱恩

出版时间:1961　出版者:帕特南出版社

明确地讲,海因莱恩解放了。《陌生土地上的陌生人》是到1961年为止出版的最长的一部科幻作品,也是出自科幻作者之手的第一本一举成为畅销书的科幻小说。这篇小说喜欢争吵,爱唱反调,扣人心弦,冗长啰嗦,极具破坏性。当被火星人抚养长大的瓦伦丁·M·史密斯作为一个具有神奇本领的陌生人回到地球时,他发觉人类社会根本不可理解。海因莱恩的代言人朱巴尔·哈肖所用的极端自由意志论的话语直言不讳。他说,用你神奇的触觉去体验一切事物;人吃人,性自由,通过"神交"使人无痛而死。这篇作品的引人注目之处在于查尔斯·曼森也是其读者之一。最后,瓦伦丁"消散"在一场宗教的迷雾之中。

《装有发条的橙子》

安东尼·伯吉斯

出版时间：1962

出版者：海涅曼出版社

作家最出名的作品往往是他最不喜欢的作品，这种情况经常出现。伯吉斯是个执拗、易怒的人，他不喜欢斯坦利·库布利克根据他的作品改编而成的充满冷面暴力的电影。然而令人遗憾的是，虽然他最优秀的科幻小说受到他的贬斥，其余的作品则更是毫无吸引力，要么内容过多消化不良，要么故事重复、冗长而乏味。这里值得一提的是，伯吉斯绝妙地想象出一个奥威尔式的贫民窟，那里的居民讲一种不规范的黑话。一个年龄不大的恶棍被政府强行洗脑，目的是让暴力思想导致他病魔缠身。这种讽刺写法的攻击力像蛇一样狠毒。英国版本中充满希望的结局，在美国版本中被删掉了。

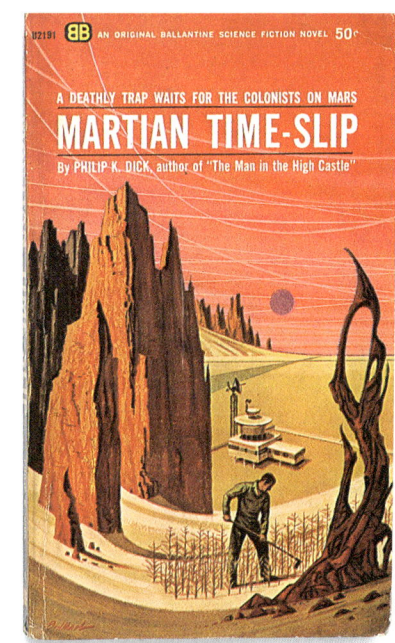

《火星的时间误差》

菲利普·K·迪克

出版时间：1964

出版者：巴兰坦出版社

和威廉·福克纳一样，迪克也喜欢讲述令人难以相信的预示世界末日景象的故事；而且和福克纳一样，他也幽默得出奇。《火星的时间误差》主要描写了贫民窟、腐败的政客、孤僻的孩子、荒芜、纷争和无家可归等现象。它是迄今为止最为滑稽的科幻小说之一。

《城堡中人》

菲利普·K·迪克

出版时间：1962

出版者：帕特南出版社

这些年来，假想希特勒在二战中取胜的另类历史小说变得相当普及。最早的且迄今为止仍是最优秀的此类作品之一就是使迪克成名的这部作品。在被日本占领的西方合众国，人们继续过着贫穷、痛苦的生活，别无出路。

《燃烧的世界》

J·G·巴拉德

出版时间：1964

出版者：伯克利出版社

这本《燃烧的世界》与《被淹没的世界》(1962)和《水晶世界》(1966)遵循着相同的路线：一场影响广泛、改天换地的灾难与主人公相伴，在移入一个超现实、无人性、超自然的新世界中心位置时，他对匀衡状态有了真正的领悟。

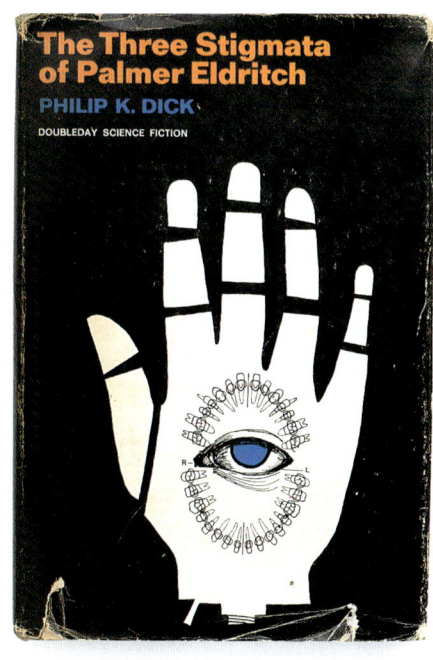

《帕尔默·埃尔德里奇的三桩耻辱》

菲利普·K·迪克

出版时间：1965

出版者：道布尔迪出版社

60年代前，科幻小说很少谈到毒品，也没想象过迷幻旅行，或(《美妙的新世界》除外)用毒品来控制人口。继《帕尔默·埃尔德里奇的三桩耻辱》后，一切都变了。现实的设计者向毒品屈服了，埃尔德里奇可怕的面孔开始统治世界。

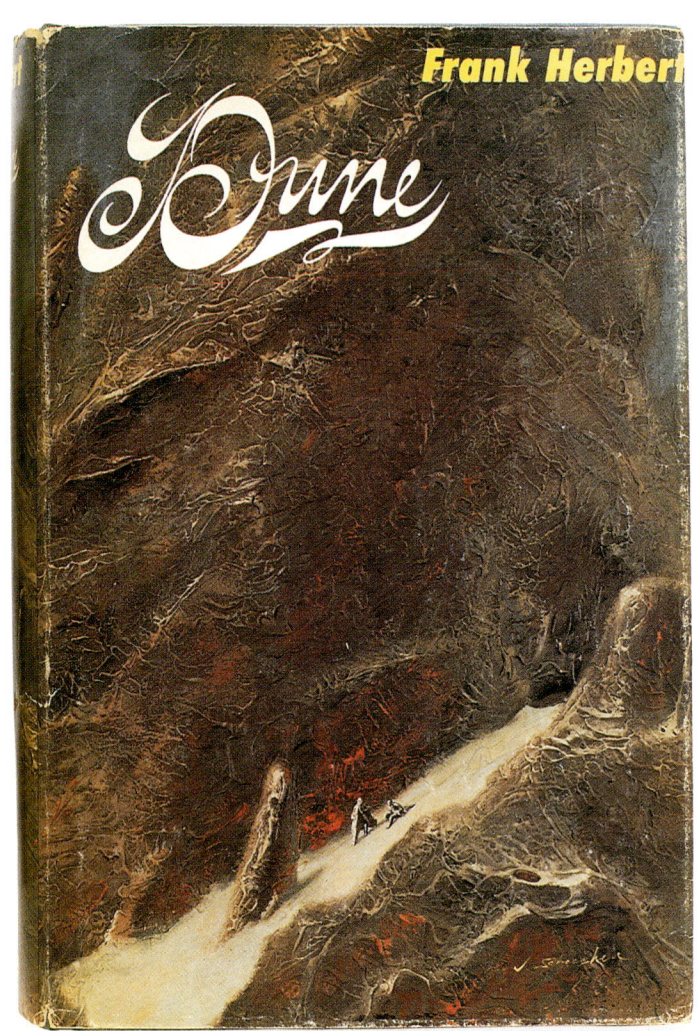

《沙丘》
弗兰克·赫伯特

出版时间: 1965
出版者: 奇尔顿出版社

以前的太空剧往往把其他行星当做军事演习中的标志,而推测性的科幻作品则把它们作为需要领会的谜语。行星传奇故事在经历了漫长艰难的颠簸后,已经习惯了没有尽头、不受欢迎的山谷和深渊。在《沙丘》中,行星开始显示它们是多么笨重、多么难以驾驭,而整个世界日夜等待、企求人类把超级市场的种子撒向全世界的可能性又是多么微乎其微。阿拉基斯是一个沙漠世界,有着自身确切、致命的生态系统。阿拉基斯的居民就像住在沙漠中心的阿拉伯人一样,必须永远保持无限的精力。他们对香料的需求使他们干劲十足,这是一种只有沙漠中的虫子才能分泌的长生不老药。主人公保罗·阿特瑞德斯把自己奉献给了这个星球,他向神转变的缓慢过程延续到《沙丘》的几部续集中,最后以《沙丘之神-帝王》的出版而宣告结束。

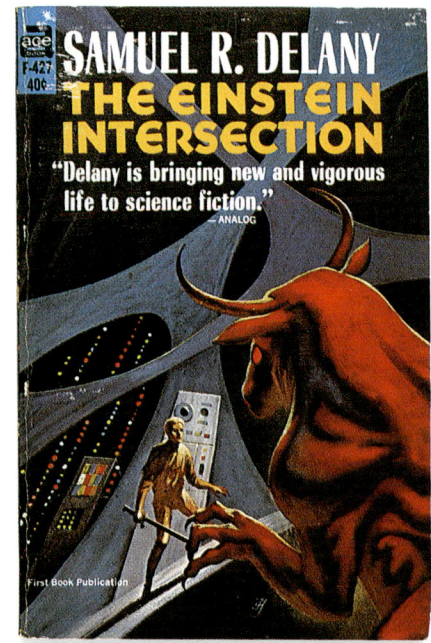

《爱因斯坦交叉现象》
塞缪尔·R·德拉尼

出版时间: 1966
出版者: 埃斯出版社

德拉尼之所以久负盛名,是因为他能不断作出类似于《爱因斯坦交叉现象》这样的尝试。小说的主人公是一个遥远未来的外星人,他是"朋客"、奥菲士、衣衫褴褛的穷人和救星。他冲到地下,向我们已经消逝的种族的原型挑战。

《献给阿尔杰农的鲜花》
丹尼尔·凯斯

出版时间: 1966
出版者: 哈考特,布雷斯和沃尔德出版社

科幻小说通常认为智力的提高是有益的,《献给阿尔杰农的鲜花》第一次(当然也是最感人的一次)讲述了一个人的智力被人为地提高的故事。当他的聪慧开始逐渐消失时,他完全领悟了自己的命运。

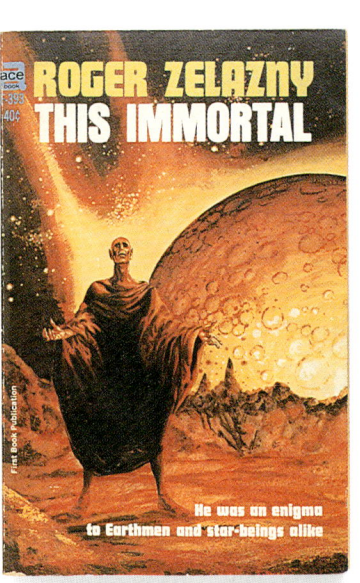

《不朽者》
罗杰·泽拉兹尼

出版时间: 1966
出版者: 埃斯出版社

关于不朽的梦想有时如同恶梦一般,但泽拉兹尼的作品例外。在他众多讲述精力充沛、热爱生命、长生不老的漫游者和保护人的小说中,《不朽者》是第一部,也仍是最有新意的一部。对这个不朽的主人公而言,被变异撕裂、受外星人威胁的、经历灾难之后的地球就像个花园。

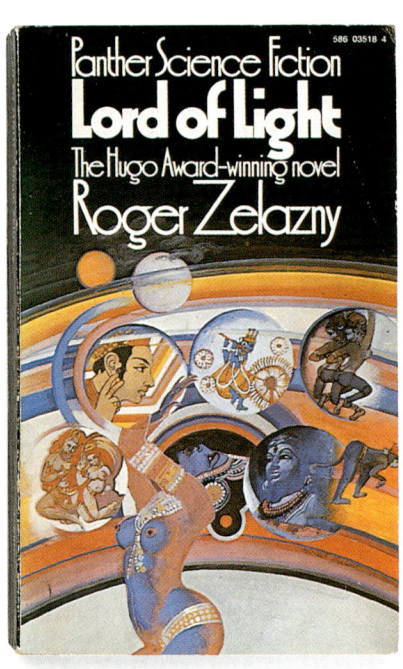

《光明之王》
罗杰·泽拉兹尼

出版时间: 1967
出版者: 道布尔迪出版社

初读起来它像一篇幻想小说,暴躁的天神住在一个风景如画的地方与人类做游戏。它也像星球传奇故事,因为这是一个分隔的世界。最后,我们才明白自己读的是科幻小说,背景设在一个由人类管理的辉煌的殖民世界,使用高科技的人类被当地人奉为神灵。

20世纪60年代的经典作品

《站在桑给巴尔港上》

约翰·布伦纳

出版时间：1968
出版者：道布尔迪出版社

这是已出版的科幻小说中最长的一部，而且字字值千金。这篇描写人口极端过剩的小说刺激、烦扰、充满事实和征兆，它的背景设在不久的将来。到那时，世界被挤得水泄不通，连桑给巴尔港上也站满了人。

《成人仪式》

亚历克西·潘辛

出版时间：1968
出版者：埃斯出版社

大多数科幻小说从根本上说都有成人仪式：从青年到成年，从无知到有知，从地球到星系。在潘辛的这篇优秀冒险小说中，勇敢的女主人公们探索新世界，探索她们自己，不断地成长发展，克服各种困难，最终走向成熟。

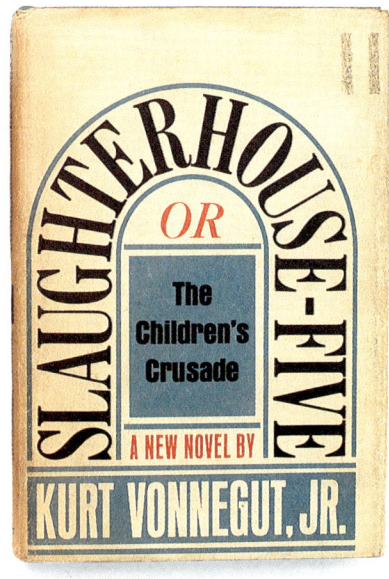

《5号屠宰场》

小库尔特·冯内古特

出版时间：1969
出版者：德拉科特出版社

这是所有科幻作品中最伟大的一篇以逃避为主题的小说。冯内古特本人就是二战末期德累斯顿风暴性大火中的幸存者。他创造了一个自传性的主人公比利·皮尔格林。皮尔格林逃避记忆，通过时空轨道到达特拉法马多尔星球，在那里他永远重温着美好的时光。

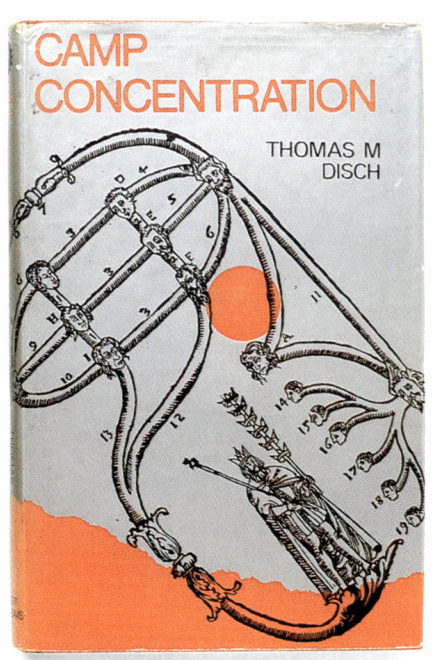

《集中营》

托马斯·M·迪施

出版时间：1968
出版者：鲁珀特·哈特·戴维斯出版社

这是一篇充满邪恶的作品。军队给集中营里的人注射了一种由梅毒衍生出来的螺旋体，以提高他们的智商。于是，集中营变成了智囊团，疾病（就像在托马斯·曼的《浮士德博士》中描写的那样）创造了天才。一个受害者极富智慧地用圆滑嘲讽的语气讲述了这个故事。

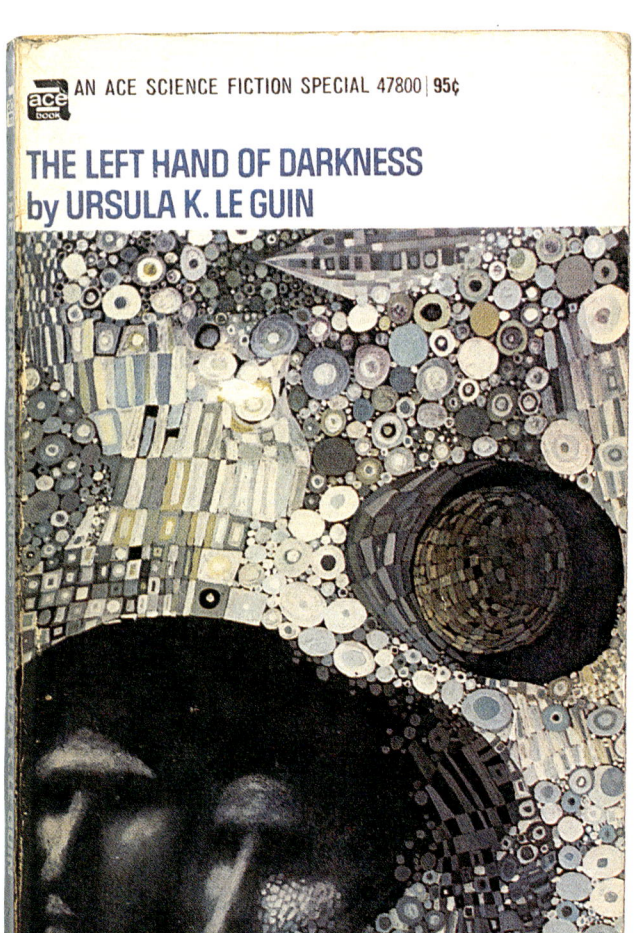

《黑暗的左手》

厄休拉·K·勒吉恩

出版时间：1969
出版者：埃斯出版社

尽管最初出版时并没有大吹大擂，而且还是平装本，但是《黑暗的左手》很快就成为人们讨论最多的科幻小说之一。有关勒吉恩的专题论文就像可口可乐的广告一样，让热切的学生随处可见。这篇小说本身也得到了它应有的关注。住在星球"冬季"上的人类究其根源和地球上的人类是同一种族，但他们已经进化成阴阳人，只有在性周期时才能随机地呈现出男性或女性的特征。一个"正常"的人类使者在这个星球上旅行，知道了很多有关他自己对性、性角色和性能力的假设性看法。但勒吉恩是个说教式的作家，主人公知道的大部分事物可以直接适用于我们自己的分裂世界。

20世纪70年代的经典作品

60年代的最后几年,科幻小说界内部出现了争论和分歧:发生在美国和英国的"新浪潮"运动已经退潮,年老的保守派空留怨恨,年轻的蛮横派却心犹未甘。1970年也许是联合的时候。果然,像阿瑟·C·克拉克和艾萨克·阿西莫夫这样的老作家,以及罗伯特·西尔弗伯格和托马斯·M·迪施这样的新秀握手言和了,接着他们每个人的作品都如潮水般涌来。外面的世界混乱不堪,而科幻小说界内部却被一种兴味十足的自信统治着,至少在一段时期内是这样。

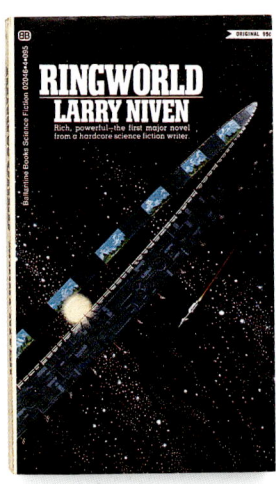

《圆环世界》
拉里·尼文

出版时间:1970
出版者:巴兰坦出版社

仅仅只是大还很不够:尼文在《圆环世界》中就把无限的巨大和无限具体的细节结合在了一起。圆环世界是环绕太阳的一个圆环形人工制造物。内层边缘是一个比地球大几百万倍的领域,那里是人们居住的地方。

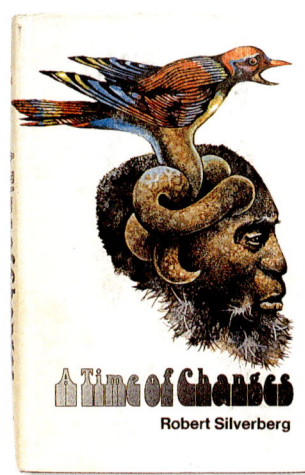

《变革的时代》
罗伯特·西尔弗伯格

出版时间:1971
出版者:纳尔逊·道布尔迪出版社

西尔弗伯格70年代的作品与众不同:它们对科幻小说的各种可能性做了精细、有力、深入的探索。《变革的时代》可能是其中最动人的一部。在一个自私遭到唾弃的殖民星球上,一个男人明白了一条颠扑不破的真理:只有先了解自己,才能去了解别人。

《死亡迷宫》
菲利普·K·迪克

出版时间:1971　　**出版者**:道布尔迪出版社

菲利普·K·迪克最初描写的几个星球都极不安全,然而主人公们却都有机会存活下来,并在太阳上找到自己的位置。菲利普后来写的几个星球则更像被紧紧拉展开后放在上帝眼前的现实的薄膜,上帝和在下面地狱之间绝望地跳来跳去的人蝇玩着残忍的游戏。《死亡迷宫》是一本和我们可能看到的由商业公司出版的作品一样极端的作品。在另一个星球上,几个主人公发现自己正在一个像棋盘一样的迷宫里越走越远,这个迷宫里充满了反映他们困境并带有嘲笑意味的次要阴谋。因为他们是侏儒,他们的现实虚无飘渺。惟一真实的现实就是上帝,而上帝就是死亡。

20世纪70年代的经典作品·227

《到你散落的躯体上去》

菲利普·乔斯·法默

出版时间：1971
出版者：帕特南出版社

约翰·肯德里克·班斯差一点彻底毁灭了《冥河上的水上住宅》中的思想。法默挽救了这一思想：沿着一条没有尽头的河流，人类在神祇般的外星人手中得到转世，然后开始对自己进行分类挑选；而形形色色的历史人物则开始了一次寻找创世者的旅行。

《334》

托马斯·M·迪施

出版时间：1972
出版者：麦吉本和基出版社

近期未来城市生活中的梦魇在科幻小说中并不常见，也许是因为后天的墨西哥城，或伦敦，或新加坡的景象不堪想象，但迪施却毫无顾忌。《334》(纽约的一幢破旧不堪的大型公寓楼的号码)对城市的软弱进行了复杂、无情、有时还带着诙谐的探索。其中有很多无法被雇用的人挤在一起；他们没有受过教育，愚蠢无知，后来都成了虚构的战争的炮灰。然而，人口爆炸还是发生了。基础设施老化，食品匮乏，夏季炎热，空气污浊，希望幻灭，性生活肮脏，未来一片严峻。尽管如此，《334》仍然是一篇令人振奋的小说。它面对着现实和胜利，因为这是艺术的职责。

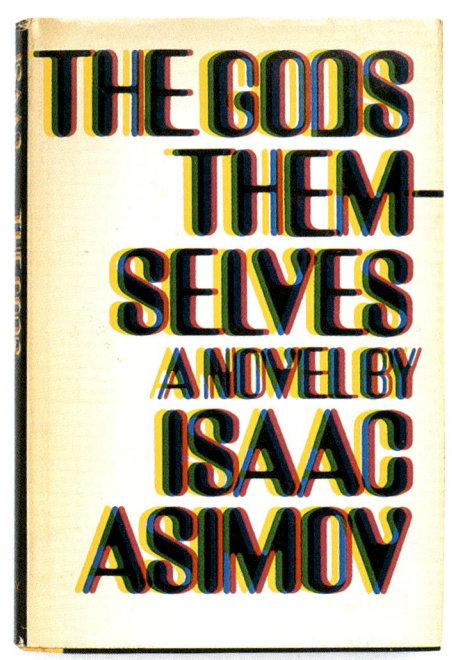

《神祇自身》

艾萨克·阿西莫夫

出版时间：1972
出版者：道布尔迪出版社

阿西莫夫多年来一直写的是非小说类作品。但在这部长篇小说中，阿西莫夫证实了自己的作品还能扣人心弦。企图逃避能源危机的人类从临近的宇宙中抽取能源，却没有意识到他们正在制造宇宙间的不平衡，这将可能导致整个宇宙的黑暗降临。

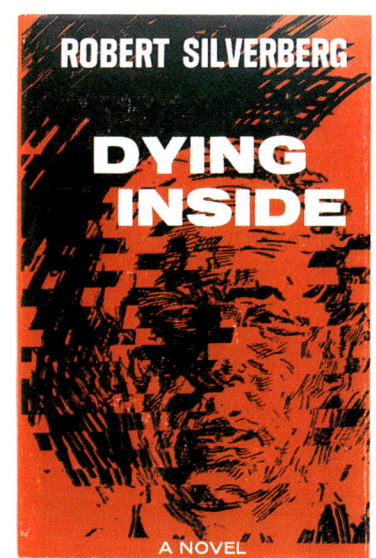

《死在里面》

罗伯特·西尔弗伯格

出版时间：1972
出版者：斯克里布纳斯出版社

《死在里面》是西尔弗伯格最严酷的一部小说，它的结尾仍然是以尚存一线的希望而告终的。当代纽约市的一个通灵术士逐渐丧失了本领，他对自己以前不用和别人真正交流就能够理解他们的能力痛惜不已。然而在关键时刻，他理解得更好。

《和拉玛约会》

阿瑟·C·克拉克

出版时间：1973
出版者：戈兰茨出版社

在太阳系飘浮着一个巨大的人工制造物，它可以免受交流企图的影响。人类为了探索它那纷繁复杂、高深莫测、长达几英里且看上去没有生物生存的内部，降落到它的外壳上。克拉克用一种带着平静的振奋笔调描述了他们的迷惑，从而使我们倍感惊异。接着，拉玛离开了。

《嵌入》

伊恩·沃森

出版时间：1973
出版者：戈兰茨出版社

伊恩·沃森并不是第一个绕有兴致地思考语言本质的科幻小说作家，是杰克·万斯开了先河。但语言创造人类世界的方式，在这第一部充满极度警觉的小说中被成功地研究了一番。

《一无所有的人》

厄休拉·K·勒吉恩

出版时间：1974
出版者：哈珀出版社

这可能是厄休拉·勒吉恩最出色的一篇有思想的小说，尽管它既不是勒吉恩最受欢迎的小说，也不是令读者魂牵梦萦的作品。它描绘了一个乌托邦，或者说是一个双重乌托邦（正如副标题所写的那样，一个模棱两可的乌托邦），背景设在一个星球和几乎可以称得上是不毛之地的卫星上。从推崇"小即美"文化的相对较小、生态系统健全、贫穷落后的卫星上来的一个使者到了富有、广阔和由科技主宰的世界。然而，正如副标题所暗示的那样，这个故事并不像它听起来那么片面。两个世界都由于坚持信奉这样的理想社会而遭殃，该社会大大低估了人类某些根本的需要。从整体来说，这部作品错综复杂，内容丰富，而且富有思想。

《上帝眼中的小缺点》

拉里·尼文和杰里·波尔内尔

出版时间：1974
出版者：西蒙和舒斯特出版社

对描绘的星际人类帝国吹毛求疵并不难，它的上层阶层都是些皇亲国戚和军队里那些傲慢的笨蛋。但从外星上来的莫蒂人和我们自己的星球可能进化出来的生物有着微妙的差别，他们生命周期背后的秘密使人不得不相信是致命的。

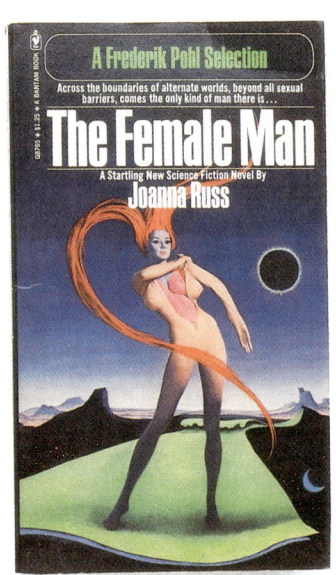

《具有女性特征的男人》

乔安娜·拉斯

出版时间：1975
出版者：矮脚鸡图书出版公司

这篇小说对我们这个由男性控制的世界进行了严厉、复杂、构思巧妙的攻击，成为了经典的女权主义科幻小说，对同一个女人在几个可能世界中的种种描述超出了做女人的真正含义。这些描述中只有一种让人振奋，其余的则令人心碎。

《永远的战争》

乔·霍尔德曼

出版时间：1974
出版者：圣马丁出版社

越战的创伤深刻地烙印在传统科幻小说讲述的隐晦故事中；它证实了战争可能会永无休止，外星人根本无法征服，胜利只是一个死亡的梦想。乔·霍尔德曼笔下没完没了的星际战争就是越战，而战争中"时间膨胀"的士兵永远是输家。

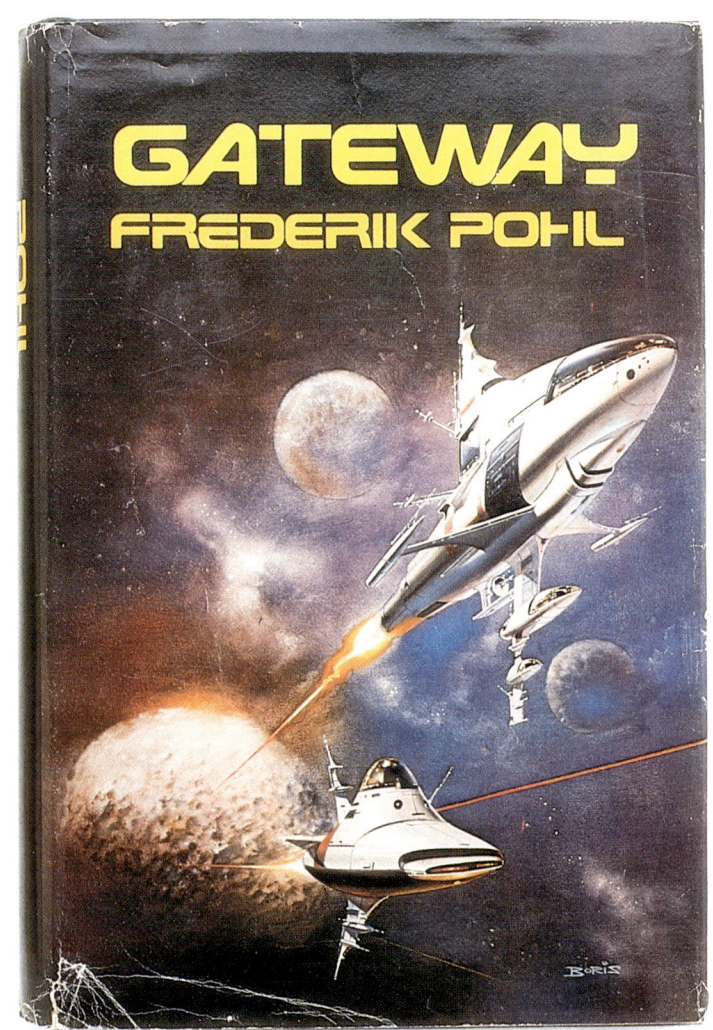

《门道》

弗雷德里克·波尔

出版时间：1977

出版者：圣马丁出版社

《门道》是波尔的《希奇》系列小说中令人振奋的开篇小说。继《人气十足》的成功之后，这篇小说又一次巩固了波尔在科幻小说界的优势地位，并且还因此进入了一个新领域：当代科幻小说笔下的宇宙。在这个宇宙中，再也不能简单地假设人类必然占据领导地位，人类已发现了可以获取星系财富的门道网络，然而这个"丰饶羊角"的代价就是我们一旦接受它，就必须同时接受在宇宙中的极其次等的地位，而且我们还不得不永远对这一地位感到满意。

《人气十足》

弗雷德里克·波尔

出版时间：1976

出版者：兰登书屋

在从事了多年任务繁重的编辑工作之后，波尔重操旧业，开始潜心写作，出版了这篇非常现代的小说。它讲述的是一个被植入一个能在火星上生存躯体的人喜欢这种变化。

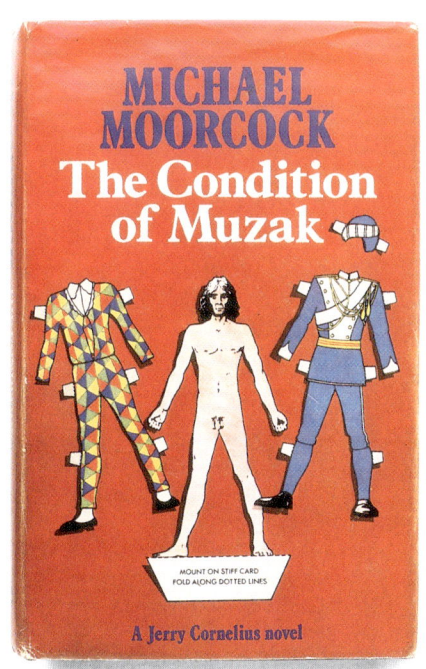

《穆扎克的状况》

迈克尔·穆尔科克

出版时间：1977

出版者：阿利森和巴斯比出版社

杰里·科尼利厄斯早在60年代中期就开始了他的事业。他是个声名狼藉的反文化偶像：不讲道德，凶狠残忍，自由散漫，是多重宇宙的唯美主义者。到70年代中期读到这篇小说的时候，我们发现杰里是个被人欺骗的骗子，在世界城市的戏剧中露宿街头。

《天堂之泉》

阿瑟·C·克拉克

出版时间：1979

出版者：戈兰茨出版社

在最后一篇真正具有创新意义的小说中(他当时宣布这将成为他的最后一篇小说)，阿瑟·C·克拉克用他常有的那种确信不疑的态度生动地想象了一个巨大的太空升降机：一个与地球相联的空间站，就像在绳子一头摇摆的圆盘玩具那样绕地球而运行。

《引擎之夏》

约翰·克劳利

出版时间：1979

出版者：道布尔迪出版社

这篇小说的题目很难理解，它指的是印第安人的一个夏天，那时夏天的回音要到秋天才能听到，引起我们对旧日的怀念；它还指用机械维持的平静时期。这篇背景设在黄昏时分的关于地球的小说，告诉我们应该如何留住夏日的记忆。

20世纪80年代的经典作品

绝妙的旧式科幻小说体裁确实逐渐显得有些过时了,尽管售出的作品比过去要多得多。这在一定程度上归功于电影《外星人》和《星际战争》系列片的成功。然而,有时看起来科幻小说作为一种体裁,科幻小说作家作为一个群体,对于他们要满足的方兴未艾的巨大市场确实有些力不从心。科幻小说本身也许确实是老了,但是科幻小说作家却还在就令人烦扰的未来而争执不已,他们很投入地向人们宣传他们的想象,继续奋勇前行。

《时景》

格雷戈里·本福德

出版时间:1980　出版者:西蒙和舒斯特出版社

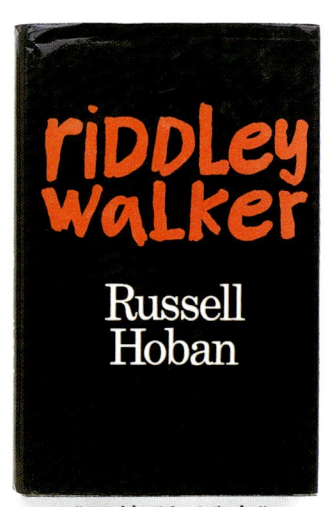

《里德利·沃克》

拉塞尔·霍本

出版时间:1980

出版者:乔纳森·凯普出版社

非本体裁的作家一直在写科幻小说,但他们中很少有人能具有像霍本在《里德利·沃克》中所表现出来的爆炸性的能力。这是一篇灾难后小说,是由里德利本人用一种极富创造力的方言讲述的。读这本书就如同接受一次新事物的洗礼。

从未来到过去的时间旅行一直是个难题。首先,它违反了时间前行的方向,而从过去到未来的时间旅行则不然。其次,它可能引导作者陷入劳而无功的自相矛盾之中。假设你在1930年杀了你的父亲,那他怎么可能在1950年做你的父亲,从而使你能在1930年杀掉他呢?但本福德是个专业物理学家;而且在《时景》中,他不仅对运行速度比光快,因此能沿着时间隧道逆行的超光速粒子波这个奇迹提出了一种合理的解释,还对从事理论和实践研究的科学家的工作方式做出了真实描述。如果我们再附加一条做这项练习的原因——在1998年,这项练习对世界的存亡具有极其重要的意义,这就提醒了1962年的科学家们不要墨守成规——我们就得到了迄今为止最优秀的一篇逆向时间旅行的小说。在这篇小说取得广泛成功之后,西蒙和舒斯特出版社就把他们出版的科幻小说定名为《时景》丛书。

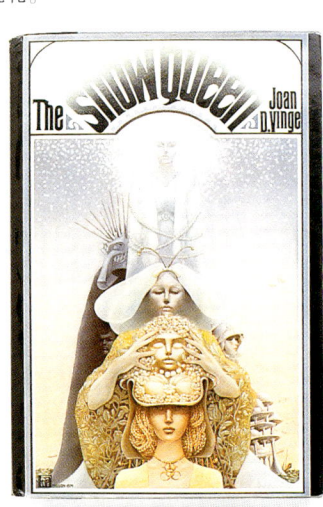

《白雪女王》

琼·D·文奇

出版时间:1980

出版者:戴尔出版社

这是汉斯·克里斯汀·安德森讲述的一则经典故事:整个星球的风景,一大群野蛮人、雇佣军、王室成员、预言家和傻瓜。还需要什么呢?文奇纵情而虔诚地讲述了这个故事。

20世纪80年代的经典作品·231

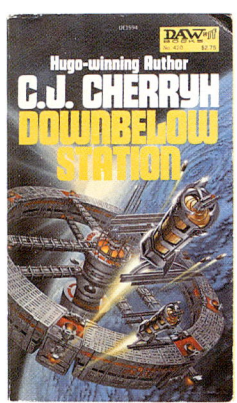

《车站下面》

C·J·彻里

出版时间：1981
出版者：道尔图书出版公司

彻里叙述速度快、内容相当浓缩的小说中的人物，通常都是乘着火箭在光怪陆离的太空剧场景中漫游。但有时像《车站下面》这样的室内歌剧会突出由人扮演的演员。他们站在台前，由于紧张而脸色苍白。

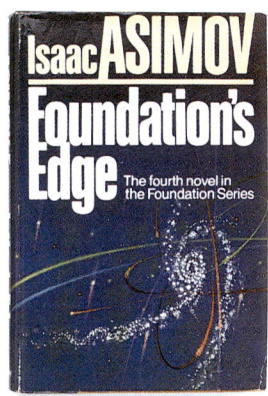

《基地的边缘》

艾萨克·阿西莫夫

出版时间：1982
出版者：道布尔迪出版社

艾萨克·阿西莫夫在80年代出版的第一篇东山再起的小说《基地的边缘》和他同时期出版的其他小说一样，表现出一个正在作出重新考虑的老年人反思的声音，而且这篇小说开始把《机器人》和《基地》两个系列联合起来。

《拉纳克》

阿拉斯代尔·格雷

出版时间：1981　　出版者：卡农盖特出版社

格雷对自己的作品进行设计，因此有关《拉纳克》的一切都表现了他的创造力。气氛浓烈、场面喧闹、变幻莫测面又一览无遗的插图，和这篇用精确的措辞表现超现实的复杂事物的小说珠联璧合。主人公从"真实"的格拉斯哥移居到一个地下的反面乌托邦社会，然后又返回到现实中。这篇小说不属于科幻小说的体裁，但是它的主人公在结尾时离家乡有若干光年的距离。

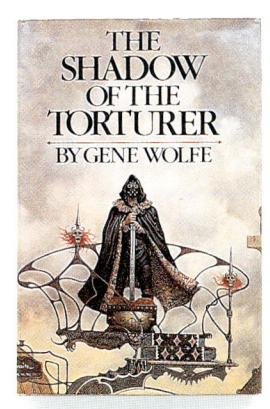　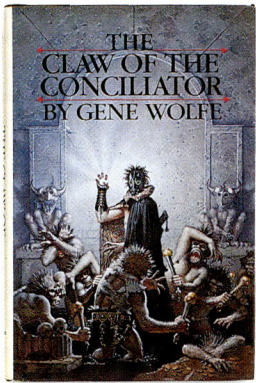　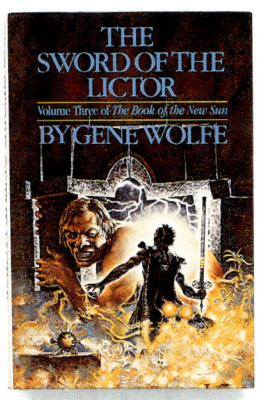　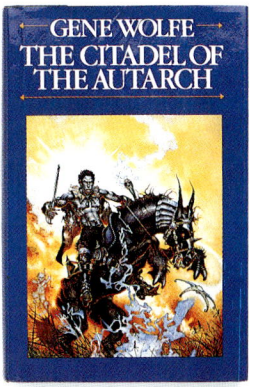

《新太阳之书》

吉恩·沃尔夫

出版时间：1980~1983
出版者：时景出版社

它有一点像宝剑和魔法，可是《新太阳之书》最初的读者很快就意识到：沃尔夫写的是一部关于未来千万年地球的单本小说。虐待者塞弗里安给我们讲述了他成为这个疲惫世界的统治者和救世主的故事。无数意料之外的奇迹和新发现涌现出来。

《虐待者的影子》
出版时间：1980

《安抚者的爪子》
出版时间：1981

《侍从官的宝剑》
出版时间：1982

《统治者的城堡》
出版时间：1983

《海利科尼亚之春》
出版时间：1982

《海利科尼亚之夏》
出版时间：1983

《海利科尼亚之冬》
出版时间：1985

《海利科尼亚三部曲》
布赖恩·奥尔迪斯

出版时间：1982~1985
出版者：凯普出版社

始于春而止于冬，这十分明显地显示了奥尔迪斯的《海利科尼亚》系列的英国特色。这个三部曲的背景设在一颗行星上，它环绕两颗恒星的轨道形成了相当于长达1000年的"大年"，所有的文化都经历了兴旺、枯萎，然后消亡的过程。

《神经浪游者》
威廉·吉布森

出版时间：1984
出版者：埃斯出版社

吉布森从来没有说过他发明了网络朋客和网络空间，就连自己对电脑颇有了解这句话他都没有说过。关于这位《神经浪游者》的作者的故事很多，但有人说他的第一篇小说，也就是80年代最著名、最有影响的那部科幻小说，是在一台旧式的手提打字机上完成的。这个事实并不重要，因为吉布森唯独没有描述计算机的可行程序。凭借他对未来事物富有想像力的有力理解，他在《神经浪游者》中成功地表达了对虚拟现实结构的一种生动感受，即使多年之后，我们似乎仍旧感受得到。除此之外，他为网络空间创造了一个神话：鄙陋街道上的牛仔公然在拥有我们的公司面前搜集数据。

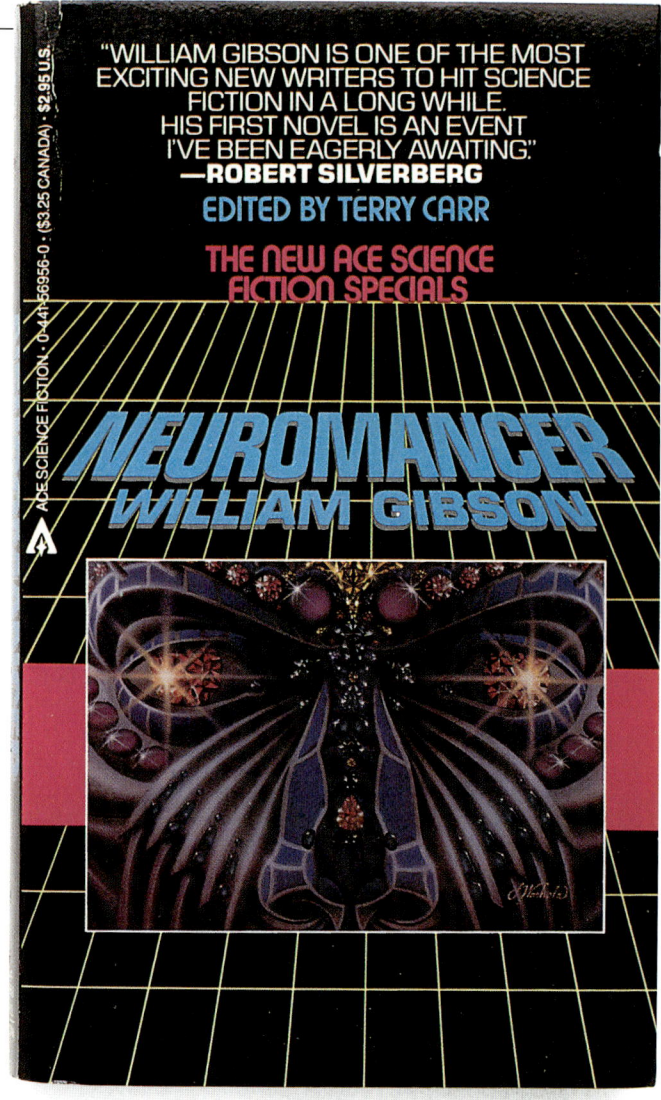

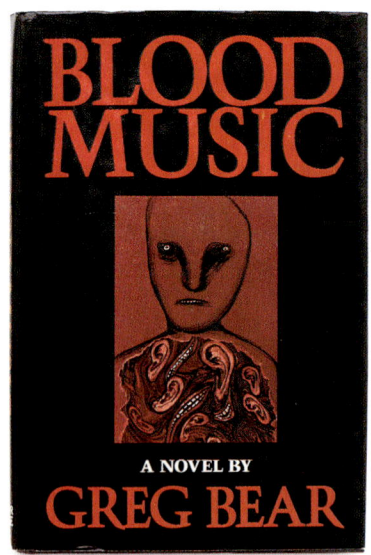

《血腥音乐》
格雷格·贝尔

出版时间：1985
出版者：阿伯书屋

早期科幻小说有忽视基因工程的倾向：贝尔毫不迟疑地修正了这一倾向。有理性的微生物被一个爱捉弄人的科学家创造出来，并接管了世界，同时使人类完全变了形。到小说结尾的时候，我们已经成为惟一的生物，并且把地球抛在脑后，自己去冒险。

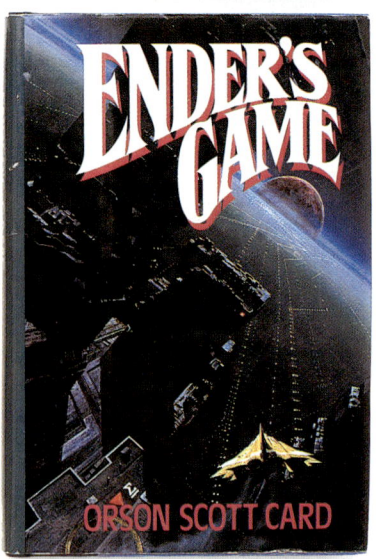

《恩德的游戏》
奥森·斯科特·卡德

出版时间：1985
出版者：石山出版社

这是一篇出色的小说，叙述速度之快使我们无法停下来思考。恩德是一个被军方秘密抚养成人的小天才。他们把他几乎超自然的识别方向的能力用在他认为是精神游戏，但结果证明是真正的演习中。不经意间，恩德目睹了敌人的种族大屠杀。

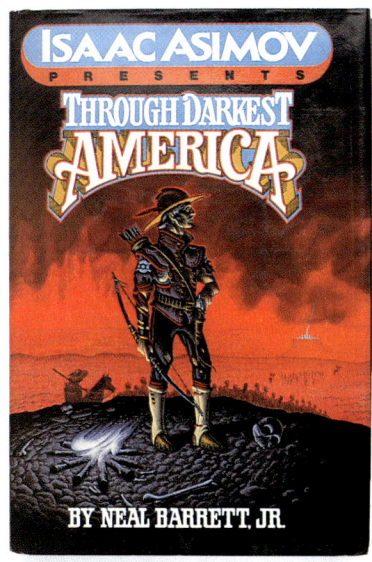

《穿过最黑暗的美国》
小尼尔·巴雷特

出版时间：1987
出版者：康登和威德出版社

巴雷特由于写了这篇在荒凉、危险的美国旅行和探索的炽烈史诗而备受瞩目。它改写了马克·吐温的《哈克贝里·费恩历险记》，背景是在密西西比河的河水变成一种酸后的极端危急时刻。时间就是明天。

《塞廷》
C·J·彻里

出版时间：1988
出版者：华纳出版社

彻里的《联邦—联盟》系列横跨近一个星系，纵横数千年，中心是以一个巨大的星球为背景的一部巨型作品《塞廷》。彻里老练地利用了基因工程，把政治的道德观和紧迫感描写得栩栩如生。

《网上岛屿》
布鲁斯·斯特林

出版时间：1988
出版者：阿伯书屋

网络朋客小说中的主人公大多是都市老于世故的顽童，他们身上植有神奇的芯片，却对自己居住的贫民窟系统几乎一无所知。与此相反，斯特林的人物对权力的现实耿耿于怀。他们很聪明，而且他们的理想都很实际。

《推动社会进步的战争》
戴维·布林

出版时间：1987
出版者：幻想出版社

这是经常出现在科幻小说里的剧情：一个远古民族在星系里播撒物种，然后退出星系来观察这些形形色色的儿女们的进化过程。然后，在星系盘旋上升的一侧，即在太阳的第三颗行星上，一个实验物种突然以一种空前的速度发展起来，这震惊了先导们，也惹出了麻烦：那个物种就是我们人类！这类小说中的巅峰之作恐怕就是《推动社会进步的战争》了，这是迄今为止最重要的一部作品。很久以前，祖先们就让生命开始繁衍。然后人类开始制造麻烦，因为我们发现了苹果里的虫子：准备给我们灌输重要信息的祖先们的星系图书馆学会腐败堕落了。传统受到扭曲。所有的苦难都迸发了出来。

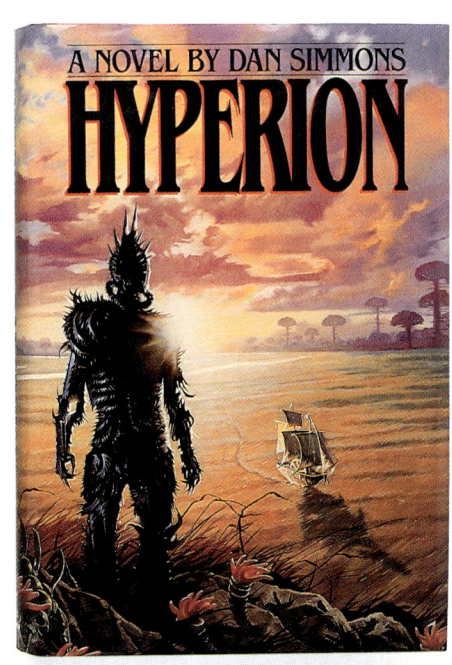

《希佩里恩星球》
丹·西蒙斯

出版时间：1989
出版者：道布尔迪出版社

极为扣人心弦、情节极其复杂的《希佩里恩星球》是关于万物起源的终极故事。西蒙斯讲了一个关于智力、生命、星系、可能宇宙和其他一切事物的多面故事，就像乔叟的《坎特伯雷故事集》一样：7个朝圣者像旅鼠一样陷入自我暴露的海洋中。

20世纪90年代的经典作品

在新千年到来之前的最后10年里，美国科幻小说的创始人大多已经去世，或者不久以后将离开我们。随着他们的故去，他们讲的故事也就结束了：严密的故事网讲述的是关于如何看清未来的边疆，如何找到我们利用新发明的非凡技术要征服的陌生荒野。科幻小说作家再也无法真正相信某一个未来，因为现在有那么多个未来，并且它们正在人类思想的大门前喧嚷不已。我们开阔了自己的思路：恶梦和奇迹共存，众多未来的事物在向我们召唤。

《天使女王》

格雷格·贝尔

出版时间：1990　　出版者：华纳出版公司

文艺复兴时期的一条教义为思想家们所信奉，他们试图把整个宇宙的无限巨大与在一粒沙子中的宇宙也是无限的这一事实统一起来。这条教义认为宇宙是由天使组成的：每一个分子就是一个天使，每一个天使都要接触另一个天使。他们无限的接触中所发出的声音就是星球的音乐。这种描述毫微技术的方法或许并不坏。在格雷格最寄予厚望并精心创作的小说中，所描绘的形似蜂窝的洛杉矶的方方面面都渗透着毫微技术。它包含几十个各式各样复杂的人物和许多极为复杂、引人入胜的情节。所有这一切结合在一起，在结尾时成为一首歌。

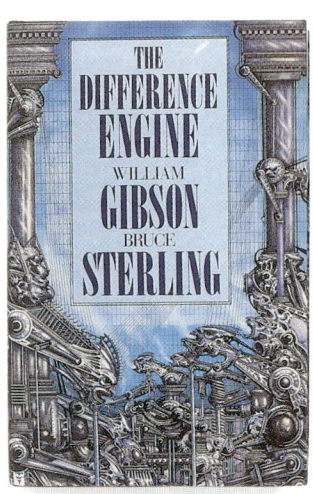

《差分引擎》

威廉·吉布森和布鲁斯·斯特林

出版时间：1990

出版者：戈兰茨出版社

两个风格截然不同的作家合作创作了一部不像他们其中任何一位风格的作品。这是一部历史小说，前提是查尔斯·巴比奇于1820年设计的计算机能够运行了。结果是：到了1850年，一个梦魇般的反面乌托邦社会活跃了起来。

《接受普伦蒂》

科林·格林兰

出版时间：1990

出版者：昂温出版社

科林·格林兰是英国年轻的批评家和小说家中最尖刻、最具创新精神的一位。他有一个明快的想法：旧科幻小说气氛欢快，我们为何不去享受它呢？即便现在也一样。为什么不写一部关于一个名叫普伦蒂的女主人公没改变宇宙，却活了很久的太空剧呢？于是他这样写了。

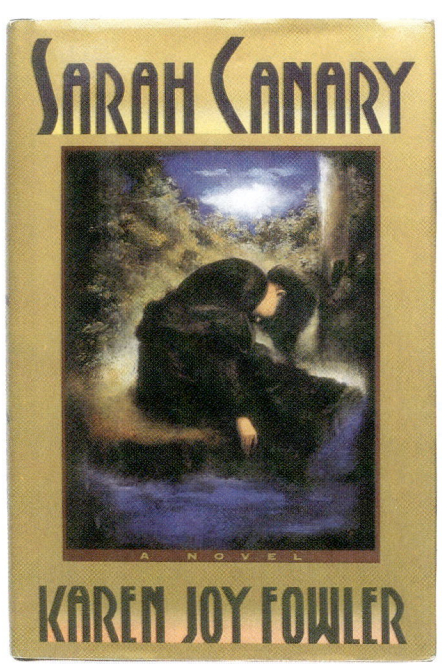

《撒拉·加那利》

卡伦·乔伊·福勒

出版时间：1991

出版者：亨利·霍尔特出版社

福勒从来没有把在这篇意味深长的小说中像小鸟一样唱歌的神秘生灵当成外星人。然而我们却认为它是外星人，因为它和人类的关系是典型的第一次接触。

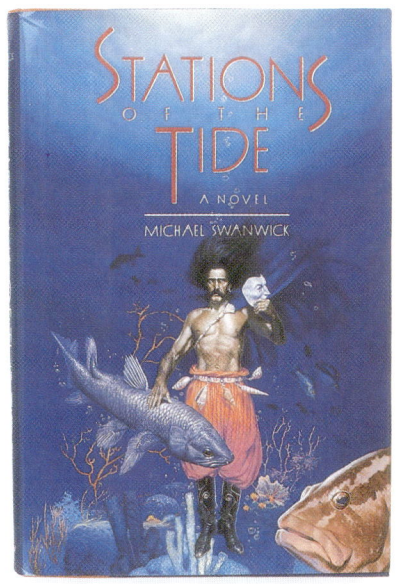

《潮汐驿站》

迈克尔·斯旺尼克

出版时间：1991

出版者：威廉·莫罗出版社

一个星际官员来到一个孤立的星球上，就像普洛斯彼罗到达他的小岛一样。他跟在一个土著人后面，这个土著人像普罗米修斯一样偷取了不该知道的知识。硬科学和神话交织在一起，贯穿于这篇错综复杂、极具智慧的小说的始终，像铃声一样在我们的脑海里回响。

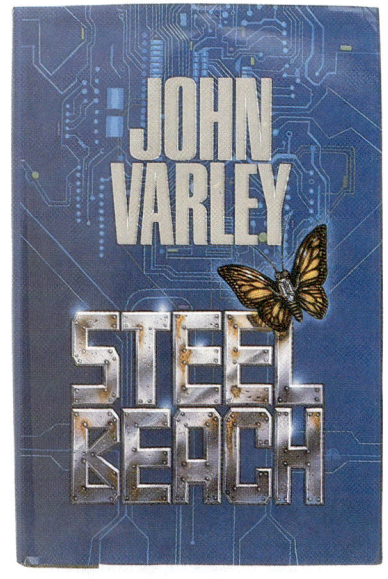

《钢铁海滩》

约翰·瓦利

出版时间：1992

出版者：帕特南出版社

高等生物外星人把人类从地球上驱逐出去，因为我们人类正在毁灭地球。在月球上广阔的地下住所里，我们要么进化，要么死亡。我们和第一条离开海水，跳到地面上的肺鱼不同，因为我们的海滩是钢铁，不是沙。

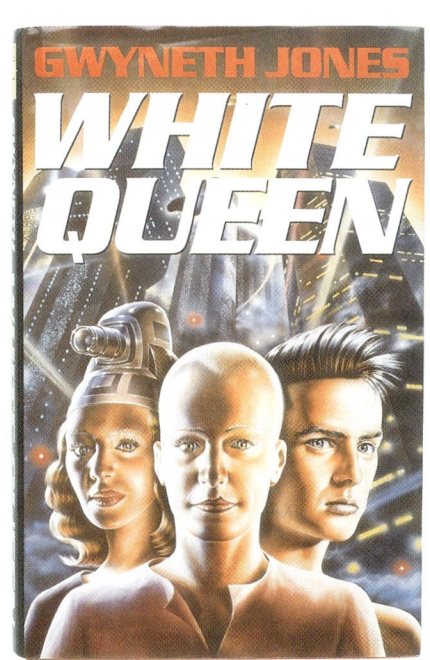

《白衣女王》

格温内思·琼斯

出版时间：1991

出版者：戈兰茨出版社

90年代的科幻小说，例如《白衣女王》倾向于把来访的外星人当成是我们无法理解的生灵，它们来到我们的星球或是为了降祸于我们，或是为了赐福于我们，或是两者兼而有之。琼斯的外星人完全误解了我们，而且更让人感到震惊的是，也许它们根本就不想理解我们。

《红色火星》

金·斯坦利·鲁滨逊

出版时间：1992

出版者：哈珀·科林斯出版社

这是旧式科幻小说作出的一条轻松的假设：到达火星很容易，但在那里定居并无趣味。它将是到达其他星球的跳板。然而，自从有了人造地球卫星后，我们对事物的理解变得阴郁了。火星并不是那么容易就可以到达的（虽然有可能），但在上面定居将会很有趣。《红色火星》及其续集《绿色火星》和拍摄成电影的《蓝色火星》，告诉我们仿地成形如何可能实际发生，其细节惹人注目，阐释明确，对主人公的描述相当全面，情节非常紧张，有关仿地成形的道德辩论一针见血。成功是由辛劳换来的。

《海底深处的火》

弗纳·文奇

出版时间: 1992
出版者: 石山出版社

古希腊一条有关宇宙本质的理论认为,宇宙的中心也就是地球,密度极大,塞满了物质;而且你离开中心越远,你就变得越自由、越神圣。在这篇小说中,文奇把这一理论解释成20世纪后期的科学和科幻术语。当你离开组成星系的庞大恒星群和行星群时,你就逃离了物质的缓慢演化:你的大脑和身体都加速运行,而且情节也转得快了许多。这篇小说涉及到人类、许多外星人(事实上的管理者)、巨大的人工智能、时空深渊和一个环绕星系的因特网。这篇小说写得非常精彩,极为有趣。

《西班牙的乞丐》

南希·克雷斯

出版时间: 1993
出版者: 威廉·莫罗出版社

《西班牙的乞丐》是一部优秀的小说,南希·克雷斯使一篇深受喜爱的旧式科幻故事重放异彩。一群人类的孩子被秘密抚养,这样正常人就不能把他们全部杀掉。和预料的一样,他们接管了世界,但其中充满了嘲讽。

《世界末日篇》

康尼·威利斯

出版时间: 1992
出版者: 矮脚鸡图书出版公司

在经历了很多灾难的本世纪末,事物都处在一定的位置,以使人回忆起前几个世纪所遭受的破坏。在这部小说中,一个时间旅行者到达了正处在黑死病控制之下的英国。我们的主人公幸存了下来,但吃尽了苦头。

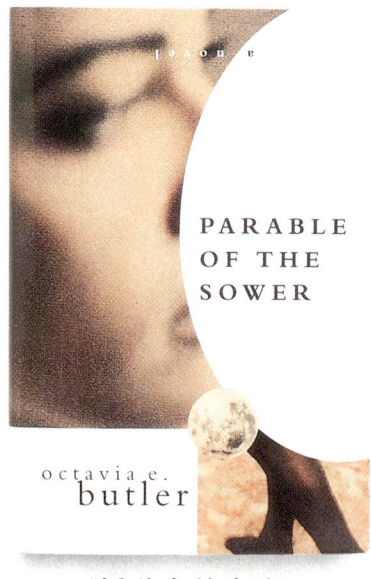

《播种者的寓言》

奥克塔维亚·巴特勒

出版时间: 1994
出版者: 四墙八窗出版社

在被环境灾害蹂躏的21世纪初的加利福尼亚州,一个具有超凡感情移入能力的黑人孩子成为"地球子孙教"的创始人。这种新宗教的基本信条是人类必须满怀敬意地向其他星球扩展。

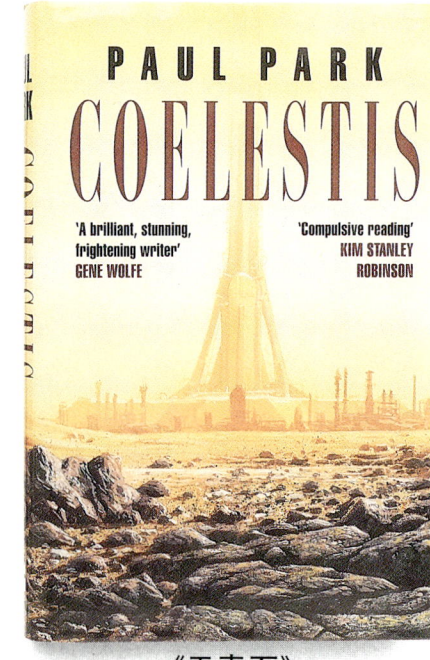

《天青石》

保罗·帕克

出版时间: 1993
出版者: 哈珀·科林斯出版社

和许多优秀的新科幻小说一样,《天青石》也是一部悲剧。在一个遭到破坏的荒凉的殖民星球上,一个地球人爱上了一个高贵的外星人。这个外星人由于经历了烈性的药疗法而看起来与人酷似,这导致了与他们这段最终成为苦涩恋情的纠缠不已的背叛和毁灭。

《破碎的上帝》

戴维·津德尔

出版时间：1993

出版者：哈珀·柯林斯出版社

很难说这一鸿篇巨制里还有什么没有涵盖到，其本身是一部仍在续写的可望达到几千页的超级小说的一部分。它包含了外星人、宇宙论、奇遇、性爱、哲学、宗教、科学、神秘主义、独裁者和战争。

《可怕的恩德金》

伊恩·M·班克斯

出版时间：1994

出版者：轨道出版社

这篇小说比班克斯先前的大部分小说更为简洁，而且它的各式各样的故事情节与惟妙惟肖的描写互相吻合。它描写的是遥远的未来。大部分故事发生在一个如城市般大小的大楼里面。这座大楼是由一座山脉改建而成的。一个由计算机控制的虚拟现实宇宙允许亡故多年的人的灵魂各自重述人类历史，并且去影响那些仍然活着的人。太阳即将消亡。在一座遭到毁坏的太空塔顶端上的古代人工智能可能会拯救这个星球，但必须有人把他们唤醒。把自己的经历写成一种模糊不清的行话的主要讲述人，发现自己被卷入到诸多阴谋和反阴谋活动中，直到它们最后取得和解。世界得到拯救，而且我们在最后一页知道了要拯救世界需要哪种"可怕的恩德金"。

《生活的东方》

布赖恩·奥尔迪斯

出版时间：1994

出版者：弗拉明戈出版社

在不远的未来某个时候，一个人发现他长达10年的记忆被人偷走了，且以卡式录音带的形式卖给了一些专门偷看下流场面的人。他在几十年后喧闹衰败的东欧跟踪那些盗贼。小说充满了智慧、极具活力，情节纷繁嘈杂。

《短暂的机会》

迈克尔·毕晓普

出版时间：1994

出版者：矮脚鸡图书出版公司

美国人对棒球的热爱和对这项运动盛行时期的留恋，在这篇小说中得到最庄严的纪念。科幻因素，其中一个球员原来是弗兰肯斯坦式的怪物，以及惊人的识别力和真实性糅合在一起，组成了一篇有关黄金时期的小说。

《极端自我主义者》

西奥多·斯特金

出版时间：1994

出版者：北大西洋图书出版公司

这不是一部长篇小说，而是半个多世纪前写的短篇小说集，且本书的作者已去世。斯特金经常试图在作品中表达情感的复杂性，他的创作风格清新明快，令人难以忘怀。在第一卷故事集中，他的辛劳终于得到了应有的回报。

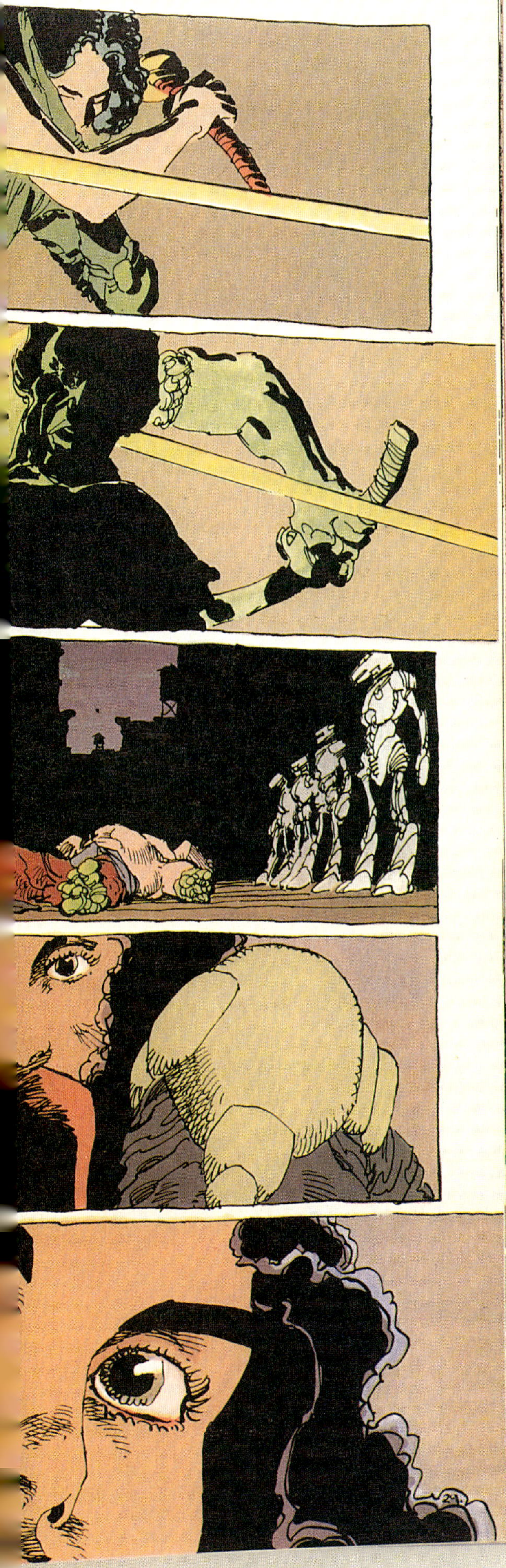

第 六 章

插图作品

　　不断改变的艺术风格反映了科幻小说的面貌所发生的日新月异的变化。多年来某些插图画家不仅开创了他们的时代,也对这一艺术体裁作出了诠释。这些年来,全世界兴起了许多不同的插图传统。美国传统产生了长篇连载故事和极富个性化的艺术家,如弗兰克·米勒等。它不同于风格更广泛的欧洲连环画和日本漫画,如《亚基拉》。

　　在本章中,对每一部作品都给出了初版本的出版时间和原出版社的名称。本书刊载的部分作品的封面,可能选自由其他出版社出版的再版本。

上图:《闪电戈登》中的无情者明
左图:选自弗兰克·米勒的《浪人》的部分插图

主要的插图画家

封面艺术家的工作绝对不轻松。所谓的封面艺术家也就是那些为书籍和杂志封面绘制图画的（几乎都是彩色的）艺术家。他们的主要任务并非注释该书或提供任何故事细节，而是以其设计和图案来吸引购买者。所以大多数作品的封面"一般"能告诉买者的只是，某本书是科幻小说、荒诞故事、恐怖故事、惊险故事或西部故事等等。书籍的封面极少对作品本身作出注释。它们几乎总是钓饵。但是有的封面确实相当出色。

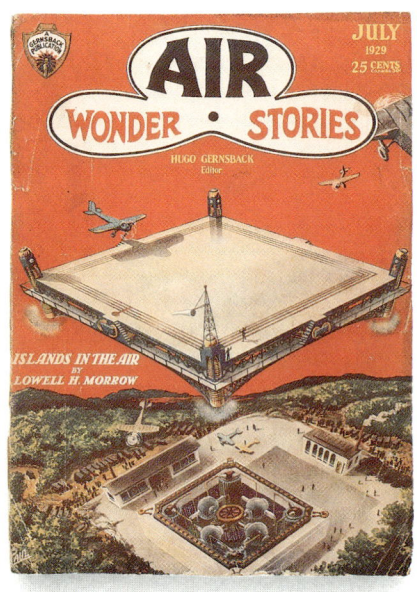

弗兰克·R·保罗

生卒年份：1884~1963
作品：包括为《奇异故事》杂志所绘的封面

弗兰克·R·保罗的作品主要发表在二三十年代，那时他给《奇异故事》杂志绘制封面。其艺术生涯的巅峰是在1939年，即首届世界科幻小说大会时，那年他被选为名誉佳宾。他并不擅长画人物，可是他的作品确实表现出图书主编雨果·根斯巴克所希望表现的艺术的创造作用。

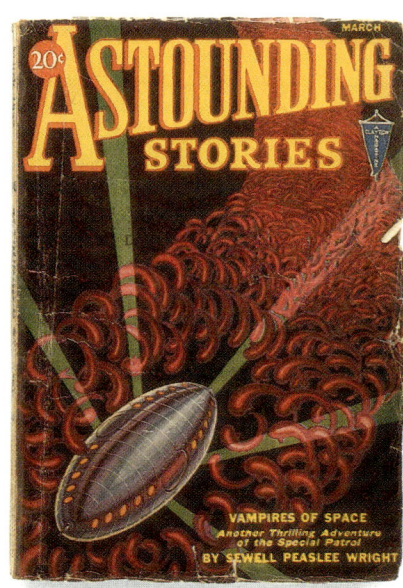

H·W·韦索

生卒年份：1894~？
作品：包括为《惊险故事》杂志所绘的封面

韦索生于德国，后移居美国。《惊险故事》杂志早期的封面均由他绘制，所以战前他就独步科幻小说插图领域。他是一个完美的太空剧艺术家：浪漫、华丽，熟悉通俗史诗故事中的偶像和梦想。当科幻小说"长大"以后，他不再受宠，从此湮没无闻。其去世年份不详。

弗吉尔·芬利

生卒年份：1914~1971
作品：包括为《怪诞故事》和《惊心动魄的故事》杂志所制作的内页插图

在芬利的保守的编辑们眼中，最令人吃惊的莫过于他笔下成千上万的形象都有着相当的色情魅力。他很少绘制彩色插图或封面。他是一个一流的艺术家，擅长于描绘精细的钢笔画。

埃姆什威勒

生卒年份：1925~1990
作品：包括为《银河系》、《奇异故事》、《荒诞和科幻小说》和《惊异故事》杂志，以及为埃斯丛书所绘制的封面

埃德·埃姆什威勒可能并不是一个特别出色的绘图员。他做事总是急急匆匆，并且似乎更乐于制作实验电影。但埃姆什威勒的许多封面描述了书里讲的故事，且赢得过一些奖项。它们就像出色的新闻报道。

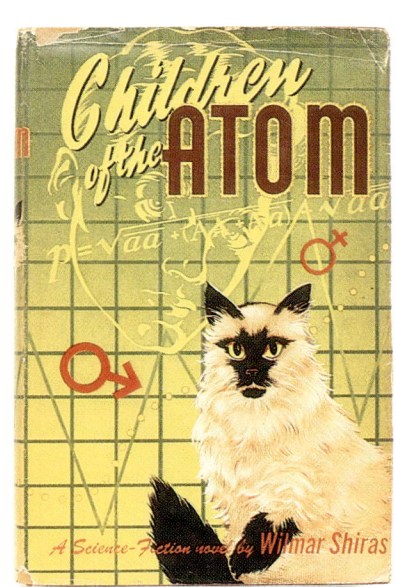

弗兰克·凯利·弗里亚斯

出生年份：1922
作品：包括为《惊险故事》、《荒诞和科幻小说》、《如果》杂志，以及为埃斯、守护神、道尔图书出版公司和莱瑟出版社的书籍所绘制的封面

与埃姆什威勒不同，弗里亚斯的作品总能一眼识别出来，不仅因为他技艺高超，还由于他出色的偶像设计的想象力。他设计的形象无论是幽默的还是梦幻的，总是令人难忘。一提到50年代的科幻小说，我们就会想起弗里亚斯。

主要的插图画家·241

理查德·鲍尔斯
出生年份：1921
作品：包括为道布尔迪、巴兰坦和伯克利出版社的书籍所绘制的封面

当我们谈到50年代的科幻小说时，我们就会想到凯利·弗里亚斯；但当我们梦想时，我们却会梦见理查德·鲍尔斯。1950年初，他为道布尔迪出版社出版的艾萨克·阿西莫夫的处女作《天空中的水晶》绘制封面，从而开创了他自己的风格。到了1953年，当他为巴兰坦出版社具有革命性的平装本书籍绘制封面时，他是科幻小说领域颇为持重的抽象意象的主要塑造者；而作为一个纯粹的艺术家，他从未被人取代过。他对于超现实主义艺术的贡献唤起了人们对科幻小说跨越已知宇宙边沿的神奇感，这实在是天才的手笔。他从不机械地为故事绘制插图。对他为巴兰坦出版社所绘制的封面的全面审视显示，它们是一组自成体系的形象。它们以自己独特的方式描述了科幻小说的梦想，给人们留下了不可磨灭的印象。

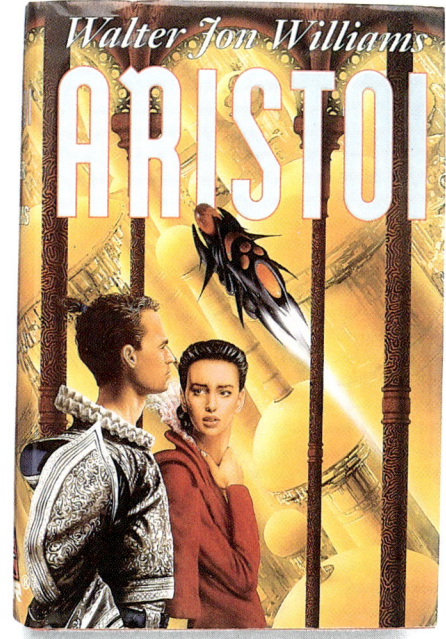

吉姆·伯恩斯
出生年份：1948
作品：包括为地球仪出版社、矮脚鸡图书出版公司和埃斯出版社的书籍所制作的封面

吉姆·伯恩斯继承了克里斯·福斯使用空气刷的传统。但他的封面具有很强的表现力，不仅能表现一般的科幻形象，同时也能戏剧性地阐明故事，很快就超越了他模仿的对象。

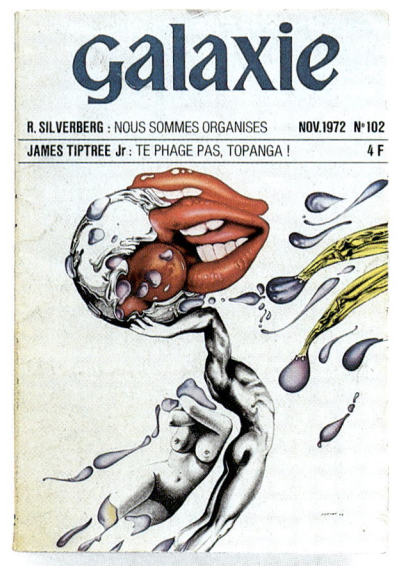

苏伊德马克
作品：包括为《小说》杂志和袖珍图书出版公司的书籍所绘制的封面

因为苏伊德马克的空气刷技术十分流畅，也因为他嗜好抽象且颇具超现实色彩的主题，其作品一眼便可识别出来。虽然他的某些70年代的作品与今天更硬朗、更勇敢的风格相比有一些油滑，但是在法国他仍然是一个备受尊崇的人物。

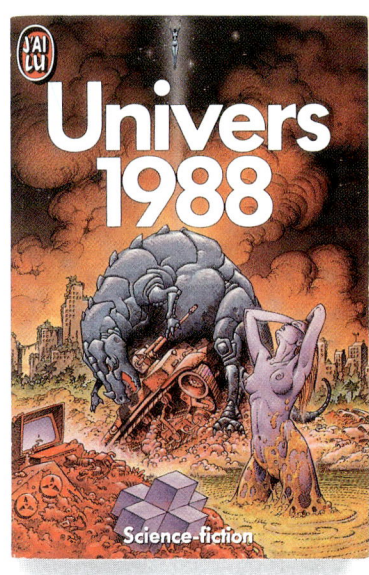

卡扎
作品：包括为《小说》杂志和弗拉玛里翁与凯塞林公司的书籍所绘制的封面

菲利普·卡扎是独特的法国模式的另一位插图画家。该模式以处理细腻、描绘详细为特点。他的作品倾向于把科幻小说引向荒诞，往往挑逗性很强，而且公开、直露，因而难以被美国或英国的出版物作为封面接受。

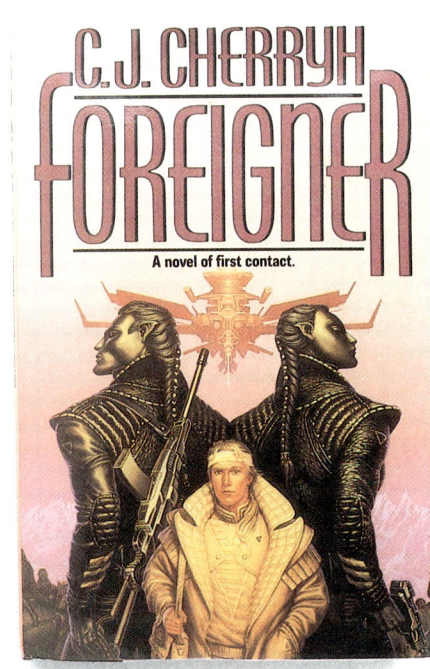

迈克尔·惠兰
出生年份：1950
作品：包括为道尔、艾斯和德尔·雷伊等图书公司的书籍所绘制的封面

迈克尔·惠兰作为美国科幻小说封面艺术的主导人物长达15年，他具有一种不可思议的能力。同伯恩斯一样，他经常在故事紧要关头的一霎那把读者引入他所描绘的世界，并且他的独创作品为他挣了许多钱。

美国的连环漫画

美国科幻小说的作家们喜欢他们作品中间不时出现的超人。菲利普·怀利创作于1930年的《角斗士》直接激发了塑造超人的作家们的灵感,但是采用超人的构思并付诸实现的却是美国的连环漫画。自从超人概念出现以来,数以百计身着戏装的英雄们用他们的力量来拯救世界。许多年以来,除了英雄超人之外,几乎没有什么科幻小说被改编为连环漫画(不包括太空剧《闪电戈登》)。近来这一领域得到了拓宽,但是身穿紧身衣的超人却依然出现在故事中。

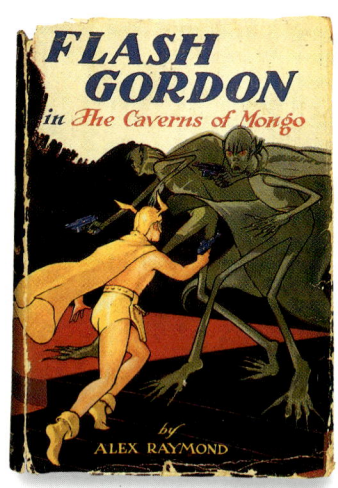

《闪电戈登》

亚历克斯·雷蒙德

出版时间:1934

出版者:金片辛迪加,DC连环漫画出版公司

1934年,雷蒙德创造了闪电戈登,将其用作一份星期日报纸的彩色插图达10年整。他流畅、狂想的风格决定了我们所看到的这个世界闻名的马球选手,是如何上百次地拯救地球的。

《奇异的幻想》

集体创作

出版时间:1950~1953

出版者:EC连环漫画出版公司

50年代初,EC连环漫画出版公司(后主要从事《疯狂》杂志的出版)出版了《奇异的幻想》,收集了成名作家如雷·布雷德伯里和理查德·马西森的已出版的科幻和荒诞故事,并用图画形式进行注解。

《动作连环漫画:超人》

杰里·西格尔和乔·舒斯特

出版时间:1938　　出版者:DC连环漫画出版公司

如果你接受DC连环漫画出版公司的说法,这里就是超人故事的开始,而实际上超人的概念是DC连环漫画出版公司直接从作家西格尔和艺术家舒斯特那里买来的,事实上这两个人对此的构思酝酿已多年。当然,对千百万爱好者来说,1938年标志着这个超级壮小伙的故事的开始。他的父母在氪星球爆炸前把他送出了氪星球。他化装成态度温和的克拉克·肯特,同时他又是超人,成百上千次地拯救我们免于可怕的噩运。1939年,他创建了自己的连环画刊物"超人连环画"。许多作家,包括埃德蒙·汉密尔顿,艾尔弗雷德·贝斯特和亨利·库特纳,以及许多艺术家都为这一系列作品出过力。近年来,他的创作更趋于现代化,该系列刊物仍同过去一样广受欢迎。

美国的连环漫画·243

《机械师》

贾米·赫尔南德斯

出版时间：1981
出版者：荒诞书画出版公司

《机械师》首次登载在连环画刊物《爱情与火箭》中，它描写了一场拯救一艘太空飞船的行动，以赫尔南德斯的独特风格画就。故事的主角包括一个头上长角的千万富翁和一个超级英雄，但后来科幻因素消失了。

《蝙蝠侠：黑骑士归来》

弗兰克·米勒

出版时间：1985~1986
出版者：DC连环漫画出版公司

一些批评家认为蝙蝠侠根本不是一个科幻小说角色，只是一个人格严重紊乱的男人。另一方面，他又占据了这样一个黑暗危险的"愚人村"，使得大都市看起来像市郊。米勒赋予这个长命的角色以勇气。

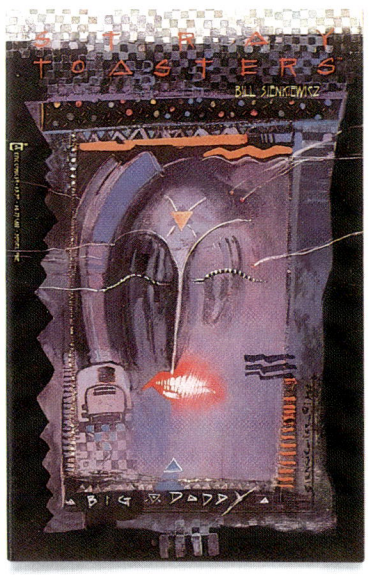

《迷路的面包机》

比尔·显克微奇

出版时间：1988
出版者：奇迹连环漫画出版公司

到1988年时，也就是在主宰超级英雄领域四分之一个世纪之后，奇迹连环漫画出版公司被迫进行革新。《迷路的面包机》是极端的显克微奇化的：这是一个受戴维·林奇电影影响的快乐奏的恐怖故事。

《浪人》

弗兰克·米勒

出版时间：1983~1984 出版者：DC连环漫画出版公司

在这本分为6部分的插图小说中，弗兰克·米勒虚构了一个在不久的将来日益衰败的美国社会，一个年代久远的鬼怪和一个苦修的士兵之间爆发了一场史诗般的战斗。米勒清晰明了、如电影般的风格在他的下一部作品《蝙蝠侠：黑骑士归来》中表现得很明显，这是DC连环漫画出版公司推出的另一本带启示录性质的故事。

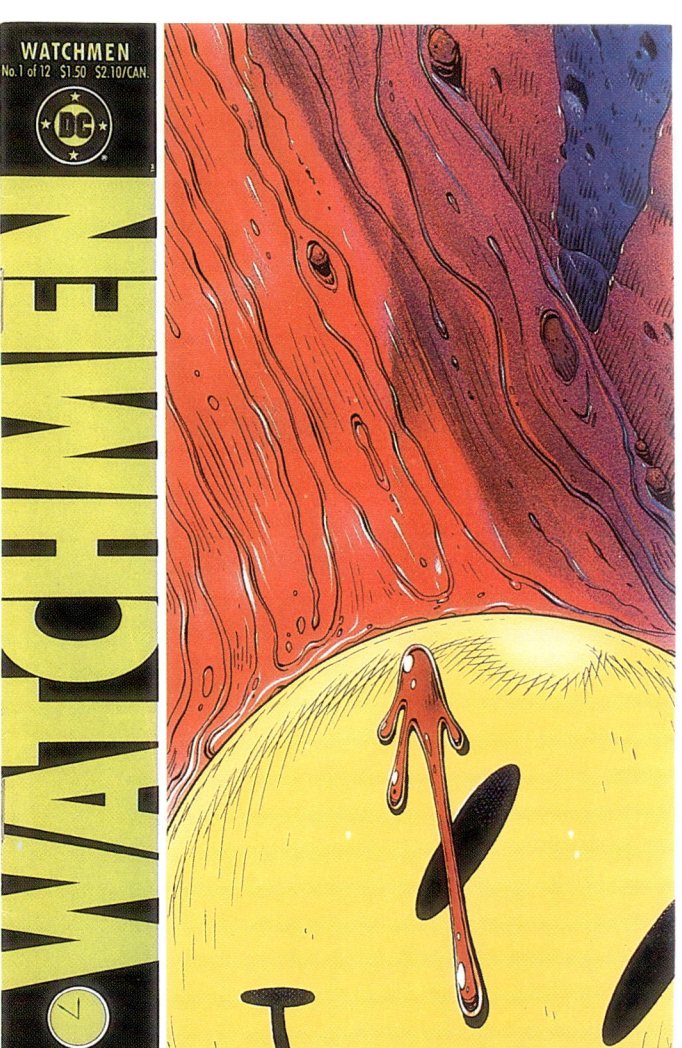

《看守者》

艾伦·穆尔和戴维·吉本斯

出版时间：1986~1987
出版者：DC连环漫画出版公司

这一分为12部分的插图小说，对那些不常阅读连环画的读者具有一种展示性。这是一部兼顾视觉和文学效果、引人入胜的多层次足本小说。它包含了一段虚构的美国历史画面，在那里确实存在着穿戏装的英雄，他们自发地维护法律与秩序。《看守者》讽刺性地剖析了人类成为超级英雄或需要超级英雄而不得不付出的代价，并且描绘了一个超级英雄可能存在世界的景象。艾伦·穆尔的想象十分冷静，且具有嘲讽的意味。

欧洲的连环漫画

欧洲连环画和美国连环画来自两个完全不同的世界。美国式连环画的特点是：用流水线生产的超级英雄和以电影为基础的图画风格。与之形成对比的是，欧洲连环画的特点是：与常人相近的主人公和突出个人创造性手笔的标题，虽然有时候有一些拘谨，但是画面风格更加趋于复杂。因为没有超级英雄，欧洲连环画的内容更为广泛，同时也更加真实。但是近几年来，欧美两个大陆之间的这些区别逐渐地淡化了。

《土星对抗地球》
F·佩德罗奇和G·斯科拉里

出版时间：1937~1943

出版者：内尔比尼出版社，意大利

第二次世界大战开始前后，意大利人有机会在这一故事中欣赏到大规模的太空剧战斗。作品由佩德罗奇撰写，斯科拉里绘制插图。它和其他几部科幻卡通都曾出现在《历险》杂志中。

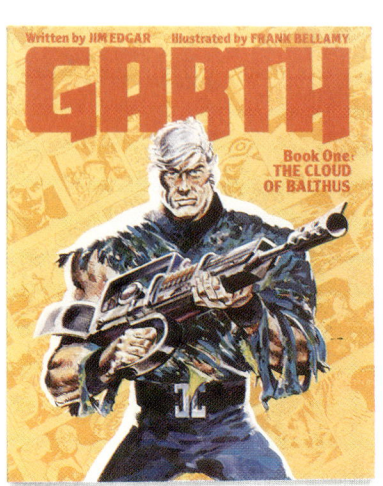

《加思》
史蒂夫·道林和唐·弗里曼

出版时间：1943

出版者：《每日镜报》，英国

许多年以来，力大无比的加思一直活跃在报纸连载的连环画上。近几年来，这些连载故事已汇集出版。加思穿越时空旅行。他记得过去的一切，到处主持正义，并与邪恶作斗争。

《丹·戴尔——未来的飞行员》
弗兰克·汉普森

出版时间：1950~1994　　**出版者**：国际出版公司，英国

在弗兰克·汉普森(1917~1985，是他创造了丹·戴尔，并控制了他的职业生涯，直到1959年)的监督下，丹·戴尔如火箭般穿越《雄鹰》(一家英国连环画周刊)的页面，去探索太阳系，并把它以及我们从一个来自金星的邪恶暴君梅克的手中拯救出来。丹不是超人，但这并不是说他就不能大大地超过我们了。汉普森强调"真实性"，所以他的人物尽管下巴方方、眉毛外倒呈奇怪的之字形，但依然是人。汉普森指导着一群作家、艺术家、模特制作师和摄影师，创造了完全令人信服的未来的场面。该系列在他的后继者手中未能再现辉煌。

《法官德雷德》
艺术家集体创作

出版时间：1977
出版者：国际出版公司，英国

德雷德是《公元2000年》杂志推出的最著名的角色。由德雷德法官和他众多的伙伴们所引发的法律和道德话题，其复杂性毫不逊色于现代科幻中的任何事物。据出版的《公元2000年》的1000期杂志以及相关连环画记载：德雷德在下一世纪的某个时候坚定无畏地执行他全权使命的角色——"超暴力警察"、大男子气概的牺牲者、法官和刽子手，所有这一切都是为了追求奖章。他的主要工作区域是未来浩劫之后的百万城市，而他的判决通常总是"有罪"。

《暴力事件》
尼尔·盖曼和戴夫·麦基恩

出版时间：1987
出版者：埃斯凯普出版公司，英国

盖曼的文学和麦基恩的艺术合作开始于这部插图小说。这是一部搜寻记忆、幻想和突如其来的违反现实的都市荒诞故事，插图为黑白的。故事的叙述扣人心弦。

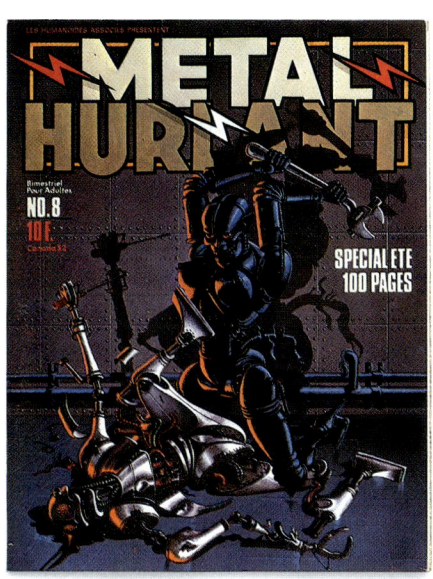

《金属赫伦特》
集体创作

出版时间：1975~1987
出版者：人文出版社，法国

这部作品由贝尔纳·法克斯、让-皮埃尔·迪纳以及艺术家让-吉罗（也被称为莫比斯）和菲利普·德律特创作，提出了一个连环漫画艺术应该予以严肃对待的复杂案例。它对于该领域产生了深远的影响。

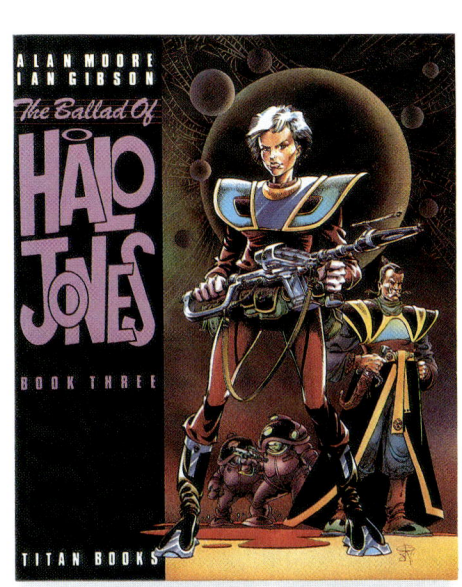

《黑洛·琼斯的歌谣》
艾伦·穆尔和伊恩·吉布森

出版时间：1984~1986
出版者：弗利特韦出版公司，英国

黑洛·琼斯是一个最具反英雄色彩的女英雄，其历险故事刊载在《公元2000年》上。故事的背景在不远的未来。在艾伦·穆尔的笔下，这一切是西方文明进程中扭曲歪斜的常见镜头。他的下一部作品是《看守者》。

《卢瑟·阿克赖特历险记》
布莱恩·塔尔伯特

出版时间：1988~1989
出版者：沃尔韦利出版社，英国

有人可能会以为，连环画作为一种视觉媒介是描述虚构世界历史故事的好场所。但奇怪的是，这样的作品为数很少，《卢瑟·阿克赖特历险记》三部曲是其中之一。阿克赖特以保卫世界，使之不被阴谋毁灭来度过一生。

日本的连环漫画

在今天的日本，连环漫画像电视一样无所不在，每周销售数量达数百万册。连环画在日语中被称作manga(漫画，字面意思是"不需负责任的图画")。它们遵循悠久的用插图讲故事的传统，成为人们日常生活中不可缺少的一部分。事实上，它们涵盖了人们想象得到的一切话题，从体育到经济，无论学童、家庭主妇还是商人都很爱看。人们经常自由而富有想像力地把各种类型的漫画，如浪漫故事、荒诞故事和科幻小说，混合在一起。科幻小说成为以漫画和有关动画传播形式打入西方市场的急先锋。

《铁臂阿童木》
手冢治虫
出版时间：1952～1968　出版者：讲谈社

《太空战舰大和号》
松本零士
出版时间：1974～1975
出版者：秋田书店

在未来干燥的地球上，人类受到外星人攻击而生活在地下，一年之内射线会杀死一切生物。二战结束时沉没的战舰被装上太空发动机重建之后，踏上了绝望之旅以寻求能提供帮助的行星。

《银河铁道999》
松本零士
出版时间：1976～1981
出版者：少年画报社

这部高度图案化的连环画描写了一个年轻人的探索经历。他与一位神秘的女性一起沿着太空铁路旅行，前往一颗行星。在那里他会得到一具永不毁坏的机器身体，从而得以永生。他的历险使他对自己的使命产生了怀疑。最终，他选择了保存自己的人性。

事实证明，艺术家手冢治虫的作品在日本的影响可与沃特·迪斯尼在美国的影响相媲美。手冢给他的创作注入了新的电影灵感，革新了漫画的面貌。在西方，强健的阿童木多被称为"星之男孩"。故事讲述一个由原子能驱动的机器男孩的冒险经历。他具有超人的力量和计算机头脑，脚上装有火箭发动机，在2000年与层出不穷的恶棍作斗争。其中有着深刻的匹诺曹式的弦外之音。在疯狂的科学家、怪物和超级巨盗之间，"星之男孩"渴望成为一个"真正"的男孩。这一广受欢迎的漫画作品开创了一种全新的机器人形象，于1963年被改编成日本第一部动画连续剧，从而开创了电视系列剧的历史。

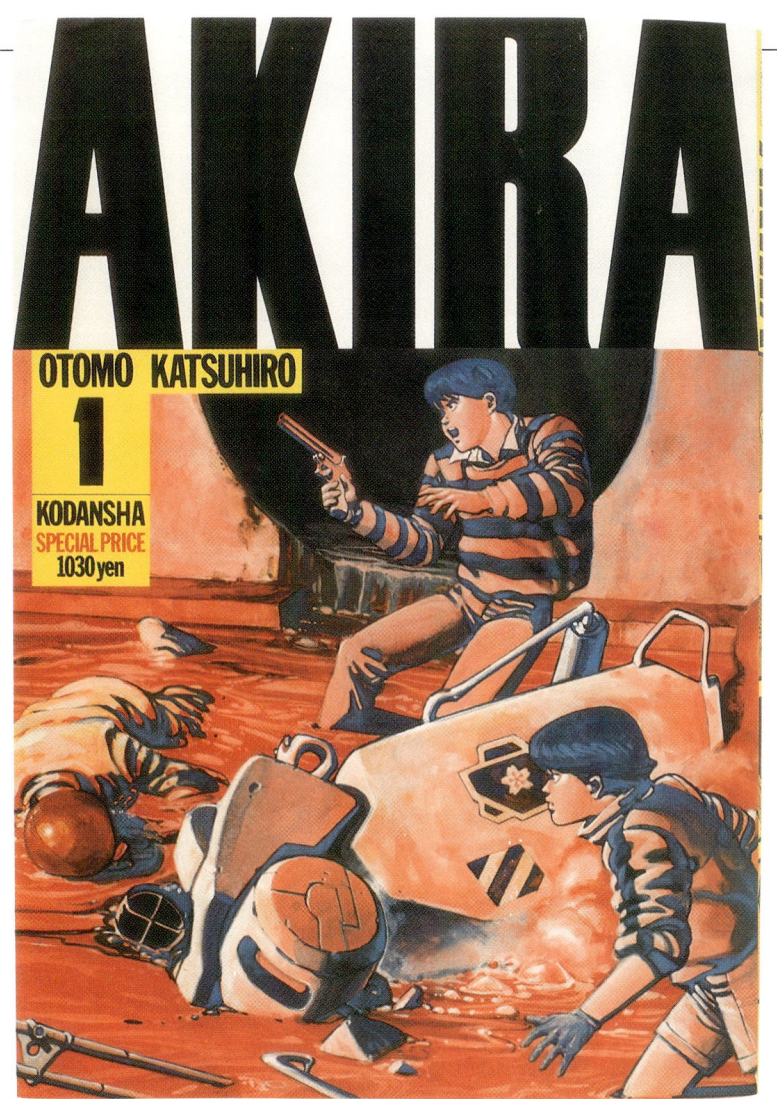

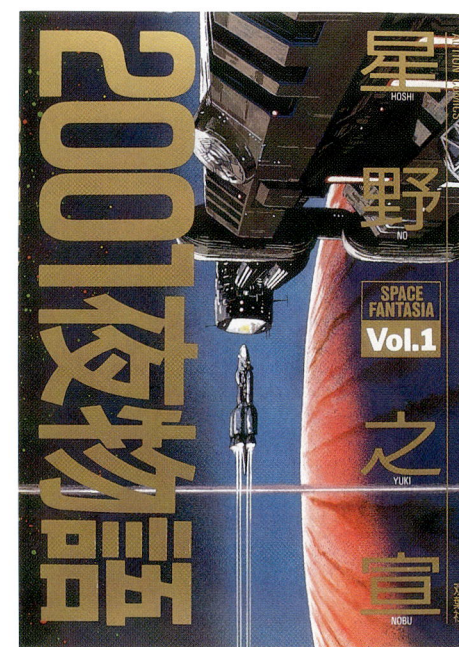

《亚基拉》
大友克洋

出版时间：1982~1993
出版者：讲谈社

这部经典网络朋客连环漫画的场景，是第三次世界大战后新东京的真实而恐怖的霓虹"丛林"。"丛林"中充满了各式各样的社会混乱现象：飞车党、宗教教派、暴徒和抵抗组织等。主人公是一群热衷于神秘的"亚基拉计划"的青少年（"亚基拉"是一个旨在发展人类的意念能力的军事计划。经显示，最后一场毁灭性的全球战争是由超自然强权的一时疏忽而引起的）。"亚基拉"幻想的未来规模宏大，全6集日语版的漫画超过2000页。这部作品精细的插图得到了高度赞扬。在被改编为场面浩大的动画片之后，这一情节相当复杂的漫画史诗在西方被大量模仿。

《2001夜》
星野之宣

出版时间：1984~1986
出版者：双叶社

这是一个关于人类向太空殖民的极富理智的硬科学幻想故事，叙述风格复杂、真实，视觉效果强。不同的章节构成了一部绵延几个世纪的史诗，在我们向银河扩张的同时，追溯了人类不断进化的足迹。

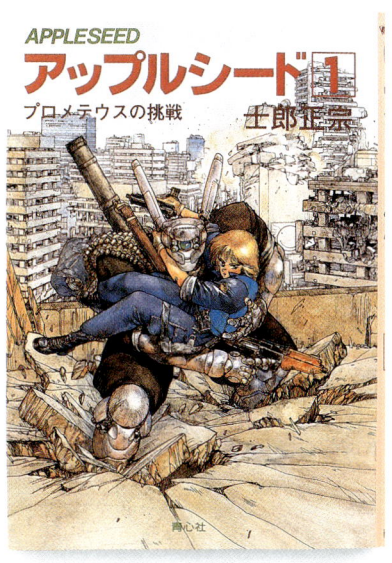

《福星小子》
高桥留美子

出版时间：1978~1986
出版者：小学馆

高桥是日本最受欢迎的艺术家之一，她的首次成功就是这部丑角式的社会讽刺作品。故事围绕着一个深陷爱河、身穿比基尼的太空女孩追求一个无可救药、好色淫荡的高中男生而展开。古怪的故事，众多的人物，使它看上去像是一部肥皂剧，并且像肥皂剧一样容易使人上瘾。

《苹果种子》
士郎正宗

出版时间：1985
出版者：齐心社

士朗把22世纪由人造人管理的乌托邦城市奥林匹斯绝妙地呈现在人们面前，其中"完美"的社会掩盖着一个控制人类战后发展的险恶目的。女警察和她的半机械人助手与为恢复自由而密谋破坏主计算机的恐怖分子进行斗争。

《格雷》
田上吉久

出版时间：1986
出版者：德间书店

在这场面凄凉、带有虚无主义色彩的故事中，格雷被他情人的死所激励，从一个冷漠的下层市民变为一个完美的战士。当社会的主控电脑原来是战争的幕后策划者的真相暴露以后，格雷决定解除其武装。他成功了，但是凄惨而混乱的结局表明地球已注定要走向灭亡。

第 七 章

电　　影

最早拍摄的电影中就有科幻影片：早期无声电影包括通往月球、火星和木星的奇异旅行，以及搬上银幕的经典文学作品，如《弗兰肯斯坦》和《艾里达》等。虽然很长一段时间里曾存在着片面、歪曲的看法，认为科幻电影就是经过伪装的恐怖电影，但近几十年来特技效果技术的巨大改进，似乎保证了科幻影片在电影工业最前沿占有一席之地。

本章按年份列出了20世纪初至今所推出的科幻电影，并回顾了每10年中具有代表性的电影主题趋势。

上图：梅里爱描绘的著名的月球
左图：电影《宇宙战士》中的一个场景

早期的电影

从电影诞生之日起就有了科幻电影。它们或是来自电影制片人的想象，或是根据科幻作品改编而成。许多制片人在这方面并无贡献；而其他电影的每一个场景都留有其制片人的印迹。这些电影并非都具有科学性，但是它们拥有充分的想象自由。而在有声电影出现之后，导演们被困在制作室里，从此失去了这种自由。

★★★ 优秀		★★ 推荐		★ 可看
1. 导演	2. 编剧	3. 片长	4. 彩色	5. 黑白

1897

《小丑和机器人》
法国　明星公司
★
1. 乔治·梅里爱　2. 梅里爱
3. 1分　5. 黑白
这是一部已经失传的影片，是梅里爱的早期影片之一。他在其中塑造了一个小丑和一个由演员扮演的机器人。

《X射线新手》
法国　明星公司
★★★
1. 乔治·梅里爱　2. 梅里爱
3. 1分　5. 黑白
这是早期魔术电影的经典篇章：一个病人的骨骼被X光照后离开病人的身体而倒在地上(实际上是由两次曝光造成的效果)。病人恢复常态后与医生扭打起来。医生忍无可忍，勃然大怒。

《机械屠夫》
法国　吕米埃公司
★
1. 路易·吕米埃公司　2. 佚名
3. 1分　5. 黑白
本片是一个单镜头电影：把猪塞入一台机器的一端后，从另一端出来的是熏肉和香肠。许多电影都仿照这一模式。

《机械屠夫》

1898

《天文学家之梦》/《月球之旅》
法国　明星公司
★
1. 乔治·梅里爱　2. 梅里爱
3. 3分　5. 黑白
这是一部典型的梅里爱式的幻想剧。一位天文学家梦见月亮在访问他的观察站后，变成了一个仙女。该片在英国发行时采用了比较切合内容的标题《天文学家之梦》；而在美国发行时，西格蒙德·卢宾把它改为《月球之旅》，使它听起来像一部科幻片，但名不符实。

1899

《她》
法国　明星公司
★★
1. 乔治·梅里爱　2. 梅里爱，改编自H·赖德·哈格德的《她》(1886)　3. 2分　5. 黑白
这部由哈格德小说改编的早期电影很独特。可能"失落的世界"原本就是无声的。在片长很短的早期电影中，人们很难了解影片在说什么。但还是有人觉得那位古代女神值得一看。不为别的，大概就因为戏装很精致吧！

1901

《飞行机器》
法国　帕西公司
★★
1. 弗迪南德·泽卡
2. 泽卡　3. 1分　5. 黑白
本片拥有一个真正的第一：迄今为止，这部片子最早使用了分屏技术。影片中的飞行器很小，有着极小的翅膀，靠人力脚踏来驱动。它持续的时间虽然很短，但显然足以使当时的观众感到惊异。

《一个过度孵化的婴儿》
英国　保罗影片公司
★
1. 沃特·R·布斯　2. 布斯
3. 1分　5. 黑白
电影总是充满了关于科学会怎样误入歧途的警告。本片中，用汽油喷灯加热孵化器时，因加热过度而发生了事故，放在里面的婴儿成了一个衰弱的老人。

1902

《20世纪的漂泊者》
美国　爱迪生影片公司
★
1. 埃德温·S·波特　2. 波特
3. 1分　5. 黑白
本片模仿了前一年拍摄的法国影片《飞行机器》，后来许多这类事件都与爱迪生的名字有关。在这里，在天空中飞翔的不是飞机，而是一辆自行车。遗憾的是，影片背景中从未出现过月亮。

《月球之旅》
法国　明星公司
★★★
1. 乔治·梅里爱　2. 梅里爱
3. 21分　5. 染色
本片是首部片长超过两分钟的电影作品。即使在今天，它也具有传奇色彩。这部片子把凡尔纳的巨炮发射飞船登月的情节和威尔斯的"塞利奈兹"自由地融合在一起。除此之外，梅里爱也加入了一些自己的构思。实际上为了创造一段幻想的旅行和冒险，这部影片用尽了制片人的十八般武艺：精致的场景、模型和两次曝光。只要能这样继续下去就好了。

《月球之旅》

1906

《奇异的飞船》
法国　明星公司
★
1. 乔治·梅里爱　2. 梅里爱
3. 3分　5. 黑白
一个发明家正在设计一艘用于太空旅行的飞船，他梦见自己获得了成功。他的飞船碰到彗星后，发生了爆炸。醒来之后，他毁掉图纸，跳窗自杀。

1907

《海底两万里》
法国　明星公司
★★
1. 乔治·梅里爱　2. 梅里爱，改编自儒勒·凡尔纳的《海底两万里》(1870)　3. 18分　5. 黑白
这是一部典型的梅里爱风格的作品。本片不仅得益于凡尔纳的原作，也同样得益于阿方斯·德·内维尔的插图(刊入凡尔纳的小说中)。在梦境中，它把幻想和玄思、神仙故事和海底生物、女神和美人鱼与更普通、更常见的海底生物混合在了一起。

1910

《弗兰肯斯坦》
美国　爱迪生影片公司
★★
1. J·塞尔·道利　2. 道利根据玛丽·雪莱的《弗兰肯斯坦，现代普罗米修斯》(1818)改编　3. 16分　5. 黑白
这部根据玛丽·雪莱的小说《弗兰肯斯坦》改编的电影被称为"一部自由改编的电影"，还算是比较忠于原著的。本片的气氛阴郁，令人信服。但电影结尾时怪物神秘地消失了，这是一个败笔。

1911

《100年之后》
法国　帕西公司
3. 13分　5. 黑白
未来世界由女人当权，她们居然穿长裤；男人则被判决只能穿1911年的女装，同时被剥夺选举权。它所需要的不过是时间旅行的主人公变幻事物的一些老掉牙的魔力。

1912

《征服极地》
法国　明星公司
★★
1. 乔治·梅里爱　2. 梅里爱
3. 33分　5. 黑白
这是梅里爱最后一部精心制作的巨片。探险家乘着鸡头形飞船向极地进发，不为高呼"极地属于妇女"的女权运动者所阻挡。他们遭遇了失事，碰到一个冰雪巨怪。这是一部超大型木偶杰作。

1914

《如果英国遭到入侵》
英国　高蒙特影片公司
★
1. 弗雷德·W·达兰特　2. 根据威廉·勒奎克斯的《1910年的入侵》(1908)改编　3. 45分　5. 黑白
本片制作于1913年，但被束之高阁，一战爆发后匆忙完成后发行。毫无疑问，同原著相比，本片显得虚弱无力。不过如果本片按计划准时发行的话，原本是可以更富于感染力的。

《侏儒元首》

1916

《侏儒元首》

德国 德国电影放映公司

★★

1. 奥托·里帕特 2. 奥托和罗伯特·诺伊斯，根据罗伯特·赖纳特的故事改编 3. 6集，片长总计401分 5. 黑白

本片中科学家创造了"福伊内斯"，一个不同于弗兰肯斯坦的怪物。从生理学角度来看，它是完美的。但当它知道自己是如何被创造出来的，知道自己没有灵魂，不能去复仇后，就为自己的出世向人类复仇，变成了一个可怕的暴君，煽动革命。它受到创造者的追踪，因为后者想消灭它。可最终是雷击杀死了福伊内斯。

《海底两万里》

美国 环球影片公司

★★★

1. 斯图尔特·佩顿 2. 佩顿，改编自儒勒·凡尔纳的《海底两万里》(1870)和《神秘岛》(1875) 3. 130分 5. 黑白

由于本片把凡尔纳的两部小说合并成一条故事的主线，所以故事的风格更像迷宫。本片最为突出之处是令人难以置信的水下摄影，这些镜头是在一个特制的水箱内用设计独特的摄影机拍摄的。

1917

《飞船》

丹麦 诺迪斯克影片公司

★

1. 奥杰·马德森 2. 奥利·奥尔森，索福斯·米夏埃利斯 3. 97分 5. 黑白

这可能是世界上第一部太空历险电影，也是丹麦对科幻电影的一大贡献。一个教授和他的儿子访问了火星，在那里发现了一个先进而富于智慧、热爱和平的素食种族。他们劝说一位教士的女儿同他们一起返回地球，并带来了和平。

1918

《曼德拉草》

德国 诺伊特拉特影片公司

★

1. 欧根·伊尔斯 2. 伊尔斯，根据汉斯·海因茨·埃韦斯的《曼德拉草》改编(1911) 3. 88分 5. 黑白

这是本故事的第一个德国版电影，也是《弗兰肯斯坦》的女性版。一个科学家用被绞死的杀人犯的精液使一妓女怀孕，创造了一个美丽但没有灵魂的女人。在她了解了自己的出生后，伤心之余袭击了这个科学家。

1920

《泥人：他是怎样来到这个世界的》

德国 帕古影片公司

★★★

1. 保罗·韦格纳，卡尔·博伊斯 2. 韦格纳，博伊斯 3. 84分 5. 黑白

这是一个经典版本，洛所塑造的泥人为创造者的助手所误用，起来造反，逃出了他们的控制。然后它接受了一个女孩的安抚。她给了它一个苹果，然后拿走了给予它生命的护身符，使它再次成为一摊烂泥。

1922

《赌棍马比斯博士》

德国 厄尔施泰因实业公司、德国电影放映公司和宇宙影片公司

★★★

1. 弗里茨·兰 2. 特亚·冯哈博，改编自诺伯特·雅克的《赌棍马比斯博士》 3. 两部，分别为95分和100分 5. 黑白

导演原打算把本片拍成腐败德国的真实写照，最终却拍成了一个象征性的反面乌托邦。其中包含的一些因素后来在导演兰的其他电影中奇峰凸显，最著名的是他4年后拍摄的代表作《大都会》。马比斯是一个犯罪奇才，利用他周围所有的人，最终陷入疯狂。

1923

《疯狂的射线》

法国 钻石影片公司

★★

1. 勒内·克莱尔 2. 克莱尔 3. 61分 5. 黑白

一束射线使整个巴黎陷入了沉睡，而一些在艾菲尔铁塔上的人却未受影响。他们在一个时间停止的梦幻般城市里游荡，居民们都(往往带戏剧性地)被定了格。本片的视觉效果比它幼稚的道德说教更有趣。

1924

《艾里达：机器人反叛》

苏联 梅兹拉庞电影制片厂

★★★

1. 雅可夫·普罗塔赞诺夫 2. 费多尔·奥特采甫，阿列克赛·法可改编自阿列克赛·托尔斯泰的《艾里达》(1922) 3. 120分，后剪辑至78分 5. 黑白

一名发明家、一个士兵和一位侦探到火星去，在那里他们向一位王后求爱，并煽动了一场失败的革命。场景设计极富魅力，戏装好像非此世界所能见到，动作精彩。头脑僵化的苏联批评家不喜欢它，而公众却很喜欢。

《奥拉克之手》

奥地利 全景影片公司

★★

1. 罗伯特·维恩 2. 路易斯·内茨改编自莫里斯·勒纳尔的《奥拉克之手》(1920) 3. 109分 5. 黑白

一位钢琴家失去了双手，后移植了一双杀人犯的手，但这双手似乎有自己的生命。这个故事有多个电影版本。

1925

《失落的世界》

美国 第一国家影片公司

★★

1. 哈里·O·霍伊特 2. 马里恩·费尔法克斯，改编自阿瑟·科南·多伊尔的《失落的世界》 3. 约105分，后剪辑至60分 5. 部分着色

虽然这时的特殊效果尚未达到后来的水平，且在今天看来，恐龙的粘土模型颇为可笑，但这部首次由多伊尔小说改编的电影却有一种后来的电影明显缺乏的信念。

1926

《大都会》

德国 宇宙影片公司

★★★

1. 弗里茨·兰 2. 兰，特亚·冯哈博 3. 182分，后剪辑至128分或75分 5. 着色

兰的代表作是一堆自相矛盾的东西。它很有说服力，但又有着严重的缺陷。它描写了一个机械人，创造它的发明家却在其额上刻上了有魔法的符号。本片表现出对统治者的不信任，却为希特勒所喜欢。剧情过于简单了些。弗雷德是一个残暴的统治者的儿子，他爱上了玛丽亚，一个被奴役的工人如奴徒般的女儿。他父亲让人劫持了玛丽亚，用一个机器人副本代替了她。假玛丽亚鼓动工人举行暴动以把他们全部消灭，让机器人来代替他们工作。但真玛丽亚和弗雷德拯救了工人及其儿女，同弗雷德的父亲谈判后达成了一项新协议。这个故事相当程度上由于宏伟的城市、巨大的机器和令人信服的电影艺术所造成的效果而出名，是一部值得一看的电影。

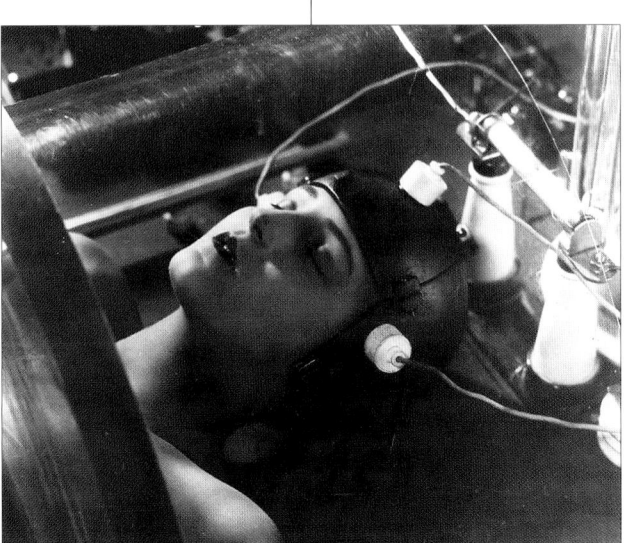
《大都会》

1928

《并非神圣的爱》

德国 AMA影片公司

★★★

1. 亨里克·加里恩 2. 加里恩，改编自汉斯·海因茨·尤尔斯的《曼德拉草》(1911) 3. 125分 5. 黑白

本片是这个故事的第二个德国版本，也是第一部由因《大都会》而出名的布丽吉特·赫尔姆主演的影片。这一版本着重描写了"曼德拉草"的美貌与淫荡，以及

《月中女人》

她与其创造者之间紧张的性关系。

1929

《月中女人》

德国 宇宙影片公司

★★

1. 弗里茨·兰 2. 兰，特亚·冯哈博，改编自冯·哈博的《月球女人》(1928) 3. 156分，后剪辑至97分 5. 黑白

兰的这部影片没有《大都会》那样出色，但仍令人难忘，所以纳粹检查官最终把它取消了。因传闻月球有金子而到那里去旅行的主意挺傻，但场景处理却颇为真实，给人印象深刻。本片还发明了倒计数，虽然其目的只是让呆板的火箭发射看起来更富于戏剧效果。

《神秘岛》

美国 米高梅影片公司

★★

1. 卢西恩·哈伯德 2. 哈伯德，改编自儒勒·凡尔纳的《神秘岛》(1875) 3. 95分 4. 彩色 5. 黑白

本片是对凡尔纳小说的大胆改编，但剧情并没因此而有所改进。"赫特维亚"的科学家统治者达卡伯爵为了证实海洋底部存在着半人半动物的生物，建造了一艘潜水艇。影片的制作用了3年时间，在特技效果和服装方面的努力获得了成功，值得一看。

视觉魔术

机械屠夫
这部由吕米埃摄制的电影引入了一个多年来被反复模仿的构思:把一头猪塞入机器,取出的是熏肉和香肠。

我们不应该忘记,甚至当第一部电影在敬畏(甚至是恐惧)的观众面前闪现在屏幕上时,电影本身就是科幻。

把一系列静止的照片以某种方式连接起来,使眼睛产生一种错觉,以为正在看一段连续的动作,这个念头既愚蠢又聪明,就像那些早期电影制作人嘲笑的尚未为人所熟知的发明一样。但在嘲笑之中,它们继续存在下去。

令人吃惊的是,即使在兴盛的年代(不考虑20世纪40年代那样的恐怖时期),电影制片人对于任何代表新事物的东西都很保守。对他们来说,科幻的念头就代表着危险、异邦和激进。从电影面世起,凡是与众不同的东西几乎总是被毁灭,几无例外。可爱的机器人也许能在宽厚、仁慈的好莱坞幸免于难,但是很少有科学家能这么幸运。外星人也不行,更不必说时髦的女人或来自海洋深处的怪物了。

早起者
分屏技术的使用始于1901年,首次亮相是在科幻电影《飞行器》中。首先遮住镜头的下半部,拍下自行车;然后遮住镜头的上半部,拍下巴黎。

太空并不是极限

有好几年,科幻电影停留在逗乐的阶段。崛起的电影工业巨头可能不愿为一部使未来看起来生动、可信的影片提供财政支持。但在电影业初期这无关紧要,那时科幻和电影只是一种魔术而已。所有这些不过是一场游戏。电影制片人沉迷于其媒体的魔力——用两次曝光、使人产生错觉的摄影角度和所有他们能想到的把戏,来造成人们在视觉上的错觉。那时的科幻主题,如劳动的机械化、飞行、火箭、机器人,也都是魔术,只是利用视觉的相似性而已。你以为自己看到的是一头母牛,但一眨眼后再看,那只是一台机器母牛。至少在这个阶段还不存在什么威胁。

像1899年的《访问招魂者》之类的电影清楚地表明,在这种魔术般的新媒体条

真实可信的瓶子
炼金术士红鬼(通常被认为出自梅里爱之手)颇为令人信服地把人缩小了。这种特技效果令许多后来的制片人汗颜。

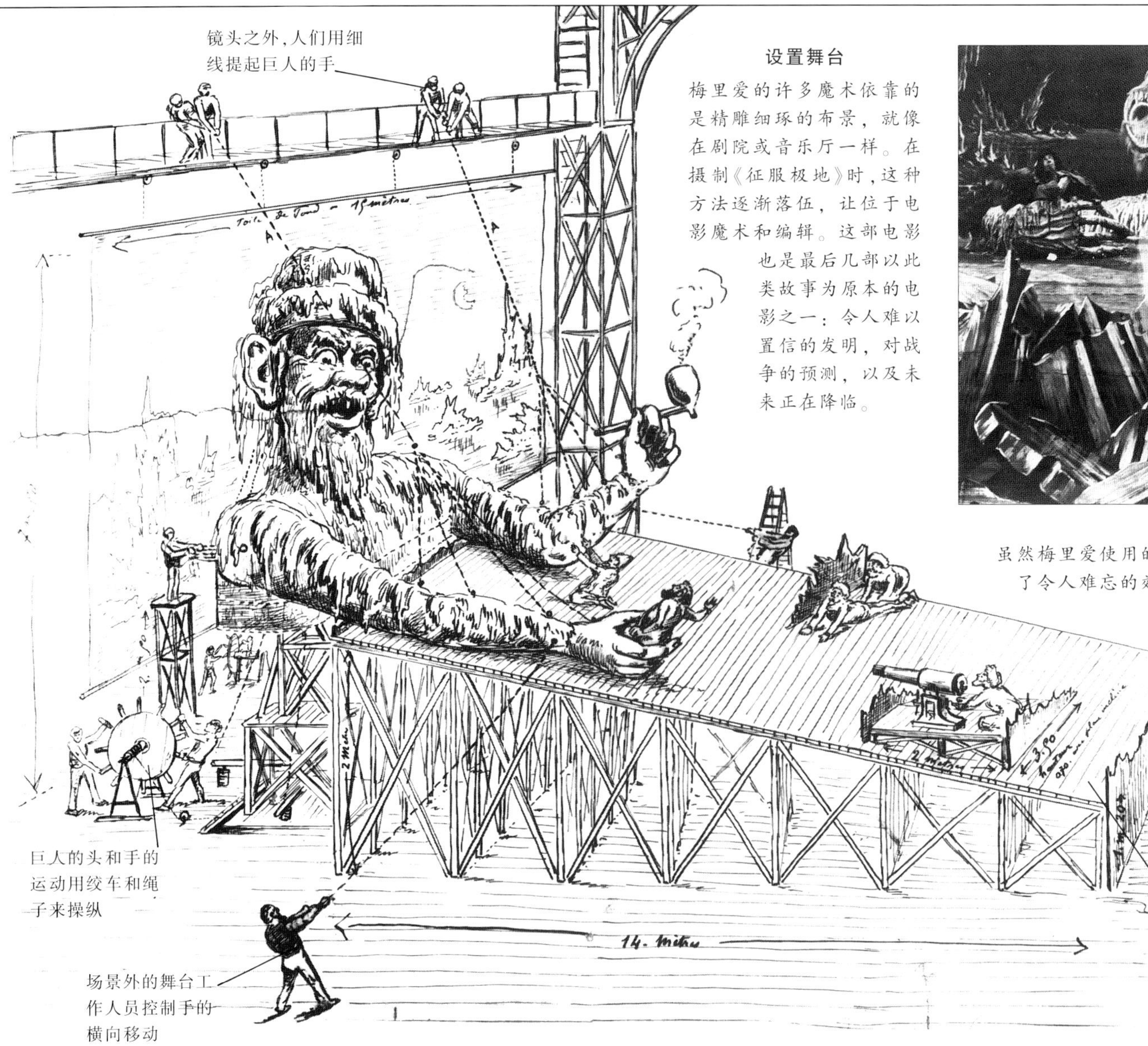

设置舞台

梅里爱的许多魔术依靠的是精雕细琢的布景,就像在剧院或音乐厅一样。在摄制《征服极地》时,这种方法逐渐落伍,让位于电影魔术和编辑。这部电影也是最后几部以此类故事为原本的电影之一:令人难以置信的发明,对战争的预测,以及未来正在降临。

镜头之外,人们用细线提起巨人的手

巨人的头和手的运动用绞车和绳子来操纵

场景外的舞台工作人员控制手的横向移动

用平板来遮蔽人或机器

坡度产生了视觉的假象,用低镜头视角来掩盖这个把戏

屏幕场景

虽然梅里爱使用的手法已经陈旧,但是无疑达到了令人难忘的效果。这个布景尽管离真实还差得很远,但是却造成了一种梦幻般的气氛,这是用矫揉造作的技艺所难以达到的。

件下,魔术和技术实际上是一回事。这部短片是把这两者结合在一起的产物。在本片中,一个招魂术士愚弄一个乡巴佬,极其有趣。昨天,这可能是一个劣等魔术师的把戏,今天却成了真正的魔术。新世纪的曙光出现了。这个新的媒体在说,一切都是可能的,因此让我们去漫游世界吧。

变化着的场景

观众不会永远这样轻易受骗,他们很快就厌烦了这种简单的戏法,而以前他们曾乐此不疲。从乔治·梅里爱的《天文学家之梦》这样一部讲述月球上的人访问一个在做梦的天文学家仅3分钟长的短片,到他的《月球之旅》,从时间上来说可能不过几年,但一个新的世纪诞生了。大约100年以后,电影仍然引人入胜,并且看起来它仍然会迈向未来。看!这似乎在说,没有人在背后捣鬼!

但是当然很快就露了馅。观众们不久之后就厌倦了梅里爱的这种快捷的把戏,虽然他的《征服极地》中一些精致而真实的场景预示了以后的电影史诗,但是它本身不过是一类奇观。这个艰辛的新世界需要的是某种故事,如玛丽·雪莱的《弗兰肯斯坦》,或史蒂文森的《化身博士》。它们恰好提供了电影所需的激动人心的剧情,以此来方便灵活地打消电影业新业主对新生事物的仇恨,以及许多用化装欺骗人们眼睛的机会。只有在20世纪20年代,在出现了如《艾里达》或弗里茨·兰的《大都会》之后,才可能再次从正面直接展望未来。

所有的一切都用镜子实现

《大都会》中使用了巧妙的电影摄影技术、蒙太奇手法,以及烟火和特技效果天才尤金·舒夫顿的技术。他用镜子使演员出现在缩小了的场景中。

20世纪30年代的电影

尽管早期电影中有不少荒谬可笑之处，但的确有一些发明创造，但30年代的到来改变了这一切。在寻求故事情节的过程中，电影制片人把雪莱和威尔斯的作品都搬上了银幕，甚至瞄准了连环画来拍摄连续剧。虽然并非原作，但这些改编剧与电影工业刚起步时的情形相比，质量和水平都有了大幅度的提高。

★★★ 优秀	★★ 推荐	★ 可看
1. 导演	2. 编剧	3. 片长　4. 彩色　5. 黑白

《化身博士》

1930

《真想不到》
美国　20世纪福克斯影片公司
★
1. 戴维·巴特勒　2. 巴特勒，雷·亨德森，G·G·德席尔瓦，卢·布朗·福克斯　3. 113分　5. 黑白

本片几乎终结了美国的科幻电影。这是一部音乐喜剧，叙述了一个30年代的人的生活。他被雷电击中之后，竟出现在80年代的纽约。片中有药片状食品、没有名字只有编号的人类、人行立交桥和没有歌词的歌。这部影片并不成功。

《邪恶之女》
德国　AMA电影公司
1. 理查德·奥斯瓦尔德　2. 查理·罗林霍夫，理查德·魏斯巴赫，根据汉斯·海因茨·埃韦斯的《曼德拉草》(1911)改编　3. 103分　5. 黑白

这部小说的作者埃韦斯是一个古怪的亲纳粹者。本片描写了一个人把罪犯的精液输给妓女，使之怀孕，结果生下了一个倔强的倾城美女。虽由出演《大都会》的布丽吉特·赫尔姆主演，但她不再具有奇怪的性魅力，但她也没解释更可怕的基因决定论的含义。但希特勒却没放过这一点。

1931

《世界末日》
法国　艺术电影制片公司
★
1. 阿贝尔·冈斯　2. 冈斯，受卡米尔·弗拉马里翁的故事启发　3. 105分，后剪辑至91分和54分　5. 黑白

本片有好几个版本，这一部是典型的阿贝尔·冈斯的作品。故事梗概为：一颗彗星接近地球时释放出一种狂欢的气氛，从而诞生了一位极权领袖。冈斯渴望这类人物，他歌颂了这位独裁者。

《弗兰肯斯坦》
美国　环球影片公司
★★★
1. 詹姆斯·惠尔　2. 加勒特·福特，罗伯特·弗洛里，弗朗西斯·爱德华·法拉戈，根据弗洛里和约翰·L·鲍尔德斯顿的改编本改编，而后者根据玛丽·雪莱的《弗兰肯斯坦》改编(1818)　3. 71分　5. 黑白

这是最伟大的弗兰肯斯坦影片。卡洛夫饰演的怪物令人难忘。来自英国的惠尔以一种惊人的表现主义风格执导本片。本片制作每投入1美元，其票房收入回报便可达上百美元。

1932

《游魂岛》
美国　派拉蒙影片公司
★★★
1. 厄尔·C·肯顿　2. 沃尔德玛·杨，菲利普·怀利，根据H·G·威尔斯的《莫罗博士岛》(1896)改编　3. 72分　5. 黑白

威尔斯的原著和这第一部改编剧的最令人恐怖之处是，一切并没有涉及基因工程。莫罗的怪物是通过手术创造出来的，尽管折磨并没有表现在屏幕上，但仅凭我们对这些痛苦的了解就足以让我们无法入眠了。查尔斯·拉夫顿演得棒极了。伦迪夫·斯科特扮演的怪物表情很严肃。

《化身博士》
美国　派拉蒙影片公司
★★★
1. 鲁本·马穆利安　2. 赛缪尔·霍芬斯坦，珀西·希斯，根据罗伯特·路易斯·史蒂文森的《化身博士》(1886)改编　3. 98分，后剪辑至90分，再剪辑至81分　5. 黑白

有许多部《化身博士》，但这是最好的一部，以后各版本不是面目全非，就是离原作精神太远。本片拍摄于海斯检查法对美国电影带来严重损害之前，对海德强加于他的极为阴森恐怖的幽灵般的威胁的描述真实而可信。确实，在本片中，他藏而不露。影片充满了幻觉和危险。

《傅满楚的面具》
美国　国际、米高梅影片公司
★★
1. 查尔斯·布拉宾　2. 艾琳·库恩，埃德加·艾伦·伍尔夫，约翰·威勒德，根据萨克斯·罗默的《傅满楚的面具》(1932)改编　3. 72分，剪辑至67分　5. 黑白

鲍里斯·卡洛夫演来自东方的威胁。他有个邪恶的女儿和神奇的死光，父女俩妄图得到整个世界。这回他们输了。

《X博士》
美国　第一国家和华纳兄弟影片公司
★
1. 麦克尔·柯蒂兹　2. 罗伯特·塔斯克拉尔·鲍德温，根据霍华德·W·康斯托克和艾伦·C·米勒的戏剧改编　3. 原作77分　5. 黑白(后来有了彩色)

了不起的柯蒂兹(声名鹊起于《卡萨布兰卡》)，助推起动了这一关于由合成肉制造的、受到月球困扰的博士的无聊电路，倒也使它具有了活力。

《阿特兰蒂斯的女主人》
德国　尼罗影片公司
1. G·W·帕布斯特　2. 拉迪斯劳斯·瓦伊达，赫尔曼·奥伯伦尔，根据皮埃尔·贝诺伊特的《阿特兰蒂达》(1919)改编　3. 87分　5. 黑白

早期电影中为人不随和的女人总有麻烦。在这部根据贝诺伊特小说改编的电影中，一个名叫安蒂妮亚的永生而乖戾的"亚马孙人"和他的52个吓呆了的情人，口碑不佳。很奇怪，她的阿特兰蒂斯竟在撒哈拉沙漠底下。

《FPI拒不回答》
德国　宇宙影片公司
★
1. 卡尔·哈特尔　2. 库尔特·西马克，沃特·赖希，根据西马克的《FPI拒不回答》(1932)改编　3. 111分　5. 黑白

在好莱坞，60年之后库尔特·西马克仍然是名人。还在德国时，他就为这部被译成多种语言的电影(有德语、法语和英语版本)撰写了剧本，它讲述的是大西洋中的一个浮动机场。令人遗憾的是，查尔斯·林德伯格已经在这样的中途停留场上安置了这类浮动装置。

1933

《隐身人》
美国　环球影片公司
★★★
1. 詹姆斯·惠尔　2. R·C·谢里夫，菲利普·怀利，根据H·G·威尔斯的《隐身人》(1897)改编　3. 71分，剪辑至56分　5. 黑白

威尔斯带来的一个问题是，我们缺乏他的机智。在他的小说中，既有幽闭恐惧症的时候，也充满了对英格兰乡村机智的挖苦。这是惟一与原作感觉一致的电影版本。《隐身人》于1940年又卷土重来，在1944年报了仇，在1951年遇到艾博特和科斯特洛，然后隐退了。

《隧道》
德国　范多电影公司和巴伐利亚电影公司
1. 库尔特·伯恩哈特　2. 伯恩哈特，赖因哈特·施泰因比克，根据伯恩哈特·克勒曼的《隧道》改编　3. 80分　5. 黑白

技术迷梦中走火入魔，《隧道》描写了为达到一个毁灭性的目标，不惜牺牲无数生命的疯狂举动：筑一条从欧洲到美洲的隧道。这部片子被同盟国禁止。1936年拍摄了一个英国版本。

《大洪水》
美国　雷电华影片公司
1. 费利克斯·E·菲斯特　2. 约翰·古德里奇，沃伦·B·达夫，根据S·福勒·赖特的《大洪水》(1928)改编　3. 70分　5. 黑白

纽约被巨大的海啸吞没的镜头已为人们所熟悉，以后也重新使用过。在大洪水后，男人为获得女人而战斗，生活在继续。

《弗兰肯斯坦》

《金刚》

美国 雷电华影片公司

★★★

1. 梅里安·A·库珀，厄恩斯特·B·舒德萨克 2. 詹姆斯·A·克里尔曼，鲁斯·罗斯，根据库珀、爱德加·华莱士的故事改编 3. 100分 5. 黑白

1933年以前，几乎每部科幻片都根据某本书改编而成，这部科幻片中最负盛名的电影却从头至尾是纯粹的电影作品：丛林；躯体庞大、仁慈而困惑的猿站在崭新的帝国大厦顶端，全剧达到高潮。影片本身就是梦幻。

《金刚》

1934

《金子》

德国 宇宙影片公司

★

1. 卡尔·哈特尔 2. 罗尔夫·E·万卢 3. 120分 5. 黑白

炼金术和科幻的区别，有时候不过是穿着的长袍长短不同。在这里流行的是商业套装，一个苏格兰小财主把铅变成了金子，为敛财而垄断了铅市场。

1935

《疯狂的爱》

美国 米高梅影片公司

★★★

1. 卡尔·弗罗因德 2. 盖伊·恩多尔，P·J·沃尔夫森，约翰·L·鲍德斯顿，根据莫里斯·雷纳的《奥拉克之手》(1920)改编 3. 70分 5. 黑白

这是一部根据莫里斯·雷纳的惊险小说改编的情节复杂的影片。该作品在1925年首次被拍成电影，讲述了一个钢琴家换上了一双杀人犯的手。新片名也很合适：外科医生彼得·沃尔作为疯狂的爱的牺牲品，令人震惊。

《弗兰肯斯坦的新娘》

美国 环球影片公司

★★★

1. 詹姆斯·惠尔 2. 约翰·鲍尔德斯顿，威廉·赫尔伯特 3. 80分 5. 黑白

续集通常不会很精彩，但这一部却是以弗兰肯斯坦为题材的电影中迄今为止最好的。曾拍摄1931年原片的惠尔在这里自由发挥。他让埃尔莎·兰彻斯特同时扮演人造新娘和玛丽·雪莱本人——身穿葬礼般的结婚礼服。他还让背景充满了灿烂的浮雕，而最后的大火则是一团气体。

《幽灵帝国》

美国 马什考特影片公司

★

1. 奥托·布劳尔，B·里夫斯·伊森 2. 约翰·拉斯梅尔，阿曼德·谢弗 3. 12集 5. 黑白

这是由吉恩·奥特里主演的一部连续剧。他扮演一个唱歌的牛仔，在他的镭矿下是一个失踪的先进的文明。在他的歌声中，这个文明毁灭了。

1936

《穿越大西洋的隧道》

英国 戈蒙德影片公司

★

1. 莫里斯·埃尔维 2. 克莱门斯·戴恩，根据伯恩哈德·克勒曼的《隧道》(1913)改编 3. 94分 5. 黑白

在这一故事的首部改编片——1933年摄制的德国电影《隧道》中，隧道把德国和美国连在了一起。远在海峡隧道建成前，英国就有了穿越大西洋的隧道。

《疯狂博士》

英国 盖恩斯巴勒电影公司

★

1. 罗伯特·史蒂文森 2. 西德尼·吉列特，L·杜·加德·皮奇，约翰·L·鲍德斯顿 3. 68分 5. 黑白

一位老科学家把自己的头脑置入一位与一个美丽女孩热恋的青年人的体内。悔恨袭来，他认识到不应干预自然规律，于是逆转了这一过程后死去。

《看不见的射线》

美国 环球影片公司

★

1. 兰伯特·布利尔 2. 约翰·科尔顿 3. 82分 5. 黑白

鲍里斯·卡洛夫发现了来自过去的光射线，于是他到非洲去寻找镭X。这使他带上了毒，不能触摸，最终他因此而发疯。

《闪电戈登》

《闪电戈登》

美国 环球影片公司

★

1. 弗雷德里克·斯蒂芬尼 2. 斯蒂芬尼，乔治·普林普顿，巴兹尔·迪基，埃拉·奥尼尔，根据亚历克斯·雷蒙德的连环画《闪电戈登》(1934~)改编 3. 13集 5. 黑白

把一部连环画改编成一部生动的动作片并不容易。连环画《闪电戈登》优美，富于想像力，超越时代，而电影连续剧虽是该系列中最好的，却平凡得多。当时没人会认为亚历克斯·雷蒙德的观念过时可笑，但现在谁都以《闪电戈登》为笑柄。

《行尸》

美国 华纳兄弟影片公司

★★

1. 麦克尔·柯蒂兹 2. 彼得·米尔恩，尤尔特·安德森，莉莉·海伍德，罗伯特·安德鲁斯 3. 66分 5. 黑白

麦克尔·柯蒂兹再次与时间赛跑。卡洛夫遭陷害后被处决，但他从死亡的世界回来向匪徒复仇。

《恶鬼洋娃娃》

美国 米高梅影片公司

★

1. 托德·布朗宁 2. 布朗宁，加勒特·福特，埃里奇·冯·斯特罗海姆，S·盖伦·恩多尔，根据A·梅里特的《烧！女巫，烧！》(1933)和布朗宁的《庭巴克图的女巫》改编 3. 79分 5. 黑白

甚至在海斯检查法行使职权后，片中仍出现了穿着异性服装、在大潘趣剧场欢闹的莱昂内尔·巴里莫尔。他从已故的、曾是罪犯的科学家朋友那儿学会了怎样把人缩小，而且真的这样做了。

《未来的事物》

英国 伦敦电影公司

★★★

1. 威廉·卡梅隆·孟席斯 2. H·G·威尔斯，拉э斯·比罗，根据H·G·威尔斯的《未来的事物形态》(1933)改编 3. 86分 5. 黑白

贬抑威尔斯的后期作品很容易。他企图告诉我们未来的形象，不仅通过作品，也通过这部稍嫌呆板，但从根本上说充满灵感的电影。英国二战从1940年伦敦遭轰炸开始，其后小独裁者们在瓦砾堆中建立起许多巴尔干化的王国。空中力量带来了毫无人性、但却和平的科学统治。最终，年轻的恋人离开地球飞向群星。

《海底王国》

美国 共和影片公司

★

1. B·里夫斯·伊森，约瑟夫·凯恩 2. 约翰·拉斯梅尔，奥利弗·德雷克，莫里斯·杰拉蒂 3. 12集 5. 黑白

主人公乘着他的火箭动力潜水艇去探索神秘的海底地震，并发现了被纷争、死光、机器人和暴君分裂的亚特兰蒂斯。

1937

《失去的地平线》

美国 哥伦比亚影片公司

★★★

1. 弗兰克·卡普拉 2. 罗伯特·里斯金，改编自詹姆斯·希尔顿的《失去的地平线》(1933) 3. 133分，剪辑至118分，再剪辑至109分，现在全部版本有售 5. 黑白

我们很幸运，能目睹卡普拉想象中的令人难以置信的香格里拉乌托邦式的生活全貌，它深藏在喜马拉雅山中。居民们看起来不会衰老，但来自外界的主人公不相信一切神话故事，企图带走他的爱人。可她立刻衰老了，最终主人公又回到了不朽的城市。

1938

《闪电戈登的火星之旅》

美国 环球影片公司

★

1. 福特·毕比，罗伯特·F·希尔 2. 雷·特兰普，诺曼·S·霍尔，温德姆·吉廷斯，赫伯特·多尔默斯，改编自亚历克斯·雷蒙德的《闪电戈登》(1934~) 3. 15集 5. 黑白

无情者明再次威胁地球，这次他要的是地球的氮气及其女人。邪恶的女王把人变成粘土，闪电自然表示反对。

1939

《他们无法吊死的男人》

美国 哥伦比亚影片公司

★★

1. 尼克·格林德 2. 卡尔·布朗，改编自莱斯利·T·怀特，乔治·W·塞尔的故事 3. 72分 5. 黑白

观众会有一种似曾相识的感觉，因为事实上这是1936年版的《行尸》的重拍。但它要好得多，卡洛夫的人造心脏是超越其时代的构思。

《巴克·罗杰斯》

美国 环球影片公司

★

1. 福特·毕比，索尔·A·古坎德 2. 诺曼·S·霍尔，雷·特兰普，改编自约翰·弗莱特·迪尔，菲利普·弗朗西斯·诺兰的连环画《巴克·罗杰斯在25世纪》(1929~1967) 3. 12集 5. 黑白

连环画中的人物巴克·罗杰斯比闪电戈登出道早，可这一连续剧各方面都比《闪电戈登》要略逊一筹。巴克是一位唤醒沉睡者的时间旅行家。他在25世纪唤醒了自己，疯狂地闯荡江湖。

《失去的地平线》

发明家和冒险家

对于科幻电影来说，30年代是一个七拼八凑的10年。有声电影的出现令人兴奋，但它也把制片人锁进了备受限制的制作室。伟大的小说被摄制成了电影，但连续不断的续集却变得无足轻重。战争逼近了，一些科幻片面对大劫难陷入了沉思；但总的来说，未来的事越是糟糕，往后回顾上一世纪的影片就越多，大多数的科幻情节都发源于上一世纪。除了好莱坞主人们的保守主义之外，想像力贫乏背后的原因很简单：特殊效果和化装。科幻已经变成了噱头。

将成为国王的男人

这些疯狂的科学家从何而来？他们的父母是谁？他们在哪里上的学？谁为他们提供资金，对被禁止的领域进行疯狂的探索？这些问题任何一个聪明的10岁儿童都会提出来，而众多30年代的电影却从未对此作出回答。这段时期科幻片的特征人物是妄想统治世界的眼睛血红的博士。

但这些问题问得很好。在美国（大多数科幻片都在此制作）通常科学家的形象是良好的，但总有一股反知识分子的暗流。科学家必须小心，以免被当做书生嘲笑。尽管如此，在美国公众的意识中，最完美的重要现代科学家还是像托马斯·阿尔瓦·爱迪生那样为世人带来日常奇迹的发明家。发明使美国变得伟大。在二三十年代的科幻文学中，这显然被夸大了。根斯巴克在1926年创办《奇异故事》杂志的部分原因就是为了提倡科学与技术。在为数众多的杂志中，自负的发明英雄们以爱迪生的形象出现，一次又一次地征服宇宙，而描写他们功绩的爱迪生式的故事，如史密斯博士的《太空云雀》，成了这一日新月异的艺术种类中最受欢迎的故事之一。

干预自然
好莱坞正等待吉基尔和海德。这个变形是戏剧和恐怖片的完美结合，此外还添上了一层道德意义。

展望未来
《未来的事物》中一段混乱的年代之后，是一段想像力贫乏、但很有秩序的时期。在本片的高潮时，一对青年男女被送入太空，开始新的生活。

未来的城市
虽然威尔斯想象中的闪光铮亮的白色高科技城市并没有像《大都会》中的城市那样令人难忘，但它还是轻而易举地被这一文学体裁所同化。在很长一段时间里，这就是未来城市的形象。

恐怖的创造

开始时《弗兰肯斯坦》的脚本是忠实于原作的冒险故事，以后作了修改，使之显得更恐怖。以后几十年的弗兰肯斯坦电影都放弃了雪莱的宗旨。

揭开面纱

那么为什么30年代的科幻电影成了恐怖片的一种形式呢？为什么几乎所有的发现都是亵渎神灵的？为什么所有的探索都发现了怪物，而所有的推测都证明推测者疯了呢？

当然有一些现实的答案。特技效果被有效地用于揭去正常状态的面纱，发现一个梦魇，如弗兰肯斯坦、海德和奥拉克。如果要以流水线为基础制造廉价的电影，那么就有充分的经济上的原因在电影界一而再、再而三地使用令人恐怖的特技效果。

更重要的可能是对一战的记忆，一些电影制片人试图用恐怖的形象清洗掉这一世界末日的恐怖。但是现在吸引我们注意力的是一些不寻常的影片，如《未来的事件》。它的目光超越了下一个浩劫，而不是沉溺于过去的灾难。

科幻小说连续剧

30年代的另一特征是连续剧。30年代中期科幻电影被铸造成贫民窟。虽然现在这些影片已经难以吸引观众，但这些连续剧比同时代的单集影片更接近科幻文学，这也许是因为它们瞄准的是更年轻的观众。它们集中于描写在新疆域发生的、快节奏的大胆冒险故事。罪犯并不仅仅是疯狂的科学家，也有邪恶的独裁者和失落文明的居民。他们通常都有各种各样的机械装置来帮助其取得银河霸权。整整10年，特技效果部门致力于使用如范德格喇夫发电机、死光、分解气体、人造雷电、返老还童药物、隐形技术及机器人，它们被用于不是主宰就是毁灭地球的种种邪恶企图。当然，所有这些企图都被勇敢、聪明的主人公制止了。而最重要的原因是，正义在他们这一边。

连环漫画主人公

1936年太空剧大胆地出现在银幕上，其主角是闪电戈登和戴尔·阿登两位金发碧眼的人物。他们面对死亡，更糟糕的是，每个星期他们都要去拯救地球。

20世纪40年代的电影

虽然战争可能就在眼前,但是疯狂的科学家、怪物和长达15集的情节剧仍然滚滚而来。在欧洲,几乎根本就没有电影工业,因而好莱坞毫不客气地占据了舞台的中心。然而到1950年之前,续集和连续剧都已经拍得很好了,从而结束了从30年代开始的萧条时期。

★★★ 优秀	★★ 推荐	★ 可看	
1. 导演	2. 编剧	3. 片长	4. 彩色　5. 黑白

1940

《有9条命的男人》
美国　哥伦比亚影片公司
★★
1. 尼克·格林德　2. 卡尔·布朗,哈罗德·舒梅特　3.73分　5. 黑白

一名疯狂的科学家希望能治愈癌症。在浮冰中研究10年后,他终于破解了治愈癌症的秘密。其余8条生命则飞逝而去。

《神秘的撒旦博士》
美国　共和影片公司
★
1. 威廉·威特尼,约翰·英格利希　2. 弗兰克林·阿德里恩,索尔·肖尔,诺曼·S·霍尔,约瑟夫·波伦,罗纳德·戴维森　3.15集　4. 彩色

为了统治世界,毫不神秘的坏博士需要一台遥控装置,使机器人发狂。他一次又一次地被制止了。

《隐身人归来》
美国　环球影片公司
★
1. 乔·梅耶　2. 库尔特·西马克,莱斯特·科尔　3.81分　5. 黑白

因被误判杀人罪,我们的主人公服用了隐形药。是非弄清后,他又回来了。这是1933年的经典片的首部续集。

《闪电戈登征服宇宙》
美国　环球影片公司
★
1. 福特·毕比,雷·泰勒　2. 乔治·H·普利普顿,匹兹尔·迪基,巴里·希普曼,以雷蒙德·金创造的人物为基础　3.12集,每集2盘　5. 黑白

这是另一部专门描述闪电和明的连续剧。片中,他们为太空中的紫色死亡而彼此争斗。这回,明终于呜呼哀哉了。

《公元前100万年》
美国　哈尔·罗奇和联艺影片公司
1. 哈尔·罗奇,小哈尔·罗奇　2. 米克尔·诺瓦克,乔治·贝克,约瑟夫·弗里克特,根据尤金·罗克的故事改编　3.85分,剪辑至80分　5. 黑白

这部史前剧没有太多的对白,片中罗克和谢尔家族走到一起以战胜危险,同时学习进餐礼节。

《隐身女人》
美国　环球影片公司
1. A·爱德华·萨瑟兰　2. 弗莱德·里纳尔多,罗伯特·利斯,格特鲁德·珀塞尔　3.72分　5. 黑白

片中发明了一种隐身药,登广告招聘一个希望隐身的女孩。如果间谍来应聘也不必太吃惊。

《独眼巨人博士》

《独眼巨人博士》
美国　派拉蒙影片公司
★★★
1. 欧内斯特·B·舒德萨克　2. 汤姆·基尔帕特里克　3.75分　5. 黑白

这是一部在科幻圈很有名气的影片,主要是因为没人说得清其作者是谁。经证实,它并非像传闻所云是亨利·库特纳所写,而是一位名叫萨梅尔曼的人的作品;在南美,一名邪恶的博士把一些人缩小了,这些人被迫遇到各种极端恐怖的巨型动物,但最终他们消灭了这个博士。博士为什么要这样做?因为他疯了。

1941

《神秘岛》
苏联　高尔基电影制片厂
★★★
1. E·A·潘兹林,B·M·切林采夫　2. 切林采夫,M·P·卡里宁,根据儒勒·凡尔纳的《神秘岛》(1875)改编　3.75分　5. 黑白

这是一部制作细腻的作品,比所有其他根据凡尔纳小说改编的西方电影都更忠实于原著。在饱受战争创伤的苏联竟出现了这样一部好影片,真是出人意料。

《人造怪物》
美国　环球影片公司
★★
1. 乔治·瓦格纳　2. 约瑟夫·韦斯特　3.57分　5. 黑白

一位疯狂的科学家用电使一名事故受害者恢复了生命与青春,并使他变成了一个人造怪物。很快他就在有钩刺的电线上放完了电,因缺乏能量而断了气。

《在我吊死之前》
美国　哥伦比亚影片公司
1. 尼克·格林德　2. 罗伯特·安德鲁斯　3.71分　5. 黑白

既非第一次,也非最后一次,由鲍里斯·卡洛夫扮演一位疯狂的科学家。他被不公正地判了罪,靠着一支血清和一席演讲而赢得了观众的心。

《魔鬼命令》
美国　哥伦比亚影片公司
1. 爱德华·德米特里克　2. 罗伯特·安德鲁斯,米尔顿·甘兹伯格,根据威廉·斯隆的《流水边》改编　3.65分　5. 黑白

鲍里斯·卡洛夫再一次,也是最后一次扮演一位疯狂的科学家。这回他试图通过给尸体绑上电线来与亡妻对话。

1942

《隐身特工》
美国　环球影片公司
★
1. 埃德温·L·马林　2. 库尔特·西马克　3.81分　5. 黑白

一位隐身人的后裔战胜了盘踞在蛛网中心的彼德·洛里,拯救了民主政体。说到底,这就是二战。

《雷诺医生的秘密》
美国　福克斯影片公司
★
1. 哈里·拉赫曼　2. 库尔特·西马克　3.58分　5. 黑白

疯狂的科学家为加速进化,把实验对象变成了类似猿的生物。这是个注定要失败的愚蠢实验。

《隐身女人》

《疯狂的怪物》

美国 西格蒙德·诺伊菲尔德影片公司和制片人发行公司

★

1. 山姆·纽菲尔德 2. 弗雷德·迈顿 3. 77分 5. 黑白

疯狂的科学家把狼的血液输给一位智障患者,把他变成了智障的狼人。一切最终以眼泪收场。

《弗兰肯斯坦的鬼魂》

美国 环球影片公司

★★

1. 厄尔·C·肯顿 2. W·斯科特·达林 3. 68分 5. 黑白

原来的弗兰肯斯坦博士的鬼魂出现了,主要是为了警告他的儿子:复活的身体并非一顿不花钱的午餐。可他的警告来得太晚了。

1943

《弗兰肯斯坦遭遇狼人》

美国 环球影片公司

★★

1. 罗伊·威廉·尼尔 2. 库尔特·西马克 3. 74分 5. 黑白

这个怪物换了一个新脑袋,但完全不能发声。他还与另一个怪物——狼人交了朋友(后来打了起来)。狼人跑到瓦萨里亚那儿,希望能治愈。

《隐身人复仇》

《蝙蝠侠》

美国 哥伦比亚影片公司

★

1. 兰伯特·希利尔 2. 维克托·麦克劳德,莱斯利·斯沃贝克,哈里·弗雷泽 3. 15集 5. 黑白

这一首部蝙蝠侠影片拍于二战中,5年前这名身披披风的圣战者降生于连环画中。本片的风格是狂乱的情节剧格调,围绕着僵尸为坏蛋搜集镭的情节而展开。

1944

《明天发生的事》

美国 联艺影片公司和阿诺德·普瑞斯伯格影片公司

★★★

1. 雷内·克莱尔 2. 克莱尔·达德利·尼古拉斯 3. 84分 5. 黑白

一名年轻的记者从一个刚死去的图书管理员那里得到一张第二天的报纸拷贝,从而发生了一连串喜剧性的故事。

《隐身人复仇》

美国 环球影片公司

★

1. 福特·毕比 2. 贝尔兰·米尔豪塞 3. 78分 5. 黑白

为了换换口味,科学家这回没有疯,但他使之隐身的人显然是疯了——他立刻用致谢的方式杀死了那个科学家。

《女士和怪物》

美国 共和影片公司

★★★

1. 乔治·谢尔曼 2. 戴恩·卢西尔,弗雷德里克·科纳,根据库尔特·西马克的《多诺万之脑》改编 3. 86分 5. 黑白

一位疯狂的科学家(这回由埃里奇·冯·斯特罗姆扮演),摘取了一名事故遇难者的大脑,但很快就发现多诺万的大脑引起了混乱。这是根据西马克的小说改编的3部电影中的第一部。

《弗兰肯斯坦的房子》

美国 环球影片公司

★

1. 厄尔·C·肯顿 2. 爱德华·T·洛 3. 71分 5. 黑白

本片是一大堆恐怖镜头的堆砌:德拉库拉很快完蛋了,狼人和怪物复活后也完蛋了。肇事者是一名疯狂的科学家和一群临时演员扮演的暴徒。

1945

《紫色怪物出击》

美国 共和影片公司

★

1. 斯潘塞·戈登·贝内特,弗雷德·布兰农 2. 罗亚尔·利尔,艾伯特·德蒙,巴兹尔·迪基,巴尼·萨雷林,林恩·珀金斯,巴兹尔·波伦 3. 15集 5. 黑白

这是一部很早的外星人侵入并占据地球的影片,这一令人入迷的连续剧具有一定的历史价值。火星人做坏蛋很合适。

1948

《艾伯特和科斯特洛遭遇弗兰肯斯坦》

美国 环球影片公司

★

1. 查尔斯·T·巴顿 2. 约翰·格兰特,弗雷德里克·I·雷纳尔多,罗伯特·利斯 3. 92分,剪辑至83分 5. 黑白

一位疯狂的科学家(这回是个女的)试图把科斯特洛的大脑植入怪物的体内。这实在是个败笔。狼人来干预了。贝拉·卢戈希扮演德拉库拉。哈哈哈!

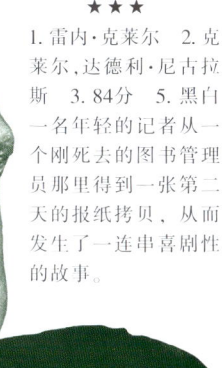

《弗兰肯斯坦遭遇狼人》

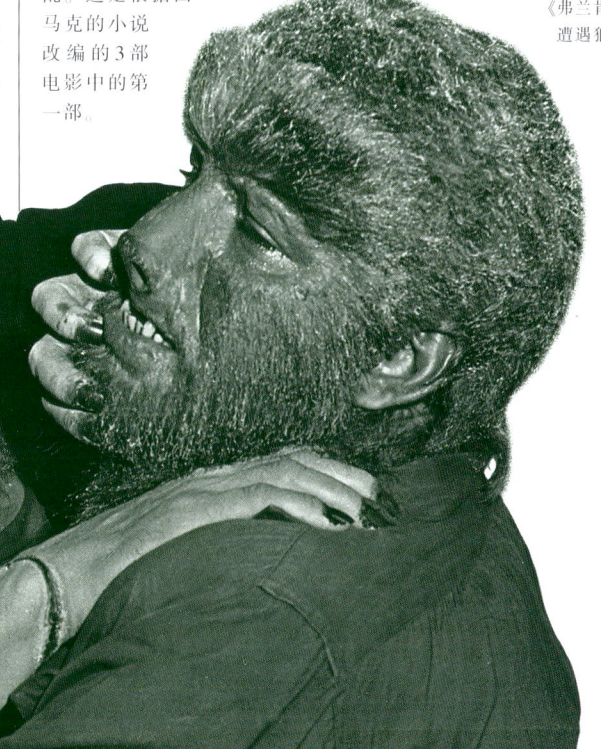

《超人》

美国 哥伦比亚影片公司

★

1. 斯宾塞·贝内特,托玛斯·卡尔 2. 阿瑟·赫尔,刘易斯·克莱,罗亚尔·K·科尔,根据杰里·西格尔和乔治·舒斯特创造的人物为基础 3. 15集 5. 黑白

等这部成本低廉、制作糟糕的电影被硬塞入银幕时,超人已很受欢迎。影片本身有多糟糕反而无关紧要了。这部连续剧比闪电或脚穿靴子的笨蛋赚的钱都要多。

《超人》

《克拉克蒂》

捷克斯洛伐克 捷克斯洛文斯基电影制片厂

★★

1. 鄂图凯·瓦夫拉 2. 法朗基歇克·米利克,瓦夫拉,根据卡莱尔·恰佩克的《克拉克蒂》改编 3. 106分 5. 黑白

关于准原子能炸药的道德故事因战争而出人意料地改变了。1979年瓦夫拉重拍了这一改编剧,改名为《黑太阳》。

1949

《来自非洲的约瑟夫·杨先生》

美国 阿戈西和雷电华影片公司

★★

1. 欧内斯特·B·舒德萨克 2. 鲁斯·罗斯,根据梅里安·C·库顿的故事改编 3. 94分 5. 黑白

本片是对《金刚》的呼应:同一位导演和制片人、同一个故事以及特技效果天才威利斯·奥布莱恩的技术。他改进了猿的形象。

《完美的女人》

英国 双城和鹰狮影片公司

★

1. 伯纳德·诺尔斯 2. 诺尔斯·乔治·布莱克,根据华莱士·杰弗里,巴兹尔·米切尔的《完美的女人》改编 3. 89分 5. 黑白

表演不错,至少还能分清由人扮演的人和由人扮演的机器人。

停滞的年代

这听起来很滑稽。20世纪40年代有很多东西：疯狂的科学家，隐身男人，隐身女人，隐身人的儿子，弗兰肯斯坦，弗兰肯斯坦的怪物，艾伯特和卡斯特洛，弗兰肯斯坦侄女的表兄弟，狼人，狼人的理发师，吉基尔博士和海德先生，闪电戈登和巴克·罗杰斯，蝙蝠侠，超人和马维尔船长，等等。鲍里斯·卡洛夫，贝拉·卢戈西，朗·小钱尼，所有那帮人都在，这听起来当然很可笑。对于有一定年龄的、记性好的美国人来说，这听起来就像星期六上午在电影院里看电影，闻到的是爆米花味。但是这一切与科幻有什么关系呢？到底有什么关系吗？回答是有保留的肯定。

当你需要科幻的时候，它到哪里去了？

20年代我们看到对于那些在一战的创痛后进入电影制作业的好冒险的知识分子来说，科幻片是多么地令人兴奋。30年代，我们看到在拥有激情和技巧的导演执导下，以很小的预算就能创造出巨大的奇迹。现在我们进入了40年代，似乎所有的进步都被放弃了，所有学到的教训都被遗忘了。在这10年的电影中几乎没有科幻佳作，事实上几乎没有任何科幻作品。这10年中，在勉强显示科学家们仍在工作的、装饰极为简单的摄影棚里（不过是些本生灯和弄脏了的白色普通衣服），所谓的科幻故事影片实际上只不过是恐怖片而已。当恐怖片假充科幻片时，它就背弃了整个世界。

40年代，世界最终成为一个巨大的动作剧场。二战是第一场真正世界范围的冲突。这是第一场其剧烈转变迅即在全世界范围内为人人所知晓的战争，这是因为我们在通信技术上取得了巨大的进步；这也是第一场其后果将改变每个人生活的战争。二战中不再有平民(如果平民是指不会被作为轰炸目标，遭受闪击战和原子战袭击的非战斗人员的话)。所以40年代的世界是一个历经沧桑巨变的、不断变化的世界，一个我们所有人都不得不去理解的世界。如果我们不愿意冒因无知而引发致命错误的风险，我们必须确切地知道现在正在发生什么，我们必须知道下面可能会发生什么。

但恐怖片作为一种戏剧种类，它并不关心对未知世界的探索。在恐怖故事或影片中，未知世界是被禁止的；未知世界如果被研究的话，就会用一系列比死亡更可怕的命运来惩罚这些亵渎神灵的研究者。40年代所谓的科幻片中，没有任何事件来唤醒科学，唤醒那些使用、研究、测试新武器，试飞新飞机的男男女女们；而此时，科幻世界之外的所有人都在参与将会决定我们人类命运的伟大戏剧。

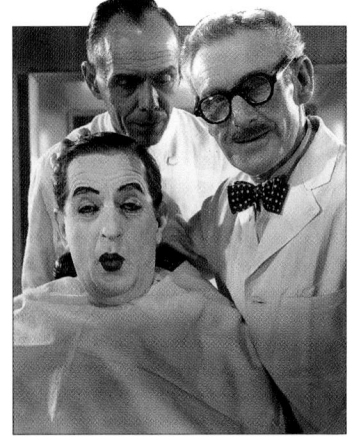

《完美的女人》

许多愚蠢的喜剧只不过有些不严格的科幻概念，比如在这个故事里由女人扮做机器人。这10年里，剧作家们无用武之地。

遗 产

在这个世界最需要具有思想力和积极行动力的形象时，我们并没有从"科幻"电影工业得到任何帮助。相反，科幻电影工业无视现实，采取了胆怯的逃避主义态度。此外——这一点可能并不很重要，但对于那些对这一艺术形式感兴趣的人来说十分重要——科幻几十年来所遭受的负面形象的打击，至少部分是由于这些年中出现的自称科幻片的可怕影片所引起的。

这里出现了带讽刺性的情形。就在科幻电影变得庸俗不堪的时候，美国科幻小说创作真正开始显示出自成一种文学体裁的迹象。

在这些年中，

老宅聚会

令人恐怖的《弗兰肯斯坦的房子》里有怪物、狼人和德拉库拉；结果接近超现实主义。

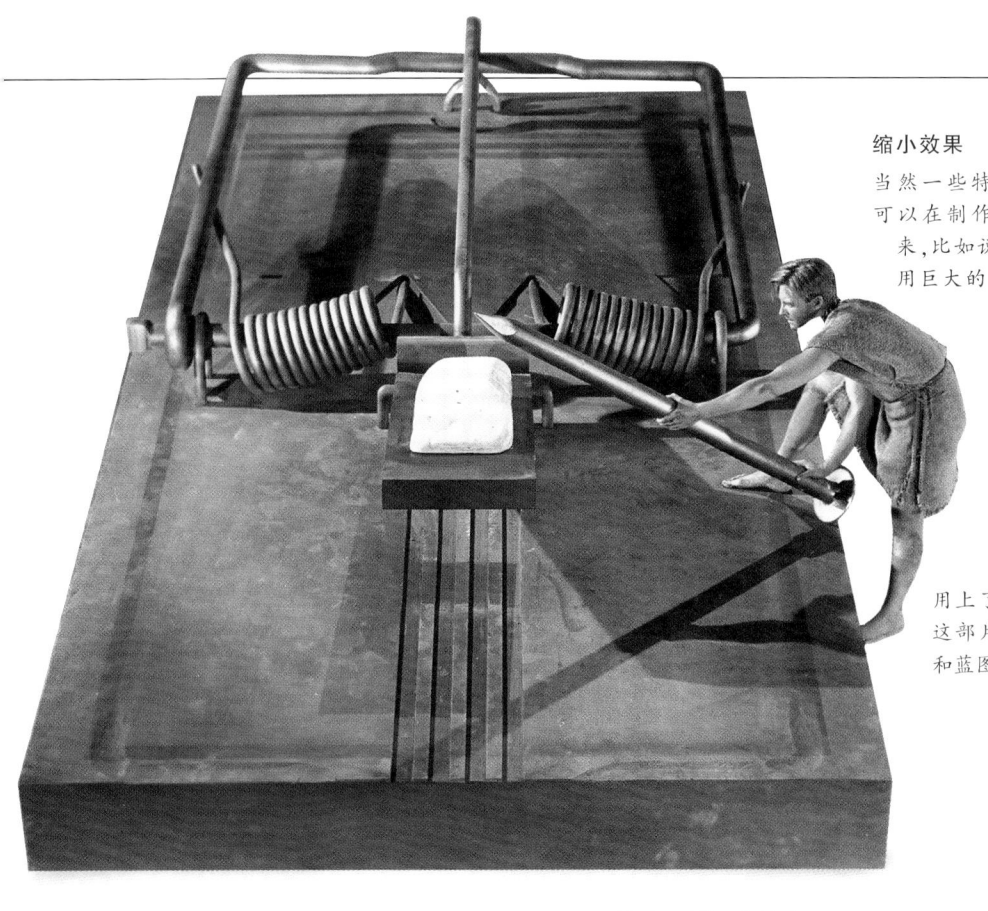

缩小效果

当然一些特技效果完全可以在制作室内制作出来,比如说可以通过使用巨大的支撑物、背投影技术以及草席将人缩小。在舒德萨克(《金刚》的导演之一)制作的电影《独眼巨人博士》中,这三种方法都用上了,后来他称这部片子是用滑尺和蓝图制作出来的。

身人、吉基尔博士和海德先生等等,这些副产品或病态苍白的重拍片主宰了银幕,不仅因为这些故事老(因而安全),而且几乎每一部都是一个可怕的警告:"有些事情是我们不该知道的。"这就是当我们最迫切地想了解所有可能知悉的关于人类文明将会发生什么的消息时,几乎所有出品的电影都给予我们的答复。甚至在半个世纪之后,这看起来仍然还是对于电影业和这一艺术体裁的忧郁控诉。

当然,有些情形情有可原。比较复杂的科幻片在制作室的条件下一般都是很难拍摄的(无声片的制作人所享有的户外自由,随着录音技术的发展而消失了,几十年来录音都是一个笨重的任务),而特技效果或多或少地被限制在糟糕的化装和大小的改变(如巨猿、小人)中。高度复杂的特技效果在以后的20年中并未得到充分的发展,但在这些年里有过几次不成功的努力。

像阿西莫夫和海因莱恩这样的作家开始出版他们最好的作品,当时小约翰·W·坎贝尔的《惊险故事》杂志开创了科幻小说的黄金时代。坎贝尔本人坚决赞成对于迅速改变的世界的真实论据,以及创造美好未来的可信的人们作出有可信性的推测。

当然这一切都未能冲破好莱坞的制作室,因为其主人对于任何会破坏自己计划的东西都不喜欢。

续集的年代

刚刚从欧洲的杀人战场逃出来的外国知识分子被撇在了一边。40年代的科幻文学被忽视了。制作在上映前就已为人熟悉的老故事续集要安全得多:弗兰肯斯坦、隐

无尽的续集

虽然隐身男人在1933年就死去了,但他又回来了,结果遭到隐身女人、隐身男孩和隐身特工的报复。他们都不像人们所希望的那样善于隐身。

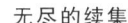

20世纪50年代的电影

回顾起来，这个10年的特点是：在此期间有最著名的电影妄想狂，并且因此而出名。不过50年代确实什么都有：怪物、聪明的机器人或儿童、邪恶的儿童和机器人、放射性臭虫、来自濒死行星的外星人、疯狂的科学家、软弱受惊的女性、变形者、吸血蝙蝠、狼人和世界末日。

★★★ 优秀	★★ 推荐	★ 可看
1. 导演	2. 编剧	3. 片长	4. 彩色	5. 黑白

1950

《火箭飞船XM》
美国 利珀特影业公司
★

1. 库尔特·纽曼 2. 纽曼 3. 78分 5. 黑白

本片在《目的地月球》上映前在美国公映，而影片中正好有飞过目的地月球的场面。他们后来却在火星上着陆，发现了一个很久以前就毁于原子弹的古文明遗迹。迟早所有人都会死亡。

《目的地月球》
美国 乔治·帕尔和鹰狮影片公司
★★

1. 欧文·皮切尔 2. 罗伯特·A·海因莱恩，根据他本人的作品《伽利略号火箭船》(1947)改编 3. 92分 4. 彩色

在美国电影史上，本片首次试图表现火箭的外观，以及太空飞行实际上能完成的使命。海因莱恩本人也参与了电影的制作，他表达了几代科幻读者的梦想。片子本身是淡而无味的，但飞船却给将来有朝一日执掌美国国家航空和宇航局的儿童提供了梦想的养料。

1951

《五》
美国 哥伦比亚影片公司
★

1. 阿奇·奥博勒 2. 奥博勒 3. 93分，剪辑至89分 5. 黑白

5个男孩与女孩幸免于原子弹，成了像亚当和夏娃那样的夫妻，但仍对未来抱有希望。这是一个不可能实现的寓言。它告诉你积极的想法如何有助于在大浩劫后继续生存。

《来自X行星的人》
美国 联艺影片公司
★

1. 埃德加·厄尔默 2. 奥伯里·威斯伯格，杰克·波莱克斯芬 3. 70分 5. 黑白

本片具有表现主义的风格，充满了阴影，支离而阴郁。来访的外星人是正人君子，但人类并不是。

《当星球碰撞时》
美国 派拉蒙影片公司
★

1. 鲁道夫·梅特 2. 西德尼·贝姆，根据菲利普·怀利和埃德温·巴尔默的《当世界彼此碰撞时》改编 3. 83分 4. 彩色

行星毁灭的进程是缓慢而令人难忘的，逃亡的飞船是用纸板制作的，而新的行星就是伊甸园。

《地球停转之日》

《地球停转之日》
美国 20世纪福克斯影片公司
★★★

1. 罗伯特·怀斯 2. 爱德蒙·H·诺斯，根据哈里·贝茨的《向主人道别》(1940)改编 3. 92分 5. 黑白

1951年看过本片的人永远不会忘记它，今天它依然是一部令人充满怀旧和恐惧的影片。一个飞碟在美国首都华盛顿降落，一个机器人和一个人出现了。此人警告地球政府要恪守常规矩，否则就会被毁掉。可他被顺利地干掉了。令人吃惊的是，机器人才是真正的主宰，它使被杀者复活了。他对于人类的失望富于感染力。

《不明之物》
美国 温切斯特和雷电华影片公司
★

1. 霍华德·霍克斯，未署名；克里斯琴·奈比，署名 2. 查尔斯·莱德勒，根据约翰·W·坎贝尔(笔名唐·A·斯图尔特)的《谁到那儿去？》改编 3. 86分 5. 黑白

本片之谜是霍华德·霍克斯的执导(未署名)。职业人员的相互作用、故事发展的流动性和庄重的流畅性，所有这些都出自霍克斯之手。影片本身却是愚蠢的。

1952

《红色行星火星》
美国 梅拉贝和联艺影片公司
★

1. 哈里·霍纳 2. 约翰·L·鲍尔德斯顿，安东尼·维勒，根据鲍尔德斯顿的戏剧《红色行星》改编 3. 87分 5. 黑白

这是一个粗糙的寓言：来自火星的迹象表明，那里有更好的东西可供应。苏联政府被颠覆了。美国总统因而得利。

《四面三角形》
英国 哈默电影公司
★

1. 特伦斯·费希尔 2. 保罗·泰伯里，费希尔，根据威廉·坦普尔的《四面三角形》(1949)改编 3. 81分，剪辑至71分 5. 黑白

科学家玩弄欺骗的伎俩，以一个爱着另一个男人的女人为原型，创造了另一个女人。这个复制品也爱着同一个男人。天哪！

1953

《它来自外太空》
美国 环球影片公司
★

1. 杰克·阿诺德 2. 哈里·埃塞克斯，根据雷·布拉德伯里的电影剧本改编 3. 80分 5. 黑白

30年代的变形外星人入侵地球，用暴力恫吓正直的人们，遭到人类的抵抗(这是一个常见的想法)。但这回，他们只想修好自己的飞船。修好飞船并使每个人复原后，他们离开了。感谢布拉德伯里，片中有一些优雅的散文诗。

《月球基地计划》
美国 银河和利珀特影片公司
★

1. 理查德·塔尔梅奇 2. 罗伯特·A·海因莱恩 3. 51分 5. 黑白

这是海因莱恩最后一次尝试为电影写脚本(科幻小说作家少有成功的)。片中有愚蠢的飞船、愚蠢的月球和愚蠢的太空婚姻。但本片也有一些美好的片段，并且美国总统是一个女人。

《多诺万之脑》
美国 道林和联艺影片公司
★

1. 弗利克斯·费斯特 2. 费斯特，根据库尔特·西马克的《多诺万之脑》(1943)改编 3. 83分 5. 黑白

这是第二次尝试把西马克诱人而难解的小说拍成电影。瓶装的百万富翁的大脑不停地想着逃税。

《通基》
美国 阿奇·奥博勒和联艺影片公司

1. 阿奇·奥博勒 2. 奥博勒，根据亨利·库特纳(笔名刘易斯·帕吉特)的《通基》(1942)改编 3. 72分 5. 黑白

这是对电视的武断抨击。"通基"是一个具有电视机形状的外星人，对主人公施加恐怖的影响，直到被关掉。

《星际战争》
美国 派拉蒙影片公司
★★★

1. 拜伦·哈斯金 2. 巴雷·莱登，根据H·G·威尔斯的《星际战争》(1898)改编 3. 85分 4. 彩色

这是一部美国电影，是一部威尔斯惊人有力小说的惊人有力的改编。影片聪明地把地点放到1950年的加利福尼亚，用飞碟来代替冲锋的三足机器人。入侵是恐怖的，被破坏的城市景象十分凄凉。最后火星人的灭亡令人松了口气。

1954

《哥斯拉》
日本 东宝和恩伯寒影片公司
★

1. 本田井 2. 村户竹男，本田，根据镰屋茂的故事改编 3. 98分，美国剪辑至81分 5. 黑白

本片非巨片，却抓住了梦境，当然是日本人的梦。怪物哥斯拉被原子弹惊醒后，踏平了东京。

《海底两万里》
美国 沃尔特·迪斯尼娱乐公司
★★

1. 理查德·弗兰谢尔 2. 厄尔·费尔顿，根据儒勒·凡尔纳的《海底两万里》(1870)改编 3. 127分 4. 彩色

本片有著名的演员、精彩的动作、巨大的乌贼和动人的歌曲。但凡尔纳小说的精髓是被剪掉了。

《巨蚁！》
美国 华纳影片公司
★★

1. 戈登·道格拉斯 2. 特德·谢得曼 3. 93分 4. 彩色

射线使得巨大的蚂蚁在新墨西哥沙漠中繁殖。惊人的场景增加了威胁的气氛。

《当星球碰撞时》

1955

《地球孤岛》
美国　环球影片公司
★★★
1. 约瑟夫·纽曼　2. 弗兰克林·科恩和爱德华·G·奥卡拉汉，根据雷蒙德·F·琼斯的《这个岛屿地球》(1952)改编　3. 86分　4. 彩色

像往常一样，到地球上来的外星人是来自一颗行将毁灭的行星的特使。但本片在所有可能的方面都表现得非同凡响，包括故事的复杂性，外星人的悲怆，人类科学的有用性，特技效果的质量，以及一个出色的名称。

《地球孤岛》

《吻死我》
美国　帕克利影片公司
★★
1. 奥尔德里奇　2. A·I·贝泽赖兹，根据米基·斯皮兰的《吻死我》改编　3. 105分　5. 黑白

本片根本不是真正的科幻片。迈克·哈默千方百计地搜寻装着无人知晓的东西的盒子。但最后打开时，发现里面装着一颗原子弹。

《夸特马斯实验》
英国　哈默影片公司
★★
1. 瓦尔·格斯特　2. 理查德·兰多，格斯特，根据奈杰尔·克尼尔的BBC电视连续剧《夸特马斯实验》改编　3. 82分，剪辑至78分　5. 黑白

本片并非世界上最伟大的电影，但仍极受欢迎。夸特马斯教授面对的是一名变成真菌的宇航员，它在不断地吞噬教授。他在威斯敏斯特教堂上空俯瞰着伦敦，并用电击把它毁灭了。

1956

《1984》
英国　假日影片公司
★
1. 麦克尔·安德森　2. 威廉·坦普尔顿，拉尔夫·贝廷森，根据乔治·奥威尔的《1984》(1949)改编　3. 91分　5. 黑白

我们没理由认为奥威尔恶梦般的小说相当程度上是言不由衷的，它每个字都说出了他要说的话。影片大大地模糊了要表达的反独裁思想，让前景充满了爱情描写。

《时间误差》
英国　默顿·帕克和联艺影片公司
★
1. 肯·休斯　2. 查尔斯·埃里克·梅因　3. 93分，剪辑至76分　5. 黑白

这是一个教训，它告诉人们在电影中表现时间悖论是多么困难；在这里主人公提前生存了几秒钟，但谁能说得清呢？

《紫禁行星》
美国　米高梅影片公司
★★★
1. 弗雷德·麦克劳德·威尔科斯　2. 西里尔·休姆，根据欧文·布洛可和艾伦·艾德勒克斯的故事改编　3. 98分　4. 彩色

本片以莎翁的《暴风雨》为基础，是伟大的科幻片之一：一个富饶、奇特、美妙的新世界，机器人罗比，广阔的远景，高谈阔论，这里都有。

《紫禁行星》

《盗灵人魔的入侵》
美国　联艺影片公司
★★★
1. 唐·西格尔　2. 丹尼尔·梅因沃，山姆·佩金帕(未署名)，根据杰克·芬尼的《盗灵人魔的入侵》(1955)改编　3. 80分　5. 黑白

尽管1979年的重拍片很辉煌，但这部原片还是有一种无法模仿的黑白光泽。它极为成功地表现了变形的恐惧——从人经蛹变成雄蜂。妄想狂是有正当理由的，但还有比死亡更可怕的命运。美国受到了入侵，结尾在向后退，但并没有退得很远。

1957

《难以置信的收缩的人》
美国　环球影片公司
★★
1. 杰克·阿诺德　2. 理查德·马西森，根据他自己的《收缩的人》(1956)改编　3. 81分　5. 黑白

这是一个意味深长的关于妄想狂和失落的隐喻：一个男人被用射线处理后开始收缩，失去了身高、妻子、男子汉气质、家庭、工作、生存的意义、国家乃至生命。

《地球防卫力量》
日本　东宝和米高梅影片公司
★
1. 本田井尻　2. 木村雄，根据冈见丈二郎的故事改编　3. 89分　4. 彩色

对于50年代的日本，本片是非常难忘的：外星人着陆，试图与日本妇女通婚杂交。在这个故事底下闪动着愤恨，同时又有暗示：明天完全不同。

《夸特马斯Ⅱ》
英国　哈默和联艺影片公司
★
1. 瓦尔·格斯特　2. 奈杰尔·克尼尔，格斯特，根据BBC的电视连续剧《夸特马斯Ⅱ》改编　3. 85分　5. 黑白

这是最好的夸特马斯电影。这回他清洗了英国商业组织的寺院，该寺院为外星人占据着。

《惊人的巨人》
美国　马利布和美国国际影片公司
★
1. 伯特·I·戈登　2. 马克·汉纳，戈登，根据戈登的故事改编　3. 81分　5. 黑白

本片与收缩的男人正好相反，却不能与之相比。射线照射后的人变得更高大，也变坏了。他杀人，然后被人所杀。

1958

《我嫁给了一个来自外太空的怪物》
美国　派拉蒙影片公司
★
1. 小吉恩·福勒　2. 路易斯·维蒂斯，根据福勒和维蒂斯的故事改编　3. 78分　5. 黑白

从一个垂死的行星上来了许多外星人，其中一个娶了一个女孩替它养育孩子。它向妻子坦白了自己是外星人。她组织了一个义务民防团，把外星人赶出了美国。

《苍蝇》
美国　20世纪福克斯影片公司
★★
1. 库尔特·纽曼　2. 詹姆斯·克拉维尔，根据乔治·兰格拉恩的《苍蝇》(1957)改编　3. 94分　4. 彩色

令人惊奇的是这样一个蠢主意竟这么有效：一位科学家在自己身上做实验，结果和一只苍蝇融合在一起。最终，出现了一个拥有人头的苍蝇，使人无法忘怀。

《太空少年》
美国　派拉蒙影片公司
★
1. 杰克·阿诺德　2. 伯纳德·C·舍恩菲尔德，根据汤姆·法勒的故事改编　3. 69分　5. 黑白

对50年代来说，这的确是一部奇片，它表达了和平主义。一个外星人于火箭进入轨道前，在太空中破坏了这枚装有氢弹头的火箭。

《它！来自太空的恐怖》
美国　时尚和联艺影片公司
★
1. 爱德华·L·卡恩　2. 杰罗姆·比克斯比　3. 69分　5. 黑白

这是一个老掉牙的科幻剧情：一个不可战胜的外星生物登上了一艘宇宙飞船，把机组人员全吃掉了。然而，不同于《外星人》，本片中的外星人很可笑。

《地心游记》

1959

《地心游记》
美国　20世纪福克斯影片公司
★
1. 亨利·莱文　2. 沃特·赖希，查尔斯·布雷克特，根据儒勒·凡尔纳的《地心游记》(1864)改编　3. 132分　4. 彩色

对于凡尔纳来说，这不是个美好的年代：他的奇迹感在好莱坞年少无知的领袖和恶劣的特技效果的炫耀中与日俱减。这里，地球的核心令人乏味。

《在海滩上》
美国　洛米特制片公司和联艺影片公司
★
1. 斯坦利·克雷默　2. 约翰·帕克斯顿，根据内维尔·舒特的《在海滩上》(1957)改编　3. 134分　5. 黑白

有一段时间，位于南方的澳大利亚人似乎能幸免于核战争的致命影响，而其他的人类种族却毁于核战争。但风把死亡推向南方，一个坚持到最后的营救远征队在加利福尼亚结束了其幻想。本片比舒特可怕而写作技巧熟练的小说更松散。

《世界、众生和魔鬼》
美国　索尔·西格尔-哈贝尔和米高梅影片公司
★
1. 拉纳德·麦克杜格尔　2. 麦克杜格尔，根据M·P·希尔的《紫色的云》(1901)改编　3. 95分　5. 黑白

任何人都会怀疑他们是否知道自己正在向一个自以为是的、市侩的、种族主义的西方宣泄什么。3个人(一个黑人、一个白种男人和一个白种女人)是世界大浩劫的幸存者。黑人和白种女人走到了一起；白种男人反对，最后3个人合到一起，实行种族混合的三人同居。剧情令人震撼。

外层空间与内心恐惧

这个10年起始于《目的地月球》,终止于《在海滩上》。这是两部思路非常清晰的科幻片,前一部影片试图使我们相信,对于一个改良了V-2型火箭的物种——人类来说,访问月球是轻而易举的;后一部影片则告诉我们,对于同一物种来说,全球性的原子大浩劫也是易如反掌的。这两部电影都是真正的科幻作品,代表了使观众预见真实、可能的想象世界的尝试,这个世界的潜在可能性尚无定论。然而大多数50年代的科幻电影,以一种完全不同的眼光来看待事物。他们探索人们的内心,表达了对一个处于危险中的文明的内心恐惧。

对妄想狂的透视

现在我们已经经历了从1945年到1990年的主宰世界政治的冷战时期。虽然对我们来说,当时这些男男女女的恐惧回顾起来实在好笑;但在当时,他们确实认为:如果人们不保持警觉,一场全世界范围的原子浩劫几乎是在劫难逃。同样,我们也会取笑在这种持续的紧张中出现的种种逃避主义的艺术作品,但在当时这些作品往往颇受欢迎。当60年代来临之时,读者、评论家和电影观众对于50年代电影主题和风格的厌烦在一定程度上也是情有可原的。50年代可称为是驼鸟式的科幻电影持续繁荣的阶段。可是在当时,由于这种恐惧非常真实,所以我们需要在娱乐中驱逐恐惧的幽灵。

但纯粹的科幻并不擅长驱逐恶魔,其力量在于把思想揭示出来探讨,并通过讲述富于情节的故事让我们看到这样的思想是怎样产生的。如果要把我们的恐惧深藏起来,然后通过消灭代表它们的怪物来消除这些恐惧,那么科幻就有些勉为其难了。一些影片,如《盗灵人魔的入侵》、《巨蚁!》和《紫禁行星》,都曾试图达到这个目的。目的最清楚明确、但充满争执的《紫禁行星》的魅力维持得最短。它试图通过一种以其创造者的恐惧和欲望为食的心理怪物来表现人类心理的阴暗一面——本我。

不受欢迎

随着时间的推移,地球停转之日的问题越来越受到关注。一个机器人和一个类人生物抵达地球,向我们发出了最后通谍:停止疯狂的好战行为,否则就会被毁灭。我们的回答呢?隔离飞碟在前,杀死来人信使在后。

这种信息却不幸以一种笨拙的喜剧方式加以表现(虽然普洛斯彼罗的人物沃尔特·皮金因为不了解自己心理的阴暗面而给人留下印象),最终影片以常见的大灾难收场。几十年来,科幻电影制片人觉得似乎一定要赶在电影最后一卷放完之前,毁灭故事中提到的除地球之外的所有行星才算尽到了责任。

这样的人们是危险的

《紫禁行星》暴露了50年代美国电影的一个主要偏见:对知识分子的恐惧和厌恶。在莎士比亚的《暴风雨》(本片情节从该剧改编而来)中,普洛斯彼罗是一个真正的知识分子。他是一个学者,一个魔法师,一个明智的父亲以及他所在领域的统治者。故事结束

看不见的敌人

虽然不过是《盗灵人魔的入侵》的一张宣传画,但这个镜头很好地概括了影片的内容,1980年重拍时也拍摄了这一镜头。我们看到了这个典型小镇的一片恐惧景象,但看不见敌人。敌人已经入侵,无法被看到,而且是寄生的。

时，他放弃了权力，但不拒绝知识的世界。另一方面，《紫禁行星》中的普洛斯彼罗却并不了解自己，最终因为自己成了对别人的威胁而死去，并且被揭露是一个骗子。在这10年的科幻电影中，反知识分子倾向甚嚣尘上，通过一种很复杂的方式表现出来。在这些影片中技术根本不是什么敌人，那些操作机器的一本正经的家伙也不是。这个敌人就是科学（尽管首先当然是科学使技术成为可能），科学家是不可信任的。用脑过度的科学家们几乎必定发疯。

错盒

在《吻死我》中，占中心地位的盒子是一种潘多拉的盒子，其中充满了致命的放射线，注定该由女人来打开。

外星人的威胁

在50年代的电影中，像知识分子一样被辱骂的另一个困扰贯穿于这10年的几十部妄想狂式的电影中，所描写的均是攫取人类身体和灵魂的外星人。这些外星寄生物是真正的威胁，因为它们在人体内，所以无法加以嘲笑。它们不同于随处可见的知识分子，有时可以对之加以取笑而绝无危险之虞。

这些片子显然雷同于这10年中拍摄的《床下血迹》妄想狂电影，但这种体内入侵的感觉仍是引起恐怖的一个方面。许多50年代的电影集中地表现了这种入侵对人的躯体带来伤害的恐怖故事。几乎任何现象都会被认为构成入侵：一个疣，一块瑕疵，核放射的爆发，一场瘟疫，一种身体变形或灵魂的剥夺。在这10年比较优秀的电影《不明之物》或经典的《盗灵人魔的入侵》中，可能有某种外衣——如同黄蜂窝上的类似纸的物质，但事物的核心仍在于内部。

有时候，如果这些逼真的怪物

监视着你

在《1984》中监视技术实际上并不存在，但银幕上却有一种被压迫的恐惧。"老大哥"隐藏在每个人的心中。

因其大或小，或因其狂暴而真正构成对我们的威胁，即使是一部典型的50年代电影也会采用一些真正的科幻情节模式。日本电影连续剧《哥斯拉》的基础是：假设原子弹可能会惊醒来自海底的史前怪物，此后造成的东京的毁灭在某种程度上颇为壮观。美国电影《巨蚁!》虽然暗示了射线如同一些古代炼金术士的方剂能在几个月的时间内创造出巨型蚂蚁，因此而暴露出其思想根源，但它确实也在这一混沌中推出了一个善良的科学家。他用父亲般慈爱的语调作出的解释，至少使这些事件符合因果律。

今天的观众观看50年代的大多数影片时会有一种居高临下的好笑感觉，这可能是一种羞辱。当然在这些糟粕中，还是有10多部优秀影片的，但毫无疑问总体倾向依然如此。撇开这些优秀的影片不谈，这10年中最大的成就就是：电影业开始逐渐认识到，有时候即使根本没有怪物，真正的科幻片也可以在市场上取得成功。

怪物电影

50年代怪物无处不在。它们来自黑咸水湖底，来自沉船底部的洞，来自南极荒原下沉睡的冻土，来自几万米下的水底，有时也来自其他行星。它们很恐怖，冷血，有鳃，结网，诸如此类。它们蠢得像两块砖，对穿比基尼的女人垂涎三尺，却没有口才。它们不过是40年代续集在50年代的替代品，但却仍是许多儿童、甚至一些成年人心目中惟一的科幻电影。

《来自黑咸水湖的怪物》

20世纪60年代的电影

在恐怖片产生并稳稳当当地过去了几十年之后,好莱坞这家电影大工厂终于开始看见曙光了。到这时为止,科幻电影一直是欧洲电影业的基石,或者说这是一个例外。从这时起,我们开始看到电影提出一些问题和议程,并把我们的注意力引向外界,而不是向内部追溯我们内心深处的恐惧。

★★★ 优秀	★★ 推荐	★ 可看
1. 导演	2. 编剧	3. 片长	4. 彩色	5. 黑白

1960

《马比斯博士的1000只眼睛》

德国、意大利、法国 CCC电影艺术和克里特里翁影片公司

★★★

1. 弗里茨·朗 2. 朗、海因茨·奥斯卡·武蒂格,根据诺伯特·雅克创作的人物改编 3. 103分 5. 黑白

朗带着使他成名的人回到了德国。复活的马比斯坐在一家装满监视设备的宾馆里,统治着一个遍布全球的犯罪帝国。在这里决不是眼见为实。本片复杂而充满悬念,是电影业的有力成就。受此启发,后来又有了5部续集。

《失落的世界》

美国 20世纪福克斯影片公司

1. 欧文·艾伦 2. 艾伦、查尔斯·贝内特,根据阿瑟·柯南道尔的《失落的世界》改编 3. 97分 5. 彩色

本片比1925年的尝试令人沮丧得多。蜥蜴做得更好,但其他的则要糟糕得多。

《被诅咒的村庄》

英国 米高梅影片公司

★★

1. 沃尔夫·里拉 2. 斯特林·西里芬、里拉、乔治·巴克莱,根据约翰·温德姆的《米德维奇布谷鸟》(1957)改编 3. 77分 5. 黑白

本片除了愚蠢的外星儿童闪闪发光的眼睛外,都忠实于原著。这些孩子们真是令人不寒而栗,剧情相当紧张。

《被诅咒的村庄》

《时间机器》

美国 银河电影和米高梅影片公司

★

1. 乔治·帕尔 2. 戴维·邓肯,根据H·G·威尔斯的《时间机器》(1895)改编 3. 103分 5. 彩色

好莱坞塑造了一个浪漫的主人公,却忽视了原作的社会讽喻和含义。时间旅行的情节拍得很好。

1961

《世界的主人》

美国 美国国际影片公司

1. 威廉·威特尼 2. 理查德·马西森,根据儒勒·凡尔纳的《征服者鲁伯》(1886)和《世界的主人》(1904)改编 3. 104分 5. 黑白

凡尔纳理想主义的前一部小说和使人醒悟的后一部小说都没使本片受到欢迎。相反,我们看到了一部预算很高的飞行机器的冒险故事。本片更多得益于1954年的电影《海底两万里》。

《地理着火之日》

英国 不列颠雄狮、帕克斯和联艺影片公司

★★

1. 瓦尔·盖斯特 2. 沃尔夫·曼柯维茨、盖斯特 3. 99分 5. 黑白

核试验使地球向太阳坠落,继续引爆原子弹使其返回原轨道。这是一部没有科学的小说,但效果却很好。

《神秘岛》

美国 美洲电影和哥伦比亚影片公司

★

1. 赛·恩德菲尔德 2. 约翰·普雷布尔、丹尼尔·乌尔曼、克兰·威尔伯,根据儒勒·凡尔纳的《神秘岛》(1875)改编 3. 100分 4. 彩色

为躲避美国内战,美国南方的囚犯躲在热气球中,来到了一个岛屿上。岛上只有两个被抛弃的女人、几个巨型野兽和尼莫船长。

《这些该死的》

英国 哈默和斯沃洛影片公司

★★★

1. 约瑟夫·洛西 2. 伊凡·琼斯,根据亨利·L·劳伦斯的《光之子》改编 3. 96分 5. 黑白

一对恋人设法营救受到射线照射的儿童,使其在核灾难后生存下去。孩子们及其监护人和注定失败的营救策划者,描写得都很巧妙,产生的意象令人难忘。

《海底旅行》

《海底旅行》

美国 温莎制片公司和20世纪福克斯影片公司

1. 欧文·艾伦 2. 艾伦、查尔斯·贝内特 3. 105分 4. 彩色

本片引诸多续集的产生(因拍摄潜水艇费用低廉),满足了观众的种种期望。影片描述的是用难以置信的方法扑灭范·艾伦带来的一场难以置信的大火。

《飞蛾》

日本 东宝影片公司

★

1. 本田井尻 2. 关泽,根据中村中一郎、福中健人和堀田义吉的故事改编 3. 100分 4. 彩色

不同于凶狂的《哥斯拉》,这个巨大的飞蛾(一个线控模型)实际上并不野蛮,只不过是一位坚决要夺回它被盗孩子的母亲。如果在此过程中它笨拙地毁灭了大半个日本,又有谁能责怪它呢?续集塑造了这个不屈不挠的母亲和许多怪物明星。

1962

《诺博士》

英国 永长和联艺影片公司

★★

1. 特伦斯·杨 2. 理查德·梅鲍姆、乔安娜·哈伍德、伯克利·马瑟,根据伊恩·弗莱明的《诺博士》(1958)改编 3. 105分 4. 彩色

这是第一部有核讹诈和许多机械小玩意的邦德电影。它还有一个更讨人厌的间谍角色。流氓小子西恩·康纳利的表演,把这个恶毒的博士演活了。

《火星人入侵地球之日》

美国 20世纪福克斯影片公司

1. 莫利·德克斯特 2. 哈里·斯波尔丁 3. 70分 5. 黑白

这是一部《盗灵人魔的入侵》的机械仿制品,但它毕竟以火星人的胜利而告终。

《来自满洲里的候补者》

美国 埃塞克斯和联艺影片公司

★★★

1. 约翰·弗兰肯海默 2. 乔治·阿克塞尔罗德,根据理查·康登的《来自满洲里的候补者》(1959)改编 3. 126分 5. 黑白

中国人给被俘的美军士兵"洗脑",以便把他们安插到白宫去做总统。中国人一旦发令,由程序控制的人就会变成杀人机器。这是弗兰肯海默的首部政治幻想片,很时髦,很险恶,虽然不是为了迎合时势而作,但显然很合时宜。

《来自满洲里的候补者》

《金星上的宇航员》

苏联 列宁格勒科普电影制片厂

★★

1. 帕维尔·克鲁尚采夫 2. 亚历山大·卡赞采夫，克鲁尚采夫 3. 85分，剪辑至74分 5. 黑白

宇航员在金星上遇到了当地的野生动物，却没有遇到可能像我们一样的本地居民。但最后他们出现了，目送访问者离开。本片的场景棒极了，只是脚本稍嫌艰涩；喜欢舞蹈音乐的机器人则是生花之笔。影片节奏快，富有趣味，有着极好的视觉效果，是苏联制作的最好的太空旅行电影之一。

1963

《防波堤》

法国 阿尔戈斯和大角影片公司

★★★

1. 克里斯·马克 2. 马克 3. 29分 5. 黑白

本片是一部短片，采用了与1965年戈达德的《阿尔伐城》一样的剧本。这是一部反映该时代的影片，几乎完全由静止的镜头组成。它探索了浩劫之后的未来世界，人们被迫在地下生活，时间不再有顺序。一个男人试图与过去联系起来，他在记忆中搜索一张脸，最后却发现这张脸原来是他未来死亡时的目击者。

《群鸟》

《巨型三裂植物的日子》

英国 安保影片公司和联艺影片公司

★

1. 史蒂夫·塞克利，弗莱迪·弗朗西斯 2. 菲利普·约尔丹，根据约翰·温德姆的《巨型三裂植物的日子》(1951)改编 3. 94分 4. 彩色

人类的大多数被陨石雨致盲。主人公缠着绷带的眼睛保了下来，他率领一批眼明的幸存者与巨型植物对手作斗争。这些2米多高像花椰菜一样的巨型三裂植物很可怕；这部笨拙的改编剧则更糟。温德姆小说的所有氛围都被削足适履，让位于爱情表演和冒险闹剧。

《群鸟》

美国 环球影片公司

★★★

1. 阿尔弗雷德·希区柯克 2. 埃文·亨特，根据达夫妮·杜莫里埃的《群鸟》(1952)改编 3. 119分 4. 彩色

本片引发了1000部(看上去有这么多)描写自然报复的模仿电影，多数缺乏原作的内在力量。在此，鸟不仅代表无情的报复力量，还表现了所有角色和导演被压抑的感情和欲望。这并非严格的科幻片，似乎更接近于多年伪装成科幻的怪物电影。

《被诅咒的儿童》

英国 米高梅影片公司

★★

1. 安东·利德 2. 杰克·布里利，根据约翰·温德姆的《米德威奇的布谷鸟》(1957)改编 3. 90分 5. 黑白

剧情只是很松散地以温德姆的小说为基础；这些分散在全世界的超能力的外星孩子并无恶意。联合国科教文组织把他们集中在一起，可他们却被成年人利用，最终毁于事故。

《X——有X光眼睛的男人》

美国 阿尔塔·维斯塔和美国国际影片公司

★★

1. 罗杰·科尔曼 2. 罗伯特·狄龙，雷·拉塞尔，根据拉塞尔的小说改编 3. 88分 4. 彩色

一名外科医生在自己身上做实验，获得X光视觉，这增进了他的技术，却带来了可怕的副作用。他对人类的洞察使自己完全异化。最后，他遵从《圣经》的箴言挖出了自己的眼睛。尽管特技效果很简单，但这却是科尔曼的最佳作品之一。

《蝇王》

英国 艾伦·霍奇森制片公司和二艺影片公司

★★

1. 彼德·布鲁克 2. 布鲁克，根据威廉·戈尔丁的《蝇王》(1954)改编 3. 91分 4. 彩色

这是一部对戈尔丁小说忠实阐释的影片，却可能是一个错误。原书的主题和野童与文明之间的细线很明确，但学童中陷入混乱的故事仅限于字面的描述。

《到宇宙尽头旅行》/《伊卡罗斯XB-1》

捷克斯洛伐克 巴兰多夫电影制片厂

★

1. 英德里赫·波拉克 2. 帕维尔·朱拉塞克，波拉克 3. 81分，剪辑至65分 4. 彩色

本片与主题奇怪地脱节，描写一架巨型太空飞船长途跋涉，寻找一个白色的世界。那个世界变绿了，而地球则荒谬地处于改变了的西部片世界。

1964

《时间旅行者》

美国 美国国际和多比影片公司

★★

1. 伊布·梅尔基奥尔 2. 梅尔基奥尔 3. 84分 4. 彩色

在遭受浩劫后的地球上，幸存者居住在隧道里，由人造人保护以免遭突变种之害。这些人造人也参与建造逃离地球的飞船。一群来自1964年的科学家穿越107年的时间到未来，加入其工程，却被困在一个时间陷阱中。梅尔基奥尔通过一些具有创造性的特技效果来强化诱人的未来情景。这部生动的电影结尾凄凉，时间旅行者们陷入了一个怪圈，不停地循环于1964年和未来之间，无力改变历史的残酷进程。

《从地球到月球》

美国 韦弗利和雷电华影片公司

★

1. 拜伦·哈斯金 2. 罗伯特·布利斯，詹姆斯·莱彻斯特，根据儒勒·凡尔纳的《从地球到月球》(1865)和《环游月球》(1870)改编 3. 100分 4. 彩色

这可能是关于太空飞行的最冗长的影片。除了沉闷的对话和不真实的事件以外，竟没有月球上的镜头。

《月球上的第一批人》

英国，美国 哥伦比亚和阿梅伦影片公司

★

1. 内森·朱兰 2. 奈杰尔·克尼尔，简·里德，根据H·G·威尔斯的《月球上的第一批人》(1901)改编 3. 107分，剪辑至103分 4. 彩色

在本年度的改编电影中，威尔斯比凡尔纳幸运一点，较少被横刀夺爱，但也好不了多少。本片具有雷·哈里豪森的场景和效果，并且至少具有娱乐性。但离威尔斯呢，那可就远了。

《5月里的7天》

美国 七艺、乔和约翰·弗兰青海默影片公司

★★

1. 约翰·弗兰青海默 2. 罗德·塞林，根据弗莱彻·克内布尔和查尔斯·W·贝利二世的《5月里的7天》改编 3. 120分 5. 黑白

这是弗兰青海默的第二部政治惊险片，正好在肯尼迪遇刺后拍摄。这次是鹰鸽两派之争，两大阵营都明星云集。影片充满了智慧和引人入胜的戏剧情节；美国总统与苏联谈判非核扩散的条约；白宫的将领们则策划实行军事接管，阻止这一叛国性的和平主义举动。

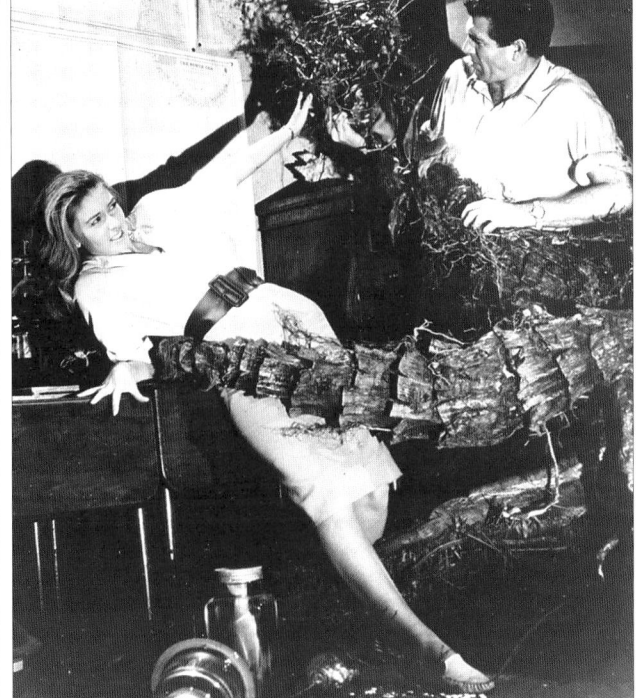

《巨型三裂植物的日子》

《5月里的7天》

《奇爱博士》

美国　霍克和哥伦比亚影片公司

★★★

1. 斯坦利·库布里克　2. 库布里克、泰利·萨森、彼德·乔治，根据彼德·乔治和彼德·布莱恩特的《两小时后毁灭》(1958)改编　3. 94分　5. 黑白

奇爱博士如此彻底地渗入了我们的群体潜意识，竟使得人们对其富于创造力的电影形象，如疯狂的将军、不切实际的世界领袖和奇异地并排的音乐与顺序司空见惯。彼德·塞勒斯扮演的3个角色未能赢得被提名的奥斯卡奖项。而影片的导演及剧本都只得到提名。

《奇爱博士》

《保险防御》

美国　马克斯·E·杨斯坦和西德尼·卢梅特影片公司

★★★

1. 西德尼·卢梅特　2. 沃特·伯恩斯坦，根据尤金·L·伯迪克的《保险防御》(1962)改编　3. 111分　4. 彩色

本片略逊于库布里克的《奇爱博士》，后者题材相同，但更具风格。在发动了一场对莫斯科的意外袭击后，美国总统为防止报复不得不轰炸纽约。不同于库布里克充满活力的黑色闹剧，卢梅特以一种凄凉的写实主义风格来描写这场惨剧。

《它发生在这里》

英国　拉思和洛珀特影片公司

★★

1. 凯文·布朗洛，安德鲁·莫洛　2. 布朗洛，莫洛　3. 99分，剪辑至93分　5. 黑白

这部不寻常的"可能世界"历史电影从未广泛公映过，它表现的是希特勒入侵英国成功后的结果。本片以彼德·沃特金斯所喜爱的纪录片风格拍摄，与这一时期的英国电影相当接近。影片制作花费了7年时间，精致详细和完全可信的重构弥补了混乱的故事主线的某些不足。

《胡博士和戴立克》

1965

《阿尔伐城》/《勒梅·科香奇异历险记》

法国　当代帕西和肯缅电影工作室

★★★

1. 让-吕克·戈达尔　2. 戈达尔　3. 100分　5. 黑白

勒梅·科香这一角色多年来曾出现在多部秘密间谍影片中；戈达尔胜人一等的人物是这部极富原创力和无政府主义倾向的片子中最脍炙人口的嘲讽。科香在片中是一个跨行星的间谍，旅行至充满恐怖的阿尔伐城追杀罪恶天才冯·布朗博士。他以诗歌反击主计算机的逻辑，使之崩溃，并杀死了罪恶的教授，然后同他美丽的女儿一起离开了这个城市。这部复杂诱人的科幻黑色电影杰作，天衣无缝地把通俗艺术、高雅文化与哲学、神话以及无情的现实主义融合在一起。

《战争游戏》

英国　英国广播公司和当代帕西影片公司

★★

1. 彼德·沃特金斯　2. 沃特金斯　3. 50分，剪辑至47分　5. 黑白

本片虚构了一个小小的肯特城遭核袭击后的情形，原来是为英国广播公司制作。但该公司后来却决定不把它搬上电视，理由是本片过于真实。它综合了经过伪装的纪实镜头和虚拟的对幸存者的采访，因而可能吓坏了观众。这一轻率的判断立刻使本片风靡一时。虽然本片敏锐的形象和风格值得称道，但对大规模核袭击后果的预料似乎过于乐观。

《胡博士和戴立克》

英国　AARU影片公司

★

1. 戈登·弗莱明　2. 米尔顿·萨波茨基，根据泰利·内申的电视故事《死亡行星》(1963~1964)改编　3. 85分　4. 彩色

胡博士和外孙女及不称职的助手一起去参加邪恶的戴立克和好人撒尔斯间的战争。现在许多人喜欢看过去的电视连续剧，很少有人怀念这部多年前的电影。

《第十个牺牲者》

法国，意大利　捍卫者和肯考迪娅影片公司

★

1. 埃利奥·佩特里　2. 佩特里，恩尼奥·弗莱阿诺，托尼诺·格拉，乔尔吉奥·萨尔冯，根据罗伯特·谢克利的《第七个牺牲者》改编　3. 92分　4. 彩色

这部游戏片不是给你自由，就是给你死亡。它提供了一些科幻笑料，同时还有一种惊人的秘密武器，却缺少谢克利的机智。

《恐怖太空》

意大利，西班牙，美国　意大利国际、卡斯蒂利亚电影制片厂和美国国际影片公司

★

1. 马里奥·巴伐　2. 卡利斯托·科苏利奇，安东尼奥·罗曼，阿尔贝托·贝弗拉克，巴伐，拉斐尔·J·萨尔维亚，路易斯·M·海沃德，根据梅尔基奥尔的故事改编，后者根据雷纳托·裴斯特里尼埃罗的故事改编　3. 86分　4. 彩色

宇航员被迫降落在一颗外行星上，在那里找到了一艘空无一人的飞船，其情景使人想起影片《外星人》。3名宇航员死于莫名其妙的争斗，但他们又爬了起来（显然是被无形的当地外星人附体了）。他们希望逃离这个世界。

1966

《蝙蝠侠》

美国　20世纪福克斯、绿草地和国家期刊出版公司

★

1. 莱斯利·H·马丁森　2. 小洛伦佐·森普尔，根据鲍勃·凯恩和比尔·芬格塑造的人物改编　3. 105分　4. 彩色

本片厚颜无耻地模仿成功但过时的电视连续剧，只是把小屏幕换成了大屏幕。剧情单薄。一些坏蛋偷走了一台让人脱水的机器，这将帮助他们统治世界；其中的对话同样荒唐。播映半小时风靡一时的电视片，到了电影上竟惨不忍睹。

《机械电子人2087》

美国　故事影片公司

★

1. 弗兰克林·阿德里恩　2. 阿瑟·C·皮尔斯　3. 86分　4. 彩色

这回是一个被植入的芯片控制的机械电子人获得了暂时的头脑自由。他偷走了一部时间机器，从2087年回到现在，警告一位教授，他的发明将使这一切成为可能。教授中止实验后，电子人及其追杀者连同人们对他们来访的记忆一起烟消云散了。

《入侵》

英国　默顿·帕克和美国国际影片公司

★★

1. 艾伦·布里奇斯　2. 罗杰·马歇尔，根据罗伯特·霍尔姆斯的故事改编　3. 82分　4. 彩色

乡村医生拒绝将一名外星人交给追踪而来的外星警察，警察在医院周围建立了一道力场。一意孤行的医生最终智胜对手。影片气氛浓郁，高潮处理得很好。

《照相机》

日本　大映制片公司

★

1. 汤浅德秋　2. 高桥二美　3. 88分　4. 彩色

《照相机》是东宝公司推出的《哥斯拉》的对手。一头巨大的乌龟被难以避免的原子爆炸惊醒，开始向东京一路大吃过去。它被炸入了太空。但大家知道，它以后还会回来的，并且会比过去更饥饿。

《蝙蝠侠》

20 世纪 60 年代的电影

《奇异的旅行》

《奇异的旅行》
美国　20世纪福克斯影片公司
★
1. 理查德·弗莱舍　2. 哈里·克莱纳，根据奥托·克莱门特和J·刘易斯(杰罗姆)·比克斯比的故事改编　3. 100分　4. 彩色
远在光纤和匙孔手术发明之前，好莱坞就找到了解决办法：把一群医生缩小后送入人体内来解决这些问题。场景令人难忘，具有梦幻般的效果。重要的是这些人必须在变回正常大小之前逃出体内。但最终平安无事。

《公元2150年戴立克入侵地球》
英国　AARU影片公司
1. 戈登·弗莱明　2. 米尔顿·萨博茨基，根据泰利·内申的《戴立克入侵地球》(1964)改编　3. 84分　4. 彩色
这回由一名警察护送，博士和他的外孙女们又出发了。戴立克征服了地球，并不可思议地计划把它挖空，用作宇宙飞船。他们被及时制止并被毁灭了。

《恐怖岛》
英国，美国　行星和环球影片公司
★
1. 泰伦斯·费希尔　2. 艾伦·拉姆森，爱德华·安德鲁·曼　3. 89分　4. 彩色
寻求治愈癌症方法的研究却产生了一种巨大的突变体病毒，能把其猎物的骨髓吸出体外。本片处理得很好，很凶险吗？更恐怖的还没拍出来呢!

《环球海底》
美国　伊凡·托尔斯和米高梅影片公司
1. 安德鲁·马顿　2. 阿瑟·韦斯，阿特·阿瑟　3. 120分　4. 彩色
一队科学家奉命沿海底断层铺设警告装置。这不是一个有根据的假设，因此没成为现实。本片最精彩的部分是由里柯·勃朗宁导演的水下镜头。他上次露面是穿着绿色化装服在《咸水湖里的怪物》中出演怪物。

《公元前100万年》
英国，美国　哈默和20世纪福克斯影片公司
★
1. 唐·哈费　2. 麦克尔·卡雷斯，根据剧本《公元前100万年》(1940)改编　3. 100分　4. 彩色
年代错乱了，人类与恐龙同时生活在地球上。人类学令人怀疑，它用贝壳和岩石来解决部落世仇。衣服穿得不能再少了，毛皮文胸作为日常的穿戴。其中的对话，谢天谢地，简直无法理解。

《8月底在臭氧旅馆》
捷克斯洛伐克　捷克斯洛文斯基军队电影制片厂
★
1. 简·施密特　2. 帕维尔·朱拉塞克　3. 87分　5. 黑白
女人们在浩劫之后的世界里成群游荡，拾荒，打猎，还杀人。在臭氧旅馆里，她们为了年迈店主的录音机把他给杀了，这可能与声带有关。

《451华氏度》
英国，法国　益格鲁-企业、葡萄园和环球影片公司
1. 弗朗索瓦·特鲁福特　2. 特鲁福特，让路易·理查德，根据雷·布拉德布雷的《451华氏度》改编　3. 112分　4. 彩色
小说敏锐之处，本片却模糊；布拉德布雷争论之处，特鲁福特置疑；布拉德布雷确信之处，特鲁福特却怀疑。结果产生了这部模棱两可的影片，使接受本书者与排斥本书者无法区分。而文学精神的存在（与字面意义相对），一如既往地有赖于两者的平衡。但本片的制作令人信服，尼古拉斯·罗格斯的摄影产生的许多形象至今仍吸引着人们。

《秒》
美国　派拉蒙、乔尔和直布罗陀影片公司
★★
1. 约翰·弗兰肯海默　2. 刘易斯·约翰·卡利诺，根据大卫·艾利的《秒》(1963)改编　3. 106分　4. 彩色
一位中年商人通过手术返老还童，年代错乱了，人类与恐龙同时生活在地球上。并伪造了他的死亡。对新生活流浪者。之后，他发现再也不能回复过去的自我，因而痛不欲生，只能等待被其他顾客回收利用。本片标志着弗兰肯海默对技术怀疑主义的进一步加深。

1967

《你只能活两次》
英国　永长和联艺影片公司
1. 刘易斯·吉尔伯特　2. 罗阿尔德·达尔，根据伊恩·弗莱明的《你只能活两次》(1964)改编　3. 116分　4. 彩色
在这部充满着刀光剑影的邦德片中，幽灵们从美苏两国人手里偷走了太空设备，以挑起国际冲突。间谍007阻止了他们的阴谋。

《总统的分析师》
美国　潘派珀和派拉蒙影片公司
★★
1. 西奥多·J·弗利克尔　2. 弗利克尔　3. 104分　4. 彩色
为逃避政府监视，总统的心理分析师避难于一个军事民主家庭。联邦调查局的人身材矮小，中央情报局的人身穿花呢服抽着烟斗，加拿大的情报人员化装成利物浦的街头流浪者，他们都在追踪他。真正操纵这些事件的是由机器人管理且未卜先知的电话公司，其目标是在每个人的脑中都植入一部电话。本片内容不很精彩，但富于机智。

《巴巴莱拉》
法国，意大利，美国　劳伦蒂斯、马利安娜和派拉蒙影片公司
★★
1. 罗杰·瓦迪姆　2. 瓦迪姆，泰雷·萨泽，让-克劳德·福雷斯特，维多里奥·波兰切利，布莱恩·德加，克劳德·布律莱，图德·盖茨，克莱门丁·比尔·伍德，根据福雷斯特的连环画《巴巴雷拉》(1962~1964)改编　3. 98分　4. 彩色
如果看过这部连环画，你就知道你在里面看什么；如果没有看过，你也很快会知道。穿着过少的巴巴雷拉(简·方达饰)奉命捉拿一名邪恶的科学家，并缴获他的毁灭性武器。场景类似于闪电戈登在40世纪，摄影令人难忘，但其余部分就不敢恭维了。

《我爱你，我爱你》

《我爱你，我爱你》
法国　帕克和福比斯·欧罗巴影片公司
★★
1. 阿兰·雷斯纳　2. 雷斯纳，雅克·斯特恩伯格　3. 94分　4. 彩色
一个人参加了时间旅行的实验，结果使自己不断地在诱发自杀企图的灾难前后摆动。镜头的反复播放及其间的差异构筑了他生活的鬼影画面。斯特恩伯格的写作生涯是从写幻想小说到写科幻小说。本片是彻头彻尾的斯特恩伯格式的作品。

《佩里·罗丹——来自太空的呼救信号》
德国，意大利，西班牙　特菲制片和阿特影片公司
1. 普里莫·泽格里奥　2. K·H·西亚，K·H·伏格尔曼　3. 79分　4. 彩色
佩里·罗丹的书被广泛翻译成其他语言，但并未广泛推向银幕。本片的尝试没什么特别之处：罗丹和他的伙伴清洗以地球为基地的坏蛋。

《权力》
美国　银河影业和米高梅影片公司
★
1. 乔治·帕尔　2. 约翰·盖，根据弗兰克·M·罗宾森的《权力》(1956)改编　3. 109分　4. 彩色
当邪恶的超级智慧生物不受制约、胡作非为时，有谁比另一个超级智慧生物更适于取代它呢？剧情发展充满悬念，发人深省。

《特权》
英国　世界电影服务与纪念企业和环球影片公司
★
1. 彼德·沃特金斯　2. 诺曼·波格纳，根据约翰尼·斯佩特的故事改编　3. 103分　4. 彩色
《美妙的新世界》有自己的流行歌曲；《1984》有其"无产者情感"的曲调。本片中沃特金斯的摇滚歌星道德腐朽、反叛，终于为自己的歌迷所谋杀。

《夸特马斯和陷阱》/《500万年到地球》

英国　哈默和七艺影片公司

★★

1. 罗伊·沃德·贝克　2. 奈杰尔·克尼尔,根据他的BBC电视连续剧改编　3. 97分　4. 彩色

人们发现,挖掘地道时出现的异常事件与一艘满载火星人的太空船有关。这些火星人在时间开始之初在地球上着陆,寻找奴隶,从而启动了我们的进化。剧情巧妙地把科幻和对荣格原型的构想相混合,解释了人类的记忆和行为模式是如何通过外星来客植入我们的史前意识的。飞船的能源重新启动时,它通过幽灵现象复活了远古的梦魇。当超能力宣泄出来时,伦敦市民惊恐万分,引起狂乱的破坏,至此影片达到高潮。

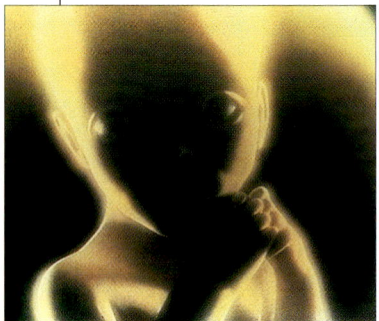

《2001:太空漫游记》

1968

《2001:太空漫游记》

英国　米高梅和史坦利·库布里克影片公司

★★★

1. 斯坦利·库布里克　2. 库布里克,阿瑟·C·克拉克,根据克拉克的《哨兵》(1951)改编　3. 160分,剪辑至141分　4. 彩色(原片为西尼拉马系统全景电影)

《2001:太空漫游记》是科幻电影的试金石,以至今天有关科幻的纪实片制作者都常常不由自主地把其主题曲《查拉图斯特拉如是说》作为背景音乐。本片以庞大而详细的布景、巧妙的效果和后火箭时代的太空飞船改变了科幻电影的面貌。这是一部革新科幻电影世界的一部电影,因片中神秘的黑色独石柱、对人性成为财产的主题的沉思以及计算机神经的崩溃而独树一帜。虽然在今天的观众看来,西尼拉马体裁单纯的视觉效果所带来的原始神奇感已消失,但《2001:太空漫游记》留给电影艺术的问题和挑战依然存在。本片因丰富大胆的想象赢得了1969年的雨果奖。

《周末》

法国、意大利　科马西科、哥白尼、里拉和阿斯科特影片公司

★★

1. 让-卢克·戈达尔　2. 戈达尔　3. 103分　4. 彩色

驾车驶向世界的尽头,戈达尔笔下彼此争吵的资产阶级夫妻目睹了因越来越多汽车可怕地相撞而引发的秩序混乱的过程,之后他们弃车徒步加入未来的无政府状态。最后,她把他吃了。

《猿之行星》

美国　阿普杰克和20世纪福克斯影片公司

★★

1. 弗兰克林·J·沙夫纳　2. 麦克尔·威尔逊,罗德·塞林,根据皮埃尔·布勒的《猿之行星》改编　3. 112分　4. 彩色

3名宇航员因失事而降落在一颗由猿类统治的行星上,一人死了,一人被切除了脑白质,另一人被关进了一家把人当做动物的人类动物园。猿比人类的俘虏更文明,也更野蛮。它们有秩序,通世故,但对它们认为是动物的生命却很残忍。片末,致残的宇航员有了一个所有观众都会一直怀疑的发现:这不是外星行星而是遥远未来的地球。本片中是以毁坏的自由女神像的场面(这当然是自由女神像最著名的用途之一)而使他了解这一点的。本片的续集分别摄于1969年、1971年、1972年和1973年。

《最后一个男人》

法国　阿诺卡电影公司

★

1. 查尔斯·比奇　2. 比奇　3. 85分,剪辑至82分　4. 彩色

一男一女到洞窟中探险归来后,发现自己是一场核浩劫后地球上最后的幸存者。

《血兽之夜》

美国　巴尔博和美国国际影片公司

★

1. 伯纳德·柯瓦尔斯基　2. 马丁·瓦诺,根据吉恩·科曼的故事改编　3. 65分　4. 彩色

电影中被植入外星人卵的首位怀孕女宇航员回到了地球上。结果完全是科曼式的。

《查理》

美国　塞尔玛和罗伯特森伙伴影片公司

★★

1. 拉尔夫·尼尔森　2. 斯特林·昔利芬特,根据丹尼尔·凯斯的《给阿尔杰侬的鲜花》(1966)改编　3. 106分　4. 彩色

凯耶斯的经典小说描写了查理·戈登从一个被利用的乡村白痴变成天才,然后又令人恐怖地退化回去的历程。为拍这部电影,克利夫·罗伯特森自组影片公司。他在片中表演精彩,获得了奥斯卡奖。但原书中的悲怆在片中却变成了高潮突降,充斥着召之即来的伤感主义和陈词滥调。

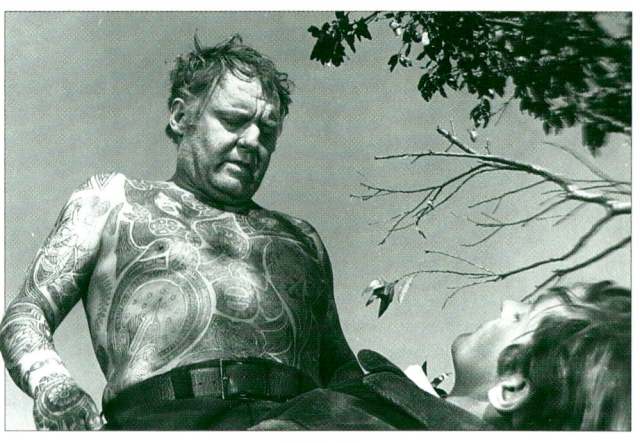

《文身人》

《文身人》

美国　华纳-七艺影片公司等

★

1. 杰克·斯麦特　2. 霍华德·B·克莱特塞克,根据雷·布拉德布雷的《文身人》(1951)改编　3. 103分　4. 彩色

本片中布拉德布雷的3个故事用一个身上画着插图的人的文身串了起来,由同一批演员扮演每个故事中的角色。宇航员们在金星上的"长雨"中迷了路,父母在"世界的最后一夜"杀死了孩子(却发觉并非末日)。孩子们梦想成真,在"非洲草原"中杀死了他们的父母。(最后一个故事,见于另一1987年的电影合集《维尔德》。)尽管表演得很好,尤其是罗德·斯泰格扮演的文身人,但这一体裁不能支持布拉德布雷的想象。

《倒计时》

美国　威廉·康拉德影片公司

★

1. 罗伯特·奥特曼　2. 洛伦·曼德尔,根据汉克·塞尔斯的《朝圣者项目》改编　3. 101分,剪辑至73分　4. 彩色

本片与其说是太空剧,不如说是肥皂剧。这部小说化的太空竞赛电影集中表现了影片中的上司们,未来的宇航员以及他们的家庭所遭受的紧张压力,而非技术和热情。系奥特曼早期的作品,重新编辑的质量很差。

《自由先生》

法国　奥帕拉和圆形广场影片公司

★

1. 威廉·克莱恩　2. 克莱恩　3. 110分,剪辑至94分　4. 彩色

这真是对美国及其英雄的嘲讽:自由先生发现为了拯救世界必须先毁灭它。影片以绝妙的讽刺笔触把美国驻巴黎大使馆变成了大型超市。

《安德罗美达星云》

苏联　多夫任科电影制片厂

★

1. 尤金·舍斯托帕洛夫　2. 舍斯托帕洛夫,伏拉基米尔·迪米特里夫斯基,根据伊凡·叶夫雷莫夫的《安德罗美达星云》(1958)改编　3. 85分,剪辑至77分　4. 彩色

这部改编剧让叶夫雷莫夫的小说吃够了苦头。在飞往安德罗美达星云与外星人接触的一艘飞船上,影片中的人物过于快活,令人难以相信;对话过于呆板,令人难以忍受;冒险过于平淡无奇,使其失去了价值。

《角斗场》

瑞典　珊德鲁斯和新线影片公司

★★

1. 彼德·沃特金斯　2. 尼古拉斯·戈斯林,沃特金斯　3. 105分,剪辑至91分　4. 彩色

本片以该导演平常的仿纪录片风格制作,场景是在未来,计算机引导的角斗士使全面战争毫无必要。整部片子缺乏沃特金斯其他影片的急迫性,核威胁很现实,政府的确在操纵,但没有人曾经或有可能建立一个像片中描写的这种系统。

《活僵尸之夜》

美国　第十图像影业和华尔特-里德大陆影片公司

★★

1. 乔治·A·罗梅罗　2. 约翰·A·罗索　3. 96分,剪辑至90分　5. 黑白

本片是影坛了不起的处女作之一,也是一部有趣的反串。在所有这些冒充科幻片的恐怖片之后,出现了一部假装恐怖片的科幻片。本片在几个周末内,仅花了很少的预算就拍成了。它引发了人们通常的期望,只是为了把它们粉碎。女主人公仍处在极度的惊恐之中,主人公被杀,正常人像回魂尸一样野蛮。

《猿之行星》

《雪利·汤普逊遭遇外星人》

澳大利亚　巨人电影公司

★

1. 吉姆·沙曼　2. 沙曼　3. 104分　4. 彩色

外星人化装成飞车党,用傀儡爱丁堡公爵做其发言人(注意区别)。本片采用倒叙和插叙手法,并不使人惊奇地退缩回去。沙曼从此继续探索,在1974年拍出了经典之作《摇滚恐怖图片展》。

《失落的大洲》

英国　哈默和20世纪福克斯影片公司

★

1. 麦克尔·卡雷拉斯　2. 麦克尔·纳什,根据戴尼斯·惠特利的《未在地图上标明的海洋》(1938)改编　3. 98分　4. 彩色

一艘不定期的货船在萨加索海误入杀手的海藻水域。但它的霉运才刚开头。西班牙征服者乘坐热气球从天而降,对它发动攻击。

《疯狂在街头》

美国　美国国际影片公司

★

1. 巴里·谢尔　2. 罗伯特·托姆　3. 97分　4. 彩色

政府利用青少年实在是大错特错——要不就是大大地正确。选举年龄降到14岁,雇来拉青少年选票的摇滚歌星成了总统,所有35岁以上的成年人被送进集中营,被迫服用迷幻剂。但这些十来岁的年轻人同样追逐权力。

《一路流行》

美国　弗里玛制片公司

★

1. 弗雷德·马歇尔　2. 马歇尔　3. 98分,剪辑至54分　4. 彩色

大约在1968年的伦敦,两名天外来客被派来观察地球。结果,它们迷上了流行文化,乐不思蜀了。

1969

《起居室兼卧室》

英国　奥姆卡·卢文斯坦制片公司和联艺影片公司

★

1. 理查德·莱斯特　2. 约翰·安特罗布斯,根据安特罗布斯和斯派克·米利根的戏剧改编　3. 91分　4. 彩色

第三次世界大战后的异变,包括变成胡萝卜、壁橱和《起居室兼卧室》中的人物。这一切都发生在一个超现实主义的沙漠般的场景中,令人想起一战中的无人区。本片缺乏内驱力,但情节有趣,值得一看。

《监工》

美国　贝尔与豪威尔制片公司、统一联邦和第二城影片公司

★

1. 杰克·西亚　2. 麦伦·J·戈尔德,根据凯斯·劳默的《监工》(1966)改编　3. 92分　4. 彩色

50年代的外星入侵者想把我们变成食物或奴隶;而60年代的外星人却想把我们变成嬉皮士。《监工》带来了制造和平的气体和兄弟友爱的教义,但不见得比它们的前驱者成功:无法避免的抵抗推翻了它们。

《在猿之行星底下》

美国　阿普杰克和20世纪福克斯影片公司

★

1. 特德·波斯特　2. 保罗·登,莫特·亚伯拉罕,以皮埃尔·布勒塑造的人物为基础　3. 95分　4. 彩色

在《猿之行星》(1968)的这部续集中,另一名宇航员失事降落在未来的地球上,在纽约废墟中发现了疯狂的查尔顿·海斯顿和生活在行星地面下的人类变种。人类变种崇拜末日炸弹。最终海斯顿引爆了炸弹,毁灭了整个行星。显然,续集原本拟到此为止,但一个决定令人遗憾地改变了这一切。有人认为能从猿的装束中再拍出些电影来。

《放逐》

美国　哥伦比亚和弗兰柯维奇-斯图格斯影片公司

★

1. 约翰·斯图格斯　2. 梅约·西蒙,根据马丁·卡尔丁的《放逐》(1964)改编　3. 134分　4. 彩色

美苏联合发起行动,营救困在绕地球轨道上的3名宇航员。准记录片形式和各种夸张的次要情节发生冲突,而拖沓的悬念也不起作用。能力高超的演员受到陈腐得令人难以置信的脚本的制约,苦不堪言;而特技效果虽然很灵活,却不能令人难忘。

《回想生活的人》

丹麦　阿莎影业和帕拉迪姆影片公司

★

1. 詹斯·雷文　2. 亨利克·汤格阿普,根据瓦尔德玛·霍尔斯特的小说改编(1938)　3. 97分　5. 黑白

某人有造物甚至造人的能力。为延长肉体生命,他寻求一名脑外科医生的帮助。被医生拒绝后,他用意念力创造了一个医生的"副本",它逐渐从医生本人那里接过了一切。最后按他的要求,"副本"对其进行外科手术,创造医生"副本"的人死于这场手术。

《到太阳背面去旅行》

英国　21世纪制片公司和环球影片公司

★

1. 罗伯特·帕莱什　2. 盖里和西尔维亚·安德森,唐纳德·詹姆斯　3. 101分,在美国剪辑至94分　4. 彩色

在一次远征中,宇航员到达了位于太阳背面的另一个地球。因为他们的归途只花了所需时间的一半,所以他们认为旅行出了错,当然他们慢慢弄清楚了自己是在另一颗行星上。我们猜测他们的"副本"在地球上。然而这很难让人接受并喜欢。

《巨人,福宾项目》

美国　环球影片公司

★★

1. 约瑟夫·萨根　2. 詹姆斯·布里奇斯,根据D·F·琼斯的《巨人》改编(1966)　3. 100分　4. 彩色

本片落入了许多60年代技术妄想片的窠臼。剧中,美苏两国的国防系统都交给超级计算机,即巨人和守护神控制。两台计算机互相亲近,统治了世界。这部电影因《2001:太空漫游记》中的超级计算机的巨大影响而推迟了一年多才发行。然而与神经过敏的哈尔不同,巨人冷漠,傲慢,自负。落基山下岩洞中的这部全能机器的镜头传递了这样一个信息:宁可把世界交托给愚蠢的人类,也决不要把主权让给无情的电子实体计算机。

《巨人,福宾项目》

《索姆斯先生的头脑》

英国　阿米卡斯影片公司

★★

1. 艾伦·库克　2. 约翰·黑尔,爱德华·辛普森,根据查尔斯·艾里克·曼因的《索姆斯先生的头脑》改编(1961)　3. 98分　4. 彩色

一个30岁的男人接受神经手术后,从昏迷中醒来。他接受了初等教育,可却逃往残酷的外部世界。由于受到粗暴的对待,这一无辜者也变得凶暴了。尽管是老生常谈,却依然发人深省。

《尼莫船长和水下城市》

英国　奥姆尼亚和米高梅影片公司

★

1. 詹姆斯·希尔　2. 皮普和简·贝克,以儒勒·凡尔纳塑造的人物为基础　3. 106分　4. 彩色

本片可能比迪斯尼1954年对凡尔纳的注解稍接近19世纪一点,然而却缺乏后者的火花。尼莫的城市在生产空气的同时产生副产品——金子。枯燥无味的情节围绕着一些访客想窃取这一秘密,另一些人想保守这一秘密而展开。最终皆大欢喜,谢天谢地!

《放逐》

飞向星空

60年代科幻恐怖片的漫长恶梦终于走向终结。虽然仍然会有黑暗的时刻，比如一系列的詹姆斯·邦德电影，继续把科幻作为沉醉于特技效果的过时理由，但是曙光正在前方闪烁。斯坦利·库布里克创作的《奇爱博士》可能是这10年里各种各样类型的电影中最好的。电影制片商们看来似乎终于认识到，科幻片不仅仅能因其创造性的精神面神采飞扬，同样也能在神秘的票房中一显身手。

科幻电影的黎明

任何规则都有例外。如一些50年代的电影，像《地球孤岛》，设置在真实的世界里，应用科幻的论据，是真正的科幻片。但这些片子实在是凤毛麟角。大多数50年代的科幻片，是描写必须战胜外来威胁的恐怖片。

我们曾提到60年代时看到的是恶梦的结束，是某种新事物的开端。我们记起了那些真正懂得科幻文学潜在意义的人，注意到来自电影制作室的恐怖影片不再以其简单的回答，以其对可信性、故事主线和逻辑的连续性要求的不负责任的躲避态度主宰银幕时，他们所感受到的巨大解脱。纯粹使人麻木的、愚蠢的科幻恐怖片终于开始淡出。

从这时开始，科幻片不再只是用怪物、深渊和我们人类不应知道的东西来充斥银幕。在70年代后期，大卫·克罗宁伯格和《外星人》的制片人重新确定这一体裁前，最后一部重要的科幻恐怖片是阿尔弗雷德·希区柯克的经典片《群鸟》，该片于1963年推出。

《群鸟》对前10年中那种沉迷于用虚假的"解释"在伤害之余再加上侮辱的倾向置于一边。它不用任何理性，只是简单地表现一个自然世界突然变为由外星人所占领，并且威胁着人类。观众面对屏幕时，科幻的假设自然而然地进入他们的头脑并影响他们的反应。影片或许可能是与生态学"有关"的，它讲述了自然对人类的拒绝，似乎自然对我们过敏；或许可能并非如此。本片的目的并不在于提出什么特别的争论，而只是为了引发观众作出一系列不受约束的推测反应。影片拒绝对制作室对电影的标准结尾，即要求未知力量的威胁被善的力量击败的规定顶礼膜拜。它解放了整个科幻电影世界。

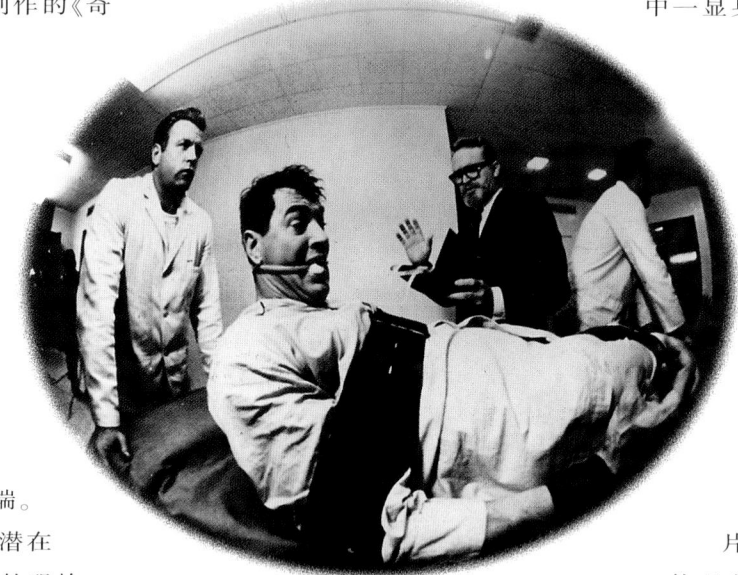

第二次机会
几秒钟之内，一个厌倦生活的商人通过技术手段而变形为一个更英俊、更年轻的人，但他却对新生活无法忍受。影星洛克·哈德森为本片提供了拍摄资金。

一片三角
彼德·塞勒斯在《奇爱博士》中扮演的3个角色之一正在阴沉地思考。

新鲜空气

就在一年之后，库布里克的《奇爱博士》面世了。当然片中有许多热闹的场面，并对人类的本性、好战的头脑、嗜好钻营的政治家们的借口，以及在1964年仍封冻着人类心灵的冷战的本质，制造了一个深刻、清醒、冷嘲热讽的黑色幽默。在某种程度上，人们甚至在几十年后的今天都难以理解本片为何竟释放了如此巨大的欢乐能量，使观众爆发出笑声。除了玩笑开得好，靶子出现晚了未能穿上一两个孔之外，这种解放感另有一个原因。以前的科幻片完全围绕着战争、科学和政治，大多受到50年代幽闭恐惧症式框架的约束。其主要后果是由于真正的问题被认为来自于邪恶的外部事物，如怪物或外星人，所以无法真正讨论任何真正的主题。另一方面《奇爱博士》给了整个世界一股新鲜空气。因为《奇爱博士》中的问题是关于我们在这个行星上的处境的，所以我们可以直接面对并处理这些问题。这毕竟是我们认为科幻能够为我们做

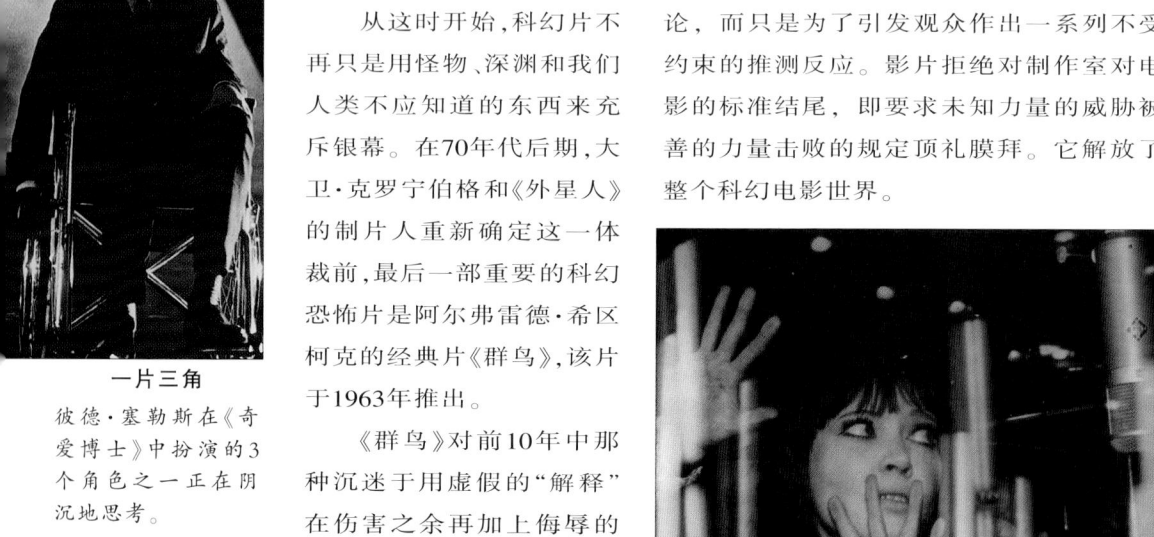

在地下世界

1965年，让-卢克·戈达尔处于声望的顶峰，电影《阿尔伐城》风格大胆而自信。艾迪·康斯坦丁(出演了40年代几部电影中的穷街探子莱米·科申)在这部科幻片中再次出演此类角色。同奥菲士一样，他沦落到由计算机统治的世界阿尔伐城，然后和那女孩一起归来。

的事情之一。科幻把可能性摊在桌面上,产生能被理解的论据。我们可以接受它,也可以拒绝它。这正是电影让一些新鲜空气进入其产品的时候,而这一切正巧发生了。终于有了新鲜空气。

与此同时也有一些陈腐的空气,但这是不可避免的。一些富于文学头脑的制片人在科幻故事上搞砸了。让-卢克·戈达尔的《阿尔伐城》辛辣活泼,尽管颇为朴实;而弗朗索瓦·特鲁弗特根据雷·布拉德布雷科幻名著改编的《451华氏度》却呆板至极,含蓄内向。大多数一流的科幻片是开放的,不是封闭的;富于论辩性的,不是固定于其本身思路的。正因为处在开放的地带,强调指向可以被理解的目标的行动,它们才能带来乐趣。

新视野

但乐趣毕竟要有赖于眼见为实。在60年代行将结束之际,科幻的大问题仍然是怎样把目前不存在或我们无法到达之处的事物展现在人们的眼前。

心理调查

疯狂的电脑可谓老生常谈。但如图所示,在2001年飞往木星的宇宙飞船上,精神失常的主控计算机哈尔的高科技内脏却完全被重塑。它被拔掉了插头,一个位组一个位组地死去,极其痛苦。

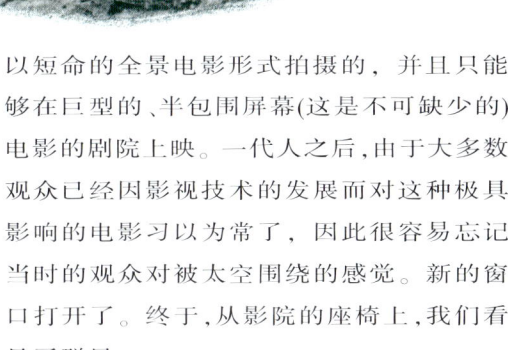

凄凉景象

《战争游戏》非常平静而清晰地揭露了民防的疯狂性。这一疯狂性在于毫无理由地认为一场核战争就像一场地震,人类总能劫后余生,然后忘掉创伤。

几十年来,电影特技效果仍然原始得惊人:纸板制作的飞船和地下城市始终是所有要求演员表演真实的导演的巨大障碍;事实明摆着,科幻电影的布景太不坚实了,难以作出令人信服的表演。直到库布里克的《2001》,特技效果才开始达到制片人的要求。

作为最近几十年来特技效果在电影中支配地位的标志,以及昨天的特技效果的形式给人那种就像看昨天报纸标题的感觉,我们或许应该记得,库布里克的《2001》原来是以短命的全景电影形式拍摄的,并且只能够在巨型的、半包围屏幕(这是不可缺少的)电影的剧院上映。一代人之后,由于大多数观众已经因影视技术的发展而对这种极具影响的电影习以为常了,因此很容易忘记当时的观众对被太空围绕的感觉。新的窗口打开了。终于,从影院的座椅上,我们看见了群星。

迷宫中的人

《查理》是一部极其残酷的影片。我们看到一个智障患者通过药物把智力提升到了天才的水平,看到他享受理解世界的乐趣。然后我们不得不看到当这一切开始消退时他的反应。

20世纪70年代的电影

科幻电影终于开始长大了。虽然仍然有一些纸板布景和荒谬剧情，以及满口污言秽语的科学家们，但是影片制作室终于开始明白，无人需要把未来描写得像自动洗衣机的内胆一样洁净、主角身穿罗马式宽松长袍的电影。这是勇气，是性，是太空中的无畏战舰，是允许有尘土沾染的时代。

★★★ 优秀	★★ 推荐	★ 可看
1. 导演	2. 编剧	3. 片长	4. 彩色	5. 黑白

1970

《海底城市》
美国　20世纪福克斯电视制片公司为全国广播公司摄制

★

1. 欧文·艾伦　2. 约翰·麦利迪斯，根据艾伦的故事改编　3. 100分，剪辑至93分　4. 彩色

本片是来自过去的回声：一颗小行星威胁着美国；出于安全原因，金子被藏于海底；坏蛋想偷窃。这一切再次被阻止了！

《豪塞的记忆》
美国　环球影片公司和全国广播公司电视台

1. 鲍里斯·萨格尔　2. 阿德里安·司派斯，根据库特·西奥德马克的《豪塞的记忆》改编　3. 100分　4. 彩色

多诺凡的脑子又卷土重来，这是一部续集。一个科学家给自己注射了一个已死纳粹分子的血清，从此为向纳粹致敬语所困扰。

《布鲁斯特·麦克劳德》
美国　米高梅·阿德勒-菲利浦斯和狮门影片公司

★

1. 罗伯特·奥特曼　2. 多兰·威廉·卡侬　3. 104分　4. 彩色

科幻变成了寓言。一个孤独的小孩在一个心存谋杀的天使保护下制造翅膀，结果飞行失事。社会受到谴责。

《爱情战争》
美国　派拉蒙和美国广播公司电视台

★

1. 乔治·麦考温　2. 戈登·特鲁布拉德，戴维·基德　3. 74分　4. 彩色

外星人把地球作为决斗场；幸存者迷恋上一个女人，结果她就是与之对抗的另一幸存者。这给人多大的刺激啊！

《惩罚公园》
英国　查特威尔和弗朗索瓦影片公司

★

1. 彼德·沃特金斯　2. 沃特金斯　3. 89分　4. 彩色

越战是美国历史上最黑暗的年代之一，大部分创伤仍隐匿在表层下。一名英国导演首先响应，在美国中心地区建立了一个微型越南。

《无叶草》
美国　辛波和米高梅影片公司

1. 康奈尔·怀尔德　2. 西恩·福列斯托，杰弗逊·帕斯卡，根据约翰·克里斯托弗的《草之死》(1956)改编　3. 96分，剪辑至80分　4. 彩色

当草从地球上消失时，争斗和饥饿撕去了人类文明行为的伪装。只有少数人，像这部残酷无情的电影中的那些人一样，寻找到安全的避难所。

《未来罪行》
加拿大　新兴影片公司

★★

1. 大卫·克罗宁伯格　2. 克罗宁伯格　3. 70分　4. 彩色

该片极为别出心裁：恋童癖在化妆品工厂的危难中搂脖子亲嘴，所有的成年女性都完蛋了，于是生命也完结了。克罗宁伯格把科学家看成是失去控制的刹车，而科学则是不受控制的大炮。

《穴居人》
美国　赫尔曼·科恩影业和华纳兄弟影片公司

★

1. 弗莱迪·弗朗西斯　2. 阿本·康德尔，根据约翰·吉林和彼德·布莱恩的故事改编　3. 93分，剪辑至91分　4. 彩色

一个穴居人逃出了对他远古的头脑进行探索的实验室。他受到摇滚乐的惊吓，倒地死去。

《毒气，否则有必要为拯救这个世界而毁灭它》
美国　杉·佳辛托和美国国际影片公司

1. 罗杰·科曼　2. 格雷厄姆·阿米塔奇　3. 79分，剪辑至77分　4. 黑白

在这部生态灾难片中，数十个目标同时受到攻击：所有25岁以上的人都被毒气毒死，所有25岁以下的人急速重复昔日的愚行。副标题模仿美国人对毁灭一个越南村庄的一种解释。

《装有发条的橙子》

1971

《装有发条的橙子》
美国　北极星和华纳兄弟影片公司

★★

1. 斯坦利·库布里克　2. 库布里克，根据安东尼·伯吉斯的《装有发条的橙子》(1962)改编　3. 137分　4. 彩色

安东尼·伯吉斯对世界的看法比阿瑟·C·克拉克在《2001》中的看法更接近库布里克，结果就产生了这部野蛮到让人不忍看第二遍的电影。在时髦的、俄罗斯化的、守旧而枯萎的英格兰，一个少年团伙成员强奸了一个女人后被施以憎恨疗法，被迫做好人，连犯罪的自由也被剥夺了。

《安德洛墨达品系》
美国　环球影片公司

★

1. 罗伯特·怀斯　2. 尼尔森·基丁，根据麦克尔·克赖顿的《安德洛墨达品系》(1969)改编　3. 130分　4. 彩色

人们能记得的就是广阔的户外镜头。太空小组试图调查一个美国沙漠社区感染外星微生物后的下落。其余部分很精炼。

《寻求爱情》
英国　彼德·罗杰斯影业公司

1. 拉尔夫·托玛斯　2. 泰伦斯·费利，根据约翰·温љомом的《任意寻求》改编　3. 91分　4. 彩色

一个男人被转换成一个平行世界中正盛年的男子，并且爱上了他的妻子，她死了；他回来后，再次去寻找她。

《逃离猿之行星》
美国　阿普杰克和20世纪福克斯影片公司

★

1. 唐·泰勒　2. 保罗·登，以皮埃尔·布勒的人物为基础　3. 97分　4. 彩色，参见《猿之行星》(1968)

在这第二部续集中，我们一次又一次地来到猿之行星。镜头及时切换到现在。聪明的猿休养生息，繁衍后代，看起来它们的孩子将继承未来。

《格伦与朗达》
美国　无名影片公司

★★

1. 吉姆·麦克布莱德　2. 洛伦佐·曼斯，鲁道夫·沃尔利泽，麦克布莱德　3. 94分　4. 彩色

本片很奇特，但很美：一对快乐的夫妻为寻找一个神秘的大都会离开了安全的避难所，横越浩劫后的美国。她死于难产；他则跨越海洋继续寻觅。

《布鲁斯特·麦克劳德》

《寂静的奔跑》
美国 环球影片公司
★★
1. 道格拉斯·特伦布尔 2. 德里克·瓦赫本,麦克·艾米诺,史蒂夫·波柯,根据特伦布尔的故事改编 3. 90分 4. 彩色

人人都在评论本片的结尾,因为人人都记得它。核战争使地球生态环境无以为继。一艘飞船保存着我们已经摧毁的万物样品,但军队企图把这个伊甸园也消灭掉。飞船逃脱了,飞行员死去了,最后的一个机器人给最后留下的一点绿色植物浇水。

《人口零增长》
美国 人马座和派拉蒙影片公司
★
1. 麦克尔·坎普斯 2. 马克斯·欧里希,弗兰克·德费利塔 3. 97分 4. 彩色

一个未来政府试图推行人口零增长,即人口零出生率。但本片传递的信息却是母性就是一切。

《THX 1138》
美国 美国佐伊特洛普和华纳兄弟影片公司
★★
1. 乔治·卢卡斯 2. 卢卡斯,沃尔特·默奇,根据卢卡斯的故事改编 3. 88分,恢复到95分 4. 彩色

本片是乔治·卢卡斯的第一部故事片,以他学生时代的电影习作为基础。在一个未来赤裸裸的极权统治下,主人公在配偶被邪恶的计算机技师玩弄后,试图逃跑。在关键时刻,由于经费的限制,删节了关于追捕者的情节。

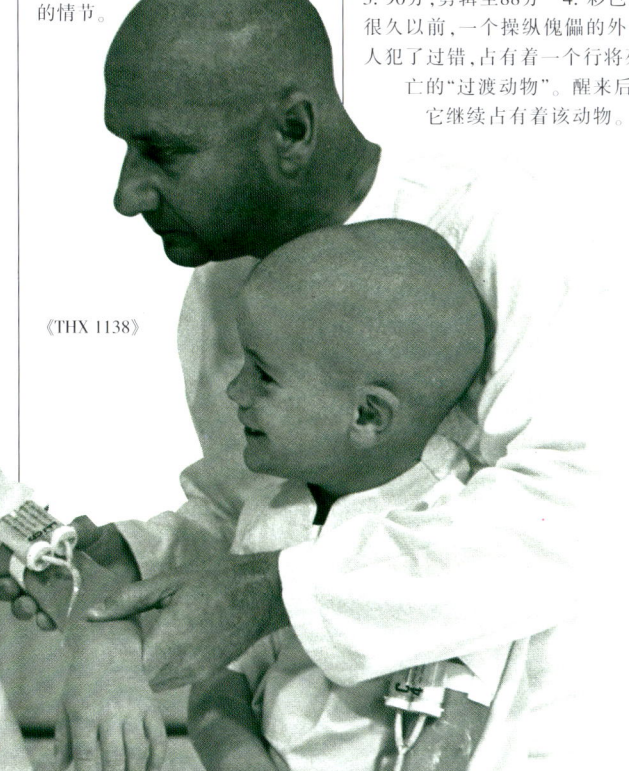
《THX 1138》

《欧米茄人》
美国 华纳兄弟影片公司
★★
1. 鲍里斯·萨格尔 2. 约翰·威廉·科林顿,乔伊斯·H·科林顿,根据理查德·马西森的《我是传奇》(1954)改编 3. 98分 4. 彩色

地球上最后一个真正的人(由查尔顿·海斯顿扮演)被行尸包围,有理由猜测行尸们将遭惨败,而另一个人和一支救命的血清也即将找到。影片至此突然结束。

1972

《征服猿之行星》
美国 阿普杰克和20世纪福克斯影片公司
1. J·李·汤普森 2. 保罗·登,以皮埃尔·布勒的人物为基础 3. 86分 4. 彩色,参见《猿之行星》(1968)

首先,第三部续集穿越时间,把我们带回了原作开始的时候。这真是一段长途旅行。

《蛙》
美国 美国国际影片公司
1. 乔治·麦克欧文 2. 罗伯特·哈奇森,罗伯特·布利斯 3. 90分 4. 彩色

本片中人类再一次向曾遭我们屠杀的动物致歉。在这里行累累的故事中,是青蛙发动了回击。

《恐怖快车》
西班牙,英国 格拉那达和班玛影片公司
1. 欧亨尼奥·马丁 2. 阿尔瑙德·杜乌西奥,朱利安·哈列维 3. 90分,剪辑至88分 4. 彩色

很久以前,一个操纵傀儡的外星人犯了过错,占有着一个行将死亡的"过渡动物"。醒来后,它继续占有着该动物。

《5号屠宰场》
美国 范纳达斯和环球影片公司
★★
1. 乔治·罗伊·希尔 2. 史蒂芬·盖勒,根据库尔特·冯内古特的《5号屠宰场》(1969)改编 3. 104分 4. 彩色

因为没有德累斯顿大轰炸的新闻片做注脚(因为很少有什么东西能劫后余生),所以这里用布拉格大火的镜头来代替。从其他方面来说,本片并不等同于原著。原著的主角随着岁月的流逝而逃避对德累斯顿的回忆,结果影片在外星人动物园中收场。这听起来有点滑稽。

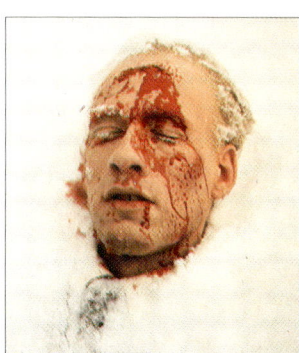
《5号屠宰场》

《死亡线》
英国 K-L影片公司
★★
1. 盖里·舍曼 2. 赛利·琼斯,根据舍曼的故事改编 3. 87分 4. 彩色

1892年建造地铁车站时因塌方而被困的人们,在伦敦地下创建了一个生活在废弃隧道内的社会。现代警方对失踪人员的调查暴露出了这是一个吃人肉的社会,随之而来的是预料中的暴力及腐烂肉体的镜头。尽管充满通常的恐怖和血腥,本片仍然拍得出人意料的好。片中有一条有力的故事主线,还有悲怆和爱情。舍曼首次亮相执导本片,受到高度评价。

《所有你总想知道又不敢提问的关于性的事情》
美国 杰克·罗林斯与查尔斯·H·乔弗制片公司和联艺影片公司
★
1. 伍迪·艾伦 2. 艾伦,受大卫·鲁本的同名文学作品启发而作 3. 88分 4. 彩色

这是伍迪·艾伦的系列幽默短剧,最令人捧腹的是两个科学幻想:一个巨大的女性乳房胡作非为;会说话的精子准备行动。

《追踪》
美国 美国广播公司和美国广播公司电视台
★
1. 麦克尔·克赖顿 2. 罗伯特·多西亚,根据克赖顿(笔名约翰·朗格)的《双星》(1972)改编 3. 72分 4. 彩色

这部为电视制作的电影由克赖顿首次亮相执导。一名担忧政治阴谋的心理变态者尤其憎恨一名共和党人。为了谋杀他,他计划在和他一起出席大会时,把所有的共和党人全部消灭掉。

《太阳城》
俄罗斯 莫斯科电影制片厂
★★★
1. 安德烈·塔科夫斯基 2. 弗里德里克·戈伦史坦,塔科夫斯基,根据斯坦尼斯劳·莱姆的《太阳城》(1961)改编 3. 首次在美国发行时,从165分剪辑至132分 4. 彩色

因为电影媒体太善于使其表现的事物看起来像真的一样,所以《太阳城》冒了用视觉享受迷惑观众的风险。行星太阳城上的一个空间站出了问题。一位心理学家去检查,发现这颗行星本身具有意识,能把人的梦境变成现实的形体。这是什么原因?对凡人来说,无法找到答案。

1973

《寒夜之死》
美国 斯柏林·戈德伯格和美国广播公司
★
1. 杰罗德·弗里德曼 2. 克利斯托佛·克诺普夫 3. 73分 4. 彩色

一个荒凉的北极科学考察站内,两名科学家在猿身上做实验。猿以通常的自然报复的方式造反了。角色转换了,猿在科学家身上做实验。

《蜂女入侵》
美国 半人马怪和红杉影片公司
1. 登尼斯·桑德斯 2. 尼古拉斯·梅耶 3. 85分 4. 彩色

外星蜂王色情狂女奴买人类女孩,用反复的性交高潮致男子死亡。警察开始怀疑了。

《沉睡者》
美国 罗林斯-乔弗制片公司和联艺影片公司
★★
1. 伍迪·艾伦 2. 艾伦,马歇尔·布里克曼 3. 88分 4. 彩色

本片是伍迪·艾伦的手笔,但斧凿痕迹准严重。艾伦式的人物在溃疡手术失败后被深层冰冻起来。他在一个如梦魇般的世界里醒来,这个世界满足了他所有的要求。他因此而迷上了它。

《最终程序》
英国 古特太姆企业、格拉迪欧和米高梅-百代影片公司
★
1. 罗伯特·菲斯特 2. 菲斯特,根据麦克尔·莫尔科克的《最终程序》改编 3. 89分 4. 彩色

莫尔科克表达流畅的史诗被改编成了一个致命而僵硬的科幻故事,它描写了一个末日将临的世界。杰里·科内里尤斯幸会布伦娜小姐,两人为一个威胁地球的计算机程序争论,然后上床,后来生养了一个只会傻笑的猿人般的家伙来继承地球。本片制作细致,但这个故事在银幕上几乎无法理解。

《创世纪Ⅱ》
美国 哥伦比亚广播公司电影台
1. 约翰·卢埃林·莫克塞 2. 古恩·罗登布雷 3. 90分 4. 彩色

本片是《星际旅行》之后由罗登布雷领航的另一部片。在一段停止的动画之后,实验出了错。一位科学家在未来世界醒来,这个世界正在核浩劫的后果中煎熬。普通人类遭受着突变种的残暴统治。在主人公新发现的原始生命力的协助下,他帮助人类战胜了统治者。

《日本沉没》
日本 东宝影片公司
★★
1. 森谷始郎 2. 桥本信夫,根据小松左京的《日本沉没》(1973)改编 3. 140分,剪辑到110分,再剪辑至81分 4. 彩色

一场毫无疑问的日本恶梦痛苦地展现在屏幕上,如同在精致的原作小说中一样。横越日本列岛之下的深海沟将要崩塌,却无人理睬科学家的警告。当日本当局终于注意到这一点时,他们求助于西方世界。而西方世界不愿提供任何援助。当富士山喷发时,日本沉入了太平洋。没有人愿意接受这些幸存的难民。

《疯狂》
美国 坎比斯特影片公司
★
1. 乔治·A·罗梅罗 2. 罗梅罗 3. 104分 4. 彩色

罗梅罗的第二部电影简直就是他首部电影《活僵尸之夜》的翻版。村民们因被一种用于战争的病毒感染而发狂。军方奉命去杀死他们。军队被描写得犹如村民们一般疯狂。

《人造绿色豆类食物》
美国 米高梅影片公司
★★
1. 理查德·弗莱舍 2. 斯坦利·R·格林伯格，根据哈里·哈里逊的《让开！让开！》(1966)改编
3. 97分 4. 彩色

本片给哈里逊描写人口过剩的小说加上了食人肉的一笔，却减弱了原作严肃的影响力。但用腐尸制造的食物——"人造绿色豆类食物"是惊人的佐料。

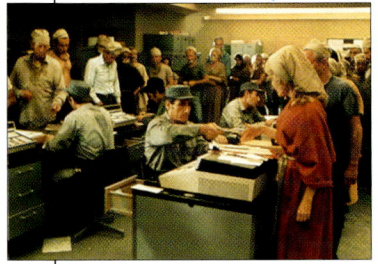
《人造绿色豆类食物》

《梦之城》
联邦德国 独立电影和马兰电影制片公司
★
1. 约翰尼斯·沙夫 2. 沙夫，根据阿尔弗雷德·库宾的《另一面》(1909)改编 3. 124分 4. 彩色

与《西部世界》在同年，描写一个相似的孤独城市，里面的人终生幻想，结果一片混乱，城市被毁灭。例行公事的幻想，为人熟知的过时风格和沙夫道德教化的腔调使本片气氛沉闷，但毁灭的场面很壮观。

《为猿之行星而战》
美国 阿尔杰克和20世纪福克斯影片公司
★
1. J·李·汤普森 2. 约翰·威廉·科林顿，乔伊斯·胡珀·科林顿，根据保罗·登的故事改编 3. 88分 4. 彩色，参见《猿之行星》(1968)

在这最后一部续集中，随着时间倒退到故事刚开始的时候，故事终于首尾相接。

《次品》
美国 戈佐某基电影公司
★★
1. 约翰·兰迪斯 2. 兰迪斯
3. 77分 4. 彩色

本片是对50年代怪物电影令人捧腹的嘲讽，梦想中的人物从来就是不可战胜的。兰迪斯顺利地战胜了它们。

《失落的地平线》
美国 哥伦比亚影片公司
★
1. 查尔斯·扎洛特 2. 拉里·克莱默，根据电影《失落的地平线》(1937)改编 3. 150分，剪辑至143分 4. 彩色

首版拍摄于1937年，是一部伟大的电影。这一部载歌载舞，还有"好莱坞的大思想"。除此之外，别无他物。

《异变》
英国 盖蒂电影公司和哥伦比亚影片公司
★
1. 杰克·卡迪夫 2. 罗伯特·D·怀恩巴赫，爱德华·曼 3. 92分 4. 彩色

在1973年，看到疯狂的科学家把人类"异变"成金星捕影草还是很有趣的事。汤姆·贝克(后出演英国广播公司"胡博士"的主角)出演本片。

《第四阶段》
美国 阿尔赛德、派拉蒙和PBR影片公司
★
1. 索尔·巴斯 2. 梅约·西蒙 3. 91分，剪辑至84分 4. 彩色

本片是又一部大自然报复的影片。这回亚利桑那的蚂蚁决定消灭我们。奇怪的是人类主角最终加入了蚂蚁的行列。

《西部世界》
美国 米高梅影片公司
★
1. 麦克尔·克赖顿 2. 克赖顿 3. 88分 4. 彩色

麦克尔·克赖顿并不怎么喜欢科学(只要看看《侏罗纪公园》就行了)。他的首部故事片启用尤尔·布莱那扮演一个令人恐惧的机器人，他在西部蛮荒主题公园中变成了一个流氓杀手。

1974

《吃掉巴黎的汽车》
澳大利亚 索特·潘、澳大利亚电影发展公司和罗伊斯·斯米尔
★
1. 彼德·威尔 2. 威尔 3. 88分 4. 彩色

本片发生的地方并不是法国巴黎，而是澳大利亚的巴黎。这里是一片恐怖的景象：疯狂少年驾驶着一群异变汽车。

《行星地球》
美国 美国广播公司
★
1. 马克·丹尼斯 2. 吉恩·罗登布雷，朱安尼塔·贝特莱特 3. 75分 4. 彩色

本片表明：如果你对"星际旅行"厌倦了，千万不要做什么。罗登布雷的电视上的飞行员，在浩劫后的地球上假装神圣，气氛沉重。

《奎斯特磁带》
美国 环球影片公司和全国广播公司
★
1. 理查德·A·柯拉 2. 吉恩·罗登布雷，吉恩·L·库恩 3. 100分 4. 彩色

本片描写了一位失败的电视飞行员，而另一位可能会到某个地方去。奎斯特是一个人造人，它想知道为什么它一直守卫着地球。我们永远不会明白的。

《遭天谴的阿利》
美国 兰德斯-罗伯茨、泽特曼和20世纪福克斯影业公司
★
1. 杰克·司麦特 2. 艾伦·夏普，卢卡斯·海勒，根据罗杰·泽拉兹尼的《遭天谴的阿利》(1969)改编 3. 95分，剪辑至91分 4. 彩色

本片与泽拉兹尼的末日核轰炸后穿越美国相比并无改进。这是一部描写不满的男性伙伴的电影。纸板背景用来代表世界末日。

《上帝垂爱的幸存者》
美国、墨西哥 阿尔攀·丘卢巴斯可和梅德罗媒体影片公司
★
1. 萨顿·洛雷 2. H·B·克劳斯，杰·雷布·莫弗利，根据克洛斯的故事改编 3. 99分 4. 彩色

本片为了做诱发性妄想实验，把主角骗进了袖珍宇宙般的防空洞。很快他就投入了与吸血蝙蝠的战斗。

《它是活的》
美国 拉柯和华纳兄弟影片公司
★★★
1. 拉里·科恩 2. 科恩 3. 91分 4. 彩色

如同许多成功的科幻片一样，本片预算很少。小怪物虽然多数时候只在银幕上一闪，但富于魅力。

《谁?》
英国、联邦德国 环球和麦克利恩影片公司
★★
1. 杰克·戈尔德 2. 戈尔德(笔名约翰·戈尔德)，根据阿尔吉斯·巴德利斯的《谁?》(1958)改编 3. 91分 4. 彩色

本片经典性地对50年代妄想电影加以强化(这部小说创作于那个时代)，巧妙而惊人地压缩了整个主题。一名美国科学家在遭车祸后被苏联人俘虏，变成了机械电子人。当他几个月后返回时，美国人必须弄清楚他的身份：殉道者？叛国者？他自己？还是另一个人？

《杀人机》
美国 环球电视和美国广播公司
★
1. 杰里·伦敦 2. 西奥多·斯特吉恩，根据他的故事《杀人机》(1944)改编 3. 74分 4. 彩色

本片中，斯特吉恩原作中第二次世界大战时的推土机被一个千万年前外星人安插的实体所拥有。原作的主旨保留得很少。

《终端人》
美国 华纳兄弟影片公司
★
1. 麦克·霍奇斯 2. 霍奇斯，根据麦克尔·克赖顿的《终端人》(1972)改编 3. 107分，剪辑至104分 4. 彩色

这是弗兰肯斯坦故事的当代变种，其中科学家们创造了一个他们无法控制的怪物。本片标题中的"终端"是一部微型计算机，它被植入一个精神病人的大脑中来控制他的暴力行为。出人意料的是，他变得喜欢上了这一被控制的过程。最后，他为了激发植入物而继续谋杀作乐。

《扎多士》
英国 约翰·波尔曼和20世纪福克斯影业公司
★
1. 约翰·波尔曼 2. 波尔曼 3. 105分，剪辑至104分 4. 彩色

这个标题指的是《绿野仙踪》，但故事讲述的是一个贫瘠的乌托邦和残酷的叛乱。浩劫后的公元2239年，世界分成了两个部分，外部世界中的居民生活在野蛮之中，而漩涡中的永生者则通过警察行刑者来控制外部的野蛮人。本片既试图成为一部下层社会的叛乱电影，又想就自由作长篇说教。令人遗憾的是，结果是自大而愚昧。

《寄生杀手》
加拿大 西尼皮克斯和加拿大电影发展公司
★
1. 戴维·克罗宁伯格 2. 克罗宁伯格 3. 87分，剪辑至77分 4. 彩色

一位医生为了进行研究没有给病人做他们等待的器官移植，而是把寄生物植入他们的体内。病人们变成了患性病的色情狂。随着肉眼可见的寄生虫从一个人身上跳到另一个人身上，血腥和恐怖继续发展。这是克罗宁伯格的首部商业片，由于其图像特技效果而未受到欢迎，但后来在电影《异形》中产生了回响。

《内部的陌生人》
美国 洛里玛和美国广播公司电视台
★
1. 李·菲利浦 2. 理查德·马西森，根据他的故事《抗议的母亲》(1953)改编 3. 72分 4. 彩色

在这部奇怪的电影中，外星人的孢子使一个惊恐的妇女受了孕。奇怪的是结尾皆大欢喜，新生的婴儿向火星飘去。

《斯特普福德的主妇们》
美国 法德锡联影片公司和哥伦比亚影片公司
★★
1. 布莱恩·佛比斯 2. 威廉·戈尔德曼，根据伊拉·莱文的《斯特普福德的主妇们》(1972)改编 3. 115分 4. 彩色

凯瑟琳·罗斯和玻拉·普伦提斯扮演新到康涅狄格州小镇斯特普福德的两位主妇。那里的妇女看起来很温顺，从不抱怨。后来发现，一个前迪斯尼乐园的雇员为小镇上的丈夫们制作女人的机器复制品。这是一部女权运动的寓言。如果笔触再轻快一点，节奏再快一些，影片会更精彩。

《黑星》
美国 杰克·H·哈里斯企业影片公司
★★★
1. 约翰·卡朋特 2. 卡朋特，丹·奥巴农 3. 83分 4. 彩色

这是一部绝对的经典之作，制作预算很小。后来卡朋特像丹·奥巴农一样去做更大的事，但是两人谁也没有再拍出和这部电影一样带有黑色幽默的片子。22世纪时由4个人组成的机组(船长被深冻)驾驶一艘满载神经分分的计算机和一颗有知觉、会说话的炸弹的飞船在宇宙巡航，寻找无法无天的行星加以毁灭。

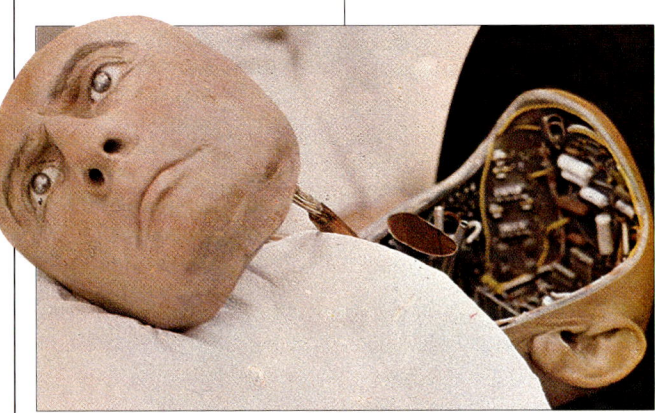
《西部世界》

1975

《男孩和他的狗》
美国　LG·杰夫影片公司

1. L·Q·琼斯　2. 琼斯，根据哈兰·艾利森的《男孩和他的狗》(1969)改编　3. 89分　4. 彩色

这部描写浩劫后的影片猛烈地攻击了人类对犬的伤感心理。听一听狗通过心灵感应传递给男孩的悲惨消息；看一看男孩把他的女友喂给狗吃，然后到地下去寻找一个新世界。

《滚球》
美国　联艺影片公司

★

1. 诺曼·朱伊森　2. 威廉·哈里逊，根据他的《滚球谋杀》(1973)改编　3. 129分，剪辑至125分　4. 彩色

这个故事极其复杂，而游戏本身——四轮滑碰碰车，有时难以理解。认为公司会用面包和马戏安抚我们的想法也没什么新鲜。

《滚球》

《死亡竞赛2000》
美国　新世界影片公司

★★

1. 保罗·巴特尔　2. 罗伯特·汤姆，查尔斯·格里菲斯，根据易布·梅尔奇亚的故事改编　3. 80分　4. 彩色

本片如同《滚球》，但更有趣，更机智，更滑稽。用蹦跳赛车进行的穿越美国的比赛充满了荒唐和未来的愚蠢，但电影很过瘾。

《洛基恐怖电影展》
美国　卢·阿德勒-麦克尔·怀特影片公司和20世纪福克斯影片公司

★★

1. 吉姆·沙曼　2. 沙曼，理查德·奥巴农，根据奥巴农的《洛基恐怖画展》(1973)改编　3. 101分　4. 彩色

这是一部由弗兰克·N·佛特博士和一帮人上演的时尚科幻的野营音乐剧。影片很受欢迎，至今走廊里的自娱歌咏仍很常见。

《逃往巫山》
美国　沃尔特·迪斯尼公司

1. 约翰·豪　2. 罗伯特·莫尔柯姆·杨，根据亚历山大·基的《逃往巫山》(1968)改编　3. 97分　4. 彩色

拥有超能力的外星失忆儿童，击败了企图利用孩子们心灵感应谋利的坏蛋。最后，孩子们逃回了太空。

《使美国惊恐的夜晚》
美国　美国广播公司电视台

★

1. 约瑟夫·萨根　2. 尼古拉斯·迈耶，根据霍华德·科赫的广播剧《星际战争》(1938)改编　3. 100分，剪辑至78分　4. 彩色

H·G·威尔斯小说的广播表演显然只是一出戏剧，但许多人认为它确有其事。这部气氛温和的电影重塑了那个夜晚。

《奇异的新世界》
美国　华纳兄弟电视台和美国广播公司

★

1. 罗伯特·巴特勒　2. 瓦伦·格林，罗纳尔德·F·格雷姆，阿尔·拉姆路斯　3. 100分　4. 彩色

宇航员从太空旅行的深眠中返回受到陨星袭击后的地球，地球分裂成了几百个各不相同的小国家。他们访问了其中的几个。

《被时间遗忘的土地》
英国　阿米克斯影片公司

★★

1. 凯文·科纳　2. 麦克尔·莫尔柯克，詹姆斯·科索恩，根据艾德加·赖斯·伯勒斯的《被时间遗忘的土地》改编　3. 95分　4. 彩色

本片故事发生在南极，德国人和美国人发现了失落的世界卡普罗那，随后发生了一系列闹剧。那里，恐龙沿着一条长长的隧道在漫游。

《飞碟事件》
美国　环球影片公司和全国广播公司

★★

1. 理查德·A·科拉　2. S·李·波格斯丁，根据约翰·G·福勒的《中断的旅程》(1966)改编　3. 100分　4. 彩色

科幻小说和飞碟通常并不重迭。科幻读者读的是小说，飞碟迷看见的是真实的阴谋。但这是一部关于坏事实的好小说。

《终极战士》
美国　华纳兄弟影片公司

★

1. 罗伯特·克劳斯　2. 克劳斯　3. 92分　4. 彩色

本片是最早的功夫片之一，纽约的街头帮在受到严重污染的空气中拳打脚踢。

1976

《上帝要我这样做》
美国　拉柯影片公司

★★

1. 拉里·科恩　2. 科恩　3. 89分　4. 彩色

本片极其古怪，但却如同儿时的梦一样令人难以忘怀。上帝是外星人；儿子们宣称基督降临；黑帮交战；到处是猖獗但受到压抑的性欲泛滥。作为一个天主教徒和侦探，他拒绝了一个两性的"上帝"后裔为他生子的提议。

《神食》
美国　美国国际影片公司

★

1. 伯特·I·戈登　2. 戈登，根据H·G·威尔斯的《神食》和《它是怎样来到地球的》(1904)改编　3. 88分　4. 彩色

H·G·威尔斯的小说是一回事，而本片是另一回事。这是一部关于生态利用的蠢电影，用令人作呕的特技效果宣称和展示大臭虫是怎样吃大粪的。

《胚胎》
美国　赛恩艺术家影片公司

★

1. 拉尔夫·尼尔森　2. 安妮塔·杜汉，杰克·W·托玛斯，根据托玛斯的小说改编　3. 105分　4. 彩色

一位科学家用一颗种子培养出了一个女孩，期望把它塑造成一个绝世美女。这是一部很不成功的影片。

《沦落到地球的男人》
英国　不列颠雄狮电影公司等

★★

1. 尼古拉斯·罗格　2. 保罗·梅耶斯伯格，根据沃特·泰维斯的《沦落到地球的男人》(1963)改编　3. 145分，常剪辑至138分　4. 彩色

本片是一部长而令人窒息的幽闭恐怖故事，讲述了一个外星访客被迫逐渐转化为一个被欺骗的人的故事。当戴维·鲍威还是来自一颗沙漠行星的使者时，他还是半透明的。他失去了行动力、视力和家庭。最后，令人恐惧的是，他只是我们中的一员。

《凯丽》
美国　莱格·班克和联艺影片公司

1. 布莱恩·德·帕尔马　2. 劳伦斯·D·科恩，根据史蒂芬·金的《凯丽》(1974)改编　3. 98分　4. 彩色

本片几乎根本谈不上是科幻片，但也不能忽视它，它使史蒂芬·金成名。这是青春的神话想象，随着凯丽获得了魔力，她开始实施可怕的报复。

《在地心》
美国　阿米克斯和美国国际影片公司

★

1. 凯文·康纳　2. 米尔顿·萨博茨基，根据艾德加·莱斯·伯勒斯的《在地心》(1922)改编　3. 89分　4. 彩色

本片是《被时间遗忘的土地》(1975)必然的续集。这回那些家伙在地球内部找到的是"透明体"。

《未来世界》
美国　美国国际影片公司

★

1. 理查德·T·赫夫伦　2. 梅约·西蒙，乔治·沈克　3. 104分　4. 彩色

在这部《西部世界》续集中，机器人开始发出叮当声，整个阴谋以铺天盖地之势压来，其结尾差点儿来得太晚了。

《狂犬症》
加拿大　西尼皮克斯影片公司、迪巴·辛迪加和加拿大电影发展公司

★

1. 戴维·克克宁伯格　2. 克罗宁伯格　3. 91分　4. 彩色

她残废了。一个塑料外科医师为她做手术，不料手术刀上有蝙蝠的细胞，使她变成了一只通过臂下的雄性生殖器吸血的吸血鬼。我们注意到，在所有这些故事情节中戴维·克罗宁伯格从没这么严肃正经过。

《金刚》

《金刚》
美国　迪诺·德·劳伦提斯和派拉蒙影片公司

★

1. 约翰·吉勒明　2. 小洛伦佐·森普尔，根据《金刚》(1933)改编　3. 134分　4. 彩色

本片是这一电影的第二次拍摄，心地善良的猿从世界贸易中心跳下。万变不离其宗。

《洛根的奔跑》
美国　米高梅和联艺影片公司

★

1. 麦克尔·安德森　2. 大卫·泽拉格·古德曼，根据威廉·F·诺兰和乔治·克雷顿·约翰森的《洛根的奔跑》(1967)改编　3. 118分　4. 彩色

两年以后，这个净化了的未来不能再独立存在下去了；电影界也明白了未来世界不会是那么干净。但是在1975年，干净清秀、穿着时髦的宽外袍的小伙子仍然能起来反抗老人，并逃到户外去。在那里，乐呵呵的叔叔彼得·乌斯蒂诺夫向他们展示了真正的生活。

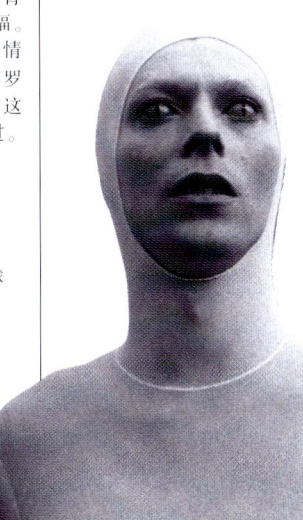

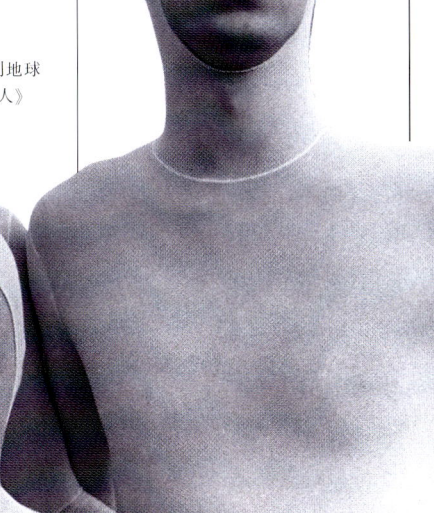

《沦落到地球的男人》

《蓝色阳光》

美国　艾伦比和蓝色阳光影片公司

★

1. 杰夫·利伯曼　2. 利伯曼　3. 95分　4. 彩色

在60年代吸食蓝色阳光致幻药，到70年代就会褪尽毛发，变成一个杀人狂，一群活死人中的一员，像上了年纪的人一样走过街头。

《蠕动》

美国　蠕动影片公司

★★

1. 杰夫·利伯曼　2. 利伯曼　3. 92分　4. 彩色

这是10年中十分流行的另一部关于自然报复的电影。吃人的蠕虫被落下的高压电缆转化为食人肉的动物，把一对夫妇困在一所孤立的农舍中。蠕虫实在是很恐怖的。

1977

《星际战争》

美国　20世纪福克斯影片公司

★★★

1. 乔治·卢卡斯　2. 卢卡斯　3. 121分　4. 彩色

科幻世界既带着期待又带着令人难堪的恐惧，等待着这样一部片子。这是一个神话，一部太空剧，一个遵循着故事叙述的钢铁法则的单纯冒险故事；孤儿，好伙计，良师，探求，志同道合者，歹徒，战斗，公主复位。所有这一切因为超凡的特技效果，突然不再仅仅是一个梦。不必把那纸板飞船假装成真的，因为无畏战舰足以以假乱真。这个梦想终于光荣而令人极度兴奋地实现了。

《第三类亲密接触》

美国　哥伦比亚影片公司

★★★

1. 史蒂文·斯皮尔伯格　2. 斯皮尔伯格　3. 135分　4. 彩色

斯皮尔伯格的这部影片神秘而宏伟，是他最富个性的娱乐片。它把满书架带有妄想狂色彩的飞碟传说转化成了一部对超越美丽的追求。外星人确实在访问我们：二战飞行员遭绑架。20年后当飞碟从低空高速飞过美国中部时，飞机又回来了。政府试图禁止人们进入将可能发生伟大接触的山脉，但遭到了失败。余下的就是壮丽，还有乐趣。

《大屠杀2000》

英国，意大利　兰克·阿斯顿和恩伯塞影片公司

★

1. 阿尔贝托·德·马蒂诺　2. 德·马蒂诺，塞吉奥·多那蒂，麦克尔·罗伯森　3. 102分　4. 彩色

科克·道格拉斯已经不是第一次对抗反基督教的人了。这回是他的儿子，从他的掌握中夺走了多国合一。

《欢迎来血城》

加拿大，英国　安·百代和莱恩·哈伯曼影片公司

★★

1. 彼德·萨斯迪　2. 斯蒂芬·施内克，麦克尔·温德　3. 96分　4. 彩色

本片明显模仿麦克尔·克赖顿的《西部世界》，以它的布景为基础，但对其进行了改进，用虚拟现实取代了主题公园。结果，本片成了挑选游击队员的测验。

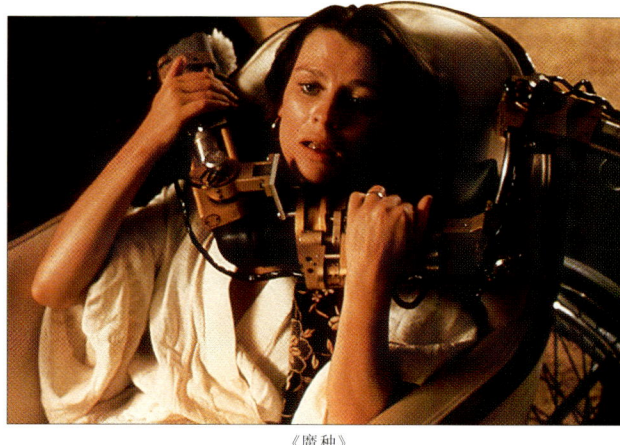

《魔种》

《魔种》

美国　米高梅影片公司

★

1. 唐纳德·卡梅尔　2. 罗伯特·杰弗，罗杰·O·赫森，根据迪恩·R·库恩茨的《魔种》(1973)改编　3. 95分　4. 彩色

30年代粗制滥造的虫眼怪物可能变成极其复杂的电脑系统，但并无别的变化。它们所要的不过是与朱莉·克里斯蒂做爱。

《被时间遗忘的人们》

美国　阿米克斯影片公司

★

1. 凯文·科纳　2. 帕特里克·泰雷，科纳·卡特，莫里斯·卡特，根据艾德加·莱斯·伯勒斯的《被时间遗忘的土地》(1924)改编　3. 90分　4. 彩色

本片是《被时间遗忘的土地》(1977)的续集，同样的演员(道格·麦克卢尔和翼手龙)，同样的地点(海边的一块失落的土地)，以及同样的时间(任何时间)。

《莫洛博士岛》

美国　TT影片公司和美国国际影片公司

★

1. 唐·泰勒　2. 约翰·赫曼·沙纳，阿尔·拉姆路斯，根据H·G·威尔斯的《莫洛博士岛》(1896)改编　3. 98分　4. 彩色

此片比不上《游魂岛》和威尔斯的原作寓言。讲述的是同一个古老故事：不要愚弄自然母亲。

《伽倪墨得行动》

德国　五角星形和德意志第二电视台

★★

1. 赖纳·厄勒　2. 厄勒　3. 126分，剪辑至120分　4. 彩色

本片干脆把我们的预期都倒了过来，从外星人成群的伽倪墨得太空伤心之旅归来的幸存者们回到了地球，迷失在空旷的墨西哥沙漠中，把彼此撕成了碎片。毕竟，他们只是人类。

《难以置信的熔化人》

美国　夸特制片公司和美国国际影片公司

★

1. 威廉·沙赫斯　2. 沙赫斯，丽贝卡·罗斯　3. 84分　4. 彩色

在太空中，你能抓住东西。本片主角抓住了一个正在熔化的食人肉的老傻瓜。太空是陷阱。

《蜘蛛王国》

美国　蛛网动物制片公司和迪曼逊影片公司

★

1. 约翰·卡多斯　2. 理查德·罗滨逊，艾伦·凯卢奥，根据杰弗里·M·斯耐勒和史蒂芬·罗奇的故事改编　3. 95分，剪辑至90分　4. 彩色

在50年代，突变种节肢动物可能是核放射的产物；而在70年代，更可能是引起大自然反叛的生态灾难。蜘蛛们组成街头团伙，而似乎无法杀死的威廉·沙特纳也终于沦为虫食。

《橡皮头》

美国　大卫·林奇影片公司

★★★

1. 大卫·林奇　2. 林奇　3. 100分　4. 彩色

本片是《沙丘》和《双峰》的作者林奇的作品，是他最不折不扣的超现实主义作品。一个男婴生来有一个橡皮头般的脑袋，一直生活在生怕被擦掉的恐惧中。

1978

《盗灵人魔的入侵》

美国　索洛电影公司和联艺影片公司

★★★

1. 菲利普·考夫曼　2. W·D·里奇特，根据杰克·芬内的《盗灵人魔的入侵》(1955)改编　3. 115分　4. 彩色，参见《盗灵人魔的入侵》(1956)

本片同精彩的1956年原作一样好，萨瑟兰扮演的主人公很可信。直到最后关头，他仍在抵抗外星人；而最后关头过去后，仍然极其令人恐怖。之后他自己也成了一个盗灵人魔。

《激光爆炸》

美国　欧文·拉布兰斯影片公司

★

1. 麦克尔·雷　2. 弗雷那·沙赫特，保罗·金特里，戴夫·艾伦　3. 80分　4. 彩色

一个怪僻的与社会格格不入者找到了外星人留下的大炮和护身符。外星人居住在护身符内，且附体在该怪人身上。砰！好的外星人谋杀了这个怪人。

《狂欢节》

英国　威莱-马林影片公司和梅加罗影视公司

★

1. 德莱克·扎曼　2. 扎曼　3. 104分　4. 彩色

本片为"庆祝"伊莉莎白女王即位25周年而作，后期的德里克·扎曼创造了对不久将来伦敦的想象图景。这是一个充满腐败、反常、反抗和绝望的大剧场，一个花花公子对末日世界的一瞥。

《来自巴西的男孩们》

美国，英国　ITC和塞克尔制片公司

★★

1. 弗兰克林·丁·沙夫纳　2. 海伍德·戈尔德，根据伊拉·莱文的《来自巴西的男孩们》(1976)改编　3. 125分　4. 彩色

希特勒仍活在南美的神话在这部恐怖片中又出新版。门格勒博士把童年希特勒的克隆撒遍全世界。为了再现希特勒早年丧父的家庭环境，谋杀克隆的"父亲"是巧妙而冷酷的一笔。

《星际战争》

《超人》

《超人》
美国、英国 华纳和亚历山大·索尔金德影片公司
★★★
1. 理查德·多纳 2. 马里奥·普佐、大卫·纽曼、莱斯利·纽曼、罗伯特·班顿、汤姆·曼凯维奇(创作顾问),根据普佐的故事和杰里·西格尔与乔·舒斯特的连环画改编 3. 143分 4. 彩色
直到60年代末开始的特技效果革命前,拍摄喜剧英雄仍毫无意义。但本片中超人像真的飞行物一样飞行,并做出其他壮举。他那伊甸园般的童年很美。

《从巫山归来》
美国 沃特·迪斯尼公司
★
1. 约翰·霍夫 2. 马尔科姆·马莫斯坦,根据亚历山大·基的《从巫山归来》(1978)改编 3. 93分 4. 彩色
拥有催眠射线的人类坏蛋绑架了两个脑胞的外星人孩子,但它们得到了衣衫褴褛的小孩的营救。

《摩羯星一号》
美国 摩羯星一号联合公司、通用联影公司等
★★
1. 彼德·海雅姆斯 2. 海雅姆斯 3. 127分 5. 黑白
由于太空旅行和科幻主题的密切联系,本片被当做科幻片。影片中的太空飞行实际上并未超越今天的科学,且并没在现实中出现。它实际上是一部带有妄想狂色彩的惊险片,而且确实是一部好影片。

《昏迷》
美国 米高梅影片公司
★★
1. 麦克尔·克赖顿 2. 克赖顿,根据罗宾·库克的《昏迷》(1987)改编 3. 113分 4. 彩色
布约德、道格拉斯和威德马克在本片中表演一流。本片唤起一种可能的幻想,即器官掠夺者把人类受害者冷冻,直到有钱的病人需要移植器官。

1979

《幽灵》
美国 新一代影片公司
★
1. 唐·科斯卡莱利 2. 科斯卡莱利 3. 90分,剪辑至89分 4. 彩色
本片是恐怖片和喜剧片的巧妙混合。一个神秘的高个男人从本地公墓偷盗尸体。一个少年决心就此展开调查,结果可想而知。

《巴克·罗杰斯在25世纪》
美国 格伦·A·拉森、环球和全国广播公司
★
1. 丹尼尔·霍勒 2. 格伦·A·拉森、莱斯利·史蒂文斯,根据约翰·弗林特·迪勒的连环画《巴克·罗杰斯在25世纪》(1929~1967)改编 3. 89分 4. 彩色
巴克·罗杰斯飞离他感到不受拘束的20世纪30年代,来到了年轻人想象中的25世纪。他凭着强健的体魄和武器(可惜没有智慧)号叫不已,并且向一位邪恶的公主求婚。

《预言》
美国 派拉蒙影片公司
★
1. 约翰·弗兰肯海默 2. 戴卫·塞尔泽 3. 102分 4. 彩色
本片是弗兰肯海默不走运年代的作品,是对生态灾难歪斜但敏锐的想象,一头异变大灰熊中了毒药,在缅因州横冲直撞。

《狂怒》
美国 20世纪福克斯影片公司
★★★
1. 布莱恩·德·帕尔马 2. 约翰·法里斯,根据他的《狂怒》(1976)改编 3. 118分 4. 彩色
很难记起谁为了什么对谁做了什么,但没关系。影片中有精神病人、经验老到的杀手、一个绝望的父亲、恐怖荧光的闪现和一个无情的悲观结尾。

《死亡运动》
美国 新世界影片公司
★
1. 亨利·苏索、阿伦·阿库什 2. 苏索、唐纳德·斯图尔特 3. 83分 4. 彩色
本片除感伤的神秘主义外,几乎全是动作。影片描写上次大战的1000年以后,中国功夫角斗士与飞车党对决。

《异形》
美国 20世纪福克斯影片公司
★★★
1. 里德利·斯科特 2. 丹·奥班农,根据奥班农和罗纳德·舒塞特的故事改编,其中吸收了沃尔特·希尔和戴维·贾尔勒(制片人)的修改意见 3. 117分 4. 彩色
本片听上去并不新鲜:飞船遭到贪婪的外星人入侵,外星人在最后关头被打败了。但本片特技效果把H·R·吉格斯的怪物和罗恩·柯布对于未来看起来将会怎样的醉醺醺的想法融合在一起,结果看起来像真的东西一样。

《疯狂的马克斯》
澳大利亚 疯狂的马克斯片公司
★★
1. 乔治·米勒 2. 詹姆斯·麦考斯兰、米勒,根据米勒的故事改编 3. 100分,剪辑至91分 4. 彩色
复仇故事已流行两个世纪,所以这部讲述愤怒的警察追踪将他妻儿害死的杀手的电影没什么新鲜。值得一提的是对于不久将来的澳大利亚简略的一瞥,那是一个上演恐怖片的沙漠。

《黑洞》
美国 沃特·迪斯尼公司
★
1. 加里·尼尔森 2. 杰波·布鲁克、盖里·戴,根据罗斯布鲁克、鲍·巴巴什、理查德·兰道的故事改编 3. 98分 4. 彩色
自从这部愚蠢的捏造故事进入视野,科幻读者就开始后悔不该让电影制片人听说黑洞了。迪斯尼提供了一个弱不禁风的机器人和大量特技效果。而故事却让黑洞吞没了。

《要塞》
匈牙利 匈牙利电影制片厂
★
1. 米克洛斯·西内塔 2. 西内塔、于拉·爱尔那迪 3. 92分 4. 彩色
一个模仿《西部世界》的假日营地向访客们提供了一种新式的娱乐。他们应邀参加战争游戏。当发现尸体是真的时候,他们曾有片刻的恐惧。但幸存者们很快就重振精神,以战斗的姿态投入这一游戏。

《追踪者》
俄罗斯 莫斯科电影制片厂
★★★
1. 安德烈·塔科夫斯基 2. 阿卡迪和鲍里斯·斯特鲁戈茨基,根据他们的《路边野餐》(1972)改编 3. 161分 4. 彩色 5. 黑白
在一个不知其名的国家(在斯特鲁戈茨基的故事中是美国)的心脏地带,出现了一个区域,一个充满恶臭的迷宫。追踪者(充满忧虑的主人公)在其中穿越,寻找伊甸园。但他拒绝进入"伊甸园屋",而是回到了现实的切尔诺贝利般的迷雾中。

《死亡观察》
法国、德国 萨尔塔电影、小熊、莎拉电影、高蒙、天线二台和电视十五台
★
1. 贝特兰·塔瓦埃 2. 大卫·莱费尔德,塔瓦尼埃,根据D·G·康普顿的《连续的凯瑟琳·莫腾霍》(1974年,又译做《不眠之眼》)改编 3. 130分 4. 彩色
康普顿的小说虽然阴沉、压抑,但却具有一致性。本片较不连贯,但中心故事依然还在:一个脑袋里有照相机的男人出于窥阴狂心理,追踪一个将死的女人。

《星际旅行:电影》
美国 派拉蒙影片公司
★★
1. 罗伯特·怀斯 2. 哈罗德·列文斯顿,根据阿兰·迪恩·福斯特的故事改编 3. 132分 4. 彩色
本片曾试图更新60年代老的《星际旅行》的布景,但给人落伍的感觉。它描写了过去是如何看未来的,尽管观众喜欢科克和斯波克驯服一个女外星人的故事,但最强烈的感情却是乡愁。

《五重奏》
美国 狮门和20世纪福克斯影片公司
★
1. 罗伯特·奥特曼 2. 奥特曼、弗兰克·巴希特、帕特里夏·莱斯尼克,根据奥特曼、莱昂内尔·切特温德、莱斯尼克的故事改编 3. 118分 4. 彩色
电影名称指的是一个致命的游戏,在劫后冰封的城市中心进行。幸存者抛弃了这个城市,他可能获胜,也可能失败。

《这一家子》
美国 穆奇尔影片公司和艾尔金国际影片公司
★
1. 戴维·克罗宁伯格 2. 克罗宁伯格 3. 91分 4. 彩色
这是克罗宁伯格的另外一部科幻加恐怖的电影:在一个残缺不全的不正常家庭中,有一个生育妖魔的痛苦妻子和一个算得上情窦初开的女儿。

《傻瓜》
英国 永长和艺术家协会制片公司
★
1. 刘易斯·吉尔伯特 2. 克里斯托弗·伍德,根据伊安·弗莱明的《傻瓜》(1955)改编 3. 126分 4. 彩色
邦德,时髦顺从的女人和一个经过改造的过去的敌人一起进入太空。太空不再成为障碍。

《一次又一次》
英国 俄里翁和华纳兄弟影片公司
★
1. 尼古拉斯·迈耶 2. 迈耶,根据卡尔·亚历山大、史蒂夫·海耶斯的故事改编,而后者以亚历山大的《一次又一次》(1976)为基础 3. 112分 4. 彩色
非同寻常的杰克偷走了H·G·威尔斯的时间机器,逃到1979年;威尔斯追踪而至。威尔斯被当作令人惊异的来自乌托邦的傻瓜。但1979年对《时间机器》的作者来说,不过是个幼稚园而已。

《星际旅行:电影》

把电影做大

不仅仅是世界在改变,也不仅仅是全世界的观众对科幻电影的要求在改变。好莱坞像某种恐龙,要很长时间才能感觉到它的脚被砍掉了。但在电视造成的创痛之后,它终于开始有点明白了。到1970年时,电影制片厂不再拥有连锁电影院,因而不再需要为保持所属影院赢利而无休止地提供续集。现在,为了给电影做广告,不仅有可能,而且实际上是有必要制作场面更大、更为壮观的影片。电影界开始到处都出现了企业家和可以为电影申请银行贷款的有号召力的明星;而这时特技效果已经真正变得复杂和令人信服,科幻电影变成了赢家的选择。

进化

虽然斯坦利·库布里克的《2001》是60年代后期的影片,但要到下一个10年,它才会产生巨大的影响。部分原因是影片要过一段时间后才能大规模放映;另外一部分原因是本片所示范的特技效果在广阔的科幻远景中的技术作用,需要一些时间才能被电影工业的群体意识所接受。下一个特技效果的重大成就,几乎要在10年之后才出现。

在这10年的前几年中,电影工业变得复杂多了,产生了不少极富竞争力的作品,如《安德洛墨达品系》完美地抓住了70年代的新幻想:对政府、公司和科学机构力量联合的恐惧与日俱增,害怕它们很快会处于支配地位,对新世界进行静悄悄的、干脆利落的、无来由的极权控制。

《安德洛墨达品系》是一部很好的影片,但是并没有引起轰动。在科幻脚本不足的情况下,一些70年代的早期电影试图在票房上取得突破的努力失败了。《洛根的奔跑》是一个很好的例子,这部影片完全误解了早已为人熟知的社会控制技术。另外一些作品的失败只是因为不够聪明,未能达到原作者的构想。根据库尔特·冯内古特灼人的戏剧改编

银幕上的超级暴力
安东尼·伯吉斯的野蛮的反面乌托邦《装有发条的橙子》,因库布里克不间断地检查社会控制所带来的恐怖而显得越发野蛮。

而成的《5号屠宰场》就是这样一个例子。

再者,这段时间里大多数严肃的电影制片人都依赖于书本来提供灵感,如《装有发条的橙子》、《太阳城》、《斯特普福德的主妇们》和《沦落到地球的男人》,都把书本搬到银屏上,取得了不同程度的成功。可以这样严肃地提出:从《大都会》开始,最好的科幻片几乎从不根据小说拍摄,而是来源于

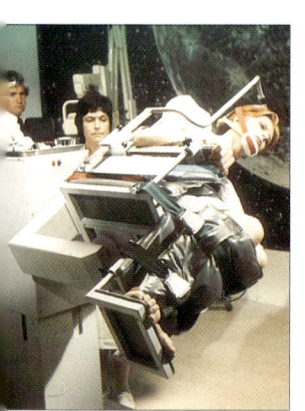

迷失在地球
《沦落到地球的男人》是一部不同寻常的改编剧,从对于存在的焦虑不安的角度来描写一个外星人访问地球。

《食人汽车》
巴黎是澳大利亚的一个小镇,但《吃掉巴黎的汽车》表现了对技术成为主人的普遍恐惧。

独创性的概念,来源于导演们从视觉角度认为可能的概念。虽然《2001》依稀可辨是根据阿瑟·C·克拉克的故事改编的,但它几乎是由库布里克和克拉克全部重新酝酿构思的。70年代的两部伟大的科幻片完全以制作人的梦想为基础。

太空剧大获成功

《星际战争》是由乔治·卢卡斯构思、创

作和导演的,它实现了所有太空剧文学爱好者可能抱有的一切合理的期望。因为它表现了一种宏大的规模;因为它绝不与当代地球有关,因而不受其束缚;也因为其故事主线涉及史诗冒险爱好者所熟知的所有神话的基础,所以它是第一部真正的太空剧。虽然它对于广阔的社会历史精神动力的理解十分幼稚、荒唐和陈旧(讲述的是一个公主和一个帝国的故事),但是无论如何,它成功地为世界观众营造了一个巨大而复杂难解的银河环境,并在其中展开了浪漫的故事。把本片的续集和副产品开发计算在内,该片已赚了10亿多美元。

《星际战争》留下的另一笔遗产是:通常情况下,为本片创立的特技效果部门在拍完之后应该解散。但本片的巨大成功不仅保证了大预算科幻片的生存,而且也保证了现在称为"工业灯光和魔术公司"的生存。它们是电影《星际旅行》、《外星人》、《回到未来》、《蛹》、《终结者第二集》和《侏罗纪公园》的幕后英雄。重拍的《50英尺高的女人的攻击》展示了特技效果对于令人信服的科幻而言是多么重要。70年代的另一部伟大影片《第三类亲密接触》与《星际战争》相比略逊一筹。它一改以往电影对来自太空的可怕入侵者的描写,变成了万众欢腾的欢迎外星人的呐喊。根据该片对飞碟活动的描写,他们观察我们已经有许多年了。甚至比《星际战争》意义更深远的是,本片修正了——实际上是推翻了旧的前提、旧的恐惧、旧的对来自未来的挑战的讨厌态度。因为它拥抱新事物,从而使这10年成了科幻的10年。

宗教狂热

这看起来像现代主义者的大教堂,而斯皮尔伯格聪明地有意为之。飞碟着陆了,是呀,甚至落到了母船上,这证明了我们的恐惧毫无道理。《第三类亲密接触》中的外星人是我们的朋友,它们将把知识的礼物送给我们。

老家伙总是最好的

虽然第一次看这部电影很令人兴奋,但《星际战争》高潮中的攻击行动和宣战场面却最类似于"黑男爵"的笨拙动作。在太空的真空中也只能这样。

黄铜人

C3PO不同于早期电影中的机器人,后者不是愚蠢就是富于威胁。它不仅外形像人,性格也像:它是个大惊小怪的人。实际上它是《星际战争》中最富于感情的角色。

20世纪80年代的电影

80年代向着70年代时指引的方向前进。《星际战争》《星际航行》《疯狂的马克斯》和《异形》都拍了续集。新的剧本,如《回到未来》,开始出现。同时还有出自卡梅伦、吉列姆、克罗宁伯格和里德利·斯科特这批导演之手的单部头作品。有了瞄准科幻的预算和人才之后,科幻片从表演到烟火等方面都令人信服。

★★★ 优秀	★★ 推荐	★ 可看
1. 导演	2. 编剧	3. 片长	4. 彩色	5. 黑白

1980

《漫漫征途奔星星》
苏联 马克西姆·高尔基电影制片厂
★★
1. 理查德·维克托洛夫 2. 基尔·布利切夫,维克托洛夫 3. 两部分,分别为40分和78分 4. 彩色

本片来自前苏联,片子很长,而且极为平静,很受人们喜爱。一艘外星飞船遇难,女孩娅幸存下来并了解了我们的世界。地球已成为一个共产主义的乌托邦。它从故乡收到一个消息,请求援助解决其生态危机。

《超人2》
美国 华纳和亚历山大·萨尔金德影片公司
★★
1. 理查德·莱斯特 2. 马里奥·普佐,大卫·纽曼,莱斯利·纽曼,汤姆·曼凯维奇担任创作顾问,根据普佐的故事改编 3. 127分 4. 彩色

地球受到一颗太空炸弹的威胁。坏蛋总是比好人有趣得多,虽然我们知道超人最终会解决与路易斯的爱情难题,并给吉恩·哈特曼一顿老拳,但我们仍禁不住偏爱坏蛋。

《土星三号》
英国 ITC和跨洲影片公司
★★
1. 斯坦利·唐南 2. 马丁·阿米斯,根据约翰·巴里的故事改编 3. 87分 4. 彩色

本片是一部头发都白了的老生常谈:机器人垂涎人类女性。这部令人愉快的粗制品是个新版本,里面还有一个疯狂的科学家。

《超越星球的战斗》
美国 新世界和罗杰·科曼影片公司
1. 吉米·T·村上 2. 约翰·赛勒斯,安妮·戴耶,根据赛勒斯的故事改编 3. 103分 4. 彩色

要赶上黑泽明是很难的,尽管在太空中,有那么多装置可利用。与1954年摄制的原作相比,这部《七武士》的重拍片黯然失色。

《闪电戈登》
英国 哥伦比亚、费莫斯和斯塔林影片公司
★★
1. 麦克·霍奇斯 2. 小洛伦佐·森普尔,根据亚历克斯·雷蒙德的连环画《闪电戈登》的早期故事(1934)改编 3. 115分 4. 彩色

这是一部以动作为主的太空剧。但《闪电戈登》的整个关键在于相信他。本片的特技效果很出色,伴随着隙隔可笑的威胁,性欲也慢慢溢出。但这些只是闹着玩的,我们很清楚这一点。

《多米尼克·黑德的背面》
英国 英国广播公司电视台
★★
1. 阿兰·吉布森 2. 杰里米·保罗,吉布森 3. 95分 4. 彩色

这是一部亲切的时间旅行故事。一个来自2130年的学者回到当代伦敦进行实地调查研究,他对20世纪末产生了一种奇怪但感觉不错的怀旧情绪。这是一部相当不错的影片。

《扫描者》
加拿大 国际电影计划和加拿大电影发展公司
★★
1. 戴维·克罗宁伯格 2. 克罗宁伯格 3. 103分 4. 彩色

本片充满了黑暗、邪恶、喧闹和恐怖,但又扣人心弦。扫描者是能透视对象头脑的心灵感应者。好的心灵感应者与坏的心灵感应者进行斗争,他们是兄弟,都诞生于一个混乱不堪的实验。

《黑太阳》
捷克斯洛伐克 巴兰多夫电影制片厂
★★
1. 鄂图凯·瓦拉夫 2. 瓦拉夫,根据卡莱尔·恰佩克的《克拉克蒂》(1924)改编 3. 133分 4. 彩色

在恰佩克卓越的《克拉克蒂》中,性欲和原子裂变在一个表现主义的爆炸中联系到一起。本片与1948年电影改编剧出自同一导演,是后者的重拍。他企图使寓言现代化,但失败了。

《改变的状态》
美国 华纳、霍华德·戈特弗里德和丹尼尔·梅尔尼克影片公司
★
1. 肯·拉塞尔 2. 帕蒂·恰耶夫斯基(笔名悉尼·阿伦),根据他的《改变的状态》(笔名恰耶夫斯基)改编 3. 102分 4. 彩色

直到1980年,暗示人能通过异变回到猿的状态还不能真正被允许。帕蒂·恰耶夫斯基虽同意这一说法,但却把自己的名字从小说改编的电影上拿掉了。然而,肯·拉塞尔何时肯倾听过呢?

《帝国反击战》
美国 卢卡斯电影和20世纪福克斯影片公司
★★★
1. 欧文·克什纳 2. 雷·布拉克特,劳伦斯·卡斯丹,根据乔治·卢卡斯的电影改编 3. 124分 4. 彩色

在通常的三部曲中为了不使高潮过早出现,中间故事往往对第一集作些改头换面的处理。但达斯·瓦德很冷酷,深沉,原来他是卢克的父亲,最后一幕涉及到第三方。本片比第一部更富于哲学意味,可是特技效果其极了。动作情节热闹,节奏刺激。

《18号机库》
美国 森经典影片公司
1. 詹姆斯·L·康威 2. 史蒂文·索恩利 3. 97分 4. 彩色

一艘航天飞机失踪了,白宫企图让两名宇航员对此负责。在努力洗清自己名誉的过程中,他们发现失踪的航天飞机与一艘外星飞船相撞后失事坠落。飞船现在被政府包装起来,藏在一个遥远的飞机库中。国家航空和宇航局发现外星人在策划入侵美国后,站在宇航员一边。结尾在意料之中,白宫坚持让飞机库被轰炸了,该死的证据也被毁了。

《最后的倒计数》
美国 联艺和布莱那影片公司
★
1. 唐·泰勒 2. 大卫·安布鲁斯,盖里·戴维斯,托马斯·亨特,彼德·鲍威尔,根据亨特、鲍威尔、安布罗斯的故事改编 3. 105分 4. 彩色

一个扣人心弦的假设:1941年一艘核动力航母沉没了,它本来是有机会阻止珍珠港事件发生的。但是在低预算的犹豫不决中,它未能付诸实施。科幻作家更了解这一点。

1981

《他乡》
英国 华纳和拉德影片公司
★
1. 彼德·海雅姆斯 2. 海雅姆斯 3. 109分 4. 彩色

本片的重拍成为太空剧的巅峰之作。在木星的第三个卫星上,西恩·康纳利是惟一一名诚实的法官,随时面临着被雇用的来自太空的杀手谋杀的危险。他妻子想不干了;一名医生贿回了她,并扭转了败局。

《逃离纽约》
美国 埃夫科·恩伯塞、国际电影投资者和戈德克雷斯特影片公司
★
1. 约翰·卡朋特 2. 卡朋特,尼克·卡斯尔 3. 99分 4. 彩色

本片有一个伟大的设想——把曼哈顿变成囚禁犯人的岛屿。但电影几乎没有利用这一优势,这一构思不过成了缺乏头脑的动作情节的弹球戏背景。

《时间强盗》
英国 汉德梅德影片公司
★★★
1. 泰利·吉列姆 2. 吉列姆,麦克尔·帕林 3. 113分 4. 彩色

本片老少皆宜,它把残酷和闹剧幽默地结合在一起,维持了一种介于儿童幻想片和成年人恐怖片之间的紧张场面。一个男孩加入一帮矮子中。为逃避上帝的追捕,他们穿过时间之门,进入寓言的世界。

《寻求火种》
加拿大、法国 ICC、辛·特雷克、贝尔斯特制片公司和史蒂芬电影公司
★
1. 让-雅克·阿诺德 2. 杰拉德·布拉赫,根据J·H·罗斯尼的《火种之战》(1909)改编 3. 100分 4. 彩色

一个原始部落的火种熄灭了,其中的3个人为了寻找燃烧的火焰而穿越南非无林大草原。一路上出现了奇特的性交场面、呻吟声和一个燃烧着的高潮。

《疯狂的马克斯第二集》/《大道战士》
澳大利亚 华纳和肯尼迪·米勒娱乐公司
★★★
1. 乔治·米勒 2. 布莱恩·哈南特,泰利·海耶斯,米勒 3. 96分 4. 彩色

本片中有一些对大浩劫以后的澳大利亚沙漠的描写。这部卓越的超现实主义暴力影片是1979年《疯狂的马克斯》的续集,它把澳洲内地变成了一个像神话连环画似的地方。

《邪恶》
法国、德国 斯特拉、电视二台、贾布和西普电视公司等
★
1. 克里斯蒂安·德夏隆 2. 德夏隆,皮埃尔·迪马耶,根据罗伯特·默尔的《邪恶》(1972)改编 3. 119分 4. 彩色

这部令人昏昏欲睡的故事中最津津有味的一部分是大浩劫的幸存者藏身的酒窖。

《超人2》

《时间误差》

日本　东宝影片公司

★★

1. 西藤公成　2. 金田寿男，根据淡村良的同名作品(1971)改编　3. 139分，剪辑至100分　4. 彩色

一个班的当代日本士兵发现自己被困于16世纪由武士主宰的日本。怎样逃走？通过征服日本来改变历史，一直到时间的法则把他们带回他们的时代。

《奇特的行为》

澳大利亚，新西兰　恩德弗、班农·格伦和赫姆代尔影片公司

★

1. 麦克尔·劳克林　2. 劳克林，威廉·康顿　3. 99分，剪辑至93分　4. 彩色

在美国中西部一个令人恐怖的研究中心里，孩子们接受行为的调节。可以理解，他们最终成了杀人狂。

1982

《银翼杀手》

美国　华纳，拉德和《银翼杀手》合营公司

★★★

1. 里德利·斯科特　2. 汉普顿·范彻，大卫·皮普尔，根据菲利普·K·迪克的《机器人梦见电动羊了吗？》(1968)改编　3. 117分　4. 彩色

很可惜，本片对迪克来说来得太迟了，他因这部影响深远的电影而远近闻名，但此时他已经不在人世了。2020年，哈里逊·福德追捕生于太空的复制人——人造人，他们正亡命于洛杉矶被雨淋透的穷街。本片阴沉的未来场景实在惊人，它们将为以后电影中的大城市贫民窟所借鉴，大多数早期网络朋客小说的背景就设在这儿。

《银翼杀手》

《细雨欲来》

乌兹别克斯坦　乌兹别克电影制片厂

★

1. 纳齐姆·图利亚科霍耶夫　2. 图利亚科霍耶夫，根据雷·布雷德伯里的故事改编　3. 90分　4. 彩色

布雷德伯里的一些东西对电影制作者来说是有毒的樟脑草。问题在于悲怆和多愁善感之间的分寸太难把握。多愁善感融入了许多电影，而这部短短的卡通片几乎逃过了这一厄运。

《布朗克斯勇士》

意大利　戴夫国际电影公司

★

1. 恩佐·G·卡斯特拉里　2. 卡斯特拉里，达顿·萨凯蒂，伊利萨·利维娅·布里甘蒂　3. 84分　4. 彩色

布朗克斯有些地方看起来确实像原子弹轰炸后的战场，但本片却把形象推向了疯狂。米基·斯皮兰塑造的名叫麦克·哈默的野蛮警察，除了杀人外什么也没做。

《紫禁世界》

美国　新世界影片公司

★

1. 阿伦·霍尔茨曼　2. 蒂姆·柯南　3. 86分　4. 彩色

外星人的迅捷可怖富于原创力。本片也有赖于一个潜伏的异变，他迅速吃下其猎物，最后被一个肿瘤给噎死了。

《发送者》

美国　派拉蒙和金斯米尔产业影片公司

★

1. 罗杰·克里斯蒂安　2. 托玛斯·鲍姆　3. 91分　4. 彩色

一个有心灵感应力的患失忆症的青年向一家疗养院中的病人发送恐怖的恶梦，结果引起了歇斯底里大发作。

《E·T·外星人》

《E·T·外星人》

美国　环球影片公司

★★★

1. 史蒂芬·斯皮尔伯格　2. 梅丽莎·马西森　3. 115分　4. 彩色

本片看起来似乎全不费功夫：父母离异的儿童发现了外星孤儿，他们成了朋友；外星人死而复生，在孩子们的帮助下逃回了母船。影片感染力极强，情节复杂。斯皮尔伯格巧妙地构思了外星人；而孩子们是真实的，同样真实的是他们所居住的受高度压力的市郊。每个观众都叫好。

《星际旅行：可汗的愤怒》

美国　派拉蒙影片公司

★★

1. 尼古拉斯·迈耶　2. 杰克·B·索沃兹，根据哈维·贝内特和索沃兹的故事改编　3. 114分　4. 彩色

本片中，史诗继续下去，重复而使人上瘾，令人难忘。可汗从1967年的电视监禁中逃脱，引发了一场剧烈的骚乱。科克在一颗面临危机的星球上发现了一名私生子。斯波克终于鸣呼哀哉了。

《电视场》

加拿大　国际电影计划、卫报信托和加拿大电影发展公司

★★

1. 戴维·克罗宁伯格　2. 克罗宁伯格　3. 89分　4. 彩色

克罗宁伯格可能是影响最深远的科幻片制作人。他的恐怖片具有隐喻般的效力，可与斯皮尔伯格的作品相媲美，但他的作品更倾向于具有阴暗的含意。本片中一个电视节目——即本片标题"电视场"，表现了观众模拟中的欲望和恐惧，最终却发现这绝非模拟。那些看过这个节目的人受到控制，让他们模仿在电视上看到的恐怖行为。

《装置》

美国　沃特·迪斯尼和利斯伯格·库什纳影片公司

★

1. 史蒂芬·利斯伯格　2. 利斯伯格，根据利斯伯格和邦尼·麦克伯德的故事改编　3. 96分　4. 彩色

本片太超前了，真的。特技效果专家们甚至还没来得及面对制造虚拟现实的挑战，片子就结束了。在本片中，虚拟现实看起来像一只电子表一样诱人。

《不明之物》

美国　环球和劳伦斯·特曼影片公司

★

1. 约翰·卡朋特　2. 比尔·兰开斯特，根据小约翰·W·坎贝尔(笔名唐·A·斯图亚特的)《谁到那里去？》(1938)改编　3. 109分　4. 彩色

本片的困难在于这是第二部《不明之物》，第一部是1951年霍华德·霍克斯拍摄的。虽然卡朋特电影中的一个变形外星人更忠实于坎贝尔的原作，但原电影生机勃勃的微妙之处在本片中丧失殆尽。特技效果居主导地位。

《不明之物》

《液态天空》

美国　Z电影公司

★

1. 斯拉瓦·祖克曼　2. 祖克曼，安妮·卡莱尔，尼娜·V·克洛瓦　3. 112分　4. 彩色

影片标题是海洛因的俗称，主角是一个住在盘子般大小飞碟中的小外星人，它只能靠吃海洛因和与人类做爱而生存。它降落在纽约一座摩天大楼的屋顶上，两性偶像卡莱尔在两方面都有渠道。两者相逢，真是烈火干柴。

《神风队1989》

德国　里克纳·齐格勒、三一、奥斯影片公司等

★

1. 沃尔夫·格赖姆　2. 罗伯特·卡茨，格莱姆，根据佩·瓦尔卢的《31号谋杀案》(1965)改编　3. 106分　4. 彩色

本片来源于一部瑞典小说《31楼上的谋杀案》，由德国人导演和扮演。本片结果是由致命的社会组织主宰的未来。有反叛者，但两者合流了。

《人造人》

美国　新世界和人造人影片公司

★★

1. 阿伦·利普斯塔　2. 詹姆斯·赖克尔，唐·奥帕，根据威尔·赖克尔的故事改编　3. 80分　4. 彩色

伟大的克劳斯·金斯基只要扮演疯狂的科学家亮相几分钟，就足以让你相信其余部分。他的人造人想看看地球。一些逃走的罪犯另有想法。本片充满动作、悲怆且精明有趣。

1983

《死亡地带》

美国　洛丽玛和迪诺·德·劳伦蒂斯影片公司

★★★

1. 大卫·克罗宁伯格　2. 杰弗里·博姆，根据史蒂芬·金的《死亡地带》(1979)改编　3. 103分　4. 彩色

本片几近完美，是一部可反复观赏的电影。它肯定是根据史蒂芬·金的小说改编的最佳影片。克罗宁伯格出色地抓住了新英格兰生活的艰辛和末卜先知的主人公的强烈悲哀，他因拥有心灵感应力而生病，在高潮时对传统观念展开了尖锐的攻击。

《电梯》

荷兰　西格玛电影公司

★

1. 迪克·马斯　2. 迪克·马斯　3. 99分　4. 彩色

做一个信手涂鸦、乱扔废物的人真不容易，当弄脏的电梯配有一台愤世嫉俗的电脑时尤其如此。如广告所说："请走楼梯！"

《最后的战斗》

法国　ICA电影公司和杜·洛普影片公司

★★

1. 卢克·贝松　2. 贝松，皮埃尔·雅利弗　3. 92分　4. 黑白

我们再次来到遭受核浩劫的世界。沉默的幸存者们搜索超现实主义的废墟，寻找轰炸前的日子里吃剩下的食物。一个年轻人在新世界中长大成人，他将会知晓一切，并庆幸自己还活着。

《来世》

美国　美国广播公司

★★

1. 尼古拉斯·迈耶　2. 爱德华·休姆　3. 121分　4. 彩色

这是一部大杂烩，但对美国为电视而作的电影来说是一个真正的突破。在一场不得已而发动的核战争之后，美国人发现国防实在是痴人说梦；然而许多人大难不死，走向新的开端。

《战争游戏》
美国 米高梅–联艺和舍伍德影片公司

★

1. 约翰·巴德汉姆 2. 劳伦斯·拉斯克,沃特·F·帕克斯 3. 113分 4. 彩色

一个精通电脑的孩子闯入军用电脑玩战争游戏。不幸的是,这个游戏不是闹着玩的,整个世界几乎毁灭,幸好他骗过军方高级官员,使他得以拯救世界。

《奇异的入侵者》
美国 俄里翁和麦克尔·劳克林影片公司等

★

1. 麦克尔·劳克林 2. 劳克林,威廉·康登 3. 93分 4. 彩色

随着我们对宇宙了解的日益深入,外星人入侵似乎越来越不可能,但外星人来访则是另一回事。这是80年代对旧的恐惧和对来自星球的新麻烦的看法。

《奇异的入侵者》

《洗脑》
美国 米高梅、联艺和JF影片公司

★

1. 道格拉斯·特伦布尔 2. 罗伯特·斯蒂兹尔,菲利普·弗兰克·梅西纳,布鲁斯·乔尔·鲁宾,根据鲁宾的故事改编 3. 106分 4. 彩色

本片制作时间太短,不够真实可信。这是对用电子方法在不同人脑间传递感觉的迟钝看法。

《超人第三集》
英国 达夫米德和坎萨勒斯影片公司

★

1. 理查德·莱斯特 2. 大卫·纽曼,莱斯利·纽曼 3. 125分 4. 彩色

超人的性格被合成氪星上的居民歪曲了,致使他用自己的力量进行了一场大破坏。理查德·莱斯特对超人疏于管教。钢铁的超人不是神话,就是黑色玩笑。

《遗嘱》
美国 娱乐事件和美国娱乐场影片公司

★★

1. 林恩·利特曼 2. 约翰·萨克里特·杨,根据卡罗尔·阿门的《最终遗嘱》改编 3. 90分 4. 彩色

冷战期间,很少有电影描写核战争的真正后果。到了1983年,《遗嘱》终于能回首过去的恐惧,并向我们展示其真实的后果。

《烈火中诞生》
美国 利齐·博登、杰罗姆基金会和杨电影制片厂

1. 利齐·博登 2. 博登 3. 80分 4. 彩色

现代科幻片倾向于花大钱制造特技效果;但这部从女权主义者的观点来看美国社会主义革命阴暗面的电影却是严厉、有趣、复杂而令人喜爱的。而影片的投资却很少。

《武士归来》
美国 20世纪福克斯和卢卡斯影片公司

★★★

1. 理查德·马昆德 2. 乔治·卢卡斯,劳伦斯·卡斯丹,根据卢卡斯的故事改编 3. 132分 4. 彩色

本片继续为人熟知的风格,其中的特技效果仍具有魔术般的召唤力。但这部《星球大战》三部曲终结的梦幻强度,却源自卢克成年后游历银河时性格的深化。

《危险的奖赏》
法国、南斯拉夫 布伦特·沃克、斯旺尼、托普一台和阿瓦拉影片公司等

★★

1. 伊夫·布瓦西 2. 布瓦西,简·科特林,根据罗伯特·谢利的《危险的奖赏》(1958)改编 3. 98分,在英语配音版中剪辑至88分 4. 彩色

本片有点像游戏节目的幻想。"危险的奖赏"是一个电视游戏节目,让角逐者与杀手们对决,最后的结果具有欺诈性。

《长着两颗脑袋的人》
美国 华纳和阿斯朋影片公司

★★

1. 卡尔·赖纳 2. 赖纳,史蒂夫·马丁,乔治·盖普 3. 93分,剪辑至86分 4. 彩色

本片是库特·西奥德马克的《多诺万之脑》的第四次重拍。这回拍成了搞笑片,由史蒂夫·马丁演愚蠢的脑外科医师,他把两个女人的脑袋搞混了。

1984

《沙丘》
美国 德·劳伦蒂斯和环球影片公司

★★

1. 戴维·林奇 2. 林奇,根据弗兰克·赫伯特的《沙丘》(1965)改编 3. 137分 4. 彩色

这部古怪的电影说不清是应该短一点,还是应该更长一些。林奇被纠缠于各种情节中。如果有更多的时间,他可能会把赫伯特雄心勃勃的宏篇巨制拍成一部大片,类似于星空中的《双峰》。

《线索》
英国 英国广播公司电视台

★★

1. 米克·杰克逊 2. 巴里·海恩斯 3. 115分 4. 彩色

虽然现在看起来不是那样迫切,但本片对核浩劫的主题再一次进行了极为清醒的检验,这对于冷战早期的一代人可能已经产生了深远的影响。本片再一次证实民防根本就不是防御,最后影片以野蛮主义收尾。

《城市的边界》
美国 肖尔电影、视频影片和活岛影片公司

★

1. 阿伦·利普斯塔 2. 唐·奥帕 3. 85分 4. 彩色

未来,所有的成年人都死去了,年轻的街头团伙彼此争斗。本片节奏快,充满幽默,但最后的战斗全在意料之中且令人失望。

《来自另一颗行星的兄弟》
美国 特雷恩电影公司

★★

1. 约翰·赛尔斯 2. 赛尔斯 3. 108分 4. 彩色

本片投资少,但充满机智。它表明一些科幻主题已变得令人熟悉,如外星人来访。这回外星人是黑肤色、沉默寡言,很酷。

《1984》

《1984》
英国 昂布莱拉、罗森布鲁姆和维珍电影公司

★

1. 麦克尔·拉德福德 2. 拉德福德,乔纳森·杰姆斯,根据乔治·奥威尔的《1984》(1949)改编 3. 110分 4. 彩色

奥威尔写这部小说不是为了预测1984年我们会拥有怎样的机械装置,而是为了警告我们警惕极权主义和思想控制。本片试图以电影的形式重现1948年奥威尔对1984年将会怎样的猜测,这可能是一个好主意,但却和他要传递的信息没有关系。

《2010》
美国 米高梅–联艺影片公司

★

1. 彼德·海雅姆斯 2. 海雅姆斯,根据阿瑟·C·克拉克的《2010:太空漫游记第二集》(1982)改编 3. 116分 4. 彩色

续集的麻烦在于原作必须以一个问题收尾,这个问题需要在续集中解答。本片以超级人类从未来向我们凝视结尾,对此《2010》毫无办法。超级人的想法并不代表我们,基尔·达利的出现只是为了警告人类离开,本片成了普通的冒险故事。

《费城实验》
美国 新世界、电影集团和道格拉斯·科蒂斯影片公司

★

1. 斯图尔特·拉斐尔 2. 威廉·格雷,麦克尔·贾诺弗,根据华莱士·贝内特和唐·雅可比的故事改编,后者根据威廉·I·莫尔和查尔斯·伯利茨的《费城实验》(1979)改编 3. 101分 4. 彩色

本片把1980年的《最后倒计数》颠倒了过来。1943年驱逐舰上的水手被困于今天。他们需要安慰,一个当代女孩也愿意提供。

《超级女孩》
英国 坎萨拉斯和伊利亚·索尔金德影片公司

★

1. 珍诺特·肖沃克 2. 戴维·奥德尔 3. 124分 4. 彩色

本片并非完全是女权主义者的传单。超级女孩只是一个哭哭啼啼的人,而女巫师(由费伊·达纳韦扮演)是一个老太婆。里面有一些令人恐怖的飞行。

《未来警察》
美国 帝国影片公司

★★

1. 查尔斯·班德 2. 丹尼·比尔德,保罗·德·米奥 3. 76分 4. 彩色

一个名叫杰克·戴斯的警察从未来回到了1985年的洛杉矶,刺杀一个计划统治世界的人,此人用心理影响控制了许多人来帮助他。本片令人头昏眼花,但也不时有令人快乐的场面。

《2010》

《冰人》

美国 环球影片公司

★

1. 弗莱德·谢皮西 2. 启普·普罗塞,约翰·德里莫,根据德里莫的故事改编 3. 99分 4. 彩色

一个石器时代的人在封冻中沉睡了4万年之后复苏了,两个科学家(一个好人,一个坏人)在他身上做实验。

《冰上海盗》

美国 米高梅-联艺影片公司

★

1. 斯图尔特·拉斐尔 2. 拉斐尔,斯坦福·舍曼 3. 94分 4. 彩色

太空海盗的活动因为速度太快而难以想象,这并没多大关系,因为这是一部有趣的、充斥着疯狂动作的电影。

《逃亡》

美国 三星和麦克尔·克赖顿影片公司

★

1. 麦克尔·克赖顿 2. 克赖顿 3. 97分 4. 彩色

克赖顿——《西部世界》《昏迷》的制作者,是他构思了《侏罗纪公园》。他从不相信机器。与他的其他电影相比,本片够糟糕的,机器人成了杀人狂。

《外星人》

《外星人》

美国 哥伦比亚和德尔斐影片公司

★★

1. 约翰·卡朋特 2. 布鲁斯·埃文斯,雷诺德·吉迪恩,迪恩·赖斯纳(未署名) 3. 115分 4. 彩色

一个进退两难的外星人乔装杰夫·布里奇斯,与一个人类女性私奔。它击退了邪恶的政府特务,达到了自己的目的。爱情故事情节令人信服。

《星际旅行Ⅲ:寻找斯波克》

美国 派拉蒙和电影集团公司

★

1. 伦纳德·尼莫伊 2. 哈夫·贝内特 3. 105分 4. 彩色

心理分析爱好者喜欢这部影片。科克在寻求从死亡中赎回斯波克的过程中,历尽艰险。

《终结者》

《终结者》

美国 俄里翁、赫姆代尔、西太平洋影片公司

★★★

1. 詹姆斯·卡梅伦 2. 卡梅伦,盖尔·安·赫德,哈兰·艾利森提供构思 3. 107分 4. 彩色

因无大量资金充实作品,影片制作人只能依靠故事,而这是一个极为出色的故事。施瓦辛格扮演一个机械电子杀手,从21世纪回到现代,在一个年轻女子生下孩子之前杀死了她,因为她的孩子将领导人们反抗这个机器人的机器主子。一个青年也来自未来,帮助它意中未婚的被追杀者逃亡。两人一路缠绵。她怀孕后,该青年撒手而去。

《德福-康4号》

加拿大 新世界影片公司

★

1. 保罗·多诺万 2. 多诺万 3. 89分 4. 彩色

本片试图描写一场浩劫之后的现实世界。一艘太空船在第三次世界大战后回到地球,发现地球上劫后余生的人们毫无重建新生活的希望。

《协议回购者》

美国 环球和埃奇城影片公司

★★★

1. 亚历克斯·科克斯 2. 科克斯 3. 92分 4. 彩色

协议回购者和他的学徒受雇去收回那些货主拖欠购货款的汽车。这是一个低贱的街头工作。这部由科克斯首次执导的精彩作品,象征着一个世界不可回复地陷于混乱和愚弄人的先验主义哲学中。片中,他们追寻的汽车为一个疯狂的科学家所有,其行李箱中有一些放射性物质。半个世界似乎都在追逐他,其中也许还包括一些外星人。

1985

《蛹》

美国 20世纪福克斯、扎纳克和布朗影片公司

★

1. 罗恩·霍华德 2. 汤姆·本尼迪克,根据大卫·萨帕斯坦的故事改编 3. 117分 4. 彩色

外星人在一个人类老年人使用的游泳池中贮存结蛹的外星同伴。池水使他们返老还童,令其行为表现像年轻人一样。

《巴西》

英国 恩伯赛影片公司

★★★

1. 泰利·吉列姆 2. 吉列姆,汤姆·斯托帕德,查尔斯·麦基沃恩 3. 142分 4. 彩色

这部影片描写了一个压迫个人的反面乌托邦世界,被批评为气氛阴郁而缺乏重点。但是仔细推敲之后证实这种阴郁是胸有成竹的深刻剖析,其复杂性绝非愚蠢。大多数关于未来的电影把事物简单化了;而《巴西》却让我们沉浸于明天。

《马克斯·黑德鲁姆》

英国 克里萨利斯和第四频道

★★

1. 数位,包括安纳贝尔·詹尼尔,罗基·莫顿 2. 史蒂夫·罗伯茨,乔治·斯通,根据詹克尔和莫顿的故事改编 3. 70分 4. 彩色

该影片描述的是一位记者去寻找一种使观众爆炸的阈下广告。这当中他被杀害了,其头脑变成了一种电子形象。马克斯·黑德鲁姆诞生了。

《穿越雷穹的疯狂马克斯》

澳大利亚 华纳和肯尼迪·米勒影片公司

★

1. 乔治·米勒,乔治·奥基尔维 2. 泰利·海耶斯,米勒 3. 107分 4. 彩色

故事发生在世界崩溃后很久。马克斯追捕一个小偷到了外表怪异的巴特城,那里由蒂娜·特纳统治。天空无界限。

《真正的天才》

美国 三星和特尔斐Ⅲ影片公司

★

1. 玛莎·库利奇 2. 尼尔·雷尔,帕特·普罗夫特,彼得·托罗克维,根据伊斯雷尔和普罗夫特的故事改编 3. 106分 4. 彩色

本片是80年代中期几部描写真正聪明的孩子面对极端愚蠢的政府的电影之一。这回少年人建造了一部激光机。

《生命的力量》

英国 坎农影片公司

★

1. 托比·胡珀 2. 丹·奥巴农,唐·雅卡比,根据科林·威尔逊的《太空吸血蝠》(1976)改编 3. 101分 4. 彩色

本片非常愚蠢。太空男士与吸血蝠太空女士偷情,后者裸体大步穿越伦敦,引起骚动。

《巴西》

《区域骑兵》

美国 阿尔特和帝国影片公司

★

1. 丹尼·比尔森 2. 比尔森,保罗·德·米奥 3. 86分 4. 彩色

一个外星人闯入第二次世界大战。一个排的美国兵与它友好相处。阿道夫·希特勒被击中了鼻子。有趣的故事连续不断。

《探索者》

美国 派拉蒙、爱德华·S·菲尔德曼和工业灯具与魔术公司

★

1. 乔·丹蒂 2. 艾里克·卢克 3. 109分 4. 彩色

如果外星人只能靠50年代的电影来判断我们的世界,他们会对自己在地球上受到的接待作何感想?看了此片,我们就会知道。

《回到未来》

美国 环球影片公司和史蒂芬·斯皮尔伯格公司

★★

1. 罗伯特·泽梅基斯 2. 泽梅基斯,鲍勃·盖尔 3. 116分 4. 彩色

对所有有幸或不幸成长于50年代的美国人来说,《回到未来》是一部极其古怪的电影。一个当代青年通过时间机器回到1955年,避开了迷恋他的少女,因为她是他未来的母亲。他纠正了生活的错误后,回到现在。1955年像现实,也不像现实。这是纯洁、正派、完美、单纯而甜蜜的年代。

《敌方地雷》

美国 金斯路德娱乐和20世纪福克斯影片公司

★★

1. 沃尔夫冈·波德逊 2. 爱德华·卡扎拉,根据巴里·B·朗的《敌方地雷》(1989)改编 3. 108分,剪辑至93分 4. 彩色

本片具有成熟太空剧文学的典型主题:互相对抗的两个种族的个体发现彼此在共同承担一些灾难。片中的外行星人死于难产,人类收养了婴儿,有不少令人伤心的场面。

《寂静的地球》

新西兰 西恩影片公司和皮尔斯伯里影片公司

★★

1. 杰夫·墨菲 2. 比尔·贝尔,布鲁诺·劳伦斯,山姆·皮尔斯伯里,根据克雷格·哈里逊的《寂静的地球》(1981)改编 3. 91分 4. 彩色

关于地球上最后一个人的电影有一个好处,在选演员上可以省钱。这是一个典型的节约例子,而且很高兴没有像《世界、肉体和魔鬼》那种在道德上的固执己见。片中除了那些将就木时恰巧发生小故障的人外,每个人都死于宇宙的功能失常。它们在另一个世界相会了。

1986

《神风》
法国　蓝海豚、海豹影片公司、ARP和高蒙影片公司

1. 迪迪埃·格鲁塞　2. 卢克·贝森，格鲁塞　3. 89分　4. 彩色

这部充满机智的法国电影的真正问题在于观众很容易同情这个疯子。他发明了一种方法，用他的设备杀死了所有活生生地出现在电视上的人。最后的结果是，他被他所威胁的政府无情地处决了。

《地狱之火》
美国　曼利影片公司

★

1. 威廉·默里　2. 默里　3. 89分　4. 彩色

本片发明了一种无污染的新能源，称做"地狱之火"，它会使人爆炸。不同的党派为此争论不休。

《恐怖电视》
美国　阿尔塔和帝国影片公司

1. 特德·尼科劳　2. 尼科劳　3. 83分　4. 彩色

本片有许多笑料，还有一些嘲讽。它描写了一个来自外太空的怪物，通过电视入侵近郊。

《苍蝇》
美国　20世纪福克斯和布鲁克斯电影公司

★★

1. 大卫·克罗宁伯格　2. 查尔斯·爱德华·波格，克罗宁伯格，根据乔治·兰格拉恩的《苍蝇》(1957)改编　3. 100分　4. 彩色，参见《苍蝇》(1957)

本片表面上是1957年同名影片的重拍，但大卫·克罗宁伯格的影片紧张有力，幽默详细，与《死亡地带》一起展示了科幻主题所能产生的作为，甚至就连《苍蝇》这样的老故事也能推陈出新。片中，一个男人发明了一个远距离传送装置，但一只苍蝇与他融为一体。他产卵，发生变化，最后要求死亡。

《牺牲》
瑞典，法国　瑞典电影协会和阿格斯影片公司

★★

1. 安德烈·塔可夫斯基　2. 塔可夫斯基　3. 149分　4. 彩色　5. 黑白

一个瑞典作家向上帝承诺，如果第三次世界大战爆发，他将毁灭自己的生活，抛弃他的家园、家庭和语言。他醒来后却发现如果大浩劫不是一个梦，那么就一定是上帝逆转了时间。影片虽然拍得很美，但不容否认它是混乱和含糊不清的。

《当风吹起之时》

《当风吹起之时》
英国　第四影片、企鹅、电视公司等

★★

1. 吉米·T·村上　2. 雷蒙德·布里格斯，根据他的插图小说《当风吹起之时》(1982)改编　3. 84分　4. 彩色

把雷蒙德·布里格斯的插图寓言转化为一部卡通故事片，而不使其不同寻常而深刻的影响力打折几乎是毫无可能的。本片太长，太做作，太嘈杂。预测错误是容易的，避免它们却是一件难事。然而民防是痴人说梦这一中心主题还是生动地表达了出来。

《外星人》
美国　白兰地瓦恩和20世纪福克斯影片公司

★★★

1. 詹姆斯·卡梅伦　2. 卡梅伦，根据卡梅伦、戴维·吉尔勒，沃特·希尔的故事改编　3. 137分　4. 彩色

虽然影片并未如原作那么吓人(这是不可避免的)，但它同原作一样好。这倒真是一件怪事。西格妮·韦弗是强悍聪明、免遭外星人毒手的惟一幸存者，但却被胁迫带领一群巡逻兵对付母兽和一窝仔兽。

《星际旅行IV：归旅》
美国　派拉蒙和哈夫·贝内特影片公司

★★

1. 伦纳德·尼莫伊　2. 史蒂夫·米尔森，彼德·克莱克斯，哈夫·贝内特，尼古拉斯·迈耶，根据尼莫伊和贝内特的故事改编　3. 119分　4. 彩色

由于迅速衰老，科克船长和船员们回到了20世纪80年代，在那里他们独力拯救了两头鲸，因而拯救了整个世界。片中有不少笑料。

《毁灭者》
美国　阿尔塔和帝国影片公司

★

1. 彼德·马努吉恩　2. 保罗·德·米奥，丹尼·比尔森　3. 96分，剪辑至91分　4. 彩色

一群个个身怀绝技的同伴长途跋涉穿越墨西哥丛林，阻止了一个企图改变历史的时间旅行阴谋。

1987

《亚基拉》
日本　ICA和亚基拉摄制协会

★★★

1. 大友克洋　2. 大友，桥本亥三，根据大友的插图小说《亚基拉》(始于1982年)改编　3. 102分　4. 彩色

距今30年后，"新东京"已是一个全新的世界，建于核战后老城市的废墟上。这部卡通故事片根据非常成功的插图小说改编而成，产生了密度空前的网络朋客的意象，使这座新城成了光和末日阴影的迷梦。本片主角是一个有心灵感应力的骑车人，他与一个超级生物融为一体，继续去创造一个新世界。

《捕食者》
美国　20世纪福克斯、劳伦斯·戈登、乔尔·西尔弗和约翰·戴维斯

★★★

1. 约翰·麦克蒂尔南　2. 吉姆·托马斯，约翰·托马斯　3. 106分　4. 彩色

一支联合军事营救队在南美丛林中执行任务时遇到一个极其强壮、迅捷而邪恶的外星人，而且它也喜欢狩猎。片中好几次气氛异常紧张。施瓦辛格演惟一一个有能力给予反击的人，从而达到了他扮演类人造人角色的顶峰。

《奔跑的人》
美国　兰克和勇敢世界影片公司

★

1. 保罗·麦克尔·格雷塞　2. 史蒂文·E·德·苏泽，根据史蒂芬·金(笔名理查德·巴赫曼)的《奔跑的人》(1982)改编　3. 101分　4. 彩色

本片有一个好的（也够老的）创意，但处理得很糟：施瓦辛格扮演的受陷害的警察被困于一个未来派的电视游戏中，身穿戏服的英雄们追捕其猎物。游戏是严酷的(像往常一样)。警察最终推翻了整个邪恶的政权。

《大草原》
乌兹别克斯坦　乌兹别克电影制片厂

1. 纳齐姆·图利亚基霍采夫　2. 图利亚科霍采夫，根据雷·布雷德伯里的故事改编　3. 90分　4. 彩色

本片有点像《文身人》，也用布雷德伯里精致的早期故事作框架来包含其他故事。这些故事需要一个高手来料理，而综合类体裁使这些故事平淡无奇。

《月球上的亚马孙女人》
美国　环球影片公司

★

1. 乔·丹特等　2. 麦克尔·巴里，吉姆·马尔霍兰　3. 85分　4. 彩色

本片是一部关于20世纪80年代美国的笨拙系列幽默短剧；它与同一标题的系列片一起，是对20世纪50年代科幻的嘲讽。

《内部空间》
美国　安布林和华纳兄弟影片公司

1. 乔·丹特　2. 杰弗里·鲍姆，启普·普罗塞，根据普罗塞的故事改编　3. 120分　4. 彩色

本片中有两部电影。一部是好片，通过小型化充满想象地探索了他的内心世界；另一部很差，通过暴力情节愚蠢地搞笑。

《隐藏者》
美国　宫殿、新线-希伦和第三榆木街影片公司

1. 杰克·肖尔德　2. 鲍勃·亨特　3. 97分　4. 彩色

影片随着故事情节的迅速发展而变得复杂，几乎难以挑出警察程序的毛病，其中涉及一个会变形的外星人，一个来自群星的警察和一个强悍的人类军官。看后试图对本片作分析是不明智的。

《制造赖特先生》
美国　兰克和俄里翁影片公司

1. 苏珊·赛德尔曼　2. 弗洛伊德·比亚恩，劳里·弗兰克　3. 98分　4. 彩色

片中幽默占据了主要地位。一位名叫弗兰基·斯通的公关女性受雇为一个人造人创造一个设计师的个性，这个人造人命中注定要进行太空旅行。她和其性感的创造物相爱了。人造人由约翰·马尔科维奇扮演。

《机器警察》

《机器警察》
美国　兰克和俄里翁影片公司

★★★

1. 保罗·维哈文　2. 爱德华·梅尼，麦克尔·迈纳　3. 102分　4. 彩色

电影通常启用像《终结者》这样披着人体外衣的机械电子人，而不是机器警察式的金属生物。因为前者费用较低，更令人恐惧，也更现实。但本片有笑料、悲哀、邪恶的大亨、发展的故事主线以及子弹的尖啸声。

《超人第四集：寻求和平》
英国　坎农影片公司

★

1. 悉尼·J·富里　2. 劳伦斯·康纳，马克·罗森塔尔，根据克里斯托佛·里夫斯和科纳的故事改编　3. 93分　4. 彩色

本片实在是弄巧成拙：拙劣的特技效果和笨拙的情节设计，使得观众难以相信超人劝说世界放下武器的企图。

《地球女孩水性杨花》

1988

《地球女孩水性杨花》

美国　福克斯、德·劳伦蒂斯和凯斯特尔影片公司

★★★

1. 朱利安·坦普尔　2. 朱莉·布朗、查理·科费、泰伦斯·E·麦克纳利　3. 100分　4. 彩色

本片获得成功有3个原因：好的笑料，好的笑料迅速地讲出来，以及有关洛杉矶由消费驱动生活的笑话。

《我的继母是个外星人》

美国　哥伦比亚三星和温特劳布娱乐影片公司

1. 理查德·本杰明　2. 杰里科·温格罗德、赫谢尔·温格罗德、蒂莫西·哈里斯、乔纳森·雷诺兹　3. 108分　4. 彩色

为拯救地球，一个外星人变成一个愚蠢女人的模样来到地球上。这是颇为人知的题材，这部闹剧却未能推陈出新。

《他们活着》

美国　吉尔德和阿莱夫影片公司

★★

1. 约翰·卡朋特　2. 卡朋特化名弗兰克·阿米莱夫，根据R·F·内尔森的《早晨8点钟》(1963)改编　3. 94分　4. 彩色

外星人买下一些富人的生意后控制了地球。这是对里根执政年代的嘲讽：邋遢破旧，低预算，有创造力，愚蠢。

《出类拔萃的猴子》

美国　兰克和俄里翁影片公司

★

1. 乔治·A·罗梅罗　2. 罗梅罗，根据麦克尔·斯图尔特的《出类拔萃的猴子》(1983)改编　3. 113分　4. 彩色

一名男子因事故下身瘫痪后，找到一个超级聪明的猴子做助手。它通过心灵感应过于真实地解读他的内心愿望，因此他必须除掉它。

《外星人国》

美国　20世纪福克斯影片公司

★

1. 格雷厄姆·贝克　2. 罗克尼·S·奥班农　3. 90分　4. 彩色

本片在更熟练的高手手中本可以成为一部对美国非法移民的直接讽喻，但影片放弃了讽刺，仅成为又一部动作情节片。

《蛹：归来》

美国　20世纪福克斯、扎纳克和布朗影片公司

★

1. 丹尼尔·皮特里　2. 斯蒂芬·麦克弗森　3. 116分　4. 彩色

影片中老年人从群星归来后，避开其常遇到的问题，四处寻欢作乐。这是一部不真实的电影。

《雷文门事件》

澳大利亚　卡斯尔·普雷米尔和赫姆代尔影片公司

★★

1. 罗尔夫·德·希尔　2. 詹姆斯·弗农，根据德·希尔、马克·罗森伯格的故事改编　3. 89分　4. 彩色

外星人降落在残酷、疯狂的澳州内地看起来很合适，但本片的力度在于它揭露了人类的不和。

《年轻的爱因斯坦》

澳大利亚　瑟尔里奥斯影片公司

★

1. 耶胡·瑟尔里奥斯　2. 瑟尔里奥斯、戴维·罗奇　3. 91分　4. 彩色

有爱因斯坦，电影就精彩。一个在玩笑世界中开玩笑的爱因斯坦是对爱因斯坦的浪费。

《航行者：一个中世纪的奥德赛》

新西兰　录制发行和阿里纳影片公司

★★

1. 文森特·沃德　2. 沃德、凯利·莱恩斯、杰夫·查普尔　3. 93分　4. 彩色　5. 黑白

中世纪的孩子们出于对黑死病的恐惧，也为了拯救他们的村庄免于覆灭，开始了一段穿越矿井的朝圣之旅。时间发生了错乱，到了1980年。本片朴实、温暖而令人难忘。

1989

《比尔和特德的精彩冒险》

美国　卡斯尔·普雷米尔、互显通讯、西瓦松·墨菲和德劳伦蒂斯影片公司

★★★

1. 斯蒂芬·赫里克　2. 克里斯·马西森、艾德·所罗门　3. 89分　4. 彩色

本片显然取材于颇为优秀的影片《时间匪帮》(1981)。全片虽然有着活跃的超现实主义色彩，但它把精心构思的神气活现的英雄送入了时空。一路上，他把圣女贞德、成吉思汗等都网罗在内，并拯救了宇宙。为什么不呢？

《蝙蝠侠》

美国　华纳影片公司

★★★

1. 蒂姆·伯顿　2. 山姆·哈姆、沃伦·斯卡伦　3. 126分　4. 彩色

片中有一些值得一提的时刻。"愚人村"本身就是弗里茨·兰在1926年时还未能用特技效果去想象或创造的大都会。片中的蝙蝠侠是一个饱受强迫观念折磨的男人，根本不是什么科幻：只要有足够的钱，他也有可能存在于今天。

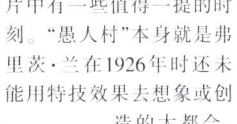

《蝙蝠侠》

《星际旅行V：最后的边疆》

美国　联合国际和派拉蒙影片公司

★

1. 威廉·沙特纳　2. 戴维·拉夫莱，根据沙特纳、哈夫·贝内特、拉夫莱的故事改编　3. 107分　4. 彩色

科克船长寻找一颗据说是上帝居住的行星。这决非最后的边疆。在《星际旅行》的宇宙中，从来没有这种事。总会有续集，这不过是其中又一部罢了。

《M博士》

德国、意大利、法国　霍埃·埃勒彼影片和克利影片公司

★

1. 克劳德·沙博罗　2. 索斯·米切尔，根据托玛斯·鲍尔迈斯特的故事改编，后者受诺伯特·雅克的《赌棍马比斯博士》的启发而作　3. 116分　4. 彩色

伟大的沙博罗在像本片这样的电影中从未走运过。片中，他优雅、轻描淡写和全神贯注的歪曲失去了控制，陷入混乱。幻想片《艾丽丝或最后的赋格曲》(1976)是他惟一一次成功的幻想旅行。他磕磕绊绊地重演弗里茨·兰，可是却戛然而止。

《千禧年》

美国　兰克、千禧年合作公司和格拉登娱乐公司

★

1. 麦克尔·安德森　2. 约翰·瓦利，根据他的《空袭》(1977)改编　3. 105分　4. 彩色

本片的时间悖论是胡扯，情节枯燥而一味摆噱头。灾难后残余的人类希望从失事飞机中抢救出遇难者，然后用这些人向未来重新殖民。但为什么不去抓中世纪的农民呢？

《上帝难当》

苏联、联邦德国　多夫任科工作室，苏联电影出口公司等

★

1. 彼德·弗莱施曼　2. 弗莱施曼，让-克劳德·卡里埃、达尔·奥洛夫，根据阿卡迪和鲍里斯·施特鲁格茨基的《上帝难当》改编　3. 120分　4. 彩色

施特鲁格茨基小说的危险构思是设计在一个行星上，离苏联很远，因而很安全。本片拍得太早，不能阐释这些构思，所以代之以斗剑和胡闹。片中，人类特工发现在一个落后的行星上发展起来了法西斯主义，而不是思想。

《深渊》

美国　20世纪福克斯影片公司

★★★

1. 詹姆斯·卡梅伦　2. 卡梅伦　3. 139分　4. 彩色

本片除了结尾时痛苦的外星人外，是迄今为止最紧张的科幻片之一。背景是一个水下工作站，一个个令人信服的主人公和幻想随着情节的展开而出现。本片给人以两个小时的暴力和悬念。

《后向气流》

英国　娱乐电影制片公司

★★

1. 史蒂文·利斯特伯格　2. 托尼·凯顿，根据比尔·鲍尔的故事改编　3. 102分　4. 彩色

许多现代科幻片的内容是有关人类需要上天帮助。在《后向气流》中，一个神秘的逃亡者是一个负有使命的人造人。它给予一个饱受风灾的世界以帮助，还治愈了儿童和我们。

《回到未来第二集》

《回到未来第二集》

美国　联合国际和安布林娱乐影片公司

★

1. 罗伯特·泽梅基斯　2. 鲍勃·盖尔，根据泽梅基斯和盖尔的故事改编　3. 108分　4. 彩色

本片是真正的科幻片，包含了巧妙的时间悖论和活泼的情节。从50年代的美国来到一个奇异的未来，又回到一个改变了的80年代，看似疯狂，却有道理。

《敏豪生男爵历险记》

英国、联邦德国　卓越、劳拉电影和哥伦比亚三星影片公司

★

1. 泰利·吉列姆　2. 吉列姆、查尔斯·麦基翁，根据鲁道夫·埃里希·拉斯帕的故事改编　3. 125分　4. 彩色

这部过分铺张而雄心勃勃的电影的片断比整体要好得多，所以应该把它分成一段一段来欣赏。围攻、逃亡、月球之旅，所有这些都很精彩。但令人遗憾的是故事整体却并非如此。

新的前提

几乎过了一个世纪后,到20世纪80年代,科幻电影看起来可能最终将赶上科幻文学。几十年来,由于受预算限制的阻碍,保守的电影制片厂老板们坚持拍摄连续剧,倾向于把所有科幻主题都转化为恐怖主题,因而科幻电影向我们提供的对未来的想象显得极为幼稚、无力,并且陈旧不堪。70年代,情况发生了一些变化。虽然仍有太多的动作人物主人公招摇过市,然而我们看来似乎将要经历一些正匆匆地向我们扑面而来的、令人兴奋的对新世界的展望,我们并没有失望。

法律的未来

《银翼杀手》赋予80年代的是穷街。一个人,或者机器警察,必须沿着这条穷街走下去,从邪恶的城市生活中解救我们。虽然《机器人警察》的主人公实际上是个机械电子人(一个人头嫁接到机械的身体上),但他却拥有机器人所有的含糊的诱惑力,保卫着我们,并且经常出现在我们的梦境中。如同许许多多的机器人一样,他很想知道自己是谁。

新的怪物

《银翼杀手》称人造人为复制人,这是一种令人难忘的有关人类的双关语。它比我们更强壮,更聪明,但它的寿命很短。他现在正濒临死亡,就是它的创造者对此也爱莫能助。

真正的科幻片主宰科幻世界

好莱坞仍没有巨大的转变。科幻电影制作人仍有饱受续集之苦的倾向,所以许多80年代最杰出的电影都接在70年代首次讲述的故事之后继续下去,比如《超人》、《星际战争》、《外星人》都产生了出色的后代。虽然这些续集中没有一部拥有原片新铸就的影响力,可是很明显的是:到《武士归来》时,星球大战宇宙的隐含意义加深了;而《外星人》则是一种内心本能的体验。

80年代的许多续集中有一些是正统电影,这是因为电影工业出现了一个基本转变:这些80年代的续集是真正的科幻片。情况并非一直如此。在本世纪的大部分年代里,大多数所谓的科幻电影不过是略加乔装的恐怖片而已。恐怖片在重复老套后有失去其影响的势头,所以电影业坚持斥资的老片重拍的续集几乎总是远远不如原来的电影。

另一方面,科幻文学从来不反对续集或并行世界的历险故事,至少有部分原因是因为宇宙是一个精致的创造物,单集故事几乎总是不能穷尽其含义。科幻故事不同于恐怖故事,经常倾向于创造史诗或类似于史诗的东西,比如《星际战争》,将有不断延续之势。所以在科幻文学中有许多续集和许多可以借鉴的老电影,从而引导着电影工业,使其重走老路,寻求重拍旧片的方法。

未来战士

这里没有感情矛盾。终结者是一个机械电子人:外表是人,包裹着一个由计算机控制的武器。它来此是为了毁灭我们的未来。

这10年的场景

当《大都会》在1926年拍摄时,甚至连建筑师也从未梦想过那么坚如磐石,那么复杂,那么包容一切的城市,就如同《银翼杀手》中对洛杉矶的想象。这可能并非是进步,但显然是潮流。

黑暗和光芒

然而两部80年代最成功的电影却并没有产生续集,这是有着很重要的原因的。《银翼杀手》的场景设定在21世纪早期,在这颗行星的主人或多或少把它遗弃给贫民窟的居民、罪犯和企业家之后。这是对此1000年的展望,而且是终极想象。它告诉我们,人类已经耗尽了这颗行星和我们自己,新的故事发生在星空中的某处,也许那里讲述的故事会更快乐一些。地球上的故事有一个终结,它不会有续集。但从某种意义上说,几部80年代的电影都是《银翼杀手》的后代:它的冷酷的城市和它关于真正的生命和人造生命的问题处处凸显出来。

超现实主义的想象

在吉列姆的《巴西》梦魇般的想象中,城市像一条龙的内脏,正疯狂地吞没世界。

另一部重要的绝无仅有的著名影片《外星人》讲述了一个治愈外星人的绝顶聪明的故事。外星人在一个陌生的世界里受了伤,四处漂泊,死后随着家乡飞船的到来而复生。与它友好相处的功能失调的人类单亲家庭,也似乎随着一个友好的科学家和主角的母亲陷入情网而将破镜重圆。外星人提到了超越,这样的结果不需要续集。

整体而言,80年代有科幻史诗及其续集,有终极苦难,还有超越和团聚。这真是一个繁忙不已的10年。

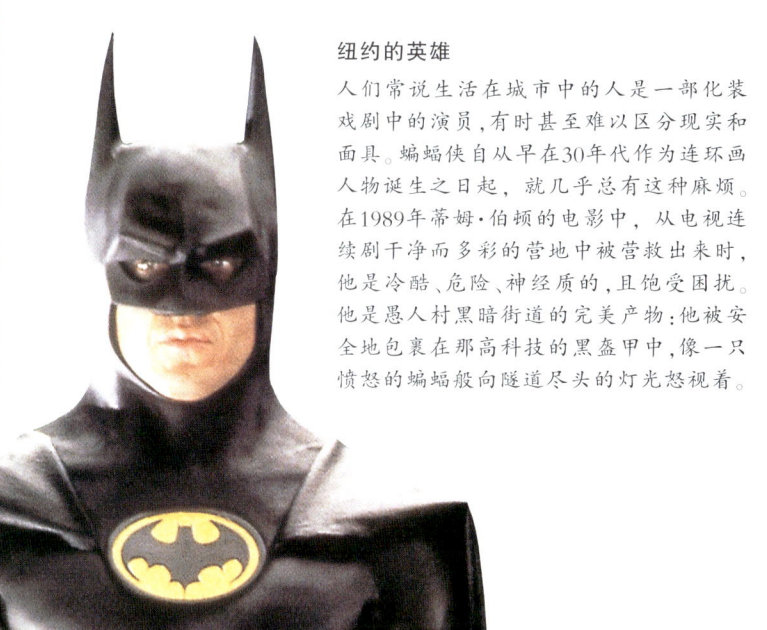

纽约的英雄

人们常说生活在城市中的人是一部化装戏剧中的演员,有时甚至难以区分现实和面具。蝙蝠侠自从早在30年代作为连环画人物诞生之日起,就几乎总有这种麻烦。在1989年蒂姆·伯顿的电影中,从电视连续剧干净而多彩的营地中被营救出来时,他是冷酷、危险、神经质的,且饱受困扰。他是愚人村黑暗街道的完美产物;他被安全地包裹在那高科技的黑盔甲中,像一只愤怒的蝙蝠般向隧道尽头的灯光怒视着。

20世纪90年代的电影

在10年左右的持续发展之后,在变得越来越不安全、稳定的世界市场中,可以预计的是电影制片人将进入一个节约开支的阶段。事实就是这样。90年代涌现了相当数量的续集和重拍片,但相对来说少有全新的构思。

★★★ 优秀	★★ 推荐	★ 可看
1. 导演	2. 编剧	3. 片长	4. 彩色	5. 黑白

1990

《机器警察第二集》
美国　兰克和俄里翁影片公司
★
1. 欧文·克纳尔　2. 弗兰克·米勒,沃伦·格林　3. 118分　4. 彩色
本片有多重效果,而下一世纪开始降临时,底特律显然也不是天堂;但没什么新东西。

《平涂画线》
美国　哥伦比亚-三星和石桥影片公司
★
1. 乔尔·舒马赫　2. 彼德·菲拉迪　3. 114分　4. 彩色
这个听起来有点儿古怪的标题指的是没有脑活动的脑电图读数。故事描写了医学生试验装死,却发现这根本不是玩笑。

《溜旱冰男孩的祈祷》
美国　第一独立、戈加、福克斯·洛伯、学院、JVC和东京电视台
★
1. 里克·金　2. W·彼德·艾利夫　3. 94分　4. 彩色
在饱受暴力创伤的美国,由一个可能是希特勒后裔的人领头的街头溜旱冰男孩们,全都发了疯。

《女仆的故事》
美国、德国　维珍、电影网和电影放映影片公司
★
1. 沃尔克·施隆多夫　2. 哈罗德·品特,根据玛格丽特·阿特伍德的《女仆的故事》(1985)改编　3. 109分　4. 彩色
阿特伍德原作中的反面乌托邦对无或然性和教训性质的易犯错误一笔带过。银幕上的该作品叙述呆滞、呆板,象征意义平乏沉闷,夸张做作。不过部分镜头很美,尤其是罗伯特·杜瓦尔和费伊·达纳韦的表演很出色。

《宇宙龙威》
美国　吉尔德和卡罗尔柯影片公司
★★★
1. 保罗·维哈文　2. 罗纳德·舒塞特,丹·奥班侬,加里·戈德曼,根据菲利普·K·迪克的《我们会为你而全部记住它》(1965)改编　3. 109分　4. 彩色
一个男人买了火星之旅的假记忆,植入后发现里面藏有真正的记忆。他一下子被弹射到各种各样的火星上的冒险故事中去。这个布景是从不少其他人那里偷来的。情节很傻,但充满动作。

《解放了的弗兰肯斯坦》
美国　20世纪福克斯和芒特影片公司
★
1. 罗杰·科曼　2. 科曼·F·X·菲尼,根据布莱恩·阿尔迪斯1973年的小说改编　3. 85分　4. 彩色
罗杰·科曼和布莱恩·阿尔迪斯是一对怪人,而本片也是一部古怪的电影。它将阿尔迪斯的兴奋大胆和科曼利用袭动事件的致命本能结合了起来。有机会访问玛丽·雪莱还是很有趣的。

《剪刀手爱德华》
美国　20世纪福克斯影片公司
★★
1. 蒂姆·伯顿　2. 卡罗琳·汤普森,根据伯顿的故事改编　3. 98分　4. 彩色
这部奇特而感人的电影是关于一个没有手而代之以剪刀的与社会格格不入者(承蒙一个疯狂的科学家的好意),听起来像一个道德寓言。汤姆·克鲁斯真是个傻瓜,竟拒绝扮演该角色。

《圣餐》
美国　维斯特伦、雏鸡影片公司、联盟维辛和电影物业公司
★★
1. 菲利普·莫拉　2. 惠特利·斯特里伯,根据斯特里伯的作品改编　3. 101分　4. 彩色
惠特利·斯特里伯是一名前科幻作家,却成了现实生活中飞碟的相信者。本片忠实地记录了他声称的曾发生过的事。如同大多数信徒一样,斯特里伯被外星人抓走,检查后又被释放。外星人同电影陈腐题材的相似也许出于偶然。

《回到未来第三集》
美国　联合国际影片公司和安布林娱乐公司
★★
1. 罗伯特·泽梅基斯　2. 鲍勃·盖尔,根据盖尔和泽梅基斯的故事改编　3. 118分　4. 彩色
在第一部续集之后,这部到19世纪美国西部游玩的电影令人耳目一新,不时有动人的场面。影片自始至终充满了锋刃犀利的科幻电影的创造性。

《高原人第二集:加速生长》
美国　娱乐、拉里·贝尔、彼德·S·戴维斯和威廉·潘塞影片公司
★
1. 拉塞尔·马尔克希　2. 彼德·贝尔伍德,根据布莱恩·克莱门斯和威廉·潘塞的故事改编　3. 100分　4. 彩色
这部混乱的轻量级续集把不朽的西恩·康纳利和克里斯托佛·兰伯特解释为外星人。兰伯特与一名生态恐怖分子搭档,去摧毁一座有害的环绕地球的放射盾,引发了大量的动作情节。

《捕食者第二集》
美国　福克斯、劳伦斯·戈登、乔尔·西尔弗和约翰·戴维斯影片公司
★★
1. 斯蒂芬·霍普金斯　2. 吉姆·托马斯,约翰·托马斯　3. 108分　4. 彩色
片中,第一部电影中的外星杀手重新出现在1997年毒品成灾的洛杉矶贫民区中。死亡人数不断攀升,直到最后警察击败了这个长着尖牙的家伙。

1991

《终结者第二集:最后审判日》
美国　吉尔德,卡罗尔柯和西太平洋影片公司等
★★
1. 詹姆斯·卡梅伦　2. 卡梅伦,威廉·威什尔　3. 135分　4. 彩色
本片的特技效果花去了大量资金,但这部极富竞争力的续集却出人意料的质朴。施瓦辛格改演被围攻的助手一角,受到好评。

《赤裸的午餐》

《赤裸的午餐》
加拿大、英国　第一独立影片公司
★
1. 大卫·克罗宁伯格　2. 克罗宁伯格,根据威廉·伯勒斯的小说(1959)改编　3. 115分　4. 彩色
没有免费观看《赤裸的午餐》这样的好事,也无法抓住威廉·伯勒斯在本片中表达的引起幻觉的情调。但这是一个大胆而勇敢的尝试,充满了敏锐的幽默。

《火箭人》

《火箭人》
美国　沃特·迪斯尼和银屏合伙者Ⅳ
★
1. 乔·约翰斯顿　2. 丹尼·比尔森,保罗·德·米奥,根据戴夫·史蒂文斯的插图小说改编　3. 108分　4. 彩色
这部1981年的连环画是一部渗入机智和忧郁暗流的精彩大杂烩。影片是一个缺乏灵感的顽固失误,尽管有疾飞的主人公飞行员,却几乎从未起飞过。

《宇宙龙威》

20世纪90年代的电影

《一瞬间》
英国　娱乐、挑战和缪斯影片公司
★
1. 托尼·梅兰　2. 加里·斯科特·汤普生　3. 90分　4. 彩色
下一世纪的伦敦在几十年湿气上升之后，几乎完全浸没在水下。旧的罪行还在继续，但却由新的罪犯来完成。在本片中，罪犯是一个卑鄙的外星人。

《星际旅行第六集：未被发现的国度》
美国　联合国际和派拉蒙影片公司
★
1. 尼古拉斯·迈耶　2. 迈耶，丹尼·马丁·弗林，根据伦纳德·尼莫伊，劳伦斯·康纳，马克·罗森塔尔的故事改编　3. 110分　4. 彩色
星际旅行迷们可能会对这部微带温和夸张的第六集电视连续剧评价不错，但它的制作人显然对进取感到了厌倦。

《比尔和特德的假想之旅》
美国　哥伦比亚、三星、俄里翁和纳尔逊娱乐公司
1. 彼德·休伊特　2. 艾德·所罗门，克里斯·马西森　3. 93分　4. 彩色
这部相当笨拙的续集想象傻乎乎的加利福尼亚花花公子比尔和特德访问地狱，哄骗掌管地狱者。一路上有一些笑料，但笑话太单薄，就像这些男孩太笨一样。

《比尔和特德的假想之旅》

1992

《自由杰克》
美国　华纳和摩根·克里克影片公司
1. 杰夫·墨菲　2. 史蒂文·普雷斯菲尔德，罗纳德·舒赛特，丹·吉尔罗伊，根据罗伯特·谢克莱的《永生公司》(1957)改编　3. 108分　4. 彩色
在不远的将来，濒死的富人雇用时间旅行绑架者为其提供健康的身躯转世。

《隐身人的回忆》
美国　华纳、运河制片厂、摄政公司和阿尔科影片公司
★
1. 约翰·卡朋特　2. 罗伯特·科莱克特，丹娜·奥尔森，威廉·戈德曼，根据H·F·圣特的小说(1987)改编　3. 99分　4. 彩色
隐身对电影制片人的吸引力极大，坦率地说是电影界的一个不解之谜。这里，一部好小说被改成了笑话。

《宇宙战士》
美国　吉尔德和卡罗尔柯影片公司
1. 罗兰·埃默里奇　2. 理查德·罗思其，克里斯托弗·利奇，迪恩·德夫林　3. 103分　4. 彩色
一个政府主持的实验走火入魔，彼此憎恨的两个电子机械人开始横冲直撞。让-克劳德·范·戴姆和多尔夫·伦德格伦的动作表演颇有吸引力。

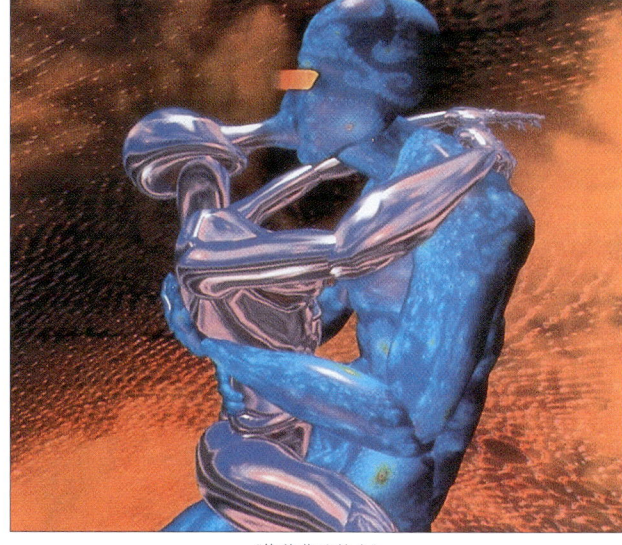

《修剪草地的人》

《修剪草地的人》
英国，美国　第一独立、联合维辛、莱恩·普林格尔、富士八台
1. 布莱特·莱奥纳德　2. 莱奥纳德，吉姆尔·埃弗里特，根据斯蒂芬·金的故事改编　3. 108分　4. 彩色
斯蒂芬·金不愿承认这部愚蠢的电影与他有牵连，其中一个本地的蠢人变成了虚拟现实中的智者，最终拯救了我们所有人。

《蝙蝠侠归来》
美国　华纳影片公司
1. 蒂姆·伯顿　2. 丹尼尔·沃特斯，山姆·汉姆　3. 126分　4. 彩色
原作故事为企鹅人和猫女而作。故事讲述缺乏热情，令人生厌之余，也使我们越发难以相信。

《外星人第三集》
美国　20世纪福克斯和布兰德温影片公司
★★★
1. 戴维·贾尔勒　2. 贾尔勒，沃特·希尔，拉里·弗格森，文森特·沃德　3. 115分　4. 彩色
虽然本片没有前两集那样有趣，但这个短程的愉快旅行却有着明显的抑郁和一个极美的结束。恐怖成了雄辩和黑暗的诗篇。

1993

《侏罗纪公园》
美国　联合国际、环球和安布林影片公司
★★
1. 史蒂文·斯皮尔伯格　2. 麦克尔·克赖顿，戴维·凯普，根据克赖顿的小说改编　3. 127分　4. 彩色
运用遗传学方法，人类用保存的恐龙血液重新创造出恐龙。恐龙却在一个主题公园内大肆破坏。这些野兽很棒，但克赖顿的小说被降低到纯娱乐的层次。

《破坏者》
美国　华纳和西尔弗影片公司
1. 马科·布兰比拉　2. 丹尼尔·沃特斯，罗伯特·勒内斯，彼德·M·伦科夫　3. 115分　4. 彩色
西尔维斯特·史泰隆扮演一个警察，在21世纪和平的加利福尼亚和他的宿敌——一名罪犯一起复活。他扮演的角色对自己出生的方式困惑不解。本片有许多很精彩的动作镜头。

《机器警察第三集》
美国　俄里翁影片公司
1. 弗德·德克尔　2. 弗兰克·米勒，德克尔　3. 104分　4. 彩色
这回机器警察辞去了警察的职务，站在将被驱逐的市民一边，同他们一起斗争。

1994

《苹果种子》
日本　东宝影片公司等
★★
1. 片刚义喜　2. 片刚，根据士朗正宗的连环画改编　3. 68分　4. 彩色
在这部网络朋客的经典动画片中，特种警察部队的最高指挥官和机器人保卫第三次世界大战后的乌托邦城市奥林匹斯，因为恐怖分子密谋破坏中心计算机。

《星际旅行:新世代》
美国　派拉蒙影片公司
★★
1. 里克·伯曼　2. 罗纳德·D·穆尔，布兰农·布拉戈，根据伯曼，穆尔，布拉戈的故事改编　3. 117分　4. 彩色
本片把玄学和冒险故事绝妙地结合在一起。片中，科波把权力移交给"第二代人"皮卡德后死去。这标志着经典的"星际旅行"机组人员时代的结束，下一代"星际旅行"电影的开始。

《50英尺高的女人的攻击》
美国　HBO和娱乐影片公司
★
1. 克里斯托弗·格斯特　2. 约瑟夫·多尔蒂　3. 89分　4. 彩色
本片是1958年原电影的重拍，片中一个女电脑程序员被来访的飞碟变成了巨人。影片中有时候有令人愉快的"政治正确性"，如女主人公向她的性歧视的丈夫和其他罪人复仇。但这样的玩笑渐渐变得令人厌倦。

《时间警察》
美国　环球影片公司
★
1. 彼德·海雅姆斯　2. 马克·维海顿　3. 98分　4. 彩色
这部荒谬的电影给让-克劳德·范·戴姆颁发了执照，授权他对一些任公职的蠢人拳打脚踢，因为他要保护时空的连续性。

《星门》
美国　米高梅和联艺影片公司
★
1. 罗兰·埃默里奇　2. 迪恩·德夫林，埃默里奇　3. 122分　4. 彩色
考古学家们穿过像兔子洞一样的星门来到了一颗行星上，那里的统治者是一个名叫奥西里斯的外星人。很久以前，它被从地球上赶走了。

《玛丽·雪莱的弗兰肯斯坦》

《玛丽·雪莱的弗兰肯斯坦》
美国　科波拉、维奇和哈特影片公司
★★★
1. 肯尼思·布拉纳　2. 弗兰克·德拉邦特，斯蒂夫·莱迪，根据玛丽·雪莱的《弗兰肯斯坦，现代普罗米修斯》(1818)改编　3. 123分　4. 彩色
布拉纳格把弗兰肯斯坦博士演绎成一个心灵饱受折磨的父亲；而罗伯特·德·尼罗扮演的怪物虽不再化装得像常规的怪物一样，但缝在一起的身体令人恶心。

弗兰肯斯坦复活

到了90年代,特技效果专家们看起来似乎无所不能,在过去几十年中他们为塑造科幻电影做了这么多工作。现在利用电脑的力量,他们能够不露痕迹地把真实的和动画的、实际的和虚拟的镜头缝合在一起,制作出一个天衣无缝的魔幻表演。当然,他们需要一些好的故事来供他们营造魔术。而困难之处恰恰就在这里。正如W·S·吉尔伯特以前说过的,"当人人都是大人物时,那么就没有谁是小人物了。"或者,从电影的角度来说,既然现在每个人看上去都令人信服,那么你怎么才能显得出众呢?科幻成了肌肉过于发达的主人公与坏蛋战斗的场所,而且科幻一如既往地回到老故事中去寻求新的脚本。

虚拟真实的电影

这10年中特技效果对电影作用的一个突出例证是《修剪草地的人》。这部影片的特技效果甚至能威慑住1975年的观众。就在这一年,斯蒂芬·金出版了后来被摄制成电影的这一故事。虽然金对本片的排斥态度暗示了影片对原作有一些过分的改动,但我们所关心的并不是电影对这个故事作了一些什么修改。在电影领域,我们所关注的是一流的特技效果,尤其是虚拟现实的高潮是怎样用一系列看似毫不费力的轰动事件来掩饰本片更深层的空洞,最终使本片在根本上与其他几十部90年代的外表华丽、内心思想空洞的电影毫无区别。

但是,甚至在这里,主题上的富于说服力成功地吸引住了观众。《修剪草地的人》这个故事以科幻电影中受观众喜爱的情节为特点:不明是非而性急的科学家为完成实验不顾一切,但故事的核心涉及到本世纪最后10年的典型特征。片中的主人公是一个像阿甘一样的智障,一个单纯的人物,其天真无知使人看来虽无可救药,但十分

戏剧革新

在第一部《终结者》中,施瓦辛格扮演一位无情杀手;而在第二部中,他却成了英雄。他与其发明者相逢,并自我毁灭,放弃了回到未来继续生存,这是典型的90年代的电影。而其惊人的天衣无缝的特技效果也为90年代所特有。

可爱。这种天真无邪使90年代的观众感到就好像他们儿时的纯洁(或他们父母儿时的纯洁),或者像更早年代的纯洁,这一切只能通过电影形象让人回忆起来。本片的主人公是疯狂的科学家的牺牲品,如同伊甸园中的园丁——他实际上是科学家的园丁。他被剥夺了纯洁无邪,屈从于药物治疗和计算机软件的恐怖,正是这些构成了情节的驱动力。这失落的天真无邪代表的是往日、终身薪金、小镇的准则和放之四海而皆准的是非道德观念的失落。取代这个讽刺式的园丁的是一个讽刺式的现代恶魔:一个有心灵感应力的超人,似乎它自视能超越善恶。

恶魔的救赎

然后,奇迹出现了。在斯蒂芬·金原来的故事中,这不是一个引人注目的奇迹;但这一转变向我们指出了电影的未来。在经实验转化后,割草人开始理解人类以某种方式污染了地球本身。受这些了解的激发,他不可思议地把自己下载到——或许有点莫名奇妙——因特网的虚拟世界,从那里他会审判生者和死者;从那里他会再次把世界变回一个花园,这决非偶然。《修剪草地的人》这样的电影不仅展示了特技效果的力量,也显示了90年代电影的几个主题:其中两个最显而易见的主题是对失去的纯真的怀念和生态犯罪。这里还有另一个主

虚拟现实

一部怪诞、拙劣的影片——《修剪草地的人》带给我们一些纯粹的视觉享受。不过我们得忘记情节中的漏洞,专注于其特技效果的努力。

题,它可以被描述为只有内心纯洁的人(或智力残缺的人)才能见到上帝这一观点。这个主题老的科幻电影从未充分表现过。但在历尽艰辛后更伤心、更聪明、更野蛮、也更复杂的90年代的世界,看起来我们似乎极其向往那已过去的50年中我们(或我们父母)青年时代的英雄,我们会想:是的,他们确实是傻瓜;但他们内心纯洁,他们出发去为母亲征服太空航道,而且他们见到了上帝。今天,我们还能这样做吗?

一旦一个人接受了这种倾向,不需要别人太多说服就会认为,以一些电影(如肯尼斯·布拉纳的恐怖片《玛丽·雪莱的弗兰斯坦》,或蒂姆·伯顿的幻想片《剪刀手爱德华》,两者重复同一主题)为代表的90年代把怪物人性化的倾向完全是正确的。来自梦魇的老角色摇身一变成了今日世界的牺牲品(无论故事假定发生在什么年代),而对于恐怖的谴责被加在创造它们的世界身上。当然,我们很难反对所有使怪物人性化的倾向。但如果我们不与世界认同,而与这些怪物认同;或者错误地认为我们自己就是阿甘或修剪草地的人,并认为外部世界(毕竟我们在其形成过程中也出过力)在残酷地迫害我们,那么我们只会失败。

内心的怪物

轻视这种感伤的成年观众越多,90年代成年电影留给这种感伤的余地就越小。90年代初最优秀的电影之一《外星人第三

现代怪物
怪物不再是像傻瓜和闪电一样的家伙:在布拉纳的电影结尾,它称其创造者为父亲。

科学家

几十年来,疯狂的科学家一直是所有伪装科幻的恐怖片中受欢迎的角色。今天电影和科学家之间的关系也远非友好:恐惧和恐怖可能消失了,但根深蒂固的不信任却依然存在。责任心是一个关键词,创造者是英雄还是坏蛋取决于他们是否接受他。《玛丽·雪莱的弗兰肯斯坦》反映了这一点,比如在一部弗兰肯斯坦的电影中,怪物破天荒地与其创造者相遇。在一个充满嘲讽意味的互相影响的怪圈中,这一场景的表演酷似《银翼杀手》中罗伊·巴蒂斯与其创造者的相逢。

新 人
虽然玛丽·雪莱的维克托·弗兰肯斯坦有着复杂的动机,但实质上是个无关紧要的人物。肯尼斯·布拉纳的版本中充满着压力和焦虑。

集》就是一个极好的例子(奇怪的是这是续集的续集)。《外星人第三集》使"外星人三部曲"的结尾颇为有力,但却受到评论家的严厉批评。本片把里普利带到了一个监狱般的行星上,其内部文化环境比我们地球所曾有过的最糟糕的社会还要糟糕得多。西戈尼·韦弗在这部续集的塑造中起了很大的作用。片中,她演出了她生命的最后时刻,因为她怀有怪物的胚胎,所以她部分是女人,部分是受折磨的圣徒。而在整个三部曲中,她都在和怪物作斗争。她将产下一个新的外星人,她和这半人半怪物以及内心扭曲的驱动力显然是同一的。最后,她和她的孩子潜水进入了一个燃烧着的深渊。该片的主题是对我们自己的认识。

剪刀手是一个出奇聪明的隐喻,影射青少年的异化:你不可能接触任何人而不剪到他们

天真处处
在蒂姆·伯顿的《剪刀手爱德华》中,怪物并非被创造者抛弃而是被剥夺。他并没有对这个世界极其愤怒,但他太无辜了,不应该承受这个世界。

第八章

科幻电视

在电视上出现过一些相当成功的科幻故事系列片。这些电视片的制作成本一般很低,但是靠着精彩的脚本和执著的信念,它们大多极受观众的欢迎。在此基础上,其中有一些后来被搬上了银幕。

本章对世界各地制作的电视科幻片进行了一番回顾,并对美国和英国的科幻电视片的特点略加介绍。对世界其他地区制作的科幻电视片的传统及特色进行详细的分析和介绍需要一本专著,我们这里只能对其中最具代表性的部分科幻片作一概要的介绍。

上图:《胡博士》中的机器人戴立克
左图:美国飞船"企业号",后被搬上银幕

美国的科幻电视

尤其是在美国，以前的和今天的电视几乎难以区分地交织在一起。随着有线电视网的日渐扩大，其中大多数都以辛迪加的方式播放系列片（其中有一部分是在半个世纪前制作的），因此我们今天几乎可以观看到所有的科幻系列电视片。

1. 导演　　2. 编剧　　3. 片长　　4. 彩色　　5. 黑白

20世纪50年代

《视频船长》
1949～1953，1955～1956
1. 拉里·门肯　2. 数位，包括莫里斯·布罗克豪泽、戴蒙·奈特、C·M·科恩布卢斯、罗伯特·谢克莱　3. 每周5集，每集30分　5. 黑白
船长是一个天才的发明家，其"宇宙震动器"使所有的歹徒恐惧不已，只有波利博士除外。他的"声障"装置使其自身能在主角身上潜藏达7年之久。

《明天的故事》
1951～1956
1. 乔治·福利，迪克·戈登　2. 数位　3. 每周播出，每集25分　5. 黑白
尽管带有偏见和制作成本较低，该系列片的特点之一是改编颇为出色，犹如《海底两万里》的一个改编本。

《科幻小说影院》
1955～1957
1. 伊凡·托斯　2. 数位　3. 78集，每集25分　4. 彩色　5. 最后一个播出季节是黑白片
该系列片描绘了一个沉睡者的故事，以严肃的方式来处理科幻内容，并无笨拙的败笔，但在短短两年后就被取消。

《星光闪烁地带》

《星光闪烁地带》
1959～1964
1. 数位，包括罗德·塞林　2. 数位，包括塞林，雷·布雷德伯里，里查德·马西森　3. 138集，每集25分，后18集每集50分　5. 黑白
该系列剧制作出色，内容超越了科幻，探索了"荒诞故事"每个可能的方面，有时颇具深度。

20世纪60年代

《外层界线》
1963～1966
1. 数位，包括莱斯利·史蒂文斯　2. 数位，包括约瑟夫·斯蒂芬诺，克利福德·D·西马克　3. 49集，每集50分　5. 黑白
这一优秀系列片的制作人之一曾与奥森·韦尔斯合作过，这在该片的大胆冒险和华丽场景中有所体现。但网络程序安排上的混乱不久就毁了这一系列片。

《海底游记》
1964～1968
1. 欧文·艾伦　2. 数位，包括威廉·韦尔奇，哈伦·埃利森　3. 110集，每集50分　4. 彩色　5. 第一个播出季节后是黑白片
在潜水艇"海景号"的每一次航行中，几乎充满了来自各方面的风险；但是世界得到了数十次的拯救。

《来自U.N.C.L.E.的人》
1964～1968
1. 诺曼·费尔顿　2. 数位，包括哈伦·埃利森，亨利·斯莱瑟　3. 105集，每集50分　4. 彩色　5. 第一个播出季节后是黑白片
几乎很难称得上是科幻片，尽管有些詹姆斯·邦德式的间谍装置是极为不真实的。演出人员似乎具有相当的幽默、讽刺的特点。

《失落在太空》

《失落在太空》
1965～1968
1. 欧文·艾伦　2. 数位，包括彼得·帕克　3. 83集，每集50分　4. 彩色　5. 第一个播出季节后是黑白片
制片人欧文·艾伦曾推出改编本《瑞士家庭鲁滨逊》，遭到彻底失败。他把故事移向1997年左右的太空时，总算取得了一些成功。剧中人物包括不屈不挠但并不特别聪明的鲁滨逊教授，他的妻子和儿女，把他们赶出轨道的邪恶间谍和一个受欢迎的机器人。

《西部荒野》
1965～1969
1. 数位，包括迈克尔·加里森　2. 数位，包括亨利·夏普　3. 104集，每集50分　4. 彩色　5. 第一个播出季节后是黑白片
和《来自U.N.C.L.E.的人》一样，这部内容广泛的幽默系列剧没多思考就动用了科幻手段，尽管片中部分反面角色把"蒸汽朋客"的机智带入到19世纪的背景中。

《时间隧道》
1966～1967
1. 欧文·艾伦　2. 数位，包括威廉·韦尔奇　3. 30集，每集50分　4. 彩色
在这60年代最差之一的系列片中，时间旅行者——他们是陷入实验科学家所创造的旋涡中的几个主角——撞击弹开卡纸板陷阱，颠倒了整个社会，而且一次次地成功逃脱。

《星际旅行》
1966～1969
1. 吉恩·罗登伯里　2. 数位，包括杰罗姆·比克斯比，罗伯特·布洛克，哈兰·埃利森，诺曼·斯平拉德，里查德·马西森，戴维·杰罗尔德，西奥多·斯特金　3. 79集，每集50分　4. 彩色
对这部前面未提及的不朽系列片人们几乎无话可说。在所有上演过的科幻系列片中，对这一部的评论是最多的。柯克船长及其机组人员是生活在未来的一群最著名的人物，这一星际飞船上的船员监视着由人类控制的太空腹地，通过击败外星人、叛徒和土地神维持着和平。系列片中不时可呼吸到真正的科幻气息。

《入侵者》
1967～1968
1. 艾伦·阿默　2. 数位，包括唐·布林克利，杰里·索尔　3. 43集，每集50分　4. 彩色
或许稍晚了些（共产主义的妄想狂高峰已经过去），这部描绘和我们长得相似的外星人渗透到各地的系列片是对50年代电影，如《盗灵人魔的入侵》的回应，不久就销声匿迹了。

《入侵者》

《巨人的土地》
1968～1970
1. 欧文·艾伦　2. 数位，包括鲍勃和埃丝特·米切尔　3. 51集，每集50分　4. 彩色
一架飞机穿过一个隧道口之后进入了另一个世界，即巨人国。飞机上的乘客在以后的几年里不得不躲避体型巨大的儿童和其他灾难。特技效果相当成功。在系列片的结尾，这批角色没有被营救出来。

20世纪70年代

《罗德·塞林的夜间画廊》
1970～1972
1. 罗德·塞林　2. 数位，包括塞林，以原创故事为基础　3. 29集，每集50分；16集，每集25分　4. 彩色
塞林的名声颇响，但他的影响与精彩的《星光闪烁地带》播出的那几年相比有所逊色。大多故事为恐怖或神秘故事，留下的科幻成分不多。

《拥有600万美元的人》
1973～1978
1. 数位，包括格伦·A·拉森，哈维·贝内特，艾伦·巴尔特　2. 数位　3. 100集，每集一般为50分　4. 彩色
一个正常的小伙子不知怎么的被人杀害了，后由科学家复活成一个超级英雄半机械人。他拥有多种广泛的计算机，能增强技能，转败为胜。

《星际旅行》

美国的科幻电视·297

《奇才女人》

《奇才女人》
1974~1979
1. 威尔弗雷德·鲍姆斯，马克·罗杰斯，查尔斯·B·菲茨西蒙斯 2. 数位，包括吉米·桑斯特，斯蒂芬·坎德尔，艾伦·布伦纳特 3. 58集，每集50分，另加专集 4. 彩色
卡西尔·李·克罗斯比主演飞行员，琳达·卡特(和精彩的动作续集)使该系列片播出时间长达5年。

《猿的行星》
1974
1. 斯坦·霍夫 2. 数位 3. 14集，每集50分 4. 彩色
该电视连续剧由极受欢迎的系列电影改变成播放时间长达1年的电视片，演员大多由原班人马组成。该片在英国播出时取得了很大的成功，但哥伦比亚广播公司在第一个播出季节即取消了此片的播放。

《莫克和明迪》
1978~1982
1. 加里·K·马歇尔 2. 数位，包括戴尔·麦克雷文 3. 92集，每集25分，外加50分的试播节目 4. 彩色
罗宾·威廉斯成名前成功扮演的莫克是被派到地球上来研究人类情感表达方式的外星人。它在科罗拉多州的博尔德城着陆，后与一个地球人姑娘相爱。该电视剧情节离奇，看似即兴之作，却令人深思，表明真正的科幻故事在电视片中可获得成功。

《战星银河》
1978
1. 数位，包括格伦·A·拉森，唐·贝利萨里奥，约翰·戴克斯特拉 2. 数位 3. 19集，每集50分，其中1集为试播节目，片长100分 4. 彩色
该片投入很大，但遭失败。一支巨大的宇宙飞船舰队由飞船载着类人动物向地球靠近，旨在躲避可怕的塞隆人，即对自然生命抱有敌意的机械类种族。由约翰·戴克斯特拉所创造的部分特技效果颇为出色。

《飞碟项目》
1978~1979
1. 杰克·韦伯，威廉·T·科尔曼上校 2. 数位，包括哈罗德·杰克·布卢姆，伦纳德·L·戈尔德 3. 26集，每集50分 4. 彩色
如果科幻飞碟故事是虚构的话，那么飞碟就是想象的产物了。如果飞碟是真的话，那么什么才是虚构的小说呢？片中，这个永远的难题在记录片式的叙述中未能完全得到解决。

20世纪80年代

《火星人纪事》
1980
1. 迈克尔·安德森 2. 里查德·马西森 3. 3集，每集110分 4. 彩色
这是对雷·布雷德伯里40年代创作的故事的改编，极忠实于原作者的风格。但布雷德伯里诗歌般的语言在电视镜头前的演出中未能得到充分展现。

《"V"》
1983~1985
1. 肯尼思·约翰逊，里查德·T·赫夫龙，迪恩·奥布赖恩，加纳·西蒙恩·塔格曼，佩elli·戈德曼，戴维·布拉福 2. 数位，包括约翰逊，布赖恩·塔格曼，佩elli·戈德曼，戴维·布拉福 3. 两个微型系列片，加上片长50分的19集连续剧 4. 彩色
片中，外星人不是秘密的入侵者。很显然，"来访者"来自宇宙某处。它们使自己的形象同人一样以掩饰它们实际上是蜥蜴这一事实，但这毫无用处。在经过许多肥皂剧和暴力场面后，和平终于到来。

《"V"》

《星光闪烁地带》
1985~1987
1. 菲利普·德格雷，詹姆斯·克罗克，哈维·弗兰德 2. 数位，包括雷·布雷德伯里，艾伦·布伦纳特，乔治·R·R·马丁 3. 36集，每集为50分或25分 4. 彩色
在哥伦比亚广播公司和各集制作人之间不断的争执中，部分精彩故事最终得以播出。

《史蒂文·斯皮尔伯格的奇异故事》
1985~1987
1. 史蒂文·斯皮尔伯格，乔舒亚·布兰德，约翰·法尔赛 2. 数位，包括斯皮尔伯格，里查德·马西森 3. 43集，每集为25分；2集，每集为50分 4. 彩色
尽管投入了大量资金，加上有史蒂文·斯皮尔伯格监督(他自己也导演了其中几集)，这一连续剧仍未取得真正意义上的成功。

《星际旅行：下一代》
1987~1994
1. 数位，包括基恩·罗登伯里，里克·伯曼，迈克尔·皮勒 2. 数位 3. 174集，每集为50分；2集，每集为90分 4. 彩色
在经历了20年的电视屏幕的束缚后，《星际旅行》终于归来了。现由一批新演员出演，加上看上去更为现代的《企业号》，《下一代》系列片片长比原来增加了一倍，在成熟度、可信度、精致巧妙和戏剧感染力上都超过了前者。如果说旧的连续剧仍然拥有广大观众的话，其原因就在于它的神话结构。

《那边有什么东西》
1988~1989
1. 弗兰克·卢波，里查德·科勒，约翰·阿什利 2. 卢波，伯特·珀尔，保罗·伯恩鲍姆，克里斯琴·达伦 3. 微型系列片加上50分为1集的8集连续剧 4. 彩色
该片未继续下去，但或许已达到了某个目的。一个友好的会读懂人心灵的外星人帮助地球上的警察追踪一个邪恶的外星人，后者——颇为令人惊奇——是个阴险的变形者，看上去和真人一样。

《外星人国》
1989~1990
1. 肯尼思·约翰逊 2. 数位 3. 21集，每集50分，加上1集试播节目 4. 彩色
这是又一个"搭伴"系列片，同样包括一个外星人和一个警察。但背景颇为复杂，50万类人外星人于最近登陆地球，且在这里寻求避难。这是一个对种族不相容的明显但并非说教性的评论。

《量子跃迁》
1989~1994
1. 唐纳德·P·贝利萨里奥 2. 数位，包括贝利萨里奥 3. 95集，每集50分，另有1集90分的试播节目 4. 彩色
从其复杂性和对旧体裁期望的压抑上，《量子跃迁》是一个处于最佳时期科幻作品的纯世纪末的故事，是一部时间旅行系列片。它听上去似乎和《时间隧道》差不多，但很快就超越了后者。系列片的主角陷入在历史中倒退的单向旅行途中，随其不断下沉而呈现出不同形状的躯体。差不多就是这样。

20世纪90年代

《引力的囚徒》
1990~1994
1. 格雷格·瑟尔贝吉 2. 里克·格林 3. 每周1集，每集25分 4. 彩色
这一颇具想像力的加拿大杂志采访节目推出了几十个对科幻人物的采访，有些有点油嘴滑舌，但知识面很丰富。在说英语的世界里，没有其他节目可与之相比。

《星际旅行：太空站9号》
1993
1. 里克·伯曼，迈克尔·皮勒 2. 数位 3. 每周1集，片长50分，另加100分的试播节目 4. 彩色
这一系列片是《星际旅行》宇宙的合理发展，背景是一个广阔太空的栖息地，里面有名单长长的企业家们，既有人类，也有外星人。他们互相交往，争吵，恋爱，违法乱纪……到第三个季节时，太空站9号的生物在他们启程进行超越银河系前哨基地的历险中恢复了太空旅行的传说。

《巴比伦5号》
1993
1. J·迈克尔·斯特拉金斯基，道格拉斯·内特 2. 数位，包括斯特拉金斯基 3. 每周1集，每集50分，另加1集90分的试播节目 4. 彩色
科幻是一个对自己的语言、主题、偶像和情节设计颇感自豪的体裁。这没有阻挡住对斯特拉金斯基新作的批评，后者与《太空站9号》确有相似之处。

《洛伊丝和克拉克：超人新历险记》
1993
1. 德博拉·乔伊·莱文 2. 数位，包括莱文，丹·莱文 3. 每周1集，每集50分 4. 彩色
这一带有笑话色彩的名称暗指19世纪的路易斯和克拉克的探险，他们的探险推动了美国向西部的拓展。系列片突出了超人与洛伊丝·莱恩的关系，具有讽刺、平铺直叙和滑稽有趣的特点。

《超人新历险记》

《X档案》
1993
1. 克里斯·卡特 2. 数位，包括卡特，格伦·摩根，詹姆斯·王，霍华德·戈登，亚历克斯·甘萨 3. 每周1集，每集50分 4. 彩色
一个持异见的联邦调查局特工相信一切奇怪的事物，他和一个颇有逻辑头脑的女性怀疑论者一起去解决牵涉到超自然和难以解释的问题的罪案。乐观的气氛，低调的恐怖事件和演出到位的两性之间的紧张关系，使得这部毛骨悚然、情节复杂的系列片成为后人的模仿对象。

《海洋探寻DSV》
1993
1. 史蒂文·斯皮尔伯格，汤米·汤普森，戴维·J·伯克，罗克尼·S·奥巴侬，帕特里克·哈斯伯勒 2. 数位 3. 每周1集，每集50分，另加1集90分的试播节目 4. 彩色
这一制作成本很高、讲述回到《海底游记》中水下世界的故事实际上和后者大同小异，只是加上了对生态问题的关注。

捍卫今天

美国的电视制片人几乎在半个世纪以前就对科幻片产生了兴趣,除了有几年的空白以外,他们几乎从来没有停止过这方面的努力。这并不是一个简单的任务。优秀的科幻电视片要求质量高的脚本,有时还需要成本较高的布景,而这两方面可能都不易获得。但是比这两方面更重要的是,好的科幻电视片需要一种对变革采取接受和欢迎的态度。有很多科幻片只是装作在探索新世界,但重要的是至少要装作这样。美国的制片人发现,要这样做是极为困难的。

美国的科幻系列片

美国电视上的科幻故事始于《视频船长》,该片播出时间是1949年至1956年。在其高峰期(约1950~1952年),每周播出4个晚上。故事的背景定在22世纪,船长是"视频徘徊者号"的头领。通过自己的科学洞察力,他成功地发明了许许多多的武器和设备,从而得以及时地击败了众多来自外星球的歹徒和入侵者。

关于这一电视片及其对美国科幻电视的长远影响,有两点值得注意。第一点是很显然的:《视频船长》是一部儿童片,此后的几十部儿童科幻电视节目都是从该片发展变化而来的。第二点也很清楚,而且尽管看上去微不足道,但实际上却更重要:它是一部系列片。当时美国的电视往往着重拍摄有人资助的系列片;这与英国的电视制作正好相反,后者往往注重单本的戏剧或连续剧。连续剧和系列片的主要差别是,连续剧围绕的是单个故事,整个情节有头有尾;而系列片只是一连串故事的汇合,并没有特定的结尾。我们都记得科幻作品旨在探索变革,这意味着既有开端又有终点,于是这里就出现了一个问题。或许现在我们可以解释,为什么这么多的美国电视科幻故事似乎或大胆地、或以其他方式把目光对准未知世界,但是只是到中间的广告片播放时为止。在这以后,后半段的时间又回到了原来的状况——准备从头开始,就在原先开始的地方,下一个故事开始了。因此,最适合于电视系列片要求的主题有时很难被视为真正的科幻主题。就像美国的科幻电影一样,美国电视上的科幻节目一般并不集中于探索(这会引起变化),而是围绕入侵或劫掠(威胁必定会受到阻遏,一切将回到原来状况)。美国的科幻电视片里也充斥着歹徒或疯狂的科学家,他们穷凶极恶的阴谋遭遇挫折后就跳回几个情节,准备重新开始同样的战斗,并遭受同样的失败。在这头10年里,美国的科幻电视片是相当保守的。归根结底,相当部分的故事主题是犯罪和惩罚。

在星光闪烁地带后面

这一流行模式之外的主要例外是《星光闪烁地带》(该片于1959年至1964年间播

趋向极限

《外层界限》没有取得新《星光闪烁地带》那样的成功,而且为错误的时间安排(早在录像片替代节目表之前)所累。但在某些观众看来,它甚至要比其强大的对手精彩得多。

它是个秘密

《星光闪烁地带》以其"结尾的刺激性"情节而闻名。

罗德·塞林

罗德·塞林(1924~1975)就像一位奇迹创造者。他推出的《星光闪烁地带》是科幻电视系列片中商业上取得最大成功、同时也是制作最佳的片子。其中有几集是他自己编写和制作的,并亲自介绍给观众。其他作家包括雷·布雷德伯里和里查德·马西森。有几集是荒诞故事,其他的则纯粹是科幻内容,但对他们来说主要的推动力是精彩的故事叙述;有许多以意外的结局告终,有的则在结尾处启动了真正的科幻奇想意识。在节目中没有不含科学幻想内容的场面:火箭、外星人、机器人、入侵、瘟疫、鬼灵、新的星球、奇异的维度、时间旅行和妄想等。科幻片质量参差不齐,有时有经验的科幻故事读者未待片子结束就已经猜到了整个情节和结果,但是新视野的激动人心似乎总是近在眼前。1985年,一部新系列片推出了,而且它没有使前人丢脸。哈兰·埃利森是个有创造性的顾问,许多科幻小说作家也对此作出了自己的贡献。

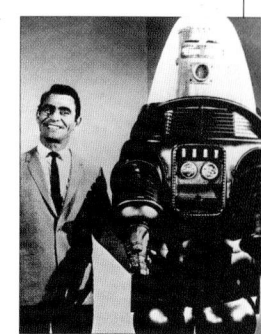

罗德·塞林和片中的一个外星人

出)和《外层界限》(该片于1963年至1965年间播出)。这两部电视剧都是系列片,是典型的美国现象,每周播出的节目都是独立成篇的。《星光闪烁地带》连续播出了几个季节,尽管由于有线电视网对其继续存在下去的能力抱有怀疑而停播了几次;而《外层界限》则在第二个播出季节结束之前就被拦腰砍掉了。

这以后又出现了如《来自U.N.C.L.E.的人》和《海底游记》等系列片。在这些电视片中,真正的科幻主题常常消失在突出超级罪犯和对人类现状带来威胁的故事情节中;在科幻文学作品里,对罪犯和对打败罪犯的英雄们从来就没有很强的兴趣。这以后使人们有所宽心的是《时间隧道》,该片确有一些令人深思的想法。然后是《星际旅行》。这部片子中有许多罪犯,而且至少有一个威胁人类的外星人种,但故事中也暗示了新的科学、新的智慧和新的文明。继而在《新一代》中,一种变革的意识有时几乎占据了主导地位。但是近20年的电视片中并无令人惊心动魄的内容。在70年代,我们看到系列片中有这么一种退却,显示的是更多的超级英雄们打败了罪犯,而科幻内容却大大减少,充斥于屏幕的是质量不一、科幻内容模糊的喜剧。在80年代,除了《星际旅行》这类套路作品所重复的早就该出现的复苏以外,旧的材料又被重新进行了加工,这中间例外的是两部堪称真正的科幻连续剧——《第三次世界大战》(1982)和《后来那天》(1983),在这两部片子中世界真的发生了急剧变化。在90年代,史蒂文·斯皮尔伯格的《奇异故事》几乎引起了轰动,但瞬间又褪了色;而《海洋探寻DSV》是一部关于水下故事的糟糕片子。这时,真正的行动是在银幕上。

莫克和明迪

这个地球上的外星人富于喜剧气质;这并不是真正的科幻故事,但是的确提供了娱乐趣味。

U.N.C.L.E.

令人目眩的庸俗故事中并没有多少科幻内容,但再次占据中心的是娱乐内容。

《星际旅行》

《星际旅行》的制作者基恩·罗顿伯里(1921~1991)的天才是数年以后才显露出来的。该片于1966年9月推出之初,取得的成功还较为一般;在播出78集以后,该系列片再也没有——或如全国广播公司所认为的——复生。但是詹姆斯·T·柯克船长、斯波克先生和剧组的其他成员并未就此淡出。该系列片不久就进入辛迪加有线电视网络,短短几年之后柯克和斯波克成为当代神话。电视片中的对话,包括经典的分裂不定式短语闻名于全世界。预算的限制使得该系列片的背景几乎全设在星际飞船"企业号"上,该飞船在银河系巡游以保卫我们自己的地球家园的利益,其间短暂逗留于其他行星。斯科第的光束对电视片拍摄来说几乎未花什么钱。但是我们都真的相信了,直到今天依然如此。

《下一代》

孩子比其父母更有头脑:皮卡德从不像柯克那样老是冒个人风险,新星际飞船"企业号"的高科技水平极高。有人认为它的趣味性稍弱了一点,但这是因为《星际旅行》长大成熟了。

最早的剧组演员

由多民族演员组成的剧组,包括美国的柯克船长,"伍尔坎"斯波克先生,令人不解的斯科第,博恩斯·麦科伊,黑人——而且是女性——尤拉中尉,东方人苏卢先生,以及俄罗斯人契诃夫少尉。

英国的科幻电视

英国的科幻电视片制作一直受到预算资金不足的影响。但是尽管有这一原因——包括许多节目审计者显然抱有的某种敌意——这一领域仍然有相当一批佳作问世,其中一部分被证明极受观众欢迎,而且具有相当的生命力。

1. 制片人或导演　　2. 编剧　　3. 片长　　4. 彩色　　5. 黑白

20世纪50年代

《夸特马斯实验》
1953
1. 鲁道夫·卡蒂埃　2. 奈杰尔·尼尔　3. 6集,每集30分　5. 黑白

第一个从太空回来的人感染上了一种未知病毒。该病毒使他逐渐变得不像地球上的人而更像外星人,尽管他从未失去同情心。解难题高手、宇航科学家夸特马斯阻止了这一"伤人肢体罪",他的做法是劝说那个被外貌像蔬菜的魔鬼附身的人毁灭自己,同时也就毁灭了那个野兽。

《1984》
1954
1. 鲁道夫·卡蒂埃　2. 奈杰尔·尼尔　3. 120分　5. 黑白

令人惊奇的是,这部片子拍摄了两次!重拍的片子尽管受到公众的抗议(起因是出于这一误解,即故事情节描绘的是因袭习惯,而不是作为一种警告),但电视观众的收视率迄今为止仅次于《加冕典礼街》。主演为彼得·库欣和安德烈·莫雷尔。该片对奥威尔原著的忠实程度较为勉强。

《失落的行星》
1954
1. 凯文·谢尔登　2. 安格斯·麦克维卡　3. 6集,每集25分　5. 黑白

这是以麦克维卡自编的广播剧为基础摄制的儿童连续剧,讲述的是一群被运输到赫西科斯行星上去的人类的历险经历。比该片规模小的连续剧《回到失落的行星》则把我们的主角送回到了赫西科斯行星上。该片的特技效果制作较粗糙,也难以与原来的广播剧相比。

《夸特马斯第二集》
1955
1. 鲁道夫·卡蒂埃　2. 奈杰尔·尼尔　3. 6集,每集35分　5. 黑白

一个高度保密的机构被证明是好战的外星人入侵者霸占世界的道路上"占有"人类的一个中心。该小屏幕的电视片比1975年版的电影要好得多。

《夸特马斯和陷阱》
1958~1959
1. 鲁道夫·卡蒂埃　2. 奈杰尔·尼尔　3. 6集,每集35分　5. 黑白

在伦敦的一个地铁火车站下发现了一个火星人的宇宙飞船,该飞船放射出的东西使有的人眼中出现了可怕的景象。夸特马斯用一种新方法把这一切投射到电视屏幕上,从而发现这些人们熟悉的关于魔鬼的传说实际上都来自火星人。该系列片超过了后来拍摄的电影。

《夸特马斯和陷阱》

20世纪60年代

《A代表安德洛墨达品系》
1961
1. 迈克尔·海斯,诺曼·詹姆斯　2. 约翰·埃利奥特,弗雷德·霍伊尔　3. 7集,片长为45分至50分　5. 黑白

来自安德洛墨达银河系的无线电信号帮助科学家建造了一个先进的计算机,它能教会自己一切有关人的知识并造出人来。由此引起的妄想狂意识导致了对外星人知识的摧毁和悲剧性的结局。

《超级汽车》
1961~1962
1. 格里·安德森　2. 格里和西尔维亚·安德森,休和马丁·伍德豪斯　3. 39集,每集25分　5. 黑白

在当时,安德森的新"超级马里恩国"的假想人物似乎是极为复杂的;现在这一过程及该片的脚本就显得很平常了。

《复仇者》
1961~1969
1. 约翰·布赖恩,布赖恩·克莱门斯,艾伯特·芬内尔,伦纳德·怀特,朱利安·温特尔　2. 数位,包括布赖恩·克莱门斯和特里·内申　3. 161集,每集50分　4. 彩色　5. 最后两个播出季节是黑白片

在这个或许是代表60年代的电视系列片中,特工约翰·斯蒂德在一组女性同事伙伴的帮助下,与各种各样的歹徒作斗争。剧中可以分辨出3个阶段,大体与这些同事在职的时间相对应(当然是偶然的),即卡西·盖尔阶段代表的是相对来说较为正统的,尽管是很时髦的惊险电影;埃玛·皮尔阶段(系列片的黄金时代)则由狂野的、常常几乎是超现实主义的情节和电视节目所组成;最后,在短命的塔拉·金阶段,一切都变得有些呆滞了。

《复仇者》

《胡博士》
1963~1992
1. 数位　2. 数位,主要为特里·内申　3. 679集,每集片长25分;15集,每集片长50分;1集,90分　4. 彩色　5. 在6个播出季节后是黑白片

"胡博士"与其说是一个电视片角色,不如说是一个现象。他是数位为一切而战、可以不断再生的"时间上帝"之一。他乘着塔迪斯飞越时空,塔迪斯的外形和英国警察用的电话亭类似。在系列片第二集出现了"戴立克"后,该系列片就再没往后回望。胡博士能够定期更新自己整个躯体的能力,明确解释了为何该节目会成为电视史上最成功的太空剧。在这过程中,其主角演员的更替甚至超过了《星际旅行》。

《雷鸟》

《雷鸟》
1965~1966
1. 格里·安德森,雷吉·希尔　2. 数位　3. 32集,每集50分　4. 彩色

"雷鸟"是私人收容行动机构"国际拯救组织"所拥有的多功能的运载工具,该组织给自己规定的任务是预先阻止,或者说尽可能地减少太空、空中、陆地或水下的灾难。该组织具有贵族派头的伦敦代理人佩内洛普夫人——她拥有粉红色的罗尔斯·罗伊斯车——是片中无可争议的明星,或许是所有超级马里奥国儿童系列片中最受欢迎的角色。

《走出无知地带》
1965~1971
1. 艾琳·舒比克,艾伦·布罗姆利　2. 数位　3. 49集,片长50分或60分　4. 彩色　5. 最后两个播出季节是黑白片

这部作为雄心勃勃的《走出这个世界》连续剧前3个播出季节的节目,由著名的科幻小说故事改编的单集电视片组成。第四个播出季节的片子与前面不同,主要为原创的鬼怪和荒诞电视剧。

《囚徒》
1967~1968
1. 戴维·汤布林　2. 数位,包括特伦斯·菲利,帕特利克·麦古汉(系列片创作者),乔治·马克斯坦,罗杰·沃迪斯　3. 17集,每集50分　4. 彩色

这部不同寻常的系列片或许可以被称做英国科幻电视片中的旗舰,尽管其本身和科幻还有着一段距离。一个间谍突然辞职不干了。他被立即监禁在荒诞派的村庄里,而且连名字也被剥夺了:他现在叫"6号"。他在一集中都试图逃跑,同时一个新的"2号"("1号"是管理头领,在片终之前未暴露过身份,然后就变成一个谜)试图通过半幻觉的手段,劝说他对自己辞职的原因作出解释。

《虹》
1964~1965
1. 格里·安德森　2. 格里和西尔维亚·安德森,艾伦·芬内尔,丹尼斯·斯普纳　3. 39集,每集25分　4. 彩色

微型原子能潜水艇"虹号"的驾驶员特罗伊·坦皮斯特与水下的坏蛋搏斗,与此同时他想确定自己是否真正爱上了他上司的女儿,或者说是美人鱼。

《斯卡里特船长和神秘人》
1968
1. 雷吉·希尔 2. 数位 3. 32集，每集25分 4. 彩色
在这一关于"超级火星人国"的系列片续集中，火星上的居住者——神秘人——把地球人首次登陆火星误解为入侵。它们试图把两个地球人高级间谍改造成"神秘人第五纵队"分子，以便混入地球人中并最终消除这一威胁。在布莱克船长身上它们获得了成功，他成了系列片中的坏蛋。与神秘人转变工作的失败相反，布莱克船长变成了永生不死的斯卡里特船长。

20世纪70年代

《时间误差》
1970~1972
1. 约翰·库珀，大卫多·彭伯顿，布鲁斯·斯图尔特 2. 数位 3. 26集，每集30分 4. 彩色
两个孩子跌入时障的一个洞穴中，从而具备了探索自己过去和未来的能力。该电视片分为4个连续剧，是儿童片，具有教育意义，播出后得到高度评价。

《末日预言》
1970~1972
1. 特伦斯·达德利 2. 数位，包括格里·戴维斯和基特·佩德勒(系列片创作者) 3. 38集，每集50分 4. 彩色
一个特别的半公开的政府机构"科学工作测量部"，在每一集中都面临着一个由新技术引发的灾难。播出时影响很大(而且很受欢迎)，但现在看来该系列片显得颇为简单。

《飞碟》
1970~1971
1. 雷吉·希尔 2. 数位，包括格里和西尔维亚·安德森 3. 26集，每集50分 4. 彩色
在该片中安德森让木偶在真实的情景中表演，但并未因此使演员们显得呆板。1980年，驾着飞碟的外星人入侵地球，受到了"防御外星人组织"最高指挥部的抵抗。

《明天人》
1973~1979
1. 鲁思·博斯韦尔，维克·休斯，罗杰·普赖斯 2. 布赖恩·芬奇，普赖斯，乔恩·沃特金斯 3. 68集，每集25分 4. 彩色
一群儿童变成了"超级人"，从而具备了进行时间旅行、心灵运输和远距离行动的通灵能力。他们及其说话型电脑运用该通灵能力和高科技发明与地球及其他星球上的邪恶现象作斗争。

《月球基地3号》

《月球基地3号》
1973
1. 巴里·莱茨 2. 数位 3. 6集，每集50分 4. 彩色
这一没抹上幻想色彩的系列片把时间定格在2003年，讲述了在月球上建立基地的故事。片中甚至有一位科学顾问，即担任科普电视节目主持人的詹姆斯·伯克。该片对"现实主义"的强调使它相当乏味，拍摄六集后即告结束。

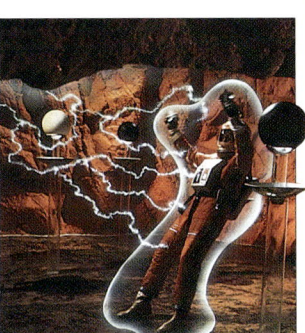
《太空:1999》

《太空:1999》
1975~1978
1. 西尔维亚·安德森，弗雷德·弗赖伯格 2. 数位 3. 48集，每集50分 4. 彩色
安德森实景拍摄科幻电视片的第二次大胆尝试从视觉角度来看显得颇为成功，但由于演技较差，更由于脚本糟糕而告失败。月球，包括月球上由人操纵的基地，由于一次核事故而被炸离地球轨道。月球殖民者在银河系的巡游中遭遇外星人，并消灭了这些死敌。

《幸存者》
1975~1977
1. 特伦斯·达德利 2. 数位，主要为特里·内申(系列片创作者) 3. 38集，每集50分 4. 彩色
有种病毒杀死了地球上的大多数人，在英国幸存下来的人只有几千。该系列片拍摄了几群幸存者(主要为中层阶级)团结起来重建某种文明的斗争过程。在第一季节播出的节目严谨有度，具阴郁色彩，可归入最佳科幻电视片之列。后来拍摄的各集渐渐沦落为"大灾难后"的肥皂剧。

《新复仇者》
1976~1977
1. 布赖恩·克莱门斯，艾伯特·芬内尔 2. 数位 3. 26集，每集50分 4. 彩色
法国和加拿大是如此喜欢《复仇者》，两国共同投资拍摄这一连续剧，分别在法国、加拿大和英国实地拍摄。一个年老的斯蒂德得到珀迪和迈克·甘比特的帮助。这是一种注定要失败的努力，它试图恢复某种已过时的东西。

《1990》
1977~1978
1. 普鲁登斯·菲茨杰拉德 2. 数位，主要为威尔弗雷德·格雷托雷克斯 3. 16集，每集55分 4. 彩色
在90年代，实行独裁统治的福利国家英国拥有无上的权力。一个持不同看法的记者帮助来自热爱自由的美国的渗透者，还帮英国的反叛者逃离。该系列片原本旨在对工联社会主义可能产生的后果发出警告，可其表现手法使得后者显得滑稽可笑。

《布莱克的7个帮凶》
1978~1981
1. 维尔·洛里默，戴维·马洛尼 2. 数位，包括詹姆斯·福利特，特雷弗·霍伊尔，思·李，特里·内申(系列片创作者) 3. 52集，每集50分 4. 彩色
在遥远的未来，一小群反对拥有无上权力的"联邦"政府的叛乱者逃脱禁闭后，与银河系中的独裁统治势力作斗争。这一系列片与绝大多数电视太空剧的区别(而且这方面做得很成功)在于避开黑白分明的角色形象，在于毫无畏惧地让其主角死去(布莱克自己很早即消失，只是在最后一集中才出现，这时他被现已夸大狂的、有缺陷的主角艾文杀害)，也在于让其主角仅仅激怒压迫者。该片赢得了众多观众，至今仍为人称道。该片显示的破旧、悲观的气氛通过廉价制作的布景得到了加强。

《萨法尔和斯蒂尔》
1979~1982
1. 肖恩·奥赖尔登 2. P·J·哈蒙德(系列片创作者)，其中1集由唐·霍顿和安东尼·里德制作 3. 34集，每集25分 4. 彩色
这一令人困惑的系列片可以被视为科幻电视片的顶峰，或者自我沉湎的无价值节目。萨法尔和斯蒂尔分别由乔安娜·拉姆利和戴维·麦卡勒姆扮演。从外表看，他们是来自遥远未来的生物，他们在时间走廊里巡逻，以防止在过去、现在和未来之间出现任何不适宜的泄漏(这样的泄漏会引起诸如鬼魂和面貌相似的幽灵的产生)。

20世纪80年代

《搭车旅行者银河系指南》
1981
1. 艾伦·J·W·贝尔 2. 道格拉斯·亚当斯 3. 6集，每集35分 4. 彩色
就在地球被沃冈的建筑工程师炸毁时，一个英国人得到了一个类人外星人的拯救。他们一起搭车遨游银河系，遭遇各种怪物和许多怪事，并一直得到那本有声指南的帮助。原来的广播剧颇受欢迎，但这里电脑显示的图形十分特别。该系列片极具独创性，而且大多很有趣。两部系列片和相应推出的小说使得"42"这个数字家喻户晓。

《三脚架》
1984~1985
1. 里查德·贝茨 2. 克里斯托弗·彭福德勒，阿利克·罗 3. 25集，每集30分 4. 彩色
这部优秀的连续剧根据约翰·克里斯托弗的《三脚架》三部曲(1967~1968)改编，因为资金原因被逍削短了篇幅。在临近21世纪末时，地球为外星人所奴役，它们通过头颅植入的方式控制人类。那些逃脱这一奴役统治的人们展开斗争，组织抵抗运动。

《马克斯·黑德鲁姆》
1985, 1985~1987, 1987~1988
1. 彼得·瓦格，布赖恩·弗兰克希，史蒂夫·罗伯茨 2. 罗伯茨 3. 一部片长为65分的电视片，各种摇滚推销节目；14集系列片，每集50分 4. 彩色
一个用电脑设计制作的头颅被作为摇滚乐系列片《马克斯·黑德鲁姆节目》的主持人，一部虚构其出身经历的电视片被当做该系列片的先行篇。马克斯是一个调查某桩谋杀案的记者，他是以电子形式存在下来的生命。但美国的电视抛弃了摇滚乐节目内容，制作了一套科幻系列片。

《星际警察》
1987
1. 埃夫杰尼·格里德内夫 2. 数位，其中有克里斯·鲍彻(系列片创作者) 3. 9集，每集55分 4. 彩色
在21世纪前半叶中期，负有维持太空和平使命的国际太空警察侦破各种罪案。

《红矮星》
1988
1. 希拉里·贝文·琼斯，埃德·拜伊，罗伯·格兰特，道格·内勒 2. 格兰特，内勒 3. 每周1集，每集30分 4. 彩色
在千万年以后的未来，一个水手在一艘大型宇宙飞船上从假死状态中醒来，发现人类早已灭绝，他的仅存伙伴是一个神经电脑，一个有知觉的全息体，以及一个变成了类人动物的猫。后来，它们由人形机器人连接起来。《红矮星》开始试图把当时颇为新鲜的"英国新浪潮"喜剧置于一个出人意外的方位。后来，它逐渐地超越了这一目标，并在想象中探索科幻小说的剧情及概念，同时仍然保留着自己的智慧和讽刺力。

《红矮星》

傲视与反抗

当人们在观看科幻电视片时，头脑里首先会冒出来的问题之一是，为什么所有的动作都这么缓慢？对此问题有两个回答：第一个回答是，那些扮演外星人的演员所戴的化装用具往往很笨重，常常给人带来视觉上的限制，因此演员会有跌倒的危险。第二个回答是，拍摄中使用的布景道具往往是廉价制造的，演员方面任何过度的活动都会使墙壁产生过分的摇晃，甚至会倒塌。有经验的科幻电视节目观看者是知道这点的：为了保护布景，几乎所有的动作都得慢慢来。

英国的制作方法

在美国的科幻电视制作界，造成幻觉的那些布景所用的材料价廉质次，有时会造成灾难性的后果，因为美国的科幻电视系列片总的来说其本身的态度是相当严肃的。但是在英国电视界，对此的态度颇为不同，由此而产生了不同的形象。在初次接触英国的电视片时，美国的观众往往会对这些节目中所显露出来的对这些片子拍摄制作价值的轻视态度和随意处理而感到惊奇，有时甚至会觉得迷惑不解：布景、道具、服装和制作的动物等，往往一看就知道是成本低廉的；有时要让人想一会儿才会明白。英国的科幻电视片对未来的塑造没有且从未采取过严肃的态度。

具有反叛性的开端

从一开始，英国较具影响的科幻电视

忠于原著
英国广播公司推出的《1984》是该小说改编中最忠实于原著的。观看此片的观众与前一年观看英国女王加冕典礼的人数不相上下。

制作就从未贡献过哪怕与60年代美国的经典片子，如《时间隧道》或《星际旅行》，稍稍有点相似的"未来历史"科幻作品。在这类电视片中，主角有一个让未来按其应该的方式展现的使命。最佳的美国科幻电视片的主角是忠诚的士兵，他们发誓效忠于自己的政府(而且将地球的需要置于他们侵入的"异邦"行星的需要之上)。与此相反，英国在早期科幻电视上取得的最大成功是于1955年推出的乔治·奥威尔的《1984》的实景演出，该片由已故的彼得·库欣主演，剧本改编是奈杰尔·克内尔。《1984》是一部经典的政治反面乌托邦故事，对各种形式的高压政府采取了严厉的批判态度，但从对未来作出描绘这一要求来看它距离很远。

克内尔此后继续创作《夸特马斯》故事：夸特马斯故事本身在英国的科幻电视片发展史上就是非同寻常的，因为它的主题是外星人入侵，这一般被视作美国科幻电视片的主题；尽管该三部曲的第二部《夸特马斯第二集》甚至描绘了盗灵人魔入侵的威胁，但在克内尔的故事中他们是与腐败的英国政府共谋合伙的。换而言之，即使在这里，英国的电视与效忠于掌权者的做法是背道而驰的。英国科幻电视对世界采取的是冷嘲热讽的做法，而不是效忠于那些为主子服务的人。

英国科幻电视片中最接近于包含某一使命的"未来历史"故事的片子是《胡博士》，而且即使这样说还是有些勉强。故事中的博士几乎总是与任何现有的组织机构处于对立不和的状态——从一开始他就是一个叛逆者，遭人嫌弃，逃离其他一切的"时间上帝"。这或许从一个方面解释了这类专为儿童摄制的节目在成人中大受欢迎的原因。的确，英国的科幻电视比起美国同行的工作来，更多的是以成人为目标的。但即使是显然为儿童拍摄的连续剧，如《时间陷阱》，也可能把那些成人的角色变为搞独裁的坏蛋。在临近世纪末之际，这一探寻的态度变得越来越公开。《囚徒》对那些挥舞权力者的轻蔑态度是有腐蚀性的，《布莱克的7个帮凶》利用颇为吸引人的反英雄角色

特里·内申

特里·内申和他笔下的"戴立克"

位于英国科幻电视圈中心的是剧作家特里·内申(生于1930年)。在30多年里他一直是个主要人物，既为此受到尊敬，也因此而受到诽谤。他在《胡博士》的创作中起了相当的作用，是他在1963年发明了"戴立克"这种半机械人入侵者。在其对整个银河系文明的征服中注定会不断受到挫折和失败，但儿童仍很喜欢。《幸存者》至少有7集是他创作和执笔的，该系列片从70年代中期开始播出，讲述的是经历神秘的瘟疫后幸存下来的人们的故事。1978年，他创作并执笔撰写了《布莱克的7个帮凶》系列片里最精彩的几集，该系列片描述的是一种急剧转向无政府主义的倾向。特里·内申的科幻电视片在英国电视片中属于最优秀的一类；一切都可能是可怕的，他这样说，但是你止不住发出笑声。

谁是头号？
《囚徒》的背景是位于威尔士的梅里昂港这个超现实的模范村，该片把卡夫卡和间谍惊险片结合了起来。囚犯一直试图逃跑的行为可能只是一个考验，但他自己可能是一个真正的头领。

自我嘲弄的艺术

在80年代,《搭车旅行者银河系指南》对一切政府、一切权威、一切智慧、一切关于未来之路的美好展望极尽嘲讽之能事。很难想象出有什么套话在该系列片的剧本中未被使用过。与之相比稍逊一筹,但具有同样特色的是前几年推出的《红矮星》。当美国把《星际旅行》的新一代人送入遥远未来的万众之中时,英国人却让3个无用之辈乘着一艘破旧的飞船在辽阔无垠的太空巡游,遭遇的是和标准的科幻作品大相径庭的情景和故事。

与美国的科幻电视片或美国作家创作的科幻作品相比,英国的科幻电视片在基调和主题上与英国作家创作的科幻作品更为接近。这看上去似乎是相当自然的。但事实上,由于美国在这一领域占据的明显的支配地位使得人们很难看清其他地方的科幻文学有什么特色。英国的科幻电视一直是制作成本低、陈旧可笑、带有嘲弄和压抑的气氛、争辩性强,不过也很有趣。因此,即使它有点迟疑摇摆又有什么关系?"胡博士"和"福特长官"的光荣在于,它们是在我们一边的。

创造世界的人
地球被炸毁,以便为一条旁道让路,从而开始了《搭车旅行者银河系指南》的大混乱。我们从故事中知道"地球"是一台计算机,就在它揭示生命的意义之前被毁灭了。

英雄和坏蛋
在《布莱克的7个帮凶》中,布莱克和他那一帮人在逃离独裁统治的"联邦"政府时,惹事生非,欺诈偷窃,乱砍乱杀,后受到邪恶的瑟维伦的追踪迫害,最终被消灭。

胡博士

该系列片始于1963年。当1989年英国广播公司在播放了695集宣布该片停止播出之后,千百万观众觉得被人出卖了。胡博士是个时间上帝,而且很难发现一个比他更自命不凡的上帝。他在时空之间来回奔驰,有时是因为他正在逃跑中,有时是因为他迷失了方向,有时只是因为他想这样做,有时则是因为他感到应该去保护地球免受"戴立克"、电脑人或其他灾难侵害之苦。在认为需要时,胡博士自己可以变出一个新的形体。因此该系列片的7个演员扮演的是同一个博士,拥有同样的记忆,会一再恢复青春。在该系列片停止播出时,胡博士仍然有3个变形计划尚未实现。故事中的每一个化身都有一位年轻女性陪伴。她是人间凡人,成熟长大后离去,再由另一位年轻女子接替,而且她们之间往往是颇为相似的。在该系列片最初播放的几年里,这位女性伙伴常常是带着"女性"的非理性特点而陷入困境,然后由胡博士营救出来。在系列片的后期,在更讲究"政治上正确"的时代里,她不再被要求是一个愚痴型的角色,分成4~6个部分的故事情节也变得更为错综复杂。

橡皮外星人
胡博士通过他的时间机器"塔迪斯"不停地在时空中穿行。有时他是在拯救地球,但更常见的是他的麻烦不断。

威廉·哈特内尔
1963~1966

帕特里克·特劳顿
1966~1969

约翰·珀特维
1970~1974

汤姆·贝克
1974~1981

彼得·戴维森
1982~1984

科林·贝克
1984~1986

西尔维斯特·麦科伊
1987~1989

欧洲和日本的科幻电视

除了我们都很熟悉的美国和英国的电视以外，其他国家也推出了形形色色的科幻电视片。欧洲和日本制作了许多引人入胜的优秀作品，它们值得我们广泛注意，同时也反映了这一影视形式的生命力及其多样性。

1. 制片人或导演　　2. 编剧　　3. 片长　　4. 彩色　　5. 黑白

20世纪60年代

《维加行动》
意大利　1962
1. 维多里诺·科塔法维　2. 弗里德里奇·迪伦马特　3. 约120分　5. 黑白
金星上的流放者宁愿选择被地球当局炸死，也不愿参加反对火星殖民地争取独立斗争的军事行动。

《朋友》
波兰　1965
1. 马雷克·诺维茨基、杰西·斯塔维基　2. 诺维茨基、斯塔维基，根据斯坦尼斯劳·莱姆的故事改编　3. 20分　5. 黑白
在这一对莱姆经典故事的改编中，一个体积庞大的计算机试图控制全世界。体积过于庞大的计算机常常是这么做的。

《猎户座号宇宙飞船》
德国　1966
1. 迈克尔·布劳恩，西奥·梅齐格　2. 罗尔夫·霍诺罗德，W·G·拉森　3. 7集，每集约60分　4. 黑白
这部德国经典太空剧系列片的背景设在3000年，开拍的时间比《星际旅行》稍稍早些，而且同样受到观众的热烈欢迎。当时是作为严肃的题材进行制作的。由著名演员狄特马·舍恩黑尔主演。在播出一个季节后即因成本太高而被砍掉，重播片今天被视为高雅喜剧。

《超人》
日本　1966~1967
1. 圆谷英司　2. 金城哲夫　3. 39集，每集25分　4. 彩色
每个星期，穿着橡胶衣的超人（地球人和外星人的结合体）运用传统的武术和高科技法术，单枪匹马地与一个狂暴的魔怪作斗争，从而拯救了日本社会。这类伴有哥斯拉式动作的道德剧为以后的许多电视片所仿效。

《范塔卡》
意大利　1968
1. 维多里奥·科塔法维　2. 朱塞普·贝托、皮尔·贝内德托·贝托利、罗曼·弗拉德　3. 65分　5. 黑白
在由技术效率专家统治的未来的意大利，"无生产能力"的南方人被驱逐到了土星上。这个"奇特怪诞"的讽刺剧描绘了一艘类似诺亚方舟的飞船上的奇异旅程。

《馅饼》
波兰　1968
1. 安德热耶夫·瓦伊达　2. 斯坦尼斯劳·莱姆　3. 36分　5. 黑白
一个著名的赛车手经历过无数次的事故，但却因一次又一次的移植手术而生存下来。现在法庭必须确定，这个人究竟是谁？这是一个颇为棘手的问题，现在他穿的是女性服装，因为一个妇女就是器官捐献者之一。

《沙多克斯》
法国　1968
1. 雅克·鲁塞尔　3. 416集，每集约5分　4. 彩色
在1968年的群众抗议运动中，这一每日播出的颇有争议的卡通系列片使得法国的公众舆论分为两派。两个互相对立的外星人种族，即沙多克斯人和吉比斯人的超现实的、横冲直撞的历险故事——包括他们发现的属于遥远过去的地球以及他们对"基因因"实体的斗争，至今仍是科幻电视史上最令人困惑的现象。

20世纪70年代

《代表团》
德国　1970
1. 雷纳·厄勒　2. 厄勒　3. 110分　4. 彩色
当一个正在拉丁美洲的村庄附近调查不明飞行物的电视新闻记者发现了当地人遭遇外星人的事实真相之后，某些利益派别试图封住他的口。

《水之谜》
波兰　1970
1. 安德热耶夫·孔德拉提克　2. 安德热耶夫·博罗斯基，孔德拉提克　3. 70分　5. 黑白
在这部热闹有趣的模仿"超级英雄"的电视片中，一个疯狂的科学家阴谋盗窃一个湖泊，然后把它出售给一个阿拉伯国家。影片主人公试图挫败这一罪恶计划。在该计划中，一个核反应堆使水达到沸点，由此蒸发而成的雾云飘流至沙漠，然后通过由气球携带的冰箱装置将云转化成雨。

《世纪旅行者，现代儒勒·凡尔纳故事》
法国　1971
1. 让-德勒维尔　2. 根据诺埃尔·诺埃尔提出的构思改编　3. 4集，每集90分　4. 彩色
时间旅行者旅行到了过去，由此产生了某些不可避免的结果。他们试图修正历史的风险行为，包括在某一集里阻止法国大革命的发生，在另一集里遇到的不是预期的路易十四，而是波拿巴，或一个普通的针织品商人……

《猎户座号宇宙飞船》

《冷酷的爱》
意大利　1971
1. 狄诺·帕特萨诺　2. 朱塞普·卡西耶利　3. 58分　5. 黑白
一个情绪抑郁的会计得到的药方是："冬眠"7年。在苏醒过来以后，身体健康、充满精力的他能轻松地回归到他离开了这么长一段时间的社会中去吗？

《阿尔方梅戈》
法国　1972
1. 拉扎尔·伊格莱西亚斯　3. 6集　4. 彩色
在这部侦探小说的模仿作品中（值得注意的是它是法国难得一见的科幻喜剧作品），"东东"和"二头肌"开着一家名叫"通向银河系的钥匙"的商店。

《时间旅行者》
日本　1972
2. 石山达，根据筒井安孝的小说改编　3. 6集，每集25分　4. 彩色
该系列片（后改编成电影）以日本著名的科幻小说为基础，描绘了一个女外星人在地球上的遭遇。该片既有批判性，也受到了观众的欢迎。岛田淳子扮演的女主角使她成为全国闻名的明星。

《信使Z》
日本　1972~1974
1. 芹川侑子，大冈信夫，久冈孝　2. 中井伍，动画制片公司　3. 92集，每集25分　4. 彩色
这一具有突破性的动画系列片在日本和法国引起了轰动，并掀起了"巨型机器人"热。这部卡通片描绘的是机器人勇士"信使Z"在其发明者年轻的孙子的控制下，与疯狂的科学家赫尔博士作斗争的历险故事。

《网上世界》

《网上世界》
德国　1973
1. 雷尼尔·韦尔纳·法斯宾德
2. 弗里茨·米勒·谢尔兹，法斯宾德，根据丹尼尔·F·伽罗耶的《假冒世界》(1964)改编　3. 210分　4. 彩色
一个计算机控制着数千个"身份单元"的人造个性。后者是对人类的完美模仿，他们认为自己是真实的人，而不是由冷漠的科学家操纵的电子实体。

《蓝色宫殿》
德国　1973~1975
1. 雷尼尔·厄勒　2. 厄勒　3. 5部电视片构成的系列片，每部片长90分　4. 彩色
故事发生在一个高级研究机构里。这一闪耀着智慧的惊险系列片描绘的是科学发现在落入歹徒之手后可能产生的后果。探索的问题包括合成物质、通灵学、人工智能和灵魂不灭等。

《伽倪墨德行动》
德国　1976
1. 雷尼尔·厄勒　2. 厄勒　3. 125分　4. 彩色
在对太空探索项目进行分析的关键时刻，一艘宇宙飞船突然从木星返回。飞船上载着一个被遗弃的太空项目的幸存者。

《致命的蛋》
意大利　1977
1. 乌戈·格雷戈莱蒂　2. 格雷莱蒂　3. 2集，每集60分　4. 彩色
一种加速蛋生长的光线被政府用于促进生产。可是由于政府官员的错误，却孵化出了巨型的爬行动物魔鬼。这是一部政治讽刺剧。

《偷渡者》
挪威 1978
1. 斯坦－罗杰·布尔 2. 乔恩·宾,托尔·阿吉·布林斯瓦德 3. 3集,每集37分 4. 彩色

在一艘从最近发现的行星返回的星际飞船上,有一个外星人冒充一个宇航员的身躯和身份。但他冒充的是谁呢?调查揭示了在陌生的行星上存在着机器人入侵这一令人震惊的事实。这部迄今为止挪威最成功的科幻系列片应归功于其合作的剧作者,现代挪威科幻文学体裁的奠基者。

《这个奇异的世界》
苏联 1978
1. 维克托·斯皮利多诺夫 2. 卢德米拉·艾米利娜,安德烈·科斯特内茨基 3. 15集,每集60分 4. 彩色

该系列片在前苏联电视上是作为"儿童节目"播放的,从科幻文学作品的竞赛测试演变而来,内容包括与著名作家的讨论,以及用较低的成本搬上电视屏幕的西方和俄国的科幻作品。科幻迷、宇航员格鲁吉·格雷切科主持了好几集节目,由作家阿卡迪·斯特鲁格茨基担任顾问。自从重播在1991年结束后,俄罗斯就再没播出过同样的硬科幻节目。

《移动服装》
日本 1979~1980
1. 保彦义一 2. 富吉行 3. 43集,每集25分 4. 彩色

这是第一部有硬科幻色彩的日本系列动画片,描述的是地球和建立在月球轨道上的殖民地之间所发生的一场大战,后者正在寻求独立。穿着可移动战斗服装的士兵的激烈作战夹杂着错综复杂的大小情节,其中包括众多不同的角色,如乘着巡回游动战斗飞船的年轻英雄。这个故事被拍摄成多集连续剧,围绕着该电视剧的市场推销的巨大动作反映了其广受欢迎的程度。

20世纪80年代

《拿起这个圆环》
挪威 1982
1. 斯坦－罗杰·布尔 2. 乔恩·宾,托尔·阿吉·布林斯瓦德 3. 3集,分别为46分、52分和68分 4. 彩色

一个将古代太阳象征体系的起源追溯至5000年前一次超新星大爆炸的学者,被卷入到一个以戴环圈为标志的秘密兄弟会里。该会后来被发现是由一艘太空飞船上的宇航员的后代所组成的圈子,他们逃离一颗靠近已毁灭的恒星的行星来到这里。这艘飞船仍被隐匿在地球某处,最后终于被找到。

《神秘博士科内利乌斯》

《超级堡垒马克罗斯》
日本 1982~1983
1. 石黑升 2. 松前谦一 3. 36集,每集25分 4. 彩色

当一艘外星人的战舰强迫着陆后,地球上的人们团结起来进行防御。外星人回来了。经过激烈战斗后,人类几乎都被消灭了。该故事后被改编成美国的卡通连续剧《机器人技术》。

《超维世纪奥尔盖斯》

《超维世纪奥尔盖斯》
日本 1983~1984
1. 石黑升,三神本安义 2. 松前谦一 3. 35集,每集25分 4. 彩色

一颗新的炸弹炸裂了地球上的许多地方,形成了一个多重现实混杂的超现实世界。如不重新稳定下来,这颗行星就会毁灭。

《来访者》
捷克斯洛伐克 1983~1984
1. 英德里赫·波拉克 2. 奥塔·霍夫曼 3. 13集,每集30分 4. 彩色

为避免地球在一场宇宙大灾难中遭到毁灭,科学家们回到20世纪去寻找一个神童留下的关键的计算数字。

《神秘博士科内利乌斯》
法国 1984
1. 莫里斯·弗雷德朗 2. 让－皮埃尔·佩特罗拉奇,让·丹尼尔·西蒙,皮埃尔·尼沃莱特,根据古斯塔夫·勒鲁日的小说集改编 3. 6集 4. 彩色

在这一根据勒鲁日长达18卷的经典科幻小说改编的精彩影片中,一个由坏蛋组成的秘密组织的头领(兄弟俩)自1912年起就密谋控制全世界。他们和同样具有勃勃雄心的两个亿万富翁间展开了大规模的战役。

《婴孩》
捷克斯洛伐克 1984
1. 亚罗斯拉夫·杜德克 2. 米罗·麦库莱夫,约瑟·奈斯瓦德巴 3. 6集,每集58分 4. 彩色

这是迄今为止最"严肃"的捷克科幻系列片,主题是基因操纵和选择繁殖问题,方法是通过一种发明让父母亲"设计"一个符合其要求的孩子。

《太空试验》
波兰 1984~1987
1. 罗慕尔·索尔克 3. 每月1集 4. 彩色

在这一活泼的智力竞赛节目中,参赛各队需要回答的问题包括作家(东方和西方作家)、电影和狂热爱好者等有关方面。科幻俱乐部和"正常的"竞赛选手由此检验其有关的知识,既为了获取奖品,也为了这方面的荣誉。

《一颗重新发现的行星》
意大利 1986
1. 马里奥·恰里 2. 马西姆·布凯,契阿里,奥尔都·萨帕拉 3. 80分 4. 彩色

该片假托记录片形式,描绘了2222年的"专家们"试图对我们现在的文化作出阐释。该节目为就电影和文学中的科幻体裁进行严肃的讨论提供了一个论坛。

《夏天的12个月》
瑞典 1988
1. 里查德·霍伯特 2. 霍伯特 3. 130分 4. 彩色

在一个孤立的建筑工地上的工人们被作为一项奇特的心灵实验的试验者。这一紧张、恐怖影片的结果是工人们回到了家里,但他们说的语言没人能懂。

《糖》
德国 1989
1. 雷纳·厄勒 2. 厄勒 3. 95分 4. 彩色

在这部对遗传工程(由用食品纤维素的细菌进行废弃物处理的试验所引发)的讽刺片中,新造出来的微生物如瘟疫般传播开来,把所有的纸片都变成了糖。

《机动警察巡逻》
日本 1989~1991
1. 大椎真麻 2. 伊都矩 3. 48集,每集25分 4. 彩色

这是日本取得巨大成功的科幻警察故事动画片。影片描写细腻,富于现实主义,反映了一支小小的机动警察部队在巡逻中同时利用大批受控制机器人劳工进行犯罪和其他伤害活动所进行的斗争。

20世纪90年代

《加加林——太空飞行剧》
挪威 1991
1. 莫顿·索姆特 2. 约恩·宾,托尔·阿吉·布林斯瓦德 3. 64分 4. 彩色

这是一部向人类第一位太空旅行者致敬的巨片。该片摄制技术复杂,场面壮美,动用了模型、特技效果、美国国家航空和宇宙航天局及俄罗斯宇航局提供的摄影胶卷资料。该片描绘了尤里·加加林的一生及其悲剧。

《另一种现实》
芬兰 1991
1. 朱西－佩卡·科斯基兰塔 2. 马尔科·阿霍宁,约翰纳·锡尼萨罗,卡里·奥赫曼 3. 3集,每集30分 4. 彩色

这一为年轻人拍摄的微型连续剧通过人们熟悉的科幻内容对一些重大问题进行了探讨,如污染和电视的开发与利用等。

《年龄未知》
瑞典 1991
1. 里查德·霍伯特 2. 霍伯特 3. 3集,每集50分 4. 彩色

一种抗衰老药物在一个保健农庄的病人身上进行秘密试验。当该药物产生过度的使人变形的效果时,发明一种解毒药成了艰巨的任务。一支优秀的演员队伍使人们熟悉的题材仍具吸引力。

《游牧部落》
法国 1991
1. 阮施兰,让－克劳德·米西安 2. 雅克·泽尔德,约珥·胡辛,让-吕克·弗罗芝格,丹尼尔·里奇米西安 3. 4集,每集90分 4. 彩色

本片对不远未来的展示显示的是巴黎郊区的一个法西斯城市国家。在狂野的团伙用"疯狂的马克斯"的方式决一雌雄时,主角在为一个更健全的世界而斗争。

《夜风》
芬兰 1992
1. 奥利·苏伊尼奥 2. 苏伊尼奥 3. 84分 4. 彩色

这一极为冷酷的现实主义戏剧的背景是,一场情况不明的灾难后在军政府统治下的一个凄凉的未来社会。它描绘了一个家庭在严酷、孤立、隔离的条件下所进行的生存斗争,他们从一个动荡不安的城市逃到了乡村。低沉的调子使得这一具悲观色彩的反面乌托邦故事更令人可信。

《加加林——太空飞行剧》

术语

Alien 外星人，异形：来自地球以外星球上的与人类不同的生命。

Alternate Worlds 可能世界：设想用于替代我们自己现实的各种不同的可能现实。参见"Parallel Worlds"（平等世界）条。

Android 人形自动机器人：机器人的一种，其外形酷似人。

AI 或 **Artificial Intelligence** 人工智能：具有与人类相近智力的计算机。在科幻文学中很常见。

Black Hole 黑洞：太空中的一个区域，其引力之大使得光线都无法逃逸。它看上去是黑的，其原因即在此。在科幻文学中，黑洞可以是武器、航行通道等。参见"Wormhole"（虫洞）条。

Clone 克隆：从一个生物体繁殖而成的另一个生物体，一般通过母体细胞培植成这一母体的复本。

Colonization 殖民：对其他行星的殖民一般包括一个小的栖居地，后者或繁荣发展或相反。参见"Lost Colony"（失落的殖民地）条。

Corpsicle 冷冻人体：用冷冻保存起来的病死尸体，等待将来复活。参见"Cryonics"（人体冷冻学）条。

Cosmology 宇宙学：研究宇宙的起源和终结。

Cryonics 人体冷冻学：通过对病死尸体进行超冷冻以保存人体。参见"Corpsicle"（冷冻人体）条。

Cyberpunk 网络朋客：以计算机控制为背景（网络），反映一种有机警生存头脑的、反对现存社会制度的文化（朋客）的故事。

Cyberspace 网络空间：使用者在接上计算机网络后所经历的虚拟现实。

Cyborg 半机械人：部分为人造的、部分类似于人体的机器人。

Dianetics 排除有害印象精神治疗法。参见"Scientology"（科学论派）条。

Dreadful Warning Tales 可怕的警示故事：警示某种行动的可怕后果的故事。早期的例子常常是"Future War Tales"（未来战争故事）。

Dying Earth Tales 濒死的地球故事：故事背景为远古的地球，它位于极衰老的宇宙中，在那里没有任何新的或未经检验过的事物。参见"Far-future"（遥远的未来故事）条。

Dystopia 反面乌托邦：理想社会的反面典型。参见"Utopia"（乌托邦）条。

Edisonade 爱迪生式的故事：讲述发明家历经与遭遇、击败敌人以及征服新领土的故事。

ESP 或 **Extra Sensory Perception** 超感官知觉：超越正常意识范围的感知能力。参见"Psi Powers"（超心理力）条。

Extraterrestrial 外星人：地球以外的生物。参见"Alien"（异形）条。

Fantastic Voyage 荒诞航行：访问未知领土，且在那里发现奇异生物的航行。参见"Proto SF"（科幻文学雏形）条。

Fanzine 爱好者杂志：科幻文学爱好者之间进行交流的杂志，其内容从文学批评到小道新闻都有。

Far Future 遥远的未来：在接近时间终点时，所有的资源都已耗尽。参见"Dying Earth"（濒死的地球）条。

Future History 未来历史：未来事件的框架，作家在此框架内构思故事。

Future War Tales 未来战争故事：预言近期未来战争的故事。参见"Dreadful Warning Tales"（可怕的警示故事）条。

Gaia Theory 盖亚理论：一种认为地球是一个拥有目的的有生命机体的概念。参见"Living Worlds"（有生命的世界）条。

Galactic Empires 星系帝国：统治多达一个以上太阳系的帝国。

Gaslight Romance 煤气灯浪漫故事：怀旧荒诞故事，例如H·G·威尔斯在故事中遇见了"撕人魔"杰克。参见"Steampunk"（蒸汽朋客）条。

Generation Starship 世代星际飞船：设计用来维持一个人类社会生存，直至抵达最近的、可供居住的行星的宇宙飞船。

Genre SF 科幻文学体裁：20世纪20年代在美国的通俗杂志上推出的以历险为主、带有乐观色彩的科幻小说。

Golden Age of SF 科幻文学的黄金时代：大约1938年至1943年期间，当时"惊险科幻小说"杂志发表了几十篇该文学体裁主要作家撰写的作品。

Hard SF 硬科幻文学：这类小说常以科学家为主角，而且故事多在科学内容上显得具有真实性。

Hive Mind 蜂巢头脑：不是由单一躯体，而是由一个群体组成的存在物。在科幻文学中，它和群体进行心灵感应交流。

Hollow Earth 空心地球：一个或是空心的、或是中间有隧道和腔室等蜂状结构的、或是中间有一个其天空为行星地壳底部的内地球的地球。参见"Lost World"（失落的世界）条。

Homo Superior 超人：拥有超级意识或能力的人。参见"Psi Powers"（超心理力）条。

Hugo Award 雨果奖：以雨果·根斯巴克的名字命名、于1953年设立的第一个科幻文学奖。

Hyperdrive 超光速推进装置：使飞船比光速更快飞行，或是穿越超空间飞行的推进力。

Hyperspace 超空间：虚构的太空，其中一般对速度的约束不再适用，因此允许进行迅速的星际旅行。参见"Space Warp"（宇宙空间挠曲）条和"Speed of Light"（光速）条。

Invasion Paranoia 侵略妄想狂：对求知事物的恐惧，以对诸如异形人等侵略力量的恐惧为代表。

Jonbar Point 琼巴点：在可能世界故事中，现实发生分叉的某一点。

Living Worlds 有生命的世界：在传统的科幻文学中，一个有生命的世界可能是一个巨大的蜂巢头脑，甚至是一个有机的行星。近来，盖亚理论开始居主流地位。

Lost Colony 失落的殖民地：一个通常位于某一过去的人类扩张波中的殖民地，其中新的文化得以发展形成，旧的秘密仍得以保存。

Lost Race 失落的种族：居住在失落世界中早已被人遗忘、或是从未为人所知的种族。

Lost World 失落的世界：地球世界中隐匿起来的一部分，有时在地球的内部，往往居住着失落的种族。参见"Hollow Earth"（空心地球）条。

Machine Cultures 机器文化：机器智能文化，或是创造出来的模仿机械预测能力的文化。

Marrying Out 外婚：外星人被视为可能的合伙者而不是威胁者。通过与别的物种联姻，我们或许会消除人身上某些最差的品质。参见"Invasion Paranoia"（侵略妄想狂）条。

Matter Transmission 物质传输：把物或人从某地送往另一地的瞬间传输。参见"Teleportation"（心灵运输）条。

Mutant 突变体：任何其基因与祖先不同的生物——实际上，我们都是突变体。参见*Homo Superior*（超人）条。

Near Future 近期未来：相隔一代人左右，或是能被识别出与现在有连续性的未来。

Nebula Award 星云奖：由美国科幻小说作家协会自1966年起颁发的有很高声誉的奖项。

Parallel Worlds 平行世界：同时并存的几个世界，互相之间由某种屏障隔开。参见"Alternate Worlds"（可能世界）条。

Parasitism 寄生现象：一个物种的生存依赖于另外一个物种。参见"Symbiosis"（共生）条。

Planetary Romance 行星浪漫故事：古代、刀剑加巫术的故事，背景多为地球以外的行星。

Pocket Universe 袖珍宇宙：被其居住者认为是整个现实的环境。

Post-holocaust Tales 大灾难后的故事：故事背景定在终结了我们已知历史的大灾难之后。

Precognition 预知：预见未来的能力。参见"Psi Powers"（超心理力）条。

Proto SF 科幻文学雏形：在科幻文学被正式接受为一种文学体裁前创作的故事。

Psi Powers 超心理力：各种超自然的意识和能力。参见"ESP"（超感官知觉）、*Homo Superior*（超人）、"Precognition"（预知）、"Telekinesis"（心灵致动）、"Telepathy"（通灵能力），以及"Teleportation"（心灵运输）条。

Ramjet 或 **Ramscoop** 冲压式喷气：从前部吸入物质、从后部推压出去以取得推进力的驱动力。参见"Rocket"（火箭）条。

Robot 机器人：一种通常可移动的机械，一般由内置的人工智能电脑控制。参见"Android"（人形自动机器人）条。

Rocket 火箭：一种由配套的、自控燃烧结构携带的燃料驱动的引擎，或是装有这类引擎的飞行器。

Scientology 科学论派：一种由科幻小说作家L·罗恩·哈伯德创立的宗教，以排除有害印象精神治疗法的"精神科学"为基础。

Sense of Wonder 奇妙意识：科幻故事中所描述的一种敬畏意识，多为一种视野的突然和极度扩大给人所带来的对事件或宇宙本身真实规模的认识。

Sharecrop 收益分成：有商标标记的宇宙，多与电视剧或影片相连，作者由此而创作出故事。

Shared Worlds 共享的世界：故事主线或背景由一位作者设计构思，其他作家在合作创作中添加上人物角色。参见"Sharecrop"（收益分成）条。

Sleeper Awakes 睡眠者觉醒：故事主角在未来世界里，或是从延缓的生存状态、或是从其他消磨时间的经历中醒来。

Space Habitat 太空栖地：一种设计用来维持运行轨道中生命的装置。参见"Space Station"（太空站）条。

Space Opera 太空剧：动作故事，背景为行星际或星际空间。主要内容为星系帝国之间的战争。

Spaceship 太空飞船：在科幻小说中，太空飞船可能是一种运输方式，也可能是故事发生的场合。

Space Station 太空站：一种构造物，一般位于太空轨道上，设计用作转移点而不是栖居地。参见"Space Habitat"（太空栖地）条。

Space Warp 宇宙空间挠曲：虚构的太空中的褶皱，它允许跨越连接褶皱两边的点位。参见"Hyperspace"（超空间）、"Speed of Light"（光速），以及"Wormhole"（虫洞）条。

Speed of Light 光速：每秒大约30万千米。根据爱因斯坦的相对论，这是一个不可超越的速度。在科幻小说中，这是一种对星际旅行的约束因素。参见"Hyperspace"（超空间）、"Hyperdrive"（超光速推进装置）、"Space Warp"（宇宙空间挠曲），以及"Wormhole"（虫洞）条。

Steampunk 蒸汽朋客：19世纪描述工业革命各种后果的可能世界的几种形式。参见"Gaslight Romance"（煤气灯浪漫故事）条。

Symbiosis 共生：不同物种间互相依赖生存的方式。参见"Parasitism"（寄生现象）条。

Telekinesis 心灵致动：把物体从某地送往另一地的能力。参见"Psi Powers"（超心理力）条。

Telepathy 通灵能力：理解人的心灵的能力。参见"Psi Powers"（超心理力）条。

Teleportation 心灵运输：穿越空间和（或）时间的运输物质的能力。参见"Matter Transmission"（物质传输）、"Psi Powers"（超心理力）条。

Terraforming 地球形成：改造其他行星，使其能适宜人类的生存居住。

The Three Laws of Robotics 机器人学三大法则：由艾萨克·阿西莫夫和约翰·W·坎贝尔于40年代初提出，是一组在科幻文学中控制机器人行为的伦理道德。三大法则分别是：第一，机器人不应对人带来伤害，或者通过无行动方式使人遭受伤害；第二，机器人必须遵守人发出的指令，除非该指令与第一条法则相冲突；第三，机器人必须保护自己的存在，除非这种保护与第一条或第二条法则相冲突。

Time Paradox 时间悖论：一个由时间上逆向旅行而形成的不可能局面。例如，一个人逆向旅行，杀死自己的父亲，这样他就永远再也不可能存在于世上。

UFO 或 **Unidentified Flying Object** 飞碟，不明飞行物：科幻小说世界往尽可能与不明飞行物学保持距离。科幻小说中外星人和"不明飞行物学"中外星人的主要差别是，前者被认为是虚构的产物，后者则是信念的产物。

Utopia 乌托邦，虚构的故事：其中对正面的理想社会进行了描述。参见"Dystopia"（反面乌托邦）条。

Wormhole 虫洞：穿过黑洞从星系的一部分通向另一部分的通道。参见"Speed of Light"（光速）条。

索引

注：黑体印出的页码为该主题的主词条。

A

A for Androneda（television）《A 代表安德洛墨达品系》（电视）300
Abbott and Costello Meet Frankenstein（film；Barton）《艾伯特和科斯特洛遭遇弗兰肯斯坦》（电影；巴顿）259
Abe，Kobo 阿贝，科博
　Inter Ice Age 4《在第四纪冰川时代中间》133
Aboriginal Science Fiction（magazine）《土著人科幻小说》（杂志）87，**104**
The Absolute at Large（Čapek）《无法无天》（恰佩克）119
The Abyss（film；Cameron）《深渊》（电影；卡梅伦）287
Adams，Douglas 亚当斯，道格拉斯 58
　The Hitchhiker's Guide to the Galaxy《搭车旅行者银河系指南》79，177
Adams，Richard 亚当斯，理查德
　Watership Down《下沉的水船》174
Adolf in Blunderland《谬误之地的阿道夫》57
Adventures in Time and Space（McComas and Healy）《时空历险》（麦科马斯和希利）65
The Adventures of Baron Munchausen（film；Gilliam）《敏豪生男爵历险记》（电影；吉列姆）287
Aelita（film；Protazanov）《艾里达》（电影；普罗塔赞诺夫）50，251
Air Wonder Stories（magazine）《空中奇想故事》（杂志）99
Akira（film；Otomo）《亚基拉》（电影；大友）286
Akira（Japanese comic）《亚基拉》（日本连环漫画）**247**
Älder Okänd（television）《年龄未知》（电视）305
Alderman，Gill 奥尔德曼，吉尔
　The Archivist《档案保管员》195
Aldiss，Brian W. 奥尔迪斯，布赖恩·W．103，131，**158**
　An Age《一个时代》158
　Barefoot in the Head《长在头上的光脚丫》155
　Billion Year Spree《10 亿年狂欢》78，158
　collaboration with Harrison 与哈里森合作 157
　The Dark Light Years《黑暗的年代》158
　Earthworks《防御工事》154，158
　Frankenstein Unbound《解放了的弗兰肯斯坦》158，175
　Greybeard《花白胡子》153，158
　Helliconia series《海利科尼亚》系列 83，158，192，**232**
　Hothouse《温室》72，152，158
　institutes John W. Campbell Award 设立约翰·W．坎贝尔奖 78
　The Malacia Tapestry《马来西亚挂毯》158，176
　Non-Stop《直达旅程》133，158
　Report on Probability A《关于概率 A 的报告》158
　The Saliva Tree《唾液树》158
　Somewhere East of Life《生活的东方》158，207，**237**
Alhoff，Fred 阿尔霍夫，弗雷德
　Lightning in the Night《黑夜闪电》64
Alien 3（film；Giler）《外星人第三集》（电影；贾尔勒）291，293
Alien Contact（magazine）《外星人联络》（杂志）**105**
Alien Nation（film；Baker）《外星人国》（电影；贝克）287
Aliens（film；Cameron）《外星人》（电影；卡梅伦）85，87，286
aliens in SF 科幻文学中的外星人 **90**
All-Story（magazine）《故事会》（杂志）43，116，118
Allen，Roger MacBride 艾伦，罗杰·麦克布赖德
　The Ring of Charon《冥卫一的光环》206
　The Torch of Honor《荣誉的火炬》194
Alphaville（film；Godard）《阿尔伐城》（电影；戈达尔）268，273
L'Alphomēga（television）《阿尔方梅戈》（电视）304
Alraune（film；Galeen）《并非神圣的爱》（电影；加里恩）251
Alraune（film；Oswald）《邪恶之女》（电影；奥斯瓦尔德）254
Altered States（film；Russell）《改变的状态》（电影；拉塞尔）282
Alternate Worlds 可能世界 **62**
The Amazing Colossal Man（film；Gordon）《惊人的巨人》（电影；戈登）263
Amazing Stories（magazine）《奇异故事》（杂志）73，**98**
　Gernsback founds 由根斯巴克创办 50，119
　historical context 历史背景 51
　reprints Wells 重印威尔斯作品 114，120
Amazing Stories Quarterly《奇异故事季刊》99
Amazon Women on the Moon（film；Dante）《月球上的亚马孙女人》（电影；丹特）286
Amis，Kingsley 艾米斯，金斯利
　The Alteration《改变》176
　New Maps of Hell《地狱的新地图》72，152
L'Amor Glaciale（television）《冷酷的爱》（电视）304
Analog（magazine，formerly *Astounding*）《轨迹》杂志，原名《惊险》）103
　Bova edits 博瓦编辑 78
Anderson，Poul 安德森，波尔 121，**150**，196
　The Avatar《化身》177
　The Boat of a Million Years《百万年之舟》150
　Brain Wave《脑波》131，150，**220**
　compared to Dickson 与迪克森的比较 148
　Dominic Flandry series《多米尼克·佛兰德利》系列 150
　The Enemy Stars《敌星》133
　Fire Time《点火时刻》175
　Future History 未来历史故事 67
　Harvest of Stars《星辰的收获》150
　The High Crusade《高高的十字军》150
　Mirkheim《黑暗之光》176
　Orion Shall Rise《猎户星座将会上升》193
　Psychotechnic series《心理技术联盟》系列 150
　The Stars Are Also Fire《星星也是火》207
　Tau Zero《陶零》150
　Technic History series《技术历史》系列 67，150
Android（film；Lipstadt）《人造人》（电影；利普斯塔）283
androids 人形自动机器人 54
The Andromeda Strain（film；Wise）《安德洛墨达品系》（电影；怀斯）274，280
Antares（magazine）《天蝎座 α 星》（杂志）**105**
Anthony，Patricia 安东尼·帕特里夏
　Cold Allies《冷漠的同盟者》207
Anthony，Piers 安东尼·皮尔斯 153
　Chthon《阴间》154
　Macroscope《宏观》155
Anticipatia（magazine）《期望》（杂志）**105**
Anvil，Christopher 安维尔，克里斯托弗
　The Day the Machines Stopped《机器停止运转的那一天》153
Appleseed（film；Katayama）《苹果种子》（电影；片刚）291
Appleseed（Japanese comic）《苹果种子》（日本连环漫画）247
Aranson，Eleanor 阿纳森，埃莉诺 177
Argosy（magazine）《宝库》（杂志）43，50，**98**
　publishes Burroughs 出版伯勒斯的作品 118
Arnold，Edwin Lester 阿诺德，埃德温·莱斯特
　Lieutenant Gulliver Jones《格利佛·琼斯上校》116
Ash，Fenton 阿什，芬顿
　A Trip to Mars《火星游记》90，95
Asimov，Isaac 阿西莫夫，艾萨克 57，**134-5**
　The Caves of Steel《钢之洞穴》134
　death 死亡 92
　Doubleday Press 道布尔迪出版社 68
　The End of Eternity《永恒的终端》63
　Foundation series《基地》系列 71，130，**134-5**
　Foundation's Edge《基地的边缘》192，**231**
　The Gods Themselves《神祇自身》135，174，**227**
　I, Robot《我，机器人》130，**218**
　magazines 杂志 65，101，102
　The Naked Sun《赤裸的太阳》69，134
　"Nightfall" "夜幕降临" 134
　Robots and Empire《机器人与帝国》134
　The Robots of Dawn《黎明时的机器人》134
　Second Foundation《第二座基地》131
　Silver Age 白银时代 69
　The Three Laws of Robotics 机器人学三大法则 53，55，69，134，**306**
Asimov's Science Fiction Magazine《阿西莫夫科幻小说杂志》**104**，135
Astor，John Jacob 阿斯特，约翰·雅各布 46，109
Astounding（magazine）《惊险科幻小说》（杂志）57，**101**
　Campbell renames *Analog* 坎贝尔改名为《轨迹》103
　and Campbell's editorship 坎贝尔任编辑 101
　creation 创刊 56
　debut of major writers 主要作家的处女作 57，129
　publishes Dianetics article 发表排除有害印象精神治疗法 68
　saved from paper shortage 在纸张短缺情况下得以维持出版 64
Astounding Stories（magazine）《惊险故事》（杂志）99
The Astronomer's Dream（film；Méliès）《天文学家之梦》（电影；梅里爱）250
At the Earth's Core（film；Connor）《在地心》（电影；康纳）277
Atheling Jr.，William *see* Blish，James 小阿瑟林，威廉，参见"布利许·詹姆斯"条
atomic power and SF 原子能和科幻文学 20
Attack of the 50-ft Woman（film；Guest）《50 英尺高的女人的袭击》（电影；格斯特）291
Attanasio，A. A. 阿塔纳西欧，A．A．
　Radix《根源》192
Atterley，Joseph（George Tucker）阿特利，约瑟夫（乔治·塔克）
　A Voyage to the Moon《月球之旅》108
Atwood，Margaret 阿特伍德，玛格丽特
　The Handmaid's Tale《女仆的故事》87，194
Auel，Jean M. 奥尔，琼·M．
　Clan of the Cave Bear《穴居熊部族》192
Auster，Paul 奥斯特，保罗
　In the Country of Last Things《在最后事件的国家》194
The Avengers（television）《复仇者》（电视）300

B

Babbage，Charles 巴比奇，查尔斯 74
Babylon 5（television）《巴比伦 5 号》（电视）297
Back to the Future（film；Zemeckis）《回到未来》（电影；泽梅基斯）87，281，285
　sequels 续集 287，290
　time travel 时间旅行 61
Bacon，Roger 培根，罗杰
Bacon，Sir Francis 培根，弗朗西斯爵士 52
　The New Atlantis《新大西洲》35
Baen，James 贝恩，詹姆斯 102
Bailey，J. O. 贝利，J．O．
　Pilgrims Through Space and Time《穿越时空的朝圣者》65
Baird，Edwin 贝尔德，埃德温 98
Bird，John Logie 贝尔德，约翰·洛吉 51
Baker，Will 贝尔，威尔
　Shadow Hunter《捕捉影子的人》207
Ballantine Books 巴兰坦丛书 68
Ballard，J. G. 巴拉德，J．G．102，158，**173**
　The Atrocity Exhibition《庸俗不堪的展览》174
　The Burning World《燃烧的世界》153，173，**223**
　Concrete Island《坚实的岛屿》173
　Crash《大碰撞》173，175
　The Crystal World《水晶世界》154，173
　The Drowned World《被淹没的世界》152，173
　The Empire of the Sun《太阳帝国》173
　"Escapement" "擒纵结构" 132
　Hello, America《哈罗，美国》173
　High-Rise《高楼大厦》173
　influence on Cyberpunk 对网络朋克的影响 89
　Inner Space《内部空间》75
　"Prima Belladonna" "上等茄子" 132
　The Wind from Nowhere《空穴来风》152-3，173
Balmer，Edwin 巴尔默，埃德温
　When Worlds Collide《当星球碰撞时》120
Bambinot（television）《婴孩》（电视）305
Banks，Iain M. 班克斯，伊恩·M．87，**200**
　The Bridge《桥》194，200
　Canal Dreams《运河梦想》200
　Consider Phlebas《考虑弗莱巴斯》194，200
　Feersum Endjinn《可怕的恩德金》207，**237**
　The State of the Art《发展状况》200
　Use of Weapons《武器的使用》200
　Walking on Glass《在玻璃上行走》200
　The Wasp Factory《黄蜂工厂》193，200
Barbarella（film；Vadim）《巴巴莱拉》（电影；瓦迪姆）269
Barbet，Pierre 巴贝特，皮埃尔
Babel 3805《巴别塔 3805》152
Barnes，John 巴恩斯，约翰
　The Man Who Pulled Down the Sky《推翻天空的人》194
　A Million Open Doors《100 万扇敞开的门》206
　Mother of Storms《风暴之母》207
Barnes，Stephen 巴恩斯，斯蒂芬
　Streetlethal《街道致死因子》193
Barrett Jr.，Neal 小巴雷特，尼尔 194
　Kelvin《凯尔文》174
　Through Darkest America《穿过最黑暗的美国》**233**
Barth，John 巴思，约翰
　Giles Goat-Boy《牧羊男孩贾尔斯》154
Barthelme，Donald 巴塞尔姆，唐纳德

Come Back，*Dr. Caligari*《回来吧，卡利戈里博士》153
Barton, William 巴顿，威廉 175
Bass, T. J. 巴斯，T·J·
  Half-Past Human《半逝去的人》174
Bates, Harry 贝茨，哈里 99
Batman (comic)《蝙蝠侠》(连环画) 92，**243**
Batman (film; Burton)《蝙蝠侠》(电影；伯顿) 287，289
Batman (film; Hillyer)《蝙蝠侠》(电影；希利尔) 259
Batman (film; Martinson)《蝙蝠侠》(电影；马丁森) 268
Batman (radio)《蝙蝠侠》(广播) 64
Batman Returns (film; Burton)《蝙蝠侠归来》(电影；伯顿) 291
Battle Beyond the Stars (film; Murakami)《超越星球的战争》(电影；村上) 282
Battle for the Planet of the Apes (film; Thompson)《为猿之行星而战》(电影；汤普森) 276
Battlestar Galactica (television)《战星银河》(电视) 297
Baum, L. Frank 鲍姆，L·弗兰克 159
  The Wizard of Oz《绿野仙踪》42
Baxter, Stephen 巴克斯特，斯蒂芬 66，105，**208**
  Anti-Ice《抗冰》207，208
  Future History 未来历史故事 66
  Raft《木筏》206
  Xeelee series《齐里人》系列 66，208
Bayley, Barrington J. 贝利，巴灵顿·J·103
  The Fall of Chronopolis《时空都市的陷落》63，175
  "Peace on Earth" "地球上的和平" 133
  The Star Virus《星球病毒》174
Bear, Greg 贝尔，格雷格 154，**196**
  Anvil of Stars《星球的铁砧》196
  Beyond Heaven's River《天堂河之外》196
  Blood Music《血腥音乐》86-7，194，196，**232**
  Eon《万古》87，194，196
  Eternity《永恒》196
  The Forge of God《锻造上帝》194
  Hegira《逃亡》196
  Moving Mars《移动的火星》196，207
  Psychlone《心灵寂寞》177，196
  Queen of Angels《天使女王》196，206，**234**
The Beast From 20,000 Fathoms (film)《来自20000英寻深处的野兽》68
Before I Hang (film)《在我临死之前》(电影) 258
Belayev, Alexander 亚历山大·贝拉耶夫
  The Amphibian《两栖动物》120
Bell, Eric Temple see Taine, John 贝尔，埃里克·坦普尔，参见"泰恩"，"约翰"条
Bellamy, Edward 贝拉米，爱德华
  Looking Backward《回望》37，109
Benford, Gregory 本福德，格雷戈里 69，154，202
  Across the Sea of Suns《穿过太阳之海》193
  Deeper Than Darkness《比黑暗更黑暗》174
  If the Stars are Gods《假如星星是神》177
  as scientist 作为科学家 198
  Timescape《时景》192，**230**
Beresford, J. D. 贝雷斯福德，J·D·
  Evolution《进化》50
  Goslings《笨人》117
  The Hampdenshire Wonder《汉普登郡的奇迹》46，116，121
de Bergerac, Savinien Cyrano 德·贝尔热拉克，萨维尼恩·西拉诺 35
Bester, Alfred 贝斯特，艾尔弗雷德 102，121，242
  The Demolished Man《被毁的人》131，**219**
  Tiger! Tiger!《虎！虎！》89，132，**220**
Beynon, John see Wyndham, John 贝农，约翰，参见温

德姆"，"约翰"条
The Big Mess (film; Kluge)《大混乱》(电影；克卢奇) 274
Bill and Ted's Bogus Journey (film; Hewitt)《比尔和特德的假期之旅》(电影；休伊特) 291
Bill and Ted's Excellent Adventure (film; Herek)《比尔和特德的历险记》(电影；赫里克) 60，287
The Birds (film; Hitchcock)《群鸟》(电影；希区柯克) 267，272
Bishop, Michael 毕晓普，迈克尔 174，**189**
  Brittle Innings《短暂的机会》189，177，**237**
  Catacomb Years《地下墓穴年代》177，189
  Count Geiger's Blues《盖革伯爵的忧伤》206
  A Funeral for the Eyes of Fire《火眼的葬礼》176，189
  A Little Knowledge《一点点知识》189
  No Enemy But Time《没有敌人，只有时间》189，192
  And Strange at Ecbatan the Trees《埃克巴顿奇怪的树木》189
  Transfigurations《变形》177，189
Bisson, Terry 比森，特里 95，104
  Fire on the Mountain《山上的火》195
  Talking Man《饶舌者》194
  Voyage to the Red Planet《通向火星之旅》206
  Wyrldmaker《世界缔造者》192
Bixby, Jerome 比克斯比，杰罗姆 101
The Black Hole (film; Nelson)《黑洞》(电影；纳尔逊) 279
The Black Sun (film; Vávra)《黑太阳》(电影；瓦夫拉) 282
Blade Runner (film; Scott)《银翼杀手》(电影；斯科特) 86，283
  city life 城市生活 81，289
  influence on Cyberpunk 对网络朋客的影响 89
  and Philip K. Dick 和菲力浦·K·迪克 162，163
Blake's Seven (television)《布莱克的7个帮凶》(电视) 301，303
Das Blaue Palais (television)《蓝色宫殿》(电视) 304
Blaylock, James P. 布莱洛克，詹姆斯·P·203
  The Disappearing Dwarf《消失的小矮人》203
  The Elfin Ship《小精灵船》203
  Homunculus《侏儒》194，203
  Land of Dreams《梦乡》203
  Lord Kelvin's Machine《凯尔文勋爵的机器》203，206
  The Paper Grail《纸圣杯》203
The Blind Spot (Hall and Flint)《盲点》(霍尔和弗林特) 50
Blindpassajer (television)《偷渡者》(电视) 305
Blish, James 布利希，詹姆斯 50，**146**
  A Case of Conscience《良心案件》133，146，221
  Cities in Flight《飞行城市》81，132，146
  Earthman, Come Home《地球人，回家吧》132
  The Issue at Hand《手头的问题》72
  Jack of Eagles《鹰的杰克》130，146
  Okie series《流动农业工人》系列 146
  "Surface Tension" "表面张力" 146
Bloch, Robert 布洛克，罗伯特 75，98
Blue Sunshine (film; Lieberman)《蓝色的阳光》(电影；利伯曼) 278
Bluejay Books "樫鸟"丛书 86
Blumlein, Michael 布卢姆莱恩，迈克尔
  The Brains of Rats《老鼠的大脑》206
The Boat of a Million Years (Anderson)《百万年之舟》(安德森) 150，195
Boëx, Joseph (J. H. Rosny) 伯克斯，约瑟夫(J·H·罗斯尼) 116
Bond, Nelson 邦德，纳尔逊 120

Boneman (Cantrell)《骨头人》(坎特雷尔) 206
Bonestell, Chesley 博恩斯蒂尔，切斯利 77
Born in Flames (film; Borden)《烈火中诞生》(电影；博登) 284
Boucher, Anthony 鲍彻，安东尼 103
Boulle, Pierre 布尔，皮埃尔
  Planet of the Apes《猿的行星》72
Bova, Ben 博瓦，本 95，152
  as editor 任编辑 78，103，104
Bowen, John 鲍恩，约翰
  After the Rain《雨后》133
Bowen, Robert Sidney 鲍恩，罗伯特·悉尼 100
Bowker, Richard 鲍克，里查德 192
  A Boy and His Dog (film; Jones)《男孩和他的狗》(电影；琼斯) 79，277
Boyd, John 博伊德，约翰 155
The Boys from Brazil (film; Schaffner)《来自巴西的孩子》(电影；沙夫纳) 278
Brackett, Leigh 布拉克特，利 95，101，121
  The Big Jump《大跨步》132
  influenced by Moore 穆尔的影响 126
Bradbury, Ray 布雷德伯里，雷 121，**140**，242
  Dark Carnival《黑色的欢庆》140，**216**
  Doubleday Press 道布尔迪出版社 68
  Fahrenheit 451《451华氏度》131，140，**219**
  The Illustrated Man《文身人》130
  The Martian Chronicles《火星人纪事》95，130，140
  Twilight Zone《星光闪烁地带》298
Bradfield, Scott 布拉德菲尔德，斯科特
  The Secret Life of Houses《房子的秘密生活》195
Bradley, Marion Zimmer 布拉德利，马里恩·齐默 126，131，**170**
  Darkover series《黑暗笼罩》系列 170
  The Door Through Space《通向太空之门》152
  The Mists of Avalon《阿瓦隆的薄雾》170
Brainstorm (film; Trumbull)《洗脑》(电影；特伦布尔) 284
von Braun, Wernher 冯·布劳恩，维尔纳 69
Bray, John Francis 布雷，约翰·弗朗西斯
  A Voyage from Utopia《从乌托邦出发的旅程》108
Brazil (film; Gilliam)《巴西》(电影；吉列姆) 285，289
de la Bretonne, Restif 雷斯拉·布雷东，雷斯蒂夫
  La Decouverte d'Austale《南半球的发现》34
Brewster McCloud (film; Altman)《布鲁斯特·麦克劳德》(电影；奥尔特曼) 274
The Bride of Frankenstein (film; Whale)《弗兰肯斯坦的新娘》(电影；惠尔) 255
Briggs, Raymond 布里格斯，雷蒙德
  When the Wind Blows《当风吹起之时》59
Brin, David 布林，戴维 **202**
  Earth《地球》202，206
  Glory Season《全盛时期》202，207
  The Practice Effect《实践效应》193
  Sundiver《太阳潜艇》192
  Uplift series《社会进步》系列 194，202，233
Bronx Warriors: 1990 (film; Castellari)《布朗克斯勇士：1990》(电影；卡斯特里) 283
The Brood (film; Cronenburg)《这一家子》(电影；克罗宁伯格) 279
The Brother From Another Planet (film; Sayles)《来自另一个行星的兄弟》(电影；塞尔斯) 284
Brown, Eric 布朗，埃里克
  The Time-Lapsed Man《延时摄影者》206
Brown, Frederic 布朗，弗雷德里克 121
Browne, Howard V. 布朗，霍华德·V·101
Brunner, John 布伦纳，约翰 102，**171**，179
  The Atlantic Abomination《大西洋怨结》171
  Galactic Storm《星系风暴》130

influence on Cyberpunk 对网络朋客的影响 89
  The Jagged Orbit《边缘不齐的轨道》155，171
  Sanctuary in the Sky《空中避难所》171
  The Sheep Look Up《抬头羊》171，174
  The Shockwave Rider《驾驭冲击波的人》171，176
  The Squares of the City《城市广场》171
  Stand on Zanzibar《站在桑给巴尔港上》155，171，**225**
  The Whole Man《完整的男人》153
  The World Swappers《世界交易人》171
Brussolo, Serge 布鲁索罗，瑟奇 177
  Blood Sleep《血眠》86，192
Bryant, Edward 布赖恩特，爱德华 174
  Among the Dead《死者之中》175
Buck Rogers (comic strip)《巴克·罗杰斯》(连环画) 98
Buck Rogers (film; Beebe / Goodkind)《巴克·罗杰斯》(电影；毕比/古坎德) 255
Buck Rogers in the 25th Century (comic strip)《25世纪的巴克·罗杰斯》(连环漫画) 51
Buck Rogers in the 25th Century (film; Haller)《25世纪的巴克·罗杰斯》(电影；哈勒) 279
Budrys, Algis 布德里斯，阿尔吉斯 130，**151**
  The Falling Torch《落下的火炬》133，151
  Michaelmas《米迦勒节》176
  Rogue Moon《凶猛的月球》151，152
  Who?《谁？》133，151
Bujold, Lois McMaster 布乔德，洛伊丝·麦克马斯特 205
  Falling Free《获得自由》195，205
  Shards of Honor《荣誉的碎片》194
  The Vor Game《伏尔游戏》205，206
Bulwer-Lytton, Lord Edward 布尔沃-利顿，爱德华勋爵 111
  The Coming Race《即将出现的种族》37，39，109
  The Last Days of Pompeii《庞贝的末日》111
  Pelham《佩尔汉姆》111
  Zanoni《扎诺尼》108，111
Bunch, David R. 邦奇，戴维·R·132，174
Bunyan, John 班扬，约翰
  Pilgrim's Progress《天路历程》35
Burdekin, Katharine (Murray Constantine) 伯德金，凯瑟琳(默里·康斯坦丁)
  The Rebel Passion《反叛激情》51
  Swastika Night《纳粹党徽的夜晚》121，**215**
Burgess, Anthony 伯吉斯，安东尼
  A Clockwork Orange《装有发条的橙子》89，152，**223**
Burke, William 伯克，威廉
  The Armed Briton《武装的不列颠人》108
Burns, Jim (illustrator) 伯恩斯，吉姆(插图画家) 241
Burroughs, Edgar Rice 伯勒斯，埃德加·赖斯 39，**118**
  ancient Martian culture 古代火星人文化 82，95
  Barsoom series《巴松》系列 118
  At the Earth's Core《在地心》117
  gender roles 性别角色作用 84
  The Land That Time Forgot《被时间遗忘的土地》38，118
  The Moon Maid《月亮仙女》51，120
  Pelucidar series《贝鲁西德》系列 118
  A Princess of Mars《火星公主》46，116，**213**
  Tarzan of the Apes《人猿泰山》116，118
Burroughs, William S. 伯勒斯，威廉·S·
  The Naked Lunch《赤裸的午餐》89
  Nova Express《新星特快》89，153
Busby, F. M. 巴斯比，F·M·50
  Cage a Man《囚禁人》175
  The Businessman: A Tale of Terror (Disch)《商人：一则恐怖故事》(迪施) 172

Butler, Jack 巴特勒, 杰克
  Nightshade《茄属植物》195
Butler, Octavia 巴特勒, 奥克塔维亚 104, 174, **189**
  Dawn《黎明》194
  Kindred《亲属》177, 189
  Parable of the Sower《播种者的寓言》207, **236**
  Patternmaster series《制模能手》系列 176, 189
  Xenogenesis series《异种生殖》系列 189
Butler, Samuel 巴特勒, 塞缪尔
  Erewhon《乌有乡》37
  Erewhon Revisted《乌有乡重访》116
By Rocket to the Moon（film; Lang）《坐火箭登月》（电影; 兰）251
Byron, Lord (George Gordon) 拜伦, 洛德（乔治·戈登）110

C

Cadigan, Pat 卡迪根, 帕特 89, **205**
  Fools《愚人》88, 205, 206
  Mindplayers《玩弄精神的人》195, 205
  Patterns《图案》205
  Synners《合成人》205, 206
Cage a Man（Busby）《囚禁人》（巴斯比）175
Cain, James M. 凯恩, 詹姆斯·M· 88
Calder, Richard 考尔德, 里查德 105
  Dead Girls《死去的女孩们》206
Calvino, Italo 卡尔维诺, 伊塔洛 **159**
  Baron in the Trees《树林中的贵族》132
  The Cloven Viscount《分成两半的子爵》159
  Cosmicomics《宇宙连环画》159
  If on a Winter's Night a Traveller《冬夜旅行者》159, 177
  Invisible Cities《隐形城市》159, 174-5
  The Non-Existent Knight《不存在的骑士》159
  T Zero《零时区》159
Campbell (John W., Jr) Award 坎贝尔（小约翰·W·）奖 78
Campbell Jr, John W. 小坎贝尔, 约翰·W· 53, 57, **125**
  The Arcot《阿科特》125
  and Asimov 和阿西莫夫 134
  The Black Star Passes《黑星经过》120
  edits Astounding 编辑《惊险故事》74, 99, 101
  Golden Age of SF 科幻文学的黄金时代 261
  Wade series《韦德》系列 125
  "When the Atoms Failed" "当原子衰败时" 120
  Who Goes There?《谁去那儿?》86, 90
Čapek, Karel 恰佩克, 卡莱尔 50, **119**, 121
  The Absolute at Large《无法无天》119
  coins "robot" 首创使用"robot" 54
  dystopia 反面乌托邦 49
  The Insect Play《昆虫》119
  Krakatit《克拉克蒂》50, 117, 119
  The Mokropuolos Secret《马克罗普洛斯的秘密》119
  R.U.R.《罗素姆万能机器人》54, 117, 119, **214**
  War with the Newts《鲵鱼之乱》57, 119, 120
Capricorn One（film; Hyams）《摩羯星一号》（电影; 海厄姆斯）279
Captain Future（magazine）《未来船长》（杂志）**101**
Captain Scarlet and the Mysterons（television）《斯卡里特船长和神秘人》（电视）301
Captain Video（television）《视频船长》（电视）296
Card, Orson Scott 卡德, 奥森·斯科特 104, **197**
  Alvin Maker series《阿尔文制造者》系列 197
  Capitol; The Worthing Chronicle《国会大厦: 一部有价值的编年史》177
  Ender series《恩德》系列 162, 194, 197, 232
  The Folk of the Fringe《边缘的人们》195
  Songmaster《歌王》192, 197

Speaker for the Dead《死者的代言人》194, 197
Unaccompanied Sonata《无伴奏的奏鸣曲》197
Wyrms《怀姆斯》197
Carrie（film）（De Palma）《凯丽》（电影; 德·帕尔玛）277
Carroll, Jonathan 卡罗尔, 乔纳森
  Land of Laughs《笑声地带》192
The Cars That Ate Paris（film; Weir）《吃掉巴黎的汽车》（电影; 韦尔）276, 280
Carter, Angela 卡特, 安杰拉
  Heroes and Villains《英雄与无赖》155
Caza, Philippe（illustrator）卡扎, 菲力普（插图画家）241
Chalker, Jack L. 乔克, 杰克·L· 176
  Midnight at the Well of Souls《在幽灵井旁的午夜》177
  Web of the Chozen《上帝的选民之网》177
Chandler, A. Bertram 钱德勒, A·伯特伦 121
  The Rim of Space《太空边缘》152
Chaplin, Charlie 卓别林, 查理
  Modern Times《摩登时代》59
Charly（film）《查利》（电影）273
Charnas, Suzy McKee 查纳斯, 苏西·麦基
  Motherlines《母线》177
  Walk to the End of the World《走到世界的尽头》175
Cherryh, C(aroline) J. 彻理, 卡（罗琳）·J· **187**
  Alliance-Union series《联盟-联邦》系列 187
  Chanur series《查纽尔》系列 187
  Cyteen《塞庭》187, 195, **233**
  Downbelow Station《车站下面》187, 192, **231**
  Faded Sun series《消失的太阳》系列 187
  Foreigner: A Novel of First Contact《外国人: 第一次接触的小说》187
  Forty Thousand in Gehenna《欣嫩子谷里的4万》187
  Merchanter series《商人》系列 187
  The Pride of Chanur《查纽尔的骄傲》192
Chesney, Colonel Sir George 切斯尼, 乔治爵士上校
  The Battle of Dorking《杜金之战》37, 109, 116
Chesterton, G. K. 切斯特顿, G·K· 58
  The Napoleon of Notting Hill《诺丁山的拿破仑》116
Childers, Ernest 奇尔德, 欧内斯特
  The Riddle of the Sands《沙漠之谜》116
Children of the Damned（film; Leader）《被诅咒的儿童》（电影; 利德）267
Chojiku Seiki Orguss（television）《超维世纪奥尔盖斯》（电视）305
Chojiku Yosai Macross（television）《超级堡垒马克罗斯》（电视）305
Chosen Survivors（film; Roley）《上帝垂爱的幸存者》（电影; 罗利）276
Christopher, John 克里斯托弗, 约翰
  The Death of Grass《草的死亡》132
cities in SF 科幻文学中的城市 **12**, **18**, **80**
Clarke, Arthur C. 克拉克, 阿瑟·C· 120, **138-9**, 179
  Against the Fall of Night《夜晚降临时》121, 138-9
  Childhood's End《童年的尾声》131, 138-9, **219**
  classic titles 经典作品 219, 227, 229
  The Fountains of Paradise《天堂喷泉》138, 177, **229**
  The Ghost from the Grand Banks《来自大沙洲的幽灵》139
  The Hammer of God《上帝的锤子》139
  Imperial Earth《帝国地球》139, 176
  "Loophole" "漏洞" 121
  Prelude to Space《宇宙前奏》130

Rendezvous with Rama《和拉玛约会》138, 175, **227**
2001: A Space Odyssey《2001: 太空漫游记》138
Clement, Hal 克莱门特, 哈尔 **136**
  classic titles 经典作品 220
  Close to Critical《接近临界》136
  Mission of Gravity《引力使命》82, 131, 136
  Needle《针》130
  Nitrogen Fix《固氮》136
  Star Light《星光》136
  Through the Eye of the Needle《穿过针眼》136
Clifton, Mark 克利夫顿, 马克 75
  They'd Rather Be Right《他们宁愿是对的》132
A Clockwork Orange（film; Kubrick）《装有发条的橙子》（电影; 库布里克）78, 274, 280
Close Encounters of the Third Kind（film; Spielberg）《第三种亲密接触》（电影; 斯皮尔伯格）278, 281
The Clown and the Automaton（film; Méliès）《小丑和机器人》（电影; 梅里爱）250
Clute, John 克卢特, 约翰 105
  The Encyclopedia of Science Fiction（with Nicholls）《科幻小说百科全书》（与尼科尔斯合编）93
Coates, Robert M. 科茨, 罗伯特·M·
  The Eater of Darkness《黑暗的吞噬者》51, 120
Collier, John 科利尔, 约翰 70
  Tom's A-Cold《汤姆的 A 型感冒》56, 120
Coma（film; Crichton）《昏迷》（电影; 克赖顿）279
Communion（film; Mora）《圣餐》（电影; 莫拉）290
Compton, D. G. 康普顿, D·G· 154
computers in SF 科幻文学中的电脑 **74**
Coney, Michael 科尼, 迈克尔
  The Celestial Steam Locomotive《天国的蒸汽机床》193
  Mirror Image《镜像》174
Conner, Mike 康纳, 迈克 177
Conrad, Joseph 康拉德, 约瑟夫
  The Heart of Darkness《黑暗的中心》42
  The Inheritors《继承人》116
Constantine, Storm 康斯坦丁, 斯托姆
  Wraeththu trilogy《愤怒三部曲》194
Cooper, Susan 库珀, 苏珊
  Mandrake《曼德拉草》153
Coppel, Alfred 科佩尔, 艾尔弗雷德 50
Cowper, Richard 考珀, 里查德 153
  The Road to Corlay《通向考利之路》177
  The Twilight of Briareus《布里亚若斯的曙光》175
The Crazy Ray（film; Clair）《疯狂的雷伊》（电影; 克莱尔）50, 251
The Creature from the Black Lagoon（film）《来自咸水湖的怪物》（电影）265
Crichton, Michael 克赖顿, 迈克尔
  The Andromeda Strain《安德洛墨达品系》155
Crimes of the Future（film; Cronenburg）《未来的罪行》（电影; 克罗宁伯格）274
Crowley, John 克劳利, 约翰 **191**
  The Deep《海》191
  Engine Summer《引擎之夏》177, 191, **229**
  The Great Work of Time《时间的伟大作用》191
  Little, Big《大小》191, 192
Cummings, Ray 卡明斯, 雷 50, 56
Curval, Philippe 科沃, 菲利普 **186**
  The Backwards Man《倒退的人》186
  Brave Old World《美妙的旧世界》186
  The Ebb Tide of Space《太空退潮》152, 186
  The Flowers of Venus《金星上的鲜花》152
Cutcliffe-Hyne, C. J. 卡特克利夫-海因, C·J·
  The Empire of the Worlds《世界帝国》46
  The Lost Continent《失落的大陆》116
Cyberpunk 网络朋客 **88**

cyborgs 半机械人 **54**

D

Dahl, Roald 达尔, 罗尔德 64
Daleks: Invasion Earth 2150 A.D.（film; Flemyng）《公元2150年戴立克人入侵地球》（电影; 弗莱明）269
Damnation Alley（film; Smight）《罪孽巷》（电影; 斯迈特）168, 276
The Damned（film; Losey）《该死的》（电影; 洛西）266
Dan Dare（comic; Hampson）《丹·戴尔》（连环漫画; 汉普森）93, **244**
Dann, Jack 丹恩, 杰克
  Junction《交叉点》192
  Starhiker《星球远足旅行者》176
Dark Star（film; Carpenter）《黑星》（电影; 卡彭特）276
Darwin, Charles 达尔文, 查尔斯 37, 48, 90
  influence on Wells 对威尔斯的影响 114, 115
  Origin of Species《物种起源》40
Davidson, Avram 戴维森, 阿夫拉姆 103, 131, **160**
  Clash of Star-Kings《星球王者之争》160
  The Enquiries of Doctor Esterhazy《埃斯特黑济博士的疑问》160
  Joyleg（with Moore）《欢快的腿》（与穆尔合著）152-3
  Masters of the Maze《迷宫的主人们》154, 160
  Rogue Dragon《恶龙》160
The Day After（film; Meyer）《那天以后》（电影; 迈耶）283
The Day of the Triffids（film; Sekely）《巨型三裂植物的日子》（电影; 塞克利）267
The Day the Earth Caught Fire（film; Guest）《地球着火的那一天》（电影; 格斯特）72, 266
The Day the Earth Stood Still（film; Wise）《地球静止不动的那一天》（电影; 怀斯）262, 264
de Camp, L. Sprague 德坎普, L·斯普拉格 65, 120, **136**
  and Campbell 和坎贝尔 101
  Cosmic Manhunt《宇宙追踪》136
  Genus Homo（with Miller）《人属》（与米勒合编）68
  The Hostage of Zir《泽尔的人质》136
  The Incomplete Enchanter《不完整的巫士》136
  Land of Unreason（with Pratt）《愚昧之地》（与普拉特合著）64
  Lest Darkness Fall《以防黑暗降临》121, 136
  Rogue Queen《凶残的女王》130, 136
The Dead Zone（film; Cronenburg）《死亡地带》（电影; 克罗宁伯格）283
Death Line（film; Sherman）《死亡线》（电影; 舍曼）275
Death Race 2000（film; Bartel）《死亡竞赛2000》（电影; 巴特尔）277
del Rey, Lester 戴尔·雷, 莱斯特
  Nerves《神经》132
Delany, Samuel R. 德拉尼, 塞缪尔·R· 89, **169**, 189
  The American Shore《美国海岸》169
  Babel-17《巴别塔-17》154, 169
  Dhalgren《托勒格伦》169, 176
  The Einstein Intersection《爱因斯坦交叉现象》154, 169, **224**
  Heavenly Breakfast《圣餐》169
  The Jewels of Aptor《阿普特的珠宝》152, 169
  Nevèrÿon series《纳韦尔扬》系列 169, 193
  Nova《新星》169
  Starboard Wine《右舷酒》169
  Stars in My Pockets Like Grains of Sand《我口袋里如沙粒般大小的星球》169
  The Straits of Messina《墨西拿海峡》169

Triton《海卫一》169，176

Die Delegation（television）《代表团》（电视）304

Demolition Man（film；Brambilla）《破坏者》（电影：布兰比拉）291

Demon Seed（film；Cammell）《魔种》（电影：卡梅尔）278

Dent, Guy 登特，盖伊
  Emperor of the If《假设的皇帝》51，120

Denton, Bradley 登顿，布雷德利
  Wrack and Roll《毁灭》194

Destination Moon（film；Pichel）《目的地月球》（电影；皮切尔）130，262，264

The Devil Doll（film；Browning）《恶鬼洋娃娃》（电影：布朗宁》255

Dianetics 排除有害印象精神治疗法 127

Dick, Philip K. 迪克，菲利普·K·89，162-3，179
  Alternate Worlds 可能世界 63
  "Beyond Lies the Wub" "维伯在远处" 130
  and *Blade Runner* 和《银翼杀手》86，162，163
  The Cosmic Puppets《宇宙玩偶》132，162
  Do Androids Dream of Electric Sheep?《机器人梦见电动羊了吗?》162，163
  Dr. Bloodmoney《血腥钱博士》154，163
  Dr. Futurity《未来博士》162
  Eye in the Sky《天空中的眼睛》163
  Flow My Tears, the Policeman Said《流下我的眼泪，警察说》163，175
  Gather Yourselves Together《重整旗鼓》162
  The Man in the High Castle《城堡中人》72，152-3，162，**223**
  The Man Who Japed《嘲笑别人的人》132
  Martian Time Slip《火星的时间误差》95，153，162-3，**223**
  A Maze of Death《死亡迷宫》162，163，174，**226**
  The Penultimate Truth《倒数第二条真理》153
  A Scanner Darkly《秘密的扫描仪》176
  The Solar Lottery《太阳系的抽奖游戏》132，162
  The Three Stigmata of Palmer Eldritch《帕尔默·埃尔德里奇的三桩耻辱》154，162，163，**223**
  Time out of Joint《脱节的时间》162
  Ubik《尤比克》155，163
  VALIS《凡利斯》163，192
  The World Jones Made《琼斯创造的世界》132

Dickens, Charles 狄更斯，查尔斯 6，36

Dickinson, Peter 迪肯森，彼得
  The Weathermonger《天气兜售者》155

Dickson, Gordon R. 迪克森，戈登·R·**148**
  Aliens from Arcturus《来自大角星的外星人》132
  compared to Anderson 与安德森的比较 148
  Dorsai series《多萨》系列 148
  The Genetic General《遗传将军》152
  The Tactics of Mistake《错误的策略》174
  Time Storm《时间风暴》177
  Wolf and Iron《狼与铁》148

Disch, Thomas M. 迪施，托马斯·M·59，153，**172**
  "Angouleme" "昂古莱姆" 169
  The Brave Little Toaster《勇敢的小主人》172
  Camp Concentration《集中营》155，172，**225**
  Clara Reeve《克拉拉·里夫》172
  The Genocides《种族大屠杀》142，154，172
  Mankind Under the Leash《受束缚的人类》172
  The M.D.; A Horror Story《医学博士：一则恐怖故事》172
  The Priest: A Gothic Romance《牧师：哥特式传奇故事》172
  334《334》172，174-5，**227**
  On Wings of Song《乘着歌声的翅膀》172，177

Disney, Walt 迪斯尼，沃尔特 51
  Fantasia《梦幻乐园》64

Gremlins《小妖精》64

Döblin, Alfred 多布林，艾尔弗雷德
  Mountains, Seas and Giants《高山、大海和巨人》117

Dr. Jekyll and Mr. Hyde（film；Mamoulian）《化身博士》（电影：马穆利安）56，254

Doctor M（film；Chabrol）《M 博士》（电影：沙博罗）287

Doctor Mabuse, the Gambler（film；Lang）《赌徒马比斯博士》（电影：兰）50，251

Dr. No（film；Young）《诺博士》（电影：扬）266

Doctor Strangelove（film；Kubrick）《奇爱博士》（电影：库布里克）268，272

Doctor Who and the Daleks（film；Flemyng）《胡博士和戴立克》（电影：弗莱明）268

Doctor Who（television）《胡博士》（电视）300，302，303
  historical context 历史背景 72，87
  time travel 时间旅行 60

Doctor X（film；Curtiz）《X 博士》（电影：柯蒂兹）254

Doherty, Tom 多希蒂，汤姆 86

Donaldson, Stephen 唐纳森，斯蒂芬
  The Gap into Conflict《引发冲突的隔阂》206

Donovan's Brain（film；Feist）《多诺万之脑》（电影：费斯特）262

Dostoevksy, Fyodor 陀思妥耶夫斯基，费多尔 88

Dowling, Steve 道林，史蒂夫
  Garth《加思》**244**

Doubleday Press 道布尔迪出版社 68

Doyle, Sir Arthur Conan 道尔，阿瑟·柯南爵士 42，118
  The Case for Spirit Photography《灵魂照相案》118
  The Lost World《失落的世界》46，116，118
  The Mystery of Cloomber《克伦伯之谜》118
  The Poison Belt《有毒地带》117，118

Duff, Douglas V. 达夫，道格拉斯·V·
  Jack Harding's Quest《杰克·哈丁的探索》39

Dune（film；Lynch）《沙丘》（电影：林奇）86，284

Dusty Ayres and his Battle Birds（magazine）《可怜的艾尔斯和他的巴特尔鸟》（杂志）**100**

E

Earth Girls Are Easy（film；Temple）《地球女孩水性杨花》（电影：坦普尔）287

Edison, Thomas Alva 爱迪生，托马斯·阿尔瓦 43，46，53

Edward Scissorhands（film；Burton）《剪刀手爱德华》（电影：伯顿）290，293

Effinger, George Alec 埃芬格，乔治·亚历克 174
  What Entropy Means to Me《熵对我来说意味着什么》174
  When Gravity Fails《失重的时候》195

Egan, Greg 伊根，格雷格 105
  Quarantine《隔离》206

Eidolon（magazine）《幻象》（杂志）92

Einstein, Albert 爱恩斯坦，艾伯特 43，47，65

Eklund, Gordon 埃克隆，戈登
  If the Stars are Gods《假如星星是神》177

Elgin, Suzette Haden 埃尔金，苏泽苹·黑登
  The Communipath《共同路径》174

Eliminators（film；Manoogian）《毁灭者》（电影：马努吉恩）286

Ellis, Edward S. 埃利斯，爱德华·S·
  The Steam Man of the Prairies《草原蒸汽人》37，109

Ellison, Harlan 埃利森，哈伦 152，**165**，298
  All the Lies That Are My Life《我的生活全是谎言》165

A Boy and His Dog《男孩和他的狗》79

Dangerous Visions《危险的展望》73，165

"Glowworm" "萤火虫" 132

Mephisto in Onyx《缟玛瑙中的墨菲斯托》165

The Empire Strikes Back（film；Kershner）《帝国反击战》（电影；克什纳）86，90，282

Emshwiller, Ed (Emsh)（illustrator）埃姆什威勒，埃德（埃姆什）（插图画家）**240**

The Encyclopedia of Science Fiction（Clute and Nicholls）《科幻小说百科全书》（克卢特和尼科尔斯）93

The End of the World（film；Gance）《世界末日》（电影：甘斯）254

Enemy Mine（film；Petersen）《敌方地雷》（电影：彼得森）285

Engh, M. J. 恩格，M·J·
  Arslan《阿斯兰》176

England, George Allan 英格兰，乔治·阿伦
  Darkness and Dawn《黑暗与黎明》117

Eraserhead（film；Lynch）《橡皮头》（电影：林奇）278

Erickson, Steve 埃里克森，史蒂夫
  Days Between Stations《车站之间的日子》194

Escape from New York（film；Carpenter）《逃离纽约》（电影：卡彭特）282

E.T. the Extra-terrestrial（film；Spielberg）《外星人》（电影：斯皮尔伯格）281，283，289

Etot Fantasticheksy Mir（television）《这个奇异的世界》（电视）305

Evans, Christopher 埃文斯，克里斯托弗
  Capella's Golden Eyes《卡佩拉的金黄色眼睛》192

Everything You Wanted to Know About Sex But Were Afraid to Ask（film；Allen）《所有你想知道又不敢提问的关于性的事情》（电影：艾伦）275

evolution and devolution in SF 科幻文学中的进化与退化 40

Ewers, Hans Heinz 尤尔斯，汉斯·海因茨
  Alraune《阿尔劳恩》47

F

Fahrenheit 451（film；Truffaut）《451 华氏度》（电影：特鲁福特）140，269，273

Fail Safe（film；Lumet）《保险防御》（电影：卢梅特）268

La Fantarca（television）《范塔卡》（电视）304

Fantastic Adventures（magazine）《荒诞历险故事》（杂志）**101**

Fantastic Universe（magazine）《荒诞宇宙科幻小说》（杂志）**103**

Fantastic Voyage（film；Fleischer）《奇异的旅行》（电影：弗莱舍）269

Fantastyka（magazine）《荒诞故事》（杂志）**105**

Fantasy and Science Fiction（magazine）《荒诞和科幻小说》（杂志）65，**103**，104

Fantasy Book（magazine）《幻想丛书》（杂志）65

Farmer, Philip José 法默，菲利普·乔塞 **144**
  Dayworld series《白昼世界》系列 144，194
  Flesh《肉体》152
  The Green Odyssey《绿色的漂泊之旅》132，144，**221**
  The Lovers《情人》144，152
  The Makers of Universes《宇宙缔造者》144
  Riverworld series《河界》系列 144
  Venus on the Half-Shell《半边贝壳上的金星》144
  To Your Scattered Bodies Go《到你散落的躯体上去》174，**227**

Feeley, Gregory 菲利，格雷戈里
  The Oxygen Barons《氧气大王》206

Felice, Cynthia 费利斯，辛西娅
  Light Raid（with Willis）《轻微袭击》（与威利斯合著）204
  Water Witch（with Willis）《水中女巫》（与威利斯合著）204

Fiction（magazine）《小说》（杂志）68，69

Fielding, Henry 菲尔丁，亨利
  Tom Jones《汤姆·琼斯》34

The Final Countdown（film；Taylor）《最后的倒计时》（电影：泰勒）282

The Final Programme（film；Fuest）《最终程序》（电影：菲斯特）275

Finlay, Virgil（illustrator）芬利·弗吉尔（插图画家）**240**

The First Men in the Moon（film；Juran）《月球上的第一批人》（电影：朱兰）267

Flammarion, Camille 弗拉马里翁，卡米尔
  Lumen《流明》109

Flash Gordon（comic；Raymond）《闪电戈登》（连环漫画：雷蒙德）56，242

Flash Gordon Conquers the Universe（film；Beebe/Taylor）《闪电戈登征服宇宙》（电影：毕比/泰勒）258

Flash Gordon（film；Hodges）《闪电戈登》（电影：雷奇斯）282

Flash Gordon's Trip to Mars（film；Beebe/Hill）《闪电戈登火星游记》（电影：毕比/希尔）255

Flatliners（film；Schumacher）《平涂曲线》（电影：舒马赫）290

Flint, Homer Eon 弗林特，霍默·约恩
  The Blind Spot（with Hall）《盲点》（与霍尔合作）50

The Flipside of Dominick Hide（film；Gibson）《多米尼克·黑德的背面》（电影：吉布森）282

The Fly（film；Cronenburg）《苍蝇》（电影：克罗宁伯格）286

The Fly（film；Neumann）《苍蝇》（电影：纽曼）263

Forbidden Planet（film；Wilcox）《紫禁行星》（电影：威尔科克斯）69，83，263，264-5

Forbidden World（film；Holzman）《紫禁世界》（电影：霍尔兹曼）283

Forster, E. M. 福斯特，E·M·116

Fortress（film；Gordon）《堡垒》（电影：戈登）291

Forward, Robert L. 福沃德，罗伯特·L·
  Dragon's Egg《龙蛋》192

Foster, Alan Dean 福斯特，艾伦·迪安 174
  Human Commonwealth series《人类联邦》系列 176

Fowler, Karen Joy 福勒，卡伦·乔伊
  Artificial Things《人造物》194
  Sarah Canary《撒拉·加那利》206，**235**

Fowles, John 福尔斯，约翰
  A Maggot《一个怪念头》194

Franke, Herbert 弗兰克，赫伯特 **161**
  Endzeit《时间终点》161
  The Mind Net《心灵网络》161
  The Orchid Cage《兰花牢笼》152，161
  School for Supermen《超人学校》161
  Ypsilon Minus《负伊普西隆》161

Frankenstein（film；Dawley）《弗兰肯斯坦》（电影：道利）250

Frankenstein（film；Edison）《弗兰肯斯坦》（电影：爱迪生）46

Frankenstein（film；Whale）《弗兰肯斯坦》（电影：惠尔）56，254

Frankenstein Unbound（film；Corman）《解放了的弗兰肯斯坦》（电影：科尔曼）290

Freas, (Frank) Kelly（illustrator）弗里亚斯，(弗兰克) 凯利（插图画家）22，**240**

Freejack（film；Murphy）《自由杰克》（电影：墨菲）291

Freeman, Don 弗里曼，唐

Garth《加思》244
From the Earth to the Moon（film：Haskin）《从地球到月球》（电影：哈斯金）267
Fuller, Buckminster 富勒·巴克敏斯特 28-9, 29
The Fury（film：De Palma）《狂怒》（电影：德·帕尔马）279
Future Cop（film：Band）《未来警察》（电影：班德）284
Future Histories 未来历史故事
　Anderson, Paul 安德森，保罗 67
　Baxter, Stephen 巴克斯特，斯蒂芬 66
　Heinlein, Robert A. 海因莱恩，罗伯特·A· 67
　Niven, Larry 尼文，拉里 67
　Stapledon, Olaf 斯特普尔顿，奥拉夫 66
Future War tales 未来战争故事 **44**
Futureworld（film：Heffron）《未来世界》（电影：赫夫龙）277

G

G-8 and his Battle Aces（magazine）《G-8 和他的战斗伙伴》（杂志）**100**
Gabriel（Santos）加布里埃尔（桑托斯）153
Gail, Otto Willi 盖尔，奥托·威利
　By Rocket to the Moon《乘火箭飞向月球》120
Gaiman, Neil 盖门，尼尔
　Violent Cases（with McKean）《暴力事件》（与麦基恩合著）**245**
Gagarin—Romfartsopera（television）《加加林——太空飞行剧》（电视）305
Galaxie（French magazine）《银河系》（法国杂志）68, 72
Galaxis（German magazine）《银河系》（德国杂志）69
Galaxy Express 999（Japanese comic）《银河铁道999》（日本连环漫画）**246**
Galaxy Science Fiction（magazine）《银河系科幻小说》（杂志）68, 72, **102**
Galouye, Daniel F. 加留耶，丹尼尔·F·
　Dark Universe《黑暗的宇宙》152
Ganthony, Robert 甘东尼，罗伯特
　A Message from Mars《来自火星的消息》46
Garner, Alan 加纳，艾伦
　Elidor《埃利德》154
Garnett, David S. 加尼特，戴维·S· 102, 155
Gas-s-s-s（film：Corman）《毒气》（电影：科尔曼）274
Gaskell, Jane 加斯克尔，简
　Strange Evil《奇怪的魔鬼》132
Gentle, Mary 金特尔，玛丽 176
　Golden Witchbreed《金色的女巫品种》193
Gernsback, Hugo 根斯巴克，雨果 42, 57, **119**
　awards named after 以其名字命名的奖项 68
　bankrupted by Macfadden 由麦克法登造成的破产 50
　creation of *Wonder Stories* and *Astounding* 创办《奇想故事》和《惊险故事》56
　edits *Amazing Stories* 编辑《奇异故事》98, 99
　edits *Electrical Experimenter* 编辑《电学实验者》46
　edits *Science Wonder Stories* 编辑《科学奇想故事》99
　edits *Scientific Detective Monthly* 编辑《科学侦探月刊》99
　founds *Amazing Stories* 创办《奇异故事》50, 51, 53
　historical context 历史背景 46, 51, 117
　illustrators 插图画家 240
　magazines 杂志 97-100
　reprints Wells 重印威尔斯作品 114, 120
　Ralph 124C 41+《拉尔夫 124C 41+》**214**
　science and inventions 科学和发明 53
Geston, Mark 格斯顿，马克 154
Gibbons, David 吉本斯，戴维

Watchmen《看守者》**243**
Gibson, Ian 吉布森，伊恩
　The Ballad of Halo Jones（with Moore）《黑洛·琼斯的歌谣》（与穆尔合著）245
Gibson, William 吉布森，威廉 88-9, **199**
　Count Zero《数到零》199
　The Difference Engine《差分引擎》199, 202, **234**
　historical context 历史背景 193, 206
　Mona Lisa Overdrive《疲劳过度的蒙娜丽莎》199
　Neuromancer《神经浪游者》86, 199, **232**
　Virtual Light《虚光》199
　Worlds series《世界》系列 188, 192
Gilbert, W. S. 吉尔伯特，W·S· 292
Gillings, Walter 吉林斯，沃尔特 100, 102
Gilman, Charlotte Perkins 吉尔曼，夏洛特·珀金斯
　Herland《她的陆地》117
Giraud, Jean（Moebius）吉劳德，琼（默比乌斯）245
Glen and Randa（film：McBride）《格伦与朗达》（电影：麦克布赖德）274
Gloag, John 格洛格，约翰
　Tomorrow's Yesterday《明天的昨天》120
Glossop, Reginald 格洛索普，雷金纳德
　The Orphan of Space《太空孤儿》51
Gnome Press 格言出版社 65
Goddard, Robert A. 戈达德，罗伯特·A· 51
Gojira（film：Honda）《哥斯拉》（电影：本田）262, 265
Gold, Horace L. 戈尔德，霍勒斯·L· 102
Gold（film：Hartl）《黄金》（电影：哈特尔）255
Goldberg, Rube 戈德堡，鲁布 11
Golding, William 戈尔丁，威廉
　The Inheritors《继承者》132
　Lord of the Flies《蝇王》131, **220**
Goldstein, Lisa 戈尔茨坦，莉萨
　The Red Magician《红皮肤的魔术师》192
The Golem（film：Wegener）《泥人》（电影：韦格纳）50, 251
Goonan, Kathleen Ann 古南，凯瑟琳·安
　Queen City Jazz《城市爵士乐女王》207
Gotschalk, Felix C. 戈查尔克，费利克斯·C·
　Growing Up in Tier 3000《成长在第3000层》176
Gottlieb, Phyllis 戈特利布，菲利斯
　Sunburst《大阳光芒》153
Goulart, Ron 古拉特，罗恩 126
　The Sword Swallower《吞剑人》155
Graham, P. Anderson 格雷厄姆，P·安德森
　The Collapse of Homo Sapiens《智人的崩溃》50
Grant, Richard 格兰特，里查德
　Saraband of Lost Time《过去的萨拉班德舞》194
Gratacap, Louis Pope 格拉塔卡普，路易斯·波普
　The Certainty of a Future Life on Mars《火星上未来生活的真相》42
Graves, Robert 格雷夫斯，罗伯特
　Watch the Northwind Rise《看北风吹起》121
Gray, Alasdair 格雷，阿拉斯代尔
　Lanark《拉纳克》192, **231**
van Greenaway, Peter 范·格里纳韦，彼得
　The Crucified City《被钉在十字架上的城市》152
Greenberg, Martin H. 格林伯格，马丁·H· 135
Greenland, Colin 格林兰，科林 105
　Daybreak on a Different Mountain《另一圣山上的黎明》193
　Take Back Plenty《接受普伦蒂》206, **234**
Grey（Japanese comic）《格雷》（日本连环漫画）**247**
Griffith, George 格里菲思，乔治
　The Angel of the Revolution《革命的天使》109
　Valdar the Oft-Born《多次出生的瓦尔德》60
Grove, Frederick 格罗夫，弗雷德里克
　Consider Her Ways《想想她的方式》**216**
Gurk, Paul 格克，保罗
　Tuzub 37《塔比巴37》57, 120

H

Haggard, H. Rider 哈格德，H·赖德
　Allan Quatermain《艾伦·夸特曼》39
　King Solomon's Mines《所罗门王的矿藏》39, 116
　Queen Sheba's Ring《示巴女王的指环》116
　She《她》39
　When the World Shook《当世界震动时》117
Haldeman, Joe 霍尔德曼，乔 155, **188**
　The Forever War《永远的战争》176, 188, **228**
　The Hemingway Hoax《海明威骗局》188
　Worlds series《世界》系列 188, 192
Hale, Edward Everett 黑尔，爱德华·埃弗莱特
　"The Brick Moon" "砖头月亮" 37, 109
Hamilton, Edmond 汉密尔顿，埃德蒙 56, 120, 242
　Captain Future stories《未来船长》故事 101
　The Star Kings《星王》121
Hampson, Frank 汉普森，弗兰克
　Dan Dare《丹·戴尔》244
Hand, Elizabeth 汉德，伊丽莎白
　Winterlong《漫长的冬季》206
The Hands of Orlac（film：Wiene）《奥拉克之手》251
von Harbou, Thea 冯·哈伯，西娅
　Metropolis《大都会》51, 120
Hard to be a God（film：Fleischmann）《上帝难当》（电影：弗莱施曼）287
Harris, Robert 哈里斯，罗伯特
　Fatherland《祖国》206
Harrison, Harry 哈里森，哈里 102, 130, **156-7**
　Bill, the Galactic Hero series《星兵英雄比尔》系列 **156-7**
　collaboration with Aldiss 与奥尔迪斯的合作 157
　Deathworld series《死亡世界》系列 152, 157
　Eden《伊登》157
　Make Room! Make Room!《让开！让开！》154
　Stainless Steel Rat series《不锈钢鼠》系列 152, 156-7
　West of Eden《伊甸园之西》193
Harrison, M. John 哈里森，M·约翰 155
　The Committed Men《信守承诺者》174
Hartley, L. P. 哈特利，L·P·
　Facial Justice《表面的正义》152
Hastings, Milo 黑斯廷斯，米洛
　City of Endless Night《不夜之城》47, 117
Hauser's Memory（film：Sagal）《豪塞尔的记忆》（电影：萨加尔）274
Hawthorne, Nathaniel 霍桑，纳撒尼尔 108
Hayward, William 海沃德，威廉
　The Cloud King《云王》109
Healy, Raymond J. 希利，雷蒙斯·J·
　Adventures in Time and Space（with McComas）《时空历险记》（与麦科马斯合作）65
Heard, Gerald 赫德，杰拉尔德
　Doppelgangers《幽灵》121
Heinlein, Robert A. 海因莱恩，罗伯特·A· 65, **128-9**, 134
　Beyond This Horizon《超越地平线》64, 121, 128, **217**
　and Campbell 和坎贝尔 101, 129
　Citizen of the Galaxy《星系的公民》128-9
　The Door into Summer《通往夏天之门》69, 128-9
　Double Star《双星》128-9, 132, **220**
　Farnham's Freehold《法恩海姆完全保有的地产》129, 153
　Future History 未来历史故事 66-7
　Grumbles from the Grave《坟墓中发出的咕哝声》129
　Have Space Suit—Will Travel《穿上宇宙服——就要旅行了》128-9
　historical context 历史背景 43, 87

"Lifeline" "生命线" 121
The Man Who Sold the Moon《月球卖主》130
Methuselah's Children《玛士撒拉的孩子们》121, 128
The Moon is a Harsh Mistress《月亮是个严厉的女教师》128-9, 154, 155
The Puppet Masters《傀儡大师》130
Red Planet《红色行星》121
Sixth Column《第六纵队》121, 128, **217**
Starman Jones《太空人琼斯》131
Starship Troopers《星际飞船警察》69, 128-9, 133, **221**
Stranger in a Strange Land《陌生土地上的陌生人》72, 128-9, 152, **222**
Time Enough for Love《爱不愁没有时间》128-9, 175
Time for the Stars《星球的时间》128-9, 132
Herbert, Frank 赫伯特，弗兰克 130, **164**
　The White Plague《白色瘟疫》193
　The Dragon in the Sea《海中龙》132
　Dune《沙丘》73, 154, **224**
Hernandez, Jaime 赫尔南德斯，贾米
　Mechanics《机械师》243
Hersey, John 赫西，约翰
　The Child Buyer《儿童购买者》152
Hesse, Hermann 黑塞，赫尔曼
　Magister Ludi《地方行政官卢迪》64, 121
The Hidden（film：Sholder）《隐藏者》（电影：肖尔德）286
Hilton, James 希尔顿，詹姆斯
　Lost Horizon《失去的地平线》39, 120
Hitler wins scenario 希特勒取胜的假设 63
Hoban, Russell 霍本·拉塞尔
　Riddley Walker《里德利·沃克》192, **230**
Hodgson, William Hope 霍奇森，威廉·霍普
　The House on the Borderland《边境上的房子》116
　The Night Land《夜晚的陆地》116
Hogan, James P. 霍根，詹姆斯·P· 176
Hogan, Robert J. 霍根，罗伯特·J·
　G-8 and his Battle Aces《G-8和他的战斗伙伴》100
Holdstock, Robert 霍尔斯托克，罗伯特 155
　Eye among the Blind《盲人中的眼睛》176
　Mythago Wood《米撒戈·伍德》193
　Where Time Winds Blow《时间之风吹过的地方》192
Holocaust 2000（film：De Martino）《2000大屠杀》（电影：德马蒂诺）278
Homunculus（film：Rippert）《侏儒》（电影：里珀特）251
Les Hordes（television）《游牧部落》（电视）305
Howard, Robert E. 霍华德，罗伯特·E· 50, 98
Hoyle, Fred 霍伊尔，弗雷德
　The Black Cloud《乌云》132
Hubbard, L. Ron 哈伯特，L·罗恩 120
　Dianetics 排除有害印象精神治疗法 65, 127
Hugin（Swedish magazine）《思想》（瑞典杂志）98
Hugo Awards 雨果奖 68, 119
Huxley, Aldous 赫胥黎，奥尔德斯 49, 57, **124**
　After Many a Summer《在许多个夏天之后》124
　Ape and Essence《猿与本质》124
　Brave New World《美妙的新世界》**215**
　Brave New World Revisited《重访美妙的新世界》124
　historical context 历史背景 56, 120
　satire 讽刺 59
　Time Must Have a Stop《时间必须有个终点》64
Hydrozagadka（television）《水之谜》（电视）304

I

I Love You, I Love You（film: Resnais）《我爱你，我爱你》（电影：雷斯纳）269

I Married a Monster from Outer Space（film: Fowler）《我嫁给了一个来自外太空的怪物》（电影：福勒）263

The Ice Pirates（film: Farrill）《冰上海盗》（电影：法里尔）285

Iceman（film: Schepisi）《冰人》（电影：谢皮西）285

If England Were Invaded（film: Durrant）《如果英国受到入侵》（电影：达兰特）250

If（magazine）《如果》杂志）72, **103**

Ikarie（magazine）《伊卡罗斯》（杂志）105

Incident at Raven's Gate（film: de Heer）《雷文门事件》（电影：戴希尔）287

The Incredible Shrinking Man（film: Arnold）《难以置信的收缩者》（电影：阿诺德）263

Ings, Simon 英戈斯，西蒙
  Hot Head《急性人》206

Innerspace（film: Dante）《内部空间》（电影：丹蒂）286

Interzone（magazine）《星际地带》86, 93, **105**

The Invaders（television）《入侵者》（电视）296

Invasion（film: Bridges）《入侵》（电影：布里奇斯）268

Invasion of the Body Snatchers（film: Kaufman）《盗灵人魔的入侵》（电影：考夫曼）278

Invasion of the Body Snatchers（film: Siegel）《盗灵人魔的入侵》（电影：西格尔）90, 263, 264-5

The Invisible Man（film: Whale）《隐身人》（电影：惠尔）56, 115, 254

The Island of Doctor Moreau（film: Taylor）《莫罗博士岛》（电影：泰勒）278

The Island of Lost Souls（film: Kenton）《失落灵魂的岛屿》（电影：肯顿）115, 254

It! The Terror from Beyond Space（film: Cahn）《它！来自太空的恐怖》（电影：凯恩）263

It's Alive（film: Cohen）《它活着》（电影：科恩）276

J

Jablokov, Alexander 雅布洛科夫，亚历山大
  Carve the Sky《切割天空》206
  A Deeper Sea《更深的海洋》207

Jakobssen, Ejler 雅各布森，埃尔杰 102, 103

James, P. D. 詹姆斯，P·D·
  The Children of Men《男人的孩子》206

Jefferies, Richard 杰弗里斯，里查德
  After London《伦敦以后》109, **212**

Jeschke, Wolfgang 杰西克，沃尔夫冈 87

Jeter, K. W. 杰特，K·W· 89, 176

Jeury, Michel 约里，米歇尔
  Uncertain time《不确定的时间》175

Jonbar Point 琼巴尔点 62, 306

Jones, Gwyneth 琼斯，格温内思 176
  Divine Endurance《神性的忍耐》193
  White Queen《白衣女王》206, **235**

Jones, Raymond F. 琼斯，雷蒙德·F·
  This Island Earth《孤岛地球》130

Journal Wired（magazine）《有线杂志》（杂志）87

Journey to the Center of the Earth（film: Levin）《地心游记》（电影：莱文）263

Jubilee（film: Jarman）《狂欢节》（电影：贾曼）278

Judge Dredd（comic）《德雷德法官》（连环漫画）92, **245**

Jurassic Park（film: Spielberg）《侏罗纪公园》（电影：斯皮尔伯格）281, 291

Just Imagine（film: Butler）《真想不到》（电影：巴特勒）254

Just Imagine（musical）《真想不到》（音乐剧）56

K

Kadrey, Richard 卡德雷，里查德 89
  Metrophage《子宫噬菌》195

Kafka, Franz 卡夫卡，弗兰茨 49, 117
  The Trial《审判》51

Kagan, Janet 卡根，珍妮特
  Mirabile《奇迹》206

Kandel, Michael 坎德尔，迈克尔
  Strange Invasion《奇异的入侵》195

Kapp, Colin 卡普，科林 133

Karloff, Boris 卡洛夫，鲍里斯 56

Kavan, Anna 卡万，安娜
  Ice《冰》154

Kaveney, Roz 卡文尼，罗兹 105

Kellermann, Bernhard 凯勒曼，巴恩哈特
  The Tunnel《隧道》46

Kelly, James Patrick 凯利，詹姆斯·帕特里克
  Freedom Beach（with Kessel）《自由海滩》（与凯塞尔合著）194
  Look into the Sun《凝望太阳》195
  Planet of Whispers《微语星球》193
  Wildlife《野生动物》207

Kennedy, Leigh 肯尼迪，利
  The Journal of Nicholas the American《美国人尼古拉斯的日记》194

Kepler, Johannes 开普勒，约翰尼斯
  Somnium《梦境》76

Kesey, Ken 凯西，肯
  Sailor Song《水手之歌》207

Kessel, John 凯塞尔，约翰
  Freedom Beach（with Kelly）《自由海滩》（和凯利合著）194
  Good News from Outer Space《来自太空的好消息》195

Keyes, Daniel 凯斯，丹尼尔 103
  Flowers for Algernon《献给阿尔杰农的鲜花》154, **224**

Kido Keisatsu Patlabor（television）《机动警察巡逻》（电视）305

Kido Senshi Gundam（television）《移动服装》（电视）305

Killdozer（film: London）《杀人机》（电影：伦敦）276

King, Stephen 金，斯蒂芬 292
  The Stand《看台》177

King Kong（film: Cooper and Schoedsack）《金刚》（电影：库珀和舒德萨克）255

King Kong（film: Guillermin）《金刚》（电影：吉勒明）277

Kingsbury, Donald 金斯伯里，唐纳德 130
  Courtship Rite《求爱仪式》192-3

Kipling, Rudyard 吉卜林，拉迪亚德
  With the Night Mail《夜间来信》116

Kiss Me Deadly（film: Aldrich）《吻死我》（电影：奥尔德里奇）263, 265

Klein, Gérard 克莱因，热拉尔 133, **161**
  Anthology of SF《科幻小说选集》79
  The Mote in Time's Eye《时间眼中的小错误》161
  The Overlords of War《战争霸主》161
  The Sceptre of Chance《机遇的权力》161

Kline, Otis Adelbert 克兰，奥蒂斯·阿德尔伯特 50, 98

Kneale, Nigel 克尼尔，奈杰尔 302
  The Quatermass Experiment《夸特马斯实验》133

Knight, Damon 奈特，戴蒙 69, 121, **142**
  as editor 任编辑 73, 103, 142
  Hell's Pavement《地狱的道路》132, 142
  magazines 杂志 103
  In Search of Wonder《寻找奇迹》142

Knox, Ronald 诺克斯，罗纳德
  Memories of the Future《未来回忆录》50

Komatsu, Sakyo 左京，小松
  Japan Sinks《日本沉没》275

Koontz, Dean R. 孔茨，迪安·R· 155

Kornbluth, C(yril) M. 科恩布卢思，西(里尔)·M· 121, **143**
  Gladiator-at-Law（with Pohl）《法律辩论家》（与波尔合著）182
  The Marching Morons《行进中的傻瓜》133, 143
  Not This August《不是这个8月》132
  The Space Merchants《宇宙商人》131, 143, 182, **219**
  Takeoff《起飞》130
  Wolfbane《狼毒乌头》143, 182

Kosmiczny Test（television）《太空试验》（电视）305

Kotzwinkle, William 科茨温克尔，威廉
  Doctor Rat《老鼠医生》176

Krakatit（film: Vavra）《克拉克蒂》（电影：瓦夫拉）259

Kress, Nancy 克雷斯，南希 104, **209**
  An Alien Light《外星之光》195, 209
  Beggars and Choosers《乞丐和挑选者》209
  Beggars in Spain《西班牙的乞丐》207, 209, **236**
  Brain Rose《智慧玫瑰》206, 209
  The Prince of the Morning Bells《晨钟王子》192

Kube-McDowell, Michael P. 库珀-麦克道尔，迈克尔·P·
  The Quiet Pools《寂静的池塘》206

Kuttner, Henry 库特纳，亨利 101, 120, **126**
  comics 连环漫画 242
  Fury《愤怒》126, 130
  Robots Have No Tails《机器人没有尾巴》126

L

Lafferty, R. A. 拉弗蒂，R·A· 152, **160**
  Arrive at Easterwine《到达伊斯特怀品》160
  Does Anyone Else Have Something Further to Add?《别人是否还有补充？》160
  Fourth Mansions《4号大厦》160
  Lafferty in Orbit《轨道中的拉弗蒂》206
  Nine Hundred Grandmothers《900位祖母》160
  Past Master《原主》160
  Space Chantey《太空的水手号子》160

Laidlaw, Marc 莱德劳，马克
  Dad's Nuke《爸爸的核武器》194
  Kalifornia《加利福尼亚》207

Lake of the Long Sun《遥远的太阳中的湖泊》185

Land of the Giants（television）《巨人的土地》（电视）296

Lang, Hermann 兰，赫尔曼
  The Air Battle《空中战役》109

Langford, David 兰福德，戴维 177

Lanier, Sterling 拉尼尔，斯特林
  Hiero's Journey《希尔的旅行》175
  The War for the Lot《命运之战》155

Laserblast（film: Rae）《激光爆炸》（电影：雷）278

Lasswitz, Kurd 拉斯维兹，科德
  Two Planets《两颗行星》109, **213**

Laumer, Keith 劳默，基思 133
  A Plague of Demons《恶魔瘟疫》154
  A Trace of Memory《一丝记忆》153
  Worlds of the Imperium《帝国世界》63, 152-3

The Lawnmower Man（film: Leonard）《修剪草地的人》（电影：伦纳德）291, 292-3

Le Guin, Ursula K. 勒吉恩，厄休拉·K· 153, **178-9**
  Always Coming Home《总是回家》179
  The Beginning Place《开始的地方》179
  The Dispossessed《一无所有的人》78, 175, 179, 228
  Earthsea series《地球海》系列 178
  The Left Hand of Darkness《黑暗的左手》155, 178, **225**
  Malafrena《马拉弗伦那》179
  Orsinian Tales《奥尔西尼故事集》179
  Planet of Exile《流放的星球》178
  Rocannon's World《罗坎农的世界》154, 178
  The Word for World is Forest《世界的名字叫森林》177

Lee, Tanith 李，坦尼恩
  The Birthgrave《生之墓》176

Leiber, Fritz 莱伯，弗里茨 103, **141**
  The Big Time《大时代》141, 152
  Conjure Wife《巫婆》141
  Fafhrd and the Gray Mouser series《法夫荷德和格雷·毛瑟》系列 141
  Gather, Darkness!《集合，黑暗！》121, 130, 141
  Our Lady of Darkness《我们的黑暗女士》141
  A Spectre is Haunting Texas《幽灵出没于得克萨斯》141
  "Two Sought Adventure" "两个寻求冒险的人" 120-1
  The Wanderer《漫游者》141, 153

Leinster, Murray（William F. Jenkins）莱因斯特，默里（威廉·F·詹金斯）50, 98, **125**
  "First Contact" "第一次接触" 125
  The Pirates of Zan《赞的强盗》133
  Sideways in Time《时间中的侧道》63, 125

Lem, Stanislaw 莱姆，斯坦尼斯劳 50, **156**
  The Cyberiad《网络世界》154, 156
  Eden《伊甸园》133
  Fiasco《溃败》156, 194
  The Futurological Congress《未来学大会》174
  The Invincible《常胜将军》153
  Pirx the Pilot stories《飞行员皮尔克斯》故事集 156
  Solaris《太阳城》152, 156, **222**

L'Engle, Madeleine 伦格尔，马德琳
  A Wrinkle in Time《及时的妙计》153

LeQueux, William 勒凯克斯，威廉
  The Invasion of 1910《1910年的入侵》43

Lessing, Doris 莱辛，多丽丝
  Canopus in Argos: Archives series《阿尔戈斯的坎诺普斯：档案馆》系列 201

Lethem, Jonathan 莱瑟姆，乔纳森
  Gun, with Occasional Music《鸣号，间或伴以乐声》207

Levi, Primo 利瓦伊，普里莫 **159**
  The Monkey Wrench《扳手》159
  The Periodic Table《周期表》159, 176
  The Sixth Day and Other Tales《第六天和其他故事》159

Levin, Ira 莱文，艾拉
  The Perfect Day《完美的一天》174

Lewis, C. S. 刘易斯，C·S·
  Out of the Silent Planet《来自沉寂的星球》121, **215**
  Perelandra《贝雷兰德拉》121
  That Hideous Strength《可怕的力量》65, 121

Ley, Willy 利，威利 51, 76, 120

Lincoln, Abraham 林肯，亚伯拉罕 63

Liquid Sky（film: Tsukerman）《液态天空》（电影：祖克曼）283

Locus（magazine）《轨迹》（杂志）87

Logan's Run（film: Anderson）《洛根的奔跑》（电影：安德森）81, 277

Lois and Clark: The New Adventures of Superman（television）《洛伊丝和克拉克：超人新历险记》（电

视）297
London, Jack 伦敦, 杰克
　　Before Adam《亚当之前》116
　　The Iron Heel《铁蹄》43, 116
Longyear, Barry 朗耶尔, 巴里
　　City of Baraboo《巴拉布市》192
Lost Horizon（film; Capra）《失落的地平线》(电影; 卡普拉) 255
Lost Horizon（film; Jarrott）《失落的地平线》(电影; 贾勒特) 276
Lost in Space（television）《失落在太空》（电视）296
Lost Worlds 失落的世界 **38**
The Lost World（film; Allen）《失落的世界》(电影; 艾伦) 266
The Lost World（film; Hoyt）《失落的世界》(电影; 霍伊特) 251
Lovecraft, H. P. 洛夫克拉夫特, H·P· 98, 111, 117
Lum-Urusei Yatsura（Japanese comic）《福星小子》（日本连环漫画）**247**

M

Macaulay, Rose 麦考利, 罗斯
　　What Not?《什么不？》47, 117
MacDonald, George 麦克唐纳, 乔治
　　Phantastes《幻想》109
MacDonald, Ian 麦克唐纳, 伊恩 105
Macfadden, Bernarr 麦克法登, 伯纳尔 50
Machen, Arthur 麦肯, 阿瑟 46, 47
MacKaye, Harold Steel 麦凯, 哈罗德·斯蒂尔
　　The Panchronicon《万能偶像》42
Mackintosh, Craig A. 麦金托什, 克雷格·A· 154
Mad Love（film; Freund）《疯狂的爱》(电影; 弗罗因德) 57, 255
Mad Max（film; Miller）《疯狂的马克斯》(电影; 米勒) 279
　　sequels 续集 282, 285
Malevil（film; de Chalonge）《邪恶》(电影; 德夏隆) 282
Malzberg, Barry N. 马尔兹伯格, 巴里·N· 155, **181**
　　Beyond Apollo《阿波罗之外》174, 181
　　Chorale《众赞歌》181
　　Herovit's World《赫罗维特的世界》175, 181
The Man from Planet X（film; Ulmer）《来自X行星的人》(电影; 厄尔默) 22, 262
The Man from U. N. C. L. E.（television）《来自U. N. C. L. E.的人》（电视）296, 299
The Man Who Fell to Earth（film; Roeg）《沦落到地球的男人》(电影; 罗格) 277, 280
The Man Who Fell to Earth（Tevis）《沦落到地球的男人》(特维斯) 153
The Man with Two Brains（film; Reiner）《有两颗脑袋的人》(电影; 赖纳) 284
The Manchurian Candidate（film; Frankenheimer）《来自满洲里的候补者》(电影; 弗兰肯海默) 72, 266
Marshall, Archibald 马歇尔, 阿奇博尔德
　　Upsidonia《阿普西多尼亚》117
The Martian Chronicles（television）《火星人纪事》（电视）297
Mars（the planet）火星（行星）**94**
Martin, George R. R. 马丁, 乔治·R·R· 174, **190**
　　The Armageddon Rag《大决战的遗迹》190, 193
　　Dying of the Light《光芒渐逝》176, 190
　　Fevre Dream《福弗之梦》190
　　A Song for Lya《献给利亚的歌》190
　　Songs of Stars and Shadows《星星和影子的歌》190
　　Tuf Voyaging《塔夫的航行》190
　　Wild Cards series《杂乱的卡片》系列 190

Windhaven《避风港》190, 192
Mary Shelley's Frankenstein（film; Branagh）《玛丽·雪莱的弗兰肯斯坦》(电影; 布拉纳) 93, 291, 293
The Mask of Fu Manchu（film; Brabin）《傅满楚的面具》(电影; 布拉宾) 254
Mastin, John 马斯廷, 约翰
　　The Stolen Planet《被偷走的行星》116
Matheson, Richard 马西森, 里查德 103, 130
　　I am Legend《我是传说》131
　　magazines 杂志 102, 242
　　Twilight Zone《星光闪烁地带》298
du Maurier, George H. 莫里埃, 乔治
　　The Martian《火星人》46
Max Headroom（film）《马克斯·黑德鲁姆》(电影) 285
Max Headroom（television）《马克斯·黑德鲁姆》（电视）301
May, Julian 梅, 朱利安 65, 130, **201**
　　Galactic Milieu series《星系背景》系列 201
　　The Many-Colored Land《色彩缤纷的土地》192
　　Saga of the Exiles series《流放者传奇》系列 201
Mazinger Z（television）《信使Z》（电视）304
McAllister, Bruce 麦卡利斯特, 布鲁斯 174
　　Dream Baby《梦幻婴儿》195
McAuley, Paul J. 麦考利, 保罗·J· 95, 105, **209**
　　Eternal Light《永恒之光》206, 209
　　Four Hundred Billion Stars《4000亿个星球》195, 209
　　Pasquale's Angel《帕斯奎尔的天使》207, 209
　　Red Dust《红尘》207, 209
　　Secret Harmonies《秘密协调》209
McCaffrey, Anne 麦卡弗里, 安妮 131, 154, **190**
　　Pern series《珀恩》系列 190
　　Restoree《被修复者》190
　　The Ship Who Sang《唱歌的船》190
McCay, Winsor 麦凯, 温莎 13, 14-15
　　Little Nemo in Slumberland《梦乡中的小尼莫》13
McDermot, Murtagh 麦克德莫特, 默塔格
　　A Trip to the Moon《月球旅行》35
McDonald, Ian 麦克唐纳, 伊恩
　　Desolation Road《荒凉的路》195
　　Necroville《死尸村》207
McGuire, John H. 麦圭尔, 约翰·H·
　　A Planet for Texans（with Piper）《给得克萨斯州人的行星》(与派珀合著) 83
McHugh, Maureen F. 麦克休, 莫林·F·
　　China Mountain Zhang《中国的张山》207
　　Half the Day is Night《一天的一半是黑夜》207
McIntyre, Vonda N. 麦金太尔, 冯达·N· 174, **188**
　　Dreamsnake《梦蛇》177, 188
　　The Exile Waiting《等待的流放者》188
　　Starfarers series《星际旅行者》系列 188
　　Superluminal《超光速》193
McKean, Dave 麦基恩, 戴夫
　　Violent Cases（with Gaiman）《暴力事件》(与盖曼合著) 245
McMullen, Sean 麦克马林, 肖恩
　　Call to the Edge《声嘶力竭》206
　　Voices in the Light《光线里的声音》207
Mechanics（comic; Hernandez）《机械师》(连环漫画; 赫南德兹) 243
Merril, Judith 梅里尔, 朱迪丝 121
　　The Tomorrow People《明天的人们》95
Merritt, Abraham 梅里特, 亚伯拉罕 50
　　The Metal Monster《金属怪兽》117
　　The Moon Pool《月亮池塘》117
Metal Hurlant（comic）《金属赫伦特》(连环漫画) 245
Metropolis（film; Lang）《大都会》(电影; 兰) 36, 47, 251

city life 城市生活 80-1
historical context 历史背景 51
technology 技术 53, 55, 256
visual trickery 视觉魔术 253
Meyrink, Gustav 梅林克, 古斯塔夫
　　The Green Face《绿脸》47
　　Homunculus《侏儒》47
Millennium（film; Anderson）《千禧年》(电影; 安德森) 287
Miller, Frank 米勒, 弗兰克
　　Batman《蝙蝠侠》**243**
　　Ronin《浪》86, **243**
Miller Jr., Walter M. 小米勒, 沃尔特·M· 130, **143**
　　A Canticle for Leibowitz《献给莱博维茨的颂歌》71, 133, 143, 222
Mitchell, John Ames 米切尔, 约翰·埃姆斯
　　Drowsy《沉寂》82
　　The Last American《最后一个美国人》12-13
Modern Times（film; Chaplin）《摩登时代》(电影; 卓别林) 59
Moebius（Giraud, Jean）莫比斯（吉罗, 让）245
Moffett, Judith 莫菲特, 朱迪思
　　Pennterra《佩恩特拉》194
Monkey Shines（film; Romero）《出类拔萃的猴子》(电影; 罗梅罗) 287
Moonbase 3（television）《月球基地3》（电视）301
Moonraker（film; Gilbert）《傻瓜》(电影; 吉尔伯特) 279
Moorcock, Michael 穆尔克, 迈克尔 89, 133, **166**
　　An Alien Heat《外星热辐射》175
　　The Caribbean Crisis《加勒比危机》166
　　Colonel Pyat series《皮阿上校》系列 166
　　The Condition of Muzak《穆扎克的状况》166, 177, 229
　　A Cure for Cancer《癌症疗法》174
　　Elric series《埃尔里克》系列 166
　　The Final Programme《最终方案》155
　　Jerry Cornelius series《杰里·科尔内留斯》系列 166
　　Mother London《伦敦母亲》166
　　New Worlds《新世界》102
　　The Sundered Worlds《分裂的世界》154, 166
　　The Tale of the Eternal Champion《永恒战士的故事》
Moore, Alan 穆尔, 艾伦
　　The Ballad of Halo Jones（with Gibson）《黑洛·琼斯的歌谣》(与吉布森合著) **245**
　　Watchmen《看守者》87, **243**
Moore, Catherine L. 穆尔, 凯瑟琳·L· 101, 120, **126**
　　Doomsday Morning《世界末日的早晨》126, 133
　　Fury《愤怒》126, 130
　　Judgment Night《审判之夜》126, 130
　　Shambleau《山姆布鲁》126
Moore, Ward 穆尔, 沃德
　　Bring the Jubilee《带来狂欢》131
　　Joyleg（with Davidson）《欢快的腿》(与戴维森合著) 152-3
More, Sir Thomas 莫尔, 托马斯爵士
　　Utopia《乌托邦》35, 80
Mork and Mindy（television）《莫克和明迪》（电视）297
Morris, William 莫里斯, 威廉
　　News from Nowhere《乌有乡消息》109
Morrow, James 莫罗, 詹姆斯
　　The Wine of Violence《烈性酒》192
Munro, H. H.（Saki）芒罗, H·H·（萨奇）
　　When William Came《当威廉来时》117
Murphy, Pat 墨菲, 帕特
　　The City, Not Long After《不久以后的城市》195

The Falling Woman《堕落的女人》194
The Shadow Hunter《虚幻猎手》192
My Stepmother is an Alien（film; Benjamin）《我的继母是个外星人》(电影; 本杰明) 287
Le Mystérieux Docteur Corné lius（television）《神秘博士科内利乌斯》（电视）305
The Mysterious Earth（film; Honda）《神秘的地球》(电影; 本田) 263
The Mysterious Island（film; Endfield）《神秘岛》(电影; 恩德菲尔德) 113, 266
　　historical context 历史背景 68, 72
Mysterious Island（film; Hubbard）《神秘岛》(电影; 哈伯德) 251

N

Naked Lunch（film; Cronenburg）《赤裸的午餐》(电影; 克罗宁伯格) 290
Nathan, Robert 内森, 罗伯特
　　The Weans《婴儿》152
Nation, Terry 内申, 特里 302
The Navigator: A Medieval Odyssey（film; Ward）《航行者: 一个中世纪的奥德赛》(电影; 沃德) 287
The Visitors（television）《来访者》305
Nebula Science Fiction（magazine）《星云科幻小说》（杂志）**103**
Neville, Kris 内维尔, 克里斯
　　Bettyann《贝蒂亚恩》174
　　The Unearth People《非地球人》153
The New Avengers（television）《新复仇者》（电视）301
New Worlds（magazine）《新世界》（杂志）65, **102**, 153
Newman, Kim 纽曼, 金 105
　　Jago《杰戈》206
　　The Night Mayor《黑夜市长》195
Nexus（magazine）《核心》（杂志）93
Nicholls, Peter 尼科尔斯, 彼得
　　The Encyclopedia of Science Fiction（with Clute）《科幻文学百科全书》(与克卢特合著) 93
Nicolson, Marjorie Hope 尼科尔森, 马乔里·霍普
　　Voyages to the Moon《通向月球的航行》35
The Night that Panicked America（film; Sargent）《使美国惊恐的夜晚》(电影; 萨金特) 277
Nineteen Eighty-Four（film; Anderson）《1984》(电影; 安德森) 263
Nineteen Eighty-Four（film; Radford）《1984》(电影; 雷德福) 284
Nineteen Eighty-Four（television）《1984》（电视）300, 302
Niven, Larry 尼文, 拉里 153, **167**
　　The Flying Sorcerers《会飞的巫师》174
　　Future History 未来历史故事 67
　　The Integral Trees《整片树林》193
　　The Mote in God's Eye《上帝眼中的小缺点》167, 175, **228**
　　Oath of Fealty《效忠誓言》28, 167
　　Ringworld《圆环世界》7, 167, 174, **226**
　　Tales of Known Space series《已知太空的故事》系列 67, 167
　　The World of Ptavvs《普塔夫斯的世界》154, 167
No Blade of Grass（film; Wilde）《无叶草》(电影; 怀尔德) 274
Noon, Jeff 努恩, 杰夫
　　Vurt《弗尔特》207
Norton, Andre（Alice）诺顿, 安德烈（艾丽斯）126, **147**
　　Golden Trillium《金色的延龄草》147
　　Sargasso of Space《宇宙藻类》132
　　Star Rangers《星际骑兵》147
　　Witch World《巫术世界》153

Witchworld series《巫术世界》系列 147
Nowlan, Philip 诺兰，菲利普
 Flash Gordon《闪电戈登》120
Nueva Dimension (magazine)《新视野》(杂志) 73

O

O'Brien, Fitz-James 奥布赖恩，菲茨-詹姆斯
 Poems and Stories《诗与故事》109
Odle, E. V. 奥德尔，E・V・
 The Clockwork Man《自动人》50，61
Oliver, Chad 奥利弗，查德
 Shadows in the Sun《太阳上的阴影》131
The Omega Man (film; Sagal)《欧米茄人》(电影：萨格尔) 275
Omni (magazine)《汇刊》(杂志) 79，**104**
On the Beach (film; Kramer)《海滩上》(电影：克莱默) 69，263，264
One Hundred Years After (film)《百年以后》(电影) 250
One Million B. C. (film; Roach)《公元前 100 万年》(电影：罗奇) 258
One Million Years B. C. (film; Haffey)《公元前 100 万年》(电影：哈菲) 269
O'Neill, Joseph 奥尼尔，约瑟夫
 Land under England《英格兰下面的陆地》39，57，120
Operation Ganymed (film; Erler)《伽倪墨德行动》(电影：厄勒) 278，304
Operazione Vega (television)《维加行动》(电视) 304
Orwell, George 奥威尔，乔治 **124**
 Animal Farm《动物庄园》65，124，216
 historical context 历史背景 65，121
 influenced by Zamiatin 扎米亚京的影响 119
 Nineteen Eighty-Four《1984》7，124，**217**
 satire 讽刺 59
other worlds 别的星球 82
Out of the Unknown (television)《走出无知地带》(电视) 300
The Outer Limits (television)《外层界限》(电视) 298，299
Outland (film; Hyams)《他乡》(电影：海厄姆斯) 282
Owen, Gregory 欧文，格雷戈里
 Meccania《麦卡尼亚》117

P

Pal, George 帕尔，乔治
 When Worlds Collide《当星球碰撞时》77
Pangborn, Edgar 潘伯恩，埃德加
 Davy《戴维》153
 A Mirror for Observers《观察者的镜子》131
Panshin, Alexei 潘辛，亚历克塞 153
 Rite of Passage《成人仪式》155，**225**
The Parasite Murders (film; Cronenburg)《寄生杀手》(电影：克罗宁伯格) 276
Park, Paul 帕克，保罗 236
 Coelestis《天青石》207，**236**
 Soldiers of Paradise《天堂里的士兵》194
Paul, Frank R. (illustrator) 保罗，弗兰克・R・(插图画家) **240**
Pearson's (magazine)《皮尔逊》(杂志) 42
Pedrocchi, F. 佩德罗奇，F・
 Saturno contro la Terra《土星对抗地球》244
The People That Time Forgot (film; Connor)《被时间遗忘的人们》(电影：康纳) 278
Per Aspera Ad Astra (film; Viktorov)《漫漫征途奔星星》(电影：维克托洛夫) 282
The Perfect Woman (film; Knowles)《完美的女人》(电影：诺尔斯) 259，260
pessimism in SF 科幻文学中的悲观主义 **48**

The Philadelphia Experiment (film; Raffill)《费城实验》(电影：拉费尔) 284
Phillips, Rog 菲利普斯，罗格
 Worlds of If《如果的世界》84
Un Pianeta Ritrovato (television)《一颗重新发现的行星》(电视) 305
Piercy, Marge 皮尔西，玛吉
 Dance the Eagle to Sleep《让雄鹰跳到入眠》78，174
Piper, H. Beam 派因，H・比姆 121
 Crisis in 2140《2140 年的危机》132
 A Planet for Texans《给得克萨斯州人的行星》83
Planet Earth (film; Daniels)《地球行星》(电影：丹尼尔斯) 276
Planet of the Apes (film; Schaffner)《猿的行星》(电影：舍夫纳) 41
Planet of the Storms (film; Klushantsev)《风暴行星》(电影：克鲁尚采夫) 267
Planet Stories (magazine)《行星故事》(杂志) 96，**101**
Platt, Charles 普拉特，查尔斯 153
 The City Dwellers《城市居民》174
 The Silicon Man《硅人》206
Poe, Edgar Allan 坡，埃德加・爱伦 36，108，**111**
 Eureka《我找到了》108
 The Narrative of Arthur Gordon Pym《阿瑟・戈登・皮姆的叙述》108，111
Pohl, Frederik 波尔，弗雷德里克 120，176-7，**182**
 collaborates with Williamson 与威廉森的合作 126
 Drunkard's Walk《醉鬼的步子》152
 as editor 任编辑 72，102，103
 Gateway《门道》182，**229**
 Gladiator-at-Law《法律辩论家》182
 JEM《吉姆》177，182
 Man Plus《人气十足》176，182，**229**
 Outnumbering the Dead《数量超出死者》182
 A Plague of Pythons《巨蛇灾害》182
 satire 讽刺 59
 Slave Ship《贩奴船》133
 The Space Merchants《太空商人》131，143，182，**219**
 Star Science Fiction Stories《星球科幻小说故事》68
 Wolfbane《狼毒乌头》143，182
 The World at the Edge of Time《时间尽头的世界》182
 The Years of the City《城市的岁月》182
Pollack, Rachel 波拉克，雷切尔
 Golden Vanity《珍贵的虚荣心》192
 Unquenchable Fire《难以扑灭的火焰》195
post-catastrophe scenarios in SF 科幻文学中大灾难后的场面 70
Pournelle, Jerry 波内尔，杰里 167
 King David's Spaceship《戴维王的宇宙飞船》167，192
 The Mote in God's Eye《上帝眼中的小缺点》167，175，**228**
 Oath of Fealty《效忠誓言》28，167
The Power (film; Pal)《权力》(电影：帕尔) 269
Powers, Richard M. (illustrator) 鲍尔斯，里查德・M・(插图画家) 50，**241**
Powers, Tim 鲍尔斯，蒂姆 176，**203**
 The Anubis Gates《安努毕斯门》193，203
 Dinner at Deviant's Palace《在离经叛道者宫殿的晚餐》203
 The Drawing of the Dark《黑暗降临》203
 Last Call《最后一个电话》203
 On Stranger Tides《陌生人如潮而至时》203
 The Stress of Her Regard《她关注的重点》203
Pratt, Fletcher 普拉特，弗莱彻
Prayer of the Rollerboys (film; King)《溜旱冰男孩的

祈祷》(电影：金) 290
Predator (film; McTiernan)《捕食者》(电影：麦克蒂尔南) 286
Presence du futur (publishers) 面向未来(出版者) 68
Priest, Christopher 普里斯特，克里斯托弗 154，**180**
 A Dream of Wessex《韦塞克斯之梦》177，180
 Fugue for a Darkening Island《黑暗小岛的赋格曲》180
 Indoctrinaire《非教条主义》174
 An Infinite Summer《无尽的夏季》180
 Inverted World《颠倒的世界》175，180
 The Quiet Woman《文静的女人》180
 The Space Machine《太空机器》180
Priestley, J. B. 普里斯特利，J・B・75
The Prisoner (television)《囚徒》(电视) 73，300，302-3
Prisoners of Gravity (television)《引力的囚徒》(电视) 297
The Prize of Peril (film; Boisset)《危险的奖赏》(电影：布瓦西) 284
Project Moonbase (film; Talmadge)《月球基地计划》(电影：塔尔梅奇) 68，262
Project UFO (television)《UFO 项目》(电视) 297
Prophecy (film; Frankenheimer)《预言》(电影：弗兰肯海默) 279
Proto SF 科幻文学雏形 **34**
Przekladeniec (television)《馅饼》(电视) 304
Przyjaciel (television)《朋友》(电视) 304
Pursuit (film; Crichton)《追踪》(电影：克赖顿) 275
Pynchon, Thomas 品钦，托马斯 89

Q

Quantum Leap (television)《量子跃迁》(电视) 297
Quatermass II (film; Guest)《夸特马斯 II》(电视：格斯特) 263
Quatermass series (television)《夸特马斯》系列 (电视) 300，302
The Quatermass Experiment (film; Guest)《夸特马斯实验》(电影：格斯特) 263
Quest for Fire (film; Annaud)《寻求火种》(电影：安诺德) 282
Quest for Love (film; Thomas)《寻求爱情》(电影：托马斯) 274
The Questor Tapes (film; Colla)《奎斯特录音带》(电影：科拉) 276
The Quiet Earth (film; Murphy)《寂静的地球》(电影：墨菲) 285
Quinet, Edgar 奎尼特，埃加加
 Ahasvérus《阿哈斯维拉斯》108
Quinn, Daniel 奎因，丹尼尔
 Ishmael《以实玛利》207
Quinn, James L. 奎因，詹姆斯・L・103
Quintet (film; Altman)《五重奏》(电影：奥特曼) 279

R

Rabid (film; Cronenburg)《狂犬症》(电影：克罗宁伯格) 277
Raumschiff Orion (television)《猎户座号宇宙飞船》(电视) 304
Raymond, Alex 雷蒙德，亚历克斯
 Flash Gordon《闪电戈登》**242**
Reade Jr., Frank 小里德，弗兰克 37
Real Genius (film; Coolidge)《真正的天才》(电影：库利奇) 285
Red Dwarf (television)《红矮星》(电视) 87，301，303
Red Planet Mars (film; Horner)《红色行星火星》(电影：霍纳) 262
Renard, Maurice 雷纳，莫里斯 121，**125**
 Blind Circle《盲圈》125

The Blue Peril《蓝色的危险》116，125
The Hands of Orlac《奥拉客之手》57，125
Repo Man (film; Cox)《协议回购者》(电影：考克斯) 285
Resnick, Mike 雷斯尼克，迈克 154
Return of the Jedi (film; Marquand)《杰迪的归来》(电影：马昆德) 86，284，288
Reynolds, G. W. M. 雷诺兹，G・W・M・36
Rice, Elmer 赖斯，埃尔默
 The Adding Machine《加法机器》50
Riley, Frank 赖利，弗兰克
 They'd Rather Be Right《他们宁愿是对的》132
Roberts, Keith 罗伯茨，基思 102，153
 The Furies《愤怒》154
 Molly Zero《莫利零点》192
 Pavane《帕凡舞》63，155
Robida, Albert 罗比达，艾伯特 **44**
Robinson, Frank M. 鲁宾逊，弗兰克・M・
 The Dark Beyond the Stars《星球之外的黑暗》206
Robinson, Kim Stanley 鲁滨逊，金・斯坦利 104，**200**
 Icehenge《冰块阵》200
 Mars series《火星》系列 200，207，**235**
 The Novels of Philip K. Dick《菲利普・K・迪克的小说》200
 Orange County series《橙子县》系列 200
 other worlds 别的星球 82-3，95
 The Wild Shore《荒凉的海岸》193，200
Robinson, Spider 鲁滨逊，斯派德 176
Robinson, W. Heath 鲁滨逊，W・希思 11
Robocop (film; Verhoeven)《机器人警察》(电影：维哈文) 55，286
 sequels 续集 290，291
robots 机器人 **54**
The Rocketeer (film; Johnston)《火箭人》(电影：约翰斯顿) 290
Rocklynne, Ross 罗克林，罗斯 120
The Rocky Horror Picture Show (film; Sharman)《洛基恐怖电影展》(电影：沙曼) 277
Rod Serling's Night Gallery (television)《罗德・塞林的夜间画廊》(电视) 296
Roddenberry, Gene 罗登贝里，吉恩 299
Roessner, Michaela 罗辛纳，迈克勒
 Walkabout Woman《四处游走的女人》195
Rollerball (film; Jewison)《滚球》(电影：朱伊森) 277
Roshwald, Mordecai 罗什瓦尔德，莫迪凯
 Level Seven《第七层》71，133
Rosny, J. H. (Boëx) 罗斯尼，J・H・(伯克斯) 116
Rousseau, Victor 卢梭，维克多
 The Messiah of the Cylinder《干泥圆筒板上的弥赛亚》47
Rowcroft, Charles 罗克罗夫特，查尔斯
 The Triumph of Woman: A Christmas Story《女人的胜利：圣诞故事》108
Rucker, Rudy 拉克，鲁迪
 The Hollow Earth《空心地球》206
 Software《软件》193
 White Light《白光》192
Runaway (film; Crichton)《逃亡》(电影：克赖顿) 285
Rusch, Kristine Kathryn 鲁施，克里斯汀・凯瑟琳 103
 The White Mists of Power《权力的白色雾霭》206
Rushdie, Salman 拉什迪，萨曼
 Grimus《格里马斯》176
Russ, Joanna 拉斯，乔安娜 133，**167**
 The Female Man《女性男人》167，176，**228**
 Picnic on Paradise《天堂里的野餐》155，167
 Souls《灵魂》167
 The Two of Them《他们两个》177
Russell, Eric Frank 拉塞尔，埃里克・弗兰克 **137**，179
 Dreadful Sanctuary《可怕的避难所》130，137

historical context 历史背景 120,133
Sinister Barrier《邪恶的障碍》137
Russo, Richard Paul 拉索,里查德·保罗
  Destroying Angel《消灭天使》206
  Inner Eclipse《内部的日月食》195
Rutherford, Ernest 拉瑟福德,厄内斯特 47
Ryan, Charles C. 瑞安,查尔斯·C· 104
Ryman, Geoff 瑞曼,杰夫 105
  The Child Garden《儿童花园》195
  The Unconquered Country《未被征服的国家》194
  The Warrior Who Carried Life《运送生命的勇士》194

S

Sabatini, Rafael 萨巴蒂尼,拉斐尔 203
Saberhagen, Fred 萨巴哈根,弗雷德 152
  Berserker《熊皮武士》154
Sackville-West, Vita 萨克维尔-韦斯特,维塔
  Grand Canyon《大峡谷》64
St. Clair, Margaret 圣克莱尔,玛格丽特 121
  Agent of the Unknown《未知的代理人》132
Saki see H. H. Munro 萨基,参见 H·H·芒罗
Samalman, Alexander 萨姆尔曼,亚历山大 100,101
Santos, Domingo 桑托斯,多明戈
  Gabriel《加布雷尔》153
Sapphire and Steel (television)《萨法尔和斯蒂尔》（电视）301
Sarban (John W. Wall) 萨班（约翰·W·华尔）
  The Sound of His Horn《他的喇叭的声音》131
Sargent, Pamela 萨金特,帕梅拉 174,176
  The Shore of Women《女人的海岸》194
Satellite (magazine)《卫星》(杂志) 69
satire in SF 科幻文学中的讽刺 52
Saturn 3 (film; Donen)《土星3》(电影；唐能) 282
Saturno contro la Terra (comic)《土星对抗地球》(连环漫画) 244
Saunders, Jake 桑德斯,杰克
  The Texas-Israeli War《得克萨斯与以色列之战》175
Sawyer, Robert J. 索耶,罗伯特·J·
  Golden Fleece《金羊毛》206
Scanners (film; Cronenburg)《扫描者》(电影；克罗宁伯格) 282
Schenck, Hilbert 申克,希尔伯特
  Wave Rider《驾驭波浪的人》192
Schlock (film; Landis)《次品》(电影；兰迪斯) 276
Schmidt, Stanley 施米特,斯坦利 103
Schmitz, James H. 施米茨,詹姆斯·H· 121
Schwarzenegger, Arnold 施瓦辛格,阿诺德 55
Science and Invention (magazine)《科学和发明》(杂志) 56
Science Fantasy (magazine)《科学荒诞故事》(杂志) 68,**102**
Science Fiction Theater (television)《科幻小说影院》(电视) 296
Science Fiction Writers of America 美国科幻小说作家协会 142
science in SF 科幻文学中的科学 52
Science Wonder Stories (magazine)《科学奇想故事》(杂志) 99
Scientific Detective Monthly (magazine)《科学侦探月刊》杂志 99
Scientology 科学论派 127,151
Seithers, George H. 西泽斯,乔治·H· 98,104
Scoops (magazine)《独家新闻》(杂志) **100**
Scott, Melissa 斯科特,梅丽莎 89
  Trouble and Her Friends《特鲁布尔和她的朋友》88
Scott, Sir Walter 斯各特,沃尔特爵士 37
SeaQuest DSV (television)《海洋探寻 DSV》(电视)

299
Seconds (film; Frankenheimer)《秒》(电影；弗兰肯海默) 269
Sellings, Arthur 塞林斯,阿瑟
  The Silent Speakers《沉默的演讲者》152
The Sender (film; Christian)《发送者》(电影；克里斯蒂安) 283
Serling, Rod 塞林,罗德 298
Serviss, Garret P. 瑟维斯,加勒特·P·
  A Columbus in Space《太空哥伦布》43
  Edison's Conquest of Mars《爱迪生征服火星》43,109,123
  The Moon Metal《月亮金属》116
Seven Days in May (film; Frankenheimer)《5月中的7天》(电影；弗兰肯海默) 267
SF et Quotidien (French magazine)《科幻小说日报》(法国杂志) 86
SF Magazine (Japanese magazine)《科幻杂志》(日本杂志) 78
Les Shadoks (television)《沙多克斯》(电视) 304
Shakespeare, William 莎士比亚,威廉
  Othello《奥赛罗》34
  The Tempest《暴风雨》35,62
Shanks, Edward 尚克斯,爱德华
  The People of the Ruins《废墟中的人们》117
Shasta Publishers 沙斯塔出版社 65
Shaw, Bob 肖,鲍勃 181
  The Fugitive Worlds《易逝的星球》181
  Orbitsville series《轨道群落》系列 176,181
  Other Days, Other Eyes《其他日子,其他眼睛》175,181
  The Palace of Eternity《永恒的宫殿》181
  The Ragged Astronauts《衣衫褴褛的宇航员》181
  The Wooden Spaceships《木制宇宙飞船》181
Shaw, George Bernard 萧伯纳,乔治 115
  Back to Methuselah《回到玛士撒拉》117
She (film)《她》(电影) 250
Shea, Michael 谢伊,迈克尔 175
Sheckley, Robert 谢克莱,罗伯特 104,130,**151**
  Immortality Delivered《不朽的永生》133
  The Status Civilization《地位文明》151,152
  Untouched by Human Hands《人手尚未触及之处》131,151
Sheffield, Charles 谢菲尔德,查尔斯
  Erasmus Magister《伊拉兹马斯地方官》193
  The Web between the Worlds《星球之间的网》177
Sheldon, Alice/Racoona see Tiptree Jr., James 谢尔登,艾丽斯/莱库拉,参见小蒂普特里,詹姆斯
Shelley, Mary 雪莱,玛丽 35,**110**
  Collected Tales and Stories《故事小说选》110
  first SF novel 第一部科幻小说 7,52,108
  gender roles 性别作用 81
  Frankenstein, or the Modern Prometheus《弗兰肯斯坦,现代普罗米修斯》**212**
  historical context 历史背景 34,36
  The Last Man《最后一个人》36,108
  roots of Cyberpunk 网络朋客的根源 88
  upper-class audience 上层阶级读者 109
Shelley, Percy 雪莱,珀西 110
Shepard, Lucius 谢泼德,卢修斯 104,193,**205**
  Green Eyes《绿眼》193-4,205
  Life During Wartime《战时生涯》195,205
Shiel, M. P. 希尔,M·P· 51,109
  The Purple Cloud《紫色的云彩》116
  The Yellow Peril《黄色的危险》117
Shiner, Lewis 夏因纳,刘易斯
  Frontera《新生代》193
Shute, Nevil 舒特,内维尔
  On the Beach《海滩上》132-3,133

Sienkiewicz, Bill 显克微奇,比尔
  Stray Toasters《迷路的面包机》**243**
Sieveking, Lance 西夫金,兰斯
  Stampede《崩溃》58
Silent Running (film; Trumbull)《寂静的奔跑》(电影；特朗布尔) 275
Silverberg, Robert 西尔弗伯格,罗伯特 103,104,**184**
  The Book of Skulls《骷髅画册》184
  Collision Course《碰撞过程》184
  Downward to the Earth《下到地球》174,184
  Dying Inside《死在里面》175,184,**227**
  The Face of the Waters《水面》206
  Hawksbill Station《霍克斯比尔火车站》155,184
  Hot Sky at Midnight《午夜炎热的天空》207
  Lord Valentine's Castle《瓦伦丁勋爵的城堡》192
  Nightwings《黑夜的翅膀》155
  Revolt on Alpha C《阿尔法 C 星球上的叛乱》132
  Shadrach in the Furnace《熔炉里的谢德拉克》184
  Thorns《荆棘》154
  Time of Changes《变革的时代》184,**226**
  Tower of Glass《玻璃塔》174,184
  The World Inside《里面的世界》28,174-5,184
Simak, Clifford D. 西马克,克利福德·D· 101,102,120,**157**
  City《城市》64,130-1,157,**218**
  Project Pope《波普项目》157
  Ring Around the Sun《太阳周围的光环》63,131
  Time and Again《一次又一次》157
  Way Station《小站》153,157
Simmons, Dan 西蒙斯,丹 192,**208**
  The Fall of Hyperion《希佩里翁的陨落》85
  The Hollow Man《空心人》208
  Hyperion《希佩里翁》195,**233**
  The Hyperion Cantos《希佩里翁诗章》208
  Song of Kali《卡利之歌》194
Sinclair, Iain 辛克莱,伊恩
  Downriver《下游》206
Siodmak, Kurt 西马克,库尔特 120
The Six Million Dollar Man (television)《拥有600万美元的人》(电视) 296
Sladek, John T. 斯莱德克,约翰·T· 59,149,**186**
  The Müller Fokker Effect《缪勒-福克效应》174,186
  The Reproductive System《生殖系统》155,186
  Roderick diptych《罗德里克》上下卷 186,192
Slaughterhouse-Five (film; Hill)《5号屠宰场》(电影；希尔) 275,280
Sleeper (film; Allen)《沉睡者》(电影；艾伦) 275
Slipstream (film; Listberger)《后向气流》(电影；利特伯格) 287
Sloane, T. O'sonor 斯隆,T·奥康纳 98,99
Smith, Cordwainer 史密斯,科совет温纳 146
  Instrumentality series《媒介》系列 146
  "Scanners Live in Vain" "虚度一生的审视者" 65,146
  You Will Never Be the Same《你永远不会和原来一样》153
Smith, E. E. "Doc" 史密斯,E·E·"博士" 98,101,**123**,256
  Galactic Patrol《星系巡逻》130
  Grey Lensman《灰色透镜人》130
  historical context 历史背景 56,65,73,120
  Lensmen series《透镜人》系列 99,121,123
  Skylark of Space series《太空夜雀》系列 123,**216**
Smith, Evelyn E. 史密斯,伊夫林·E·
  The Perfumed Planet《飘香的星球》152
Solaris (film; Tarkovsky)《太阳城》(电影；塔可夫斯基) 78,275,280
Something is Out There (television)《那边有物》(电视) 297

Sommarens Tolv Mäader (television)《夏天的12个月》(电视) 305
Soylent Green (film; Fleischer)《人造绿色豆类植物》(电影；弗莱舍) 276
Space Battleship Yamato (Japanese comic)《太空战舰大和号》(日本连环漫画) **246**
space flight 宇宙飞行 76
space habitats in SF 科幻文学中的太空栖居地 26,28
Space: 1999 (television)《太空：1999》(电视) 301
spaceships 宇宙飞船 76
Spinrad, Norman 斯平德,诺曼 154
  Bug Jack Barron《虫子杰克·巴伦》155
  The Iron Dream《铁梦》175
  The Void Captain's Tale《真空首领的故事》193
Split Second (film; Maylam)《瞬间》(电影；梅兰) 291
Stableford, Brian 斯特布尔福德,布赖恩 154,155
  The Empire of Fear《恐棋帝国》195
  Man in a Cage《笼中人》176
  Werewolves series《伦敦的狼人》系列 92
Stalker (film; Tarkovsky)《追踪者》(电影；塔可夫斯基) 165,279
Stapledon, Olaf 斯特普尔顿,奥拉夫 57,121,**122**
  Future History 未来历史故事 66,128
  Last and First Men《最后的和最早的人》56,120
  Odd John《奇怪的约翰》120,121
  Sirius《天狼星》64,121
  Star Maker《星球缔造者》121,**215**
Star Cops (television)《星际警察》(电视) 301
Star Trek: Deep Space Nine (television)《星际旅行：太空站9号》(电视) 297
Star Trek: The Next Generation (television)《星际旅行：下一代》(电视) 87,303
Star Trek: The Wrath of Khan (film; Meyer)《星际旅行：可汗的愤怒》(电影；迈耶) 283
Star Trek III: The Search for Spock (film; Nimoy)《星际旅行Ⅲ：搜寻斯波克》(电影；尼莫伊) 285
Star Trek IV: The Voyage Home (film; Nimoy)《星际旅行Ⅳ：回家之路》(电影；尼莫伊) 286
Star Trek (novel series)《星际旅行》(小说系列) 188
Star Trek (television)《星际旅行》(电视) 24-5,299
  gender roles 性别作用 85
Star Trek The Motion Picture (film; Wise)《星际旅行》电影（电影；怀斯) 279
Star Trek V: The Final Frontier (film; Shatner)《星际旅行Ⅴ：最后的边疆》(电影；沙特纳) 287
Star Trek VI: The Undiscovered Country (film; Meyer)《星际旅行Ⅵ：未发现的国度》(电影；迈耶) 291
Star Wars (film; Lucas)《星际战争》(电影；卢卡斯) 278,281,288
  historical context 历史背景 79
  robots 机器人 55
  romance in space race 太空竞赛浪漫故事 77
Stargate (film; Emmerich)《星门》(电影；埃默里希) 93,291
Starman (film; Carpenter)《星人》(电影；卡彭特) 285
Startling Stories (magazine)《惊异故事》(杂志) 57,**101**
Steele, Allen 斯蒂尔,艾伦
  Orbital Decay《轨道的衰变》195
The Stepford Wives (film; Forbes)《斯特普福德的主妇们》(电影；福布斯) 276,280
Sterling, Bruce 斯特林,布鲁斯 199,**202**,206
  The Artificial Kid《人造儿童》202
  Cyberpunk 网络朋客 88-9
  The Difference Engine《差分引擎》199,202,**234**
  Heavy Weather《阴沉的天气》202,207
  Involution Ocean《退化的海洋》176

Islands in the Net《网中岛屿》195, 202, **233**
Mirror Shades《镜影》88
Schismatrix《分裂矩阵》194, 202
Sternberg, Jacques 斯滕伯格, 雅克
　Toi, ma nuit《你, 我的夜晚》9
　Sexualis '95《性特征'95》132
Steven Spielberg's Amazing Stories (television)《史蒂文·斯皮尔伯格的奇异故事》(电视) 299
Stevenson, Robert Louis 史蒂文森, 罗伯特·路易斯
　Dr. Jekyll and Mr. Hyde《化身博士》37, 109
Stewart, George R. 斯图尔特, 乔治·R· 70-1
　Earth Abides《地球继续存在》65, 121, **217**
Stingray (television)《虹》(电视) 300
Strand (magazine)《湖滨》(杂志) 42
Strange Invaders (film; Lauglin)《奇异的入侵者》(电影; 劳林) 284
String (magazine)《弦音》(杂志) **105**
Strong, Phil 斯特朗, 菲尔
　Of Other Worlds《别的世界》64
Strugatski, Arkady and Boris 斯特鲁格茨基, 阿卡迪和鲍里斯 73, 87, **165**
　The Country of Crimson Clouds《绯色云彩的乡村》133
　Definitely Maybe《肯定可能》165
　Hard to be a God《做神的艰辛》165
　The Rainbow/The Second Invasion from Mars《遥远的彩虹》或《火星人的第二次入侵》155
　The Snail on the Slope《斜坡上的蜗牛》165
　The Ugly Swans《丑大鹅》165
Sturgeon, Theodore 斯特金, 西奥多 101, 121, **141**
　The Cosmic Rape《宇宙劫夺》133
　The Dreaming Jewels《梦想的珠宝》130, 141
　magazines 杂志 72, 102, 103
　More Than Human《不仅仅是人类》131, 141, **219**
　Some of Your Blood《你的一些血液》152
　The Ultimate Egoist《极端自我主义者》207, **237**
　Venus Plus X《金星加未知数》141, 152
The Submersion of Japan (film; Moritani)《日本沉没》(电影; 森谷始郎) 275
Sucharitkul, Somtow 苏查里特库尔, 索姆托
　Light on the Sound《声音中的光》193
　Starship and Haiku《星际飞船和俳句》192
Sue, Eugene 苏, 尤金 88
　Mysteries of Paris《巴黎的神秘》36
　The Wandering Jew《流浪的犹太人》108
Suidmak (illustrator) 苏伊德马克 (插图画家) 241
Supergirl (film; Szwarc)《超级女孩》(电影; 西瓦克) 85, 284
Superman (comic)《超人》(连环漫画) 83, 121, **242**
Superman (film; Bennett and Carr)《超人》(电影; 贝内特和卡尔) 65, 259
Superman (film; Donner)《超人》(电影; 唐纳) 279, 288
　sequels 续集 282, 284, 286
Survivors (television)《幸存者》(电视) 301, 302
Suvin, Darko 苏文, 达科
　Metamorphoses of Science Fiction《科幻小说的变形》79
Swann, Thomas Burnett 斯旺, 托马斯·伯内特 102, 133
Swanwick, Michael 斯旺尼克, 迈克尔 89, 104, 192, **204**
　In the Drift《随波逐流》194, 204
　Griffin's Egg《格里芬的蛋》204
　The Iron Dragon's Daughter《铁龙的女儿》204
　Stations of the Tide《潮汐驿站》204, 206, **235**
　Vacuum Flowers《真空鲜花》28, 195, 204
Swift, Jonathan 斯威夫特, 乔纳森 142
　Gulliver's Travels《格列佛游记》35, 58-9, 80

T

Ta Den Ring (television)《拿起这个圆环》(电视) 305

Taine, John (Eric Temple Bell) 泰恩, 约翰 (埃里克·坦普尔·贝尔)
　The Gold Tooth《金牙》51
　The Purple Sapphire《紫色的蓝宝石》117
　Quayle's Invention《奎尔的发明》51
Talbot, Bryan 塔尔博特, 布赖恩
　The Adventures of Luther Arkwright《卢瑟·阿克赖特历险记》**245**
Tales of Wonder (magazine)《奇迹故事》(杂志) **100**
de Tarde, Gabriel 塔德, 加布里埃尔
　Underground Man《地下人》43, 116
Tarkovsky, Andrei 塔可夫斯基, 安德烈
　Stalker《追踪者》165
Tenn, William 坦恩, 威廉 121, **142**
　Of All Possible Worlds《所有的可能世界》132
　Of Men and Monsters《人与怪兽之间》142
　The Seven Sexes《7种性别》142
　The Square Root of Man《人的平方根》142
　The Wooden Star《木质的星球》142
The Tenth Victim (film; Petri)《第十个牺牲者》(电影; 皮特里) 268
Tepper, Sheri S. 泰珀, 谢里·S· 153, **201**
　Beauty《美人》201
　The Gate to Women's Country《通向女儿国的大门》195, 201
　King's Blood Four《国王的第四种血》193
　Marjorie Westriding series《马乔里西行记》系列 201
　True Game series《真实的游戏》系列 201
The Terminal Man (film; Hodges)《终端人》(电影; 霍奇斯) 276
The Terminator (film; Cameron)《终结者》(电影; 卡梅伦) 285, 288, 292
Terra (publishers) 地球 (出版者) 69
Terrorvision (film; Nicolau)《恐怖电视》(电影; 尼科劳) 286
Testament (film; Littman)《遗嘱》(电影; 利特曼) 284
Tetsuwan Atomu (Japanese comic)《铁臂阿童木》(日本连环漫画) 246
Tevis, Walter 特维斯, 沃尔特
　The Man Who Fell to Earth《沦落到地球的男人》153
The Fly (film)《苍蝇》(电影) 69
Them! (film; Douglas)《巨蚁!》(电影; 道格拉斯) 68, 262, 264-5
There Will Come Soft Rains (film; Tulyakhodzaev)《细雨就来》(电影; 图利亚科霍夫) 283
The Thing (film; Hawks)《不明之物》(电影; 霍克斯) 90, 262, 265
This Island Earth (film; Newman)《地球孤岛》(电影; 纽曼) 69, 83, 263, 272
Thomas, Thomas T. 托马斯, 托马斯·T·
　The Doomsday Effect《世界末日效应》194
Thorne, Guy 索恩, 盖伊
　The Cruiser on Wheels《轮子上的巡逻艇》47
The Thousand Eyes of Dr. Mabuse (film; Lang)《马比斯博士的1000只眼睛》(电影; 朗) 266
Threads (film; Jackson)《线索》(电影; 杰克逊) 284
Thrilling Wonder Stories (magazine)《惊险奇想故事》(杂志) 99, **100**
Thunderbirds (television)《雷鸟》(电视) 300
THX 1138 (film; Lucas)《THX 1138》(电影; 卢卡斯) 78, 275
The Time Machine (film; Pal)《时间机器》(电影; 帕尔) 266
The Time Tunnel (television)《时间隧道》(电视) 296
Timecop (film)《时间警察》(电影) 291
time travel 时间旅行 60
Tiptree Jr., James (Alice Sheldon) 小蒂普特里, 詹姆斯 (艾丽斯·谢尔登) 155, **183**
Ten Thousand Light-Years from Home《远离家乡1万光年》175, 183
Up the Walls of the World《攀登世界之墙》183
Toinen Todellisuus (television)《另一种现实》(电视) 305
Toki wo Kakeru Shojo (television)《时间旅行者》(电视) 304
Tolstoy, Alexei 托尔斯泰, 阿列克赛
　Aelita《艾里达》50, 117
　The Tomorrow People (television)《明天人》(电视) 299
Tor Books 石山丛书 86
Total Recall (film; Verhoeven)《宇宙龙威》(电影; 维哈文) 92, 290
Toynbee, Arnold J. 托因比, 阿诺德·J·
　A Study of History《历史研究》71
transport in SF 科幻文学中的交通运输 16, 18
Tremaine, F. Orlin 特里梅因, F·奥林 50, 99
The Tripods (television)《三脚架》(电视) 301
Tron (film; Lisberger)《装置》(电影; 利斯伯格) 283
Tubb, E.C. 塔布, E·C· 179
　Dumarest I: The Winds of Gath《杜马里斯特 I; 盖思的风》155
Tuck, Donald 塔克, 唐纳德
　Handbook of Science Fiction and Fantasy《科幻小说和荒诞小说手册》68
Tucker, Wilson 塔克, 威尔逊 121
　The Long Loud Silence《漫长而响亮的寂静》71
Turner (Ted) Tomorrow Awards 特纳 (特德) 明天奖 92
Turtledove, Harry 塔特尔达夫, 哈里
　Wereblood《血人》177
Tuttle, Lisa 塔特尔, 莉萨 174
　Windhaven《避风港》190, 192
Twain, Mark 吐温, 马克 46
　A Yankee at the Court of King Arthur《亚瑟王朝廷上的美国佬》60-1, 109, **213**
20,000 Leagues under the Sea (film; Fleischer)《海底两万里》(电影; 弗莱舍) 262
20,000 Leagues Under the Sea (film; Méliès)《海底两万里》(电影; 梅里爱) 42, 250
20,000 Leagues Under the Sea (film; Paton)《海底两万里》(电影; 佩顿) 251
The Twilight Zone (television)《星光闪烁地带》(电视) 298-9
2001: A Space Odyssey (film; Kubrick)《2001: 太空漫游记》(电影; 库布利克) 73, 138, 273, 280
2001 Nights (Japanese comic)《2001夜》(日本连环漫画) **247**
2010 (film; Hyams)《2010》(电影; 海厄姆斯) 284

U

The UFO Incident (film; Colla)《飞碟事件》(电影; 科勒) 277
UFO (television)《飞碟》(电视) 301
UFOs and SF 飞碟和科幻小说 22
Ultraman (television)《超人》(电视) 304
Univers (French anthology series)《宇宙》(法国小说选丛书) 79
Universal Soldier (film; Emmerich)《宇宙战士》(电影; 埃默里奇) 291
Le Uova Fatali (television)《致命的蛋》(电视) 304
Updike, John 厄普代克, 约翰
　The Poorhouse Fair《救济院义卖》133
Utopia Magazin《乌托邦杂志》69

V

"V" (television) "V" (电视) 86

van Vogt, A(lfred) E. 范·沃格特, 艾(尔弗雷德)·E· 57, 65, **127**
　"Black Destroyer" "黑色驱逐舰" 121
　and Campbell 和坎贝尔 101
　classic titles 经典作品 216, 217
　Destination: Universe!《目的地: 宇宙!》131
　and Dianetics 和排除有害印象精神治疗法 127
　Null-A series《非A》系列 127
　Slan《超人斯兰》65, 121, 127, **216**
　The Weapon Shops of Isher《艾什尔的武器商店》121, 127, 130
　The World of Ā《Ā的世界》65, 121, **127**
Vance, Jack 万斯, 杰克 145, 185
　Big Planet《大行星》132-3, 145
　Demon Princes series《魔鬼王子》系列 145
　The Dying Earth《死亡中的地球》130, 145
　The Languages of Pao《鲍的语言》145
　The Last Castle《最后一座城堡》155
　To Live Forever《永生》132
　"The World-Thinker" "世界的思想家" 121
Vansittart, Peter 范西塔特, 彼得
　I Am the World《我即世界》64
Varley, John 瓦利, 约翰 191
　Millennium《千禧年》191
　The Ophiuchi Hotline《蛇夫座热线》26, 176-7, 191
　Steel Beach《钢铁海滩》191, 207, **235**
　Titan《泰坦神》177, 191
The Veldt (film; Tulyakhodzaev)《大草原》(电影; 图利亚科霍夫) 286
Verne, Jules 凡尔纳, 儒勒 98, 107, **112-13**
　Around the Moon《环游月球》112
　Around the World in 80 Days《环游地球八十天》113
　The Barsac Mission《巴萨克使命》113
　Captain Hatteras《海特拉斯船长》109
　From the Earth to the Moon《从地球到月球》37, 109, 113, **212**
　Extraordinary Voyages《奇异的航行》112
　Five Weeks in a Balloon《气球上的五星期》112
　historical context 历史背景 34, 36, 43
　Journey to the Centre of the Earth《地心游记》39, 109
　The Mysterious Island《神秘岛》38, 68, 113
　Paris in the 20th Century《20世纪的巴黎》49, 112
　and Poe 和坡 111
　Proto SF 科幻文学雏形 7
　Robur the Conqueror《征服者鲁伯》113
　space flight 太空飞行 76
　Twenty Thousand Leagues under the Sea《海底两万里》113
　"A Voyage in a Balloon" "气球旅行记" 37
　Voyage to the Centre of the Earth《地心游记》113
Vidal, Gore 维达尔, 戈尔
　Messiah《救世主》131
Videodrome (film; Cronenburg)《电视场》(电影; 克罗宁伯格) 283
Village of the Damned (film; Rilla)《被诅咒的村庄》(电影; 里拉) 266
Vinge, Joan D. 文奇, 琼·D· 175, 177, **198**
　Outcasts of Heaven Belt《天堂地带的流浪者》198
　Psion《Ψ粒子》198
　Snow Queen series《白雪女王》系列 192, 198, 230
Vinge, Vernor 文奇, 弗纳 154, **198**
　A Fire Upon the Deep《深处的火》198, 207, **236**

Grimm's World《格里姆的世界》155，198
Marooned in Real Time《放逐实时中》198
The Peace War《和平之战》198
True Names《真名》198
The Witling《假作聪明的人》198
Vision of Tomorrow（magazine）《明天的展望》（杂志）73
Vollmann, William T. 沃尔曼，威廉·T·89
  You Bright and Risen Angels《你们复活的聪明天使》194-5
Vonnegut Jr., Kurt 小冯内古特，库尔特 59，130，**149**
  Canary in a Cat House《猫屋中的金丝雀》149
  Cat's Cradle《挑绷子游戏》149，153
  and Farmer 和法默 144
  Galápagos《加拉帕戈斯群岛》149，194
  God Bless You, Mr. Rosewater《上帝保佑你,玫瑰香水先生》149
  Hocus Pocus《魔术》149
  Player Piano《钢琴演奏者》131，149
  The Sirens of Titan《泰坦的女妖》133，149，**221**
  Slaughterhouse-Five《5号屠宰场》149，155，**225**
Voyage to the Bottom of the Sea（film；Allen）《海底游记》（电影；艾伦）72，266
Voyage to the Bottom of the Sea（television）《海底游记》（电视）299
Le Voyageur des Siècles, Julesvernerie Moderne（television）《世纪旅行者,现代儒勒·凡尔纳故事》（电视）304

W

Waldrop, Howard 沃尔德罗普，霍华德
  The Texas-Israeli War《得克萨斯与以色列之战》175
  Them Bones《他们这些人》193
Wallace, Edgar 华莱士，埃德加
  1925: The Story of a Fatal Peace《1925：致命的和平的故事》117
Wallace, Ian 华莱士，伊恩 154
Walther, Daniel 沃尔瑟，丹尼尔
  Requiem for tomorrow《明日的挽歌》176
The War Game（film；Watkins）《战争游戏》（电影；沃特金斯）268
War Games（film；Badham）《战争游戏》（电影；巴德姆）284
The War of the Worlds（film；Haskin）《星际战争》（电影；哈斯金）23，262
Waterloo, Stanley 沃特路，斯坦利
  A Tale from the Time of the Cavemen《洞穴人时代的故事》40
Watson, Ian 沃森，伊恩 155，**180**
  The Book of the River《河流篇》193
  The Embedding《嵌入》175，180，**228**
  The Fallen Moon《陷落的月球》180
  The Fireworm《火虫》180
  The Flies of Memory《记忆的苍蝇》180
  The Jonah Kit《约拿的装备》180
  Lucky's Harvest《幸运的收获》180
  The Martian Inca《火星上的印加人》177，180
  Queenmagic, Kingmagic《女王魔力,国王魔力》180
Weinbaum, Stanley G. 温鲍姆，斯坦利·G·99，120
  Dawn of Flame《火焰升起》215
  The New Adam《新亚当》121
Weird Fantasy（comic）《奇异的幻想》（连环漫画）**242**
Weird Tales（magazine）《奇异故事》（杂志）98
Welles, Orson 韦尔斯，奥森 57
Wells, H. G. 威尔斯，H·G·37，49，**114-15**
  "The Advent of Flying Man" "飞人的出现" 109
  "The Country of the Blind" "盲者之乡" 42
  In the Days of the Comet《彗星上的日子》116
  and evolution 和进化 40-1
  The First Men in the Moon《月球上的第一批人》42，114，116
  The Food of the Gods《神食》42，116，121
  future city 未来的城市 12-13
  Holy Terror《神圣的恐怖》115
  The Invisible Man《隐身人》56，114-15
  The Island of Doctor Moreau《莫罗博士岛》114-15
  magazines 杂志 98，120
  Men like Gods《像神一样的人们》50
  Mind at the End of its Tether《头脑的极限》114
  Orson Welles's broadcast 奥森·韦尔斯的广播 57
  pessimism 悲观主义 49
  The Shape of Things to Come《未来事物的状况》115，120
  The Short Stories 短篇小说 120
  The Time Machine《时间机器》37，109，114，**213**
  time travel 时间旅行 59-60
  The War in the Air《空中大战》43，115，116
  The War of the Worlds《星际战争》23，94-5，114，**213**
  When the Sleeper Wakes《当睡眠者醒来之时》46，47，115
  The World Set Free《获得自由的世界》46，115，117
Welt am Draht（television）《网上的世界》（电视）304
Werfel, Franz 魏菲尔，弗朗茨
  Star of the Unborn《未来的星球》121
Wessolowski, H. W.（Wesso）（illustrator）韦索罗斯基，H·W·（韦索）（插图画家）240
Westworld（film；Crichton）《西部世界》（电影；克赖顿）276
Whale, James 惠尔，詹姆斯
  The Bride of Frankenstein《弗兰肯斯坦的新娘》255
  Frankenstein《弗兰肯斯坦》56，254
  The Invisible Man《隐身人》56，254
Whelan, Michael（illustrator）惠兰，迈克尔（插图画家）**241**
When the Wind Blows（film；Murakami）《当风吹起之时》（电影；村上）286
When Worlds Collide（film；Maté）《当星球碰撞时》（电影；梅特）77，262
White, James 怀特，詹姆斯 179
  The Secret Visitors《秘密来访者》133
  Sector General series《防区总医院》系列 179
  The Watch Below《非值班时间》154，179
White, Ted 怀特，特德 98
White Jr., Matthew 小怀特，马修 98
Who?（film；Gold）《谁?》（电影；戈尔德）151，276
The Wild, Wild West（television）《西部荒野》（电视）296
Wilhelm, Kate 威廉，凯特 104，132，**170**
  And the Angels Sing《天使的歌声》170
  Death Qualified《限度死亡》170，206
  The Downstairs Room《楼下的房间》170
  The Infinity Box《无穷大的盒子》170
  Let the Fire Fall《让火下来吧》170
  The Mile-Long Spaceship《一英里长的宇宙飞船》153
  Welcome, Chaos《受欢迎的浑沌状态》170
  Where Late the Sweet Birds Sang《晚间小鸟悦耳的歌声在那里响起》170，176
Williams, Charles 威廉姆斯，查尔斯 51
Williams, Walter Jon 威廉姆斯，沃尔特·乔恩
  Ambassador of Progress《巡行大使》193
Williamson, Jack 威廉森，杰克 **126**
  Beachhead《滩头堡》95
  Darker Than You Think《比你想的更黑暗》121，126
  Demon Moon《魔鬼月球》126
  The Girl from Mars《来自火星的姑娘》51
  The Humanoids《类人外星人》126
  the Jonbar Point 琼巴点 62-3
  The Legion of Space《太空军团》56，120，126
  magazines 杂志 98
  "The Metal Man" "金属人" 120，126
Willis, Connie 威利斯，康尼 174，**204**
  Doomsday Book《世界末日篇》204，207，**236**
  Fire Watch《防火表》194，204
  Light Raid《轻微袭击》204
  Lincoln's Dreams《林肯的梦想》195，204
  Water Witch《水中女巫》204
Wilson, Robert Charles 威尔逊，罗伯特·查尔斯
  A Hidden Place《隐匿处》194
Wodehouse, P. G. 沃德豪斯，P·G·42
Wolfe, Bernard 沃尔夫，伯纳德
  Limbo《地狱边境》89，131
Wolfe, Gene 沃尔夫，吉恩 154，**185**
  Bibliomen《书人》185
  Book of the New Sun series《新太阳之书》系列 185，192，**231**
  Empires of Foliage and Flower《叶子和花的帝国》185
  The Fifth Head of Cerberus《三头狗的第五个脑袋》175，185
  Free Live Free《自由自在地生活》185，193
  The Island of Doctor Death and Other Stories《死亡医生的岛屿和其他故事》185
  Long Sun series《遥远的太阳》系列 185
  Operation ARES《ARES计划》174
  Soldier of Arete《阿瑞的士兵》185
  Soldier of the Mist《雾中的士兵》185
  There Are Doors《这里有门》185
Wollheim, Donald A. 沃尔海姆，唐纳德·A·78
Wollstonecraft, Mary 沃尔通克拉夫特，玛丽
  A Vindication of the Rights of Women《维护女权》110
Womack, Jack 沃马克，杰克
  Ambient《氛围》194-5
women in SF 科幻文学中的女性 84
Wonder Stories（magazine）《奇想故事》（杂志）56，57
Wonder Woman（television）《奇才女人》（电视）297
The World, the Flesh and the Devil（film；MacDougal）《世界、众生和魔鬼》（电影；麦克杜格尔）263
Worlds Beyond（magazine）《外面的宇宙》（杂志）68
Wright, Austin Tappan 赖特，奥斯汀·塔潘
  Islandia《岛国》64
Wright, Orville and Wilbur 莱特，奥维尔和威伯 14-15
Wright, S. Fowler 赖特，S·福勒
The World Below《下面的世界》51，120
Wul, Stefan 乌尔，斯蒂芬
  Niourk《尼乌克》133
Wylie, Philip 怀利，菲利普
  The Disappearance《失踪》130
  Gladiator《斗士》121
  Night unto Night《夜夜不息》64
  When Worlds Collide《当星球碰撞时》120
Wyndham, John 温德姆，约翰 100，120，**137**
  The Chrysalids《蛹》132，137
  The Day of the Triffids《巨型三裂植物的日子》130，137，**218**
  The Kraken Wakes《北海巨妖醒来》34，131，137
  The Midwich Cuckoos《米德维奇白痴儿》137

X

X—The Man with the X-Ray Eyes（film；Corman）《X——有X光眼睛的男人》（电影；科尔曼）267
The X-Ray Mirror（film；Méliès）《X射线镜子》（电影；梅里爱）42

Y

Yarbro, Chelsea Quinn 亚伯洛，切尔西·奎因 176
  False Dawn《假曙光》177
Yefremov, Ivan 耶夫勒莫夫，伊凡
  Andromeda《安德洛墨达》133，221
Nightwind（television）《夜风》（电视）305
You Only Live Twice（film；Gilbert）《你只能活两次》（电影；吉尔伯特）269
Young Einstein（film；Serious）《年轻的爱因斯坦》（电影；瑟厄里奥斯）287

Z

Zahn, Timothy 察恩，蒂莫西
  The Blackcollar《黑衣领》193
Zamiatin, Yevgeny 扎米亚京，叶夫根尼 49，**119**
  Islanders《岛民》119
  We《我们》117，119，**214**
Zardoz（film；Boorman）《扎多士》（电影；布尔曼）276
Zebrowski, George 泽布劳斯基，乔治
  The Omega Point《奥米茄点》174
Zelazny, Roger 泽拉兹尼，罗杰 103，104，**168**
  Amber series《琥珀》系列 168
  Damnation Alley《罪孽巷》168
  The Doors of His Face, the Lamps of His Mouth《他脸上的门,嘴上的灯》168
  The Dream Master《梦想家》154
  Four for Tomorrow《明天的4个》168
  Lord of Light《光明之王》155，168，**224**
  Nine Princes in Amber《琥珀中的9个王子》174
  This Immortal《不朽者》154，168
Ziesing, Mark 齐幸，马京 87
Zindell, David 津德尔，戴维
  The Broken God《破碎的上帝》207，**237**
  Neverness《决不》195
Zoline, Pamela 佐林，帕梅拉
  Busy About the Tree of Life《为生命之树而忙碌》195
Zone Trooper（film；Bilson）《区域骑兵》（电影；比尔森）285
Z. P. G.（film；Campus）《人口零增长》（电影；坎普斯）275
Zucker（television）《糖》（电视）305

致谢

作者致谢

我可以列出几十位朋友和同事的姓名来，感谢他们回答了我的问题，而且在许多方面宽容了我。但在这有限的篇幅里，我只能列出以下几位：埃里克·阿瑟，特德·鲍尔，朱迪思·克卢特，贾尔斯·戈登，罗伯特·柯比，罗布·雷金纳德，罗杰·鲁滨逊，安娜·拉塞尔，以及约翰·厄林·克拉克。保罗·巴尼特在本书编撰后期通过邮件向我们提供了部分重要资料，使本书得以顺利完成。多林·金德斯利出版公司的两位编辑克里斯蒂娜·梅耶和坎迪达·弗里思—麦克唐纳以及设计李·格里菲思也是本书真正的创作者，我带着真诚的敬意服从他们的每一个指令。

出版者致谢

本书出版者对下列诸位在本书出版过程中给予的帮助深表谢意：

Ivan Adamovic, Prague, Czech Republic; **Eric Arthur**, Fantasy Centre, London, England; **Chizuru Asaoka-Wright**, Tokyo Broadcasting System, London, England; **Mihai Badescu**, Bucarest, Romania; **Miquel Barcelo**, Ediciones B, Barcelona, Spain; **Andreas Björklind**, Linköping, Sweden; **Piotr W. Cholewa**, Katowice, Poland; **Bess Cornelia**, ARD, Munich, Germany; **Sylvie Denis**, Cognac, France; **Andrea Druschba**, Bavaria Film GmbH, Geiselgasteig, Germany; **Rainer Erler**, Perth, Australia; **Nigel Fisher**, Bangor, Wales; **Mayumi Fujikawa**, NHK, Tokyo, Japan; **Einar Gjaerevold**, Oslo, Norway; **Neyir Cenk Gökçe**, Sincan-Ankara, Turkey; **Eva Hauser** and **Syril Semsa**, Prague, Czech Republic; **Ellen Herzfeld** and **Dominique Martell**, Paris, France; **Jyrki Ijäs**, Helsinki, Finland; **Tony Jerrman**, Helsinki, Finland; **Wolfgang Jeschke**, Heyne Verlag, Germany; **Solange Khaled**, INA(Institut National de l'Audiovisuel), Bry-sur-Marne Cedex, France; **T.Kobayashi**, London, England; **Werner Küchler**, Munich, Germany; **Shizue Kumano**, Fuji Television, Tokyo, Japan; **David Lally**, London, England; **Heidi Lyshol**, Woking, England; **Helen McCarthy**, London, England; **Jürgen Marzi**, Koblenz, Germany; **Franz H. Miklis**, Nussdorf, Austria; **Hiroshi Miyagi**, Osaka, Japan; **Sam Moskowitz**, New Jersey, USA; **Alison Packman**, Revelation Film Group, London, England; **Larry van der Putte**, Amstelveen, Holland; **Eugenio Ragone**, Bari, Italy; **Roger Robinson**, London, England; **Yuri Savchenko**, Moscow, Russia; **Andy Sawyer**, Science Fiction Institute, Cheshire, England; **John Spencer**, Surrey, England; **Junko Takao**, London, England; **Amanda Tolworthy**, Manga Entertainment Limited, London, England; **Francis Valéry**, Bordeaux, France; **Bruno Valle**, Rapallo, Italy; **Bradley S. Warner**, Tsuburaya Productions Co.Ltd., Tokyo, Japan; **Bridget Wilkinson**, London, England; **Pawel Ziemkiewicz**, Katowice, Pland.

Jill Fornary for editorial assistance and invaluable research into European and Japanese television, and Japanese comics; **Cangy Venables** for editorial assistance; **Nick Goodall** for specialist photography; **Leigh Priest** for compiling the index; **Daniel McCarthy** for artwork on page 66 and DTP design assistance; and **Lorna Ainger** for picture assistance.

图片

字母表示：t 上，c 中，b 下，l 左，r 右

出版者

A. Merritt's Fantasy Magazine 65 cr **A.& C. Black** 40 tr **A.C. McClurg** 213 br **A.E. van Vogt/Simon and Schuster** 217 bl **A Tom (Arthur Thompson)** 171 tl **Aboriginal Science Fiction/Cortney Skinner** 61 bl; 104 br **Ace Books** 67 bc, 83 tl, 134 cr, 137 br, 147 tr, 153 tcl, 155 tcl, tcr, 162 tc, 169 tc, 177 tr, 183 bl, 193 tr, 199 bl, 203 br, 224 tr, bc, 225 tc, br, 232 tr **Advent** 72 tr **Adventures on the Planets** 85 tl **Air Wonder Stories** 97, 99 bc, 240 tl **Akita Shoten/Reiji Matsumoto** 246 tr **Brian Aldiss** Worldcon 68 tcr; **SFWA** 73 tl; 78 tc, 83 tr, Eurocon 158 c; 175c **Alien Contact** 105 cr **Allen and Unwin** 120tr; Sacha Ackerman, 194 bc **Allison and Busby** 229 bl **Amazing Stories**, courtesy of TSR Inc. 2 c, 16 tr, 18 tl, tr, 20 tl, 51 cl, 52 t, b, 74 r, 75 br, 76 cr, 98 r, 99 tl, 310-11 **Analog Science Fiction and Fact** December 1963: © 1963 by Conde Nast Publications, Inc., © renewed 1990 by Davis Publications, Inc., reprinted by permission of Bantam Doubleday Dell Magazines. All rights reserved. 103 br **Antares/Gueorgui Ivanovich Kurnin**105 tr **Anticipatia** 105 bcr **Arbor House** 195 tl, 204 cr, 232 bc, 233 tr, 235 tr **Argos Books** 65 c **Argosy All-Story Weekly** 50 bl, 98 tl, 118 cr **Arkham House** 65 tcl, 121 cl, 216 bl, br **Authentic Science** 77c **Asimov's SF Adventure Magazine** 135 l Isaac Asimov's Science Fiction **Magazine** ©1977 by Davis Publications, reprinted by permission of Bantam Doubleday Dell Magazines. All rights reserved. 104 l **Astounding Science Fiction** ©1950 by Street & Smith Publications, Inc., © renewed 1977 by Conde Nast Publications, Inc., reprinted by permission of Bantam Doubleday Dell Magazines. All rights reserved. 68 bl, 130 cl; © 1939 by Street & Smith Publications Inc., © renewed 1966 by Conde Nast Publications, Inc., reprinted by permission of Bantam Doubleday Dell Magazines. All rights reserved. 101 tl; © 1943 by Street & Smith Publications, Inc., © renewed 1970 by Conde Nast Publications, Inc., reprinted by permission of Bantam Doubleday Dell Magazines. All rights reserved. 127 bl; © 1941 by Street & Smith Publications, Inc., © renewed 1968 by Conde Nast Publications, Inc., reprinted by permission of Bantam Doubleday Dell Magazines. All rights reserved. 129 tl; © 1945 by Street & Smith Publications, Inc., © renewed 1972 by Conde Nast Publications, Inc., reprinted by permission of Bantam Doubleday Dell Magazines. All rights reserved. 134 br; ©1959 by Street & Smith Publications, Inc., © renewed 1986 by Davis Publications, Inc., reprinted by permission of Bantam Doubleday Dell Magazines. All rights reserved. 148tr **Astounding:** Alejandro 121 cr; Henry van Dongen 71 tr, b, 150 r; Emsh 71 tl, 75tl, 91 tl; Frank Kelly Freas 22 tl, 183 br, 312; Paul Orban 127 tr; Wesso 120 cr; Hisaki Yasuda 88 br **Authentic Science** 77c **Avalon/Emsh** 240 bc **Avon** 174 tr **Ayres and James/Disney** 64 tr **Ballantine Books** 67 t, 68 tcl, 72 tl, 132 tcr, 142 cl, 143 cl, 153 tcr, 154 tc, tr, 155 tl, 175 tr, 179 br, 182 tr, 189 br, Richard Powers 210; 219 tr, bl, bc, Richard Powers 220 tl; 221tl, bl, 223 tr, 226 tl, Richard Powers 241 tl **Bantam** Used by permission of Bantam Books, a division of Bantam Doubleday Dell Publishing Group, Inc.: From *The Syndic*(jacket cover only) by C.M.Kornbluth.Copyright. 131 bc; From *Ghost From the Grand Banks* (jacket cover only) by Arthur C.Clarke. Copyright.139 t; From *Dark Universe* (jacket cover) by Daniel F.Galouye.Copyright. 152 tcl; From *The World Inside* (jacket cover only) by Robert Silverberg. Copyright. 174 tc; From *The Female Man* (jacket cover only) by Joanna Russ. Copyright. 176 cl, 228 bc; From *Dhalgren* (jacket cover only) by Samuel R. Delany.Copyright. 176 tl; From *Nevèrÿona* (jacket cover only) by Samuel R.Delany.Copyright.193 tcl; From *The Gate to Women's Country* (jacket cover only) by Sheri Tepper. Copyright 195 cl, 201 bl; From *Fools* (jacket cover only) by Pat Cadigan Ill. Francisco Maruca. Copyright. 206 tr; From *The Gods Themselves* (jacket cover only) by Isaac Asimov. Copyright.227 bl; From *Doomsday Book* (jacket cover only) by Connie Willis. Copyright. 236 bl; From *The Brittle Innings* (jacket cover only) by Michael Bishop Ill. Michael Dudash. Copyright. 236 br **Berkley** 153 bc, 154 cl, 155 br, 160 bl, 172 tr, 177tl, 203 bl, 223 bc **Bermann-Fischer** 121 tcr **Biddles** Ltd. 81 tr **Blackwoods Magazine** 37 cl **Bluejay Books** 86 tr, 88 bl, 194 tl **Bodley Head** 54 bl, 215 br **Bolsillo** 195 tcr **Buffalo Book** Co. 65 tcl, 216 tr **C. Arthur Pearson** Ltd. 60 tl, 115 tr **Canongate Books** 231 tr **Cape** 174 tl, 230 tr, 232 l **Captain Future** 101 br **The Car Illustrated** 46 tr **Cassell** 212 bl, 224 bl **Cayme Press** 58 tr **Century Publications** 84 br **Chatto and Windus** 124 cl, 213 cl, 215 tl **Cheap Street Press/Judy King** 185 tr **Chilton** 224 tl **Coleccion Luchadores** 79 tcr **Collection Hetzel** 212 r **Compact** 166 tr **Congdon and Weed** 135 cr, 233 tl **Constable** 47 tr **Creative Age Press** 121 tr **Cupples and Leon** 84 tl **DAW Books** 175 cr, 231 tl, Michael Whelan 241 br **DC Comics** Ronin, by Frank Miller, Trademark and Copyright © 1983-84 DC Comics. Used with permission. All rights reserved. 238-9, 243 bl; Flash Gordon, by Alex Raymond, Trademark and Copyright © 1934 DC Comics. Used with permission. All rights reserved. 242 tl; Action Comics No.7 Trademark and Copyright © 1938 DC Comics. Used with permission. All rights reserved, 242r; Watchmen, by Alan Moore and David Gibbons, Trademark and Copyright © 1987-88 DC Comics.Used with permission. All rights reserved. 243br; Batman: Dark Knight Triumphant, by Frank Miller with Klaus Janson and Lynn Varley, Trademark and Copyright © 1985-86 DC Comics. Used with permission. All rights reserved. 243 tc **The Daily Mirror** 244 bl **Dan Tooker** 165 tr **Dell** Used by permission of Delacorte Press, a division of Bantam Doubleday Dell Publishing Group Inc.: From *Player Piano* (jacket cover only)by Kurt Vonnegut. Copyright.131 tr; From *Galapagos* (jacket cover only) by Kurt Vonnegut. Copyright. 149 bl; From *Slaughterhouse-Five* (jacket cover only) by Kurt Vonnegut. Copyright. 225 tr; Used by permission of Delacorte Press/Seymour Lawrence, a division of Bantam Doubleday Dell Publishing Group, Inc.: From *The Sirens of Titan* (jacket cover only) by Kurt Vonnegut Jr. Copyright. 221 tr **Denoel** 68 tr, 86 tc, 192 tcl **Dial Press** 192 tl, 197 tr, 230 br **Dipartimento Istruzione e Cultura**, Firenze, Italy 244 tl Doubleday Used by permission of Doubleday, a division of Bantam Doubleday Dell Publishing Group, Inc.: From *Dangerous Visions* (jacket cover only)by Harlan Ellison 73 tc; From *Dance the Eagle To Sleep* (jacket cover only) by Marge Piercy 78 t; From *Fall of Hyperion* (jacket cover only) by Dan Simmons 85 bl; From *Foundation and Earth* (*jacket cover only*)*by Isaac Asimov 135 tc; From The Committed Men* (jacket cover only) by M.John Harrison 174 bc; From *Grass* (jacket cover only) by Sheri Tepper 195 tr; From *Mission of Gravity* (jacket cover only) by Hal Clement 82 br, 220 bl; From *Double Star* (jacket cover only) by Robert Heinlein 220 tr; From *A Maze of Death* (jacket cover only) by Philip K. Dick 226 r; From *A Time of Changes* (jacket cover only) by Robert Silverberg 226 bl; From *Engine Summer*(jacket cover only) by John Crowley 229 br; From *Foundation's Edge*(jacket cover only) by Isaac Asimov 231 cl; From *Hyperion* (jacket cover only) by Dan Simmons 233 br **Dusty Ayres and his Battle Birds** 100 tr **E. P. Dutton** "Jacket", copyright 1952 by Gore Vidal, from *The Messiah* by Gore Vidal. Used by permission of Dutton Signet, a division of Penguin Books USA Inc. 131 cr; 214 bl Dyson 48 br, 49 tl, br **Elischer Nachfolger** 213 bl **Ellen Herzfeld** 132 bl, bc, 153 bl, 161 tr, 175 bc, 177 br, 186 tl, 192 bc **Escape/Dave McKean** 245 tr **Estate of Eric Frank Russell**/Worldcon 119 tc **Everleigh Nash** 43 tl **Faber and Faber Ltd.** 132 tl, cl, 155 tr, Harry Harrison 157 tl; 158 tr, 220 tc **Fantagraphics** 12 bc, 13 tr, 15 br, 179 bl **Fantastic Adventures** 1, 83 bl, 101 tr, 103 tr **Fantastic Universe Science Fiction** 103 tr, 133 c **Fantasy** 120 cl **Fantasy Press** 123 b, 130 tc, 217 tl **Farrar, Straus & Giroux Inc.**131 tc, 219 br **Fiction**, courtesy OPTA 69 tr **Flamingo/Gary Embury** 237 bl **Fleetway** *The Eagle* published by Fleetway Editions Ltd., *Dan Dare* © Egmont foundation 244 r; *2000 AD* published by Fleetway Editions Ltd., *Judge Dredd* © Egmont Foundation 245 tl; *The Ballad of Halo Jones* published by Fleetway Editions Ltd., © Egmont Foundation 245 bc **Fleuve Noir** 133 tl **Foreign Languages Publishing House** 120 tl **Four Walls Eight Windows** 236 bc **Frank Reade Library** 37 bc **Franz Rottensteiner** 46 tl, tc, 72 bc **Frederick a.Stokes** 82 tr **Frederick Muller Ltd.** 57 tr **Fretz & Wasmuth** 121 tc **Futabasha Corporation/Yukinobu Hoshino** 247 tr **Futuristic** 77 br **G8 and His Battle Aces** 100 tl **Galaxie**, courtesy OPTA 68 bcr, 72bcr, 241 bl **Galaxis** 69 c **Galaxy** 70 tl, 102 r, 184 tr, 188br **Gallimard** 72 tc **George Bell** 43 tr **Gnome Press** Edd Cartier 65c; 130 tr, 217 tc, 218 l, Merril Collection 218 br; Frank Kelly Freas 240 br **Goldmann** 161 cl **Victor Gollancz** 199 bc, Chris Brown 207 tr; Jim Burns 207 tcl; John Brettoner 209 cr; br, 215 bc, Bruce Pennington 227 br; 228 tl, Terry Oakes 229 bc; Ian Miller 234 tr; Adrian Chesterman 235 bl **Grafton/Chris Moore** 206 bc **Grosset and Dunlap** 84 c **Grove Atlantic Inc.** 153 tr **H.M. Government** 64 tl **Hachette** 68 tl, François Schuiten © Hachette Livre, 1994, 112 tr; 133 bc, 152 tr **Harper** 76 tl, 171 tr, 176 tcr, 228 tr **HarperCollins** Chris Moore 66 bl; Peter Elson 83 br; 205 bc, David O'Connor 206 tcl; Chris Moore 208 br; Peter Elson 235 br, 236 br; Mick van Houten 237 tl **Heinemann** 94 br; 114 tr 132 tr, 213 tr, bc, 223 tl **Henry Holt and Company, Inc.**235 tl **Hillman Periodicals** 135 br **Hodder and Stoughton** 39 r, 46 tcl, 56 tl, 116 tr, 117 tl, 118 bl **Holle & Co.**121 tl **Horizons du Fantastique** 73 cl **Houghton Mifflin** 177 c, 192 tcr, 193 c **Les Humanoids Associées**, France, 245 bl **Hutchinson** 116 tl **Ikarie** 105 bl **Interzone** 105 tl **Editions J'ai lu** 79 cl, 241 bc **James Nisbet** 45 tl **John Murray** 108 tl **Kesselring** 79 tc **King Features Syndicate/Cartoon Art Trust** 239 **Kondansha Ltd.**Osamu Tezuka 246 l; © MASH_ROOM Co.Ltd., All rights reserved. First published in Japan in 1984-1993 by Kodansha Ltd., Tokyo 247 tl **Kollection Kosmos** 116 tl **Lackington, Hughes, Harding, Mavor & Jones/British Library** 212 tl **Legend** 206 br **Lehning** 69 tl **Lippincott** 222 tl **Livre de Poche/Gerard Klein/Philippe Boucher (MANCHU)** 79 tl **Longmans** 116 cl **MIR** 73 tr **McGibbon and Kee** 227 tl **Macdonald** 225 tl **Macmillan** 40 tl, 116 tcr, 194 tcl, Merril Collection 56 tr **Macmillan Canada** 216 bc **Magazine of Fantasy and Science Fiction**, courtesy of Edward L. Ferman 7 tc, 26 tl, 59 br, 70 br, 74 l, 77 tr, 89 t, 103 tl, **Marabout** 176 tcl **McClelland and Stewart** 194 tcr **Merril Collection** 56 tr, 57 tcl, 64 c, 120 tc, 143 tr, 162 tl, 205 tl **Methuen and Co.** 66 cr, 215 tr **Michael Joseph** 218 tr **Milwaukee Fictioneers** 215 bl **Moewig** 69 tcl, tcr **Morrow** 235 tc, 236 tc **Nebula** 103 bl **Nebulae** 153 tc **New Worlds** 23 br, 65cl, 102 tl **Nick Goodall** 131 tr, 158 tl, 205 bl, 20 tr **North Atlantic Books/Jacek Yerka** 237 br **Nowa Fantastyka** 105 bcl **Nueva Dimension** 73 bc **Omni** 104 tr **Orbit** Chris Moore 93 tl; Fred Gambino 206 tl, 228 bl; Mark Salwowski 237 tr **Ordway Collection** 109 cr **Pabel** 69 bl **Pamela Zoline** 172 cl **Pan** 79 cr **Panther** 224 br **Parnassus Press** 178 tr **Phantasia Press** 233 bl, Michael Whelan 187 tr **Planet Magazine** 96 **Planet Stories** 101 bl **Putnam** 38 br, 67 br, 117 tcl, 129 tr, 132 cl, 177 tc, 221 br, 222 r, 223 bl, 227 tl, 235 tr **Pyramid Books** 95 tr, 133 tr, Emsh 141 tr; 152 tl, 153 tl, 154 tl, Christo 156 tr **Quantum** 176 tr **Random House** 175 tc, 217 tr, 229 tl **Regency** 146 cr **Ringpull Press** 207 bc **Roberts Brothers** 109 tr **Rosanna Hart** 146 tr **Royal Mail** 93 tr **Rupert Hart Davis** 225 bl **Geoff Ryman/Arthur C.Clarke Award** 87 tl **Satellite** 69 cr **Science Fantasy** 102 bl **Science Fiction Adventures** 82 bl **Science and Invention** 56 bc **Science Wonder Stories** 4, 99 bl **Scientific Detective Monthly** 99 br **Scoops** 100 bl **Scribners** 131 tl, 227 bc **Secker and Warburg** 152 tcr, 216 tl, 217 br **Seishinsha Corporation/Shirow Masamune** 2 bc, 247 bc **SF et Quotidien** 86 bl **Shasta** 6 br, 65 tr, 90 tr, 219 tl **Shonen Gahosha/Reiji Matsumoto** 246 br **Sidgwick and Jackson** 220 bl **Bill Sienkiewicz/Marvel Entertainment Group Inc.** 243 tr **Simon and Schuster** 130 tl, 192 tcl, tr, cl, 193 tc, 195 tcl, br, 230 l, 231 b **St.Martin's Press** 206 tcr, 229 tr, Merrill Collection 228 br **Startling Stories** 54 tr, 101 tl, 144 tr, 145 bl, 152 c, 240 tl **Stratford** 214 r **String** 105 br **T.C. and E.C. Jack** 47 tl **T. Fisher Unwin** 115 tl **Tales of Wonder** 100 bc **Temple Press** 139 tr **10-Story Fantasy** 138 b **Tetsuo Shogakukan Corporation/Rumiko Takahashi** 247 bl **Thrilling Wonder Stories** 100 br **Timescape** 190 br **Titan Books** 243 tl, bl, 244 bl, 245 bc **Tor Books** 86 tl, 88 t, 196 b, 207 tl, tcr, 232 br, 236 tl, Jim Burns 241 tr **Unwin/Steve Crisp** 234 br **Valkyrie Press** 245 br **Vision of Tomorrow** 73 cr **Viz** First published by Tokuma Shoten ©. English edition was published by Viz Communications, Inc. 247 br **Vydalo Aventinum** 214 bl **Ward, Lock** 109 tc **Warner** 233 tc, 2341 **Weidenfeld and Nicolson** 78 tr, 194 tr **Weird Fantasy** 242 bl **Weird Tales** 98 bl **Worlds of If Science Fiction** 103 bc **Yale University Press** 79 tr

电影和电视

其他字符提示：Col 哥伦比亚影片公司，UA 联艺影片公司，WB 华纳兄弟影片公司

Details of the relevant distributor/production company/studio are given for photographs in the film and television chapters (pages 250-305) on the pages on which they appear.

Allied Entertainment *The Lawnmower Man* Stills courtesy of Allied Entertainments ©1992 Allied Vision Limited 291t, 292 bl **Aquarius Picture Library** 24 b, tr (WB), 61 tl, 73, 85 br, 87 l, 91 br, 93 cr, 139 b, 287 r, 293 tl, 296 br, 297 br, cr, 299 tl, tr, br, 300 tr (ITC), 302 br (ATV) **Bavaria Film GmbH** 304 b **BBC** 78 cr, 295 br, 300 cl, 301 tl, 303 tr, c, bl **British Film Institute** 81 br (Ladd Co./WB), 92 tl, 162 tr (Guild/Carolco), 267 bl, 270 cl, 275 c, 276 tcl **CBS Films** 298 t **Cinema Bookshop** 6 c, 7 br, 22 tr (Mid Century), 25 t (Col), 41 bl, 60, 64 cl, 68 cl (Charles H.Schneer/Col), 69 cl, 76 tr (Méliès), 77 tl, 78 cl (WB/Polaris), 115 b, 124 br (Holliday), 128 b (George Pal/Uv), 140 b(Anglo-Enterprise and Vineyard/Uv), 151 br (British Lion), 156 bl (Mosfilm), 163 b (Ladd/WB), 164 b, 191 br (still from the film *Millennium* by courtesy of The Rank Organisation Plc.), 249 br (Méliès), 251 br, 252 bl, 254 tr, 255 br, 256 t, br, 257 tl, br, 259 t, cr, bl, 260 c, br, 261 tl, b, 262 c, 263 tr, cl, bl, 264 t, 265 l, r, 266 br, 267 br, 268 br, 269 tl, tr, bc, 270 tr, bc, 271 tr, br, 272 t, 274 tr, bl, 275 bl, 276 bl, 277 cl, br, 278 bl, 279 tl, 308/309 **Joel Finler Collection** 23 tl, 53 bl (UFA), 55 cr, br, 56 c, 57 c, 59 t (Chaplin/UA), 62 tl(Viacom), 68 cr (Galaxy/Lippert), 80 br (UFA), 84 tr, bl, 85 tr, 86 c, 91 cl (*Empire* TM & © Lucasfilm Ltd. (LFL)1980.All Rights Reserved), tr (Allied Artists), 253 b, 254 bl, 255 t, cl, br, 256 bl, 258 br, 262 bl, 264 b, 265 br, 268 t, 272 br, 273 tl, 277 tr, 278 t, 280 br, 282 bl, 283 cr, 284 cl, 285 t, cl, bc, 289 cl, 299 bl, 300 bc, 301 cl, 303 tcr **France 2**, 305 tc **Knut Raugstad** 305 br **Kobal Collection** 42 cr (Méliès), 43 cr (Luna Film), 50 cr (Mezhrabpom), 51 tcl (UFA), 65 cl (Republic), 250 bl, 252 tl, tr, 253 tl, tr, 258 tl, 273 tr, b, 281 t, cl, 288 bl, br, 289 cl, 294/295 **Lucasfilm** Courtesy of Lucasfilm Ltd.*Star Wars* TM & © Lucasfilm Ltd. (LFL) 1977. All Rights Reserved. 55 tr, 278 bl, 281 cl, br **Manga Entertainment Limited** 305 cl **MCA** Copyright © by Universal City Studios, Inc. Courtesy of MCA Publishing Rights, a division of MCA Inc. 7 br, 56 c, 57 c, 61 tl, 69 cl, 84 bl, 86 c, cr, 87 l, 91 bl, 115 cr, 140 b, 164 b, 254 bl, 255 t, 257 br, 258 bl, 259 bl, 260 r, 261 b, 263 cl, 267 t, 271 tr, 275 c, 283 cr, 284 t, 287 r **MGM** © Turner Entertainment Co. 5t, 37 tcr, 57 cl, 60 tr, 69 cl, 72 cl, 81 bl, 139 b, 254 tr, 256 t, 263 bl, 266 bl 270 cl, 273 tl, 274 bl, 276 tcl, bl,278t, 284 br **Moviestore** 173 b (Amblin) **Orion** Artwork © Orion Pictures Corporation 55 cr, br, 285 t, 286 cr 288 tr, br **Paramount** Courtesy of Paramount, copyright © 1995 by Paramount Pictures. All Rights Reserved. 6 c, 23 t, 24 b, 37 tcr, 64 cl, 73 cl, 77 tl, 85 tr, 115 b, 254 tr, 256 t, 258 tr, 261 tl, 262 bl, 272 t, 277 tr, 279 br, 294/295, 296 br, 299 bl, br **Ronald Grant Archive** 2 cl (Film Four/Penguin/TVC/NFFC), 6 bl (WB), 8/9, 19 t, 43 cl (Nordisk), 46 cl, 47 cl (Bioscop), 55 tr, 56 cr, 57 cl, 59 bl as 2 cl, 60 bl(BBC), bcl (Castle Premier/Interscope Communications/Soisson Murphy), 68 cl (George Pal/Eagle/Lion), 72 cl, c, cr (BBC), 73 cr, 76 br (UFA), 78 c (Mosfilm), 81 bl, 85 c l(Cantharus/Ilya Salkind), 86 cr, 89 br (Ladd Co./WB), 91 bl, 92 c(Guild/Carolco/Pacific Western/Lighthouse), cr (WB), 93 c (WB/Silver Pictures), 113 tr (American Films/Col), 115 cr, 168 bl, 248/249 (Guild/Carolco), 251 tl, cr, 266 tr, bl, br, 267 t, 268 cl, 272 cl, br, 280 tr, cl, br, 281 br, 283 t, bl, 284 br, 286 t, cr, 287 tl, b, 288 tr, 289 r, 290 tr, bl, br, 291 t, bl, cr, 292 t, b, 293 cr, bl, 296 c, br, cl, 297 tl, 298 t, bl, br, 301 br (Mike Vaughan), 302 t (BBC), 303 cl, cr, r, bc, bcr, br **20th Century-Fox** 19 tc, 41 bl, br, 85 br, 91 br,166 b, 264 tc, 268 b, 270 bc, 287 tr, 293 bl **Westdeutscher Rundfunk Köln** 304 tr

其他

AKG London 117 bc, 149 cr **Associated Press** 118 tr **David Barrett** 79 bcr, 154 bl, 155 bl Jerry Bauer/**Michael Joseph** 159 tl Steve Baxter 208 tr **Miriam Berkeley** 141 tl, 178 tl, 182 tl, 184 tl, 188 tl, 189 tl, 193 br, 199 tl, 200 tl, tr, 201 tl **James Blaylock** 203 tl **Bloomsbury/Nigel Parry** 174 bl **Bridgeman Art Library** 62 tr **British Library** 212 tl, 222 bl **J. Alan Cash** 26 b, 26/27 t, 27 b, 200 bl **Environmental Picture Library** 21, 29 t, b, 30 b, 68 bcr **John Foote/Doubleday** 191 tl **Format Photographers** 87 br **Fortean Picture Library** 22/23 bl **Christopher Fowler** 195 bl **H.W. Franke** 161 tl **Beth Guin/Tor** 207 bl **Harcourt Brace** 207 br **Ellen Herzfeld** 132 bl, br, 153 bl, 161 tr, 175 bl, 177 br, 186 tl, 192 br **Hulton Deutsch Collection** 33 br, 36 tl, cr, bl, bcl, bcr, br, 37 tr, cr, 42 cl, 43 cr, bl, bcl, 44 r, 46 br, 47 br, 49 bl, 50 bcl, br, 51 tcr, cl, bcr, 53 tl, 54 br, 55 l, 56 br, 57 br, 62 bl, 63 br, 64 bl, bcl, br, 68 br, 69 bcr, 78 bl, 108 bl, br, 110 tl, 111 tl, tcr, cl, bc, 112 tl, 119 bl, 122 b, 124 tl, 140 tl **Illustrated London News Picture Library** 63 bl **Tom Jackson** 186 tr **Jay Kay Klein** 57 bc, 120 bl, 123 tl, 125 tl, bl, 128 tl, 142 tl, 146 tl, 152 bcl, 160 tl, 176 br, 181 bl, 189 tcr, 198 tcr, 201 tr **Damon Knight** 170 tl **Nancy Kress** 209 tl **Mander and Mitcheson** 50 tl **Mary Evans Picture Library** 2 tl, tr, bl, 7 cl, 10 tl, tr, b, 11 t, bl, br, 12 tr, 14 b, 14/15 tc, 16 tl, bl, 17 b, 18/19 b, 32/33, 34 t, l, br, 35 tl, br, 37 tcl, tcr, tr, cr, bl, br, 38 tc, bl, 39 tl, 40 bl, 41 tr, 42 tl, bl, 44 bl, 45 tr, bl, 46 bcl, cr, 47 cl, bcl, bcr, 48 tc, br, bl, 50 cl, 52 tc, 53 cr, 54 tl, 56 cl, bl, 57 cr, 58 tl, 61 tl, 61br, 76 bl, 80 tr, bl, 81 cl, 82 tl, cr, 90 tl, br, br 95 cl, 108 cr, 109 cl, c, bl, 110br, 111 tr, br, 112 cr, bl, 113 tl, 114 tl, cr, 116 bcr, 118 tl, 119 tr, 140 cr, 198 cr, 202 bc, 204 cl, 211 br, 212 cr, 215 tl, 306/307 **Mirror Syndication International** courtesy of Hulton Deutsch Collection 137 tl, 302 bl **Caroline Mullan** 179 tr **Orwell Archive**,University College, University of London 121 br,124 tc **Paul Popper Ltd.** 50 cl, 51 br, 57tcr, 64 bcr, 65 br, 68 bcl, 72 bl, 73 bl, 78 br **James Quinn** 188 tcr **Range/Bettmann** 20 bl, 24 tl, 42 br, 51 bcl, 57 bl, 63 t, 65 bl, bcl, 72 bc, br, 73 br, 78 bcr, 79 bl, bc, 86 bcr, 87 bcr, 92 tc, bl, br, 93 bl, br, 117 bl **Rex Features Ltd./Raymond Depardon** 25 b **Roger Robinson** 2 tcl, 14 tl, 15 t, 16 br,17 tr, 19 cr, 130 br, 136 tl, cl, 150 tl, 151 cl, 153 br, 167 cl, 173 tl, 180 tl, tr, 193 bl, 197 tl, 202 tl, bl **Roger Viollet** 109 bc, 116 bl, 125 tcr **Science Photo Library** 20 tr, 28 tl, b, Tony Craddock 30 tr; Simon Fraser 31 t; Alex Bartle 31b, cl; 69 bcl, Novosti 69 br; NASA 77 bl; 86 bcl, br, 87 bl, bcl, 94 t, cl, 95 br **Scope Features** 159 tr **Science Fiction Encyclopedia** 127 tl, 133 bl, 137 br, 138 tl, 151 tl, 156 tl, 157 tr, 172 tl **Tanner, Prop & Faber** 194 tl **Dan Tooker** 165 tr **Copyright MC Valada** 126 tl, 144 tl, 145 tl, 147 tl, 148 tl, 160 tcr, 167 cr, 168 tl, 169 tl 170 tcr, 176 bl, 185 tl, 187 tl, 190 tl, tcr, 191 tcr, 194 bl, 196 tl, 198 tl, 203 tcr, 204 tl, tcr, 205 tcr

封面/护封

FRONT: b, l to r Manga Entertainments Limited; Tor Books; *The Lawnmower Man* still courtesy of Allied Entertainments © 1992 Allied Vision Limited; Planet Stories; Aquarius Picture Library (Courtesy of Paramount Pictures, copyright © 1995 by Paramount Pictures.All Rights Reserved.)

BACK:l, t to b Fantastic Adventures; Ronald Grant Archive (Artwork © Orion Pictures Corporation); Orbit/Mark Salwowski; Amazing Stories; r, t to b Kobal Collection; Mary Evans Picture Library; Aquarius Picture Library.

SPINE: Planet Stories.

FRONT FLAP: Startling Stories

BACK FLAP: Joel Finler Collection (Copyright © by Universal City Studios, Inc. Courtesy of MCA Publishing Rights, a division of MCA Inc.)